D0412651

Listes, statistiques et probabilités

Travailler sur les listes

stats **1 : Edite…** pour entrer chacune des valeurs au fur et à mesure.

2nde stats (listes) OPS **5 : suite** pour définir les valeurs par une formule.

sto→ pour stocker des nombres dans une liste.

Suite (k), où k varie de 0 à 6 , par pas de 1

```
suite(K,K,0,6,1)
→L1
 {0 1 2 3 4 5 6}
```

stats **4 : EffListe** pour effacer le contenu d'une liste, à indiquer.

```
3    |.26  |------
5    |.34  |
8    |.2   |
10   |.12  |
13   |.08  |
------|------|
L2(5) =.08
```

Statistiques à une variable : $(x_i\,;n_i)$

Mettre les valeurs x_i en L1 et les effectifs n_i (ou les fréquences) en L2 .

stats CALC **1 : Stats 1-Var** pour calculer les paramètres de la série.

```
Stats 1-Var L1,L
2
```

```
Stats 1-Var
 x̄=6.32
 Σx=6.32
 Σx²=49.16
 Sx=
 σx=3.036050065
↓n=1
```

Moyenne

Écart type

Simulations

math PRB **1 : NbrAléat** pour obtenir un réel aléatoire entre 0 et 1.

math PRB **5 : entAléat(** ***a*** , ***b*** , ***n***) pour simuler le tirage aléatoire de ***n*** entiers entre *a* et *b* : on obtient une liste.

```
NbrAléat
       .9435974025
entAléat(1,6,10)
{6 1 4 3 5 1 3 …
```

Loi binomiale X est une variable aléatoire suivant la loi $\mathcal{B}(\boldsymbol{n}\,;\boldsymbol{p})$

Pour $P(X = 1)$ et $P(X \leqslant 1)$ avec la loi $\mathcal{B}(6\,;0,4)$

▸ **Pour calculer $P(X = k)$ ou la liste des $P(X = k)$ où k est un entier entre 0 et n :**

2nde var (distrib) **A : binomFdp(** *n* , *p* , *k*) pour calculer $P(X = k)$

2nde var (distrib) **A : binomFdp(** *n* , *p*) pour obtenir la liste des probabilités $P(X = k)$ pour toutes les valeurs de k.

▸ **Pour calculer $P(X \leqslant k)$ ou la liste des $P(X \leqslant k)$ où k est un entier entre 0 et n :**

2nde var (distrib) **B : binomFRép(** *n* , *p* , *k*) pour calculer $P(X \leqslant k)$

2nde var (distrib) **B : binomFRép(** *n* , *p*) pour obtenir la liste des probabilités $P(X \leqslant k)$ pour toutes les valeurs de k.

```
binomFdp(6,.4,1)
           .186624
binomFRép(6,.4,1
)
            .23328
binomFdp(6,0.4)→
L2
{.046656 .18662…
```

L1	L2	L3
0	.04666	.04666
1	.18662	.23328
2	.31104	.54432
3	.27648	.8208
4	.13824	.95904
5	.03686	.9959
6	.0041	1

L3 =binomFRép(6,…

Loi normale X est une variable aléatoire suivant la loi $\mathcal{N}(\mu\,;\sigma^2)$.

Pour $P(1 \leqslant X \leqslant 6)$ avec la loi $\mathcal{N}(3\,;0,5^2)$:

2nde var (distrib) **2 : normalFRép(** ***a*** , ***b*** , μ , σ) pour calculer $P(\boldsymbol{a} \leqslant X \leqslant \boldsymbol{b})$.

Attention à mettre en argument l'**écart-type** σ , et non la variance σ^2 !

2nde var (distrib) **3 : FracNormale(** ***p*** , μ , σ) pour calculer le réel α tel que $P(X \leqslant \alpha) = \boldsymbol{p}$.

2nde var (distrib) **1 : normalFdp (** X,T,θ,n , μ , σ) pour obtenir la fonction de densité de X.

```
\Y1■normalFdp(X,
0,1)
```

```
normalFRép(1,6,3
,0.5)
       .999968313
FracNormale(0.97
5,0,1)
       1.959963986
```

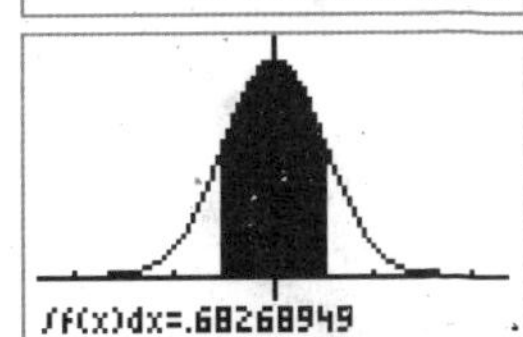

La loi $\mathcal{N}(0\,;1)$: $P(-1 \leqslant X \leqslant 1) \approx 0,68$

Crédit photographique

Couverture : h. d. Xavier Richer/Photononstop. **m. g.** Odilon Dimier/Guettyimages. **b.d.** © Ersin Kurtdal* **13 h.** © Lessing Archive. **b.** © DR. **43** © Rue des Archives. **45** © DR. **47** © W.A.Casselman/Yale Babylonian Collection. **49 g.** © Electa/Leemage. **d.** ©Rue des Archives. **51 h.** Luc Perrot/Novapix. **71** © La Collection / Interfoto. **73** © Raffael/Leemage. **75** © La Collection / Imagno. **86** © Reika* **91 h.** © PURA. **m. g.** © **Edwin Van Der Heide. b. d.** © Bianchetti/Leemage. **104** © Google Earth. **105** © Burger/Phanie. **108** © BSIP/BL. **119 h.** © Patricia Hofmeester* **b.** © Kydroon* **120 h.** © Dr Jeremy Burgess/ SPL. **b.** © La Collection/Imagno. **142** © Marijus Auruskevicius* **143 h. d.** © Computer Earth* **m. d.** © Strejman* **145 g.** © Alexander Chaikin* **h. d.** © Hazan* **b. d.** © Frédéric Prochasson** **146 h. g.** © Bettmann/Corbis. **b. d.** © Vibrant Image Studio* **148** © Alonbou** **149** © Dhoxax* **151 h.** © NASA/Novapix. **b.** © Science Museum / SSPL / Cosmos. **153** © SSPL/Leemage. **159** © Kokhanchikov* **167 g.** © Joshua Anderson/The New York Times-REDUX-REA **d.** © Chepko Danil Vitalevich* **169 g.** © Kathathep* **d.** © aquatic creature* **175** © Fanny Reno** **178** © Pallava Bagla /Corbis. **179** © Bluehand* **183 h. g.** © Jackjackjack* **b. d.** © MP/Leemage. **185** © La Collection. **215** © Vibrant Image Studio. **217** © Marco Cristofori/Corbis. **223 h.** © Planet Observer/Gamma Rapho. **m. d.** © PASIEKA /SPL. **b. g.** © akg-images/Doris Poklekowski. **b. d.** © Fototeca/Leemage. **225 h. g.** © Leemage. **h. d.** © rook76* **253** © DR. **257 h. g.** © Hank Morgan/BSIP. **m. d.** © Paul D. Slaughter. **291 h.** © Reuters/Vincent Kessler **b.** akg / SPL. **293** © Luisa Ricciarini/Leeemage. **317** © Patrick Le Floch/Explorer. **324 b. g.** © Jacques Boyer/Roger-Viollet. **b. d.** © DR. **327 h. g.** © Lebanmax* **h. d.** © Pincasso* **m.** © Oleksiy Mark* **b. d.** © DR. **328** © Matthias Tunger/Guettyimages. **329** © Natalia_R* **341 g.** © zentilia* **d.** © Michal Potok* **342 g.** © Maël Kerneïs **d.** © Chuck Rausin* **343 g.** ©DavidXu* **d.** © Alhovik* **344 h. d.** ©Igor Kovalchuk* **m. d.** ©Svetlana Ivanova* **346** © Steve Broer* **350** © Bestweb* **352** © Ashley Cooper/Corbis. **353 h. g.** © Yauhen Buzuk* **b. d.** ©Pedro Tavares* **354** © MoisesFernandez Acosta* **355 b. g.** © American Institut of Physics/SPL. **h. d.** © Banque centrale européenne. **356** ©Lurii Konoval* **357 b. g.** © Chris Cheadle/All Canada Photos/Corbis. **m. d.** © Roger-Viollet. **358** © DR. **359** © Amy Walters* **360 m. g.** ©Yuri Arcurs* **h. d.** © Collpicto* **363 h. g.** © Dariush M.* **m. d.** © akg-images/ullstein bild. **364** © nobeastsofierce* **365** © DR. **369** © Laili* **374** © Jean-Claude Moschetti/REA. **377** © Ruta Saulyte-Laurinaviciene* **383** © Unclesam** **386** © italianestro* **388** © Martin/PresseSport. **393** © mountainpix* **394** © Collection Christophe L. **395 m.g.** © Mary Evans/Rue des Archives. **b. g.** © Laurent Douek/ LookatSciences **b. d.** © jordache* **398** © Dundanim** **403 h. g.** © Ingrid Prats* **h. d.** © Adisa* **m. g.** © Alistair Cotton* **b. g.** © Chad Mc Dermott* **b. d.** © Ria Novosti/SPL. **407** © Photo Josse/Leemage. **409** ©Richard Goldberg* **412** © Franz Pfluegl* **419 h. d.** ©GorillaAttack*; ©alejandro dans neergaard* **b. d.** ©J. Helgason*; ©Marek R. Swadzba*. **424** © De Agostini/ Leemage. **426** © Jean Heintz/Hemis/Corbis. **428** © Sedin* **430 g.** © MilousSK* **d.** © DESK. **431 g.** © Bertrand Rieger/Hemis/ Corbis. **d.** © Condor 36* **432** ©igor1308* **434** ©Ross Woodhall/cultura/Corbis. **435** ©Aleksandr Makarenko* **442 m.** © Mary Evans/Rue des Archives. **b.** © DR.

* - Shutterstock. ** - Fotolia.com.

Les auteurs remercient Franck et Patrice Giton pour la qualité et la pertinence de leur contribution.

Maquette de couverture : Christine Soyez
Maquette intérieure : Frédéric Jély
Composition et mise en page : Desk
Dessins techniques : Lionel Buchet (SG Production)
Illustrations : Jean-Louis Goussé (SG Création)
Recherches iconographiques : Michèle Kerneïs
Relectures et suivi éditorial : Cécile Chavent, Patricia Hertmanni-Lamy, Marie Sicaud

Cet ouvrage est imprimé sur du papier composé de fibres naturelles, renouvelables, recyclables, et fabriqué à partir de bois issu de forêts gérées de façon durable conformément à l'article 206 de la loi n° 2010-788 du 12 juillet 2010.

www.hachette-education.com

© Hachette Livre 2012, 43 quai de Grenelle 75905 Paris Cedex 15.
ISBN 978-2-01-135576-8
Tous droits de traduction, de reproduction et d'adaptation réservés pour tous pays.
Le Code de la propriété intellectuelle n'autorisant, aux termes des articles L.122-4 et L122-5, d'une part, que les « copies ou reproductions strictement réservées à l'usage privé du copiste et non destinées à une utilisation collective », et, d'autre part, que « les analyses et les courtes citations » dans un but d'exemple et d'illustration, « toute représentation ou reproduction intégrale ou partielle, faite sans le consentement de l'auteur ou de ses ayants droits ou ayant cause, est illicite ». Cette représentation ou reproduction, par quelque procédé que ce soit, sans autorisation de l'éditeur ou du Centre français de l'exploitation du droit de copie (20, rue des Grands-Augustins 75006 Paris), constituerait donc une contrefaçon sanctionnée par les articles 425 et suivants du Code pénal.

déclic Ts

mathématiques
Enseignement spécifique

Jean-Paul Beltramone

Vincent Brun

Jean Labrosse

Claudine Merdy

Olivier Sidokpohou

Claude Talamoni

Alain Truchan

hachette
ÉDUCATION

Sommaire

Sommaire

Sommaire

Une rubrique entièrement dédiée à l'entraînement pour le Bac

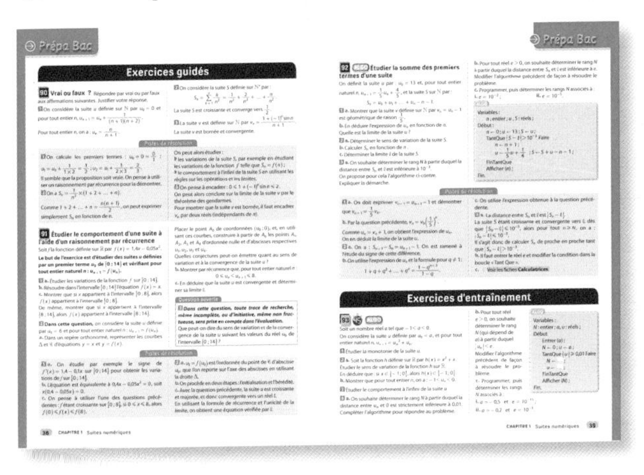
Prépa Bac

Exercices guidés

Prépa Bac

Exercices d'entraînement

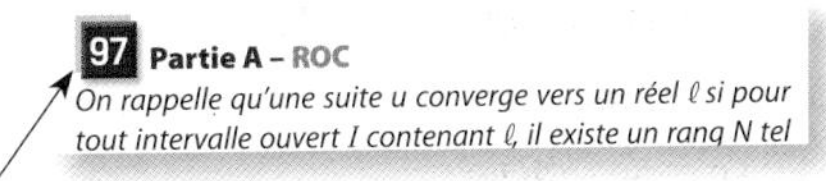
97 **Partie A – ROC**

On rappelle qu'une suite u converge vers un réel ℓ si pour tout intervalle ouvert I contenant ℓ, il existe un rang N tel

ROC ou Restitution organisée des connaissances (question de cours).

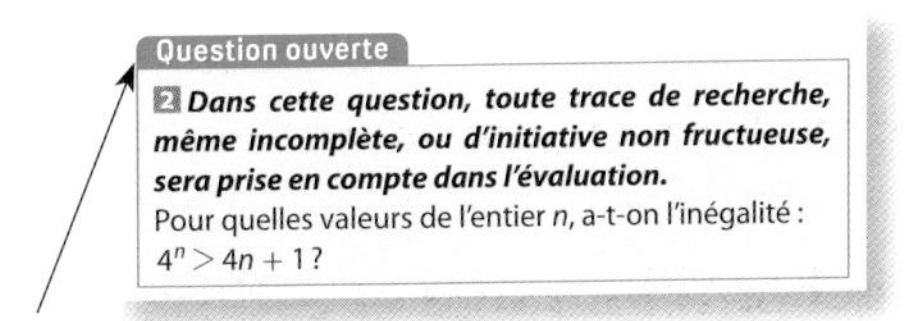
Question ouverte

2 ***Dans cette question, toute trace de recherche, même incomplète, ou d'initiative non fructueuse, sera prise en compte dans l'évaluation.***
Pour quelles valeurs de l'entier n, a-t-on l'inégalité : $4^n > 4n + 1$?

Question qui apparaît régulièrement dans les sujets d'épreuve au Bac.

Des exercices de type BAC, extraits ou adaptés de sujets de BAC :
- **guidés :** par des pistes de résolution possibles ;
- **d'entraînement** avec des QCM ou vrai-faux, des exercices ROC, des questions ouvertes...

Les démonstrations à connaître le jour du Bac

dans le cours ou les exercices résolus

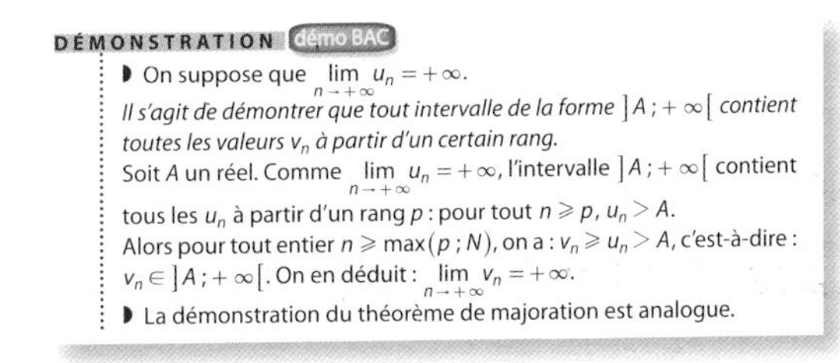
DÉMONSTRATION démo BAC

▸ On suppose que $\lim\limits_{n \to +\infty} u_n = +\infty$.
Il s'agit de démontrer que tout intervalle de la forme $]A\,;+\infty[$ contient toutes les valeurs v_n à partir d'un certain rang.
Soit A un réel. Comme $\lim\limits_{n \to +\infty} u_n = +\infty$, l'intervalle $]A\,;+\infty[$ contient tous les u_n à partir d'un rang p : pour tout $n \geqslant p$, $u_n > A$.
Alors pour tout entier $n \geqslant \max(p\,;N)$, on a : $v_n \geqslant u_n > A$, c'est-à-dire : $v_n \in]A\,;+\infty[$. On en déduit : $\lim\limits_{n \to +\infty} v_n = +\infty$.
▸ La démonstration du théorème de majoration est analogue.

Dans les exercices d'applications ou les problèmes

Des exercices de type BAC, extraits ou adaptés de sujets de BAC.

Des exercices « chronométrés » à faire dans le temps indiqué (rédaction comprise).

Pour bien se préparer à l'évaluation de l'algorithmique

▸ Une rubrique « Outils pour l'algorithmique » avec des exercices papier d'algorithmes à corriger, à compléter, à rédiger, à comprendre...

▸ Dans tous les chapitres, des exercices d'algorithmique variés : sur papier, ou à l'aide de la calculatrice, ou d'un logiciel...

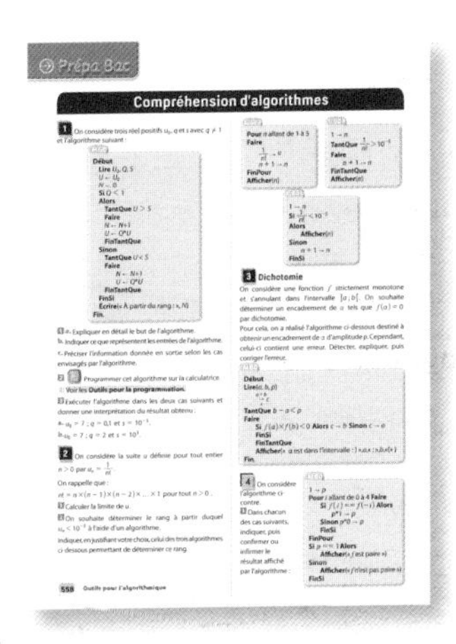
Prépa Bac

Compréhension d'algorithmes

Présentation du manuel

Structure d'un chapitre

Partir d'un bon pied Exercices pour tester les acquis antérieurs.

Des maths partout ! Un aperçu de la variété des champs d'application des mathématiques.

Au fil du temps Points de repère historiques autour des notions abordées.

Découvrir Activités d'approche et de découverte des contenus du chapitre.

Cours **Savoir faire** Page de cours et, en regard, mise en œuvre sur un exercice résolu en détail avec des rappels de ce qui est « Bon à savoir ».

Exercices d'application Exercices de base pour appliquer le cours.

Travaux pratiques Des activités, à travailler dans différents contextes, pour rechercher, expérimenter, démontrer, rédiger.

Travail personnel : exercices résolus Des exercices de mise en œuvre des contenus du chapitre : leurs énoncés et des solutions détaillées, avec des « stratégies ».

Travail personnel : faire le point

- **Savoir – Comment faire ?** Fiche synthétique résumant le cours.
- **QCM – Vrai ou faux ?** Exercices de type « QCM », pour tester l'assimilation du cours.

Exercices d'application Des QCM, des vrai-faux, des exercices de base pour appliquer le cours.

Prépa Bac

- **Des exercices guidés,** conçus pour le travail en autonomie. Ils donnent des pistes de résolution détaillées et sont à compléter avec des calculs intermédiaires et des éléments de rédaction adaptés.
- **Des exercices d'entraînement** de type Bac, extraits ou adaptés de sujets de Bac, des exercices chronométrés pour se préparer à l'épreuve.

Problèmes Des exercices d'approfondissement, d'entraînement à la recherche, à la rédaction, utilisation des TICE, des problèmes ouverts, des exercices en lien avec les autres sciences...

Pistes pour l'accompagnement personnalisé

- Pour revoir les bases.
- Exercices d'application directe, avec aide.
- Exercices en lien avec les sciences.
- Exercices vers le supérieur.

Présentation du manuel

Outils pour l'algorithmique

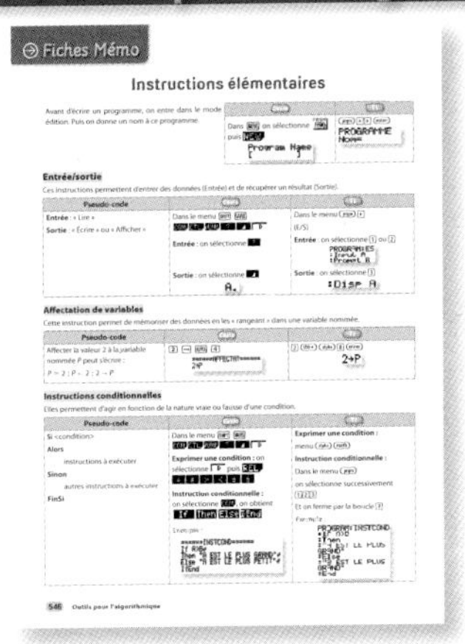

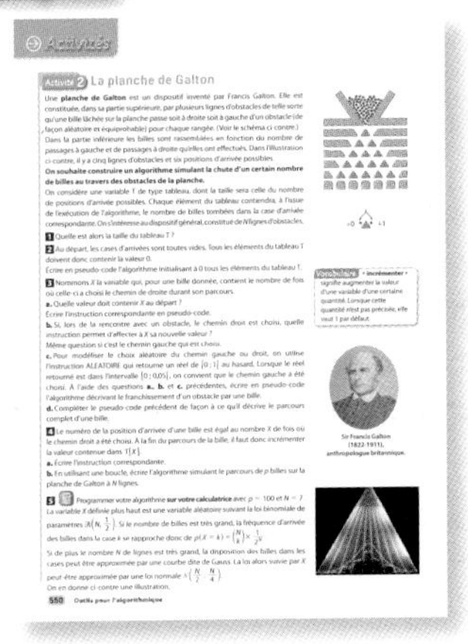

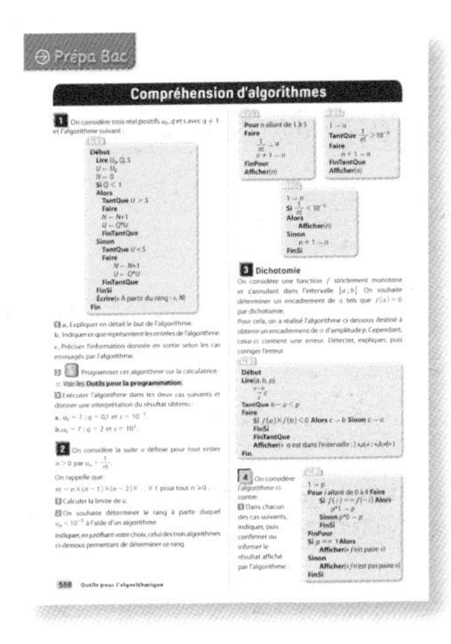

- Des rappels sur les instructions de base et leur application sur la calculatrice.
- Des activités pour assimiler le langage d'algorithmique.
- Des exercices « papier » susceptibles d'être proposés à l'épreuve du Bac : pour comprendre, pour compléter, à corriger ou pour rédiger un algorithme.

Pistes pour l'accompagnement personnalisé

Pour chaque chapitre du manuel, une double page « Pistes pour l'accompagnement personnalisé » est proposée. Elle est conçue pour permettre différents types d'activités adaptés à cette nouvelle modalité de travail des élèves.

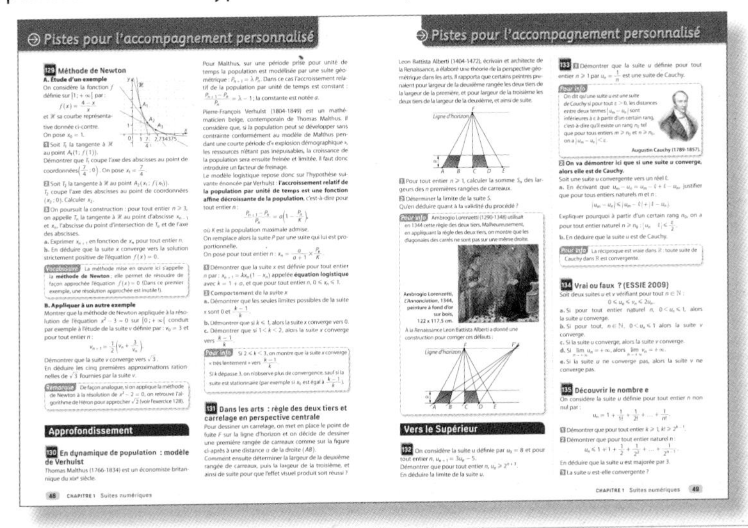

1 Les exercices avec une numérotation jaune sont corrigés à la fin du manuel.

ALGO Exercice proposant une activité d'algorithmique

LOGIQUE Exercice appuyé sur une activité de logique

Exercice sollicitant l'utilisation d'un logiciel

Exercice sollicitant l'utilisation de la calculatrice

BAC Exercice de type Bac ou extraits d'un sujet de Bac.

45 Exercice à faire pendant le temps indiqué (en min.).

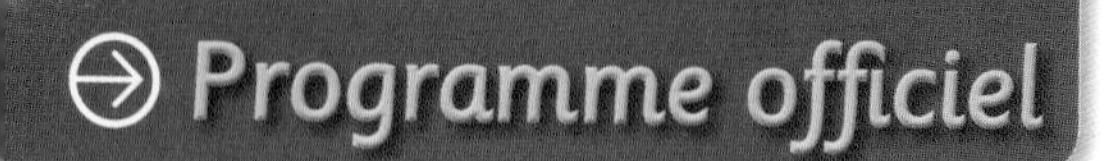

B.O. du 13 octobre 2011, applicable à la rentrée scolaire 2012

Plusieurs démonstrations, ayant valeur de modèle, sont repérées par le symbole ■. Certaines sont exigibles et correspondent à des capacités attendues. De même, les activités de type algorithmique sont signalées par le symbole ♦.

1 Analyse

Contenus	Capacités attendues	Chap.
Suites Raisonnement par récurrence.	• Savoir mener un raisonnement par récurrence.	1
Limite finie ou infinie d'une suite.	■ Dans le cas d'une limite infinie, étant donnés une suite croissante (u_n) et un nombre réel A, déterminer à l'aide d'un algorithme un rang à partir duquel u_n est supérieur à A.	
Limites et comparaison.	♦ démo BAC Démontrer que si (u_n) et (v_n) sont deux suites telles que : – u_n est inférieur ou égal à v_n à partir d'un certain rang ; – u_n tend vers $+\infty$ quand n tend vers $+\infty$; alors v_n tend vers $+\infty$ quand n tend vers $+\infty$.	
Opérations sur les limites.	• Étudier la limite d'une somme, d'un produit ou d'un quotient de deux suites.	
Comportement à l'infini de la suite (q^n), q étant un nombre réel.	♦ démo BAC Démontrer que la suite (q^n), avec $q > 1$, a pour limite $+\infty$. • Déterminer la limite éventuelle d'une suite géométrique.	
Suite majorée, minorée, bornée.	• Utiliser le théorème de convergence des suites croissantes majorées.	
Limites de fonctions Limite finie ou infinie d'une fonction à l'infini. Limite infinie d'une fonction en un point.		2
Limite d'une somme, d'un produit, d'un quotient ou d'une composée de deux fonctions.	• Déterminer la limite d'une somme, d'un produit, d'un quotient ou d'une composée de deux fonctions.	
Limites et comparaison.	• Déterminer des limites par minoration, majoration et encadrement.	
Asymptote parallèle à l'un des axes de coordonnées.	• Interpréter graphiquement les limites obtenues.	
Continuité sur un intervalle, théorème des valeurs intermédiaires	• Exploiter le théorème des valeurs intermédiaires dans le cas où la fonction est strictement monotone, pour résoudre un problème donné.	2
Calculs de dérivées : compléments	• Calculer les dérivées des fonctions : $x \longmapsto \sqrt{u(x)}$; $x \longmapsto (u(x))^n$, n entier relatif non nul ;	3
	$x \longmapsto e^{u(x)}$;	4
	$x \longmapsto \ln(u(x))$.	5
	• Calculer la dérivée d'une fonction $x \longmapsto f(ax+b)$ où f est une fonction dérivable, a et b deux nombres réels.	3
Fonctions sinus et cosinus	• Connaître la dérivée des fonctions sinus et cosinus. • Connaître quelques propriétés de ces fonctions, notamment parité et périodicité. • Connaître les représentations graphiques de ces fonctions.	3
Fonction exponentielle Fonction $x \longmapsto \exp(x)$	♦ démo BAC Démontrer l'unicité d'une fonction dérivable sur $\mathbb{R}$, égale à sa dérivée et qui vaut 1 en 0.	4
Relation fonctionnelle, notation e^x.	♦ démo BAC Démontrer que $\lim\limits_{x \to +\infty} e^x = +\infty$ et $\lim\limits_{x \to -\infty} e^x = 0$. • Utiliser la relation fonctionnelle pour transformer une écriture. • Connaître le sens de variation et la représentation graphique de la fonction exponentielle. Connaître et exploiter $\lim\limits_{x \to +\infty} \frac{e^x}{x} = +\infty$ et $\lim\limits_{x \to -\infty} x\,e^x = 0$.	
Fonction logarithme népérien Fonction $x \longmapsto \ln x$.	• Connaître le sens de variation, les limites et la représentation graphique de la fonction logarithme népérien.	5
Relation fonctionnelle, dérivée.	• Utiliser, pour a réel strictement positif et b réel, l'équivalence $\ln a = b \Leftrightarrow a = e^b$. • Utiliser la relation fonctionnelle pour transformer une écriture. • Connaître et exploiter $\lim\limits_{x \to +\infty} \frac{\ln x}{x} = 0$.	

Intégration Définition de l'intégrale d'une fonction continue et positive sur $[a\,;b]$ comme aire sous la courbe. Notation $\int_a^b f(x)\mathrm{d}x$. Théorème : si f est une fonction continue et positive sur $[a\,;b]$, la fonction F définie sur $[a\,;b]$ par $F(x)=\int_a^x f(t)\mathrm{d}t$ est dérivable sur $[a\,;b]$ et a pour dérivée f. Primitive d'une fonction continue sur un intervalle. Théorème : toute fonction continue sur un intervalle admet des primitives. Intégrale d'une fonction continue de signe quelconque. Linéarité, positivité, relation de Chasles. Valeur moyenne.	• Déterminer des primitives des fonctions usuelles par lecture inverse du tableau des dérivées. • Connaître et utiliser les primitives de $u'e^u$, $u'u^n$ (n entier relatif, différent de -1) et, pour u strictement positive, $\frac{u'}{\sqrt{u}}$, $\frac{u'}{u}$. • Calculer une intégrale. • Utiliser le calcul intégral pour déterminer une aire. • Encadrer une intégrale. ■ Pour une fonction monotone positive, mettre en œuvre un algorithme pour déterminer un encadrement d'une intégrale.	6

2 Géométrie

Nombres complexes

Contenus	Capacités attendues	Chap.
Forme algébrique, conjugué. Somme, produit, quotient. Équation du second degré à coefficients réels. Représentation géométrique Affixe d'un point, d'un vecteur Forme trigonométrique : – module et argument, interprétation géométrique dans un repère orthonormé direct ; – notation exponentielle.	• Effectuer des calculs algébriques avec des nombres complexes. • Résoudre dans $\mathbb{C}$ une équation du second degré à coefficients réels. • Représenter un nombre complexe par un point ou un vecteur. • Déterminer l'affixe d'un point ou d'un vecteur. • Passer de la forme algébrique à la forme trigonométrique et inversement. • Connaître et utiliser la relation $z\bar{z}=\lvert z\rvert^2$. • Effectuer des opérations sur les nombres complexes écrits sous différentes formes.	7

Géométrie dans l'espace

Contenus	Capacités attendues	Chap.
Droites et plans Positions relatives de droites et de plans : intersection et parallélisme.	• Étudier les positions relatives de droites et de plans.	8
Orthogonalité : – de deux droites ; – d'une droite et d'un plan.	• Établir l'orthogonalité d'une droite et d'un plan.	9
Géométrie vectorielle Caractérisation d'un plan par un point et deux vecteurs non colinéaires. Vecteurs coplanaires. Décomposition d'un vecteur en fonction de trois vecteurs non coplanaires. Repérage. Représentation paramétrique d'une droite.	• Choisir une décomposition pertinente dans le cadre de la résolution de problèmes d'alignement ou de coplanarité. • Utiliser les coordonnées pour : – traduire la colinéarité ; – caractériser l'alignement ; – déterminer une décomposition de vecteurs.	8
Produit scalaire Produit scalaire de deux vecteurs dans l'espace : définition, propriétés. Vecteur normal à un plan. Équation cartésienne d'un plan.	• Déterminer si un vecteur est normal à un plan. ♦ démo BAC Caractériser les points d'un plan de l'espace par une relation $ax+by+cz+d=0$ avec a, b, c trois nombres réels non tous nuls.	9

	• Déterminer une équation cartésienne d'un plan connaissant un point et un vecteur normal. • Déterminer un vecteur normal à un plan défini par une équation cartésienne. • Démontrer qu'une droite est orthogonale à toute droite d'un plan si, et seulement si, elle est orthogonale à deux droites sécantes de ce plan. • Choisir la forme la plus adaptée entre équation cartésienne et représentation paramétrique pour : – déterminer l'intersection d'une droite et d'un plan ; – étudier la position relative de deux plans.	**9**

3 Probabilités et statistique

Contenus	Capacités attendues	Chap.
Conditionnement, indépendance Conditionnement par un événement de probabilité non nulle. Notation $P_A(B)$. Indépendance de deux événements.	• Construire un arbre pondéré en lien avec une situation donnée. • Exploiter la lecture d'un arbre pondéré pour déterminer des probabilités. • Calculer la probabilité d'un événement connaissant ses probabilités conditionnelles relatives à une partition de l'univers. ♦ démo BAC Démontrer que si deux événements A et B sont indépendants, alors il en est de même pour $\overline{A}$ et B.	**10**
Notion de loi à densité à partir d'exemples Loi à densité sur un intervalle. Loi uniforme sur $[a\,;b]$. Espérance d'une variable aléatoire suivant une loi uniforme. Lois exponentielles. Espérance d'une variable aléatoire suivant une loi exponentielle. Loi normale centrée réduite $\mathcal{N}(0\,;1)$. Théorème de Moivre-Laplace (admis). Loi normale $\mathcal{N}(\mu\,;\sigma^2)$ d'espérance μ et d'écart-type σ.	• Connaître la fonction de densité de la loi uniforme sur $[a\,;b]$. • Calculer une probabilité dans le cadre d'une loi exponentielle. ♦ démo BAC Démontrer que l'espérance d'une variable aléatoire suivant une loi exponentielle de paramètre λ est $\frac{1}{\lambda}$. • Connaître la fonction de densité de la loi normale $\mathcal{N}(0\,;1)$ et sa représentation graphique. ♦ démo BAC Démontrer que pour $\alpha \in]0\,;1[$, il existe un unique réel positif u_α tel que $P(-u_\alpha \leqslant X \leqslant u_\alpha) = 1 - \alpha$ lorsque X suit la loi normale $\mathcal{N}(0\,;1)$. • Connaître les valeurs approchées $u_{0,05} \approx 1{,}96$ et $u_{0,01} \approx 2{,}58$. • Utiliser une calculatrice ou un tableur pour calculer une probabilité dans le cadre d'une loi normale $\mathcal{N}(\mu\,;\sigma^2)$. • Connaître une valeur approchée de la probabilité des événements suivants : $\{X \in [\mu-\sigma\,;\mu+\sigma]\}$, $\{X \in [\mu-2\sigma\,;\mu+2\sigma]\}$ et $\{X \in [\mu-3\sigma\,;\mu+3\sigma]\}$ lorsque X suit la loi normale $\mathcal{N}(\mu\,;\sigma^2)$.	**11**
Intervalle de fluctuation	♦ démo BAC Démontrer que si la variable aléatoire X_n suit la loi $\mathcal{B}(n\,;p)$, alors, pour tout α dans $]0\,;1[$, on a, $\lim\limits_{n\to+\infty} P\left(\frac{X_n}{n} \in I_n\right) = 1 - \alpha$, où I_n désigne l'intervalle $\left[p - u_\alpha \frac{\sqrt{p(1-p)}}{\sqrt{n}}\,;p + u_\alpha \frac{\sqrt{p(1-p)}}{\sqrt{n}}\right]$. • Connaître l'intervalle de fluctuation asymptotique(*) au seuil de 95 % : $\left[p - 1{,}96\frac{\sqrt{p(1-p)}}{\sqrt{n}}\,;p + 1{,}96\frac{\sqrt{p(1-p)}}{\sqrt{n}}\right]$ où p désigne la proportion dans la population.	**12**
Estimation Intervalle de confiance (*). Niveau de confiance.	• Estimer par intervalle une proportion inconnue à partir d'un échantillon. • Déterminer une taille d'échantillon suffisante pour obtenir, avec une précision donnée, une estimation d'une proportion au niveau de confiance 0,95.	**12**

Algorithmique

Instructions élémentaires (affectation, calcul, entrée, sortie).
Les élèves, dans le cadre d'une résolution de problèmes, doivent être capables :
- d'écrire une formule permettant un calcul ;
- d'écrire un programme calculant et donnant la valeur d'une fonction ;
- ainsi que les instructions d'entrées et sorties nécessaires au traitement.

Boucle et itérateur, instruction conditionnelle
Les élèves, dans le cadre d'une résolution de problèmes, doivent être capables de :
- programmer un calcul itératif, le nombre d'itérations étant donné ;
- programmer une instruction conditionnelle, un calcul itératif, avec une fin de boucle conditionnelle.

Notations et raisonnement mathématiques

Notations mathématiques
Les élèves doivent connaître les notions d'élément d'un ensemble, de sous-ensemble, d'appartenance et d'inclusion, de réunion, d'intersection et de complémentaire et savoir utiliser les symboles de base correspondant correspondant : $\in$, $\subset$, $\cup$, $\cap$ ainsi que la notation des ensembles de nombres et des intervalles.
Pour le complémentaire d'un ensemble A, on utilise la notation des probabilités $\bar{A}$.

Pour ce qui concerne le raisonnement logique, les élèves sont entraînés, sur des exemples à :
- utiliser correctement les connecteurs logiques « et », « ou » et à distinguer leur sens des sens courants de « et », « ou » dans le langage usuel ;
- utiliser à bon escient les quantificateurs universel, existentiel (les symboles $\forall$, $\exists$ ne sont pas exigibles) et à repérer les quantifications implicites dans certaines propositions et, particulièrement, dans les propositions conditionnelles ;
- distinguer, dans le cas d'une proposition conditionnelle, la proposition directe, sa réciproque, sa contraposée et sa négation ;
- utiliser à bon escient les expressions « condition nécessaire », « condition suffisante » ;
- formuler la négation d'une proposition ;
- utiliser un contre-exemple pour infirmer une proposition universelle ;
- reconnaître et à utiliser des types de raisonnement spécifiques : raisonnement par disjonction des cas, recours à la contraposée, raisonnement par l'absurde.

Suites

Partir d'un bon pied

Voir corrigés en fin de manuel

A Différents modes de génération d'une suite

QCM Déterminer **la (ou les)** bonne(s) réponse(s).

1 La suite u définie sur $\mathbb{N}$ par $u_n = 2n^2 - 1$ vérifie :	**a.** $u_{n+1} = 2n^2$	**b.** $u_{n+1} = 2n^2 + 4n + 1$	**c.** $u_{2n} = 8n^2 - 1$
2 La suite v définie sur $\mathbb{N}$ par $v_0 = 2$ et $v_{n+1} = 3v_n - 2$ vérifie :	**a.** $v_1 = 1$	**b.** $v_2 = 10$	**c.** $v_3 = 28$
3 Parmi les suites w définies ci-contre sur $\mathbb{N}$, laquelle est arithmétique ?	**a.** $w_n = \frac{1}{4}n - 1$	**b.** $\begin{cases} w_0 = 1 \\ w_{n+1} = \frac{1}{4}w_n - 1 \end{cases}$	**c.** $\begin{cases} w_0 = 1 \\ w_{n+1} = w_n - n \end{cases}$
4 Parmi les suites t définies ci-contre sur $\mathbb{N}$, lesquelles sont géométriques ?	**a.** $t_n = -\frac{3^n}{5}$	**b.** $t_n = 3 - 5n$	**c.** $\begin{cases} t_0 = 1 \\ t_{n+1} - t_n = 0{,}3t_n \end{cases}$

B Suites définies par récurrence

Vrai ou faux ? On a représenté ci-contre une suite définie par $u_0 = 3$ et pour tout entier n naturel, $u_{n+1} = f(u_n)$.
La fonction f est représentée par la droite $\mathscr{D}$.
Préciser si les affirmations suivantes sont vraies ou fausses.

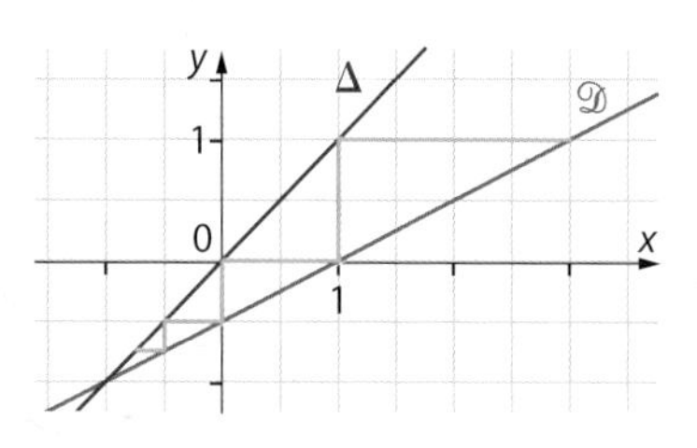

1 $u_1 = 2$. **2** $u_2 = 0$.

3 La suite u n'est pas bornée.

4 Quand l'entier n augmente, le réel u_n se rapproche de -1.

C Variations d'une suite numérique

Vrai ou faux ? Préciser si les affirmations suivantes sont vraies ou fausses.

1 La suite u définie sur $\mathbb{N}$ par $u_n = -n^2 - n$ est décroissante.

2 La suite v définie sur $\mathbb{N}$ par $v_n = -\frac{2}{3^n}$ est décroissante.

3 Toute suite géométrique de raison $q > 1$ est croissante.

D ALGO Interpréter un algorithme

Vrai ou faux ? L'algorithme ci-contre permet de calculer le terme u_n d'une suite u définie sur $\mathbb{N}$.

On considère la suite v définie sur $\mathbb{N}$ par $v_n = u_n - \frac{10}{3}$.

Répondre par vrai ou faux.

1 $u_0 = 50$.

2 $u_4 = 6{,}25$.

3 Pour tout entier n, $u_{n+1} = -0{,}5u_n + 5$.

4 La suite u est décroissante.

5 La suite v est géométrique.

ALGO

```
Variables :
    n, i : entiers ;
    u : réel ;
Début
    Entrer (n) ; u ← 50 ;
    Pour i allant de 1 à n Faire
        u ← − 0,5 u + 5 ;
    FinPour ;
    Afficher (u) ;
Fin.
```

numériques

1

Victor Vasarely, *Vonal-Stri*, 1975.

Des maths partout !

Les suites sont depuis longtemps l'outil privilégié pour la modélisation des évolutions de phénomènes « discrets » :
- croissance d'une population d'animaux (modèle de Verhust par exemple) ;
- présence de médicaments dans le sang ;
- propagation d'une épidémie.

Dans les arts également, la reproduction « à l'infini » de phénomènes est une source d'inspiration par exemple pour l'artiste français d'origine hongroise, Victor Vasarely.

Au fil du temps

Giuseppe Peano (1858–1932), analyste et logicien italien, donna la formulation actuelle du raisonnement par récurrence lors de sa construction axiomatique de l'ensemble $\mathbb{N}$. Ce raisonnement utilise son cinquième axiome, appelé aussi principe de récurrence : « *Si un ensemble d'entiers naturels contient 0 et contient le successeur de chacun de ses éléments, alors cet ensemble est égal à* $\mathbb{N}$ ».

Découvrir

Activité 1 Vers le raisonnement par récurrence

Soit un réel $a > 0$. On considère les propriétés suivantes écrites « au rang n », où n est un entier naturel non nul :

- P_n : « $(1+a)^n \geqslant 1 + na$ » ;
- Q_n : « $10^n - 1$ est divisible par 9 » ;
- R_n : « $1 \times 2 + 2 \times 3 + \ldots + n \times (n+1) = \dfrac{n(n+1)(n+2)}{3}$ ».

1 Écrire chaque propriété au rang 1. Puis indiquer pour chaque propriété si elle est vraie au rang 1.

2 **a.** Écrire chaque propriété au rang $(n+1)$.
b. On suppose chacune de ces propriétés vraies à un rang n. Peut-on alors démontrer qu'elle est également vraie au rang $(n+1)$?

« Le raisonnement par récurrence est un instrument qui permet de passer du fini à l'infini. »
Henri Poincaré (1854-1912), mathématicien, physicien et philosophe français.

Activité 2 La balle au rebond

On laisse tomber une balle d'une hauteur de 1 mètre.
À chaque rebond, elle remonte aux trois quarts de la hauteur d'où elle est tombée.

1 Pour tout entier naturel n, on note u_n la hauteur atteinte au n-ième rebond. Calculer la hauteur atteinte au 2e rebond, au 10e, au 1 000e.

2 **À l'aide d'un tableur ou d'une calculatrice,** déterminer à partir de quel rebond la hauteur atteinte est théoriquement inférieure à 10^{-12} mètre.

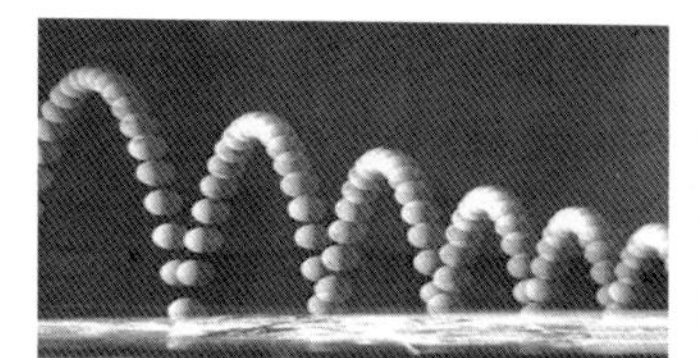

Voir les fiches **Calculatrices**.

Activité 3 Un calcul d'aire

On se propose d'évaluer l'aire de la surface délimitée par la parabole d'équation $y = x^2$, l'axe des abscisses et la droite d'équation $x = 1$.

1 **Conjecturer à l'aide de Geogebra.**
a. Construire :

- la parabole d'équation $y = x^2$ pour $x \in [0\,;1]$;
- un curseur n variant de 1 à 100 avec le pas 1 ;
- les n rectangles accolés sur le segment $[0\,;1]$ en utilisant l'instruction S=SommeInférieure[x^2 , 0 , 1 , n] dans la ligne de saisie.

b. Pour tout entier $n \geqslant 1$, quelles sont les dimensions des n rectangles tracés sur le segment $[0\,;1]$?

c. En faisant varier n, conjecturer le comportement à l'infini de la suite S dont le terme général S_n donne la somme des aires des rectangles dessinés de base $\dfrac{1}{n}$.

Voir la fiche **Geogebra**.

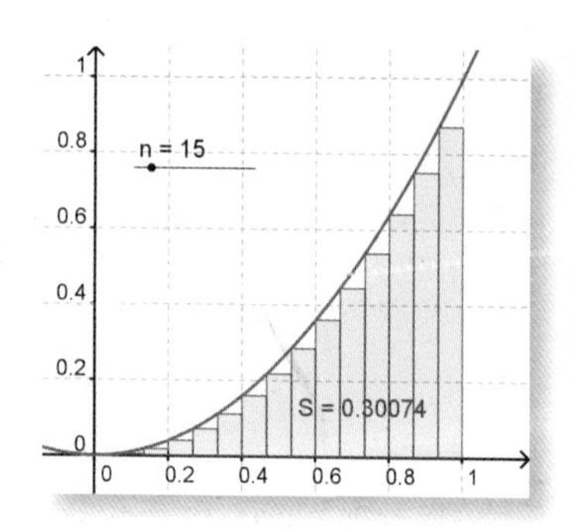

2 Démontrer que pour tout entier $n \geqslant 1$:

$$S_n = \frac{1}{n}\left[\left(\frac{1}{n}\right)^2 + \left(\frac{2}{n}\right)^2 + \ldots + \left(\frac{n-1}{n}\right)^2\right] = \frac{1^2 + 2^2 + \ldots + (n-1)^2}{n^3}.$$

3 Démontrer par récurrence que pour tout entier $k \geqslant 1$:

$$\sum_{i=1}^{k} i^2 = 1^2 + 2^2 + \ldots + k^2 = \frac{k(k+1)(2k+1)}{6}.$$

4 En déduire la limite de la suite S.

Activité 4 ALGO Convergence vers 0

On considère les suites u et v définies pour tout entier $n \geqslant 1$ par :

$$u_n = \frac{1}{n^2} \quad \text{et} \quad v_n = \frac{1}{\sqrt{n}}.$$

1 **a.** À quel résultat aboutit la mise en œuvre de l'algorithme ci-contre ?
b. Modifier cet algorithme pour obtenir la plus petite valeur N telle que pour tout entier $n \geqslant N$, on a : $u_n < 10^{-6}$.
c. Soit ε un réel strictement positif.
Démontrer qu'il existe un entier N tel que pour tout entier $n \geqslant N$, on a :

$$0 < u_n < \varepsilon.$$

On dit que la suite u converge vers 0 ou que la limite de la suite u est 0, et on note : $\lim\limits_{n \to +\infty} u_n = 0$.

2 Démontrer de façon analogue que la suite v converge vers 0.

ALGO

```
Variables :
    n entier ; u réel ;
Début
    n ← 1 ; u ← 1 ;
    TantQue u ⩾ 10^-3 Faire
        n ← n + 1 ; u ← 1/n^2 ;
    FinTantQue ;
    Afficher (n) ;
Fin.
```

Voir les **Outils pour l'algorithmique**.

Activité 5  Étude d'une suite récurrente

On considère la fonction f définie sur $\mathbb{R}$ par :

$$f(x) = 0{,}5x + 1.$$

1 Étudier les variations de f.
Justifier que, pour tout réel x de l'intervalle $\mathrm{I} = [0\,;2]$, $f(x)$ appartient à I.

2 On considère la suite u définie par $u_0 = 0$ et, pour tout entier naturel n par :

$$u_{n+1} = 0{,}5u_n + 1.$$

a. On a représenté ci-contre les premiers termes de la suite u à l'aide de la courbe représentative $\mathscr{D}$ de la fonction f et de la droite Δ d'équation $y = x$.
Rappeler le principe de cette construction, lire des valeurs approchées des quatre premiers termes et vérifier les valeurs lues par des calculs.
b. Conjecturer le sens de variation de la suite u.
c. La suite u semble-t-elle converger ?
d. En utilisant le sens de variation de la fonction f sur I, démontrer, à l'aide d'un raisonnement par récurrence, que la suite u est croissante.

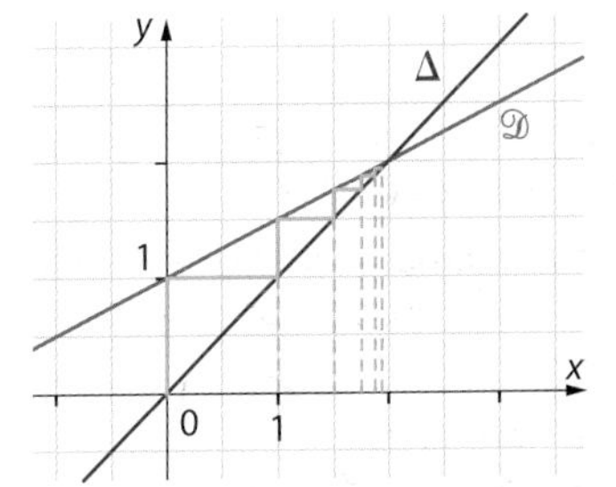

3 On souhaite consolider les conjectures émises à la question **2 b. à l'aide d'un tableur** comme ci-contre.
a. Parmi les formules suivantes, laquelle peut-on entrer en B3 et recopier vers le bas pour calculer les termes de la suite u ?

=0.5*A2+1   =0.5*A3+1   =0.5*B2+1   =0.5*B3+1

b. Établir la feuille de calcul, et confirmer que la suite u semble converger vers une valeur ℓ à préciser.

	A	B
1	*n*	*u(n)*
2	0	0
3	1	1
4	2	1,5
5	3	1,75

4 On s'intéresse à la suite des écarts à ℓ, c'est-à-dire la suite v définie sur $\mathbb{N}$ par :

$$v_n = u_n - \ell.$$

a. Entrer une formule en C2 et la recopier vers le bas de façon à calculer les termes v_n.
Quelle semble être la nature de la suite v ?
b. Justifier la nature de la suite v (on précisera sa raison et son premier terme).
c. En déduire l'expression de v_n, puis de u_n en fonction de n.
d. Peut-on confirmer les conjectures émises aux questions **2 c.** et **3 b.** ?

Voir la fiche **Tableur**.

Cours

Dans tout le chapitre, les entiers considérés sont **naturels**, c'est-à-dire **positifs ou nuls.**

1 Raisonnement par récurrence

a Le principe de récurrence

Soit $P(n)$ une propriété dépendant d'un entier n. Soit $n_0 \in \mathbb{N}$.

Définition On dit que la propriété P est **héréditaire** à partir du rang n_0 lorsque, **si pour un entier $n \geqslant n_0$, $P(n)$ est vraie, alors $P(n+1)$ est vraie.**

Axiome Si la propriété $P(n_0)$ est vraie (**initialisation**) et si P est héréditaire à partir du rang n_0, alors pour tout entier $n \geqslant n_0$, la propriété $P(n)$ est vraie.

Vocabulaire

Un **axiome** est une propriété admise, qui sert de base à la construction d'une théorie. Ici, cet axiome est lié à la définition de l'ensemble des entiers naturels $\mathbb{N}$.

ILLUSTRATION : IMAGE DE L'ESCALIER

Si on peut :

– accéder à une marche n_0 de l'escalier (initialisation),

– et monter d'une marche quelconque à la suivante (propriété d'hérédité),

alors on peut accéder à n'importe quelle marche au-dessus de n_0.

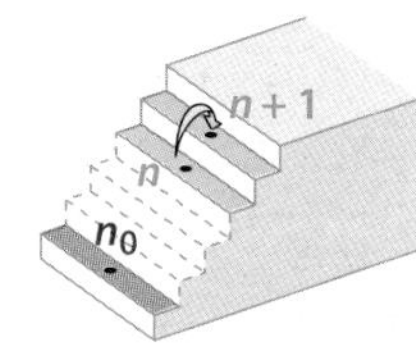

Le raisonnement par récurrence est souvent utilisé pour démontrer une propriété sur les entiers lorsqu'une démonstration « directe » est difficile, par exemple pour établir des égalités, ou encore pour étudier des suites définies par récurrence.

Commentaire

La phase d'initialisation

Elle est souvent simple à vérifier, mais **elle est indispensable !** En effet, une propriété héréditaire peut être fausse.

Par exemple : la proposition « 2^n est un multiple de 3 » est héréditaire, car si $2^n = 3 \times k$, alors $2^{n+1} = 2^n \times 2 = 3k \times 2$ est aussi un multiple de 3. Pourtant, pour tout entier naturel n, cette proposition est fausse.

b Exemple de démonstration par récurrence

Rappel

- Une suite u est **majorée par un réel M** si pour tout entier n, $u_n \leqslant M$.
- Une suite u est **minorée par un réel m** si pour tout entier n, $u_n \geqslant m$.

EXEMPLE : Soit la suite u définie sur $\mathbb{N}$ par : $u_0 = 3$ et $u_{n+1} = \dfrac{1}{2}u_n - 1$.

Soit la fonction f définie sur $\mathbb{R}$ par : $f(x) = \dfrac{x}{2} - 1$.

On se propose de démontrer par récurrence que la suite (u_n) est décroissante et minorée par -2, c'est-à-dire la propriété $P(n)$:

« $u_n \geqslant u_{n+1} \geqslant -2$ ».

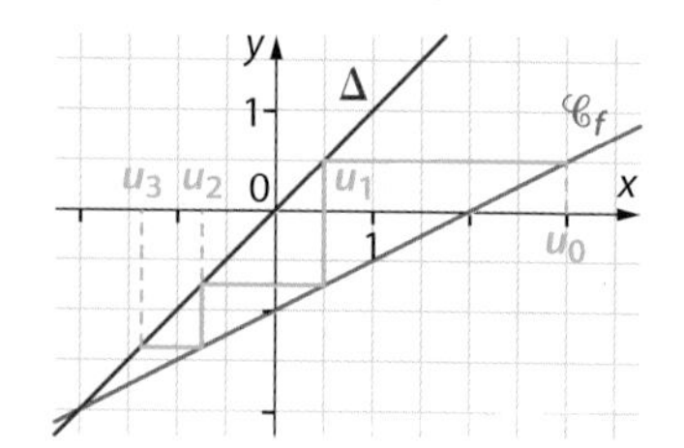

DÉMONSTRATION

- **Initialisation :** $u_0 = 3$ et $u_1 = \dfrac{1}{2}u_0 - 1 = \dfrac{3}{2} - 1 = \dfrac{1}{2}$.

  Donc $u_0 \geqslant u_1 \geqslant -2$. Donc $P(0)$ est vraie.
- **Hérédité :** On suppose que pour un entier n, $P(n)$ est vraie.

  Ainsi : $u_n \geqslant u_{n+1} \geqslant -2$.

  Comme la fonction f est affine de coefficient positif, elle est croissante.

  Donc : $f(u_n) \geqslant f(u_{n+1}) \geqslant f(-2)$, soit $u_{n+1} \geqslant u_{n+2} \geqslant -2$.

  Ainsi, $P(n+1)$ est vraie.
- **Conclusion :** Par récurrence, on conclut :

  pour **tout** entier naturel n, $u_n \geqslant u_{n+1} \geqslant -2$.

On en déduit que la suite u est décroissante et minorée par -2.

Remarque

Une démonstration par récurrence se déroule toujours en deux étapes :

- l'initialisation ;
- la preuve de l'hérédité.

Savoir faire

Mener un raisonnement par récurrence

Exercice corrigé

Énoncé On considère un réel a positif.

Démontrer par récurrence que pour tout entier naturel n : $(1+a)^n \geqslant 1+na$.

Solution

Pour tout entier naturel n, on appelle $P(n)$ la propriété : « $(1+a)^n \geqslant 1+na$ ». **1**

On veut démontrer par récurrence que, pour tout entier naturel n, $P(n)$ est vraie.

Initialisation

Pour $n = 0$, on a : $(1+a)^0 = 1$ et $1 + 0 \times a = 1$.

Donc : $(1+a)^0 \geqslant 1 + 0 \times a$.

La propriété est vraie pour $n = 0$.

Hérédité

On suppose que pour **un** entier $n \geqslant 0$, $P(n)$ est vraie : c'est l'**hypothèse de récurrence**. On cherche à prouver qu'alors, $P(n+1)$ est vraie. **2**

$P(n+1)$ s'écrit : $(1+a)^{n+1} \geqslant 1+(n+1)a$.

Or : $(1+a)^{n+1} = (1+a) \times (1+a)^n$ **3**

et d'après l'hypothèse de récurrence : $(1+a)^n \geqslant 1+na$.

En multipliant de part et d'autre par $(1+a)$, qui est strictement positif, on obtient :

$(1+a) \times (1+a)^n \geqslant (1+a) \times (1+na)$;

soit : $(1+a)^{n+1} \geqslant 1 + na + a + na^2$;

c'est-à-dire : $(1+a)^{n+1} \geqslant 1+(n+1)a + na^2$ **(1)**.

Or : $na^2 \geqslant 0$, donc : $1+(n+1)a+na^2 \geqslant 1+(n+1)a$ **(2)**.

Avec les inégalités **(1)** et **(2)**, on obtient : $(1+a)^{n+1} \geqslant 1+(n+1)a$,

c'est-à-dire que la propriété $P(n+1)$ est vraie.

On a donc prouvé que la propriété $P(n)$ est héréditaire à partir du rang 0.

Conclusion

La propriété $P(0)$ est vraie, et la propriété $P(n)$ est héréditaire à partir du rang 0.

Donc par récurrence, on a prouvé que $P(n)$ est vraie pour **tout** entier $n \geqslant 0$.

Ainsi : pour **tout** entier naturel n, $(1+a)^n \geqslant 1+na$.

Bon à savoir

1 **Bien repérer ou écrire la propriété $P(n)$ indexée par l'entier n.** Ici, $P(n)$ est écrite entre guillemets, car c'est une égalité qui reste à démontrer. À ce stade, on ignore si elle est vraie.

2 **Attention :** lorsqu'on écrit l'hypothèse de récurrence, il faut bien considérer $P(n)$ vraie pour **un** entier n, et pas pour **tout** entier n. Sinon, on admet la propriété qu'il faut démontrer !

3 **Écrire $P(n+1)$ et essayer de faire apparaître la propriété $P(n)$ supposée vraie**, pour utiliser l'hypothèse de récurrence.

Exercices d'application

1 Démontrer que pour tout entier naturel n :

$$1^2 + 2^2 + \ldots + n^2 = \frac{n(n+1)(2n+1)}{6}.$$

2 Démontrer par récurrence que pour tout entier naturel n, $2^{3n} - 1$ est un multiple de 7.

3 On considère la suite u définie par $u_0 = 1$ et pour tout entier naturel n, $u_{n+1} = u_n + 2n + 3$.
Démontrer que pour tout n, $u_n = (n+1)^2$.

4 Démontrer que le nombre de cordes reliant n points distincts d'un cercle $(n \geqslant 2)$ est égal à $\frac{n(n-1)}{2}$.

Voir exercices 29 à 34

2 Limite finie ou infinie d'une suite

On étudie ici le comportement d'une suite lorsque l'entier n tend vers $+\infty$, c'est-à-dire lorsque n « devient très grand ».

a Définitions

Définition — **Limite finie d'une suite**

Soit une suite u et un réel ℓ. On dit que **u_n tend vers ℓ quand n tend vers $+\infty$** ou que **la suite u converge vers ℓ** si tout intervalle ouvert I contenant ℓ (aussi « petit » soit-il) contient toutes les valeurs u_n à partir d'un certain rang N, c'est-à-dire : **pour tout entier $n \geqslant N$, $u_n \in \mathrm{I}$.**

On note :
$$\lim_{n \to +\infty} u_n = \ell.$$

Quand elle existe, la limite ℓ de la suite u est **unique**.

Concrètement, les termes u_n deviennent aussi proches de ℓ qu'on le souhaite à partir d'un certain rang.

Définition — **Limite infinie d'une suite**

On dit que **u_n tend vers $+\infty$ quand n tend vers $+\infty$** ou que **la suite u diverge vers $+\infty$** si tout intervalle de la forme $]A\,;+\infty[$ contient toutes les valeurs u_n à partir d'un certain rang N, c'est-à-dire : **pour tout entier $n \geqslant N$, $u_n > A$.**

On note dans ce cas-là : $\lim\limits_{n \to +\infty} u_n = +\infty$.

Concrètement, les termes deviennent aussi grands qu'on le souhaite à partir d'un certain rang.

De la même façon, on définit « **u_n tend vers $-\infty$ quand n tend vers $+\infty$** » $\left(\lim\limits_{n \to +\infty} u_n = -\infty\right)$ en remplaçant « intervalle de la forme $]A\,;+\infty[$ » par « intervalle de la forme $]-\infty\,;A[$ ». Dans ce cas, pour tout entier $n \geqslant N$, $u_n < A$.

REMARQUE : Une suite peut ne pas admettre de limite. Par exemple, la suite de terme général $(-1)^n$ prend alternativement les valeurs 1 et -1. Elle n'admet pas de limite, et on dit également **qu'elle diverge**.

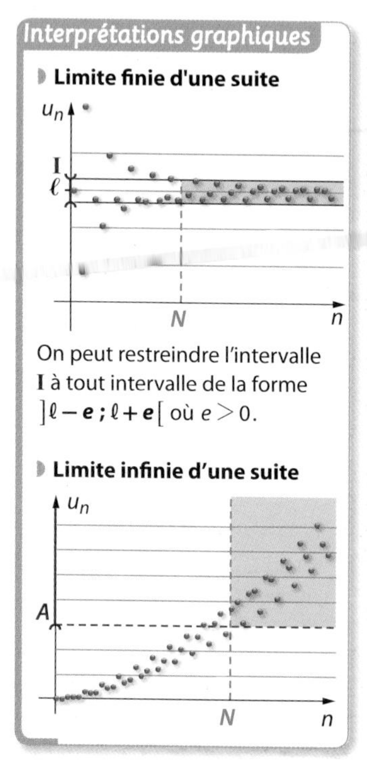

On peut restreindre l'intervalle I à tout intervalle de la forme $]\ell - e\,;\ell + e[$ où $e > 0$.

b Limites des suites usuelles

Théorèmes

- $\lim\limits_{n \to +\infty} n = +\infty$
- $\lim\limits_{n \to +\infty} n^2 = +\infty$
- $\lim\limits_{n \to +\infty} \sqrt{n} = +\infty$
- $\lim\limits_{n \to +\infty} \dfrac{1}{n} = 0$
- $\lim\limits_{n \to +\infty} \dfrac{1}{n^2} = 0$
- $\lim\limits_{n \to +\infty} \dfrac{1}{\sqrt{n}} = 0$

Pour tout entier $k \geqslant 1$:

- $\lim\limits_{n \to +\infty} n^k = +\infty$
- $\lim\limits_{n \to +\infty} \dfrac{1}{n^k} = 0$

PREUVE DE $\lim\limits_{n \to +\infty} n^2 = +\infty$: Soit un réel A quelconque.

- Si $A \leqslant 0$, alors pour tout entier $n \geqslant 1$, $n^2 > A$. On pose alors $N = 1$.
- Sinon, $A > 0$. Alors pour tout entier $n > \sqrt{A}$, on a $n^2 > A$, car la fonction carré est croissante sur $]\sqrt{A}\,;+\infty[$. Soit N le plus petit entier tel que $N > \sqrt{A}$, alors :

Pour tout entier $n \geqslant N$, on a $n^2 > A$. Donc : $\lim\limits_{n \to +\infty} n^2 = +\infty$.

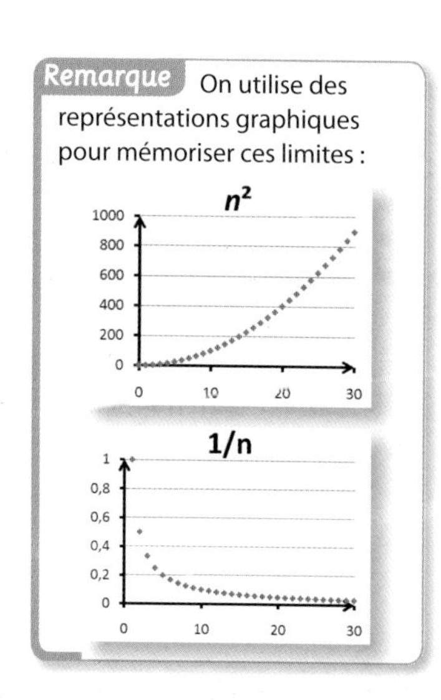

On utilise des représentations graphiques pour mémoriser ces limites :

Voir quelques **démonstrations** aux exercices 45 et 51, pages 33 et 34.

Déterminer la limite d'une suite à l'aide de la définition

Exercice corrigé

Énoncé  Soient les suites u et v définies sur $\mathbb{N}$ par :
$$u_n = \frac{2n+1}{n+3} \quad \text{et} \quad v_n = -(n+1)^2.$$

1 a. Montrer que la suite u converge vers un réel ℓ que l'on déterminera.

b. À partir de quel rang N la distance entre u_n et ℓ est-elle strictement inférieure à 0,001 ?

2 a. Déterminer la limite de la suite v.

b. À partir de quel rang N a-t-on $v_n < -10^{10}$?

Solution

1 a. À l'aide de la calculatrice, on conjecture que la suite u converge vers 2. **1▸**

Soit un réel $e > 0$. On résout l'inéquation : **2▸**

$|u_n - 2| < e \Leftrightarrow \left|\frac{-5}{n+2}\right| < e \Leftrightarrow n > \frac{5}{e} - 3.$

En posant $N = E\left(\frac{5}{e} - 3\right) + 1$, pour tout $n \geqslant N$, on a $|u_n - 2| < e$; ici, E désigne la fonction « partie entière » (voir page 33).

Ainsi la suite u converge vers 2 : $\lim\limits_{n \to +\infty} u_n = 2.$

X	Y1
0	.33333
5000	1.999
10000	1.9995
15000	1.9997
20000	1.9998
25000	1.9998
30000	1.9998

Y1=(2X+1)/(X+3)

b. La distance entre u_n et 2 est $|u_n - 2|$. On résout :

$|u_n - 2| < 0{,}001 \Leftrightarrow \frac{5}{n+3} < 0{,}001 \Leftrightarrow n > 4\,997.$

Donc $N = 4\,998$; si $n \geqslant 4\,998$, alors $|u_n - 2| < 0{,}001$.

2 a. À l'aide de la calculatrice, on conjecture que la suite v diverge vers $-\infty$. **1▸**

3▸ Soit un réel A.

X	Y1
0	-1
5000	-2.5E7
10000	-1E8
15000	-2.3E8
20000	-4E8
25000	-6.3E8
30000	-9E8

Y1=-(X+1)²

- Si $A > 0$, alors pour tout entier n, $v_n \leqslant 0 < A$. On pose alors $N = 0$.
- Sinon, $v_n < A \Leftrightarrow -(n+1)^2 < A \Leftrightarrow n > \sqrt{|A|} - 1$, car n est un entier positif.

On pose alors $N = E\left(\sqrt{|A|}\right)$. Ainsi pour tout entier $n \geqslant N$, $v_n < A$. Donc la suite diverge vers $-\infty$.

b. On résout $v_n < -10^{10} \Leftrightarrow -(n+1)^2 < -10^{10} \Leftrightarrow n > 10^5 - 1$. Donc $N = 10^5$: si $n \geqslant 10^5$, alors $v_n < -10^{-10}$.

Bon à savoir

Pour déterminer la limite d'une suite :

1▸ Pour commencer, on peut utiliser la calculatrice pour conjecturer la limite.

Voir les fiches **Calculatrices**.

2▸ Pour montrer que la suite u converge vers un réel ℓ, pour tout réel $e > 0$, on trouve un rang N tel que pour tout $n \geqslant N$, u_n appartient à l'intervalle $]\ell - e ; \ell + e[$, ce qui revient à prouver que pour tout $n \geqslant N$, $|u_n - \ell| < e$.

3▸ Pour montrer que la suite v diverge vers $-\infty$, pour tout réel A, on trouve un rang N tel que pour tout entier $n \geqslant N$, $v_n < A$. On peut résoudre l'inéquation $v_n < A$ pour déterminer N.

Exercices d'application

5 **À l'aide de la calculatrice,** conjecturer si les suites dont on donne le terme général admettent ou non une limite. La préciser dans ce cas.

a. $u_n = (-1)^n \times n$;

b. $v_n = \frac{n-2}{2n+5}$;

c. $w_n = n^2 - 2n$.

  Soit la suite u définie sur $\mathbb{N}$ par $u_n = \frac{5}{n+1}$.

1 À l'aide de la calculatrice, conjecturer la limite de la suite u. Démontrer la conjecture.

2 À partir de quel rang N a-t-on :

a. $|u_n| < 0{,}01$?

b. $|u_n| < 10^{-12}$?

7 Soit la suite v définie sur $\mathbb{N}$ par $v_n = n^2 + n$.

1 a. Résoudre les inéquations :

i. $v_n > 10^5$;

ii. $v_n > 10^{10}$.

b. Conjecturer la limite de la suite v.

2 Démontrer la conjecture.

Voir exercices 47 à 54

C Opérations sur les limites

Théorèmes (admis)

Soient u et v deux suites. Soient ℓ et ℓ' deux réels.

Somme de deux suites

$\lim\limits_{n\to+\infty} u_n$	ℓ	ℓ	ℓ	$+\infty$	$-\infty$	$+\infty$
$\lim\limits_{n\to+\infty} v_n$	ℓ'	$+\infty$	$-\infty$	$+\infty$	$-\infty$	$-\infty$
$\lim\limits_{n\to+\infty} (u_n+v_n)$	$\ell+\ell'$	$+\infty$	$-\infty$	$+\infty$	$-\infty$	**On ne peut pas conclure directement**

Produit de deux suites

$\lim\limits_{n\to+\infty} u_n$	ℓ	$\ell>0$ ou $+\infty$	$\ell<0$ ou $-\infty$	$\ell>0$ ou $+\infty$	$\ell<0$ ou $-\infty$	0
$\lim\limits_{n\to+\infty} v_n$	ℓ'	$+\infty$	$+\infty$	$-\infty$	$-\infty$	$+\infty$ ou $-\infty$
$\lim\limits_{n\to+\infty} (u_n\times v_n)$	$\ell\times\ell'$	$+\infty$	$-\infty$	$-\infty$	$+\infty$	**On ne peut pas conclure directement**

Quotient de deux suites :
on suppose que pour tout entier n, $v_n \neq 0$.

Cas où la suite u est positive à partir d'un certain rang.

$\lim\limits_{n\to+\infty} u_n$	ℓ	ℓ	0	$\ell>0$ ou $+\infty$	$\ell>0$ ou $+\infty$	$+\infty$	$+\infty$
$\lim\limits_{n\to+\infty} v_n$	$\ell'\neq 0$	$+\infty$ ou $-\infty$	0	0 avec $v_n>0$	0 avec $v_n<0$	$\ell'\neq 0$	$+\infty$ ou $-\infty$
$\lim\limits_{n\to+\infty} \dfrac{u_n}{v_n}$	$\dfrac{\ell}{\ell'}$	**0**	**On ne peut pas conclure**	$+\infty$	$-\infty$	$+\infty$ si $\ell'>0$; $-\infty$ si $\ell'<0$	**On ne peut pas conclure**

Dans le cas où la suite u est négative à partir d'un certain rang, on construit un tableau analogue en utilisant la règle des signes.

Commentaire

Ces règles sur les opérations sont « naturelles ».
Il importe surtout de retenir les cas où on ne peut pas conclure directement (on parle d'« indétermination »), cas pour lesquels on utilise souvent le calcul algébrique (développement, factorisation…) pour obtenir la limite.

EXEMPLES : Soient les suites u et v définies sur $\mathbb{N}$ par :

$$u_n = \frac{2}{3n+5} \quad \text{et} \quad v_n = n - \sqrt{n}.$$

Pour la suite u, on a : $\lim\limits_{n\to+\infty} 2 = 2$ et par produit et somme $\lim\limits_{n\to+\infty} (3n+5) = +\infty$. Par quotient, on obtient : $\lim\limits_{n\to+\infty} u_n = 0$.

Pour la suite v, on est dans un cas où on ne peut pas conclure directement. En effet, on ajoute une suite qui tend vers $+\infty$ $(w_n = n)$ à une suite qui tend vers $-\infty$ $(u_n = -\sqrt{n})$.
En factorisant par n et en simplifiant, on a :

$$v_n = n \times \left(1 - \frac{\sqrt{n}}{n}\right) = n \times \left(1 - \frac{1}{\sqrt{n}}\right).$$

Or $\lim\limits_{n\to+\infty} n = +\infty$ et $\lim\limits_{n\to+\infty} \left(1 - \frac{1}{\sqrt{n}}\right) = 1$, par produit, on a : $\lim\limits_{n\to+\infty} v_n = +\infty$.

Remarque

L'utilisation de la calculatrice permet de confirmer les limites en tabulant les suites pour des rangs « grands » :

X	Y1	Y2
50000	1.3E-5	49776
55000	1.2E-5	54765
60000	1.1E-5	59755
65000	1E-5	64745
70000	9.5E-6	69735
75000	8.9E-6	74726
80000	8.3E-6	79717

Y1=2/(3X+5)

Voir les fiches **Calculatrices**.

Étudier le comportement à l'infini d'une suite

Exercice corrigé

Énoncé ALGO Soient les suites u, v et w définies sur $\mathbb{N}$ par : $u_n = 2n^2 + 3n + 1$, $v_n = 3n^3 - 4n + 2$ et $w_n = \dfrac{2n+3}{-n-5}$.

1 Déterminer la limite de la suite u.

2 **a.** Déterminer la limite de la suite v.

b. Justifier que la suite v est croissante à partir du rang 1.

c. Pour un réel A, on souhaite déterminer le rang à partir duquel $v_n \geqslant A$.
Construire un algorithme permettant de résoudre ce problème. Programmer, puis déterminer le rang à partir duquel $v_n \geqslant 10^6$.

Voir les **Outils pour la programmation**.

3 Déterminer la limite de la suite w.

Solution

1 $\lim\limits_{n\to+\infty} 2n^2 = +\infty$; $\lim\limits_{n\to+\infty} 3n = +\infty$; $\lim\limits_{n\to+\infty} 1 = 1$. Par somme, $\lim\limits_{n\to+\infty} u_n = +\infty$. 1▸

2 **a.** Avec la forme initiale de v_n, il y a indétermination. On factorise par le terme de plus haut degré : 2▸

pour tout entier $n \neq 0$, $v_n = n^3 \times \left(\dfrac{3n^3}{n^3} - \dfrac{4n}{n^3} + \dfrac{2}{n^3}\right) = n^3 \times \left(3 - \dfrac{4}{n^2} + \dfrac{2}{n^3}\right)$.

$\lim\limits_{n\to+\infty} n^3 = +\infty$ et par somme $\lim\limits_{n\to+\infty} \left(3 - \dfrac{4}{n^2} + \dfrac{2}{n^3}\right) = 3$ 1▸.

Par produit, on obtient $\lim\limits_{n\to+\infty} v_n = +\infty$.

b. Pour tout entier n, $v_n = f(n)$ où f est la fonction définie sur $\mathbb{R}$ par :

$$f(x) = 3x^3 - 4x + 2.$$

f est dérivable sur $\mathbb{R}$ et $f'(x) = 9x^2 - 4$. Pour tout réel $x \geqslant \dfrac{2}{3}$, $f'(x) \geqslant 0$: f est croissante sur $\left[\dfrac{2}{3} ; +\infty\right[$. Donc la suite v est croissante à partir du rang 1.

c. Il s'agit de calculer v_0, v_1, … jusqu'à obtenir le plus petit rang N tel que $v_N \geqslant A$. On propose l'algorithme ci-contre. Après avoir programmé cet algorithme, on obtient $v_n \geqslant 10^6$ pour tout entier $n \geqslant 70$. 3▸

ALGO
```
Entrer(A) ;
N ← 0 ;
TantQue 3N³ − 4N + 2 < A
        Faire N ← N + 1 ;
FinTantQue ;
Afficher (N) ;
```

3 Avec la forme initiale de w_n, il y a indétermination. On factorise numérateur et dénominateur par le terme de plus haut degré, et on simplifie : 2▸

Pour tout entier $n \neq 0$: $w_n = \dfrac{n\left(\dfrac{2n}{n} + \dfrac{3}{n}\right)}{n\left(-\dfrac{n}{n} - \dfrac{5}{n}\right)} = \dfrac{2 + \dfrac{3}{n}}{-1 - \dfrac{5}{n}}$.

Par somme, $\lim\limits_{n\to+\infty}\left(2 + \dfrac{3}{n}\right) = 2$ et $\lim\limits_{n\to+\infty}\left(-1 - \dfrac{5}{n}\right) = -1$ 1▸. Par quotient, on obtient $\lim\limits_{n\to+\infty} w_n = -2$.

Bon à savoir

Pour déterminer la limite d'une suite :

1▸ Quand il n'y a pas d'indétermination, on conclut en utilisant les théorèmes du cours.

2▸ On transforme l'expression pour lever l'indétermination. Souvent, **on factorise par le « terme dominant » en $+\infty$.** Penser aux positions relatives des courbes des fonctions usuelles :

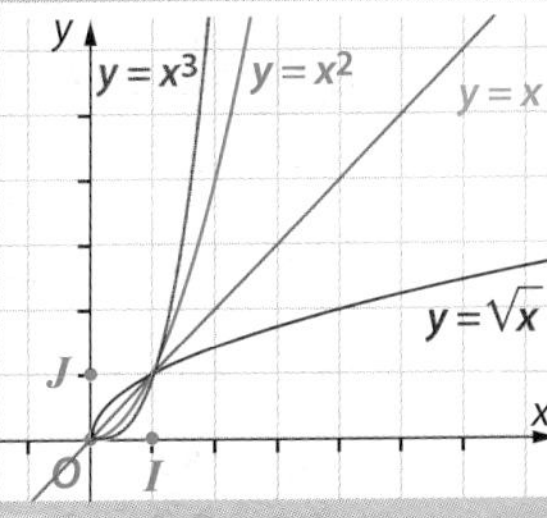

3▸ Lorsqu'une suite v est croissante, dès que l'on a trouvé un rang N tel que $v_N \geqslant A$, alors pour tout entier $n \geqslant N$, on a $v_n \geqslant A$.

Exercices d'application

8 Déterminer la limite de chacune des suites de terme général u_n :

a. $u_n = (2n+1)^2$; **b.** $u_n = \dfrac{3}{2\sqrt{n} + 5}$.

9 Déterminer le comportement à l'infini des suites de terme général u_n dans les cas suivants :

a. $u_n = \dfrac{4n-1}{n+4}$; **b.** $u_n = \dfrac{2n^2 - 5n + 3}{n+4}$.

10 ALGO On considère la suite u définie pour tout entier n par : $u_n = \dfrac{n^2 - 1}{n^3 + 1}$.

En s'inspirant de l'algorithme de l'exercice corrigé, déterminer un entier N tel que, dès que $n \geqslant N$, on a :

$$-10^{-5} \leqslant u_n \leqslant 10^{-5}.$$

Voir exercices 56 à 64

3 Limites et comparaison

a Détermination de limites par comparaison

Théorèmes Soient deux suites u et v et un entier naturel N tels que pour tout entier $n \geqslant N$, $\boldsymbol{u_n \leqslant v_n}$.

▸ **Théorème de minoration :**

$$\textbf{Si } \lim_{n \to +\infty} u_n = +\infty, \textbf{ alors } \lim_{n \to +\infty} v_n = +\infty.$$

▸ **Théorème de majoration :**

$$\textbf{Si } \lim_{n \to +\infty} v_n = -\infty, \textbf{ alors } \lim_{n \to +\infty} u_n = -\infty.$$

Exemple

Soit la suite u définie sur $\mathbb{N}$ par $u_n = n + \sin(n)$.

Pour tout entier n, $\sin(n) \geqslant -1$, donc $u_n \geqslant n - 1$.

Or $\lim_{n \to +\infty} (n-1) = +\infty$.

On en déduit que :

$$\lim_{n \to +\infty} u_n = +\infty.$$

Graphiquement, les points de coordonnées $(n\,; u_n)$ sont au-dessus de la droite d'équation $y = x - 1$:

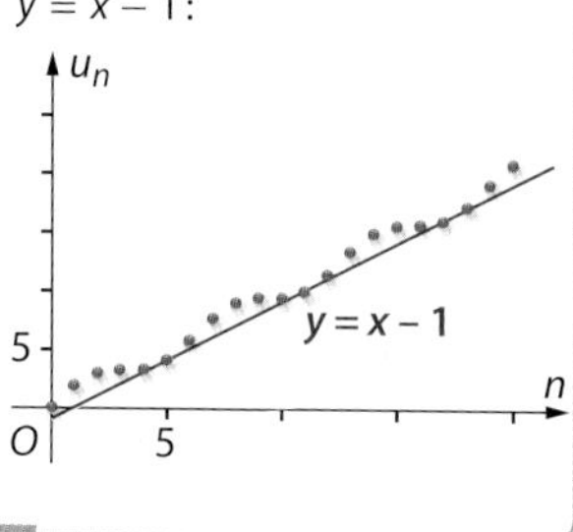

DÉMONSTRATION démo BAC

▸ On suppose que $\lim_{n \to +\infty} u_n = +\infty$.

Il s'agit de démontrer que tout intervalle de la forme $]A\,; +\infty[$ contient toutes les valeurs v_n à partir d'un certain rang.

Soit A un réel. Comme $\lim_{n \to +\infty} u_n = +\infty$, l'intervalle $]A\,; +\infty[$ contient tous les u_n à partir d'un rang p : pour tout $n \geqslant p$, $u_n > A$.

Alors pour tout entier $n \geqslant \max(p\,; N)$, on a : $v_n \geqslant u_n > A$, c'est-à-dire : $v_n \in \,]A\,; +\infty[$. On en déduit : $\lim_{n \to +\infty} v_n = +\infty$.

▸ La démonstration du théorème de majoration est analogue.

Théorème (admis) **Théorème d'encadrement, dit « des gendarmes »**

On considère trois suites u, v et w. Soient un entier N et un réel ℓ.

On suppose que pour tout entier $\boldsymbol{n \geqslant N : u_n \leqslant v_n \leqslant w_n}$.

Si les suites **u et w convergent vers la même limite ℓ**, alors la suite **v converge également vers ℓ**.

b Cas des suites monotones et convergentes

Théorème Soit une suite u convergeant vers un réel ℓ.

Si la suite u est croissante, alors la suite **u est majorée par ℓ**, c'est-à-dire que pour tout entier naturel n, $\boldsymbol{u_n \leqslant \ell}$.

Représentation graphique

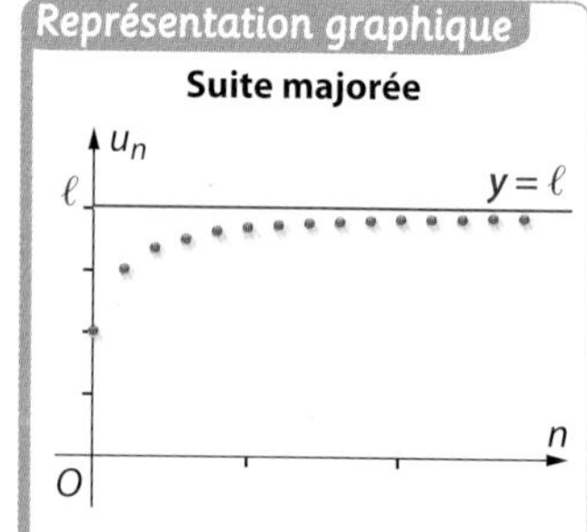

Les points de coordonnées $(n\,; u_n)$ sont sous la droite d'équation $y = \ell$.

DÉMONSTRATION démo BAC

On raisonne par l'absurde :

on suppose qu'il existe un entier n_0 tel que $u_{n_0} > \ell$.

Comme la suite u est croissante, pour tout $n \geqslant n_0$, $\ell < u_{n_0} \leqslant u_n$ (1).

L'intervalle $]\ell - 1\,; u_{n_0}[$ est un intervalle ouvert qui contient ℓ.

Comme la suite u converge vers ℓ, il existe un rang N tel que pour tout $n \geqslant N$, $u_n \in \,]\ell - 1\,; u_{n_0}[$.

Ainsi pour tout entier $n \geqslant N$, $u_n < u_{n_0}$ (2).

Alors, pour tout entier $n \geqslant \max(N\,; n_0)$, on a : $u_{n_0} \leqslant u_n$ et $u_n < u_{n_0}$. On aboutit à une contradiction, et l'hypothèse initiale est donc fausse.

On en déduit que pour tout entier n, $u_n \leqslant \ell$.

➔ Voir la fiche **Logique et raisonnement mathématique**.

Déterminer une limite par comparaison

Exercice corrigé

Énoncé Déterminer la limite des suites u, v et w dont on donne les termes généraux ci-dessous.

a. $u_n = \dfrac{(-1)^n}{n+1}$; **b.** $v_n = \dfrac{n+\cos(n)}{n+3}$; **c.** $w_n = \dfrac{n^2+(-1)^n}{n+5}$.

Solution

a. Pour tout entier n, $-1 \leqslant (-1)^n \leqslant 1$ **1**.

En divisant par $n+1$ (strictement positif), $-\dfrac{1}{n+1} \leqslant u_n \leqslant \dfrac{1}{n+1}$ **2**.

Or $\lim\limits_{n\to+\infty} \dfrac{-1}{n+1} = \lim\limits_{n\to+\infty} \dfrac{1}{n+1} = 0$.

D'après le théorème des gendarmes, la suite u converge vers 0. **3**

b. Pour tout entier n, $-1 \leqslant \cos(n) \leqslant 1$, d'où : $n-1 \leqslant n+\cos(n) \leqslant n+1$.

En divisant par $n+3$ (strictement positif), on obtient : $\dfrac{n-1}{n+3} \leqslant v_n \leqslant \dfrac{n+1}{n+3}$ **2**.

Or pour tout entier $n > 0$, $\dfrac{n-1}{n+3} = \dfrac{1-\frac{1}{n}}{1+\frac{3}{n}}$ et $\dfrac{n+1}{n+3} = \dfrac{1+\frac{1}{n}}{1+\frac{3}{n}}$.

Donc $\lim\limits_{n\to+\infty} \dfrac{n-1}{n+3} = \lim\limits_{n\to+\infty} \dfrac{n+1}{n+3} = 1$.

D'après le théorème des gendarmes, la suite v converge vers 1 **3**.

c. Pour tout entier n, $-1 \leqslant (-1)^n \leqslant 1$, d'où : $n^2-1 \leqslant n^2+(-1)^n \leqslant n^2+1$.

En divisant par $n+5$ (strictement positif), on obtient : $\dfrac{n^2-1}{n+5} \leqslant w_n \leqslant \dfrac{n^2+1}{n+5}$ **2**.

Or pour tout entier $n > 0$, $\dfrac{n^2-1}{n+5} = \dfrac{n\left(1-\frac{1}{n^2}\right)}{1+\frac{5}{n}}$. Donc $\lim\limits_{n\to+\infty} \dfrac{n^2-1}{n+5} = +\infty$.

D'après le théorème de minoration, la suite w diverge vers $+\infty$ **3**.

Remarque : L'inégalité « $w_n \leqslant \dfrac{n^2+1}{n+5}$ » ne permet pas de conclure sur le comportement à l'infini de la suite w.

Bon à savoir

1 On utilise ici des encadrements classiques.
Par exemple, pour tout entier n :
$-1 \leqslant (-1)^n \leqslant 1$;
$-1 \leqslant \cos(n) \leqslant 1$;
$-1 \leqslant \sin(n) \leqslant 1$.

2 On encadre (ou on majore, ou on minore) la suite par des suites dont on sait déterminer la limite.

3 On conclut en utilisant les théorèmes :
- de majoration ;
- de minoration ;
- des gendarmes.

Exercices d'application

11 Démontrer que les suites suivantes dont on donne le terme général sont convergentes (préciser leurs limites).

a. $u_n = \dfrac{\sin(n)}{n}$; **b.** $v_n = \dfrac{n+\cos(n)}{n}$.

12 Soit la suite u définie sur $\mathbb{N}$ par :

$$u_n = \frac{n^2-3n+5}{n+3}.$$

1 **a.** Démontrer que pour tout entier naturel n, $u_n \geqslant n-6$.
b. En déduire la limite de la suite u.
2 Déterminer la limite de la suite u en factorisant numérateur et dénominateur par n.

13 On considère la suite v définie sur $\mathbb{N}$ par :

$$v_n = (-3+\cos(n)) \times n + 1.$$

1 À l'aide d'un tableur, on a obtenu la représentation graphique ci-dessous.

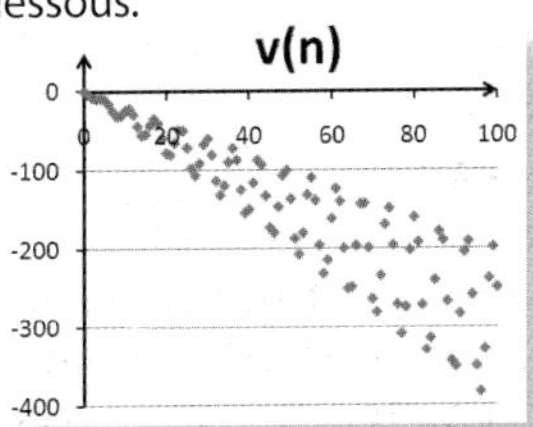

Conjecturer le comportement à l'infini de la suite v.

2 Démontrer la conjecture émise à la question **1**.

3 Déterminer un rang N pour lequel on est certain que pour tout entier $n \geqslant N$, $v_n < -1000$.

Voir exercices 70 à 77

4 Convergence de certaines suites

a Convergence des suites monotones

Théorème (admis)

- Si une suite est **croissante** et **majorée**, alors elle converge.
- Si une suite est **décroissante** et **minorée**, alors elle converge.

Attention : Ce théorème ne donne pas la valeur de la limite de la suite, mais seulement **son existence et un majorant, ou minorant de la limite.**

CONSÉQUENCE : Une suite croissante est :
– soit majorée et convergente ;
– soit non majorée et divergente vers $+\infty$. (Voir l'exercice 23, page 28.)
On obtient un résultat analogue pour une suite décroissante.

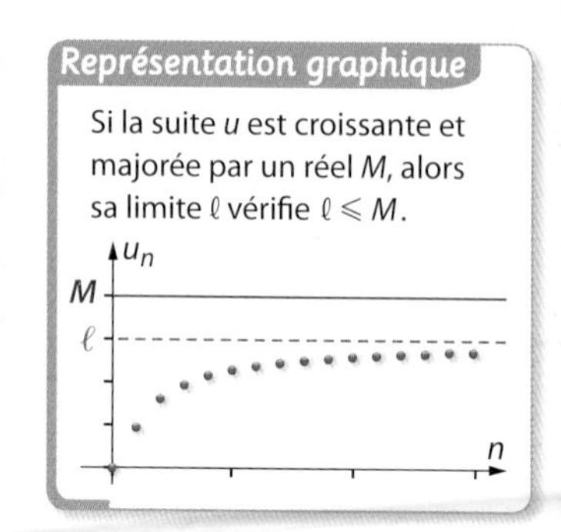

Représentation graphique
Si la suite u est croissante et majorée par un réel M, alors sa limite ℓ vérifie ℓ ⩽ M.
u_n
M
ℓ
n

b Limite d'une suite géométrique

Théorème On considère un réel q. La suite (q^n) des puissances de q converge si, et seulement si : $-1 < q \leqslant 1$. Plus précisément :

- **Si $q > 1$**, alors la suite (q^n) **diverge vers $+\infty$:** $\lim\limits_{n \to +\infty} q^n = +\infty$.
- **Si $-1 < q < 1$**, alors la suite (q^n) **converge vers 0 :** $\lim\limits_{n \to +\infty} q^n = 0$.
- **Si $q \leqslant -1$**, alors la suite (q^n) **diverge et n'admet pas de limite.**

DÉMONSTRATION démo BAC Soit un réel q.

- **On suppose que $q > 1$.** On pose alors $q = 1 + a$ avec $a > 0$.
Par récurrence, on a montré au Savoir faire, page 17, que pour tout entier naturel n, $(1+a)^n \geqslant 1 + na$.
Ainsi pour tout entier naturel n, $q^n \geqslant 1 + na$.
Or $\lim\limits_{n \to +\infty} (1 + na) = +\infty$, car $a > 0$.
D'après le théorème de minoration : $\lim\limits_{n \to +\infty} q^n = +\infty$.
- **On suppose que $-1 < q < 1$.**
– Dans le cas où $q = 0$, on a de façon évidente $\lim\limits_{n \to +\infty} q^n = 0$.
– Dans le cas où $0 < q < 1$, on a $\dfrac{1}{q} > 1$. Donc $\lim\limits_{n \to +\infty} \left(\dfrac{1}{q}\right)^n = +\infty$, c'est-à-dire : $\lim\limits_{n \to +\infty} \dfrac{1}{q^n} = +\infty$.
Par passage à l'inverse : $\lim\limits_{n \to +\infty} q^n = 0$.
– Dans le cas où $-1 < q < 0$, pour tout entier n, $-|q|^n \leqslant q^n \leqslant |q|^n$.
Comme $\lim\limits_{n \to +\infty} |q|^n = 0$, d'après le théorème des gendarmes : $\lim\limits_{n \to +\infty} q^n = 0$.
- **On suppose que $q \leqslant -1$.** Les valeurs q^n appartiennent alternativement aux intervalles $]-\infty\,;-1]$ et $[1\,;+\infty[$ selon la parité de n. La suite de terme général q^n n'admet donc pas de limite.

EXEMPLE : Soit la suite u géométrique de raison 2 et de premier terme -3.
Pour tout entier n, $u_n = -3 \times 2^n$. Comme $2 > 1$, $\lim\limits_{n \to +\infty} 2^n = +\infty$.
En multipliant par -3 (négatif), on a $\lim\limits_{n \to +\infty} u_n = -\infty$.

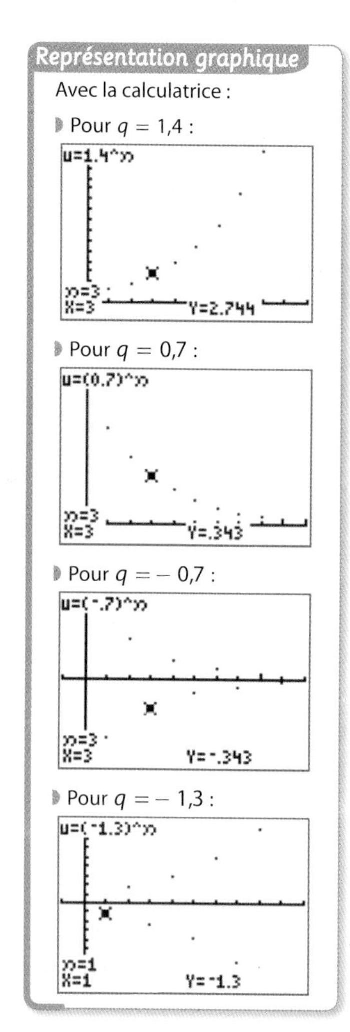

Déterminer le comportement à l'infini d'une suite récurrente

Exercice corrigé

Soit la suite u définie sur $\mathbb{N}$ par $u_0 = -2$ et pour tout entier n : $u_{n+1} = 1 + \frac{1}{2}u_n$.

A. Première méthode

1 Démontrer par récurrence que la suite u est croissante et majorée par 2.

2 En déduire que la suite u converge vers un réel ℓ vérifiant $\ell = 1 + \frac{1}{2}\ell$.

3 Déterminer la limite de la suite u.

B. Seconde méthode

1 Déterminer la nature de la suite v définie sur $\mathbb{N}$ par :

$$v_n = u_n - 2.$$

2 En déduire l'expression de u_n en fonction de n.

3 Retrouver le résultat de la question **A. 3**.

Solution

A. 1 On pose pour tout entier n : $P(n)$: « $u_n \leqslant u_{n+1} \leqslant 2$ ».

- **Initialisation** : $u_0 = -2$ et $u_1 = 1 + \frac{1}{2}u_0 = 0$. Donc $u_0 \leqslant u_1 \leqslant 2$. Ainsi $P(0)$ est vraie.
- **Hérédité** : On suppose que la propriété $P(n)$ est vraie pour **un** entier naturel n :

$$u_n \leqslant u_{n+1} \leqslant 2.$$

Comme la fonction $f : x \longmapsto 1 + \frac{1}{2}x$ est croissante sur $\mathbb{R}$, on a : $f(u_n) \leqslant f(u_{n+1}) \leqslant f(2)$.

Donc $u_{n+1} \leqslant u_{n+2} \leqslant 2$. Ainsi $P(n+1)$ est vraie.

- **Conclusion** : par récurrence, pour **tout** entier n, $u_n \leqslant u_{n+1} \leqslant 2$.

La suite u est donc croissante et majorée par 2.

2 La suite u est croissante et majorée, donc elle converge vers un réel ℓ. (1)

Or pour tout entier n, $u_{n+1} = 1 + \frac{1}{2}u_n$.

Comme $\lim\limits_{n \to +\infty} u_{n+1} = \ell$ et $\lim\limits_{n \to +\infty} \left(1 + \frac{1}{2}u_n\right) = 1 + \frac{1}{2}\ell$, par unicité de la limite, on obtient : $\ell = 1 + \frac{1}{2}\ell$. (2)

3 On résout l'équation $\ell = 1 + \frac{1}{2}\ell$, qui donne : $\ell = 2$. Donc la suite u converge vers 2.

B. 1 Pour tout entier n, $v_{n+1} = u_{n+1} - 2 = \left(1 + \frac{1}{2}u_n\right) - 2 = \frac{1}{2}u_n - 1$.

Donc $v_{n+1} = \frac{1}{2}(u_n - 2) = \frac{1}{2}v_n$: la suite v est géométrique de raison $\frac{1}{2}$ et de premier terme $v_0 = u_0 - 2 = -4$.

2 On en déduit que pour tout entier n, $v_n = -4 \times \left(\frac{1}{2}\right)^n$. Or $u_n = 2 + v_n$. Donc pour tout entier n, $u_n = 2 - 4 \times \left(\frac{1}{2}\right)^n$.

3 Comme $-1 < \frac{1}{2} < 1$, $\lim\limits_{n \to +\infty} \left(\frac{1}{2}\right)^n = 0$. On en déduit que $\lim\limits_{n \to +\infty} u_n = 2 - 4 \times 0 = 2$. (3)

Remarque : Dans cette seconde méthode, la limite 2 de la suite est donnée dans l'énoncé, alors qu'elle est déterminée dans la première méthode (question **2**).

Bon à savoir

(1) Le théorème sur les suites croissantes majorées permet de conclure sur la convergence, sans donner la valeur de la limite.

(2) La formule de récurrence et l'unicité de la limite permettent d'obtenir une équation vérifiée par la limite. En la résolvant, on peut obtenir sa valeur.

(3) On peut utiliser l'expression du terme général et :
- les théorèmes sur les opérations ;
- le théorème sur les suites géométriques.

Exercices d'application

14 Soit la suite v définie sur $\mathbb{N}$ par $v_0 = 2$ et pour tout entier n : $v_{n+1} = \frac{v_n}{4} + 3$.

1 Démontrer par récurrence que la suite v est décroissante et minorée par 4.

2 Déterminer la limite de la suite v.

3 Démontrer que la suite w définie sur $\mathbb{N}$ par $w_n = v_n - 4$ est géométrique, et retrouver le résultat de la question **2**.

15 Déterminer le comportement à l'infini de la suite u dans chacun des cas suivants :

a. u est géométrique de raison 3 et de premier terme 0,1.

b. u est géométrique de raison $-0,5$ et de premier terme 100.

c. Pour tout entier n, $u_n = 2\left(\frac{5}{2}\right)^n - \frac{4}{3^n}$.

Voir exercices 80 à 83

Mener une recherche et rédiger

16 Longueur d'une spirale

OA_0B_0 est un triangle équilatéral de côté 4.
On appelle A_1 le milieu du segment $[A_0B_0]$ et B_1 le symétrique de A_1 par rapport à la droite (OB_0).
On construit de même les points A_2 et B_2, A_3 et B_3, … , A_n et B_n.
Comment évoluent la longueur A_nA_{n+1} et la longueur de la ligne brisée $A_0A_1A_2\ldots A_n$ lorsque l'entier n tend vers $+\infty$?

Voir la fiche **Geogebra**.

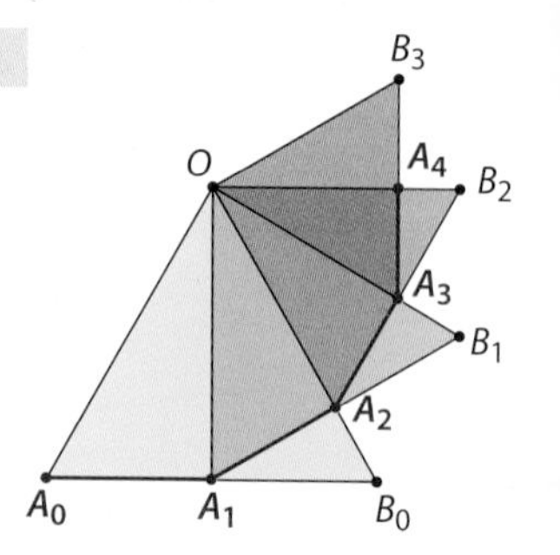

Mener une recherche étape par étape

1 Se faire une idée du résultat

On modélise la situation et on fixe des notations.

1 Construire **à l'aide d'un logiciel de géométrie dynamique** les points A_1, A_2, A_3, A_4 et A_5.

2 Pour tout entier n, on appelle a_n la longueur A_nA_{n+1} et ℓ_n la longueur de la ligne brisée $A_0A_1A_2\ldots A_n$.

Ainsi :
$$\ell_n = a_0 + a_1 + \ldots + a_{n-1} = \sum_{i=0}^{n-1} a_i.$$

Donner à l'aide du logiciel des valeurs approchées de a_0, a_1, a_2 et ℓ_2.

3 Conjecturer la nature de la suite a.

2 Valider la conjecture formulée

1 On prouve d'abord que les triangles OA_nB_n sont tous équilatéraux. Pour cela, démontrer par récurrence la propriété : « Le triangle OA_nB_n est équilatéral ».

2 En notant, pour tout entier n, c_n la longueur du côté du triangle OA_nB_n, on remarque que c_{n+1} est la hauteur du triangle équilatéral de côté c_n.

> **Rappel** Si un triangle équilatéral a pour côté c, alors sa hauteur a pour longueur $\frac{c\sqrt{3}}{2}$.

Donc pour tout entier n, $c_{n+1} = c_n \times \frac{\sqrt{3}}{2}$.

On en déduit la nature de la suite c, puis de la suite a.

3 Calculer ℓ_n en fonction de n.

4 Conclure.

3 Rédiger une solution

À l'aide des deux parties précédentes, rédiger une solution du problème posé.

17 ALGO Convergence d'une suite

On considère la suite u définie pour tout entier n non nul par : $u_n = \sin\frac{1}{n^2} + \sin\frac{2}{n^2} + \ldots + \sin\frac{n}{n^2}$.

On se propose de prouver que la suite u converge vers un réel a que l'on déterminera.

Partie A – Approche à l'aide d'un algorithme

1 On souhaite construire un algorithme permettant de calculer u_n pour tout entier $n \geqslant 1$.
On propose pour cela l'algorithme incomplet ci-contre.
Le compléter de façon à résoudre le problème.

2 Programmer l'algorithme et donner des valeurs approchées de u_{10}, u_{50} et u_{100} (vérifier que l'unité d'angle de la calculatrice ou du logiciel est bien le **radian**).

3 Conjecturer les variations de la suite u et sa limite éventuelle.

Voir les **Outils pour la programmation**.

ALGO
```
Variables : n , i : entiers ; u : réel ;
Début
    Entrer(n) ;
    u ← 0 ;
    Pour i allant de … à … Faire
        u ← u + …
    FinPour ;
    Afficher(u) ;
Fin.
```

Partie B – Stratégie

On admet que pour tout réel $x \in \left[0 ; \frac{\pi}{2}\right]$, on a :

$$x - \frac{x^3}{6} \leqslant \sin x \leqslant x.$$

On considère la suite v définie pour tout entier n non nul par : $v_n = \frac{1}{n^2} + \frac{2}{n^2} + \ldots + \frac{n}{n^2}$.

1 Calculer v_n en fonction de n et déterminer la limite de la suite v.

2 On admet que pour tout entier $n \geqslant 1$:

$$1^3 + 2^3 + \ldots + n^3 = \frac{n^2(n+1)^2}{4}.$$

(Voir l'exercice 29, page 32.)

Démontrer que pour tout entier n non nul :

$$v_n - \frac{1}{24}\frac{(n+1)^2}{n^4} \leqslant u_n \leqslant v_n.$$

3 En déduire la limite de la suite u et vérifier la conjecture émise dans la partie **A**.

18 Étudier une suite arithmético-géométrique par deux méthodes

On considère la suite u définie par $u_0 = 1$ et pour tout entier naturel n par $u_{n+1} = \frac{2u_n + 4}{3}$.

Soit la fonction f définie sur $[0 ; +\infty[$ par $f(x) = \frac{2x+4}{3}$.

1 Calculer u_1, u_2 et u_3.

2 a. Dans un repère orthonormé (unité graphique 2 cm), tracer les droites Δ et (D) d'équations respectives $y = x$ et $y = f(x)$.

b. Après avoir placé le point de coordonnées $(u_0 ; 0)$, construire les points de coordonnées $(u_1 ; 0)$, $(u_2 ; 0)$ et $(u_3 ; 0)$.

c. Conjecturer le sens de variation et la limite de la suite u.

3 Une première démonstration

a. Démontrer par récurrence que la suite u est croissante et majorée par 4.

b. Démontrer la conjecture émise à la question **2 c.**

4 Une deuxième démonstration : utilisation d'une suite auxiliaire

On considère la suite v définie pour tout entier naturel n par $v_n = u_n - 4$.

a. Montrer que la suite v est une suite géométrique dont on précisera la raison et le premier terme.

b. Exprimer v_n, puis u_n en fonction de n.

c. Démontrer la conjecture émise à la question **2 c.**

19 Étudier le comportement à l'infini d'une suite

Soit un réel a non nul. On considère la suite u définie par $u_0 = a$ et pour tout entier n, $u_{n+1} = u_n + \frac{1}{u_n}$.

On s'intéresse au comportement à l'infini de la suite *u*.

1 Justifier que la suite u est bien définie sur $\mathbb{N}$.

2 a. On suppose que $a > 0$.
Quel est le signe de la suite u ?
Quel est son sens de variation ?
Préciser le comportement à l'infini de la suite u.

b. Reprendre la question **a.** dans le cas où $a < 0$.

20 Des « 1 » partout ! Prendre des initiatives

Combien vaut le réel (s'il existe !) :

$$1 + \cfrac{1}{1 + \cfrac{1}{1 + \cfrac{1}{1 + \ldots}}} \;?$$

21 Que de racines ! Prendre des initiatives

On considère la suite u définie par $u_0 = \sqrt{2}$ et pour tout entier n, $u_{n+1} = \sqrt{2 - u_n}$.
Démontrer que la suite u converge et déterminer sa limite.

Travail personnel : exercices résolus

22 ALGO Étudier une suite définie par récurrence et déterminer des seuils

Soit la fonction f définie sur $\mathbb{R}$ par $f(x) = -0{,}5x^2 + x + 0{,}5$.
Soit la suite u définie sur $\mathbb{N}$ par $u_0 = -0{,}5$ et $u_{n+1} = f(u_n)$.

1 Étudier les variations de la fonction f sur $\mathbb{R}$.

2 Démontrer par récurrence que la suite u est croissante et majorée par 1.

3 **a.** Montrer que la suite u converge vers un réel ℓ vérifiant $f(\ell) = \ell$.

b. Déterminer la limite ℓ de la suite u.

4 **a.** Pour tout réel $e > 0$, on souhaite déterminer le rang N à partir duquel la distance entre u_n et ℓ est inférieure à e. Construire un algorithme permettant de résoudre ce problème.

b. Programmer, puis déterminer le premier rang N associé à :
i. $e = 10^{-5}$; **ii.** $e = 10^{-10}$.

Solution

1 La fonction f est dérivable sur $\mathbb{R}$ et pour tout réel x, $f'(x) = -x + 1$.
Ainsi la fonction f' est positive sur $]-\infty\,;1]$ et négative sur $[1\,;+\infty[$.
Donc la fonction f est croissante sur $]-\infty\,;1]$ et décroissante sur $[1\,;+\infty[$.

2 Pour tout entier n, on pose $P(n)$: « $u_n \leqslant u_{n+1} \leqslant 1$ ».

- **Initialisation :** $u_0 = -0{,}5$ et $u_1 = f(u_0) = -0{,}125$.
Donc $u_0 \leqslant u_1 \leqslant 1$. Ainsi $P(0)$ est vraie.
- **Hérédité :** soit **un** entier n tel que $P(n)$ est vraie. On a $u_n \leqslant u_{n+1} \leqslant 1$.
Comme f est croissante sur $]-\infty\,;1]$, on a : $f(u_n) \leqslant f(u_{n+1}) \leqslant f(1)$.
Donc $u_{n+1} \leqslant u_{n+2} \leqslant 1$: $P(n+1)$ est vraie.
- **Conclusion :** par récurrence, pour tout entier n, $u_n \leqslant u_{n+1} \leqslant 1$.
Donc la suite u est croissante et majorée par 1.

3 **a.** La suite u est croissante et majorée, donc convergente vers un réel ℓ.
Or pour tout entier n, $u_{n+1} = -0{,}5u_n^2 + u_n + 0{,}5$.
Comme $\lim\limits_{n \to +\infty} u_{n+1} = \ell$ et $\lim\limits_{n \to +\infty} (-0{,}5u_n^2 + u_n + 0{,}5) = -0{,}5\ell^2 + \ell + 0{,}5$,
par unicité de la limite, on a :

$$-0{,}5\ell^2 + \ell + 0{,}5 = \ell, \text{ soit } f(\ell) = \ell.$$

b. $-0{,}5\ell^2 + \ell + 0{,}5 = \ell \Leftrightarrow \ell^2 = 1 \Leftrightarrow \ell = 1$ ou $\ell = -1$.
Or la suite u est croissante : pour tout entier n, $u_n \geqslant u_0$, soit $u_n \geqslant -0{,}5$.
On en déduit que $\ell = 1$:
la suite u converge vers 1.

4 **a.** On propose l'algorithme ci-contre.

b. Sur calculatrice :
On exécute le programme et on obtient :
i. $N = 6$;
ii. $N = 7$.

ALGO

```
Variables : n : entier ; e, u : réels ;
Début
    n ← 0 ; u ← – 0,5 ;
    Entrer (e) ;
    TantQue |u – 1| > e Faire
    n ← n + 1 ;
    u ← – 0,5 u² + u + 0,5 ;
    FinTantQue ;
    Afficher(n) ;
Fin.
```

Casio

```
======SEUIL ======
0→N: -0.5→U↵
"E":?→E↵
While Abs (U-1)>E↵
N+1→N↵
-0.5×U²+U+0.5→U↵
WhileEnd↵
"N":N◢
```

Stratégies

1 On étudie le signe de la dérivée de f, ou directement le sens de variation d'une fonction polynôme du second degré.

2 Après avoir précisé la proposition à démontrer, on procède en deux étapes :
– l'initialisation,
– l'hérédité, pour laquelle on utilise l'hypothèse de récurrence.

3 **b.** Une suite minorée par $(-0{,}5)$ ne peut pas converger vers (-1) : l'intervalle $]-1{,}25\,;-0{,}75[$ ne contient aucun terme de la suite.

4 La distance entre u_n et 1 est $|u_n - 1|$.
Comme la suite u est croissante et convergente vers 1, dès que $|u_N - 1| \leqslant e$, alors pour tout $n \geqslant N$, on a : $|u_n - 1| \leqslant e$.
On détermine N en calculant successivement les termes u_n.

23 BAC Démontrer un résultat de cours et l'utiliser

Énoncé **Partie A – ROC**

Démontrer que si une suite u croissante n'est pas majorée, alors elle diverge vers $+\infty$.

Partie B – Application

Soit la suite u définie sur $\mathbb{N}$ par $u_0 = 1$ et pour tout entier naturel n, $u_{n+1} = u_n + u_n^2$.

1 Démontrer que la suite u est croissante.

2 On suppose que la suite u est majorée. Montrer qu'alors elle converge vers un réel que l'on déterminera.

3 Montrer que u n'est pas majorée, et préciser son comportement quand n tend vers $+\infty$.

Solution

Partie A : Il faut démontrer que pour tout réel A, il existe un rang N tel que pour tout entier $n \geqslant N$, on a : $u_n \geqslant A$.
Soit un réel A. Comme la suite u n'est pas majorée, il existe un rang N tel que $u_N \geqslant A$. Or la suite u est croissante. Donc pour tout entier $n \geqslant N$, $u_n \geqslant u_N \geqslant A$.
Donc la suite u diverge vers $+\infty$: $\lim\limits_{n \to +\infty} u_n = +\infty$.

Partie B :

1 Pour tout entier n, $u_{n+1} - u_n = u_n{}^2 \geqslant 0$. Donc la suite u est croissante.

2 Si la suite u est majorée, comme elle est croissante, alors elle converge vers un réel ℓ. Or pour tout entier n, $u_{n+1} = u_n + u_n{}^2$.
Comme $\lim\limits_{n \to +\infty} u_{n+1} = \ell$ et $\lim\limits_{n \to +\infty} (u_n + u_n{}^2) = \ell + \ell^2$, par unicité de la limite, on a : $\ell = \ell + \ell^2$.
Donc $\ell = 0$: ainsi, si la suite u est majorée, alors elle converge vers 0.

3 La suite u étant croissante, pour tout entier n, $u_n \geqslant u_0$, soit $u_n \geqslant 1$.
Si u est majorée, alors avec **2**, elle converge vers 0 : c'est impossible, car une suite minorée par 1 ne peut pas converger vers 0 (aucun terme n'appartient à l'intervalle $]-0{,}5\,;0{,}5[$).
On en déduit que la suite u n'est pas majorée.
Comme la suite u est croissante et non majorée, d'après la partie **A**, la suite u diverge vers $+\infty$.

Stratégies

Partie A : On utilise la définition d'une suite non majorée. Aussi grand que l'on choisisse A, il existe un terme u_N supérieur à A.

Partie B :

1 Pour montrer qu'une suite est croissante, il peut être commode de prouver que $u_{n+1} - u_n$ est toujours positif.

3 On raisonne « par l'absurde » : on suppose que u est majorée, et on constate une contradiction.

24 Calculer la limite d'une somme et d'un seuil

Un globe-trotter a parié de parcourir 5 000 km à pieds. Frais et dispo, il peut parcourir 50 km en une journée. Mais chaque jour, la fatigue s'accumule et sa performance diminue de 1 % tous les jours.
Pour tout entier $n \geqslant 1$, on note d_n la distance parcourue le n-ième jour et D_n la distance totale parcourue au bout de n jours, en km.

1 Préciser la nature de la suite d. En déduire l'expression de d_n en fonction de n.

2 Exprimer D_n en fonction de n.

3 Déterminer la limite de la suite D. Le globe-trotter peut-il gagner son pari ?

4 **À l'aide de la calculatrice,** déterminer le nombre minimal de jours N qui lui seraient nécessaires pour parcourir 1 500 km.

Solution

1 On a : $d_1 = 50$ et pour tout entier $n \geqslant 1$, $d_{n+1} = d_n - \dfrac{1}{100} d_n = 0{,}99 d_n$.

Donc la suite d est géométrique de raison 0,99 et de premier terme $d_1 = 50$.
Alors pour tout entier $n \geqslant 1$, $d_n = 50 \times 0{,}99^{n-1}$.

2 Pour tout entier $n \geqslant 1$, $D_n = d_1 + d_2 + \ldots + d_n$.
Donc $D_n = 50 + 50 \times 0{,}99 + \ldots + 50 \times 0{,}99^{n-1}$, soit :

$$D_n = 50 \times (1 + 0{,}99 + \ldots + 0{,}99^{n-1}) = 50 \times \frac{1 - 0{,}99^n}{1 - 0{,}99}.$$

Donc pour tout entier $n \geqslant 1$, $D_n = 5\,000 \times (1 - 0{,}99^n)$.

3 Comme $-1 < 0{,}99 < 1$, $\lim\limits_{n \to +\infty} 0{,}99^n = 0$. Donc $\lim\limits_{n \to +\infty} D_n = 5\,000$.
Par définition, pour tout entier $n \geqslant 1$, $D_n < 5\,000$: le globe-trotter ne peut pas gagner son pari. Il peut s'approcher des 5 000 km, sans jamais les atteindre !

4 On tabule la suite D à la calculatrice à partir de $n = 1$ par pas de 1.
Ainsi $N = 36$.

Stratégies

1 On exprime d_{n+1} en fonction de d_n pour reconnaître la nature de la suite u.
Pour une suite géométrique de raison q, on a : $d_n = d_1 q^{n-1}$.

2 On utilise la formule pour $q \neq 1$:

$$1 + q + \ldots + q^{n-1} = \frac{1 - q^n}{1 - q}.$$

3 On utilise le comportement à l'infini d'une suite géométrique.

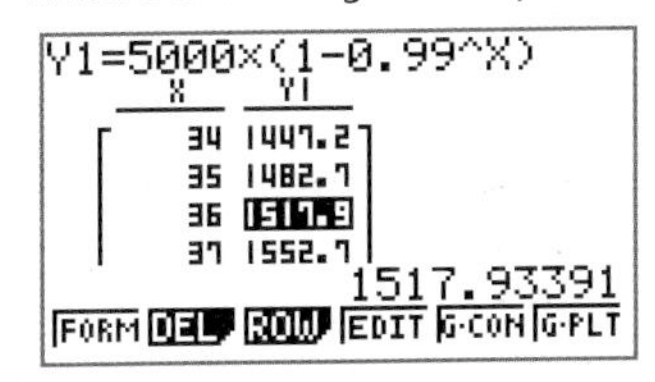

Travail personnel : faire le point

Savoir...	Comment faire ?
Utiliser une suite arithmétique ou une suite géométrique.	**Suite arithmétique u de raison r :** Pour tout entier naturel n : $\boldsymbol{u_{n+1} = u_n + r}$ Pour tout entier naturel n : $\boldsymbol{u_n = u_0 + nr}$; $\boldsymbol{1 + 2 + \ldots + n = \dfrac{n(n+1)}{2}}$. **Suite géométrique v de raison q :** Pour tout entier naturel n : $\boldsymbol{v_{n+1} = q \times v_n}$. Pour tout entier naturel n : $\boldsymbol{v_n = v_0 \times q^n}$. Pour tout réel $q \neq 1$, $\boldsymbol{1 + q + q^2 + \ldots + q^n = \dfrac{1 - q^{n+1}}{1 - q}}$.
Utiliser un raisonnement par récurrence.	On identifie clairement la propriété $P(n)$ relative à un entier naturel n que l'on se propose de démontrer. Cette propriété est : – soit donnée dans l'énoncé, – soit conjecturée par observation des résultats obtenus pour les premières valeurs de n. Bien respecter les deux étapes du raisonnement par récurrence : l'initialisation et le caractère héréditaire de la propriété $P(n)$.
Montrer qu'une suite est majorée, minorée.	Pour montrer que **M est un majorant** ou **m est un minorant** de la suite u, il s'agit de prouver que pour tout entier naturel n : $\boldsymbol{u_n \leqslant M}$ ou $\boldsymbol{u_n \geqslant m}$. On peut : soit étudier le signe de $M - u_n$ ou de $u_n - m$; soit utiliser un raisonnement par récurrence. Penser aux inégalités « classiques » : $-1 \leqslant \cos n \leqslant 1$; $-1 \leqslant (-1)^n \leqslant 1$; …
Montrer qu'une suite est croissante, décroissante.	Il s'agit de montrer que : pour tout entier naturel n, $\boldsymbol{u_n \leqslant u_{n+1}}$ (pour u croissante), ou que pour tout entier naturel n, $\boldsymbol{u_n \geqslant u_{n+1}}$ (pour u décroissante). On peut : soit étudier le signe de $u_{n+1} - u_n$; soit utiliser un raisonnement par récurrence. Dans le cas d'une suite u récurrente définie par $u_{n+1} = f(u_n)$, penser à utiliser les variations de la fonction f.
Démontrer qu'une suite u admet une limite infinie.	Utiliser la définition. Utiliser les opérations sur les limites (attention aux cas d'indétermination). Minorer u par une suite v qui tend vers $+\infty$ ou majorer u par une suite v qui tend vers $-\infty$.
Démontrer qu'une suite u est convergente vers un réel ℓ.	Utiliser la convergence des suites géométriques. Utiliser les opérations sur les limites (attention aux cas d'indétermination). Encadrer la suite u par deux suites v et w qui convergent vers ℓ. Prouver que la suite de terme général $(u_n - \ell)$ converge vers 0. Prouver l'existence de ℓ à l'aide du théorème de convergence des suites monotones, et déterminer ℓ en utilisant l'unicité de la limite.

QCM

Voir corrigés en fin de manuel

25 Pour chacune des questions suivantes, **une ou plusieurs** réponses sont correctes.

1 La suite u définie par le graphique ci-dessous : 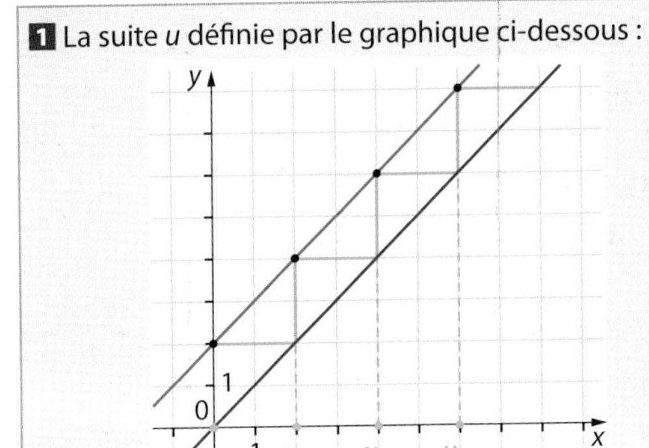	**a.** est arithmétique	**b.** est géométrique	**c.** diverge
2 La suite u est définie par $u_0 = 0$ et pour tout entier n par $u_{n+1} = \frac{2u_n - 4}{3u_n + 2}$.	**a.** $u_4 = 0$	**b.** La suite u converge	**c.** Pour tout entier n, $u_{n+3} = u_n$
3 La suite u est définie par $u_0 = 0$ et pour tout entier n par $u_{n+1} = u_n + \frac{1}{(n+1)(n+2)}$.	**a.** La suite u est croissante	**b.** $u_2 = \frac{3}{4}$	**c.** Pour tout entier n, $u_n = \frac{n}{n+1}$
4 On considère la suite u définie pour tout entier $n \geqslant 1$ par $u_n = \frac{1}{n} + \frac{1}{n+1} + \ldots + \frac{1}{2n}$.	**a.** La suite u est croissante	**b.** $u_3 = \frac{47}{60}$	**c.** La suite u est majorée
5 On considère une suite u vérifiant pour tout entier $n > 100$ l'inégalité $\lvert u_n - 1 \rvert \leqslant \frac{n}{n^2 + 1}$.	**a.** La suite u est bornée	**b.** La suite u converge vers 1	**c.** La suite u est croissante
6 La suite de terme général $u_n = \sqrt{3n+1} - \sqrt{2n+1}$:	**a.** converge vers 0	**b.** diverge	**c.** est croissante
7 La suite de terme général $v_n = \frac{3^n - 7^n}{3^n + 7^n}$:	**a.** converge vers 1	**b.** converge vers -1	**c.** diverge
8 La suite u définie sur $\mathbb{N}$ par $u_n = \frac{(-1)^n \sin n}{n^2 + 1}$:	**a.** est croissante	**b.** est positive	**c.** est convergente

Vrai ou faux ?

Voir corrigés en fin de manuel

26 **1** On considère une suite u définie sur $\mathbb{N}$ et telle qu'aucun de ses termes ne soit nul.

On définit alors la suite v sur $\mathbb{N}$ par $v_n = -\frac{4}{u_n}$.

Préciser si les affirmations suivantes sont vraies ou fausses.

a. Si la suite u est convergente, alors la suite v est convergente.

b. Si la suite u est minorée par 2, alors la suite v est minorée par -2.

c. Si la suite u est décroissante, alors la suite v est croissante.

d. Si la suite u est divergente, alors la suite v admet 0 comme limite.

2 Une suite strictement décroissante est majorée par son premier terme.

3 La suite u de terme général $u_n = 0{,}999\,999\,999\,99^n$ converge vers 1.

4 La suite u de terme général $u_n = \frac{(-1)^n}{n}$ converge vers 0.

Exercices d'application

→ Les exercices portant un numéro jaune sont corrigés à la fin du manuel.

1 Raisonnement par récurrence

27 Vrai ou faux ?
On considère la suite u définie sur $\mathbb{N}$ par son premier terme u_0 et pour tout entier n : $u_{n+1} = 3u_n + 1$.
1 La proposition « $u_n \leqslant u_{n+1}$ » est héréditaire.
2 La proposition « $u_n \geqslant u_{n+1}$ » est héréditaire.
3 Si $u_0 = 1$, alors la suite u est croissante.
4 Si $u_0 = -2$, alors la suite u est décroissante.
5 Si $u_0 = -0{,}5$, alors la suite u est stationnaire.

28 QCM Indiquer **la (ou les)** bonne(s) réponse(s).
1 Pour tout entier n, on considère la proposition $P(n)$: « $6^n - 1$ est un multiple de 5 ».
a. La proposition P est héréditaire.
b. La proposition P est vraie sur $\mathbb{N}$.
c. Il existe un entier n tel que $P(n)$ est fausse.
2 Pour tout entier n, on considère la proposition $Q(n)$: « $6^n + 1$ est un multiple de 5 »,
a. La proposition Q est héréditaire.
b. La proposition Q est vraie sur $\mathbb{N}$.
c. Il existe un entier n tel que $Q(n)$ est fausse.

Démontrer par récurrence

29 Démontrer par récurrence que pour tout entier naturel $n \geqslant 1$:
1 $1^3 + 2^3 + \ldots + n^3 = \dfrac{n^2(n+1)^2}{4}$.
2 $\dfrac{1}{1\times2\times3} + \dfrac{1}{2\times3\times4} + \ldots + \dfrac{1}{n\times(n+1)\times(n+2)} = \dfrac{n(n+3)}{4(n+1)(n+2)}$.

30 Pour tout entier n, on note f_n la fonction définie sur $\mathbb{R}$ par $f_n(x) = x^n$.
Démontrer que pour tout entier n, la fonction f_n est dérivable sur $\mathbb{R}$ et pour tout réel x, $f_n'(x) = nx^{n-1}$.

31 Démontrer par récurrence que, pour tout entier naturel n non nul, on a : $n! \geqslant 2^{n-1}$.

Pour info La **factorielle** d'un entier naturel $n > 0$, notée $n!$, est le produit des nombres entiers strictement positifs compris entre 1 et n :
$$n! = n\times(n-1)\times\ldots\times2\times1.$$
La notation $n!$ a été introduite en 1808 par le mathématicien français Christian Kramp (1760-1826).

32 Analyse critique d'un résultat
Soit $P(n)$ la propriété définie sur $\mathbb{N}$ par :
« $4^n + 1$ est divisible par 3 ».
Supposons qu'il existe $n_0 \in \mathbb{N}$ *tel que* $P(n_0)$ *soit vraie.*
Montrons que $P(n_0 + 1)$ *est vraie.*
Puisque $P(n_0)$ *est vraie, il existe* $k \in \mathbb{N}$ *tel que* $4^{n_0} + 1 = 3k$.
On a alors :
$$4^{n_0+1} + 1 = 4\times4^{n_0} + 1 = (3+1)4^{n_0} + 1$$
$$= 3\times4^{n_0} + 4^{n_0} + 1 = 3\times4^{n_0} + 3k.$$
Donc $4^{n_0+1} + 1 = 3\times(4^{n_0} + k)$.
Ceci prouve que $4^{n_0+1} + 1$ *est un multiple de 3 et donc que* $P(n_0 + 1)$ *est vraie.*
On en déduit que quel que soit $n \in \mathbb{N}$, $P(n)$ *est vraie.*
Ce raisonnement est-il exact ? Pourquoi ?

33 Montrer par récurrence que pour tout entier $n \geqslant 2$, on a l'inégalité $1! + 2! + \ldots + (n-1)! \leqslant n!$

34 Pour tout entier n, on considère la propriété :
$$P(n) : « 2^n \geqslant (n+1)^2 ».$$
1 Montrer que la propriété P est héréditaire à partir du rang 2.
2 Pour quelles valeurs de n, cette propriété est-elle vraie ?

Étudier des suites

35 On considère la suite v définie sur $\mathbb{N}$ par : $v_0 = 0$ et pour tout entier n, $v_{n+1} = v_n + 2n + 1$.
1 Calculer les cinq premiers termes de la suite v, puis conjecturer l'expression de v_n en fonction de n.
2 Démontrer par récurrence la conjecture émise à la question **1**.

36 Soit la suite u définie sur $\mathbb{N}$ par $u_0 = -3$ et pour tout entier n, $u_{n+1} = 0{,}5u_n + 1$.
1 On donne le graphique ci-contre :
Après avoir donné les équations des droites $\mathcal{D}$ et Δ, lire des valeurs approchées de u_1, u_2 et u_3.

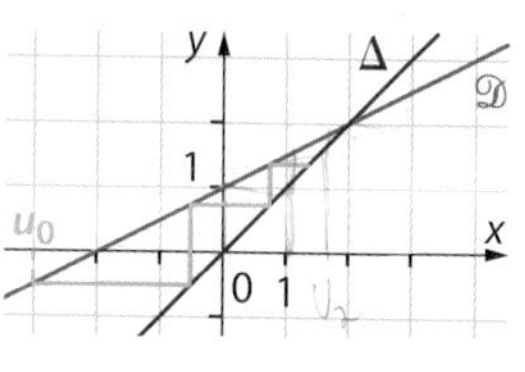

2 Démontrer que pour tout entier n, $u_n \leqslant 2$.
3 Justifier que pour tout entier n, on a :
$$u_{n+1} - u_n = 0{,}5(2 - u_n).$$
En déduire le sens de variation de la suite u.

37 Soit la suite v définie sur $\mathbb{N}$ par $v_0 = 0$ et pour tout entier n, $v_{n+1} = 2v_n + 1$.

1 Représenter graphiquement dans un repère orthonormé les droites $\mathscr{D}$ et Δ d'équations respectives $y = 2x + 1$ et $y = x$. Puis construire sur l'axe des abscisses les quatre premiers termes de la suite v.
Conjecturer le sens de variation de la suite v.

2 Montrer par récurrence que pour tout entier n, $v_n \geqslant 0$.

3 En déduire que la suite v est croissante.

38 On considère la suite u définie sur $\mathbb{N}$ par $u_0 = 3$ et pour tout entier n, $u_{n+1} = 3u_n + 2$.
Démontrer que pour tout entier n : $u_n = 4 \times 3^n - 1$.

39 Soit la suite u définie par $u_0 = 8$ et pour tout entier naturel n, $u_{n+1} = \sqrt{u_n + 1}$. Démontrer que la suite u est minorée par 1 et est décroissante.

40 Soit la suite u définie sur $\mathbb{N}$ par $u_0 = 3$ et pour tout entier n :

$$u_{n+1} = \frac{4u_n - 2}{u_n + 1}.$$

1 Dresser le tableau de variations de la fonction f définie sur $]-1\,;+\infty[$ par :

$$f(x) = \frac{4x - 2}{x + 1}.$$

2 Démontrer par récurrence que pour tout entier n, $u_n > 2$.

3 La suite u est-elle monotone ?

41 On considère la suite u définie par $u_0 = 0$, $u_1 = 1$ et pour tout entier $n \geqslant 1$:

$$u_{n+1} = 4u_n - 3u_{n-1}.$$

Démontrer par récurrence que pour tout entier n :

$$u_n = \frac{3^n - 1}{2}.$$

2 Limite finie ou infinie d'une suite

42 **Vrai ou faux ?**

a. Si une suite n'est pas majorée, alors sa limite est $+\infty$.
b. Si une suite est croissante, alors sa limite est $+\infty$.
c. Si une suite tend vers $+\infty$, alors elle n'est pas majorée.
d. Si une suite tend vers $+\infty$, alors elle est croissante.

43 LOGIQUE **Vrai ou faux ?**

On considère deux suites u et v définies sur $\mathbb{N}$.

a. Si $\lim\limits_{n \to +\infty} u_n = +\infty$ et si $\lim\limits_{n \to +\infty} v_n = -\infty$, alors :

$$\lim_{n \to +\infty} u_n + v_n = 0.$$

b. Si la suite u converge vers un réel non nul et si $\lim\limits_{n \to +\infty} v_n = +\infty$, alors la suite $u \times v$ ne converge pas.

c. Si la suite u converge vers un réel non nul, si v est strictement positive telle que $\lim\limits_{n \to +\infty} v_n = 0$, alors la suite $\left(\frac{u_n}{v_n}\right)$ ne converge pas.

d. Si les suites u et v convergent, alors la suite $\left(\frac{u_n}{v_n}\right)$ converge.

44 **Vrai ou faux ?**

Étant donné une suite x définie sur $\mathbb{N}$, on considère la suite S définie sur $\mathbb{N}$ par $S_n = x_0 + x_1 + \ldots + x_n$.

1 Si la suite x est convergente, alors la suite S l'est aussi.

2 Les suites x et S ont le même sens de variation.

Utiliser les définitions

45 **Démonstrations du cours**

Voir la **démonstration du cours**, page 18.

1 Soit la suite u définie sur $\mathbb{N}^*$ par $u_n = \frac{1}{n}$.

a. Soit un réel $e > 0$. Montrer que $u_n < e \Leftrightarrow n \geqslant E\left(\frac{1}{e}\right)$.

b. En déduire que la suite u converge vers 0.

2 En s'inspirant de la démarche précédente, démontrer que : $\lim\limits_{n \to +\infty} \frac{1}{n^2} = 0$ et $\lim\limits_{n \to +\infty} \frac{1}{\sqrt{n}} = 0$.

Pour info
Si x est un réel, la partie entière de x est le plus grand entier qui est inférieur ou égal à x. On le note $E(x)$.

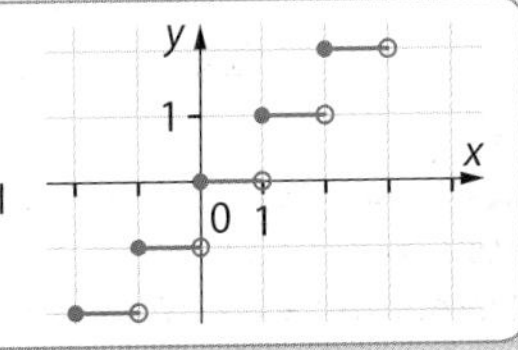

46 **Démonstration du cours : unicité de la limite** Voir le cours, page 18.

Soient une suite u et deux réels ℓ et ℓ' tels que $\ell < \ell'$.
On suppose que la suite u converge vers ℓ et ℓ'.
On considère un réel $\varepsilon > 0$ tel que $\varepsilon < \frac{\ell' - \ell}{2}$.

1 Pourquoi, à partir d'un rang p, tous les termes u_n sont-ils dans l'intervalle $]\ell - \varepsilon\,; \ell + \varepsilon[$?

2 En opérant de même avec ℓ', montrer que l'on aboutit à une contradiction. Que peut-on en conclure ?

Exercices d'application

47 Soit e un réel strictement positif.

1 Résoudre dans $[0\,;+\infty[$ l'inéquation $\dfrac{3}{2x+1} < e$.

2 Soit la suite u définie sur $\mathbb{N}$ par $u_n = \dfrac{3}{2n+1}$.

a. Démontrer que $u_n < e$ à partir d'un certain rang N.

b. En déduire que la suite u converge vers 0.

Pour les exercices 48 et 49 :

On définit une suite u par son terme général.

a. Étudier les variations de la suite u.

b. Conjecturer la limite ℓ de la suite u.

c. Déterminer un rang p à partir duquel tous les termes de la suite u sont dans $]\ell - 10^{-4}\,;\ell + 10^{-4}[$.

d. Démontrer que la suite u converge.

48 **a.** $u_n = \dfrac{2}{n}\ (n>0)$; **b.** $u_n = \dfrac{1}{1+\sqrt{n}}$.

49 **a.** $u_n = \dfrac{1-3n}{n+2}$; **b.** $u_n = \dfrac{n^2}{1+n^2}$.

50 **1** Démontrer que toute suite convergente est bornée.

2 La réciproque est-elle vraie ?

51 **Démonstration du cours**

Voir la **démonstration du cours**, page 18.

Soit la suite u définie sur $\mathbb{N}$ par $u_n = \sqrt{n}$.

1 Soit un réel A. Résoudre dans $\mathbb{N}$ l'inéquation : $u_n > A$ (on distinguera les cas $A < 0$ et $A \geqslant 0$).

2 En déduire que la suite u diverge vers $+\infty$.

52 Soit la suite u définie sur $\mathbb{N}^*$ par $u_n = \dfrac{n^2+3}{n}$.

1 Montrer qu'à partir d'un certain rang n_0, à déterminer, tous les termes de la suite appartiennent à l'intervalle $]10\,;+\infty[$.

2 Soit A un réel. Montrer qu'à partir d'un certain rang n_0, à déterminer en fonction de A, tous les termes de la suite appartiennent à l'intervalle $]A\,;+\infty[$.

3 En déduire la limite de la suite u.

53 On définit une suite u par son terme général. Dans chaque cas :

- Étudier les variations de la suite u.
- Conjecturer la limite de la suite u.
- Déterminer un rang p tel que pour tout $n \geqslant p$:

i. $u_n > 10^5$; **ii.** $u_n \in]10^{12}\,;+\infty[$.

- Déterminer la limite de la suite u.

1 $u_n = 2n^2 - 3$. **2** $u_n = 2\sqrt{n} + 5$.

54 On considère la suite v définie sur $\mathbb{N}$ par :

$$v_n = -2n^2 + 3.$$

Démontrer que la suite v diverge vers $-\infty$.

Utiliser des opérations sur les limites

55 **Comprendre les cas d'indétermination**

On considère deux suites u et v.

1 Déterminer la limite éventuelle de la suite $u + v$ dans les cas suivants :

a. $u_n = n^2 + n$ et $v_n = -n$.

b. $u_n = n + 1$ et $v_n = -n^2 - n$.

c. $u_n = n + 1$ et $v_n = -n + 2$.

d. $u_n = n + (-1)^n$ et $v_n = -n$.

2 Proposer des termes généraux u_n et v_n tels que : $\lim\limits_{n\to+\infty} u_n = +\infty$ et $\lim\limits_{n\to+\infty} v_n = 0$ et tels que :

a. $\lim\limits_{n\to+\infty} u_n \times v_n = +\infty$.

b. $\lim\limits_{n\to+\infty} u_n \times v_n = 0$.

c. $\lim\limits_{n\to+\infty} u_n \times v_n = -\infty$.

d. $\lim\limits_{n\to+\infty} u_n \times v_n = 4$.

Pour les exercices 56 à 64, déterminer les limites éventuelles des suites u et v dont on donne les termes généraux.

56 **a.** $u_n = -4n + 6$; **b.** $v_n = n^2 - 3n + 5$.

57 **a.** $u_n = n\sqrt{n}$; **b.** $v_n = n^3 - n^2$.

58 **a.** $u_n = \dfrac{3}{2n+1}$; **b.** $v_n = 5 - \dfrac{2}{n+1}$.

59 **a.** $u_n = \dfrac{3n-5}{2n+1}$; **b.** $v_n = \dfrac{n^2-2n}{3+n}$.

60 **a.** $u_n = (-1)^n$; **b.** $v_n = \sqrt{n+1} - \sqrt{n}$.

61 **a.** $u_n = n^2 - \dfrac{1}{n+1}$; **b.** $v_n = \dfrac{1}{n^2} - 2\sqrt{n}$.

62 **a.** $u_n = 2 + \dfrac{3}{n} - \dfrac{3}{n^2}$; **b.** $v_n = \sqrt{n} - \dfrac{1}{\sqrt{n}}$.

63 **a.** $u_n = \dfrac{3n-1}{n^2}$; **b.** $v_n = \dfrac{3n^2+n+1}{n^2+2n-1}$.

64 **a.** $u_n = \dfrac{(n+1)(3-n)}{2n^2+1}$;

b. $v_n = \left(n - \dfrac{1}{n}\right)\left(\dfrac{n+1}{2n^2}\right)$.

En situation

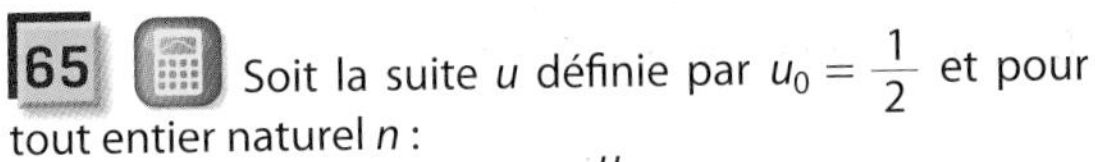

65 Soit la suite u définie par $u_0 = \dfrac{1}{2}$ et pour tout entier naturel n :

$$u_{n+1} = \frac{u_n}{1 + u_n}.$$

La suite v est définie sur $\mathbb{N}$ par $v_n = \dfrac{1}{u_n} + 1$.

1 **À l'aide de la calculatrice**, conjecturer le comportement à l'infini de la suite u.

2 Prouver que la suite v est arithmétique.

3 Exprimer v_n, puis u_n en fonction de n.

4 En déduire la limite de la suite u.

66 ALGO On considère la suite u définie sur $\mathbb{N}$ par :

$$u_n = \frac{n+1}{2n^3+1}.$$

1 Étudier les variations de la suite u.

2 Déterminer la limite ℓ de la suite u.

3 **a.** On souhaite déterminer le rang N à partir duquel la distance entre u_n et ℓ est inférieure à 10^{-3}.

On propose pour cela l'algorithme ci-contre. Expliquer la démarche.

b. Pour tout réel $e > 0$, on souhaite déterminer le rang N à partir duquel la distance entre u_n et ℓ est inférieure à e.

Modifier l'algorithme ci-contre de façon à résoudre le problème.

ALGO

```
Variable : N : entier ;
Début :
    N ← 0 ;
    TantQue |(N + 1)/(2N^3 + 1)| ≥ 10^-3
        Faire N ← N + 1 ;
    FinTantQue
    Afficher (N) ;
Fin.
```

c. Programmer, puis déterminer les rangs N associés à :

i. $e = 10^{-2}$; **ii.** $e = 10^{-5}$.

3 Limites et comparaison

67 **Vrai ou faux ?**

1 Soit la suite u définie pour tout $n \in \mathbb{N}^*$ par $u_n = (-1)^n$.

a. La suite u est bornée.

b. La suite u converge.

c. La suite de terme général $\dfrac{u_n}{n}$ converge.

2 Toute suite v à termes strictement positifs et décroissante converge vers 0.

68 **Vrai ou faux ?**

On considère une suite u définie sur $\mathbb{N}^*$ et qui vérifie pour tout entier $n > 0$: $|u_n - \sqrt{3}| \leqslant \dfrac{1}{n}$.

1 La suite u est majorée par 3.

2 La suite u converge vers 0.

3 Pour tout entier $n > 0$, $\sqrt{3} - \dfrac{1}{n} \leqslant u_n \leqslant \sqrt{3} + \dfrac{1}{n}$.

4 La suite u converge vers $\sqrt{3}$.

Théorèmes de majoration, de minoration

69 BAC **Démonstration du cours : le théorème de majoration**

➔ Voir la **démonstration du cours**, page 22.

Soient deux suites u et v et un entier N tels que pour tout entier $n \geqslant N$, $u_n \leqslant v_n$.

On suppose que $\lim\limits_{n \to +\infty} v_n = -\infty$. Soit un réel A.

1 Justifier l'existence d'un entier p tel que pour tout entier $n \geqslant p$, $v_n < A$.

2 Démontrer que l'intervalle $]-\infty\,; A[$ contient toutes les valeurs u_n à partir du rang p.

Conclure sur le comportement à l'infini de la suite u.

70 On considère une suite u. Dans chacun des cas suivants, déterminer la limite de la suite u.

a. $u_n = n^2 + (-1)^n n$. **b.** $u_n = (\cos(n) - 2) \times n$.

71 On considère la suite u définie sur $\mathbb{N}^*$ par :

$$u_n = \sum_{k=1}^{n} \frac{1}{\sqrt{k}} = 1 + \frac{1}{\sqrt{2}} + \frac{1}{\sqrt{3}} + \ldots + \frac{1}{\sqrt{n}}.$$

1 Soit un entier $n \geqslant 1$. Justifier que pour tout entier k, $1 \leqslant k \leqslant n$, on a : $\dfrac{1}{\sqrt{k}} \geqslant \dfrac{1}{\sqrt{n}}$.

2 En déduire que pour tout entier $n \geqslant 1$, $u_n \geqslant \sqrt{n}$.

3 Déterminer la limite de la suite u.

72 Soit la suite v définie par $v_0 = 0$ et pour tout entier naturel n, $v_{n+1} = 2v_n - 3$.

1 **À l'aide de la calculatrice**, conjecturer le comportement à l'infini de la suite v.

2 **a.** Démontrer par récurrence que pour tout entier n, $v_n \leqslant 0$. En déduire que pour tout n, $v_{n+1} - v_n \leqslant -3$.

b. Montrer que pour tout entier n, $v_n \leqslant -3n$.

c. En déduire le comportement à l'infini de la suite v.

Exercices d'application

73 Soit la fonction f définie sur $\mathbb{R}$ par $f(x)=\frac{1}{4}x^2+2$ et $\mathscr{C}$ sa courbe représentative.
On considère la suite u définie sur $\mathbb{N}$ par $u_0=3$ et la relation de récurrence $u_{n+1}=f(u_n)$.

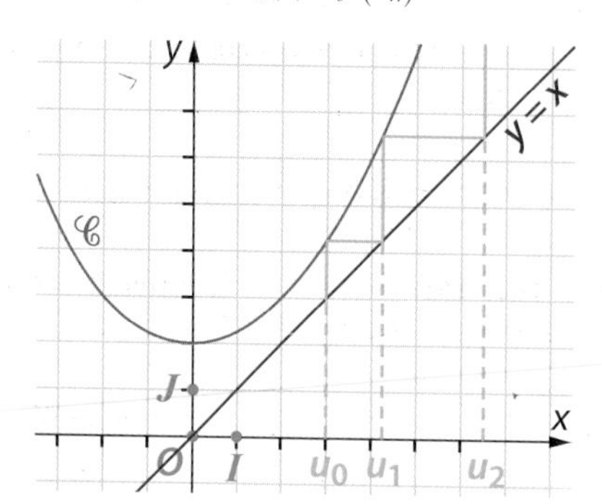

1 Montrer que pour tout réel x, $f(x) \geqslant x+1$.

2 Prouver que, pour tout entier n, $u_{n+1}-u_n \geqslant 1$.
En déduire le sens de variation de la suite u.

3 Montrer que pour tout $n \in \mathbb{N}$, $u_n-u_0 \geqslant n$.

> **Coup de pouce** Utiliser que :
> $$u_n-u_0=(u_n-u_{n-1})+\ldots+(u_1-u_0).$$

En déduire le comportement de la suite u en $+\infty$.

4 À partir de quel rang N est-on certain que pour tout entier $n \geqslant N$, $u_n \geqslant 10^6$?

Théorème des gendarmes

74 Démontrer que les suites u et v suivantes sont convergentes et déterminer leurs limites.

a. $u_n=\dfrac{(-1)^n}{n+1}$. **b.** $v_n=\dfrac{\cos n}{n^2}$.

75 On considère la suite u définie sur $\mathbb{N}^*$ par :
$$u_n=\sum_{k=1}^{n}\frac{1}{n+\sqrt{k}}=\frac{1}{n+1}+\frac{1}{n+\sqrt{2}}+\ldots+\frac{1}{n+\sqrt{n}}.$$

1 Montrer que pour tout entier n non nul :
$$\frac{n}{n+\sqrt{n}} \leqslant u_n \leqslant \frac{n}{n+1}.$$

> **Coup de pouce** Si on a n nombres rangés dans l'ordre croissant, la somme de ces nombres est supérieure à n fois le plus petit et inférieure à n fois le plus grand.

2 Montrer que la suite u est convergente et préciser sa limite.

76 La suite u est définie pour tout entier $n \geqslant 2$ par :
$$u_n=\frac{3n+(-1)^n\cos n}{n-1}.$$

1 Calculer u_n-3 en fonction de n.

2 Montrer que pour tout $n \geqslant 2$, $|u_n-3|$ est majoré par le terme général d'une suite convergeant vers 0.
En déduire la limite de la suite u.

3 Déterminer un rang N à partir duquel on est certain que pour tout entier $n \geqslant N$, la distance entre u_n et 3 est inférieure à 0,01.

77 La suite u est définie sur $\mathbb{N}$ par :
$$u_n=\frac{2n^2-3\sin n}{n^2+1}.$$

1 Donner une valeur approchée de u_{10} et u_{100}.
Que peut-on conjecturer concernant la limite éventuelle de la suite u ?

2 Prouver que, pour tout entier naturel n :
$$\frac{2n^2-3}{n^2+1} \leqslant u_n \leqslant \frac{2n^2+3}{n^2+1}.$$
En déduire la limite de la suite u.

3 **a.** Justifier que pour tout entier n :
$$\frac{-5}{n^2+1} \leqslant u_n-2 \leqslant \frac{1}{n^2+1}.$$
b. À partir de quel rang N est-on certain que pour tout $n \geqslant N$, la distance entre u_n et 2 est-elle inférieure à 10^{-3} ?
c. A-t-on pour tout entier $n \geqslant N$, $u_n \leqslant 2$?

4 Convergence de certaines suites

78 **Vrai ou faux ?**

1 Toute suite géométrique de raison strictement comprise entre -1 et 1 converge vers 0.

2 Toute suite géométrique de raison strictement supérieure à 1 diverge vers $+\infty$.

3 Toute suite géométrique de raison inférieure à -1 diverge et n'admet pas de limite.

79 **Vrai ou faux ?**

Préciser si les affirmations suivantes sont vraies ou fausses.

1 Toute suite croissante majorée converge.

2 Toute suite croissante convergente est majorée.

3 Toute suite majorée convergente est croissante.

4 Toute suite décroissante est majorée.

Cas des suites monotones

80 Soit la suite u définie par son premier terme $u_0 = 1$ et pour tout entier naturel n, $u_{n+1} = \sqrt{1 + u_n}$.
Soit la fonction f définie sur $[-1\,;+\infty[$ par :
$$f(x) = \sqrt{1+x}.$$

1 Montrer que f est strictement croissante.

2 Soit a la solution de l'équation $f(x) = x$. Montrer que pour tout réel $x \in [1\,;a]$, $f(x) \in [1\,;a]$.

3 En déduire, à l'aide d'un raisonnement par récurrence que, pour tout entier n, $1 \leqslant u_n \leqslant a$ et $u_n \leqslant u_{n+1}$.

4 Qu'en déduit-on pour la suite u ?

81 ALGO Soit f la fonction définie sur $[0\,;+\infty[$ par :
$$f(x) = 6 - \frac{5}{x+1}.$$
On considère la suite u définie par $u_0 = 0$ et pour tout entier naturel n, $u_{n+1} = f(u_n)$.

1 Dans un repère orthonormé, représenter les courbes Δ et $\mathscr{C}$ d'équations $y = x$ et $y = f(x)$.
Puis représenter graphiquement les cinq premiers termes de la suite u.
Quelles conjectures peut-on émettre quant au sens de variation et à la convergence de la suite u ?

2 **a.** Résoudre l'équation $f(x) = x$. On note α la solution.
b. Montrer que pour tout entier n, $0 \leqslant u_n \leqslant u_{n+1} \leqslant \alpha$.

3 En déduire que la suite u converge. On déterminera la valeur de sa limite ℓ.

4 **a.** Pour tout réel $e > 0$, on souhaite déterminer le rang N à partir duquel la distance entre u_n et ℓ est strictement inférieure à e.
Construire un algorithme permettant de résoudre ce problème.
b. Programmer, puis déterminer le rang N associé à :
i. $e = 0{,}001$; **ii.** $e = 10^{-6}$.

Voir les **Outils pour la programmation**.

82 ALGO Soit la suite u définie par $u_0 = 0$ et pour tout entier naturel n, $u_{n+1} = u_n{}^2 + 3u_n + 1$.

1 Justifier que pour tout entier naturel n, $u_n \geqslant 0$.
En déduire que la suite u est croissante.

2 On suppose que la suite u est majorée.
Déterminer dans ce cas la valeur de sa limite.

3 Que peut-on en déduire ?

4 **a.** Pour tout réel A, on souhaite déterminer le rang N à partir duquel $u_n > A$. Construire un algorithme permettant de résoudre ce problème.
b. Programmer, puis déterminer le rang N associé à :
i. $A = 1000$. **ii.** $A = 10^6$.

83 On considère la suite w définie par $w_0 = 0{,}6$ et pour tout entier naturel n, $w_{n+1} = 0{,}7w_n + 0{,}1$.

1 Justifier que pour tout entier n, on a : $0 \leqslant w_n \leqslant 1$.

2 Démontrer que la suite w est monotone.

3 En déduire que la suite w est convergente. Préciser la valeur de sa limite.

Limite d'une suite géométrique

Pour les exercices 84 à 86, déterminer les limites éventuelles des suites u et v définies sur $\mathbb{N}$.

84 **a.** $u_n = 1 - \dfrac{2}{1 - \left(\dfrac{2}{3}\right)^n}$; **b.** $v_n = 6^n - 7^n$.

85 **a.** $u_n = \dfrac{5^{n+3}}{8^n}$; **b.** $v_n = \dfrac{3^n - 4^n}{3^n + 2^n}$.

86 **a.** $u_n = \left(\dfrac{1}{3}\right)^n + \dfrac{1}{n}$; **b.** $v_n = \dfrac{3^n}{2^{2n}}$.

87 On considère la suite u définie par $u_1 = 4$, $u_2 = 14$ et pour tout entier n non nul, $u_{n+2} = 5u_{n+1} - 6u_n$.
Montrer par récurrence que pour tout entier $n > 0$, $u_n = 2 \times 3^n - 2^n$. En déduire la limite de la suite u.

88 Un ressort est modélisé par une succession « infinie » de demi-cercles dont le rayon de l'un est égal aux deux tiers du rayon précédent.

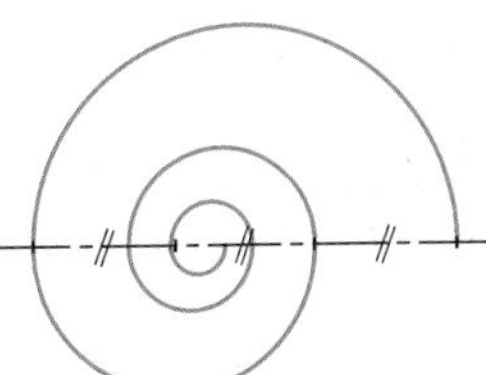

Si le diamètre du premier demi-cercle est 1 cm, quelle est la longueur totale du ressort ?

89 Soit un entier naturel n supérieur ou égal à 1.

1 Démontrer que : $\displaystyle\sum_{k=2}^{n+1} \frac{1}{10^k} = \frac{1}{90}\left(1 - \frac{1}{10^n}\right)$.

2 La suite v est définie sur $\mathbb{N}$ par $v_n = 1{,}2777\ldots7$, avec n décimales consécutives égales à 7.
Ainsi $v_0 = 1{,}2$; $v_1 = 1{,}27$ et $v_2 = 1{,}277$.
En utilisant la question **1**, démontrer que la limite de la suite v est un nombre rationnel r (c'est-à-dire le quotient de deux entiers).

Pour info Cette démonstration caractérise les nombres rationnels : un nombre x est rationnel si, et seulement si, son développement décimal est périodique (à partir d'un certain rang).

Exercices guidés

90 Vrai ou faux ?

Répondre par vrai ou par faux aux affirmations suivantes. Justifier votre réponse.

1 On considère la suite u définie sur $\mathbb{N}$ par $u_0 = 0$ et pour tout entier n, $u_{n+1} = u_n + \frac{1}{(n+1)(n+2)}$.

Pour tout entier n, on a : $u_n = \frac{n}{n+1}$.

2 On considère la suite S définie sur $\mathbb{N}^*$ par :

$$S_n = \sum_{k=1}^{n} \frac{k}{n^2} = \frac{1}{n^2} + \frac{2}{n^2} + \ldots + \frac{n}{n^2}.$$

La suite S est croissante et converge vers $\frac{1}{2}$.

3 La suite v est définie sur $\mathbb{N}$ par $v_n = \frac{1+(-1)^n \sin n}{n+1}$.

La suite v est bornée et convergente.

Pistes de résolution

1 On calcule les premiers termes : $u_0 = 0 = \frac{0}{1}$; $u_1 = u_0 + \frac{1}{1\times 2} = \frac{1}{2}$; $u_2 = u_1 + \frac{1}{2\times 3} = \frac{2}{3}$.

Il semble que la proposition soit vraie. On pense à utiliser un raisonnement par récurrence pour la démontrer.

2 On a $S_n = \frac{1}{n^2} \times (1 + 2 + \ldots + n)$.

Comme $1 + 2 + \ldots + n = \frac{n(n+1)}{2}$, on peut exprimer simplement S_n en fonction de n.

On peut alors étudier :

- les variations de la suite S, par exemple en étudiant les variations de la fonction f telle que $S_n = f(n)$;
- le comportement à l'infini de la suite S en utilisant les règles sur les opérations et les limites.

3 On pense à encadrer : $0 \leqslant 1 + (-1)^n \sin n \leqslant 2$.

On peut alors conclure sur la limite de la suite v par le théorème des gendarmes.

Pour montrer que la suite v est bornée, il faut encadrer v_n par deux réels (indépendants de n).

91 Étudier le comportement d'une suite à l'aide d'un raisonnement par récurrence

Soit f la fonction définie sur $\mathbb{R}$ par $f(x) = 1{,}4x - 0{,}05x^2$.

Le but de l'exercice est d'étudier des suites u définies par un premier terme u_0 de $[0 ; 14]$ et vérifiant pour tout entier naturel n : $u_{n+1} = f(u_n)$.

1 a. Étudier les variations de la fonction f sur $[0 ; 14]$.

b. Résoudre dans l'intervalle $[0 ; 14]$ l'équation $f(x) = x$.

c. Montrer que si x appartient à l'intervalle $[0 ; 8]$, alors $f(x)$ appartient à l'intervalle $[0 ; 8]$.

De même, montrer que si x appartient à l'intervalle $[8 ; 14]$, alors $f(x)$ appartient à l'intervalle $[8 ; 14]$.

2 Dans cette question, on considère la suite u définie par $u_0 = 6$ et pour tout entier naturel n : $u_{n+1} = f(u_n)$.

a. Dans un repère orthonormé, représenter les courbes Δ et $\mathscr{C}$ d'équations $y = x$ et $y = f(x)$.

Placer le point A_0 de coordonnées $(u_0 ; 0)$, et, en utilisant ces courbes, construire à partir de A_0 les points A_1, A_2, A_3 et A_4 d'ordonnée nulle et d'abscisses respectives u_1, u_2, u_3 et u_4.

Quelles conjectures peut-on émettre quant au sens de variation et à la convergence de la suite u ?

b. Montrer par récurrence que, pour tout entier naturel n :

$$0 \leqslant u_n < u_{n+1} \leqslant 8.$$

c. En déduire que la suite u est convergente et déterminer sa limite ℓ.

Question ouverte

3 ***Dans cette question, toute trace de recherche, même incomplète, ou d'initiative, même non fructueuse, sera prise en compte dans l'évaluation.***

Que peut-on dire du sens de variation et de la convergence de la suite u suivant les valeurs du réel u_0 de l'intervalle $[0 ; 14]$?

Pistes de résolution

1 a. On étudie par exemple le signe de $f'(x) = 1{,}4 - 0{,}1x$ sur $[0 ; 14]$ pour obtenir les variations de f sur $[0 ; 14]$.

b. L'équation est équivalente à $0{,}4x - 0{,}05x^2 = 0$, soit $x(0{,}4 - 0{,}05x) = 0$.

c. On pense à utiliser l'une des questions précédentes : f étant croissante sur $[0 ; 8]$, si $0 \leqslant x \leqslant 8$, alors $f(0) \leqslant f(x) \leqslant f(8)$.

2 a. $u_1 = f(u_0)$ est l'ordonnée du point de $\mathscr{C}$ d'abscisse u_0, que l'on reporte sur l'axe des abscisses en utilisant la droite Δ.

b. On procède en deux étapes : l'initialisation et l'hérédité.

c. Avec la question précédente, la suite u est croissante et majorée, et donc convergente vers un réel ℓ.

En utilisant la formule de récurrence et l'unicité de la limite, on obtient une équation vérifiée par ℓ.

92 ALGO Étudier la somme des premiers termes d'une suite

On définit la suite u par : $u_0 = 13$ et, pour tout entier naturel n, $u_{n+1} = \frac{1}{5}u_n + \frac{4}{5}$, et la suite S sur $\mathbb{N}$ par :

$$S_n = u_0 + u_1 + \ldots + u_n - n - 1.$$

1 a. Montrer que la suite v définie sur $\mathbb{N}$ par $v_n = u_n - 1$ est géométrique de raison $\frac{1}{5}$.

b. En déduire l'expression de u_n en fonction de n.
Quelle est la limite de la suite u ?

2 a. Déterminer le sens de variation de la suite S.

b. Calculer S_n en fonction de n.

c. Déterminer la limite ℓ de la suite S.

3 a. On souhaite déterminer le rang N à partir duquel la distance entre S_n et ℓ est inférieure à 10^{-3}.
On propose pour cela l'algorithme ci-contre.
Expliquer la démarche.

b. Pour tout réel $e > 0$, on souhaite déterminer le rang N à partir duquel la distance entre S_n et ℓ est inférieure à e.
Modifier l'algorithme précédent de façon à résoudre le problème.

c. Programmer, puis déterminer les rangs N associés à :
i. $e = 10^{-2}$; **ii.** $e = 10^{-5}$.

ALGO

Variables :
  n : entier ; u , S : réels ;
Début :
  $n \leftarrow 0$; $u \leftarrow 13$; $S \leftarrow u$;
  TantQue $|S - \ell| > 10^{-3}$ Faire
    $n \leftarrow n + 1$;
    $u \leftarrow \frac{1}{5}u + \frac{1}{4}$; $S \leftarrow S + u - n - 1$;
  FinTantQue
  Afficher (n) ;
Fin.

Pistes de résolution

1 a. On doit exprimer $v_{n+1} = u_{n+1} - 1$ et démontrer que $v_{n+1} = \frac{1}{5}v_n$.

b. Par la question précédente, $v_n = v_0\left(\frac{1}{5}\right)^n$.
Comme $u_n = v_n + 1$, on obtient l'expression de u_n.
On en déduit la limite de la suite u.

2 a. On a : $S_{n+1} - S_n = u_{n+1} - 1$. On est ramené à l'étude du signe de cette différence.

b. On utilise l'expression de u_n et la formule pour $q \neq 1$:

$$1 + q + q^2 + \ldots + q^n = \frac{1 - q^{n+1}}{1 - q}.$$

c. On utilise l'expression obtenue à la question précédente.

3 a. La distance entre S_n et ℓ est $|S_n - \ell|$.
La suite S étant croissante et convergente vers ℓ, dès que $|S_N - \ell| \leqslant 10^{-3}$, alors pour tout $n \geqslant N$, on a : $|S_n - \ell| \leqslant 10^{-3}$.
Il s'agit donc de calculer S_n de proche en proche tant que $|S_n - \ell| > 10^{-3}$.

b. Il faut entrer le réel e et modifier la condition dans la boucle « Tant Que ».

c. Voir les fiches **Calculatrices**.

Exercices d'entraînement

Soit un nombre réel a tel que $-1 < a < 0$.
On considère la suite u définie par $u_0 = a$, et pour tout entier naturel n, $u_{n+1} = u_n^2 + u_n$.

1 Étudier la monotonie de la suite u.

2 a. Soit la fonction h définie sur $\mathbb{R}$ par $h(x) = x^2 + x$.
Étudier le sens de variation de la fonction h sur $\mathbb{R}$.
En déduire que : si $x \in]-1 ; 0[$, alors $h(x) \in]-1 ; 0[$.

b. Montrer que pour tout entier n, on a : $-1 < u_n < 0$.

3 Étudier le comportement à l'infini de la suite u.

4 a. On souhaite déterminer le rang N à partir duquel la distance entre u_n et 0 est strictement inférieure à 0,01.
Compléter l'algorithme pour répondre au problème.

b. Pour tout réel $e > 0$, on souhaite déterminer le rang N (qui dépend de a) à partir duquel $|u_n| < e$.
Modifier l'algorithme précédent de façon à résoudre le problème.

c. Programmer, puis déterminer les rangs N associés à :
i. $a = -0{,}5$ et $e = 10^{-15}$;
ii. $a = -0{,}2$ et $e = 10^{-5}$.

ALGO

Variables :
N : entier ; a, u : réels ;
Début
  Entrer (a) ;
  $N \leftarrow 0$; $u \leftarrow a$;
  TantQue $|u| \geqslant 0{,}01$ Faire
    $N \leftarrow \ldots$;
    $u \leftarrow \ldots$;
  FinTantQue
  Afficher (N) ;
Fin.

94 On considère la suite w dont les termes vérifient, pour tout nombre entier $n \geqslant 1$:

$$nw_n = (n+1)w_{n-1} + 1 \quad \text{et} \quad w_0 = 1.$$

Le tableau suivant donne les dix premiers termes de cette suite.

w_0	w_1	w_2	w_3	w_4	w_5	w_6	w_7	w_8	w_9
1	3	5	7	9	11	13	15	17	19

1 Détailler le calcul permettant d'obtenir w_{10}.

Question ouverte

2 ***Dans cette question toute trace de recherche, même incomplète, ou d'initiative, même non fructueuse, sera prise en compte dans l'évaluation.***
Déterminer la nature de la suite w. Calculer w_{2012}.

95 60 **Partie A – Question de cours**

On rappelle que la limite d'une suite u est $+\infty$ si pour tout réel A, il existe un rang N tel que pour tout entier $n \geqslant N$, $u_n \in]A ; +\infty[$.

Soient deux suites u et v telles que pour tout entier n, $u_n \leqslant v_n$.

On suppose que $\lim_{n \to +\infty} u_n = +\infty$.

Démontrer que $\lim_{n \to +\infty} v_n = +\infty$.

Partie B

On considère la suite u définie par :

$$u_0 = 1 \text{ et pour tout } n \in \mathbb{N},\ u_{n+1} = \frac{1}{3}u_n + n - 2.$$

1 Calculer u_1, u_2 et u_3.

2 **a.** Démontrer que pour tout entier $n \geqslant 4$, $u_n \geqslant 0$.
b. En déduire que pour tout entier naturel $n \geqslant 5$:

$$u_n \geqslant n - 3.$$

c. En déduire la limite de la suite u.

3 On définit la suite v pour tout $n \in \mathbb{N}$ par :

$$v_n = -2u_n + 3n - \frac{21}{2}.$$

a. Démontrer que la suite v est une suite géométrique dont on donnera la raison et le premier terme.
b. En déduire que pour tout $n \in \mathbb{N}$:

$$u_n = \frac{25}{4}\left(\frac{1}{3}\right)^n + \frac{3}{2}n - \frac{21}{4}.$$

c. Retrouver par le calcul la limite de la suite u.

Question ouverte

4 Soit la suite S définie pour tout entier n par :

$$S_n = \sum_{k=0}^{n} u_k = u_0 + u_1 + \ldots + u_n.$$

Dans cette question toute trace de recherche, même incomplète, ou d'initiative, même non fructueuse, sera prise en compte dans l'évaluation.
Étudier le comportement à l'infini de la suite S.

96 Soit la fonction f définie sur $]-2 ; +\infty[$ par :

$$f(x) = \frac{4x-1}{x+2}.$$

On considère la suite u définie par $u_0 = 5$ et pour tout entier naturel n, par $u_{n+1} = f(u_n)$.

1 **a.** Construire la courbe représentative $\mathscr{C}$ de la fonction f et la droite $\mathscr{D}$ d'équation $y = x$, puis construire les points d'abscisses u_0, u_1, u_2 et u_3 sur l'axe des abscisses.
b. Quelles conjectures peut-on émettre sur le sens de variation et sur la convergence de la suite u ?

2 **a.** Démontrer par récurrence que, pour tout entier naturel n, on a $u_n \geqslant 1$.
b. En déduire que la suite u est monotone.
c. Déterminer la limite de la suite u.

3 Dans cette question, on se propose d'étudier la suite u par une autre méthode, en déterminant une expression de u_n en fonction de n.

Pour tout entier naturel n, on pose $v_n = \dfrac{1}{u_n - 1}$.

a. Démontrer que la suite v est arithmétique.
b. Exprimer v_n, puis u_n en fonction de n.
c. En déduire la limite de la suite u.

97 **Partie A – ROC**

On rappelle qu'une suite u converge vers un réel ℓ si pour tout intervalle ouvert I contenant ℓ, il existe un rang N tel que pour tout entier $n \geqslant N$, $u_n \in I$.

Soit un réel ℓ et une suite u croissante et convergeant vers ℓ.

On veut démontrer que la suite u est majorée par ℓ.

On raisonne par l'absurde, en supposant qu'il existe un rang n_0 tel que $u_{n_0} > \ell$.

a. Justifier que pour tout entier $n \geqslant n_0$, $u_n \geqslant u_{n_0}$.
b. Justifier qu'il existe un rang N tel que pour tout entier $n \geqslant N$, $u_n \in]\ell - 1 ; u_{n_0}[$.
c. En déduire que la suite u est majorée par ℓ.

Partie B – Application

On modélise le nombre u_n de foyers français possédant un téléviseur à écran plat (en millions) en fonction de l'année $2005 + n$ par la suite u définie par, $u_0 = 1$ et pour tout entier $n \geqslant 0$:

$$u_{n+1} = \frac{1}{10}u_n(20 - u_n).$$

1 Soit la fonction f définie sur $[0 ; 20]$ par :

$$f(x) = \frac{1}{10}x(20 - x).$$

a. Étudier les variations de f sur $[0 ; 20]$.
b. En déduire que pour tout $x \in [0 ; 10]$, $f(x) \in [0 ; 10]$.

2 Montrer par récurrence que pour tout $n \in \mathbb{N}$, on a :

$$0 \leqslant u_n \leqslant u_{n+1} \leqslant 10.$$

3 Montrer que la suite u est convergente et déterminer sa limite.

4 Le nombre de foyers français possédant un téléviseur à écran plat pourra-t-il dépasser 10 millions de personnes selon la modélisation ?

98 **LOGIQUE** **Partie A**

Voici quatre propositions :

P_1 : « Pour tout entier n, $4^n > 4n + 1$ » ;

P_2 : « Pour tout entier n, $4^n \leqslant 4n + 1$ » ;

P_3 : « Il existe un entier n tel que $4^n \leqslant 4n + 1$ » ;

P_4 : « Il existe un unique entier n tel que $4^n \leqslant 4n + 1$ ».

1 Pour chacune d'elles, dire si elle est vraie ou fausse.

2 L'une des trois autres est la négation de la propriété P_1. Laquelle ?

Voir la fiche **Logique et raisonnement mathématique**.

Partie B

1 Soit un entier $p \geqslant 1$.

a. Développer et réduire $4(p + 1) + 1 - 4(4p + 1)$.

b. En déduire l'inégalité $4(4p + 1) > 4(p + 1) + 1$.

Question ouverte

2 ***Dans cette question, toute trace de recherche, même incomplète, ou d'initiative non fructueuse, sera prise en compte dans l'évaluation.***

Pour quelles valeurs de l'entier n, a-t-on l'inégalité : $4^n > 4n + 1$?

99 On considère la fonction f définie sur $\mathrm{I} = [0\,;1]$ par :

$$f(x) = \frac{3x + 2}{x + 4}.$$

La suite u est définie par $u_0 = 0$ et pour tout entier naturel n, $u_{n+1} = f(u_n)$.

On se propose d'étudier la suite u par deux méthodes différentes.

1 Étudier les variations de f et en déduire que, pour tout réel x élément de I, $f(x)$ appartient à I.

2 Montrer que, pour tout entier n, u_n appartient à I.

3 Première méthode

a. Représenter graphiquement la fonction f dans un repère orthonormé d'unité graphique 10 cm.

b. En utilisant le graphique précédent, placer les points A_0, A_1, A_2 et A_3 d'ordonnée nulle et d'abscisses respectives u_0, u_1, u_2 et u_3.

Que suggère le graphique concernant le sens de variation et la convergence de la suite u ?

c. Établir la relation $u_{n+1} - u_n = \dfrac{(1 - u_n)(u_n + 2)}{u_n + 4}$ et en déduire le sens de variation de la suite u.

d. Démontrer que la suite u est convergente et déterminer sa limite.

4 Deuxième méthode

On considère la suite v définie sur $\mathbb{N}$ par :

$$v_n = \frac{u_n - 1}{u_n + 2}.$$

a. Prouver que la suite v est une suite géométrique de raison $\dfrac{2}{5}$.

b. Calculer v_0 et exprimer v_n en fonction de n.

c. Exprimer u_n en fonction de v_n, puis en fonction de n.

d. En déduire la convergence de la suite u et la valeur de sa limite.

100 **ALGO**

Partie A – On considère l'algorithme ci-dessous :

```
ALGO
Variables :
    n, i : entiers ; u , S : réels
Début :
    Entrer (n) ;
    u ← 1 ; S ← 1 ; i ← 0 ;
    TantQue i < n Faire
        u ← 2u + 1 − i ;
        S ← S + u ; i ← i + 1 ;
    FinTantQue ;
    Afficher (u ; S) ;
Fin.
```

1 Justifier que pour $n = 3$, l'affichage est 11 pour u et 21 pour S.

2 Reproduire et compléter le tableau suivant :

Valeur de n	0	1	2	3	4	5
Affichage de u				11		
Affichage de S				21		

Partie B – Soit la suite u définie sur $\mathbb{N}$ par $u_0 = 1$ et pour tout entier n, $u_{n+1} = 2u_n + 1 - n$ et la suite S définie sur $\mathbb{N}$ par :

$$S_n = u_0 + u_1 + \ldots + u_n.$$

1 Pour un entier n donné, que représentent les valeurs affichées par l'algorithme de la partie **A** ?

2 a. Recopier et compléter le tableau ci-dessous. Quelle conjecture peut-on faire à partir des résultats du tableau ?

n	0	1	2	3	4	5
u_n						
$u_n - n$						

b. Démontrer que pour tout entier n, $u_n = 2^n + n$.

3 En déduire l'expression de S_n en fonction de n.

Vérifier le résultat obtenu dans la partie **A** pour $n = 5$.

Prépa Bac

  **Partie A - ROC**

Soit un réel q.

Pré-requis : *si* $q > 1$, *alors* $\lim_{n \to +\infty} q^n = +\infty$.

Démontrer que si $0 < q < 1$, alors $\lim_{n \to +\infty} q^n = 0$.

Partie B

Soit la suite u définie par $u_0 = 5\,000$ et pour tout entier naturel n, $u_{n+1} = 0{,}8u_n + 1\,500$, et l'algorithme ci-dessous.

ALGO
```
Variables :
    n, i : entiers ; u : réel ;
Début
    Entrer (n) ;
    u ← 5 000 ;
    Pour i allant de 1 à n Faire u ← 0,8 u ;
    FinPour ;
    Afficher (u) ;
Fin.
```

1 **a.** Faire fonctionner l'algorithme pour $n = 5$ (on arrondira l'affichage final au centième).

b. Modifier l'algorithme de façon qu'il affiche en sortie le terme u_n.

c. Après avoir programmé l'algorithme, on a obtenu les valeurs suivantes arrondies au centième :

n	0	10	50	100	500	1 000
u_n	5 000	7 231,56	7 499,96	7 500	7 500	7 500

Conjecturer le sens de variation et le comportement à l'infini de la suite u.

2 **a.** Déterminer la nature de la suite v définie sur $\mathbb{N}$ par :

$$v_n = u_n - 7\,500.$$

b. En déduire l'expression de u_n en fonction de n.

Question ouverte

3 ***Dans cette question, toute trace de recherche, même incomplète, ou d'initiative non fructueuse, sera prise en compte dans l'évaluation.***

Démontrer les conjectures émises à la question **1** **c.**

4 **a.** On souhaite déterminer le rang N tel que pour tout entier $n \geqslant N$, la distance entre u_n et 7 500 est strictement inférieure à 0,1. Justifier que l'algorithme ci-dessous permet de résoudre le problème.

ALGO
```
Variables :
    N : entier ; u ← réel ;
Début
    N ← 0 ; u ← 5 000 ;
    TantQue 7 500 − u ⩾ 0,1 Faire N ← N + 1 ;
        u ← 0,8 u + 1 500 ;
    FinTantQue
    Afficher (N) ;
Fin.
```

b. Pour tout réel $e > 0$, on souhaite déterminer le rang N à partir duquel $|7\,500 - u_n| < e$.

Modifier l'algorithme précédent de façon à résoudre le problème.

c. **À l'aide de la calculatrice,** déterminer les rangs N associés à :

i. $e = 1$; **ii.** $e = 0{,}1$.

102 On considère la suite u définie par $u_0 = 1$ et pour tout entier naturel n, $u_{n+1} = 2u_n - \frac{1}{4}u_n^{\,2}$.

1 **a.** Représenter graphiquement les fonctions :

$x \longmapsto 2x - \frac{1}{4}x^2$ et $x \longmapsto x$ sur l'intervalle $[0\,;4]$.

b. Utiliser ces représentations graphiques pour visualiser la suite u.

c. Quelles conjectures peut-on émettre sur les variations et la convergence de la suite u ?

2 Si la suite u converge, quelles sont ses limites possibles ?

3 Démontrer que pour tout entier n, $0 \leqslant u_n \leqslant 4$.

En déduire que la suite u est croissante.

4 Démontrer que la suite u converge et déterminer sa limite.

103 **Partie A - Question de cours**

Rappel Une suite u est **majorée** s'il existe un réel M tel que pour tout entier naturel n, $u_n \leqslant M$.

Soit une suite u croissante et non majorée.

Il s'agit de démontrer que $\lim_{n \to +\infty} u_n = +\infty$.

1 Écrire la définition d'une suite non majorée.

2 Soit un réel M.

On suppose qu'il existe un entier n_0 tel que $u_{n_0} > M$.

a. Démontrer que pour tout entier $n \geqslant n_0$, $u_n > M$.

b. Quelles conséquences peut-on en tirer pour la suite u ?

3 Conclure.

Partie B On considère la suite u définie sur $\mathbb{N}$ par :

$$u_0 = 1 \text{ et pour tout entier } n,\ u_{n+1} = u_n + \frac{1}{u_n}.$$

1 Démontrer que pour tout entier n, $u_n \geqslant 1$.

2 Étudier les variations de la suite u.

3 On suppose que la suite u est majorée.

a. Montrer que la suite u converge.

b. Montrer que la limite ℓ de la suite u est solution de l'équation :

$$x = x + \frac{1}{x}.$$

4 Déterminer la limite de la suite u.

104 On considère la suite u définie par : $u_0 = 0$, $u_1 = 1$ et pour tout entier $n \geqslant 0$, $u_{n+2} = \frac{1}{3}u_{n+1} + \frac{2}{3}u_n$, et les suites v et w définies pour tout entier naturel n par :

$$v_n = u_{n+1} - u_n \quad \text{et} \quad w_n = u_{n+1} + \frac{2}{3}u_n.$$

1 Démontrer que la suite v est une suite géométrique dont on donnera le premier terme et la raison.

2 Quelle est la nature de la suite w ?

3 En déduire l'expression de w_n en fonction de n.

4 La suite u converge-t-elle ?

105 BAC Vrai ou faux ?

On considère une suite u positive et la suite v définie sur $\mathbb{N}$ par : $v_n = \frac{u_n}{1 + u_n}$.

Les propositions suivantes sont-elles vraies ou fausses ?

1 Pour tout entier naturel n, $0 \leqslant v_n \leqslant 1$.

2 Si la suite u est convergente, alors la suite v est convergente.

3 Si la suite u est croissante, alors la suite v est croissante.

4 Si la suite v est convergente, alors la suite u est convergente.

106 LOGIQUE Travailler sur les hypothèses des théorèmes

Soit une suite u. On considère les propriétés suivantes :
- P_1 : « la suite u est majorée » ;
- P_2 : « la suite u n'est pas majorée » ;
- P_3 : « la suite u converge » ;
- P_4 : « la suite u tend vers $+\infty$ » ;
- P_5 : « la suite u est croissante ».

1 Donner la traduction mathématique de la propriété P_1.

2 Si P_1 et P_5 sont vraies, que peut-on conclure pour la suite u (on ne demande pas de justifier) ?

3 Si P_2 et P_5 sont vraies, que peut-on conclure pour la suite u (on ne demande pas de justifier) ?

4 Une suite vérifiant la propriété P_4 vérifie-t-elle nécessairement la propriété P_2 (justifier la réponse) ?

107 ALGO Soit la suite u définie pour tout entier $n \geqslant 2$ par :

$$u_n = \left(1 - \frac{1}{4}\right) \times \left(1 - \frac{1}{9}\right) \times \ldots \times \left(1 - \frac{1}{n^2}\right).$$

1 a. Construire un algorithme qui permette de calculer u_n pour tout entier n.

b. Programmer, puis, en utilisant le programme, conjecturer le sens de variation et le comportement à l'infini de la suite u.

Voir les **Outils pour la programmation**.

2 a. Démontrer que pour tout entier $n \geqslant 2$ on a :

$$u_{n+1} = \frac{n(n+2)}{(n+1)^2}u_n.$$

b. Démontrer que tout entier $n \geqslant 2$: $u_n = \frac{n+1}{2n}$.

Prouver les conjectures émises à la question **1 b.**

108 Série harmonique

On définit la suite u pour tout entier n non nul par :

$$u_n = 1 + \frac{1}{2} + \frac{1}{3} + \ldots + \frac{1}{n}.$$

1 En utilisant un tableur, déterminer le plus petit entier m tel que $u_m \geqslant 5$.

2 Démontrer que la suite u est croissante.

3 Comparer pour tout entier n non nul et tout entier naturel i inférieur à 2^n, les fractions $\frac{1}{2^{n+1}}$ et $\frac{1}{2^n + i}$.

4 On considère la suite S définie par $S_0 = 1 + \frac{1}{2}$ et pour tout entier n non nul :

$$S_n = \frac{1}{2^n + 1} + \frac{1}{2^n + 2} + \ldots + \frac{1}{2^n + 2^n}.$$

a. En utilisant le nombre de termes de la somme S_n, montrer que pour tout $n \in \mathbb{N}$, $S_n \geqslant \frac{1}{2}$.

b. Pour $n \geqslant 1$, exprimer la somme $S_0 + S_1 + \ldots + S_n$ en fonction d'un terme de la suite u.

c. En utilisant les résultats des questions précédentes, déterminer une expression dépendant de l'entier n qui minore $u_{2^{n+1}}$. La suite u est-elle majorée ?

5 Quelle est la limite de la suite u ?

La question « *la suite u est-elle majorée ?* » a été étudiée par Nicole Oresme, savant du XIVe siècle.

Enluminure du XIVe siècle, Nicole Oresme (1325-1382) présentant à Charles V la traduction d'Aristote qu'il lui a ordonnée.

109 Puissance et factorielle

Soit un réel $x \geqslant 0$ et un entier $k > x$.

a. Montrer par récurrence que pour tout entier $n \geqslant k$:

$$\frac{k^n}{n!} \leqslant \frac{k^k}{k!}.$$

b. En déduire que pour tout entier $n \geqslant k$:

$$\frac{x^n}{n!} \leqslant \left(\frac{x}{k}\right)^n \times \frac{k^k}{k!}.$$

c. Montrer que $\lim\limits_{n \to +\infty} \frac{x^n}{n!} = 0$.

110 Encore des factorielles

On considère la suite u définie pour tout entier $n \geqslant 1$ par :
$$u_n = \frac{n!}{n^n}.$$

1 Calculer les valeurs de u_n pour $n \in \{1, 2, 3, 5, 10\}$. Que remarque-t-on ?

2 **a.** Sachant que pour tout entier n et tout réel x, on a :
$$(1+x)^n \geqslant 1 + nx,$$
montrer que pour tout entier $n \geqslant 1$, on a :
$$\frac{u_n}{u_{n+1}} \geqslant 2.$$

b. En déduire le sens de variation de la suite u.

3 **a.** En remarquant que $\frac{u_n}{u_0} = \frac{u_1}{u_0} \times \frac{u_2}{u_1} \times \ldots \times \frac{u_n}{u_{n-1}}$,

démontrer que pour tout entier $n \geqslant 1$, $u_n \leqslant \frac{1}{2^{n-1}}$.

b. Quelle est la limite de la suite u ?

111 Modélisation : étude des flux de populations

On étudie les flux de population entre trois zones géographiques : une ville notée A, une zone périphérique notée B et une zone rurale notée C.

Pour modéliser la situation, on suppose que :

- La population totale des trois zones reste constante.
- Chaque année la zone A perd 10 % de sa population, mais accueille 10 % de la population de la zone B et 1 % de la population de la zone C.
- Chaque année la zone B perd 10 % de sa population, mais accueille 10 % de la population de la zone A et 1 % de la population de la zone C.
- Chaque année la zone C perd 2 % de sa population.

Au 1er janvier 2012, la zone A comptait 5 000 habitants, la zone B en comptait 2 000 et la zone C en comptait 4 000.

Pour tout entier naturel n, on désigne par a_n, b_n et c_n les nombres d'habitants respectifs des zones A, B et C au 1er janvier de l'année $2012 + n$.

Pour l'étude mathématique, on considérera que les nombres a_n, b_n et c_n peuvent ne pas être entiers.

1 **a.** Représenter graphiquement, **à l'aide du tableur ou d'une calculatrice**, les suites a, b et c.

b. Conjecturer le sens de variation et la convergence des suites a, b et c.

c. Pour tout entier naturel n, on pose $d_n = a_n - b_n$. Conjecturer la nature de la suite d.

2 **a.** Déterminer l'expression de c_n et de d_n en fonction de n.

b. En déduire l'expression de a_n et de b_n en fonction de n.

c. Déterminer les limites des suites a, b et c.

Interpréter les résultats.

112 Que reste-t-il ?

Pour un réel $a > 0$, on considère un triangle ABC isocèle rectangle en B tel que $BA = BC = a$.

On réalise les constructions suivantes :

Étape 1 : On divise ce triangle en quatre triangles isocèles rectangles obtenus en joignant les milieux des côtés et on numérote « 1 » le triangle central.

Étape 2 : Chacun des trois triangles non numérotés est alors divisé comme précédemment en quatre triangles isocèles rectangles obtenus et on numérote « 2 » les triangles centraux comme précédemment. Il y a donc trois triangles numérotés « 2 ».

On continue le procédé.

Après trois étapes, on obtient la figure ci-contre contenant un triangle numéroté « 1 », trois triangles numérotés « 2 » et neuf triangles numérotés « 3 ».

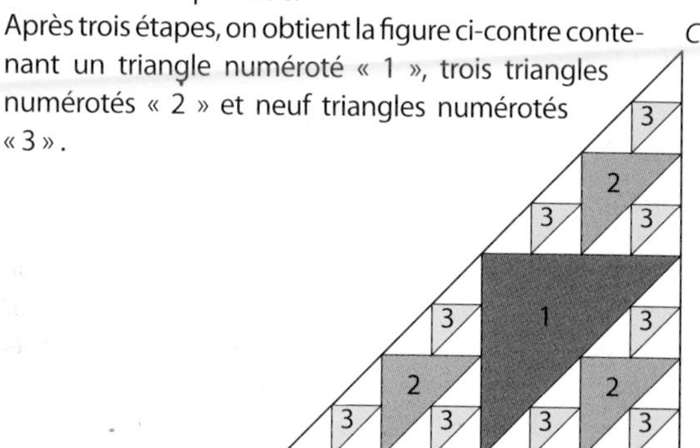

On se demande si le triangle ABC sera complètement recouvert par des triangles numérotés si l'on continue indéfiniment la construction.

Pour tout entier $n \geqslant 1$, on note :

- m_n le nombre de triangles numérotés n ;
- a_n l'aire d'un triangle numéroté n ;
- u_n l'aire totale des triangles numérotés de 1 à n après n étapes.

1 Montrer que pour tout entier n non nul :
$$m_{n+1} = 3m_n \quad \text{et} \quad a_{n+1} = \frac{1}{4}a_n.$$

2 **À l'aide d'un tableur,** calculer les premiers termes de la suite u.

Quelles conjectures peut-on faire ?

3 Interpréter géométriquement $u_{n+1} - u_n$.

Et démontrer que pour tout entier $n \geqslant 1$:
$$u_{n+1} - u_n = \frac{3^n}{4^{n+1}} \times \frac{a^2}{2}.$$

4 En « additionnant » les égalités :

$$u_2 = u_1 + \frac{1}{4} \times \frac{3}{4} \times \frac{a^2}{2} ;$$

$$u_3 = u_2 + \frac{1}{4} \times \left(\frac{3}{4}\right)^2 \times \frac{a^2}{2} ; \ldots,$$

exprimer u_n en fonction de n.

5 Conclure.

Pour info

Lorsque le triangle ABC est équilatéral, la figure obtenue s'appelle triangle de Sierpiński (1882-1969).

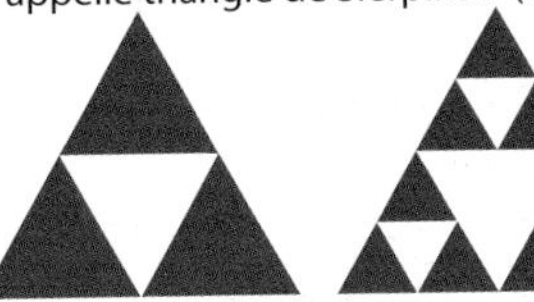

L'élément de départ est un triangle plein. Le triangle de Sierpiński est un objet fractal.

Maths et physique

113 Refroidissement d'un système

Une machine est refroidie par un circuit de 20 L d'eau. Dès que la température de l'eau atteint 80° C, le circuit est rafraîchi en continu et en de multiples points, avec un débit de 2 L/s par un courant d'eau à 16°.

Ainsi il rentre autant d'eau qu'il en sort, le volume d'eau est donc constant et égal à 20 litres, et la température est en tout point homogène.

Par ailleurs, on admet que si on mélange x_1 litres d'eau à la température t_1 et x_2 litres à la température t_2, on obtient $x_1 + x_2$ litres à la température $\dfrac{x_1 t_1 + x_2 t_2}{x_1 + x_2}$.

On considère que, pendant le rafraîchissement, l'apport de chaleur dû à la machine est négligeable.

Le rafraîchissement s'arrête lorsque la température du circuit est revenue à 40° C.

On cherche à trouver le temps nécessaire pour atteindre cette température de 40° C.

Pour tout entier n, on appelle T_n la température du système, n secondes après que la température de 60° C ait été atteinte.

1 **a.** Montrer que pour tout entier naturel n :

$$T_{n+1} = 1{,}6 + 0{,}9T_n.$$

b. Construire un algorithme permettant de résoudre le problème, puis le mettre en œuvre.

Voir les **Outils pour l'algorithmique**.

2 Pour tout entier naturel n, on pose $U_n = T_n - 16$.
Montrer que la suite U est géométrique.

3 Exprimer U_n et T_n en fonction de n et répondre à la question posée.
Comparer avec le résultat obtenu à la question **1** **b.**

114 Signe d'une suite convergente

1 Soit une suite u convergeant vers 1.
Démontrer que la suite u est strictement positive à partir d'un certain rang.

2 Soit une suite v convergeant vers un réel $\ell > 0$.
Démontrer que la suite v est strictement positive à partir d'un certain rang.

115 Nombre de Copelaud-Erdös

On considère la suite u telle que :

- $u_1 = 0{,}2$; $u_2 = 0{,}23$; $u_3 = 0{,}235$;
- de façon générale u_n s'écrit 0 virgule, suivi de la suite des n premiers entiers premiers.

1 Écrire u_4 et u_5.

2 Démontrer que la suite u est convergente.
Sa limite est appelée la **constante de Copelaud-Erdös.**

Paul Erdös (1913-1996), mathématicien hongrois.

Prendre des initiatives

116

On considère la suite u définie sur $\mathbb{N}^*$ par :

$u_1 = -100$ et pour tout entier $n \geqslant 1$, $u_{n+1} = \dfrac{u_n}{n} + 1$.

Étudier le sens de variation et la convergence éventuelle de la suite u.

117 Que d'impairs !

On considère la suite u telle que :

$$u_0 = \frac{1}{3}, \quad u_1 = \frac{1+3}{5+7}, \quad u_2 = \frac{1+3+5}{7+9+11}$$

et ainsi de suite.

La suite u converge-t-elle ?

118 Suite arithmétique cachée

On considère la suite u définie par : $u_1 = 1$ et pour tout entier $n \geqslant 1$, $u_{n+1} = \dfrac{nu_n + 4}{n+1}$.

Démontrer que la suite u converge et déterminer sa limite.

⊖ Pistes pour l'accompagnement personnalisé

Revoir les outils de base

119 Sens de variation d'une suite

Parmi les suites suivantes dont on donne la définition sur $\mathbb{N}$, indiquer celles qui sont croissantes.

a. $u_n = 7n - 3$;
b. $u_n = n^2 + 3n + 1$;
c. $u_n = \left(\frac{1}{2}\right)^n$;
d. $u_{n+1} = \frac{1}{2}u_n + 1$ et $u_0 = 4$.

120 Déterminer une formule de récurrence

Pour tout entier $n > 3$, on désigne par u_n le nombre de diagonales d'un polygone convexe ayant n côtés.
Répondre par vrai ou faux en justifiant.

a. $u_5 = 6$ et $u_6 = 10$.
b. Pour tout entier $n > 3$, on a $u_{n+1} = u_n + n - 1$.
c. La suite u est une suite arithmétique de raison $n - 1$.
d. Pour tout entier $n > 3$, on a : $u_n = \frac{n(n-3)}{2}$.

Conseil Faire un dessin et réfléchir au nombre de diagonales à ajouter si on ajoute un sommet au polygone dessiné.

Les savoir-faire du chapitre

Mener un raisonnement par récurrence

121 Démontrer par récurrence que la suite u définie sur $\mathbb{N}$ par $u_0 = \frac{7}{11}$ et pour tout entier n, $u_{n+1} = 100u_n - 63$ est stationnaire (c'est-à-dire constante).

Méthode
Si la suite est stationnaire, alors tous les termes doivent être égaux à $\frac{7}{11}$.
Il s'agit de montrer la propriété P_n : « $u_n = \frac{7}{11}$ ».

122 Suite bornée

On considère la suite u définie par $u_0 = 1$ et pour tout entier n, $u_{n+1} = \sqrt{4u_n + 5}$.
Démontrer que pour la suite u est bornée.

Méthode
Représenter graphiquement la suite u et conjecturer un minorant et un majorant de celle-ci, puis démontrer par récurrence.

Étudier le comportement à l'infini d'une suite

123 Opérations ... ou indétermination

Déterminer la limite de chacune des suites u, v, w et t dont on donne les termes généraux.

a. $u_n = \sqrt{n} - \frac{1}{\sqrt{n}}$;
b. $v_n = \left(\frac{1}{3}\right)^n + \frac{1}{3n}$;
c. $w_n = \frac{(n-1)(4-n)}{n^2+1}$;
d. $t_n = 6^n - 3^{2n}$.

Méthode
◗ Exprimer la suite comme une somme, un produit ou un quotient de deux suites de référence
◗ Si on ne peut pas conclure directement, factoriser par le terme prépondérant.

124 Suite auxiliaire

Soit la suite u définie par $u_0 = 0$ et pour tout entier n :

$$u_{n+1} = \frac{1}{2}\sqrt{u_n^2 + 12}.$$

1 À l'aide d'un tableur ou d'une calculatrice, conjecturer le comportement à l'infini de la suite u.
2 Montrer que la suite v définie sur $\mathbb{N}$ par : $v_n = {u_n}^2 - 4$ est géométrique.
3 En déduire la limite de la suite v, puis celle de la suite u.

Déterminer une limite par comparaison

125 Vrai ou faux ?

Soit la suite u définie pour tout entier $n \geqslant 1$ par :

$$u_n = n - \frac{1}{n}.$$

1 La suite u est croissante.
2 La suite u est majorée.
3 La suite u converge vers 0.
4 $\lim\limits_{n \to +\infty} u_n = +\infty$.

126 Vrai ou faux ?

Soient trois suites u, v et w telles que pour tout entier n non nul :

$$u_n = \frac{2n^2 - 1}{n^2}, \quad w_n = \frac{2n^2 + 3}{n^2} \quad \text{et} \quad u_n \leqslant v_n \leqslant w_n.$$

Alors :

1 $\lim\limits_{n \to +\infty} w_n = 0$.
2 $\lim\limits_{n \to +\infty} v_n = 2$.
3 $\lim\limits_{n \to +\infty} u_n = 2$.
4 La suite v n'a pas de limite.

Conseil Vérifier les hypothèses du théorème des gendarmes.

Pistes pour l'accompagnement personnalisé

Mathématiques au fil du temps

127 Nombre d'or et suite de Fibonacci

Partie A – Extrême et moyenne raisons

« Une droite est dite coupée en extrême et moyenne raisons quand, comme elle est toute entière relativement au plus grand segment, ainsi est le plus grand relativement au plus petit. »

Euclide, *Éléments*, livre VI, 3e définition.

Pour Euclide, « droite » signifie « segment ».

1 Soient trois points A, B et C. On pose $AB = x$.
Démontrer que si le point C partage le segment $[AB]$ en moyenne et extrême raison, alors x vérifie l'équation $x^2 - x - 1 = 0$.

A ——1—— C ———— B ; x

2 Résoudre cette équation. **La solution positive, notée φ, est appelée « nombre d'or ».**

3 Vérifier que $\varphi = 1 + \dfrac{1}{\varphi}$.

Partie B – Les rapports des nombres de Fibonacci

Les nombres de Fibonacci sont définis par : $a_0 = 1$, $a_1 = 1$, et pour tout entier naturel n, $a_{n+2} = a_{n+1} + a_n$.

1 Démontrer que pour tout entier naturel n, $a_n \geqslant 1$.

On pose pour tout entier naturel n, $u_n = \dfrac{a_{n+1}}{a_n}$.

2 Démontrer que la suite u est telle que : $u_0 = 1$ et pour tout entier naturel n, $u_{n+1} = 1 + \dfrac{1}{u_n}$.

3 Démontrer que **si** la suite u converge, **alors** elle converge vers le nombre d'or φ.

4 **a.** Démontrer que pour tout entier naturel n :

$$u_{n+1} - \varphi = \frac{\varphi - u_n}{\varphi u_n}.$$

En déduire que $|u_{n+1} - \varphi| \leqslant \dfrac{1}{\varphi}|u_n - \varphi|$.

b. Démontrer par récurrence que pour tout entier naturel n :

$$|u_n - \varphi| \leqslant \left(\frac{1}{\varphi}\right)^n |1 - \varphi|.$$

c. En déduire que la suite u converge vers φ.

128 Méthode de Héron

Voici l'algorithme de Héron d'Alexandrie :

> Soit un rectangle dont l'aire est égale à 2. Si sa largeur est ℓ, sa longueur est $\dfrac{2}{\ell}$. La moyenne des deux dimensions est donc $\dfrac{1}{2}\left(\ell + \dfrac{2}{\ell}\right)$.
> On construit alors un nouveau rectangle d'aire 2 dont la largeur est égale à cette moyenne. On calcule la longueur de ce rectangle, puis la moyenne des deux dimensions, etc.

En itérant le procédé, les rectangles ainsi construits se rapprochent d'un carré d'aire 2, donc de côté $\sqrt{2}$.

En termes modernes, cet algorithme de calcul approché de $\sqrt{2}$ utilise la suite u définie sur $\mathbb{N}$ par :

$$u_{n+1} = \frac{1}{2}\left(u_n + \frac{2}{u_n}\right) \quad \text{et} \quad u_0 = \ell,$$

où ℓ est un réel strictement positif.

1 À l'aide de la courbe représentative de la fonction $x \longmapsto \dfrac{1}{2}\left(x + \dfrac{2}{x}\right)$, vérifier graphiquement que la suite u semble converger.

2 Montrer pour tout entier $n \geqslant 1$, $u_n \geqslant \sqrt{2}$.

3 Montrer que la suite u est décroissante ; conclure quant à la convergence de la suite u. On déterminera sa limite.

4 **a.** Montrer que pour tout entier n :

$$u_{n+1} - \sqrt{2} \leqslant \frac{1}{2\sqrt{2}}(u_n - \sqrt{2})^2 \leqslant \frac{1}{2}(u_n - \sqrt{2})^2.$$

b. Montrer par récurrence que pour tout entier $n \geqslant 1$:

$$u_n - \sqrt{2} \leqslant \left(\frac{1}{2}\right)^{2^n}(u_0 - \sqrt{2}).$$

c. On choisit ici $\ell = 2$. Au bout de combien d'itérations sera-t-on sûr que u_n est une valeur approchée de $\sqrt{2}$ à 10^{-9} près ?

5 ALGO

a. Pour toute précision $e > 0$, on souhaite connaître le nombre d'interactions pour lequel on est sûr que u_n est une valeur approchée de $\sqrt{2}$ à e près. On propose l'algorithme ci-contre.

ALGO

```
Variables : n : entier ; e, ℓ : réels
Début
    Entrer (ℓ ; e) ;
    n ← 0 ;
    TantQue
        (1/2)^(2^n) × (ℓ − √2) ≥ e
        Faire n ← n + 1 ;
    FinTantQue
    Afficher (n) ;
Fin.
```

Justifier qu'il permet de résoudre le problème.

b. Programmer l'algorithme , puis l'exécuter pour :

i. $\ell = 10$ et $e = 10^{-4}$;

ii. $\ell = 50$ et $e = 10^{-4}$.

c. Commenter les résultats obtenus.

Pour info

Héron d'Alexandrie (Ier siècle apr. J.-C.), mathématicien grec commentateur d'Euclide, fut l'un des premiers à mettre l'accent sur l'idée fructueuse d'approximations successives.

Tablette babylonienne Ybc 7289 qui donne une valeur approchée de $\sqrt{2}$: 1,41421296.

129 Méthode de Newton

A. Étude d'un exemple

On considère la fonction f définie sur $[1\,;+\infty[$ par :

$$f(x)=\frac{4-x}{x}$$

et $\mathscr{H}$ sa courbe représentative donnée ci-contre.

On pose $x_0 = 1$.

1 Soit T_1 la tangente à $\mathscr{H}$ au point $A_1(1\,;f(1))$.

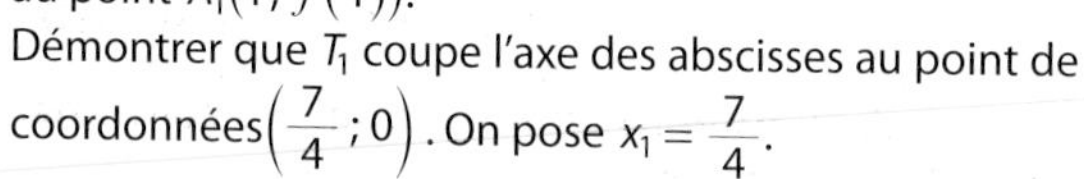

Démontrer que T_1 coupe l'axe des abscisses au point de coordonnées $\left(\frac{7}{4}\,;0\right)$. On pose $x_1=\frac{7}{4}$.

2 Soit T_2 la tangente à $\mathscr{H}$ au point $A_2(x_1\,;f(x_1))$.
T_2 coupe l'axe des abscisses au point de coordonnées $(x_2\,;0)$. Calculer x_2.

3 On poursuit la construction : pour tout entier $n \geqslant 3$, on appelle T_n la tangente à $\mathscr{H}$ au point d'abscisse x_{n-1} et x_n, l'abscisse du point d'intersection de T_n et de l'axe des abscisses.

a. Exprimer x_{n+1} en fonction de x_n pour tout entier n.

b. En déduire que la suite x converge vers la solution strictement positive de l'équation $f(x)=0$.

> **Vocabulaire** La méthode mise en œuvre ici s'appelle la **méthode de Newton** ; elle permet de résoudre de façon approchée l'équation $f(x)=0$ (Dans ce premier exemple, une résolution approchée est inutile !).

B. Appliquer à un autre exemple

Montrer que la méthode de Newton appliquée à la résolution de l'équation $x^2-3=0$ sur $[0\,;+\infty[$ conduit par exemple à l'étude de la suite v définie par : $v_0=3$ et pour tout entier n :

$$v_{n+1}=\frac{1}{2}\left(v_n+\frac{3}{v_n}\right).$$

Démontrer que la suite v converge vers $\sqrt{3}$.

En déduire les cinq premières approximations rationnelles de $\sqrt{3}$ fournies par la suite v.

> **Remarque** De façon analogue, si on applique la méthode de Newton à la résolution de $x^2-2=0$, on retrouve l'algorithme de Héron pour approcher $\sqrt{2}$ (voir l'exercice 128).

Approfondissement

130 En dynamique de population : modèle de Verhulst

Thomas Malthus (1766-1834) est un économiste britannique du XIXe siècle.

Pour Malthus, sur une période prise pour unité de temps la population est modélisée par une suite géométrique : $P_{n+1}=\lambda P_n$. Dans ce cas l'accroissement relatif de la population par unité de temps est constant : $\frac{P_{n+1}-P_n}{P_n}=\lambda-1$; la constante est notée a.

Pierre-François Verhulst (1804-1849) est un mathématicien belge, contemporain de Thomas Malthus. Il considère que, si la population peut se développer sans contrainte conformément au modèle de Malthus pendant une courte période d'« explosion démographique », les ressources n'étant pas inépuisables, la croissance de la population sera ensuite freinée et limitée. Il faut donc introduire un facteur de freinage.

Le modèle logistique repose donc sur l'hypothèse suivante énoncée par Verhulst : **l'accroissement relatif de la population par unité de temps est une fonction affine décroissante de la population**, c'est-à-dire pour tout entier n :

$$\frac{P_{n+1}-P_n}{P_n}=a\left(1-\frac{P_n}{K}\right),$$

où K est la population maximale admise.

On remplace alors la suite P par une suite qui lui est proportionnelle.

On pose pour tout entier n : $x_n=\frac{a}{a+1}\times\frac{P_n}{K}$.

1 Démontrer que la suite x est définie pour tout entier n par : $x_{n+1}=kx_n(1-x_n)$ appelée **équation logistique** avec $k=1+a$, et que pour tout entier n, $0\leqslant x_n\leqslant 1$.

2 Comportement de la suite x

a. Démontrer que les seules limites possibles de la suite x sont 0 et $\frac{k-1}{k}$.

b. Démontrer que si $k\leqslant 1$, alors la suite x converge vers 0.

c. Démontrer que si $1<k<2$, alors la suite x converge vers $\frac{k-1}{k}$.

> **Pour info** Si $2\leqslant k<3$, on montre que la suite x converge « très lentement » vers $\frac{k-1}{k}$.
> Si k dépasse 3, on n'observe plus de convergence, sauf si la suite est stationnaire (par exemple si x_0 est égal à $\frac{k-1}{k}$).

131 Dans les arts : règle des deux tiers et carrelage en perspective centrale

Pour dessiner un carrelage, on met en place le point de fuite F sur la ligne d'horizon et on décide de dessiner une première rangée de carreaux comme sur la figure ci-après à une distance α de la droite (AB).

Comment ensuite déterminer la largeur de la deuxième rangée de carreaux, puis la largeur de la troisième, et ainsi de suite pour que l'effet visuel produit soit réussi ?

Pistes pour l'accompagnement personnalisé

Leon Battista Alberti (1404-1472), écrivain et architecte de la Renaissance, a élaboré une théorie de la perspective géométrique dans les arts. Il rapporta que certains peintres prenaient pour largeur de la deuxième rangée les deux tiers de la largeur de la première, et pour largeur de la troisième les deux tiers de la largeur de la deuxième, et ainsi de suite.

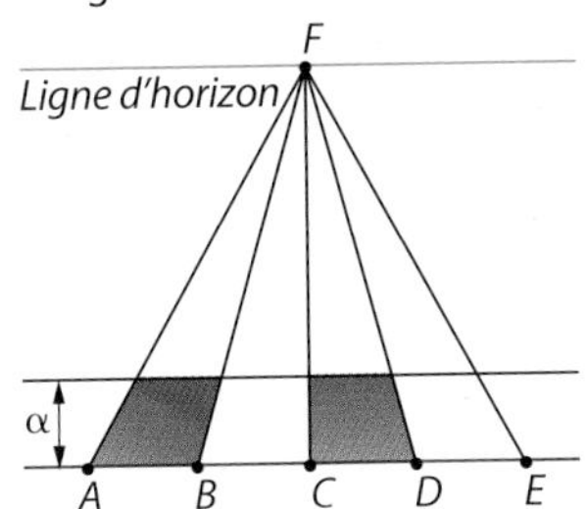

1 Pour tout entier $n \geqslant 1$, calculer la somme S_n des largeurs des n premières rangées de carreaux.

2 Déterminer la limite de la suite S.
Qu'en déduire quant à la validité du procédé ?

Pour info Ambrogio Lorenzetti (1290-1348) utilisait en 1344 cette règle des deux tiers. Malheureusement, en appliquant la règle des deux tiers, on montre que les diagonales des carrés ne sont pas sur une même droite.

Ambrogio Lorenzetti, *L'Annonciation*, 1344, peinture à fond d'or sur bois, 122 x 117,5 cm.

À la Renaissance Leon Battista Alberti a donné une construction pour corriger ces défauts :

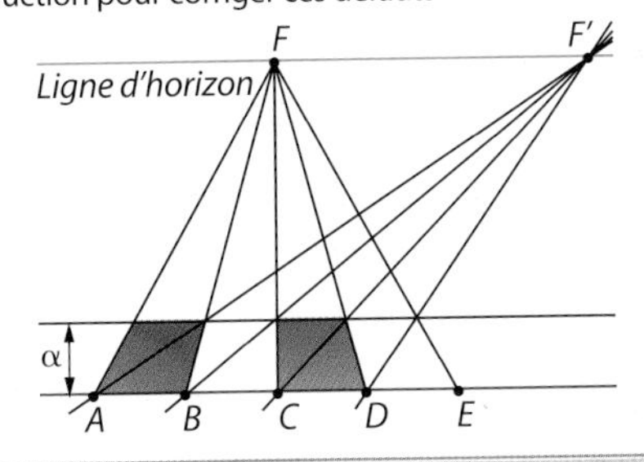

Vers le Supérieur

132 On considère la suite u définie par $u_0 = 8$ et pour tout entier n, $u_{n+1} = 3u_n - 5$.
Démontrer que pour tout entier n, $u_n \geqslant 2^{n+3}$.
En déduire la limite de la suite u.

133 **1** Démontrer que la suite u définie pour tout entier $n \geqslant 1$ par $u_n = \dfrac{1}{n}$ est une suite de Cauchy.

Pour info
On dit qu'une suite u *est une suite de Cauchy* si pour tout $\varepsilon > 0$, les distances entre deux termes $|u_m - u_n|$ sont inférieures à ε à partir d'un certain rang, c'est-à-dire qu'il existe un rang n_0 tel que pour tous entiers $m \geqslant n_0$ et $n \geqslant n_0$, on a $|u_m - u_n| < \varepsilon$.

Augustin Cauchy (1789-1857).

2 On va démontrer ici que si une suite *u* converge, alors elle est de Cauchy.
Soit une suite u convergente vers un réel ℓ.

a. En écrivant que $u_m - u_n = u_m - \ell + \ell - u_n$, justifier que pour tous entiers naturels m et n :

$$|u_m - u_n| \leqslant |u_m - \ell| + |\ell - u_n|.$$

Expliquer pourquoi à partir d'un certain rang n_0, on a pour tout entier naturel $n \geqslant n_0$: $|u_n - \ell| \leqslant \dfrac{\varepsilon}{2}$.

b. En déduire que la suite u est de Cauchy.

Pour info La réciproque est vraie dans $\mathbb{R}$: toute suite de Cauchy dans $\mathbb{R}$ est convergente.

134 **Vrai ou faux ? (ESSIE 2009)**
Soit deux suites u et v vérifiant pour tout $n \in \mathbb{N}$:

$$0 \leqslant u_n \leqslant v_n \leqslant 2u_n.$$

a. Si pour tout entier naturel n, $0 < u_n \leqslant 1$, alors la suite u converge.

b. Si pour tout, $n \in \mathbb{N}$, $0 < u_n \leqslant 1$ alors la suite v converge.

c. Si la suite u converge, alors la suite v converge.

d. Si $\lim\limits_{n \to +\infty} u_n = +\infty$, alors $\lim\limits_{n \to +\infty} v_n = +\infty$.

e. Si la suite u ne converge pas, alors la suite v ne converge pas.

135 **Découvrir le nombre e**
On considère la suite u définie pour tout entier n non nul par :

$$u_n = 1 + \frac{1}{1!} + \frac{1}{2!} + \ldots + \frac{1}{n!}.$$

1 Démontrer que pour tout entier $k \geqslant 1$, $k! \geqslant 2^{k-1}$.

2 Démontrer que pour tout entier naturel n :

$$u_n \leqslant 1 + 1 + \frac{1}{2} + \frac{1}{2^2} + \ldots + \frac{1}{2^{n-1}}.$$

En déduire que la suite u est majorée par 3.

3 La suite u est-elle convergente ?

Limites

Partir d'un bon pied

Voir corrigés en fin de manuel

A) Revoir les suites

QCM Déterminer **la (ou les)** bonne(s) réponse(s).

1 Parmi les suites u définies ci-contre sur $\mathbb{N}$, lesquelles convergent vers 2 ?	**a.** $u_n = \dfrac{3-2n}{1+n}$	**b.** $u_n = \left(\dfrac{1}{3}\right)^n + 2$	**c.** $u_n = \dfrac{2n+(-1)^n}{n}$
2 La suite v définie sur $\mathbb{N}$ par $v_n = \dfrac{1-3^n}{2^n}$ admet pour limite :	**a.** 1	**b.** [illegible]	**c.** $-\infty$
3 Parmi les suites w définies ci-contre sur $\mathbb{N}$, indiquer celles qui sont majorées.	**a.** $w_n = 5 - n$	**b.** $\begin{cases} w_0 = 1 \\ w_{n+1} = 2w_n \end{cases}$	**c.** $w_n = \dfrac{n^2+4}{n^2+1}$
4 La suite t définie sur $\mathbb{N}$ par : $\begin{cases} t_0 = 1 \\ t_{n+1} - t_n = 0{,}3t_n \end{cases}$	**a.** est minorée	**b.** est majorée	**c.** converge

B) Comparaisons et graphiques

Vrai ou faux ?

Préciser si les affirmations suivantes sont vraies ou fausses

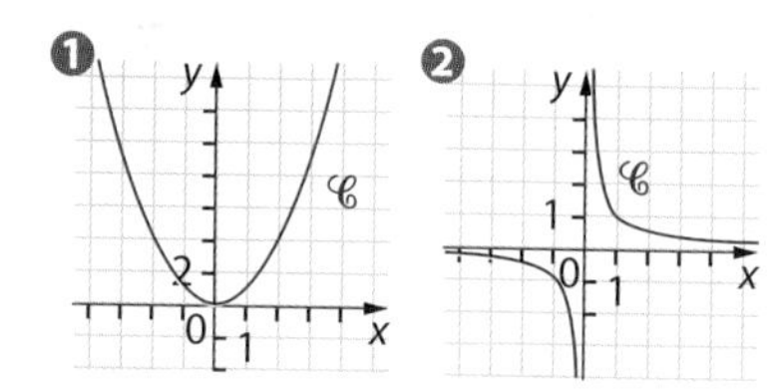

1 Pour tout réel x, si $x < -100$, alors $x^2 > 1000$ (figure 1).

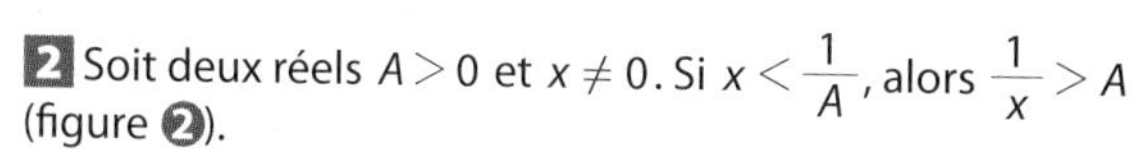

2 Soit deux réels $A > 0$ et $x \neq 0$. Si $x < \dfrac{1}{A}$, alors $\dfrac{1}{x} > A$ (figure 2).

3 Soit $f : x \longmapsto x + 2\cos x$. La courbe représentative $\mathscr{C}_f$ de la fonction f est comprise entre les droites d'équations $y = x - 2$ et $y = x + 2$.

4 Soit $g : x \longmapsto 1 + \dfrac{2}{x-2}$. La courbe représentative $\mathscr{C}_g$ de la fonction g est toujours au-dessus de la droite d'équation $y = 1$.

C) Lire un graphique

Vrai ou faux ?

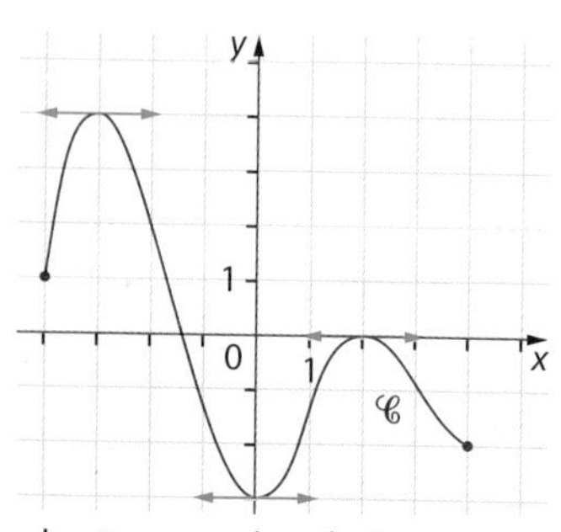

On donne ci-contre la courbe $\mathscr{C}$ représentant une fonction f dérivable sur $[-4\,;4]$, avec ses tangentes parallèles à l'axe des abscisses.

Répondre par vrai ou faux aux affirmations suivantes.

1 -3 admet 4 pour antécédent par f.

2 La fonction f' est négative sur $[-3\,;0]$.

3 L'équation $f(x) = -1$ admet trois solutions sur $[-4\,;4]$.

4 Il existe au moins un réel k de $[1\,;4]$ tel que l'équation $f(x) = k$ admet une seule solution.

et fonctions continues

CHAPITRE 2

« L'infini désigne la propriété de certains contenus offerts à la pensée de s'étendre au-delà de toute limite. »

Emmanuel Levinas, philosophe français (1906-1995)

Des maths partout !

Les notions de « limite » et de « continuité » trouvent de nombreuses applications dans l'étude de phénomènes dépendant du temps avec la notion d'« asymptote », comme la charge et la décharge d'un condensateur, la désintégration d'atomes radioactifs… Le débat sur « l'existence » de l'infini reste toutefois ouvert. On estime aujourd'hui que le nombre d'atomes dans l'univers visible est de l'ordre de 10^{80} : l'infini n'est, pour certains, qu'une invention de l'esprit humain…

Au fil du temps UNE LONGUE HISTOIRE

Le concept de l'infini intéresse les scientifiques et les philosophes depuis l'Antiquité.

Bernard Bolzano (1781-1848).

Au Ve siècle av. J.-C., les paradoxes de **Zénon d'Élée** renvoient à la composition du continu à partir d'éléments indivisibles ou à la divisibilité à l'infini d'un segment. Au IVe siècle av. J.-C. selon **Aristote** (Livre III de la *Physique*), l'infini est « ce qui ne se laisse pas parcourir et n'a pas de limites ». N'ayant pas de limites, il n'est pas déterminé et donc il n'existe pas en soi. Dès le IIIe siècle av. J.-C., **Archimède** construit une théorie mathématique dans laquelle la notion d'infini est présente.

Plus tard, au XVIIe siècle, **Isaac Newton**, physicien et mathématicien anglais (1642-1727), et **Gottfried Wilhelm Leibniz**, philosophe et mathématicien allemand (1646-1716), posent les bases du calcul différentiel.

Au XIXe siècle, **Bernard Bolzano**, logicien et mathématicien tchèque, est le premier à tenter de construire un calcul purement mathématique et un calcul systématique de l'infini actuel. **Georg Cantor**, mathématicien allemand (1845-1918), définit l'égalité de deux ensembles infinis et affirme qu'il y a, après le fini, « une échelle illimitée de modes déterminés qui par nature ne sont pas finis mais infinis […] ».

Découvrir

Activité 1 Droites passant par un point

Dans un repère orthonormé d'origine O, on considère le point $A(2\,;1)$ et un point $M(x\,;0)$ avec $x > 2$. La droite (AM) coupe l'axe des ordonnées en N.
Les points P et Q sont les projetés orthogonaux du point A respectivement sur l'axe des abscisses et des ordonnées.

1 À l'aide d'un logiciel de géométrie dynamique

a. Construire les points A, P, Q, M et N, et faire afficher la longueur ON et l'aire de ANQ.
b. Lorsque l'abscisse x du point M devient « très grande », que peut-on dire du point N ? de l'aire de ANQ ?
c. Lorsque l'abscisse x du point M devient « très proche » de 2, que peut-on dire du point M ? du point N ? de l'aire de ANQ ?

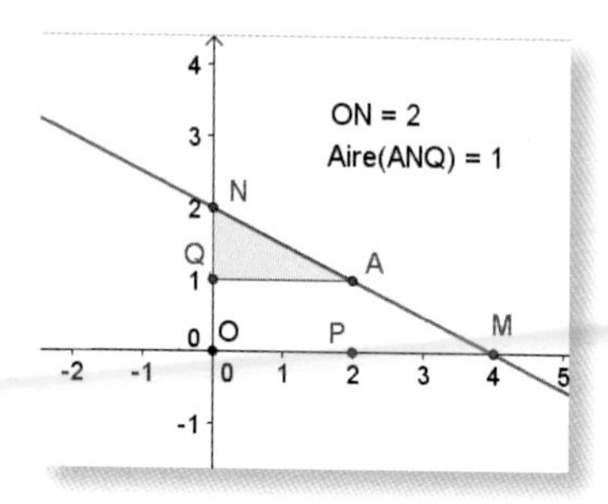

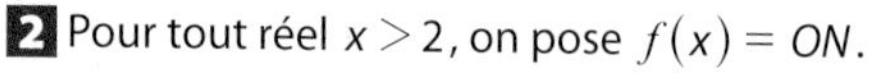

2 Pour tout réel $x > 2$, on pose $f(x) = ON$.
a. Démontrer que $f(x) = \dfrac{x}{x-2}$.
b. Traduire par une phrase utilisant x et $f(x)$ les conjectures du **1 b.**.

3 a. Démontrer que, pour tout réel $x > 2$, l'aire du triangle ANQ, notée $g(x)$, est égale à : $\dfrac{2}{x-2}$.
b. Traduire par une phrase utilisant x et $g(x)$ les conjectures du **1 b.**

Voir la fiche **Geogebra**.

Activité 2 Notion d'asymptote horizontale

On considère la fonction f définie sur $\mathbb{R}$ par : $f(x) = \dfrac{x^2+2}{x^2+4}$.

On note $\mathscr{C}$ sa courbe représentative et $\mathscr{D}$ la droite d'équation $y = 1$.
On note M et N les points de $\mathscr{C}$ et $\mathscr{D}$ de même abscisse x.

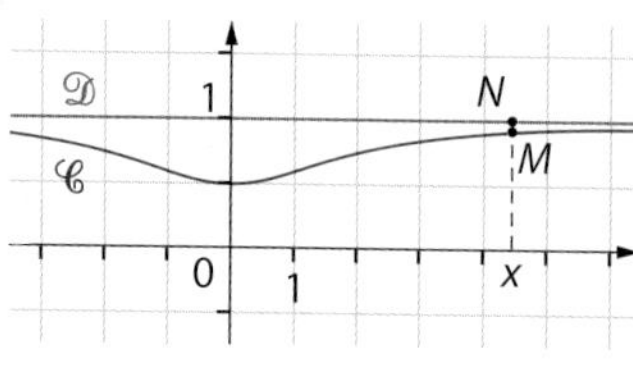

1 Justifier que pour tout réel x, $MN = |f(x) - 1|$.

2 On a effectué les calculs ci-contre à l'aide d'un logiciel de calcul formel.
a. En utilisant les résultats affichés, déterminer :
- un réel x_1 tel que pour tout réel $x > x_1$, on a $MN < 10^{-1}$;
- un réel x_2 tel que pour tout réel $x > x_2$, on a $MN < 10^{-2}$;
- un réel x_3 tel que pour tout réel $x > x_3$, on a $MN < 10^{-3}$.

b. Justifier que la distance MN peut être rendue aussi petite qu'on le souhaite dès que x dépasse une certaine valeur.

```
1 f(x):=(x^2+2)/(x^2+4)
        x -> (x^2+2)/(x^2+4)
2 resoudre(abs(f(x)-1)<1/10))
        x<(-4), x>4
3 resoudre(abs(f(x)-1)<1/100)
        x<(-14), x>14
4 resoudre(abs(f(x)-1)<1/1000)
        x<(-2·√499), x>(2·√499)
```

3 Que peut-on dire de la distance MN lorsque x devient « très grand en étant négatif » ?

Activité 3 Comportement à l'infini des fonctions de base

On considère les fonctions f, g et h définies sur $[0\,;+\infty[$ par :

$$f(x) = x^2, \quad g(x) = x^3 \quad \text{et} \quad h(x) = \sqrt{x}.$$

1 Construire la table des images de 1, 10, 10^2,…, 10^5 par f, g et h.

2 a. En déduire une valeur x_0 telle que $f(x_0) \geqslant 10^{14}$.
Que peut-on dire de $f(x)$ si $x \geqslant x_0$?
b. Reprendre la question précédente pour les fonctions g et h.

3 a. Soit $A > 0$; démontrer qu'il existe un réel x_0 tel que, si $x \geqslant x_0$, alors $f(x) \geqslant A$.
b. Reprendre la question **3 a.** pour les fonctions g et h.

Commentaire
On dit que f tend vers $+\infty$ lorsque x tend vers $+\infty$. On note $\lim\limits_{x \to +\infty} f(x) = +\infty$.

Démontrer en utilisant les définitions

Exercice corrigé

Énoncé  On considère les fonctions f et g définies respectivement sur $]-2\,;+\infty[$ et sur $\mathbb{R}$ par :

$$f(x)=\frac{3x-1}{x+2} \quad \text{et} \quad g(x)=-x^2+2x.$$

Déterminer la limite en $+\infty$: **a.** de la fonction f ; **b.** de la fonction g.

Solution

a. ▸ On constate que lorsque x devient grand, $f(x)$ est proche de 3 **1▸**.

▸ Pour $x \in\,]-2\,;+\infty[$, on a : $f(x)-3=\dfrac{-7}{x+2}<0$,

donc $|f(x)-3|=\dfrac{7}{x+2}$.

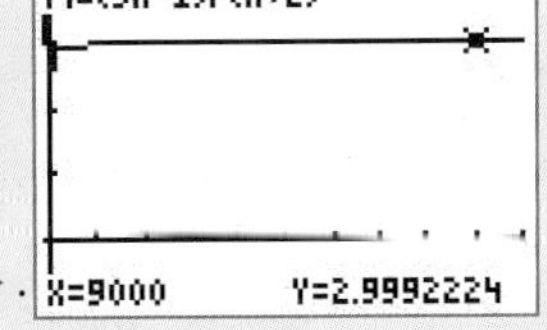

▸ Soit un entier n. Pour tout réel $x>0$,

$|f(x)-3|\leqslant 10^{-n} \Leftrightarrow \dfrac{7}{x+2}\leqslant 10^{-n} \Leftrightarrow x \geqslant \dfrac{10^n}{7}-2$ **2▸**.

Ainsi dès que $x \geqslant A$ avec $A=\dfrac{10^n}{7}-2$, on a $|f(x)-3|\leqslant 10^{-n}$.

Donc $\lim\limits_{x\to+\infty} f(x)=3$.

b. ▸ La représentation graphique de g sur une calculatrice conduit à penser que g admet $-\infty$ comme limite en $+\infty$ **1▸**.

▸ Soit un entier n non nul. On a :

$g(x)\leqslant -10^n \Leftrightarrow -x^2+2x\leqslant -10^n \Leftrightarrow x^2-2x-10^n\geqslant 0$.

Or $(10^n)^2-2\times 10^n-10^n=10^n(10^n-3)>0$ **3▸**

et la fonction $x \longmapsto x^2-2x-10^n$ est croissante sur $[10^n\,;+\infty[$.

Donc si $x\geqslant A$ avec $A=10^n$, on a : $g(x)\leqslant -10^n$.

On a donc $\lim\limits_{x\to+\infty} g(x)=-\infty$.

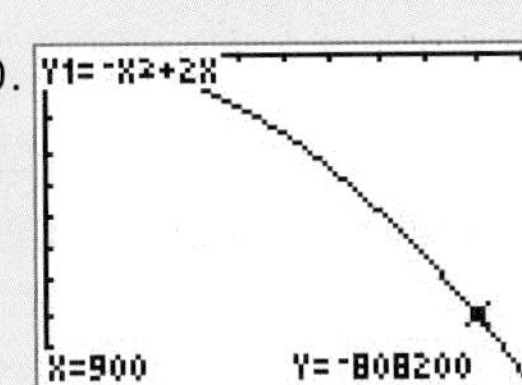

Bon à savoir

1▸ On construit, à l'aide d'une calculatrice, la représentation graphique de la fonction pour des « x grands » et on conjecture la limite ℓ ou $+\infty$ ou $-\infty$.

2▸ Si la limite conjecturée est ℓ, on cherche, pour tout entier n, un réel A tel que : dès que $x\geqslant A$, $|f(x)-\ell|\leqslant 10^{-n}$.
On peut pour cela résoudre l'inéquation : $|f(x)-\ell|\leqslant 10^{-n}$.

3▸ Si la limite conjecturée est $+\infty$ (ou $-\infty$), on cherche, pour tout entier n, un réel A tel que : si $x\geqslant A$, alors $f(x)\geqslant 10^n$ (ou $f(x)\leqslant -10^n$).
On peut pour cela résoudre l'inéquation : $f(x)\geqslant 10^n$ $\big(f(x)\leqslant -10^n\big)$.

Exercices d'application

1 On a représenté ci-contre la courbe représentative de la fonction valeur absolue.

a. Conjecturer les limites de la fonction valeur absolue en $+\infty$ et en $-\infty$.

b. Démontrer la conjecture.

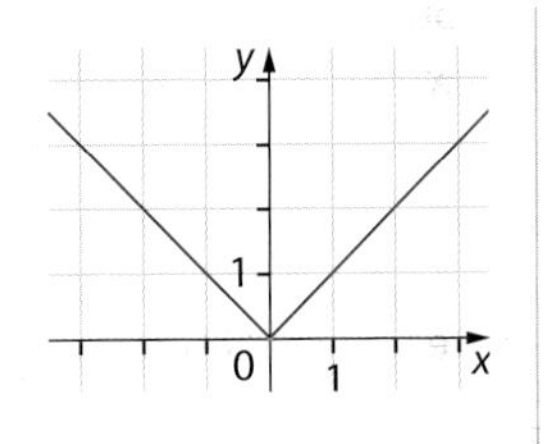

2 En s'inspirant de l'exercice corrigé ci-dessus, déterminer $\lim\limits_{x\to-\infty}(-x^2+3x)$.

3 La représentation graphique $\mathscr{C}_f$ ci-contre est celle de la fonction f définie sur $\mathbb{R}$ par $f(x)=\dfrac{1-x^2}{1+x^2}$.

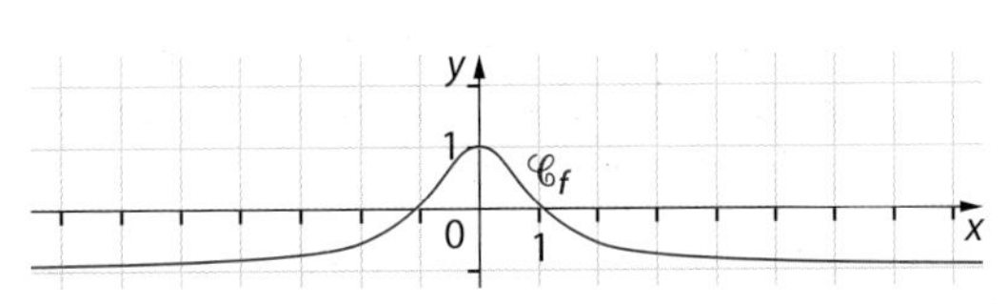

a. Démontrer que $\mathscr{C}_f$ admet une asymptote horizontale que l'on déterminera.

b. Démontrer que la fonction f est bornée.

4 Soit une fonction f telle que $\lim\limits_{x\to+\infty} f(x)=1$.

Démontrer, en utilisant le définition de la limite, qu'il existe un réel a tel que pour tout réel x de l'intervalle $]a\,;+\infty[$, $f(x)>0$.

➔ Voir exercices 32 à 34

2 Limite infinie d'une fonction en un réel a

Définition **Limite infinie en un réel a**

On considère une fonction f définie sur un ensemble ouvert dont le réel a est une borne.

On dit que f **a pour limite $+\infty$ en a** lorsque tout intervalle de la forme $]A\,;+\infty[$ contient toutes les valeurs de $f(x)$ dès que x est assez proche de a. On écrit : $\lim\limits_{x \to a} f(x) = +\infty$.

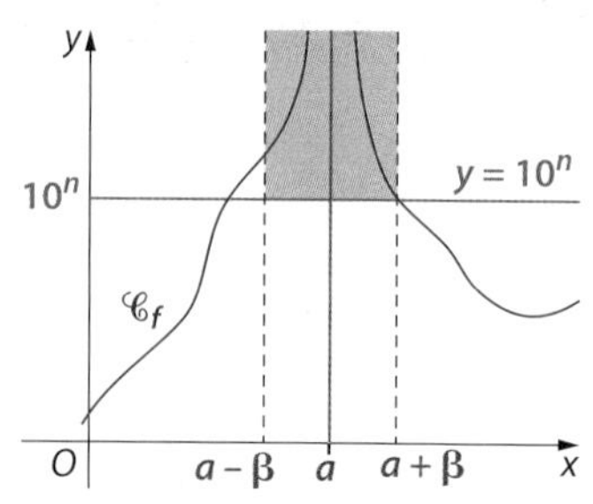

▸ Sur la figure ci-contre, on illustre que pour tout entier $n \geqslant 0$, il existe un réel $\beta > 0$ tel que :

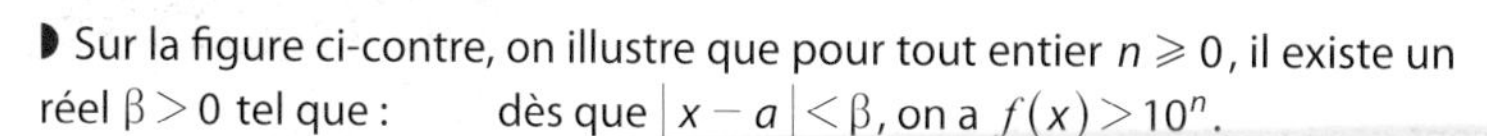

dès que $|x-a| < \beta$, on a $f(x) > 10^n$.

Ainsi l'ordonnée $f(x)$ peut être aussi grande qu'on le souhaite dès que x est choisi suffisamment proche de a.

▸ On définit de façon analogue $\lim\limits_{x \to a} f(x) = -\infty$.

Définition **Limite infinie en un réel a, à droite**

On dit que f **admet pour limite $+\infty$ en a à droite** lorsque tout intervalle de la forme $]A\,;+\infty[$ contient toutes les valeurs de $f(x)$ dès que x est assez proche de a, **x restant strictement supérieur à a.**

On écrit alors : $\lim\limits_{\substack{x \to a \\ x > a}} f(x) = +\infty$.

On définit de façon analogue **la limite en a à gauche**, que l'on note :

$$\lim_{\substack{x \to a \\ x < a}} f(x).$$

Définition Lorsque f a pour limite $+\infty$ (ou $-\infty$) en a (ou à droite en a, ou à gauche en a), on dit que la droite d'équation $x = a$ est **asymptote verticale** à la courbe $\mathscr{C}_f$.

Exemples

▸ $\lim\limits_{\substack{x \to 0 \\ x > 0}} \dfrac{1}{x} = +\infty$;

$\lim\limits_{\substack{x \to 0 \\ x < 0}} \dfrac{1}{x} = -\infty$;

▸ $\lim\limits_{x \to 0} \dfrac{1}{x^2} = +\infty$;

▸ $\lim\limits_{\substack{x \to 0 \\ x > 0}} \dfrac{1}{\sqrt{x}} = +\infty$.

Voir l'exercice 47, page 72.

3 Détermination de limites

a Limites et opérations

Les principaux résultats sur les calculs de limites ont été vus au chapitre 1, page 32. On retient qu'**on ne peut pas conclure directement dans les cas des formes indéterminées** indiquées ci-contre.

Formes indéterminées

On ne peut pas conclure un calcul de limite dans le cas :

▸ de la somme de fonctions ayant des limites infinies de signes différents : « $\infty - \infty$ ».

▸ du produit d'une fonction de limite nulle par une fonction de limite infinie : « $0 \times \infty$ ».

▸ du quotient de deux fonctions ayant toutes deux des limites infinies ou des limites nulles : « $\dfrac{\infty}{\infty}$ » ou « $\dfrac{0}{0}$ ».

UNE RÉDACTION POSSIBLE :

On considère la fonction f définie sur $\mathbb{R}\backslash\{2\}$ par $f(x) = 1 + \dfrac{1}{x-2}$.

▸ $\lim\limits_{x \to +\infty} (x-2) = +\infty$. Par inverse $\lim\limits_{x \to +\infty} \dfrac{1}{x-2} = 0$. Donc $\lim\limits_{x \to +\infty} f(x) = 1$.

▸ De même $\lim\limits_{x \to -\infty} f(x) = 1$.

▸ On a le tableau de signes ci-contre.

x	$-\infty$		2		$+\infty$
$x-2$		$-$	0	$+$	

Donc $\lim\limits_{\substack{x \to 2 \\ x > 2}} f(x) = +\infty$ et $\lim\limits_{\substack{x \to 2 \\ x < 2}} f(x) = -\infty$

On vérifie à l'aide de la calculatrice que les droites d'équation $y = 1$ et $x = 2$ sont asymptotes à la courbe de f.

Déterminer une limite en utilisant les opérations

Exercice corrigé

Énoncé **1** La fonction f est définie sur $\mathbb{R}$ par :

$$f(x) = x^2 - 2x.$$

Déterminer les limites de f en $-\infty$ et en $+\infty$.

2 La fonction g est définie pour $x \neq 1$ par :

$$g(x) = \frac{x-2}{x-1}.$$

On note $\mathscr{C}_g$ la courbe représentative de g.

a. Déterminer les limites de g en $+\infty$ et en $-\infty$. Interpréter graphiquement les résultats.

b. Déterminer les limites à droite et à gauche de g en 1. Interpréter graphiquement les résultats.

Solution

1 ▶ La courbe de $x \longmapsto x^2 - 2x$ ci-contre fait penser que : **1**▶

$$\lim_{x \to -\infty} f(x) = +\infty \quad \text{et} \quad \lim_{x \to +\infty} f(x) = +\infty.$$

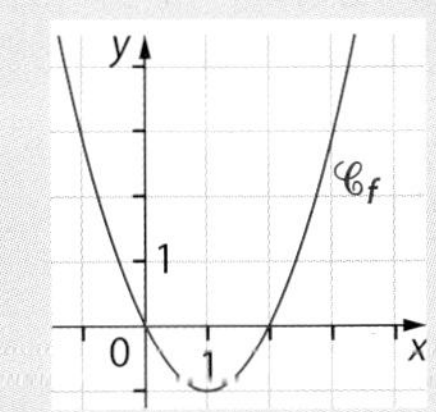

▶ $\lim\limits_{x \to -\infty} x^2 = +\infty$ et $\lim\limits_{x \to -\infty} -2x = +\infty$. Donc en utilisant la somme de deux fonctions, on a $\lim\limits_{x \to -\infty} f(x) = +\infty$.

▶ En $+\infty$, on est en présence d'une forme indéterminée « $\infty - \infty$ ».

2▶ Lorsque x est « grand » en valeur absolue, $2x$ est négligeable devant x^2. On factorise donc par x^2 :

Pour $x \neq 0$, $f(x) = x^2\left(1 - \dfrac{2}{x}\right)$. Comme $\lim\limits_{x \to +\infty} \dfrac{2}{x} = 0$, on a $\lim\limits_{x \to +\infty}\left(1 - \dfrac{2}{x}\right) = 1$.

Or $\lim\limits_{x \to +\infty} x^2 = +\infty$. Donc en utilisant le produit de deux fonctions, $\lim\limits_{x \to +\infty} f(x) = +\infty$.

2 a. ▶ La courbe ci-contre nous fait penser que **1**▶ :

$$\lim_{x \to -\infty} g(x) = 1 \quad \text{et} \quad \lim_{x \to +\infty} g(x) = 1.$$

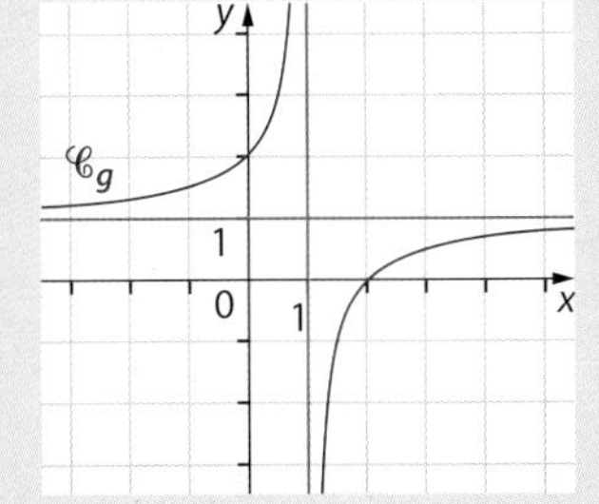

▶ En $+\infty$ et en $-\infty$, on est en présence d'une forme indéterminée « $\dfrac{\infty}{\infty}$ ».

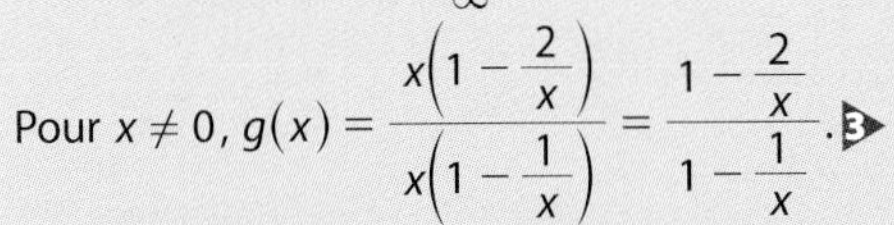

Pour $x \neq 0$, $g(x) = \dfrac{x\left(1 - \dfrac{2}{x}\right)}{x\left(1 - \dfrac{1}{x}\right)} = \dfrac{1 - \dfrac{2}{x}}{1 - \dfrac{1}{x}}$. **3**▶

De même qu'au **1**, on obtient : $\lim\limits_{x \to +\infty} g(x) = 1$ et $\lim\limits_{x \to -\infty} g(x) = 1$. On en déduit que la droite d'équation $y = 1$ est asymptote horizontale de $\mathscr{C}$ en $+\infty$ et en $-\infty$.

b. ▶ On a $\lim\limits_{x \to 1}(x-2) = -1$ et $\lim\limits_{x \to 1}(x-1) = 0$.

▶ On étudie donc le signe de $(x-1)$. **4**▶

x	$-\infty$		1		$+\infty$
$x-1$		$-$	0	$+$	

Comme $(x-1)$ change de signe en 1, la fonction g n'a pas de limite en 1, mais admet une limite à droite et à gauche de 1.

Comme $\lim\limits_{x \to 1}(x-2) = -1$ (négatif) et $\lim\limits_{\substack{x \to 1 \\ x > 1}}(x-1) = 0^+$, par quotient $\lim\limits_{\substack{x \to 1 \\ x > 1}} g(x) = -\infty$.

De même $\lim\limits_{\substack{x \to 1 \\ x < 1}}(x-1) = 0^-$, donc $\lim\limits_{\substack{x \to 1 \\ x > 1}} g(x) = +\infty$. On en déduit que la droite d'équation $x = 1$ est asymptote verticale à $\mathscr{C}$.

Bon à savoir

1▶ On commence par conjecturer la limite cherchée (tableur, courbe…).
Attention à ne pas confondre cette phase avec la démonstration !

2▶ Si on a une forme indéterminée du type « $\infty - \infty$ », on met en facteur le terme le plus « grand ».

3▶ Si on a une forme indéterminée du type « $\dfrac{\infty}{\infty}$ », on factorise au numérateur et au dénominateur les termes prépondérants. Puis on simplifie.

4▶ Si on a une forme « $\dfrac{k}{0}$ », il faut étudier le signe du dénominateur pour conclure.
Lorsqu'une expression tend vers 0, elle peut parfois le faire en restant positive (notation 0^+) ou négative (notation 0^-).
On conclut alors en utilisant la règle du signe d'un quotient.

Exercices d'application

5 Déterminer $\lim\limits_{x \to +\infty} \dfrac{x^3 - x}{x + 2}$.

6 Déterminer $\lim\limits_{x \to +\infty} (x - \sqrt{x})$.

Voir exercices 53 à 60

b Limite d'une composée

Pour décrire une fonction, on peut parfois la décomposer en enchaînements de fonctions plus simples.

Définition Soient deux fonctions u et v définies sur deux ensembles I et J tels que l'image de I par u est contenue dans J : $u(\mathrm{I}) \subset \mathrm{J}$.

La fonction obtenue en appliquant successivement u, puis v, s'appelle la **composée d'u par v** et est notée $\boldsymbol{v \circ u}$, ou parfois $\boldsymbol{v(u)}$.

Pour tout réel x de I : $\quad (\boldsymbol{v \circ u})(\boldsymbol{x}) = \boldsymbol{v(u(x))}$.

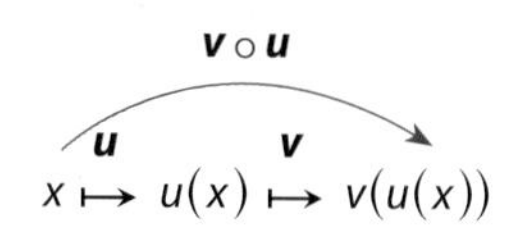

Théorème (admis) a, b et λ désignent des réels ou $+\infty$ ou $-\infty$.

Si on a $\lim\limits_{x \to a} u(x) = b$ **et** $\lim\limits_{X \to b} v(X) = \lambda$, **alors** $\lim\limits_{x \to a} v \circ u(x) = \lambda$.

Le schéma ci-dessous illustre l'enchaînement des limites et permet de mémoriser ce théorème :

$$\begin{array}{ccccc} & u & & v & \\ x & \mapsto & u(x) & \mapsto & v(u(x)) \\ \downarrow & & \downarrow & & \downarrow \\ a & & b & & \lambda \end{array}$$

Exemple

Soit $f(x) = (-2x+1)^2$.
On peut décomposer f en enchaînement de fonctions :
$x \mapsto -2x+1 \mapsto (-2x+1)^2$

On a :
$\lim\limits_{x \to +\infty} (-2x+1) = -\infty$
et $\lim\limits_{X \to -\infty} (X)^2 = +\infty$
Donc par composition :
$\lim\limits_{x \to +\infty} f(x) = +\infty$.

c Limite et comparaisons

On dispose de théorèmes analogues à ceux déjà vus pour les suites.

Théorèmes Soient deux fonctions f et g définies sur un intervalle de la forme $]a\,;+\infty[$ telles que pour tout réel $x > a$, $\boldsymbol{f(x) \leqslant g(x)}$.

- **Théorème de minoration** :

$$\textbf{si } \lim_{x \to +\infty} f(x) = +\infty, \quad \textbf{alors } \lim_{x \to +\infty} g(x) = +\infty.$$

- **Théorème de majoration** :

$$\textbf{si } \lim_{x \to +\infty} g(x) = -\infty, \quad \textbf{alors } \lim_{x \to +\infty} f(x) = -\infty.$$

Voir les **démonstrations** à l'exercice 66, page 75.

REMARQUE : On obtient des théorèmes analogues en $-\infty$.

Théorème (admis) **Théorème d'encadrement, dit « des gendarmes »**

On considère trois fonctions f, g et h définies sur un intervalle de la forme $]a\,;+\infty[$ telles que :
pour tout réel $\boldsymbol{x > a}$,

$$\boldsymbol{g(x) \leqslant f(x) \leqslant h(x)}.$$

On suppose que :

$$\lim_{x \to +\infty} g(x) = \lim_{x \to +\infty} h(x) = \ell$$

où ℓ est un nombre réel.
Alors f admet pour limite $\boldsymbol{\ell}$ en $+\infty$:

$$\lim_{x \to +\infty} f(x) = \ell.$$

REMARQUE : On obtient un théorème d'encadrement analogue en $-\infty$.

Exemple

Soit $f(x) = \dfrac{\sin x}{x}$ sur $]0\,;+\infty[$.
Pour tout réel $x > 0$,
$-1 \leqslant \sin(x) \leqslant 1$.
En divisant par $x > 0$:
$\dfrac{-1}{x} \leqslant f(x) \leqslant \dfrac{1}{x}$.
Comme :
$\lim\limits_{x \to +\infty} \dfrac{-1}{x} = \lim\limits_{x \to +\infty} \dfrac{1}{x} = 0$,
d'après le théorème des gendarmes : $\lim\limits_{x \to +\infty} f(x) = 0$.

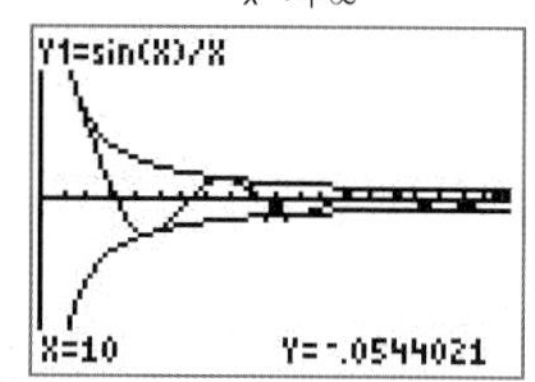

Déterminer une limite

Exercice corrigé

Énoncé Déterminer les limites des fonctions suivantes.

1 $f : x \longmapsto 3 + \dfrac{2}{x} - \dfrac{5}{x^2}$ en 0 à droite.

2 $g : x \longmapsto \sqrt{x^2 + x + 1}$ en $-\infty$.

3 $h : x \longmapsto x + \sin x$ en $+\infty$.

4 $k : x \longmapsto \sqrt{x+1} - \sqrt{x}$ en $+\infty$.

Solution

1 En 0 à droite, on obtient la forme indéterminée « $\infty - \infty$ »,
car $\lim\limits_{\substack{x \to 0 \\ x > 0}} \dfrac{2}{x} = +\infty$ et $\lim\limits_{\substack{x \to 0 \\ x > 0}} \dfrac{5}{x^2} = +\infty$. **1▸** En réduisant au même dénominateur,
on obtient pour tout réel $x \neq 0$: $f(x) = \dfrac{3x^2 + 2x - 5}{x^2}$ **2▸**.
On a $\lim\limits_{\substack{x \to 0 \\ x > 0}} (3x^2 + 2x - 5) = -5$ (négatif) et $\lim\limits_{\substack{x \to 0 \\ x > 0}} x^2 = 0^+$.
Donc en utilisant les opérations sur les limites, $\lim\limits_{\substack{x \to 0 \\ x > 0}} f(x) = -\infty$.

2 La fonction g est la composée de $x \longmapsto x^2 + x + 1$ et de la fonction racine carrée. **3▸**
Comme $\lim\limits_{x \to -\infty} (x^2 + x + 1) = \lim\limits_{x \to -\infty} x^2\left(1 + \dfrac{1}{x} + \dfrac{1}{x^2}\right) = +\infty$ et $\lim\limits_{X \to +\infty} \sqrt{X} = +\infty$,
on a : $\lim\limits_{x \to -\infty} g(x) = +\infty$.

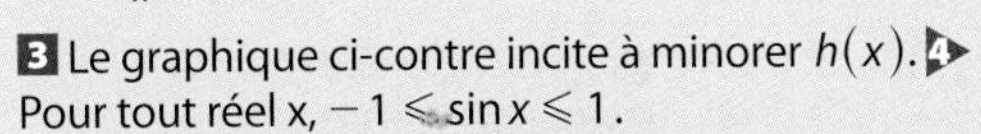

3 Le graphique ci-contre incite à minorer $h(x)$. **4▸**
Pour tout réel x, $-1 \leqslant \sin x \leqslant 1$.
Donc pour tout réel x, $x - 1 \leqslant h(x)$.
Comme $\lim\limits_{x \to +\infty} (x - 1) = +\infty$ on en déduit par comparaison que : $\lim\limits_{x \to +\infty} h(x) = +\infty$.

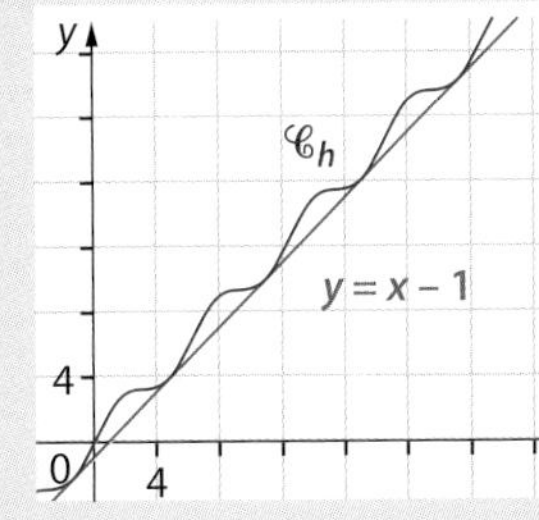

4 En $+\infty$, on obtient la forme indéterminée « $\infty - \infty$ »
car, $\lim\limits_{x \to +\infty} \sqrt{x} = +\infty$ et $\lim\limits_{x \to +\infty} = \sqrt{x+1} = +\infty$. **5▸** On multiplie et divise par l'expression conjuguée de $k(x)$:

$$k(x) = \frac{(\sqrt{x+1} - \sqrt{x})(\sqrt{x+1} + \sqrt{x})}{\sqrt{x+1} + \sqrt{x}} = \frac{x + 1 - x}{\sqrt{x+1} + \sqrt{x}} = \frac{1}{\sqrt{x+1} + \sqrt{x}}.$$

Or $\lim\limits_{x \to +\infty} (\sqrt{x+1} + \sqrt{x}) = +\infty$. Donc par quotient, $\lim\limits_{x \to +\infty} k(x) = 0$.

Bon à savoir

1▸ On essaie d'utiliser les opérations sur les limites.

2▸ On transforme l'expression de $f(x)$.

Si on aboutit à une forme indéterminée, on ne peut pas conclure. On peut alors utiliser diverses méthodes selon la forme de la fonction :

3▸ On essaie d'écrire la fonction comme la composée de deux fonctions et on applique le théorème.

4▸ On compare la fonction à des fonctions de base et on applique les théorèmes de comparaison ou des gendarmes.

5▸ Si l'expression de la fonction contient des racines carrées, penser à utiliser l'expression conjuguée.

Exercices d'application

7 On considère la fonction $f : x \longmapsto \dfrac{\sqrt{x}}{x+1}$.
Calculer $\lim\limits_{x \to +\infty} f(x)$.

8 Déterminer $\lim\limits_{x \to +\infty} 3\cos\left(\dfrac{2}{x}\right)$.

9 Déterminer $\lim\limits_{x \to -\infty} (x + \sqrt{2x^2 - 3}) = 0$.

10 On considère la fonction f définie sur $]1 ; +\infty[$ par : $f(x) = \sqrt{\dfrac{x+1}{x-1}}$.

a. Calculer la limite de f en $+\infty$ et en 1.

b. Interpréter graphiquement les résultats précédents.

Voir exercices 63 à 71

4 Continuité

a Définition et propriétés

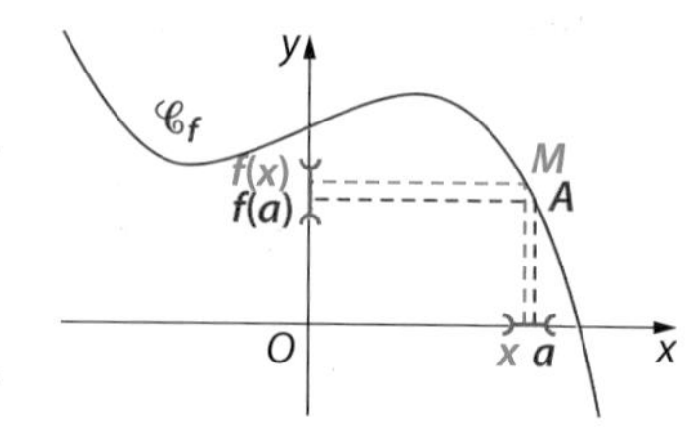

Soit une fonction f définie sur un intervalle I et un réel a de I.

On note $\mathscr{C}_f$ la courbe représentative de f et A le point de $\mathscr{C}_f$ d'abscisse a.

Pour tout réel x de I, on considère le point M de $\mathscr{C}_f$ d'abscisse x.

Ainsi, on a : $A(a\,;f(a))$ et $M(x\,;f(x))$.

En général, lorsque x est proche de a, le point M est proche du point A, c'est-à-dire que le réel $f(x)$ est proche du nombre $f(a)$.

On dit alors que la **fonction f admet pour limite en a le réel $f(a)$**.

La courbe $\mathscr{C}_f$ est alors « sans trou » autour de A, elle ne présente pas de « saut » en A.

Définition Soit une fonction f définie sur un intervalle I.

- On dit que la fonction f est **continue en un réel a** de I si :

$$\lim_{x \to a} f(x) = f(a).$$

- On dit que la fonction f est **continue sur I** si f est continue en tout réel a de I.

EXEMPLES ET CONTRE-EXEMPLE

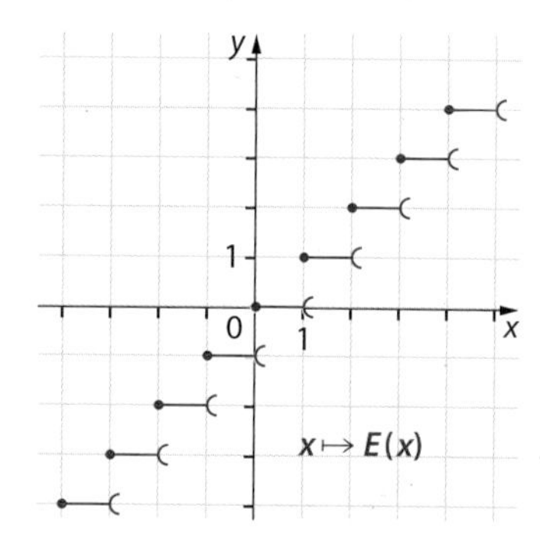

Les fonctions carré, cube, cosinus, sont continues sur $\mathbb{R}$. Leurs courbes ne présentent jamais de « saut ».

Certaines fonctions ne possèdent pas cette propriété.

Par exemple, la fonction **partie entière E** est définie sur $\mathbb{R}$ par $E(x) = n$, où n est l'entier relatif tel que $n \leqslant x < n+1$.

Ainsi : si $0 \leqslant x < 1$, alors : $E(x) = 0$, et si $1 \leqslant x < 2$, alors : $E(x) = 1$.

Donc : $\lim\limits_{\substack{x \to 1 \\ x < 1}} E(x) = 0$ alors que $E(1) = 1$.

On dit que E est **discontinue** en 1, et de façon générale, en tout entier relatif.

La courbe $\mathscr{C}_E$ est « en escaliers » et présente des sauts en ses points d'abscisses entières.

Théorème (admis)

Toute fonction dérivable sur un intervalle I est continue sur I.

REMARQUE

La réciproque de ce théorème est fausse : les fonctions valeur absolue et racine carrée, par exemple, ne sont pas dérivables en 0, mais sont continues en 0, et respectivement sur $\mathbb{R}$ et sur $[0\,;+\infty[$.

CONSÉQUENCES

- Les fonctions « usuelles » (affines, carré, cube, racine carrée, inverse, valeur absolue, cosinus, sinus) sont continues sur tout intervalle où elles sont définies.
- Les fonctions construites à partir de ces fonctions par somme, produit ou composition, sont continues sur tout intervalle où elles sont définies.

Attention

Ne pas confondre « continuité » et « dérivabilité »

- Une fonction f est **continue en a** si la courbe $\mathscr{C}_f$ ne présente pas de saut en son point d'abscisse a.
- Une fonction f est **dérivable en a** si la courbe $\mathscr{C}_f$ admet une tangente non verticale en son point d'abscisse a.

Étudier la continuité d'une fonction

Exercice corrigé

Énoncé **1** On considère la fonction f définie sur $\mathbb{R}$ par :
$$f(x) = xE(x),$$
où $E(x)$ est la partie entière de x.
Étudier la continuité de f sur $\mathbb{R}$.

2 Soit la fonction g définie sur $\mathbb{R}$ par :
$$g(x) = \frac{x^2 - 1}{x + 1} \text{ si } x \neq -1 \text{ ; } g(-1) = m.$$
Peut-on choisir le réel m pour que la fonction g soit continue sur $\mathbb{R}$?

Solution

1 On a représenté la courbe de f. **1▸**
Les seuls problèmes de continuité semblent apparaître aux points d'abscisse entière.

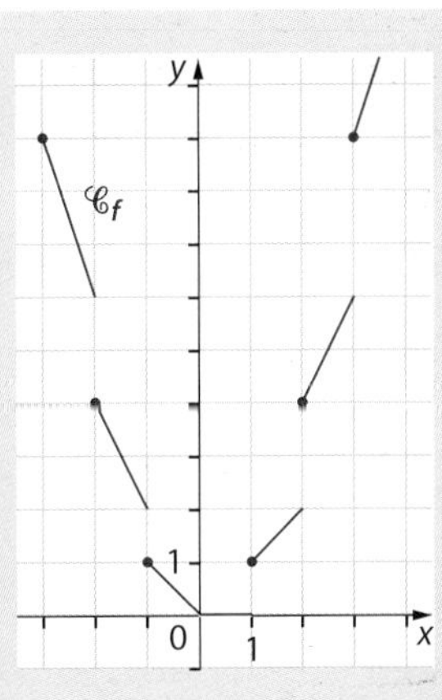

2▸ et **3▸** Soit un entier n.
- $f(n) = n \times n = n^2$;
- si $x \in [n-1 ; n[$, on a $f(x) = (n-1)x$;
- si $x \in [n ; n+1[$, on a $f(x) = nx$.

Les fonctions $x \longmapsto (n-1)x$ et $x \longmapsto nx$ sont linéaires, donc continues sur $\mathbb{R}$ et on a :
$$\lim_{\substack{x \to n \\ x < n}} f(x) = n(n-1) \quad \text{et} \quad \lim_{\substack{x \to n \\ x > n}} f(x) = n^2,$$
qui sont différentes pour $n \neq 0$.

Ainsi la fonction f est continue en a, sauf si a est un entier relatif différent de 0.

2 Par construction, la fonction g est continue sur $\mathbb{R} \backslash \{-1\}$.

1▸ Le graphique incite à simplifier l'expression de $g(x)$ et à choisir $m = -2$.

Comme $x^2 - 1 = (x+1)(x-1)$, on a pour $x \neq -1$,
$$g(x) = \frac{(x+1)(x-1)}{x+1} = x - 1.$$

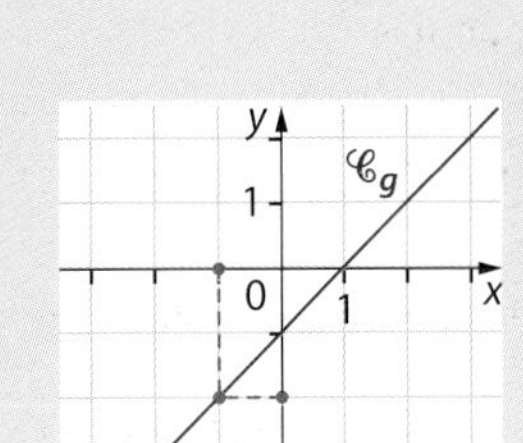

4▸ $\lim\limits_{x \to -1} g(x) = \lim\limits_{x \to -1} (x - 1) = -2,$
car la fonction $x \longmapsto x - 1$ est continue en -1.

Pour que g soit continue en -1, il faut que $m = -2$.

Bon à savoir

1▸ Si l'énoncé ne le précise pas, s'appuyer sur un graphique pour déceler les éventuels points de non-continuité.

2▸ Repérer les intervalles où la fonction est manifestement continue (fonctions polynômes, etc.).

3▸ Si a est une valeur critique :
– calculer l'image $f(a)$ de a ;
– étudier si les limites de f à droite et à gauche de a sont égales à $f(a)$.

4▸ Se ramener après simplification à une fonction continue partout égale à f sauf éventuellement en a.

Exercices d'application

11 On considère la fonction f définie sur $\mathbb{R}$ par :
$$f(x) = \begin{cases} x \text{ pour } x < 1 \\ \dfrac{1}{x} \text{ pour } x \geqslant 1 \end{cases}.$$
La fonction f est-elle continue sur $\mathbb{R}$?

12 Étudier la continuité de la fonction f définie sur $[0 ; +\infty[$ par :
$$f(x) = E\left(\frac{x}{x+1}\right),$$
E désignant la fonction partie entière.

13 On considère la fonction f définie pour $x \neq 0$ par :
$$f(x) = \frac{3x^2 + 2|x|}{x}.$$
a. Simplifier $f(x)$ pour $x \geqslant 0$ et en déduire $\lim\limits_{\substack{x \to 0 \\ x > 0}} f(x)$.

b. Calculer de même $\lim\limits_{\substack{x \to 0 \\ x < 0}} f(x)$.

c. Peut-on trouver une fonction g définie et continue sur $\mathbb{R}$ telle que pour tout réel $x \neq 0$, $g(x) = f(x)$?

Voir exercices 77 à 81

b Théorème des valeurs intermédiaires

Théorème (admis) **Théorème des valeurs intermédiaires**

Soit une fonction f **continue** sur un intervalle $[a\,;b]$. Alors f atteint son **minimum** $\boldsymbol{m}$ et son **maximum** $\boldsymbol{M}$, et pour tout réel $\boldsymbol{k}$ **compris entre** $\boldsymbol{m}$ **et** $\boldsymbol{M}$, il **existe** (au moins) un réel c dans $[a\,;b]$ tel que $f(\boldsymbol{c}) = \boldsymbol{k}$.

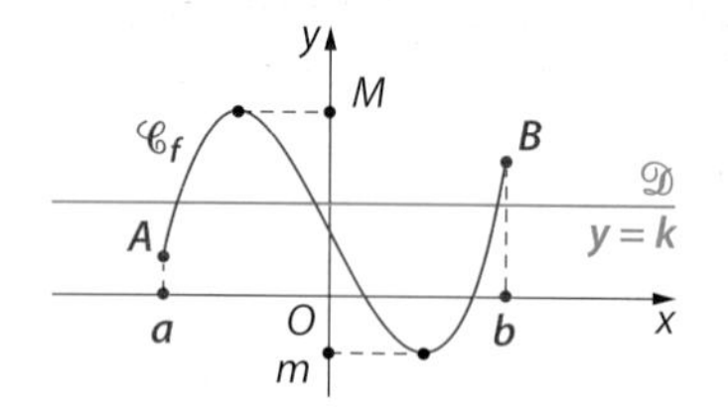

La figure ci-contre illustre le théorème : comme f est continue, la courbe $\mathscr{C}_f$ est « sans trou ». Pour tout réel k tel que $m \leqslant k \leqslant M$, la courbe coupe au moins une fois la droite $\mathscr{D}$ d'équation $y = k$.

Théorème Si la fonction f est **continue** et **strictement monotone** sur un intervalle $[a\,;b]$, alors pour tout réel $\boldsymbol{k}$ **compris entre** $f(\boldsymbol{a})$ **et** $f(\boldsymbol{b})$, il **existe** un **unique** réel c dans $[a\,;b]$ tel que $f(\boldsymbol{c}) = \boldsymbol{k}$.

Exemple Le tableau de variations d'une fonction permet de dénombrer le nombre de solutions de l'équation $f(x) = k$.
Par exemple :

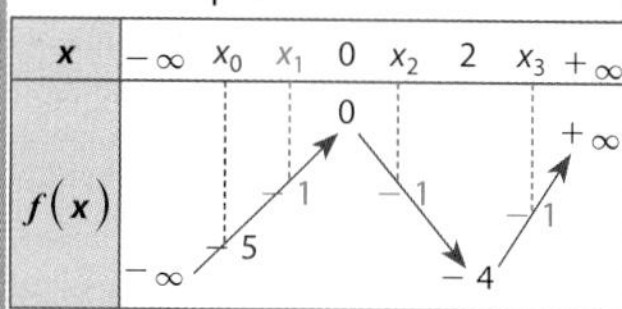

x	$-\infty$	x_0	x_1	0	x_2	2	x_3	$+\infty$
$f(x)$	$-\infty$ ↗	-5	-1	0	↘ -1	-4	↗ -1	$+\infty$

◗ L'équation $f(x) = -5$ admet une unique solution x_0.

◗ L'équation $f(x) = -1$ admet trois solutions x_1, x_2 et x_3.

DÉMONSTRATION

Soit un réel k compris entre $f(a)$ et $f(b)$.
Comme f est continue sur $[a\,;b]$, d'après le théorème des valeurs intermédiaires, il existe un réel c de $[a\,;b]$ tel que $f(c) = k$.
◗ Dans le cas où la fonction f est strictement croissante sur $[a\,;b]$, on a :
– pour tout réel x de $[a\,;c[$, $f(x) < f(c)$, c'est-à-dire $f(x) < k$;
– pour tout réel x de $]c\,;b]$, $f(x) > f(c)$, c'est-à-dire $f(x) > k$.
L'équation $f(x) = k$ n'admet donc pas d'autre solution que c dans l'intervalle $[a\,;b]$.
◗ Dans le cas où la fonction f est strictement décroissante sur $[a\,;b]$, on raisonne de la même façon.

REMARQUES

◗ Ce théorème s'étend au cas d'intervalles ouverts ou semi-ouverts, bornés ou non bornés en remplaçant si besoin $f(a)$ et $f(b)$ par les limites de f en a et en b.

◗ **Convention dans les tableaux de variations**
On convient que les flèches obliques du tableau de variations d'une fonction f traduisent la **continuité** et la **stricte monotonie** de f sur l'intervalle correspondant.

MÉTHODE ALGO

Approcher une solution d'une équation $f(x) = k$ par dichotomie
On considère une fonction f continue et strictement **croissante** sur $[a\,;b]$ et un réel k compris entre $f(a)$ et $f(b)$.
On sait que l'équation $f(x) = k$ admet une unique solution c sur $[a\,;b]$: $a \leqslant c \leqslant b$ **(1)**.
On pose : $m = \dfrac{a+b}{2}$, la moyenne de a et b. On a alors :

◗ soit $f(m) < k$; f étant croissante, on a alors : $m \leqslant c \leqslant b$ **(2)**.

◗ soit $f(m) \geqslant k$; f étant croissante, on a alors : $a \leqslant c \leqslant m$ **(3)**.

Les encadrements **(2)** et **(3)** de c sont d'amplitude moitié de l'encadrement **(1)**.
En réitérant le procédé en remplaçant $[a\,;b]$ par $[m\,;b]$ ou par $[a\,;m]$, on obtient de proche en proche un encadrement de c, d'amplitude aussi petite qu'on le souhaite. L'algorithme ci-contre affiche les valeurs extrêmes d'un encadrement de c d'amplitude inférieure à 10^{-n}, pour f strictement **croissante** sur $[a\,;b]$.

ALGO

```
Variables : a, b, k, m : réels ;
   n : entier ;
Début
   Entrer(a, b, n, k) ;
   TantQue b − a > 10^(−n) Faire
      m ← (a + b)/2 ;
      Si f(m) < k
      Alors a ← m ;
      Sinon b ← m ;
      FinSi ;
   FinTantQue ;
   Afficher (a, b) ;
Fin.
```

Commentaire On raisonne de façon analogue dans le cas où f est strictement **décroissante**.

Dénombrer les solutions d'une équation $f(x) = k$

Exercice corrigé

Énoncé **1** Soit la fonction f dont le tableau de variations est donné ci-dessous.

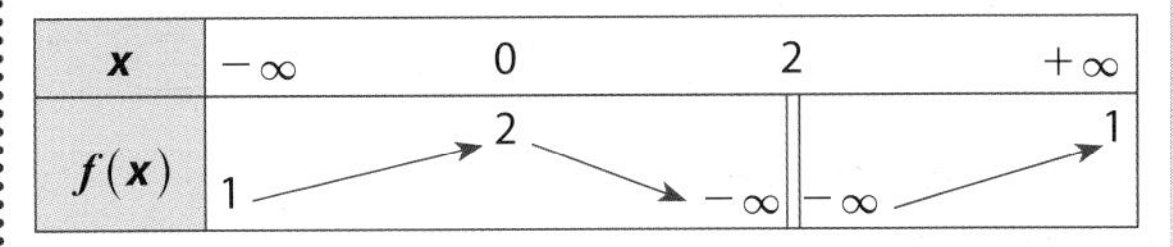

x	$-\infty$		0		2		$+\infty$
$f(x)$	1	↗	2	↘	$-\infty$ ‖ $-\infty$	↗	1

Démontrer que l'équation $f(x) = 0$ admet exactement deux solutions dans $\mathbb{R}\backslash\{2\}$.

2 Soit la fonction f définie sur l'intervalle $[-2 ; 2]$ par :

$$f(x) = x^3 + x^2 - x + 1.$$

Déterminer les valeurs du réel $k > 0$ pour que l'équation $f(x) = k$ admette au moins une solution.

Solution

1 ▸ Sur l'intervalle $]-\infty ; 0]$, d'après le tableau de variations, $f(x) \geqslant 1$. **1▸**
Donc l'équation $f(x) = 0$ n'admet pas de solution dans $]-\infty ; 0]$.

▸ Sur l'intervalle $[0 ; 2[$, la fonction f est continue et strictement décroissante, d'intervalle-image $]-\infty ; 2]$ contenant 0. Donc l'équation $f(x) = 0$ admet exactement une solution dans $[0 ; 2[$.

▸ Sur l'intervalle $]2 ; +\infty[$, la fonction f est continue et strictement croissante, d'intervalle-image $]-\infty ; 1[$ contenant 0. Donc l'équation $f(x) = 0$ admet exactement une solution dans $]2 ; +\infty[$.

▸ Ainsi l'équation $f(x) = 0$ admet exactement deux solutions dans $\mathbb{R}\backslash\{2\}$.

2 ▸ La fonction f est une fonction polynôme continue sur $[-2 ; 2]$. **2▸**

▸ **3▸** La fonction f est dérivable sur $[-2 ; 2]$ et pour tout réel x de $[-2 ; 2]$, on a :

$$f'(x) = 3x^2 + 2x - 1.$$

$f'(x)$ s'annule en -1 et $\frac{1}{3}$, et est positif sauf pour x appartenant à $\left[-1 ; \frac{1}{3}\right]$.
D'où le tableau de variations ci-contre.

x	-2		-1		$\frac{1}{3}$		2
$f'(x)$		+	0	−	0	+	
$f(x)$	-1	↗	2	↘	$\frac{22}{27}$	↗	11

4▸ La fonction f présente un minimum égal à -1 et un maximum égal à 11.
Donc pour tout $k \in [-1 ; 11]$, l'équation $f(x) = k$ admet au moins une solution dans $[-2 ; 2]$.

Bon à savoir

1▸ Pour dénombrer les solutions, il faut décomposer $\mathbb{R}$ en intervalles où f est strictement monotone, et conclure avec le théorème des valeurs intermédiaires dans ce cas.

Pour résoudre une équation (ou une inéquation) du type $f(x) = k$ ($f(x) < k$) sur un intervalle I :

▸ **2▸** On vérifie que la fonction f est continue sur I.

▸ **3▸** On étudie les variations de f sur I et on construit le tableau de variations de f sur I.

▸ **4▸** Pour s'assurer de l'existence d'au moins une solution, il suffit de vérifier que $k \in [m ; M]$, où m et M sont respectivement les minimum et maximum de f sur I.

Exercices d'application

14 On considère la fonction f définie sur $\mathbb{R}$ par :

$$f(x) = 2x^3 + 12x^2 + 18x + 9.$$

a. Démontrer que l'équation $f(x) = 0$ admet une unique solution a.
b. En déduire les solutions de l'inéquation $f(x) \geqslant 0$.

15 On considère la fonction f définie sur $[0 ; +\infty[$ par :

$$f(x) = 2(x-2)\sqrt{x} + 1.$$

a. Démontrer que l'équation $f(x) = 0$ admet deux solutions a et b.
b. Déterminer des valeurs approchées de a et b à 10^{-2} près.

16 On a tracé la courbe représentative d'une fonction f définie sur l'intervalle $[-2 ; 2]$.

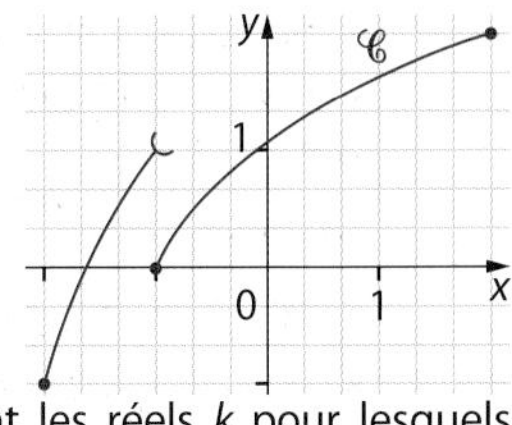

a. La fonction f est-elle continue sur $[-2 ; 2]$?
b. Déterminer graphiquement les réels k pour lesquels l'équation $f(x) = k$ admet au moins une solution.
c. **LOGIQUE** En déduire que la conclusion du théorème des valeurs intermédiaires peut être vérifiée pour certaines fonctions qui ne sont pas continues.

⊖ Voir exercices 88 à 92

Travaux pratiques

Mener une recherche et rédiger

17 Des limites en géométrie

Soit un cercle $\mathscr{C}$ de centre O et un point P extérieur à $\mathscr{C}$.
On note A le point d'intersection du cercle $\mathscr{C}$ et du segment $[OP]$.
Du point P on mène une tangente (PT) au cercle $\mathscr{C}$.
Soit N le projeté orthogonal de T sur la droite (OP).
On se propose de déterminer la limite de la distance AN, puis du rapport de distances $\frac{AN}{AP}$, lorsque le point P se rapproche de A sur la droite (OA).

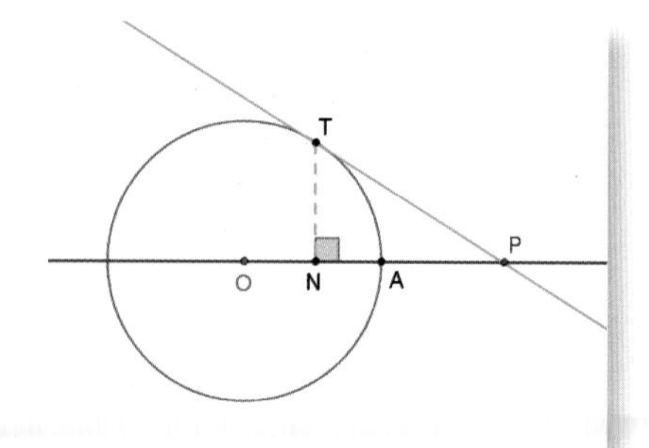

Mener une recherche étape par étape

❶ Modéliser la situation et conjecturer

1 Construire la figure **avec un logiciel de géométrie dynamique**.
Intuitivement, quelle est la limite de la distance AP lorsque le point P se rapproche de A ?

2 Faire apparaître les longueurs AP, AN et leur rapport. Puis en déplaçant le point P sur (OA), conjecturer les limites demandées.

❷ Élaborer une démarche

On appelle R le rayon du cercle $\mathscr{C}$ et x la longueur AP.
Il faut exprimer la longueur AN en fonction de x.
Pour cela, on calcule PT en fonction de x en utilisant le théorème de Pythagore.

1 Démontrer que $PT^2 = x^2 + 2xR$.

2 En déduire que $AN = \frac{xR}{x+R}$ puis calculer le rapport $\frac{AN}{AP}$.

3 Conclure.

Aide Penser que le triangle OTP est rectangle en T.
Calculer $\cos\widehat{OPT}$ de deux façons différentes.

❸ Rédiger une solution

À l'aide des deux parties précédentes, rédiger une solution du problème posé.

18 ALGO Résolution approchée d'une équation par dichotomie

On considère la fonction f définie sur $\mathbb{R}$ par :

$$f(x) = 3x^4 - 4x^3 - 12x^2 + 14.$$

1 a. Étudier les variations de la fonction f.
b. Dresser le tableau de variations « complet » de f, en y faisant figurer les limites de f en $-\infty$ et en $+\infty$ ainsi que les extrema locaux de f.

2 a. Démontrer que l'équation $f(x) = 0$ admet exactement deux solutions α et β dans $\mathbb{R}$.
b. Donner un encadrement de α et β par des entiers naturels.

3 On propose l'algorithme ci-contre.
a. Justifier que la condition « $f(a)\times f(m) \leqslant 0$ » permet de tester si $f(a)$ et $f(m)$ sont de même signe.
b. Que fait l'algorithme ci-contre ? Quelles valeurs peut-on donner à a et b si on veut approcher α à e près à l'aide de l'algorithme ?
c. Déterminer une valeur approchée de α à 10^{-3} près.
d. Faire de même pour β.

ALGO

```
Variables : a, b, e, m : réels ;
Début
    Entrer(a, b, e) ;
    TantQue b − a > e Faire
        m ← (a + b)/2 ;
        Si f(a)×f(m) ⩽ 0
        Alors b ← m ;
        Sinon a ← m ;
        FinSi ;
    FinTantQue ;
    Afficher (a, b) ;
Fin.
```

19 Comme une parabole ou comme une hyperbole ?

On considère la fonction f définie pour $x \neq 1$ par :

$$f(x) = \frac{x^3 - x^2 + x}{x - 1}.$$

On appelle $\mathscr{C}$ sa courbe représentative dans un repère orthonormé, dessinée ci-dessous.

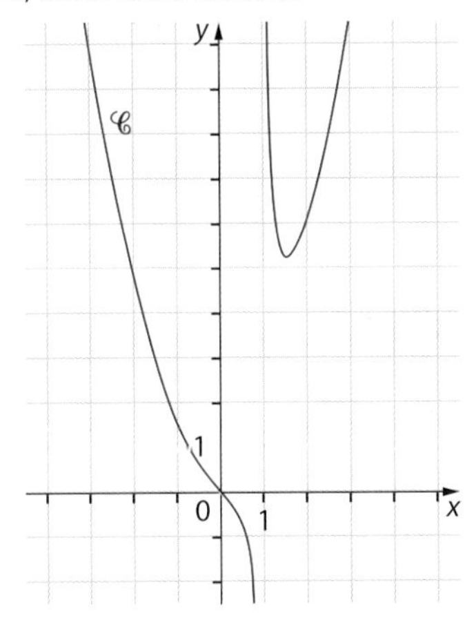

1 Déterminer les limites de f aux bornes de son ensemble de définition.

On se propose, dans un premier temps, de trouver une parabole la plus proche possible de $\mathscr{C}$ au voisinage de $+\infty$.

2 **À l'aide d'un traceur de courbes,** tracer la courbe $\mathscr{C}$ et construire une parabole $\mathscr{P}$ « très proche » de $\mathscr{C}$ au voisinage de $+\infty$.

> **Aide** La parabole $\mathscr{P}$ admet pour équation :
> $y = ax^2 + bx + c$, $(a \neq 0)$
> Créer des curseurs a, b et c, et les modifier manuellement pour obtenir une parabole $\mathscr{P}$ proche de $\mathscr{C}$.

3 **a.** Déterminer les réels a, b, c et d tels que pour tout réel $x \neq 1$,

$$f(x) = ax^2 + bx + c + \frac{d}{x - 1}.$$

b. Peut-on répondre à la question posée ? Justifier.

c. Construire la parabole répondant à la question.

Voir la fiche **Geogebra**.

On se propose maintenant de trouver une hyperbole $\mathscr{H}$ la plus proche possible de la courbe $\mathscr{C}$ au voisinage de l'abscisse 1.

4 **a. À l'aide d'un traceur de courbes,** tracer la courbe $\mathscr{C}$ et construire une hyperbole $\mathscr{H}$ « très proche » de $\mathscr{C}$ au voisinage de 1.

> **Aide** L'hyperbole $\mathscr{H}$ admet une équation :
> $y = \dfrac{ax + b}{cx + d}$ $(c \neq 0)$ et $ad - cb \neq 0$.

b. Calculer $f(1 + h)$ avec $h \neq 0$.

c. En déduire que l'hyperbole $\mathscr{H}$ d'équation $y = \dfrac{2x - 1}{x - 1}$ convient. Justifier.

d. Déterminer les coordonnées des points d'intersection des courbes $\mathscr{P}$ et $\mathscr{H}$.

20 Claudine a-t-elle raison ? Prendre des initiatives

On considère la fonction f définie sur $\mathbb{R}\setminus\{-2\,;1\}$ par :

$$f(x) = \frac{x^3 - x^2 - 4x + 5}{x^2 + x - 2}.$$

Le professeur demande de calculer $f(1000)$, $f(10\,000)$.

Claudine répond très rapidement :

« $f(1000) = 998$ et $f(10\,000) = 9\,998$ … à très peu de choses près. »

Claudine a-t-elle raison ? Justifier et estimer l'erreur commise par Claudine.

> **Aide** On pourra utiliser un logiciel de calcul formel pour transformer l'expression $f(x)$.

21 Prendre des initiatives

1 Soit un entier $n \geqslant 2$.

Montrer que l'équation $x + x^2 + \ldots + x^n = 1$ a une unique solution a_n dans $[0\,;1]$.

2 Montrer que la suite (a_n) converge vers une limite ℓ dans $[0\,;1]$. Déterminer la valeur de ℓ.

Travail personnel : exercices résolus

22 Choisir une démarche pour chercher une limite

Dans chaque cas, déterminer la limite de f en a :

1 $f(x)=\dfrac{5x^2+3}{x^3-2x^2}$ en $a=-\infty$.

2 $f(x)=\dfrac{2x+1}{x+3}$ en $a=-3$.

3 $f(x)=\dfrac{1}{\sqrt{x^2+1}}$ en $a=-\infty$.

4 $f(x)=x+2\sin x$ en $a=+\infty$.

5 $f(x)=\dfrac{\cos x}{x+2\sin x}$ en $a=+\infty$.

Solution

1 On a pour tout réel $x\neq 0$: $f(x)=\dfrac{5x^2\times\left(1+\dfrac{3}{5x^2}\right)}{x^3\times\left(1-\dfrac{2}{x}\right)}=\dfrac{5+\dfrac{3}{x^2}}{x\times\left(1-\dfrac{2}{x}\right)}$.

Comme $\lim\limits_{x\to-\infty}\left(5+\dfrac{3}{x^2}\right)=5$, $\lim\limits_{x\to-\infty}x=-\infty$ et $\lim\limits_{x\to-\infty}\left(1-\dfrac{2}{x}\right)=1$, par quotient et produit, on obtient : $\lim\limits_{x\to-\infty}f(x)=0$.

2 Au numérateur : $\lim\limits_{x\to-3}(2x+1)=-5$ (négatif).

Au dénominateur : $\lim\limits_{\substack{x\to-3\\x<-3}}(x+3)=0^-$ et $\lim\limits_{\substack{x\to-3\\x>-3}}(x+3)=0^+$.

Donc par quotient : $\lim\limits_{\substack{x\to-3\\x<-3}}f(x)=+\infty$ et $\lim\limits_{\substack{x\to-3\\x>-3}}f(x)=-\infty$.

3 On peut décomposer f : $x\longmapsto x^2+1\longmapsto\sqrt{x^2+1}\longmapsto\dfrac{1}{\sqrt{x^2+1}}$

$\lim\limits_{x\to-\infty}(x^2+1)=+\infty$, $\lim\limits_{X\to+\infty}\sqrt{X}=+\infty$ et $\lim\limits_{Y\to+\infty}\dfrac{1}{Y}=0$.

Donc par composition, $\lim\limits_{x\to-\infty}f(x)=0$.

4 Pour tout réel x, on a : $-1\leqslant\sin(x)\leqslant 1$.

Donc : $x-2\leqslant f(x)\leqslant x+2$.

Comme $\lim\limits_{x\to+\infty}(x-2)=+\infty$, par le théorème de minoration, on obtient : $\lim\limits_{x\to+\infty}f(x)=+\infty$.

Remarque : en $+\infty$, l'inégalité de droite ne permet pas de conclure.

5 La calculatrice suggère que la limite de f en $+\infty$ est 0.

Il suffit alors de démontrer que $\lim\limits_{x\to+\infty}|f(x)|=0$.

On a : $|f(x)|=\dfrac{|\cos x|}{|x+2\sin x|}$. Pour tout réel x, $0\leqslant|\cos x|\leqslant 1$ **(1)**.

Pour tout réel $x>2$, $0<x-2\leqslant x+2\sin x\leqslant x+2$.

En passant à l'inverse : $\dfrac{1}{x-2}\geqslant\dfrac{1}{x+2\sin x}\geqslant\dfrac{1}{x+2}$ (>0).

Donc pour tout réel $x>2$, $0\leqslant\dfrac{1}{|x+2\sin x|}\leqslant\dfrac{1}{x-2}$ **(2)**.

En multipliant **(1)** et **(2)** membre à membre, on a pour tout réel $x>2$: $0\leqslant|f(x)|\leqslant\dfrac{1}{x-2}$.

Comme $\lim\limits_{x\to+\infty}\dfrac{1}{x-2}=0$, d'après le théorème des gendarmes, $\lim\limits_{x\to+\infty}|f(x)|=0$. Donc $\lim\limits_{x\to+\infty}f(x)=0$.

Stratégies

1 On reconnaît une forme « $\dfrac{\infty}{\infty}$ ». On factorise numérateur et dénominateur par les termes dominants en $-\infty$ et on simplifie pour conclure.

2 On reconnaît une forme « $\dfrac{k}{0}$ ». On étudie le signe du dénominateur, puis on détermine la limite en tenant compte du signe du numérateur.

3 On utilise la décomposition d'une fonction pour conclure.

4 et **5** Les limites de $\sin x$ et de $\cos x$ en $+\infty$ n'existent pas. Il faut comparer $f(x)$ à des fonctions dont on connaît la limite, par exemple en encadrant $\sin x$ et $\cos x$ entre -1 et 1.

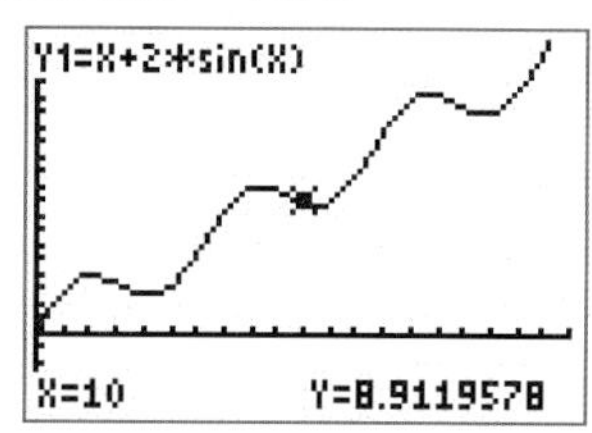

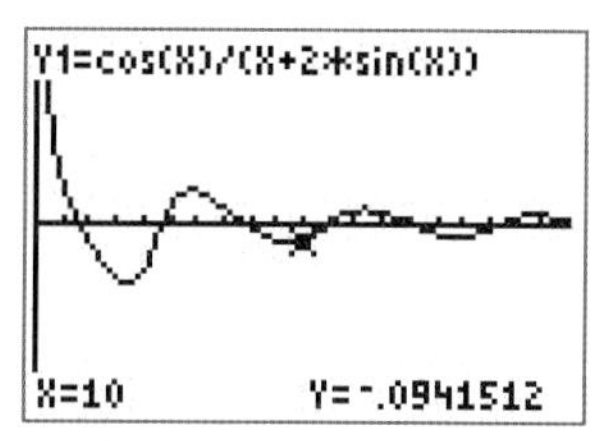

Travail personnel : exercices résolus

23 Interpréter graphiquement une limite

On considère la fonction f définie sur $]-1;+\infty[$ par :
$f(x)=\dfrac{x^2+2x+5}{x+1}$, de courbe représentative $\mathscr{C}$.

1 a. Déterminer la limite de f en $+\infty$.
b. Déterminer la limite de f en -1.
Que peut-on en déduire pour la courbe $\mathscr{C}$?

2 Soit $\mathscr{D}$ la droite d'équation $y=x+1$.
On pose pour tout réel $x>-1$: $d(x)=f(x)-(x+1)$.
a. Déterminer la limite de d en $+\infty$.
Que peut-on en déduire pour les courbes $\mathscr{C}$ et $\mathscr{D}$?
b. Étudier le signe de d sur $]-1;+\infty[$. Que peut-on en déduire quant à la position des courbes $\mathscr{C}$ et $\mathscr{D}$?

Solution

1 a. On a, pour $x\neq 0$: $f(x)=\dfrac{x^2\left(1+\dfrac{2}{x}+\dfrac{5}{x^2}\right)}{x\left(1+\dfrac{1}{x}\right)}=\dfrac{x\left(1+\dfrac{2}{x}+\dfrac{5}{x^2}\right)}{1+\dfrac{1}{x}}$.

Donc $\lim\limits_{x\to+\infty} f(x)=+\infty$.

b. $\lim\limits_{x\to-1}(x^2+2x+5)=4$ et $\lim\limits_{\substack{x\to-1\\x>-1}}(x+1)=0^+$. Donc $\lim\limits_{\substack{x\to-1\\x>-1}} f(x)=+\infty$.

On en déduit que $\mathscr{C}$ admet une asymptote verticale d'équation $x=-1$.

2 a. On a : $d(x)=\dfrac{x^2+2x+5}{x+1}-(x+1)=\dfrac{x^2+2x+5-(x+1)^2}{x+1}=\dfrac{4}{x+1}$.

Donc $\lim\limits_{x\to+\infty} d(x)=0$: $\mathscr{C}$ et $\mathscr{D}$ tendent à se rapprocher au voisinage de $+\infty$.

b. Pour tout réel $x>-1$, $d(x)>0$, et $\mathscr{C}$ est au-dessus de $\mathscr{D}$ sur $]-1;+\infty[$.

Stratégies

2 a. $\lim\limits_{x\to+\infty}(f(x)-(x+1))=0$ signifie que lorsque l'abscisse x devient grande, l'écart algébrique entre les points de $\mathscr{C}$ et $\mathscr{D}$ d'abscisse x est très proche de 0.

La calculatrice permet de visualiser les résultats obtenus.

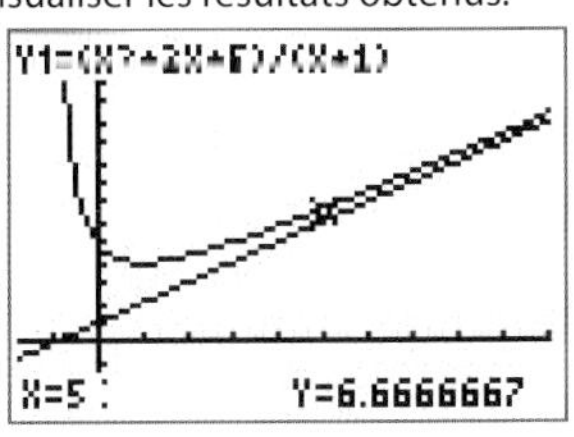

24 Utiliser les variations d'une fonction pour étudier son signe

On considère la fonction f définie pour tout réel $x\neq 1$ par :
$$f(x)=\frac{x+1}{x^3-1}.$$

1 a. Dresser le tableau des variations de la fonction P définie sur $\mathbb{R}$ par $P(x)=-2x^3-3x^2-1$.
b. Démontrer que l'équation $P(x)=0$ admet une unique solution α dont on donnera une valeur arrondie à 0,01 près.
c. En déduire le signe de $P(x)$ pour tout réel x.

2 Étudier les variations de f.

Solution

1 a. $P'(x)=-6x^2-6x=-6x(x+1)$.
D'où le tableau de variations ci-contre.

x	$-\infty$		-1		0		$+\infty$
$P'(x)$		$-$	0	$+$	0	$-$	
$P(x)$	$+\infty$	↘	-6	↗	-1	↘	$-\infty$

b. ◗ Sur $]-\infty;-1]$, P est continue et strictement décroissante, d'intervalle-image $[-6;+\infty[$ contenant 0.
Donc l'équation $P(x)=0$ admet une unique solution α dans $]-\infty;-1]$.

◗ Sur $[-1;+\infty[$, le maximum de P est -1. Donc l'équation $P(x)=0$ n'admet pas de solution dans $[-1;+\infty[$.

◗ Ainsi l'équation $P(x)=0$ admet une unique solution α dans $\mathbb{R}$.

Par balayage à la calculatrice, $-1{,}678<\alpha<-1{,}677$. Donc $\alpha\approx-1{,}68$.

c. En utilisant le tableau de variations de P et le fait que $P(\alpha)=0$, on a : si $x<\alpha$, alors $P(x)>0$; si $x>\alpha$, alors $P(x)<0$.

2 $f'(x)=\dfrac{1(x^3-1)-(x+1)(3x^2)}{(x^3-1)^2}=\dfrac{-2x^3-3x^2-1}{(x^3-1)^2}=\dfrac{P(x)}{(x^3-1)^2}$. Donc $f'(x)$ est du signe de $P(x)$. Ainsi :

◗ f est strictement décroissante sur $[\alpha,1[$ et sur $]1;+\infty[$;

◗ f est strictement croissante sur $]-\infty;\alpha]$.

Stratégies

1 a. Le signe de $P'(x)$ donne le sens de variation de P.

b. On utilise le théorème des valeurs intermédiaires sur les intervalles où P est strictement monotone, en s'aidant du tableau de variations pour visualiser le résultat.

On arrondit à 0,01 par défaut si la troisième décimale est 0, 1, 2, 3 ou 4, et par excès sinon.

Travail personnel : faire le point

Savoir...	Comment faire ?

Déterminer la limite d'une fonction f.

- On utilise les limites des fonctions de base et les résultats « opérations et limites ». Attention à bien repérer les cas d'indétermination :
$$« \infty - \infty » ; \quad « 0 \times \infty » ; \quad « \frac{\infty}{\infty} » ; \quad « \frac{0}{0} ».$$
Dans ces cas-là, on peut penser à factoriser par le terme dominant et à simplifier pour lever l'indétermination.

- Si la démarche précédente ne permet pas de conclure, on pense à majorer, minorer, encadrer $f(x)$ par des expressions dont on sait calculer la limite, et à utiliser les théorèmes de comparaison, ou de composition.

Montrer que la courbe $\mathscr{C}_f$ admet une asymptote verticale d'équation $x = a$ ou une asymptote horizontale d'équation $y = b$.

- On montre que $\lim\limits_{x \to a} f(x) = -\infty$ ou $\lim\limits_{x \to a} f(x) = +\infty$.
(On peut remplacer la notion de limite en a par celle de limite à droite ou à gauche en a.)
Dans ces cas, $\mathscr{C}_f$ admet **la droite d'équation $x = a$ comme asymptote verticale**.

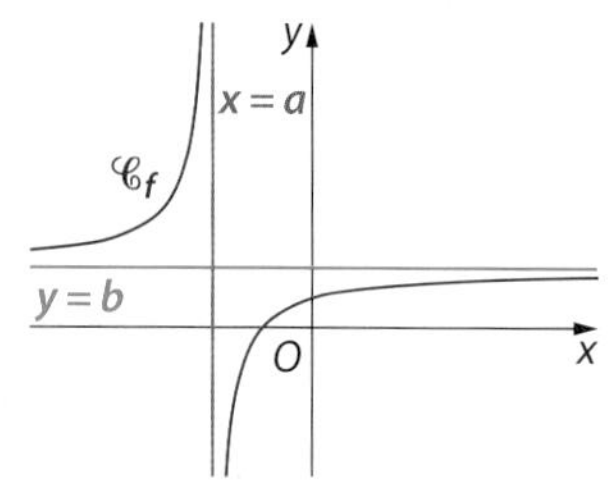

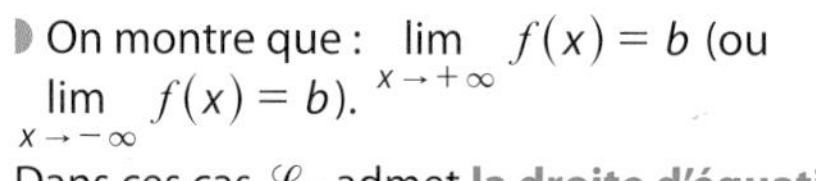

- On montre que : $\lim\limits_{x \to +\infty} f(x) = b$ (ou $\lim\limits_{x \to -\infty} f(x) = b$).
Dans ces cas, $\mathscr{C}_f$ admet **la droite d'équation $y = b$ comme asymptote horizontale en $+\infty$ (ou en $-\infty$)**.

Justifier qu'une équation $f(x) = k$ admet une unique solution dans un intervalle I.

On utilise le **théorème des valeurs intermédiaires dans le cas où f est strictement monotone**, après avoir vérifié ses conditions d'application :
- continuité et stricte monotonie de f ;
- appartenance de k à l'intervalle-image de I par f.

Une flèche dans un tableau de variations indique continuité et stricte monotonie.

Utiliser un tableau de variations pour dénombrer les solutions de l'équation $f(x) = k$.

Dans le tableau, on raisonne sur chaque intervalle I où f est continue et strictement monotone (cas repéré par une flèche oblique) :
- si l'intervalle-image associé ne contient pas k : l'équation $f(x) = k$ n'a pas de solution sur l'intervalle I ;
- si l'intervalle-image associé contient k, le théorème ci-dessus s'applique et on compte le nombre de solutions obtenues.

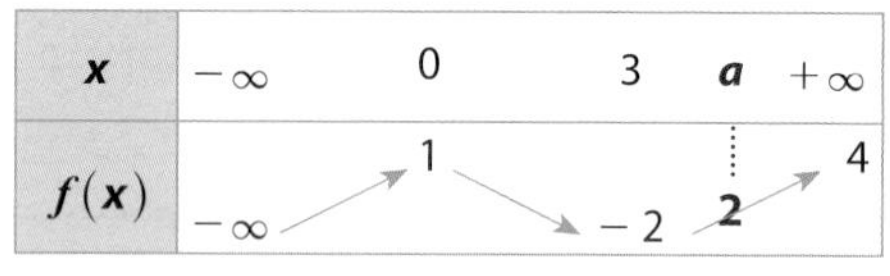

x	$-\infty$		0		3	a	$+\infty$
$f(x)$	$-\infty$	↗	1	↘	-2	↗ 2	4

Par exemple, l'équation $f(x) = 2$ admet ici une unique solution a sur $\mathbb{R}$.

Déterminer un encadrement d'une solution α d'une équation $f(x) = k$.

- On détermine un intervalle $[a\,;b]$ contenant α sur lequel f est continue et strictement monotone.

- On peut **procéder par balayage** à la calculatrice :
– On tabule $f(x)$ sur $[a\,;b]$ par pas de 0,1 par exemple.
– On repère deux valeurs x_1 et x_2 telles que $f(x_1) \leqslant k$ et $f(x_2) > k$. Alors α est compris entre x_1 et x_2.
– On recommence le procédé en tabulant $f(x)$ entre x_1 et x_2 avec un pas de 0,01 par exemple ; jusqu'à encadrer α avec l'amplitude souhaitée.

- ALGO On peut aussi **procéder par dichotomie** ou **utiliser un algorithme**.

QCM

Voir corrigés en fin de manuel

25 Pour chacune des questions suivantes, **une ou plusieurs** réponses sont correctes.

1 $\lim\limits_{x \to -\infty} (x^3 - 5x)$	**a.** est égale à $-\infty$	**b.** n'existe pas	**c.** est égale à $+\infty$
2 $\lim\limits_{x \to 3} \dfrac{x^2 + 2x - 3}{x^2 - 6x + 9}$	**a.** n'existe pas	**b.** est égale à $\dfrac{1}{2}$	**c.** est égale à $+\infty$
3 Pour tout réel $x \geqslant 0$, $f(x)$ est l'hypoténuse du triangle rectangle de côtés 1 et x : 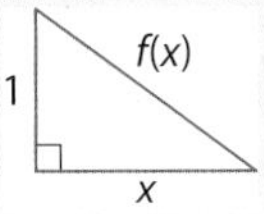	**a.** $\lim\limits_{x \to +\infty} f(x) = +\infty$	**b.** $\lim\limits_{x \to +\infty} \dfrac{f(x)}{x} = +\infty$	**c.** $\lim\limits_{x \to +\infty} \dfrac{f(x)}{x} = 1$
4 $\lim\limits_{x \to +\infty} \dfrac{x^3 + \cos x}{x \sin x - 2x^3}$	**a.** est égale à $+\infty$	**b.** est égale à $-\dfrac{1}{2}$	**c.** n'existe pas
5 $\lim\limits_{\substack{x \to 1 \\ x > 1}} \dfrac{x - 4}{x - 1} =$	**a.** $+\infty$	**b.** 1	**c.** $-\infty$

Pour les questions 6 à 9, on considère une fonction f, dérivable sur $\mathbb{R}$ dont le tableau de variations est donné ci-contre.

x	$-\infty$		0		3		$+\infty$
$f(x)$	$-\infty$	↗	1	↘	-4	↗	0

6 L'équation $f(x) = -4$ admet :	**a.** une solution	**b.** deux solutions	**c.** trois solutions
7 $\lim\limits_{x \to +\infty} \dfrac{1}{f(x)} =$	**a.** $+\infty$	**b.** 0	**c.** $-\infty$
8 $\lim\limits_{x \to 0} \dfrac{1}{f(x) - 1} =$	**a.** 0	**b.** $+\infty$	**c.** $-\infty$
9 $\lim\limits_{x \to 1} \dfrac{f(x) + 4}{x - 1} =$	**a.** $f'(1)$	**b.** 0	**c.** On ne sait pas
10 L'équation $x^3 + 3x - 5 = 0$ admet une unique solution dans :	**a.** $[0\,;1]$	**b.** $[1\,;2]$	**c.** $[2\,;3]$

Vrai ou faux ?

Voir corrigés en fin de manuel

26 $\mathscr{C}_f$ désigne la courbe représentative de f. Préciser si les affirmations suivantes sont vraies ou fausses.

1 Si la courbe $\mathscr{C}_f$ admet une asymptote horizontale au voisinage de $+\infty$, alors $\lim\limits_{x \to +\infty} f(x) = +\infty$.

2 Si $\lim\limits_{x \to +\infty} f(x) = -5$, alors $\mathscr{C}_f$ admet une asymptote horizontale.

3 Si $\mathscr{C}_f$ admet une asymptote horizontale d'équation $y = 2$ en $+\infty$, alors l'équation $f(x) = 2$ n'a pas de solution sur $\mathbb{R}$.

4 Si pour tout réel x de $]0\,;+\infty[$, $\dfrac{1}{-x^2 + 1} \leqslant f(x) \leqslant \dfrac{1}{x}$, alors $\lim\limits_{x \to +\infty} f(x) = 0$.

5 Si pour tout réel x de $]-\infty\,;0[$, $x^3 + 1 \leqslant f(x)$, alors $\lim\limits_{x \to -\infty} f(x) = -\infty$.

6 Si f définie sur $[0\,;+\infty[$ est telle que pour tout réel $x \geqslant 0$, $0 \leqslant f(x) \leqslant \sqrt{x}$, alors $\lim\limits_{x \to +\infty} \dfrac{f(x)}{x} = 0$.

Exercices d'application

→ Les exercices portant un numéro jaune sont corrigés à la fin du manuel.

1 Limite d'une fonction à l'infini

27 Vrai ou faux ?

1 f est une fonction définie sur $[0\,;+\infty[$. Préciser si les affirmations suivantes sont vraies ou fausses.

a. S'il existe un réel a tel que $f(a) > 10^6$, alors $\lim\limits_{x \to +\infty} f(x) = +\infty$.

b. Si $f(x) = \dfrac{10^6}{x}$, alors $\lim\limits_{x \to -\infty} f(x) = 0$.

c. Si f est strictement croissante sur $[0\,;+\infty[$, alors $\lim\limits_{x \to +\infty} f(x) = +\infty$.

2 Si $f(x) = -\dfrac{1}{x+1}$, alors la droite d'équation $y = -1$ est asymptote à la courbe représentative f.

28 QCM

1 Pour laquelle des fonctions f a-t-on : $\lim\limits_{x \to -\infty} f = +\infty$?

a. $f : x \mapsto x^3$. **b.** $f : x \mapsto -x$. **c.** $f : x \mapsto 3 - x^2$.

2 On considère la fonction f définie sur $\mathbb{R}$ par la courbe représentative ci-contre :

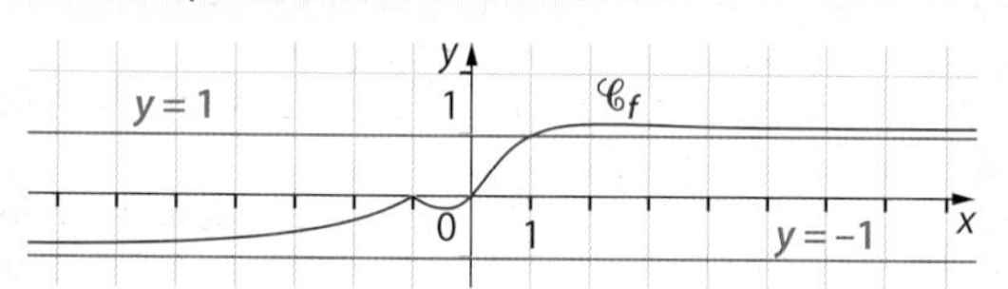

Lesquelles de ces affirmations semblent vérifiées ?

a. $\lim\limits_{x \to +\infty} f(x) = +\infty$.

b. $\lim\limits_{x \to +\infty} f(x) = 1$.

c. $\lim\limits_{x \to -\infty} f(x) = -1$.

Limites : lecture graphique

29

On considère les fonctions f_1, f_2, f_3 et f_4 définies sur $\mathbb{R}$, de courbes représentatives $\mathscr{C}_1$, $\mathscr{C}_2$, $\mathscr{C}_3$ et $\mathscr{C}_4$.
Quelles semblent être leurs limites en $-\infty$ et en $+\infty$?

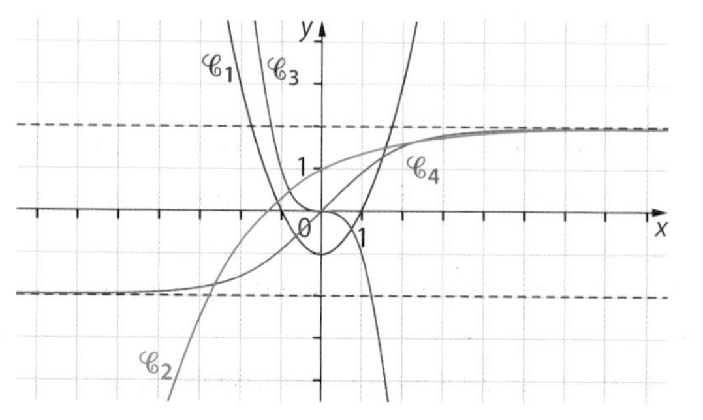

30

Conjecturer graphiquement la limite éventuelle des fonctions f, g, h et k suivantes en $+\infty$.

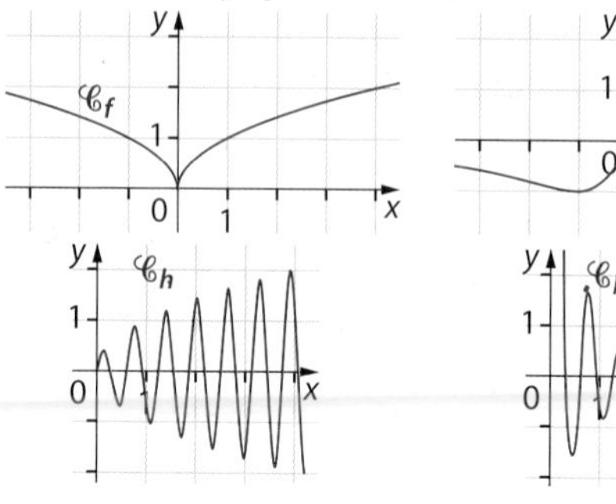

Limite finie à l'infini

31 Démonstrations du cours

➔ Voir le cours, page 54.

1 a. Soit un réel ϵ strictement positif.
Résoudre sur $\mathbb{R}^*$ l'inéquation $\dfrac{1}{x^2} \leqslant \epsilon$.

b. En déduire que : $\lim\limits_{x \to +\infty} \dfrac{1}{x^2} = 0$ et $\lim\limits_{x \to -\infty} \dfrac{1}{x^2} = 0$.

2 Démontrer de la même façon que $\lim\limits_{x \to +\infty} \dfrac{1}{\sqrt{x}} = 0$.

32

Soit la fonction f définie sur $\mathbb{R}$ par :

$$f(x) = \frac{2 - x^2}{1 + x^2}.$$

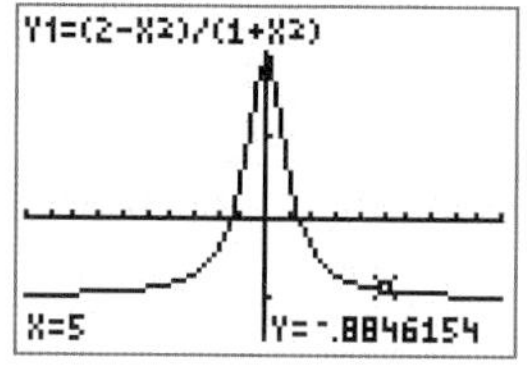

1 Étudier les variations de f sur $\mathbb{R}$.

2 a. Déterminer un réel a tel que :
Si $x \geqslant a$, alors $f(x) - (-1) \leqslant 10^{-4}$.

b. Démontrer que $\lim\limits_{x \to +\infty} f(x) = -1$.

c. Déterminer la limite de f en $-\infty$.

d. Que représente la droite d'équation $y = -1$ pour la courbe représentative de f ?

3 Justifier que la fonction f est bornée.

33

Soit la fonction f définie sur $]-2\,;+\infty[$ par :

$$f(x) = \frac{3x + 4}{x + 2}.$$

1 En tabulant $f(x)$ à la calculatrice pour des valeurs de x « grandes », conjecturer la limite de f en $+\infty$.

2 a. Exprimer $|f(x) - 3|$ en fonction de x.

b. Démontrer la conjecture émise à la question **1**. Que peut-on en déduire pour la courbe représentative de f ?

34 On considère la fonction f définie sur $]0\,;+\infty[$ par :

$$f(x)=\frac{2x^2+2x-3}{x^2}.$$

1 Étudier les variations de f et construire sa courbe représentative $\mathscr{C}_f$.

2 a. Conjecturer la limite de f en $+\infty$.

b. Tracer la droite $\mathscr{D}$ d'équation $y=2$.

3 a. Démontrer que pour tout $x>1$, $|f(x)-2|\leqslant\frac{2}{x}$.

b. Soit un réel $\epsilon>0$. Démontrer qu'il existe un réel A tel que pour tout $x\geqslant A$, $|f(x)-2|\leqslant\epsilon$.

En déduire la limite de f en $+\infty$.

c. Que représente la droite $\mathscr{D}$ pour la courbe $\mathscr{C}_f$?

Pour info

À la Renaissance, les peintres commencent à utiliser la perspective avec un ou plusieurs points de fuite à l'« infini ».

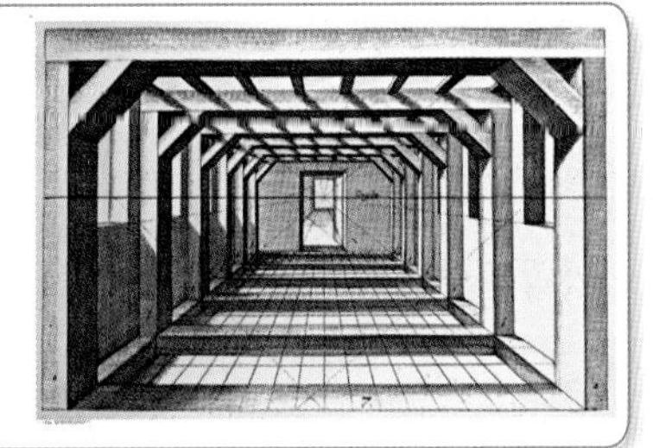

35 Soit une fonction f décroissante sur $]0\,;+\infty[$ telle que $\lim\limits_{x\to+\infty}f(x)=0$.

Démontrer que pour tout réel $x>0$, on a $f(x)\geqslant 0$.

36 Dans un repère orthonormé, on considère le point $A(0\,;2)$ et un point $M(x\,;0)$ avec $x>0$.

La perpendiculaire en A à la droite (AM) coupe l'axe des abscisses en M'.

On pose $y=OM'$.

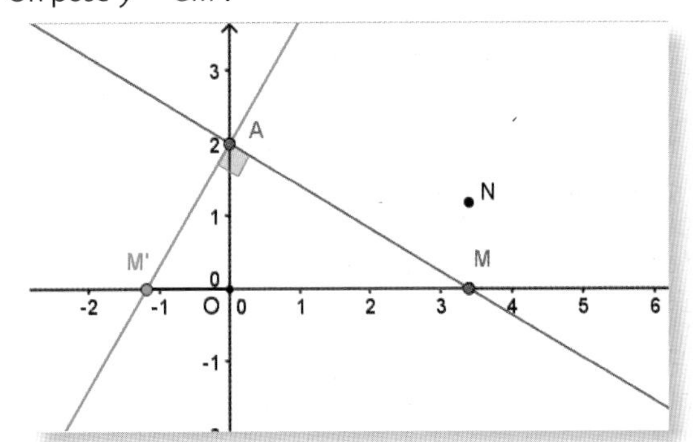

1 a. En utilisant un logiciel de géométrie dynamique, construire les points A, M et M', ainsi que le point N de coordonnées $(x\,;y)$.

b. Que peut-on dire du point M' lorsque l'abscisse x devient « grande » ? devient « proche » de 0 ?

c. En affichant la trace du point N, confirmer ou infirmer les résultats du **b.**

2 a. Démontrer que la fonction f qui à x associe y est telle que $f(x)=\frac{4}{x}$.

b. Pour quelles valeurs de x a-t-on $f(x)\geqslant 10^5$?

c. Que peut-on dire de $f(x)$ lorsque $x\geqslant 10^5$?

Limite infinie à l'infini

37 Démonstrations du cours

Voir le cours, page 54.

1 a. Soit A un réel strictement positif.

Résoudre sur $[0\,;+\infty[$ l'inéquation $x^2\geqslant A$.

b. En déduire que $\lim\limits_{x\to+\infty}x^2=+\infty$.

c. Démontrer de la même façon que $\lim\limits_{x\to-\infty}x^2=+\infty$.

2 Démontrer que $\lim\limits_{x\to+\infty}\sqrt{x}=+\infty$.

38 Soit une fonction f définie sur $]-\infty\,;0[$.

On donne deux propositions :

- P_1 : « Il existe un intervalle $]-\infty\,;A[$ qui contient tous les réels $f(x)$ pour tout réel x assez grand. »
- P_2 : « Tout intervalle $]-\infty\,;A[$ contient tous les réels $f(x)$ lorsque x est assez grand. »

Laquelle des propositions P_1 ou P_2 est la définition de « $\lim\limits_{x\to+\infty}f(x)=-\infty$ » ?

39 Déterminer les limites en $+\infty$ et en $-\infty$ des fonctions f, g et h définies ci-dessous sur $\mathbb{R}$:

$$f(x)=-x^3\,;\qquad g(x)=5-2x\,;\qquad h(x)=-3x^2.$$

40 **1** Construire la représentation graphique de la fonction carré et rappeler ses limites en $-\infty$ et en $+\infty$.

2 En déduire les représentations graphiques des fonctions g et h définies sur $\mathbb{R}$ par $g(x)=-x^2$ et $h(x)=x^2+5$.

3 Déterminer, par lecture graphique, les limites de g et h en $-\infty$ et en $+\infty$.

41 Fonction sans limite à l'infini

Soit la fonction f définie sur $\mathbb{R}$ par $f(x)=\sin x$.

1 Justifier que f ne peut pas admettre de limite infinie en $+\infty$.

2 Calculer pour tout entier k les images par f de :

$$x_k=k\pi \quad\text{et}\quad y_k=\frac{\pi}{2}+2k\pi.$$

3 Justifier que f n'admet pas de limite en $+\infty$.

2 Limite d'une fonction en un point

42 Vrai ou faux ?

$\mathscr{C}$ est la courbe représentative d'une fonction f et Δ est la droite d'équation $x = 1$.
Préciser si les affirmations suivantes sont vraies ou fausses.

1 Si Δ est asymptote à $\mathscr{C}$ alors :
$$\lim_{x \to 1} f(x) = +\infty \quad \text{ou} \quad \lim_{x \to 1} f(x) = -\infty.$$

2 Si $\lim\limits_{\substack{x \to 1 \\ x < 1}} f(x) = -\infty$, alors Δ est asymptote à $\mathscr{C}$.

3 Si $f(x) = \dfrac{x^2 - x}{x - 1}$, alors Δ est asymptote à $\mathscr{C}$.

4 Si f n'est pas définie en 1, alors Δ est asymptote à $\mathscr{C}$.

43 QCM Donner **les** bonnes réponses.

1 La fonction f est définie pour $x \neq 1$ par :
$$f(x) = \frac{1}{x - 1}.$$
On a :

a. $\lim\limits_{x \to 1} f(x) = +\infty$.
b. $\lim\limits_{\substack{x \to 1 \\ x > 1}} f(x) = +\infty$.
c. $\lim\limits_{\substack{x \to 1 \\ x > 1}} f(x) = 0$.
d. $\lim\limits_{\substack{x \to 1 \\ x < 1}} f(x) = -\infty$.

2 La fonction g est définie pour $x < 1$ par :
$$g(x) = \frac{1}{\sqrt{1 - x}}.$$
On a :

a. $\lim\limits_{x \to 1} g(x) = +\infty$.
b. $\lim\limits_{\substack{x \to 1 \\ x < 1}} g(x) = +\infty$.
c. $\lim\limits_{\substack{x \to 1 \\ x > 1}} g(x) = 0$.
d. $\lim\limits_{\substack{x \to 1 \\ x < 1}} g(x) = 0$.

Représentations graphiques

44 Dans chacun des cas suivants, donner une allure possible de la courbe $\mathscr{C}$ représentant une fonction f définie et dérivable sur $\mathbb{R} \backslash \{1\}$.

a. $\lim\limits_{x \to -\infty} f(x) = -2$, $\lim\limits_{x \to 1} f(x) = +\infty$
et $\lim\limits_{x \to +\infty} f(x) = 0$.

b. $\lim\limits_{x \to 1} f(x) = -\infty$ et $\lim\limits_{x \to -\infty} f(x) = -\infty$.
La droite d'équation $y = 2$ est asymptote à $\mathscr{C}$ en $+\infty$.

45 Une fonction f définie sur $\mathbb{R} \backslash \{-2\,;2\}$ est représentée ci-dessous par la courbe $\mathscr{C}$.

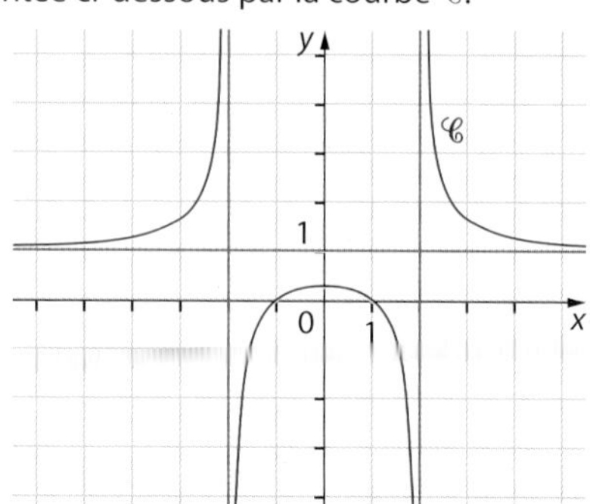

On a tracé les asymptotes d'équations $x = -2$, $x = 2$ et $y = 1$.
Lire les limites de f en $-\infty$, en $+\infty$, en -2 (à droite et à gauche) et en 2 (à droite et à gauche).

46 On donne le tableau de variations d'une fonction f, de courbe représentative $\mathscr{C}$:

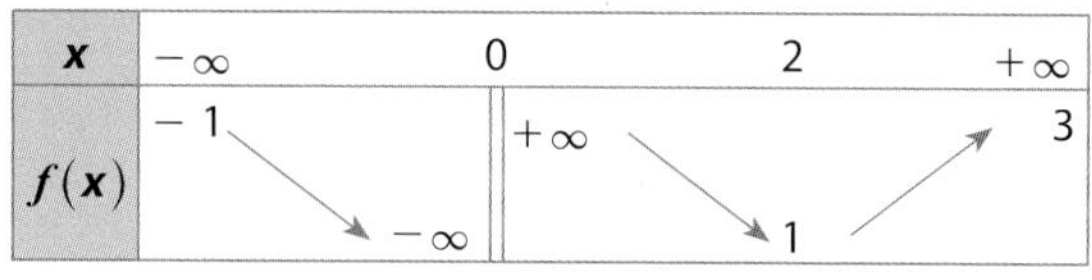

x	$-\infty$		0		2		$+\infty$
$f(x)$	-1	↘	$-\infty$ ‖ $+\infty$	↘	1	↗	3

1 Préciser les équations des asymptotes à $\mathscr{C}$.

2 Tracer une allure possible de $\mathscr{C}$.

Utiliser les définitions

47 Démonstration d'un résultat du cours

➔ Voir le cours, page 56.

1 Soit A un réel strictement positif.
Résoudre sur $\mathbb{R}^*$ l'inéquation $\dfrac{1}{x^2} > A$.

2 En déduire $\lim\limits_{x \to 0} \dfrac{1}{x^2}$.

48 Soit la fonction f définie sur $]1\,;+\infty[$ par :
$$f(x) = \frac{1}{(x-1)^2}.$$

1 **À l'aide de la calculatrice,** conjecturer la limite de f en 1.

2 Soit un réel $a > 0$. Démontrer que pour tout réel $x \neq 1$:
$$\text{si } |x - 1| \leqslant a, \text{ alors } \frac{1}{(x-1)^2} \geqslant \frac{1}{a^2}.$$

3 **a.** Donner la définition d'une fonction qui admet une limite égale à $+\infty$ en 1.

b. Démontrer la conjecture émise à la question **1**.

4 Donner une équation de l'asymptote verticale à la courbe représentative de f.

49 Fonctions n'ayant pas de limite en un point

1 **a.** Démontrer que la fonction inverse définie sur $\mathbb{R}^*$ n'admet pas de limite en 0.

b. Admet-elle une limite en 0 sur l'intervalle $]-\infty\,;0[$? et sur l'intervalle $]0\,;+\infty[$?

2 **a.** La fonction $f : x \longmapsto \sin\dfrac{1}{x}$ définie sur $\mathbb{R}^*$ admet-elle une limite en 0 ?

b. Admet-elle une limite en 0 sur l'intervalle $]-\infty\,;0[$? et sur l'intervalle $]0\,;+\infty[$?

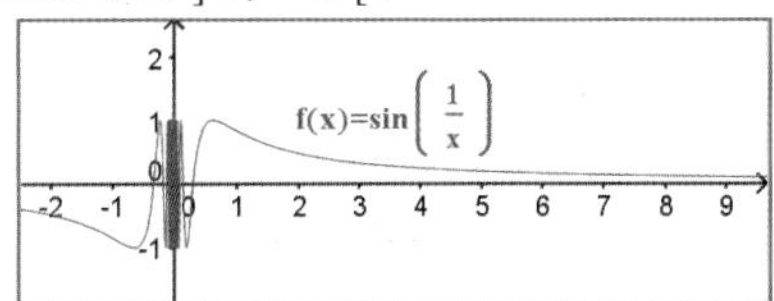

3 Détermination de limites

50 LOGIQUE Vrai ou faux ?

On considère deux fonctions f et g définies sur l'intervalle $[0\,;+\infty[$.

Préciser si les affirmations suivantes sont vraies ou fausses.

1 Si $\lim\limits_{x\to 0} f(x) = 0$, alors $\lim\limits_{x\to 0} \dfrac{1}{f(x)} + \infty$.

2 Si f est strictement décroissante sur $[0\,;+\infty[$, alors $\lim\limits_{x\to+\infty} f(x) = -\infty$.

3 Si $\lim\limits_{x\to+\infty} f(x) = -\infty$ et si $\lim\limits_{x\to+\infty} g(x) = +\infty$, alors $\lim\limits_{x\to+\infty} \dfrac{f(x)}{g(x)} = -1$.

4 On suppose que pour tout réel $x \geqslant 0$, $0 \leqslant f(x) \leqslant x$. Alors $\lim\limits_{x\to+\infty} \dfrac{f(x)}{x} = 0$.

51 Vrai ou faux ?

Soit la fonction f définie sur $]-\infty\,;5[\cup]5\,;+\infty[$ par :

$$f(x) = -x + 2 + \frac{3}{5-x}.$$

Préciser si les affirmations suivantes sont vraies ou fausses.

1 La droite d'équation $y = 5$ est asymptote à la courbe $\mathscr{C}_f$ représentative de f.

2 $\lim\limits_{x\to-\infty} f(x) = -\infty$.

3 Sur $]5\,;+\infty[$, $\lim\limits_{x\to 5} f(x) = -\infty$.

4 La courbe $\mathscr{C}_f$ est toujours au-dessus de la droite d'équation $y = -x + 2$.

Pour info C'est au ve siècle av. J.-C. que Zénon d'Élée, philosophe grec, énonce ses paradoxes, dont le plus célèbre reste celui d'Achille et de la tortue :
Achille voit une tortue et décide de courir pour la rattraper, mais Achille ne réussit pas à devancer la tortue.
En effet, au point 0 d'Achille, la tortue est au point A. Le temps qu'Achille atteigne le point A, la tortue aura atteint le point B. De sorte que la distance aura beau se réduire, Achille ne parviendra jamais à rattraper la tortue, qui restera en tête.

Zénon d'Élée
(env. 450 ans av. J.-C.)

Utiliser les opérations

52

On considère une fonction f définie sur $\mathbb{R}^*$ dont on donne le tableau de variations.

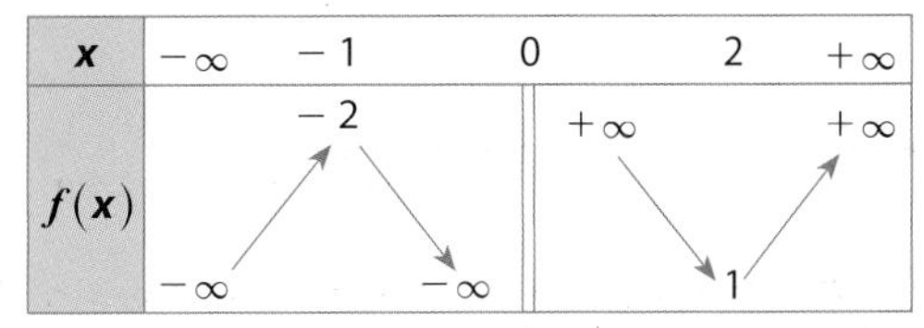

x	$-\infty$		-1		0		2		$+\infty$
$f(x)$	$-\infty$	↗	-2	↘	$-\infty$ ‖ $+\infty$	↘	1	↗	$+\infty$

Dresser, en justifiant, les tableaux de variations des fonctions $-f$, $|f|$, f^2 et $\dfrac{1}{f}$, en précisant les limites aux bornes de $\mathbb{R}^*$.

53

Déterminer les limites suivantes :

a. $\lim\limits_{x\to+\infty} x(x-3)$;

b. $\lim\limits_{x\to-\infty} -x^2(x+2)+1$.

Exercices d'application

54 Déterminer les limites suivantes :

a. $\lim\limits_{x \to +\infty} \left[x^3\left(1 - \frac{1}{x} + \frac{4}{x^3}\right)\right]$; **b.** $\lim\limits_{x \to -\infty} -3x\left(x + \frac{3}{x}\right)$.

55 Déterminer :

1 $\lim\limits_{x \to +\infty} (x^2+3)\left(\frac{1}{x} - 4\right)$. **2** $\lim\limits_{x \to +\infty} \frac{2}{x} \times (x+5)$.

56 Déterminer les limites en $-\infty$ et en $+\infty$ des fonctions f, g et h suivantes, après avoir vérifié qu'elles sont définies sur $\mathbb{R}$.

a. $f : x \longmapsto -x^3 + 2x^2 - 4$. **b.** $g : x \longmapsto \frac{x}{2+3x^2}$.

c. $h : x \longmapsto \frac{9x^3+1}{x^2-4x+5}$.

57 Le graphique donne les courbes représentatives de trois fonctions f, g et h définies sur $\mathbb{R}$.
L'axe des abscisses est une asymptote à la courbe $\mathscr{C}_f$ en $+\infty$ et à la courbe $\mathscr{C}_g$ en $-\infty$ et $+\infty$; de plus $\mathscr{C}_h$ est une droite et $\lim\limits_{x \to -\infty} f(x) = +\infty$.

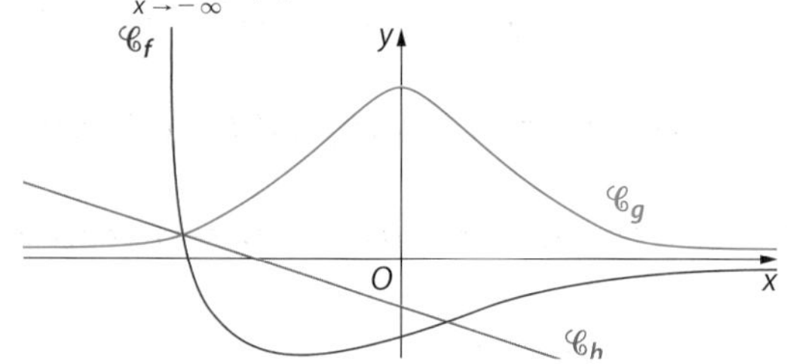

Donner, si possible, les limites en $-\infty$ et en $+\infty$ des fonctions : $f+g$; $f-g$; fg ; fh ; $g-h$; $\frac{f}{g}$; $\frac{f}{h}$; $\frac{g}{h}$ et $f \circ h$.

58 Déterminer les limites suivantes :

a. $\lim\limits_{\substack{x \to 2 \\ x<2}} \frac{x}{4-x^2}$; **b.** $\lim\limits_{\substack{x \to 2 \\ x>2}} \frac{x}{4-x^2}$; **c.** $\lim\limits_{\substack{x \to -2 \\ x<-2}} \frac{x}{4-x^2}$;

d. $\lim\limits_{\substack{x \to -2 \\ x>-2}} \frac{x}{4-x^2}$; **e.** $\lim\limits_{x \to +\infty} \frac{x}{4-x^2}$.

59 Déterminer les limites aux bornes de l'ensemble de définition de f dans chacun des cas suivants :

a. $f : x \longmapsto \left(\frac{1}{x}+2\right)(x^2-1)$ sur $]0 ; +\infty[$;

b. $f : x \longmapsto \left(\frac{1}{x}+2\right)(x^2-1)$ sur $]-\infty ; 0[$;

c. $f : x \longmapsto \frac{(3-2x)^3}{1-x}$ sur $]-\infty ; 1[$;

d. $f : x \longmapsto \frac{x^2-4x+4}{x-2}$ sur $]2 ; +\infty[$.

60 Même exercice que l'exercice **59**.

a. $f : x \longmapsto \left(\frac{1}{x-4} - \frac{1}{x}\right)$ sur $]0 ; 4[$;

b. $f : x \longmapsto \frac{4x+1}{x^2+5x+6}$ sur $]-3 ; -2[$;

c. $f : x \longmapsto \frac{x^2-2x-15}{10-2x}$ sur $]5 ; +\infty[$;

d. $f : x \longmapsto 2x - 1 + \frac{3}{x+1}$ sur $]-1 ; +\infty[$.

61 On considère la fonction f définie sur $]0 ; +\infty[$ par : $f(x) = \frac{1-3x}{x^2+x}$.

1 Tracer la courbe représentative de f à la calculatrice. Conjecturer la limite de f en 0 et en $+\infty$, ainsi que ses variations.

2 Déterminer les limites de f en 0 et en $+\infty$. En donner une interprétation graphique.

3 **a.** Calculer $f'(x)$.
b. Étudier le signe de $f'(x)$ sur $]0 ; +\infty[$.
c. En déduire le tableau complet des variations de f.

62 **Limite d'un polynôme à l'infini**

1 Soit une fonction f polynôme de degré n (entier). On pose pour tout réel x :

$$f(x) = a_n x^n + a_{n-1}x^{n-1} + \ldots + a_1 x + a_0 ;$$

les a_i sont réels tels que $a_n \neq 0$.
En factorisant par $a_n x^n$, démontrer que :

$\lim\limits_{x \to +\infty} f(x) = \lim\limits_{x \to +\infty} a_n x^n$ et $\lim\limits_{x \to -\infty} f(x) = \lim\limits_{x \to -\infty} a_n x^n$.

2 Déterminer rapidement les limites en $+\infty$ et en $-\infty$ des fonctions suivantes définies sur $\mathbb{R}$:
a. $f(x) = -3x^4 + 2x^3 + 4x + 1$;
b. $g(x) = 2x^3 + 5x^2 - 3x + 4$.

Composition de fonctions

63 Déterminer :

a. $\lim\limits_{x \to +\infty} \sqrt{\frac{x^2+5}{4x+1}}$; **b.** $\lim\limits_{x \to +\infty} \sqrt{x^2+x+1}$;

c. $\lim\limits_{x \to -\infty} \frac{3}{\sqrt{x^2+1}}$; **d.** $\lim\limits_{x \to +\infty} \frac{x}{\sqrt{x+1}}$.

64 On considère la fonction f définie sur $\mathbb{R}$ par :

$$f(x) = \sqrt{x^2+4} - x.$$

1 Déterminer la limite de f en $-\infty$.

2 Démontrer que pour tout réel x :

$$f(x) = \frac{4}{\sqrt{x^2+4}+x}.$$

En déduire la limite de f en $+\infty$.

Maths et physique

65 Einstein a montré que la masse m (en kg) d'un objet en mouvement est une fonction de la vitesse (en $\mathrm{m \cdot s^{-2}}$). Si un solide a pour masse m_0 au repos, à la vitesse v, sa masse est :

$$m = \frac{m_0}{\sqrt{1 - \frac{v^2}{c^2}}},$$

Albert Einstein (1879-1955) a reçu le prix Nobel de physique en 1921.

où c est la vitesse de la lumière.
Déterminer la limite de m lorsque v tend vers c, avec $v < c$.

Théorèmes de comparaisons

66 BAC Démonstration du cours

➔ Voir les théorèmes du cours, page 58.

Soit un réel a. On considère deux fonctions f et g définies sur $[a\,;+\infty[$ telles que pour tout réel $x \geqslant a$, $f(x) \leqslant g(x)$.
On suppose que $\lim\limits_{x \to +\infty} f(x) = +\infty$

1 Rappeler la définition mathématique de :

$$« \lim_{x \to +\infty} f(x) = +\infty ».$$

2 En déduire que la fonction g tend vers $+\infty$ en $+\infty$.

67 Déterminer la limite en $+\infty$ et en $-\infty$ de la fonction f définie sur $\mathbb{R}$ par :

$$f(x) = x + 1 - \sin x.$$

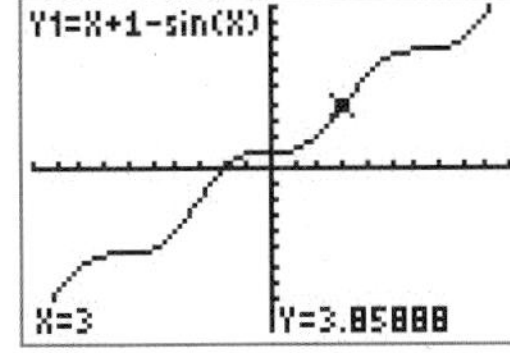

68 Déterminer la limite de f en $+\infty$ dans chacun des cas suivants :

a. $f(x) = (2 - \sin x) \times x^2$;

b. $f(x) = \dfrac{3x}{\cos x - 3}$.

69 **1** Montrer que pour tout réel x :

$$\frac{1}{3} \leqslant \frac{1}{2 - \cos x} \leqslant 1.$$

2 En déduire les limites suivantes :

a. $\lim\limits_{x \to +\infty} \dfrac{x}{2 - \cos x}$; **b.** $\lim\limits_{x \to -\infty} \dfrac{x + \cos x}{2 - \cos x}$.

70 **1** Démontrer que pour tout réel $x \geqslant 1$, on a :

$$\frac{1}{2} \leqslant \frac{x}{x+1} \leqslant 1.$$

2 En déduire les valeurs de :

$$\lim_{x \to +\infty} \frac{x\sqrt{x}}{x+1} \quad \text{et} \quad \lim_{x \to +\infty} \frac{x}{\sqrt{x}(x+1)}.$$

71 f est une fonction définie sur $]0\,;+\infty[$ telle que :

- pour tout $x \geqslant 1$, $\dfrac{1}{x^2} \leqslant f(x) \leqslant \dfrac{1}{x}$;
- pour tout $x \in]0\,;1[$, $\dfrac{1}{x} \leqslant f(x) \leqslant \dfrac{1}{x^2}$.

1 Peut-on en déduire la limite de f en $+\infty$? Si oui, la donner.

2 Peut-on en déduire la limite de f en 0 ? Si oui, la donner.

72 Soient deux fonctions u et v représentées ci-dessous.

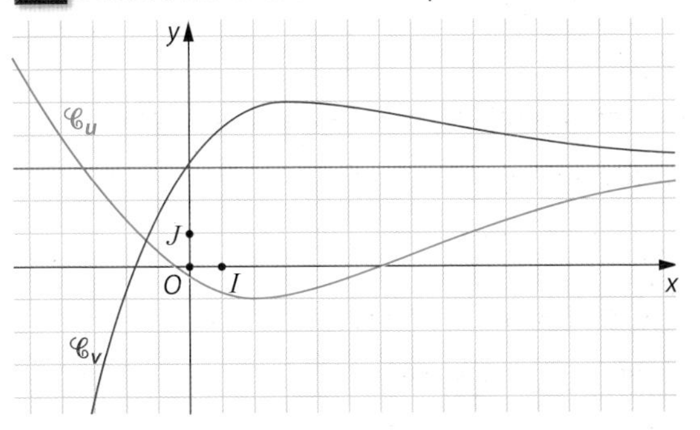

On considère une fonction f définie sur $\mathbb{R}$ et telle que :

- $u(x) \leqslant f(x) \leqslant v(x)$ pour tout $x \in [0\,;+\infty[$;
- $f(x) \geqslant u(x)$ pour tout $x \in]-\infty\,;-4]$.

a. Déterminer les limites de f en $-\infty$ et en $+\infty$.

b. Reproduire le graphique et donner une allure possible de la courbe représentative de f.

73 Soit la fonction f définie sur $\mathbb{R}^*$ par :

$$f(x) = \frac{E(x)}{x},$$

où E désigne la fonction partie entière.

a. Démontrer que, pour tout réel x, $x - 1 \leqslant E(x) \leqslant x$.

b. En déduire que $\lim\limits_{x \to +\infty} f(x) = 1$.

Exercices d'application

4 Continuité

74 Vrai ou faux ?

On a tracé la courbe représentative d'une fonction f définie sur l'intervalle $[-5;5]$.

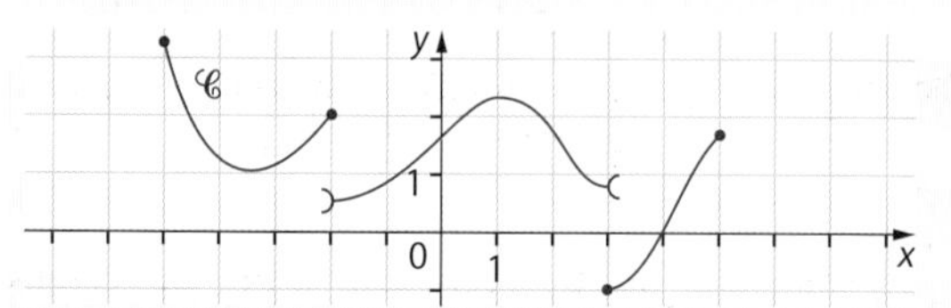

Par lecture graphique, dire si les propositions suivantes sont vraies ou fausses.

1 La fonction f est discontinue en 3.

2 La fonction f est continue en 1.

3 La fonction f est continue sur l'intervalle $[-3;3]$.

4 La fonction f est continue sur l'intervalle $]-2;2[$.

5 La fonction f est continue sur l'intervalle $[-5;2]$.

75 LOGIQUE Vrai ou faux ?

Soit une fonction f définie sur $\mathrm{I} = [0;2]$ et a un réel de I. Préciser si les affirmations suivantes sont vraies ou fausses.

1 Si f est dérivable en a, alors f est continue en a.

2 Si f est continue sur I, alors f est dérivable sur I.

3 Si f est continue sur chacun des intervalles $[0;1]$ et $[1;2]$, alors f est continue sur $[0;2]$.

4 Si f est dérivable sur chacun des intervalles $[0;1]$ et $[1;2]$, alors f est dérivable sur $[0;2]$.

76 Vrai ou faux ?

Soit une fonction f définie sur l'intervalle $\mathrm{I} = [a;b]$ telle que : $f(a) = 2$; $f(b) = -1$.
Répondre par vrai ou faux.

1 L'équation $f(x) = 1$ admet au moins une solution dans I.

2 Si f est continue sur I, alors l'équation $f(x) = 1$ admet au moins une solution dans I.

3 Si f est strictement décroissante sur I, alors l'équation $f(x) = 1$ admet au plus une solution dans I.

4 Si f est strictement monotone sur I et s'annule en un réel α de I, alors l'ensemble des solutions de l'inéquation $f(x) < 0$ est l'intervalle $]\alpha;b]$.

Étudier la continuité

77

On a tracé la courbe représentative d'une fonction f définie sur l'intervalle $[-3;4]$.

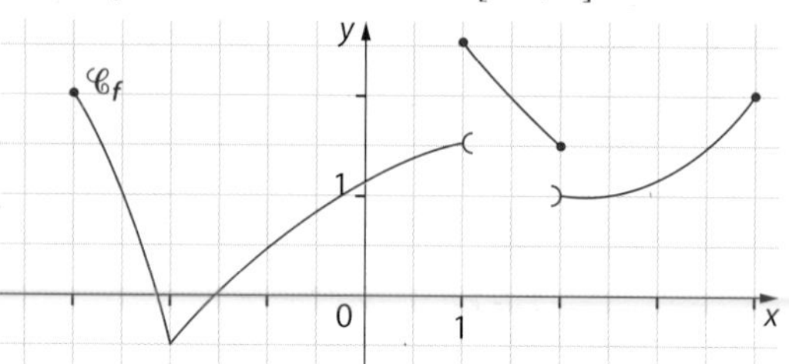

1 La fonction f est-elle continue :
a. en -2 ? **b.** en 1 ? **c.** en 2 ?

2 La fonction f est-elle continue sur l'intervalle :
a. $[-3;0]$? **b.** $[1;2]$? **c.** $]2;4]$?

3 Donner un intervalle de longueur 4 sur lequel la fonction f est continue.

78

Pour $x \in [0;4]$, $f(x)$ est l'aire de la partie colorée sur la figure ci-contre.
La fonction f est-elle continue en 2 ?

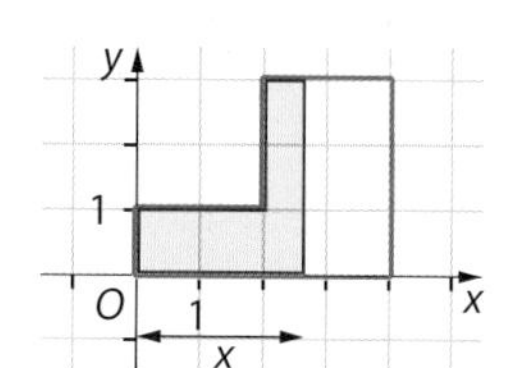

79

Pour chacun des cas, tracer la courbe représentative de la fonction f et préciser si f est continue sur $\mathbb{R}$.

a. $f(x) = \begin{cases} x^2 - 1 \text{ si } x < 0 \\ x - 1 \text{ si } x \geqslant 0 \end{cases}$;

b. $f(x) = \begin{cases} x^2 + 1 \text{ si } x < 1 \\ \dfrac{2}{x} \text{ si } x \geqslant 1 \end{cases}$.

80

Soit la fonction f définie sur $\mathbb{R}$ par $f(x) = |x^2 - 4|$.

1 Tracer la courbe représentative de la fonction f.

2 La fonction f est-elle continue sur $\mathbb{R}$? Est-elle dérivable sur $\mathbb{R}$?

81

Dans chacun des cas, quelle valeur doit-on donner au réel m pour que la fonction f soit continue sur $\mathbb{R}$?

1 $f(x) = \begin{cases} \dfrac{x^2 - 1}{x + 1} & \text{si } x \neq -1 \\ m & \text{si } x = -1 \end{cases}$.

2 $\begin{cases} f(x) = \dfrac{1 - \sqrt{x^2 + 1}}{x} & \text{si } x \neq 0 \\ f(0) = m \end{cases}$.

Calculs de limite

82  Soit f la fonction définie pour $x \neq 1$ par :

$$f(x) = \frac{x^2 - 3x + 2}{x - 1}.$$

1 **À l'aide de la calculatrice,** conjecturer le comportement de f au voisinage de 1.

2 Prouver ou infirmer la conjecture.

83 Soit la fonction f définie sur $\mathbb{R} \backslash \{-3\,;3\}$ par :

$$f(x) = \frac{x^2 - 4x + 3}{x^2 - 9}.$$

1 Déterminer, si elle existe, $\lim\limits_{x \to 3} f(x)$.

2 Démontrer que la courbe représentative de f admet deux asymptotes dont on donnera les équations.

84 Déterminer :

a. $\lim\limits_{x \to +\infty} \sqrt{\frac{x+5}{4x+1}}$. **b.** $\lim\limits_{x \to -\infty} \frac{x}{\sqrt{x^2+1}}$.

85 Déterminer :

a. $\lim\limits_{x \to -\infty} \cos\left(\frac{1}{2x+1}\right)$. **b.** $\lim\limits_{x \to -\infty} \sin\left(\frac{\pi x + 1}{2x+3}\right)$.

Utiliser un tableau

86 **Vrai ou faux ?**

Justifier la réponse.

Soit f une fonction dont le tableau des variations est :

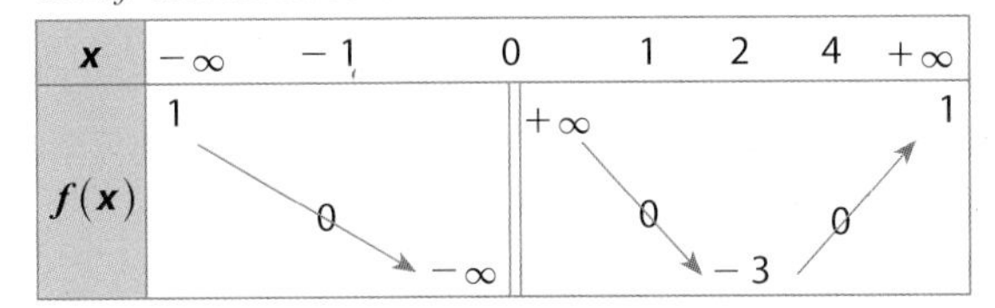

1 L'équation $f(x) = 1$ admet une unique solution.

2 L'équation $f(x) = -3$ admet une unique solution.

3 L'image par f de l'intervalle $]0\,;4]$ est l'intervalle $[0\,;+\infty[$.

4 Le signe de f est donné par le tableau suivant :

x	$-\infty$		-2		0		1		4		$+\infty$
$f(x)$		+	0	−	‖	+	0	−	0	+	

87 Soit f une fonction continue sur l'intervalle $[-3\,;2]$ dont on connaît le tableau des variations.

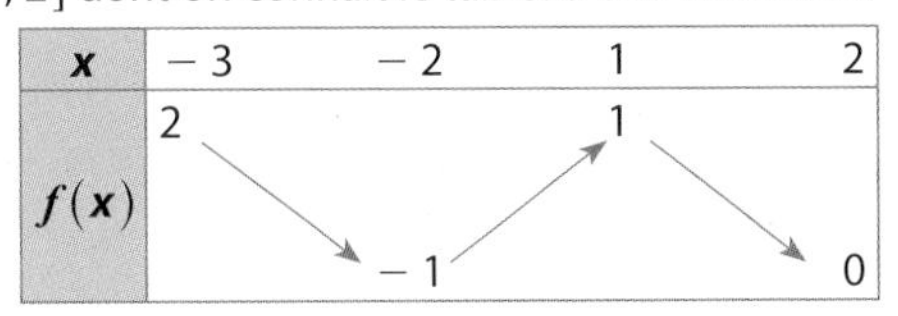

Donner les images par la fonction f des intervalles :
$[-2\,;1]$; $[-2\,;2]$; $[-3\,;1]$.

88 Soit f une fonction dont le tableau de variations est :

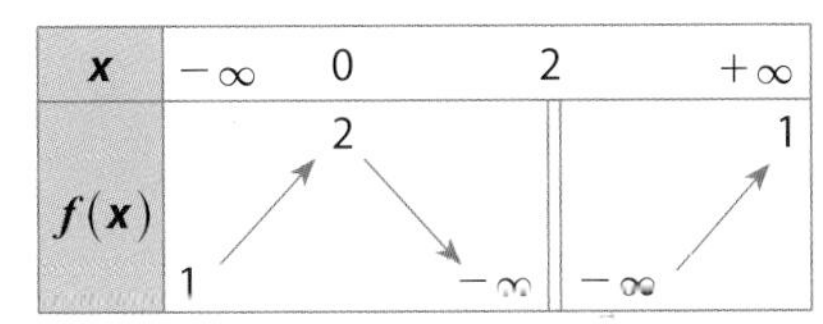

1 Donner les images par f des intervalles :
$]-\infty\,;0[$; $[0\,;2[$; $]-\infty\,;2[$; $]2\,;+\infty[$.

2 Déterminer le nombre de solutions de l'équation :

a. $f(x) = 0$. **b.** $f(x) = 1$.

Théorème des valeurs intermédiaires

89 Soit la fonction f définie sur $[0\,;1]$ par :

$$f(x) = x^5 - 5x + 2.$$

1 Calculer $f(0)$ et $f(1)$.

2 En déduire que l'équation $f(x) = 0$ admet au moins une solution dans $[0\,;1]$.

90 Dans chacun des cas suivants, démontrer que l'équation proposée a au moins une solution dans l'intervalle I.

1 $x\sqrt{x+2} = 2$; $\mathrm{I} = [-2\,;2]$.

2 $(x^3+1)x^2 = 1$; $\mathrm{I} = \mathbb{R}$.

91 Démontrer que l'équation $x^3 - x^2 - 1 = 0$ admet une unique solution dans $\mathbb{R}$ et encadrer celle-ci par deux entiers successifs.

92 On considère la fonction g définie sur $\mathbb{R}$ par :

$$g(x) = x^4 - 4x^3 + 4x^2 - 1.$$

Démontrer que l'équation $g(x) = 0$ admet exactement trois solutions sur $\mathbb{R}$ dont une entière.

93 La fonction f est définie sur $[-3;6]$ par :

$$f(x) = x^3 - 12x.$$

a. Déterminer $f'(x)$ et dresser le tableau de variations de f sur $[-3;6]$.

b. L'équation $f(x) = 30$ a-t-elle des solutions dans l'intervalle $[-3;6]$?

Si oui, préciser le nombre de solutions sur $[-3;6]$.

c. On a tabulé ci-contre à la calculatrice $f(x)$ par pas de 1.

En déduire un encadrement de la solution de $f(x) = 30$ entre deux entiers consécutifs.

X	Y1
0	0
1	-11
2	-16
3	-9
4	16
5	65
6	144

d. Obtenir de la même façon un encadrement d'amplitude 10^{-2} de la solution de l'équation $f(x) = 30$.

94 ALGO Encadrer les solutions d'une équation

Soit l'équation (E) $x^3 - 5x = 3$.

1 Démontrer que l'équation (E) admet une unique solution dans l'intervalle $[-1;0]$.

2 On souhaite obtenir un encadrement d'amplitude 10^{-2} de cette solution.

Après avoir analysé l'algorithme ci-dessous, compléter les pointillés de façon à résoudre le problème.

```
ALGO
Variables :
    x, y : réels
Début
    x ← −1 ; y ← x³ − 5x ;
    TantQue y > 3 Faire
        x ← ...
        y ← ...
    FinTantQue ;
    Afficher (x − 0,01; x)
Fin.
```

3 L'équation (E) admet-elle des solutions n'appartenant pas $[-1;0]$? Justifier.

Si oui, pour chaque solution, modifier l'algorithme précédent de façon à en obtenir un encadrement d'amplitude 10^{-2}.

95 On considère la fonction f définie sur $\mathbb{R}$ par :

$$f(x) = x^3 - 3x^2 - 1.$$

Déterminer, selon les valeurs du réel k, le nombre de solutions de l'équation $f(x) = k$.

96 On considère la fonction f définie sur $\mathbb{R}$ par :

$$f(x) = 2x^3 - 6x^2 + 5{,}96x - 1{,}96.$$

1 On a tracé ci-contre la courbe représentative de f.

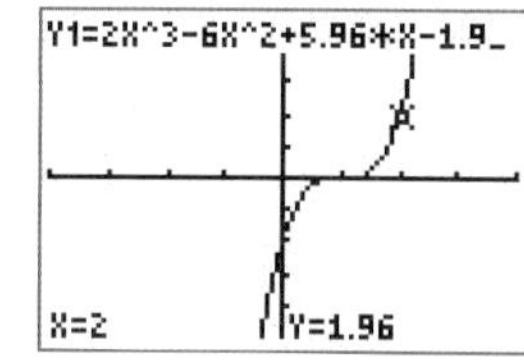

Conjecturer le nombre de solutions de l'équation $f(x) = 0$. Puis donner une valeur approchée des solutions éventuelles.

2 Étudier les variations de f sur $\mathbb{R}$.

La conjecture précédente est-elle confirmée ?

3 a. Déterminer trois réels a, b et c tels que pour tout réel x, $f(x) = (x-1)(ax^2 + bx + c)$.

b. Résoudre dans $\mathbb{R}$ l'équation $f(x) = 0$.

97 Soit la fonction f définie sur $\mathbb{R}$ par :

$$f(x) = x^4 + 3x^3 + 2x + 1.$$

1 Exprimer $f'(x)$.

2 a. Étudier les variations de la fonction dérivée f'.

b. Justifier que l'équation $f'(x) = 0$ admet une unique solution α sur $\mathbb{R}$.

Donner une valeur approchée de α à 0,1 près.

c. En déduire le tableau de signes de $f'(x)$ sur $\mathbb{R}$.

3 Étudier les variations de f sur $\mathbb{R}$.

98 Dans un récipient cylindrique de rayon 10 cm, on place une bille de rayon 4 cm.

On verse ensuite de l'eau jusqu'à recouvrir exactement la bille. On retire alors la bille, et on la remplace par une autre bille de rayon R (où R est différent de 4).

Est-il possible que l'eau recouvre exactement la nouvelle bille ?

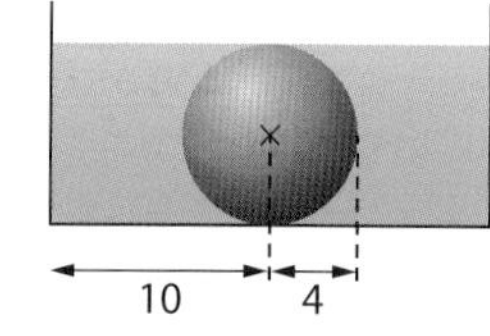

1 Calculer le volume d'eau versé dans le récipient.

2 À quel intervalle doit appartenir R ?

3 En calculant de deux façons le volume « eau + bille », démontrer qu'une nouvelle bille est solution du problème si son rayon R vérifie l'équation :

$$(E) : x^3 - 150x + 536 = 0.$$

4 Justifier que le problème admet une solution.

Donner une valeur approchée du rayon R à 0,1 cm près.

Rappel

- Le volume d'une boule de rayon R est $\frac{4}{3}\pi R^3$.
- Le volume d'un cylindre de hauteur h et de rayon de base r est $\pi r^2 h$.

Exercices guidés

99 Utiliser un tableau

Soit une fonction f définie et dérivable sur $\mathbb{R}$, de courbe représentative $\mathscr{C}$, et dont on donne le tableau de variations ci-dessous.

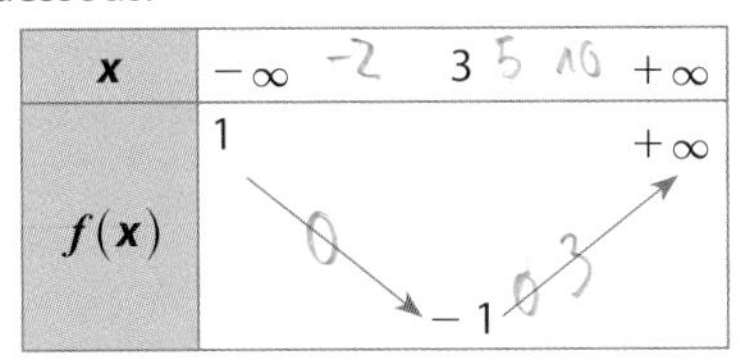

x	$-\infty$	3	$+\infty$
$f(x)$	1 ↘	-1	↗ $+\infty$

On donne de plus :

$$f(-2)=0\;;\quad f(5)=0 \quad \text{et} \quad f(10)=3.$$

À l'aide des informations fournies, répondre aux questions suivantes.

1 Dresser sans justification le tableau donnant le signe de $f(x)$ suivant les valeurs du nombre réel x.

2 a. La courbe $\mathscr{C}$ admet-elle une asymptote horizontale ? Si oui, préciser une équation de cette droite.

b. Montrer que l'équation $f(x)=2$ admet une unique solution sur l'intervalle $[3\,;10]$.

Question ouverte

3 On considère la fonction g telle que :

$$g(x)=\frac{1}{f(x)}.$$

Dans cette question, toute trace de recherche, même incomplète, ou d'initiative, même non fructueuse, sera prise en compte.

Dresser le tableau de variations complet de la fonction g.

Pistes de résolution

1 Introduire dans le tableau $f(-2)$ et $f(5)$, puis conclure.

2 a. On rappelle que l'existence d'une asymptote horizontale est liée à la présence d'une limite finie en $-\infty$ ou en $+\infty$.

b. On remarque que $2\in[-1\,;3]$ qui est l'intervalle-image par f de l'intervalle $[3\,;10]$.

Donc on peut penser à utiliser le théorème des valeurs intermédiaires, dans le cas d'une fonction continue strictement monotone.

3 Il s'agit de préciser les variations de g et les limites aux bornes de son ensemble de définition.

- Quelles sont les valeurs qui annulent $f(x)$? En déduire l'ensemble de définition D de g.
- Pour les limites de g aux bornes de D, utiliser les opérations sur les limites en distinguant bien ce qui se passe à droite et à gauche des valeurs interdites.
- Pour les variations de g, vérifier que le signe de $g'(x)$ est le signe contraire du signe de $f'(x)$, et que celui-ci est connu grâce aux variations de f.

100 Utiliser une fonction auxiliaire et étudier les positions relatives de deux courbes

Partie A

Soit la fonction g définie sur $\mathbb{R}$ par :

$$g(x)=2x^3+x^2-1.$$

1 Étudier les variations de g.

2 En déduire que l'équation $g(x)=0$ admet sur $\mathbb{R}$ une unique solution α, vérifiant $0{,}65\leqslant\alpha\leqslant0{,}66$.

3 Étudier le signe de $g(x)$ en fonction de x.

Partie B

Soit la fonction f définie sur $]-\infty\,;0[\,\cup\,]0\,;+\infty[$ par :

$$f(x)=\frac{1}{3}\left(x^2+x+\frac{1}{x}\right).$$

On désigne par $\mathscr{C}$ sa courbe représentative.

1 Étudier les limites de f aux bornes de l'ensemble de définition.

2 a. Montrer que pour tout réel $x\neq0$:

$$f'(x)=\frac{g(x)}{3x^2}.$$

b. Construire le tableau de variations complet de f.

3 Soit la fonction h définie sur $\mathbb{R}$ par :

$$h(x)=\frac{1}{3}(x^2+x)$$

et $\mathscr{P}$ sa courbe représentative.

a. Déterminer les limites en $-\infty$ et en $+\infty$ de la fonction $d : x\longmapsto f(x)-h(x)$.

Que peut-on en déduire des courbes $\mathscr{C}$ et $\mathscr{P}$ au voisinage de $-\infty$ et de $+\infty$?

b. Étudier les positions relatives des courbes $\mathscr{C}$ et $\mathscr{P}$.

4 Construire les courbes $\mathscr{C}$ et $\mathscr{P}$ dans un même repère.

Pistes de résolution

Partie A

1 On étudie le signe de $g'(x) = 6x^2 + 2x$ sur $\mathbb{R}$ pour obtenir les variations de g sur $\mathbb{R}$. On peut préciser dans le tableau de variations les valeurs des extrêma locaux.

2 Utiliser le tableau des variations de g ; constater que $g(x) < 0$ sur $]-\infty\,;0]$ et vérifier que les conditions d'application du théorème des valeurs intermédiaires sont vérifiées sur $[0\,;+\infty[$.

3 Utiliser le tableau de variations de g pour déterminer son signe.

Partie B

1 Utiliser les règles sur les opérations.

2 a. Utiliser les dérivées usuelles et mettre $f'(x)$ au même dénominateur.

b. Utiliser que $f'(x)$ a le même signe que $g(x)$ et conclure quant aux variations de f.

3 a. Ce sont des limites de fonctions usuelles. Puis faire l'analogie avec la notion de droite asymptote.

b. Pour étudier les positions relatives des deux courbes, il faut étudier le signe de $f(x) - h(x)$.

101 Interpréter des limites

On considère une fonction f, dont on donne le tableau de variations ci-dessous.

On appelle $\mathscr{C}$ la courbe représentative de f dans un repère orthonormé $(O, \vec{i}, \vec{j})$ (unités graphiques : 2 cm).

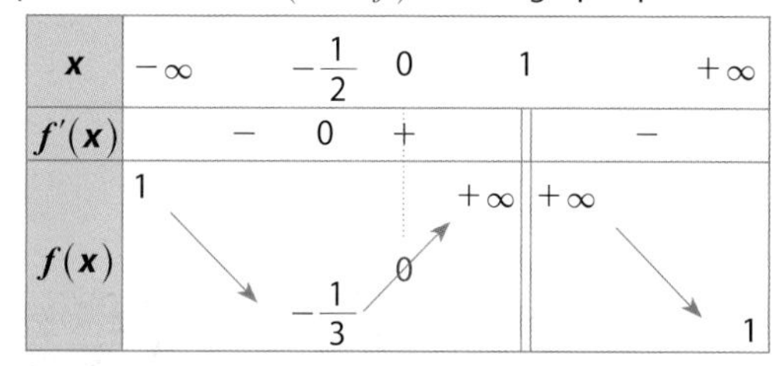

x	$-\infty$		$-\frac{1}{2}$		0		1		$+\infty$
$f'(x)$		$-$	0	$+$			‖	$-$	
$f(x)$	1	↘	$-\frac{1}{3}$	↗	0	↗	$+\infty$ ‖ $+\infty$	↘	1

Partie A

En interprétant le tableau donné ci-dessus :

1 Préciser l'ensemble de définition de f ;

2 Donner les équations de l'asymptote horizontale $\mathscr{D}$ et de l'asymptote verticale $\mathscr{D}_0$ de la courbe $\mathscr{C}$.

Donner les coordonnées du point A où la tangente à la courbe $\mathscr{C}$ est horizontale.

3 On sait de plus qu'il existe trois réels a, b et c tels que pour tout réel $x \neq 1$, $f(x) = a + \dfrac{b}{x-1} + \dfrac{c}{(x-1)^2}$.

a. Démontrer que $a = 1$.

b. Justifier que les réels b et c sont solutions du système :

$$\begin{cases} -b + c = -1 \\ -\dfrac{2}{3}b + \dfrac{4}{9}c = -\dfrac{4}{3} \end{cases}$$

Déterminer les valeurs de b et c.

Partie B

On donne maintenant l'expression de f :

$$f(x) = 1 + \frac{4}{x-1} + \frac{3}{(x-1)^2}.$$

Répondre aux questions suivantes en utilisant les résultats obtenus ci-contre à l'aide d'un logiciel de calcul formel.

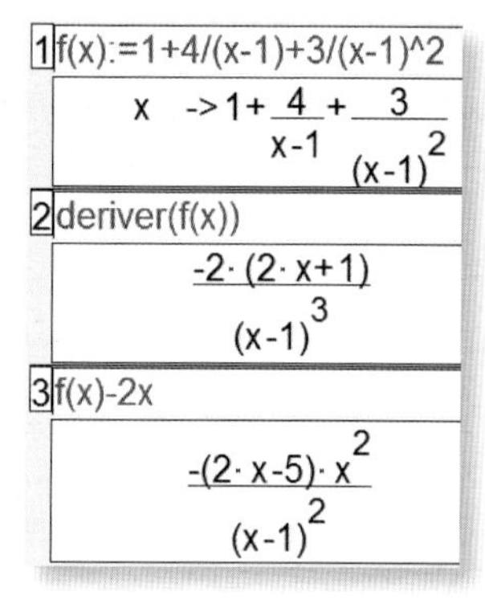

1 Vérifier le tableau de variations de la partie **A**.

2 Déterminer une équation de la tangente Δ à $\mathscr{C}$ au point A d'abscisse 0, puis préciser la position de la courbe $\mathscr{C}$ par rapport à la droite Δ.

3 Construire la courbe $\mathscr{C}$ et les droites $\mathscr{D}$, $\mathscr{D}_0$ et Δ.

Pistes de résolution

Partie A

3 a. Utiliser la limite de f en $+\infty$.

b. D'après le tableau, $f(0) = 0$ et $f\left(-\frac{1}{2}\right) = \frac{-1}{3}$.

On peut exprimer ces images en fonction de b et c.

Partie B

1 Il faut déterminer les limites de f en $+\infty$, en $-\infty$ et en 1 (à droite et à gauche).

Les variations de f sont obtenues par le signe de $f'(x)$.

On utilise pour cela l'expression factorisée de $f'(x)$.

2 La tangente au point d'abscisse 0 a pour équation :

$$y = f'(0) \times (x - 0) + f(0).$$

Pour étudier les positions de $\mathscr{C}$ et Δ, étudier le signe de $f(x) - 2x$.

3 Le graphique doit résumer l'étude précédente.

En particulier il faut placer le point A, et les positions relatives de $\mathscr{C}$ et Δ doivent être cohérentes avec le résultat de la question **2**.

102 Étudier une suite de solutions

Pour tout entier $n \geqslant 2$, on considère la fonction f_n définie sur $[0\,;1]$ par $f_n(x) = x^3 - 2nx + 1$.

1 Démontrer que pour tout entier $n \geqslant 2$, l'équation $f_n(x) = 0$ admet une unique solution α_n dans $[0\,;1]$.

2 **À l'aide de la calculatrice,** donner une valeur approchée à 0,001 près de α_2 et de α_3.

3 Comparer α_n et $\dfrac{1}{n}$.

4 Montrer que la suite (α_n) est convergente et préciser sa limite.

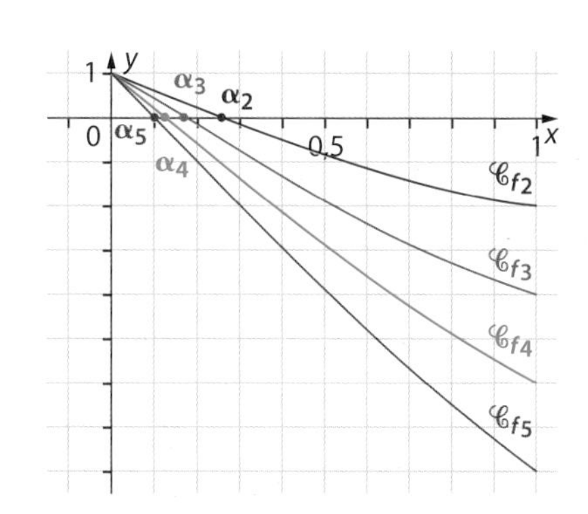

Pistes de résolution

1 On pense à utiliser le théorème des valeurs intermédiaires, dans le cas d'une fonction strictement monotone.
L'étude des variations de f_n permet de vérifier la validité des conditions d'application de ce théorème.

2 On tabule f_2 sur $[0\,,1]$ et on procède par balayage pour obtenir une valeur approchée de α_2.
On procède de même avec f_3 pour α_3.

3 En utilisant les variations de f_n, le signe de $f_n\left(\dfrac{1}{n}\right)$ permet de situer α_n dans $\left[0\,;\dfrac{1}{n}\right]$ ou dans $\left[\dfrac{1}{n}\,;1\right]$.

4 Penser à utiliser le théorème des gendarmes et la question précédente.

Exercices d'entraînement

103 Vrai ou faux ?

On donne ci-dessous le tableau de variations d'une fonction f, définie et dérivable sur $\mathbb{R}$, et on nomme $\mathscr{C}$ sa représentation graphique dans un repère.

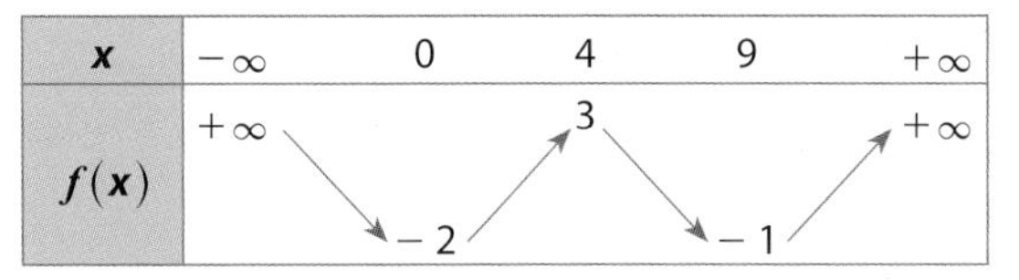

x	$-\infty$	0	4	9	$+\infty$
$f(x)$	$+\infty$ ↘	-2 ↗	3 ↘	-1 ↗	$+\infty$

Répondre, par vrai ou faux, aux questions suivantes, en justifiant lorsque la réponse est « faux ».

1 Pour tout réel x, $f(x) > -2$.

2 L'équation $f(x) = -3$ admet au moins une solution dans $\mathbb{R}$.

3 L'équation $f(x) = 1$ admet une solution unique dans l'intervalle $[4\,;9]$.

4 Pour tout réel x, $f'(x) \geqslant 0$.

5 La droite d'équation $y = 0$ est asymptote à $\mathscr{C}$.

6 $\lim\limits_{x \to +\infty} \dfrac{1}{f(x)} = -\infty$.

104 QCM

Pour chacune des questions, une seule réponse, parmi les trois proposées, est juste.

1 La droite d'équation $y = 0$ est asymptote à la courbe de f pour f définie par :

a. $f(x) = \sqrt{x} + \dfrac{2}{x}$. **b.** $f(x) = \dfrac{x^2+1}{3x+1}$.

c. $f(x) = \dfrac{1}{x+1} + \dfrac{1}{x^2+1}$.

2 La droite d'équation $x = 1$ est asymptote à la courbe de g pour g définie par :

a. $g(x) = \dfrac{1-x^2}{x-1}$. **b.** $g(x) = \dfrac{\sqrt{-x-4}}{x-1}$.

c. $g(x) = \dfrac{1}{\sqrt{2x-2}}$.

3 La droite d'équation $y = \dfrac{1}{2}$ est asymptote à la courbe de h pour h définie par :

a. $h(x) = \dfrac{2x+1}{x^2+1}$. **b.** $h(x) = \dfrac{x-1}{2x^2+1}$.

c. $h(x) = \sqrt{x^2+x+1} - x$.

105 **Partie A** On considère la fonction polynôme P définie pour tout réel x par $P(x) = 2x^3 - 3x^2 - 1$.

1 Étudier les variations de P sur $\mathbb{R}$.

2 Montrer que l'équation $P(x) = 0$ admet une unique solution α et que α appartient à $]1{,}6\,;1{,}7[$.

3 Dresser le tableau de signes de $P(x)$.

Partie B On considère la fonction f définie sur $]-1\,;+\infty[$ par : $f(x) = \dfrac{1-x}{1+x^3}$.

On note $\mathscr{C}$ la courbe représentative de f.

1 Étudier les variations de la fonction f.

2 Déterminer les asymptotes à la courbe $\mathscr{C}$.

3 Écrire une équation de la droite $\mathscr{D}_1$ tangente à la courbe $\mathscr{C}$ au point d'abscisse 0.
Étudier la position de la courbe $\mathscr{C}$ par rapport à $\mathscr{D}_1$ sur l'intervalle $]-1\,;+\infty[$.

4 **a.** Écrire une équation de la droite $\mathscr{D}_2$ tangente à la courbe $\mathscr{C}$ au point d'abscisse 1.
b. Montrer que pour tout réel $x > -1$:

$$f(x) - \frac{1}{2}(1-x) = \frac{(1-x)^2(x^2+x+1)}{2(x^3+1)}.$$

c. Étudier la position de la courbe $\mathscr{C}$ par rapport à $\mathscr{D}_2$ sur l'intervalle $]-1\,;+\infty[$.

5 Représenter $\mathscr{C}$, $\mathscr{D}_1$ et $\mathscr{D}_2$ dans un repère orthonormé d'unité graphique 4 cm.

106 **Partie A** Soit la fonction g définie sur $\mathbb{R}$ par :

$$g(x) = 4x^3 - 3x - 8.$$

1 Étudier le sens de variation de g sur $\mathbb{R}$.

2 Démontrer que l'équation $g(x) = 0$ admet dans $\mathbb{R}$ une unique solution que l'on note α.
Déterminer un encadrement de α d'amplitude 10^{-2}.

3 Déterminer le signe de g sur $\mathbb{R}$.

Partie B Soit la fonction f définie sur $\left]\dfrac{1}{2}\,;+\infty\right[$ par :

$$f(x) = \frac{x^3+1}{4x^2-1}.$$

On note $\mathscr{C}$ la courbe représentative de f.

1 **a.** Déterminer la limite de f en $+\infty$.
b. Déterminer la limite de f en $\dfrac{1}{2}$.
Que peut-on en déduire pour la courbe $\mathscr{C}$?

2 **a.** Calculer $f'(x)$.
b. En déduire le sens de variation de f sur $\left]\dfrac{1}{2}\,;+\infty\right[$.
c. En utilisant la définition de α, démontrer que :

$$f(\alpha) = \frac{3}{8}\alpha.$$

En déduire un encadrement de $f(\alpha)$.

Partie C
À l'aide d'une calculatrice formelle, on a obtenu :

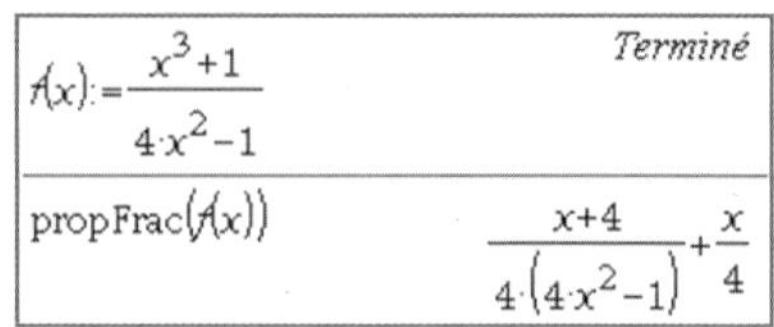

Et le graphique suivant :

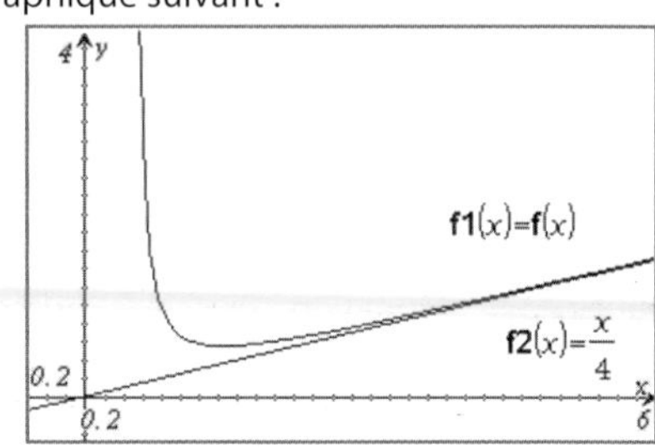

On appelle $\mathscr{D}$ la droite d'équation $y = \dfrac{x}{4}$.

1 **a.** Conjecturer les positions relatives de $\mathscr{C}$ et de $\mathscr{D}$.
b. Pour tout réel $x > \dfrac{1}{2}$, on considère les points M et N d'abscisses x respectivement sur $\mathscr{C}$ et $\mathscr{D}$.
Que peut-on conjecturer sur la distance MN lorsque x tend vers $+\infty$?

Question ouverte

2 ***Dans cette question, toute trace de recherche, même incomplète, ou d'initiative, même non fructueuse, sera prise en compte.***
Démontrer les conjectures précédentes.

107 Soit la fonction f définie sur $]-\infty\,;2[\,\cup\,]2\,;+\infty[$ par :

$$f(x) = \frac{-2x^2+7x-8}{x-2}.$$

On appelle $\mathscr{C}$ sa courbe représentative.

1 Déterminer les limites de f en $-\infty$ et $+\infty$.

2 Déterminer les limites de f en 2 (à droite et à gauche).
Que peut-on en déduire pour la courbe $\mathscr{C}$?

3 Étudier les variations de f.

4 On appelle Δ la droite d'équation $y = -2x+3$.
a. Justifier que pour tout réel $x \neq 2$, on a :

$$f(x) - (-2x+3) = \frac{-2}{x-2}.$$

b. Étudier la position de la courbe $\mathscr{C}$ par rapport à la droite Δ.
c. Déterminer $\lim\limits_{x \to +\infty} \left[f(x) - (-2x+3)\right]$.
Interpréter graphiquement ce résultat.

108 Soit la fonction f définie, pour tout réel $x \neq 1$, par :

$$f(x) = \frac{x+1}{x^3 - 1}.$$

On désigne par $\mathscr{C}$ sa courbe représentative dans un plan rapporté à un repère orthonormé.

1 Démontrer que, pour tout réel $x \neq 1$, on a :

$$f'(x) = \frac{P(x)}{(x^3 - 1)^2},$$

où P est une fonction polynôme de degré 3 que l'on précisera.

2 **a.** Étudier les variations de la fonction P sur $\mathbb{R}$.
b. Démontrer que l'équation $P(x) = 0$ admet une unique solution α.
On donnera une valeur approchée de α à 10^{-2} près.
c. En déduire le signe de $P(x)$ selon les valeurs de x.

3 En utilisant les questions précédentes, déterminer les variations de la fonction f sur les intervalles où elle est définie.

4 **a.** Déterminer une équation de la tangente T à la courbe $\mathscr{C}$ au point $A(0\,;-1)$.
b. Préciser la position de $\mathscr{C}$ par rapport à la droite T.

5 Préciser la position de $\mathscr{C}$ par rapport à sa tangente $\mathscr{D}$ au point d'abscisse -1.

6 Vérifier les résultats obtenus précédemment en visualisant à la calculatrice la courbe $\mathscr{C}$ et les différentes tangentes.

109 Soit la fonction f définie sur $\mathbb{R}^*$ par :

$$f(x) = x\sqrt{1 + \frac{1}{x^2}}$$

de courbe représentative $\mathscr{C}_f$.

1 Démontrer que pour tout réel $x \neq 0$:

$$f(-x) = -f(x).$$

Que peut-on en déduire pour la courbe $\mathscr{C}_f$?
On appelle g la restriction de f à l'intervalle $]0\,;+\infty[$ et $\mathscr{C}_g$ sa courbe représentative.

2 Déterminer les limites de g en 0 et en $+\infty$.

3 Démontrer que la fonction g est croissante sur l'intervalle $]0\,;+\infty[$.

4 Déterminer $\displaystyle\lim_{x \to 0} \frac{g(x) - 1}{x}$.
Que peut-on en déduire pour la courbe $\mathscr{C}_g$ au voisinage du point $A(0\,;1)$?

5 Construire $\mathscr{C}_g$ et $\mathscr{C}_f$ dans le même repère.

110 ALGO Dans le plan muni d'un repère orthonormé, on considère la parabole $\mathscr{P}$ d'équation $y = x^2$ et le point $A(1\,;0)$.
L'objet de l'exercice est de déterminer le point M de la courbe $\mathscr{P}$ tel que la distance AM soit minimale.
Pour tout réel x, on pose $f(x) = AM^2$ où M est le point de $\mathscr{P}$ d'abscisse x.

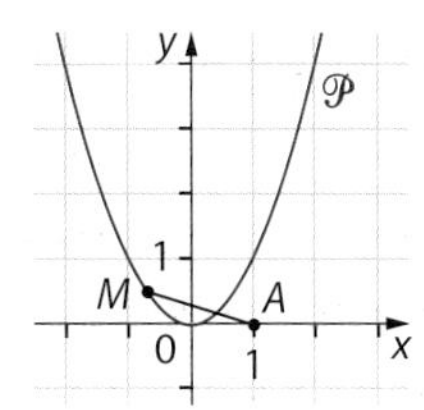

1 Déterminer $f(x)$.

2 **a.** Étudier les variations de la fonction dérivée f' sur $\mathbb{R}$.
b. En déduire que l'équation $f'(x) = 0$ admet une unique solution α sur $\mathbb{R}$. Justifier que $0 \leqslant \alpha \leqslant 1$.
c. Dresser le tableau de signes de $f'(x)$, puis le tableau de variations de f.

3 Conclure sur le problème posé.

4 Pour tout réel $e > 0$, on recherche des valeurs approchées a et b de α à e près telles que $a < \alpha < b$.
a. Justifier que les réels cherchés a et b vérifient :
$f'(a) < 0$ et $f'(b) > 0$, et que : $b - a \leqslant e$.
b. On procède par dichotomie pour obtenir des valeurs a et b.
On propose pour cela l'algorithme incomplet ci-dessous :

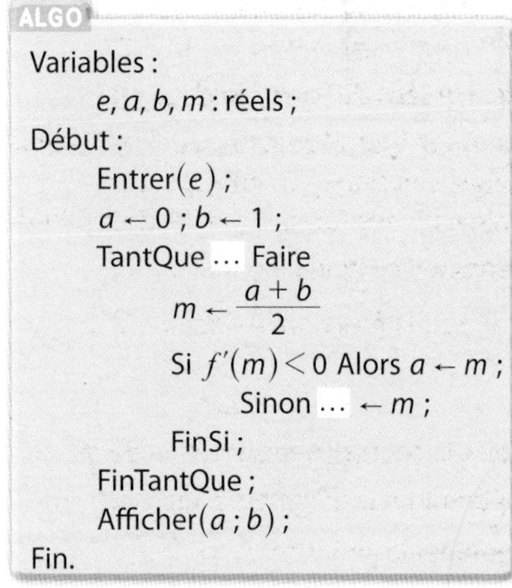
ALGO

```
Variables :
    e, a, b, m : réels ;
Début :
    Entrer(e) ;
    a ← 0 ; b ← 1 ;
    TantQue … Faire
        m ← (a + b)/2
        Si f'(m) < 0 Alors a ← m ;
            Sinon … ← m ;
        FinSi ;
    FinTantQue ;
    Afficher(a ; b) ;
Fin.
```

Après avoir rappelé le principe de la dichotomie, compléter l'algorithme de façon à résoudre le problème.
c. Faire fonctionner l'algorithme pour $e = 0{,}01$ (on donnera les valeurs successives de a et b jusqu'à l'affichage final).

Voir les **Outils pour l'algorithmique** et les **Outils pour la programmation**.

Problèmes

111 Vrai ou faux ?

Soit la fonction f définie sur $\mathbb{R}$ par :

$$f(x)=\frac{x}{|x|+1}.$$

On note $\mathscr{C}$ sa courbe représentative.

Préciser si les affirmations suivantes sont vraies ou fausses.

a. La courbe $\mathscr{C}$ admet un centre de symétrie.

b. La fonction f admet une limite en 0.

c. La fonction f est dérivable en 0.

d. La droite d'équation $y=1$ est asymptote à $\mathscr{C}$.

e. La droite d'équation $y=-1$ est asymptote à $\mathscr{C}$.

112 Soit la fonction f définie sur $D=\mathbb{R}\setminus\{-1;0;1\}$ par :

$$f(x)=\frac{x^4-6x^2+1}{x^3-x}.$$

On note $\mathscr{C}$ sa courbe représentative.

1 Déterminer la limite de f en $-\infty$ et en $+\infty$.

2 a. Démontrer qu'il existe quatre réels a, b, c, d tels que pour tout réel de D :

$$f(x)=ax+\frac{b}{x}+\frac{c}{x+1}+\frac{d}{x-1}.$$

b. En déduire les asymptotes verticales à la courbe $\mathscr{C}$.

3 On a obtenu avec une calculatrice formelle :

$f(x):=\dfrac{x^4-6\cdot x^2+1}{x^3-x}$	*Terminé*
$\text{factor}\left(\dfrac{d}{dx}(f(x))\right)$	$\dfrac{(x^2+1)^3}{x^2\cdot(x-1)^2\cdot(x+1)^2}$

En utilisant ces résultats, dresser le tableau de variations de f.

4 Soit la droite $\mathscr{D}$ d'équation $y=ax$ où a est définie en **2**. Pour tout réel x de D, on pose $d(x)=f(x)-ax$.

a. Calculer la limite de d en $+\infty$ et en $-\infty$.

b. Que peut-on en déduire pour les courbes $\mathscr{C}$ et $\mathscr{D}$?

113 Soit un réel a et la fonction f définie par :

$$f(x)=\frac{1}{x-a}-\frac{a^2x^2}{x^3-a^3}.$$

1 En utilisant le résultat fourni par un logiciel de calcul, déterminer l'ensemble de définition de la fonction f.

1	factoriser(x^3-a^3)
	$(x-a)\cdot(x^2+x\cdot a+a^2)$

2 Déterminer les valeurs de a pour lesquelles f admet une limite au point a.

114 Deux réels a et b sont donnés. On considère la fonction f définie sur $\mathbb{R}\setminus\{b\}$ par : $f(x)=\dfrac{ax^2-9}{x-b}$.

On note $\mathscr{C}$ sa courbe représentative.

1 Pour quelles valeurs du couple $(a;b)$ la courbe $\mathscr{C}$ présente-t-elle une asymptote verticale ?

2 Pour quelles valeurs du couple $(a;b)$ la courbe $\mathscr{C}$ présente-t-elle une asymptote horizontale ?

3 On prend ici $a=1$ et $b=2$.

a. Déterminer les limites de f aux bornes de son ensemble de définition.

b. Étudier les variations de f sur $\mathbb{R}\setminus\{2\}$.

c. Étudier les positions relatives de la courbe $\mathscr{C}$ avec la droite Δ d'équation $y=x+2$.

115 On considère la fonction f définie sur $\mathbb{R}$ par :

$$f(x)=\begin{cases}x & \text{si } x<1\\ x^2 & \text{si } 1\leqslant x\leqslant 4.\\ 8\sqrt{x} & \text{si } x>4\end{cases}$$

1 Déterminer les limites de f en $-\infty$ et en $+\infty$.

2 La fonction f est-elle continue sur $\mathbb{R}$?

116 On désigne par E la fonction partie entière.

Soit la fonction f définie sur $[0;2]$ par :

$$f(x)=E(x)+(x-E(x))^2.$$

1 Tracer la courbe représentative de la fonction f.

2 La fonction f est-elle continue sur $[0;2]$?

117 Quelle méthode ?

Soit l'équation (E) $\dfrac{1}{x}=x-2$ où $x\in\,]0;+\infty[$.

1 Un élève a représenté sur sa calculatrice l'hyperbole d'équation $y=\dfrac{1}{x}$ et la droite d'équation $y=x-2$.

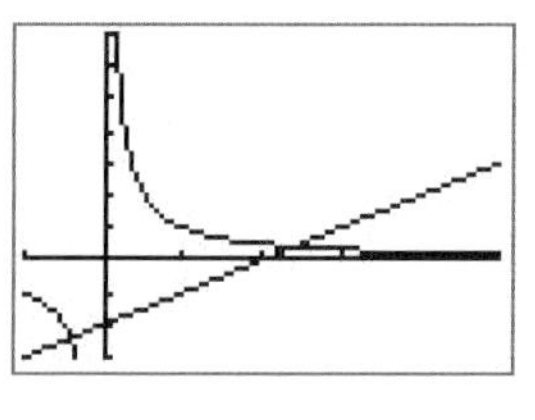

Au vu du graphique, combien l'équation (E) semble-t-elle admettre de solutions dans $]0;+\infty[$?

2 Un deuxième élève considère la fonction g définie sur $]0;+\infty[$ par $g(x)=x-2-\dfrac{1}{x}$.

a. Dresser le tableau de variations de g sur $]0;+\infty[$.

b. En déduire le nombre de solutions de l'équation (E) et en donner, **à l'aide de la calculatrice,** un encadrement d'amplitude 10^{-2}.

3 Un troisième élève dit : « Je peux résoudre l'équation (E) algébriquement. » Justifier que ce troisième élève a raison.

118 On considère la fonction f définie sur $]0\,;+\infty[$ par :

$$f(x)=\frac{1}{x}-x^3.$$

1 Démontrer que l'équation $f(x)=1$ admet une unique solution a sur $]0\,;+\infty[$.

2 Déterminer une valeur approchée à 10^{-3} près de a.

119 Racines d'un polynôme

1 **a.** Démontrer que tout polynôme de degré 3 s'annule au moins une fois sur $\mathbb{R}$.

b. Démontrer que tout polynôme de degré impair s'annule au moins une fois sur $\mathbb{R}$.

2 Tout polynôme de degré n pair s'annule-t-il obligatoirement au moins une fois sur $\mathbb{R}$?
On pourra étudier les cas $n=2$ et $n=4$.

3 On admet qu'un polynôme de degré 3 a au plus trois racines.

a. En calculant les images par f des réels -3, 0 et 2, déterminer le nombre de solutions de l'équation $f(x)=0$ où $f(x)=x^3-6x+3$.

b. Donner un exemple d'équation du troisième degré qui n'a qu'une seule solution dans $\mathbb{R}$.

120 On considère la fonction f dont on a donné la courbe ci-contre en rouge.

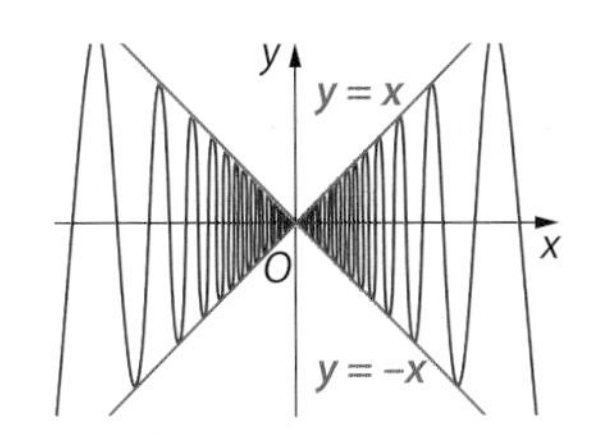

a. Quel encadrement de $f(x)$ suggère le dessin ?

b. En déduire $\lim\limits_{x\to 0} f(x)$.

121 On considère la fonction f définie sur $[0\,;1]$ par :

$$f(x)=1-\sqrt{1-x^2}.$$

On note $\mathscr{C}_f$ la courbe représentative de f dans un repère orthonormé $(O,\vec{i},\vec{j})$ (unité graphique 1 cm).

Partie A

1 Montrer que : un point $M(x\,;y)$ appartient à $\mathscr{C}_f$ si, et seulement si,

$$x\geqslant 0\ ;\ y\geqslant 0 \ \text{ et }\ x^2+(y-1)^2=1.$$

2 En déduire que $\mathscr{C}_f$ est un quart de cercle (préciser son centre et son rayon).

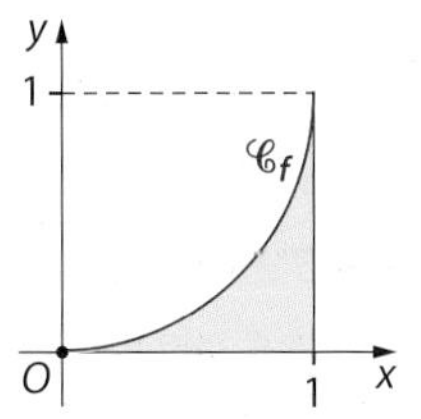

3 Calculer l'aire $\mathscr{A}$ du domaine compris entre $\mathscr{C}_f$, l'axe des abscisses et la droite d'équation $x=1$.

Partie B

Pour tout réel x de $[0\,;1]$, on considère le point M de $\mathscr{C}_f$ d'abscisse x.

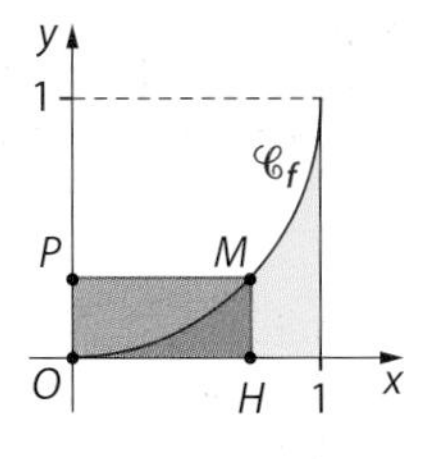

Le point H est le projeté orthogonal de M sur l'axe des abscisses et le point P est tel que $OHMP$ est un rectangle.

On se propose de rechercher les valeurs de x pour que l'aire du rectangle $OHMP$ soit égale à $\mathscr{A}$.

On appelle $\mathscr{A}(x)$ l'aire du rectangle $OHMP$, en cm².

1 Montrer que le problème revient à résoudre sur l'intervalle $[0\,;1]$ l'équation :

$$x^2(1-x^2)=\left(x-1+\frac{\pi}{4}\right)^2.$$

2 Soit la fonction g définie sur $[0\,;1]$ par :

$$g(x)=-x^4+\left(2-\frac{\pi}{2}\right)x+\left(1-\frac{\pi}{4}\right)^2.$$

a. Étudier les variations de la fonction dérivée g' sur l'intervalle $[0\,;1]$.
En déduire que l'équation $g'(x)=0$ admet une unique solution x_0 sur $[0\,;1]$.
Donner une valeur approchée de x_0 à 0,1 près.

b. En déduire le tableau de signes de $g'(x)$, puis le tableau de variations de g sur $[0\,;1]$.

c. Démontrer que l'équation $g(x)=0$ admet une unique solution α sur $[0\,;1]$.
Donner une valeur approchée de α à 0,001 près.

3 Conclure.

122 Fonction réciproque

Pour info Soit une fonction f définie sur un ensemble I, d'ensemble-image J.
Si pour tout y de J, il existe un unique x de I tel que $f(x)=y$, alors la fonction $g:\begin{cases}\mathrm{J}\to\mathrm{I}\\ y\to g(y)=x\end{cases}$ est appelée fonction réciproque de f.

1 **a.** Déterminer la fonction réciproque g de la fonction f définie sur $[0\,;+\infty[$ par $f(x)=x^2$.

b. À l'aide de la calculatrice, observer que les courbes de f et g sont symétriques par rapport à une droite Δ qu'on précisera. Expliquer pourqoi.

2 On considère la fonction f définie sur $[-1;1]$ par :

$$f(x)=\frac{x}{1+|x|}.$$

a. Démontrer que pour tout réel $y\in[-1;1]$, l'équation $f(x)=y$ admet une unique solution.

b. Déterminer la fonction réciproque de la fonction f.

Problèmes

123 La cissoïde de Dioclès

Partie A

On note g et f les fonctions définies sur $[0\,;1[$ par :

$$g(x) = \frac{x^3}{1-x} \quad \text{et} \quad f(x) = \sqrt{g(x)}.$$

On note $\mathscr{C}$ la courbe représentative de f dans un repère orthonormé $(O, \vec{i}, \vec{j})$.

1 Vérifier que la fonction f est bien définie sur $[0\,;1[$.

2 Étudier les variations de la fonction g sur $[0\,;1[$.

3 **a.** Déterminer $\lim\limits_{x \to 0} \frac{f(x)}{x}$.

En déduire que la fonction f est dérivable en 0.

b. Quelles sont les variations de f sur $[0\,;1[$?

4 Quelle est la limite de f en 1 ? Que peut-on en déduire pour la courbe $\mathscr{C}$?

5 Construire $\mathscr{C}$.

Partie B

Dans le plan rapporté au repère précédent, on considère le point $I(1\,;0)$, le cercle Γ de diamètre $[OI]$ et la droite Δ tangente en I à Γ.

Pour tout point A de Δ, la droite (OA) recoupe Γ en M.

On appelle N le point tel que $\overrightarrow{AN} = \overrightarrow{MO}$.

La **cissoïde de Dioclès** est l'ensemble des points N obtenus lorsque le point A décrit la droite Δ.

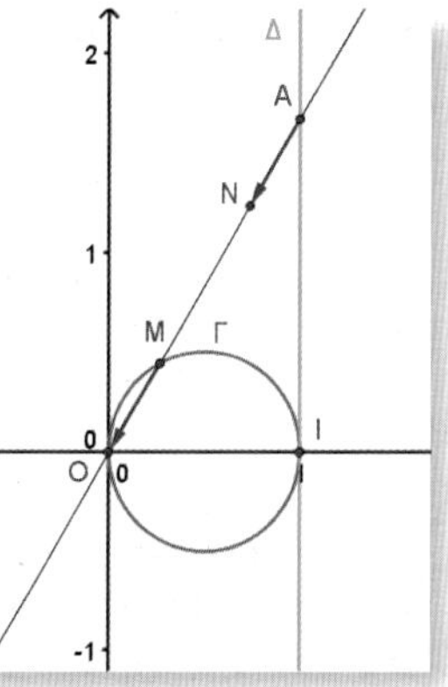

1 **À l'aide d'un logiciel de géométrie dynamique,** construire la figure et représenter la trace du point N lorsque le point le point A décrit la droite Δ.

Voir la fiche **Geogebra**.

2 Montrer que le cercle Γ a pour équation :

$$x^2 + y^2 - x = 0.$$

3 On note $(1\,;t)$ les coordonnées de A (t réel).

a. Donner une équation de la droite (OA).

b. En déduire les coordonnées des points M et N en fonction de t.

4 En déduire qu'une équation de la cissoïde de Dioclès est : $x(x^2 + y^2) - y^2 = 0$.

5 Démontrer que la courbe $\mathscr{C}$ est une partie de la cissoïde. Indiquer comment obtenir, à partir de la courbe $\mathscr{C}$, la cissoïde en entier.

Au fil du temps

Dioclès (Grèce, vers 150-200 av. J.-C.) chercha à résoudre le célèbre problème de la duplication du cube. Il construisit pour cela une courbe appelée cissoïde (du grec *kissos* = lierre et *eidos* = forme), car la courbe rappelle les nervures d›une feuille de lierre.

Maths et économie

124 Coût moyen

Partie A Soit la fonction g définie sur $[0\,;+\infty[$ par :

$$g(x) = x^3 - 1200x - 100.$$

1 Déterminer la limite de g en $+\infty$, puis dresser son tableau de variations.

2 Montrer que l'équation $g(x) = 0$ admet une solution unique α dans l'intervalle $[20\,;40]$. Donner en justifiant une valeur approchée de α à l'unité près.

3 En déduire le signe de $g(x)$ selon les valeurs de x.

Partie B Soit la fonction f définie sur $]0\,;+\infty[$ par :

$$f(x) = x + 50 + \frac{1200x + 50}{x^2}.$$

On appelle $\mathscr{C}$ sa courbe représentative dans un repère orthogonal (on prendra 1 cm pour 5 unités en abscisse et 1 cm pour 20 unités en ordonnée).

1 Déterminer la limite de f en 0 et en $+\infty$.

2 Montrer que, pour tout x de $]0\,;+\infty[$, on a :

$$f'(x) = \frac{g(x)}{x^3}.$$

3 Étudier les variations de f sur $]0\,;+\infty[$.

4 Construire $\mathscr{C}$.

5 Résoudre graphiquement l'équation $f(x) = 130$. Donner des valeurs approchées des solutions à l'unité près.

Partie C Le coût total de fabrication, en centaines d'euros, d'une quantité x d'un produit, exprimée en centaines d'unités, est défini sur $[1\,;100]$ par :

$$C(x) = \frac{x^3 + 50x^2 + 1200x + 50}{x}.$$

Le coût moyen de fabrication par centaine d'objets est donc défini par $C_M(x) = \frac{C(x)}{x}$.

1 Déterminer la quantité d'objets, à la centaine près, à fabriquer pour avoir un coût moyen minimum.

2 On suppose que le prix de vente d'une centaine d'objets est égal à 13 000 euros.

Déterminer graphiquement, à la centaine près, le nombre minimum et le nombre maximum d'objets que l'entreprise doit fabriquer pour être rentable.

125 Famille de courbes

Pour tout entier $n \geqslant 2$, on considère la fonction f_n définie sur $[0\,;1]$ par $f_n(x) = x^n - nx + 1$ et de courbe représentative $\mathscr{C}_n$.

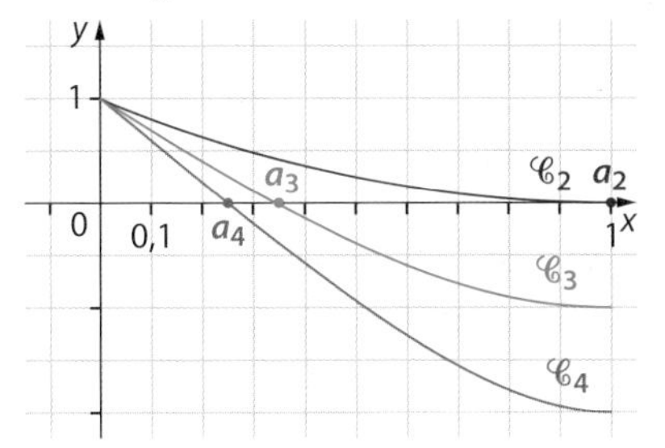

1 Après avoir conjecturé le résultat, étudier les positions relatives des courbes $\mathscr{C}_n$ et $\mathscr{C}_{n+1}$, pour tout entier $n \geqslant 2$.

2 Démontrer que, pour tout entier $n \geqslant 2$, l'équation $f_n(x) = 0$ admet une unique solution a_n sur $[0\,;1]$.

3 La suite (a_n) est-elle monotone ? converge-t-elle ?

126 Fonction limite d'une suite de fonctions

Pour tout entier $n \geqslant 1$, on considère la fonction f_n définie sur $[0\,;+\infty[$ par :

$$f_n(x) = \frac{1}{1+x^n}.$$

On note $\mathscr{C}_n$ la courbe représentative de f_n.

1 a. Déterminer, pour $n \geqslant 1$, les variations de f_n.

b. Démontrer que les courbes $\mathscr{C}_n$ passent toutes par deux points fixes que l'on déterminera.

c. Soient deux entiers n et m non nuls avec $n < m$. Comparer $f_n(x)$ et $f_m(x)$ selon les valeurs de x. En déduire les positions relatives de $\mathscr{C}_n$ et $\mathscr{C}_m$.

2 a. On a représenté ci-dessous les courbes $\mathscr{C}_1$, $\mathscr{C}_2$, $\mathscr{C}_3$, $\mathscr{C}_{10}$ et $\mathscr{C}_{100}$.

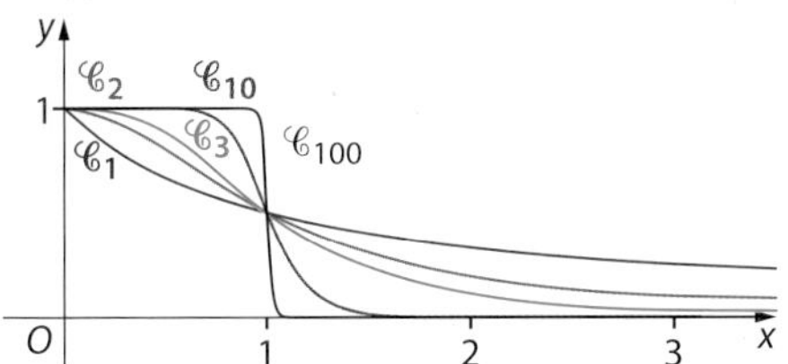

Conjecturer, selon la valeur du réel $x \geqslant 0$, la limite de $f_n(x)$ lorsque que n tend vers $+\infty$.

b. Démontrer la conjecture émise à la question précédente.

3 Pour tout réel $x \geqslant 0$, on note $f(x) = \lim\limits_{x \to +\infty} f_n(x)$.

On définit ainsi une fonction f sur $[0\,;+\infty[$.

a. Expliciter la fonction f.

b. La fonction f est-elle continue sur $[0\,;+\infty[$?

127 Suite des polynômes de Tchebychev

Les polynômes de Tchebychev de 1re espèce sont les fonctions f_n définies sur $[-1;1]$ par :

$f_0(x) = 1$, $f_1(x) = x$ et pour tout entier $n \geqslant 2$:

$$f_n(x) = 2x\,f_{n-1}(x) - f_{n-2}(x).$$

1 a. On a obtenu par le logiciel de calcul formel *Xcas* les résultats ci-contre.

1	tchebyshev1(2)
	$2\cdot x^2-1$
2	tchebyshev1(3)
	$4\cdot x^3-3\cdot x$
3	tchebyshev1(4)
	$8\cdot x^4-8\cdot x^2+1$

Justifier les expressions de $f_2(x)$, $f_3(x)$ et $f_4(x)$ en fonction de x.

b. Déterminer l'expression de $f_5(x)$ en fonction de x.

2 Tracer les représentations graphiques de f_0, f_1, … et f_5 sur $[-1;1]$.

Puis conjecturer le nombre de solutions de l'équation $f_n(x) = 0$ sur $[-1;1]$ en fonction de l'entier n.

3 a. Démontrer par récurrence que pour tout entier n, $f_n(\cos(x)) = \cos nx$.

On pourra utiliser que pour tous réels a et b :

$$2\cos a \cos b = \cos(a+b) + \cos(a-b).$$

➔ Voir la fiche **Logique et raisonnement mathématique**.

b. Démontrer la conjecture émise à la question **2** et déterminer toutes les solutions de l'équation $f_n(x) = 0$ sur $[-1;1]$ en fonction de l'entier n.

Prendre des initiatives

128 Fonctions égales à leur carré

Déterminer toutes les fonctions continues sur $\mathbb{R}$ telles que pour tout réel x, $f(x) = (f(x))^2$.

129 Points fixes d'une fonction

Soit une fonction f définie et continue sur l'intervalle $[0\,;1]$ qui prend ses valeurs dans l'intervalle $[0\,;1]$. Démontrer que l'équation $f(x) = x$ admet au moins une solution.

130

On considère la fonction f définie sur $[1;+\infty[$ par :

$$f(x) = \frac{x - \sin x}{2x + \cos x}.$$

On a obtenu à l'aide d'un logiciel de calcul formel :

1	f(x):=(x-sin(x))/(2*x+cos(x))
	x -> $\dfrac{\text{x-sin(x)}}{2\cdot \text{x+cos(x)}}$
2	limite(f(x),x,+infinity)
	$\dfrac{1}{2}$

Démontrer le résultat obtenu par le logiciel.

Pistes pour l'accompagnement personnalisé

Revoir les outils de base

131 Revoir les limites de suites

Parmi les suites suivantes, indiquer celles qui sont convergentes (et dans ce cas donner la limite), celles qui divergent vers l'infini, celles qui n'ont pas de limite.

a. $u_n = 3n - 5$; **b.** $u_n = \dfrac{3n+1}{n+1}$;

c. $u_n = 5\left(-\dfrac{4}{3}\right)^n$; **d.** $u_{n+1} = \dfrac{1}{2}u_n$ et $u_0 = 4$.

132 Résoudre des inéquations – QCM

1 Les solutions x de l'inéquation $|x-1| < 10^{-2}$ vérifient :

a. $x \in]0{,}8 ; 1{,}2[$; **b.** $x \in]0{,}98 ; 1{,}02[$;
c. $x \in]0{,}998 ; 1{,}002[$.

2 Soient deux réels $A > 0$ et $x \neq 0$. Si $x < \dfrac{1}{A}$, alors :

a. $\dfrac{1}{x} > A$; **b.** $\dfrac{1}{x} < A$;
c. $Ax < 1$.

3 L'ensemble-solution de l'inéquation $\left|\dfrac{7}{x+3}\right| < 10^{-2}$ est :

a. $]-\infty ; -3[\cup]697 ; +\infty[$; **b.** $]697 ; +\infty[$;
c. $]-3 ; 697[$.

Les savoir-faire du chapitre

133 Démontrer en utilisant les définitions

1 Résoudre dans $\mathbb{R}$ l'inéquation $\dfrac{3}{1+x^2} < 10^{-4}$.

2 Soit la fonction f définie sur $\mathbb{R}$ par :

$$f(x) = \frac{1-2x^2}{1+x^2}.$$

a. Déterminer un réel a tel que, pour tout réel $x > a$, on a :

$$0 \leqslant f(x) + 2 \leqslant 10^{-4}.$$

b. Déterminer $\lim\limits_{x \to +\infty} f(x)$.

c. Que représente la droite d'équation $y = 2$ pour la courbe représentative de f ?

Méthode

Utiliser une solution de l'inéquation du **1** pour déterminer a. Attention, on demande de choisir UN nombre a et pas le meilleur des réels a possibles.

134 Déterminer une limite

Déterminer les limites des fonctions suivantes.

1 $f : x \longmapsto 2x^2 - 3x$ en $+\infty$.

2 $g : x \longmapsto \dfrac{2x}{x^2+4}$ en $-\infty$.

3 $f : x \longmapsto \dfrac{x^2}{x^2-4}$ en 2 (à droite et à gauche).

Méthode

Ne pas confondre recherche et rédaction. Il faut conjecturer le résultat de la limite (« ordre de grandeur », outils de calcul, graphiques,…). Les hésitations et détours ne sont pas à rédiger.

135 Utiliser la limite d'une fonction composée

Déterminer les limites des fonctions suivantes :

1 $f : x \longmapsto \sqrt{x^2 - 3x}$ en $+\infty$.

2 $f : x \longmapsto \sqrt{\dfrac{x}{(x-1)^2}}$ en 1.

3 $f : x \longmapsto \sin\left(\dfrac{\pi}{x}\right)$ en $-\infty$.

Méthode

Visualiser la chaîne de fonctions composant f :

$$x \overset{u}{\longmapsto} u(x) \overset{v}{\longmapsto} v(u(x)) = f(x).$$

136 Utiliser une expression conjuguée pour une racine carrée

On considère la fonction f définie sur $\mathbb{R}$ par :

$$f(x) = \sqrt{x^2+x+1} - x.$$

1 Démontrer que pour tout réel x,

$$f(x) = \frac{x+1}{\sqrt{x^2+x+1}+x}.$$

2 Démontrer que pour tout réel $x > 0$:

$$f(x) = \frac{1+\dfrac{1}{x}}{\sqrt{1+\dfrac{1}{x}+\dfrac{1}{x^2}}+1}.$$

En déduire la limite de f en $+\infty$.

Méthode

En $+\infty$, on est en présence d'une forme indéterminée « $\infty - \infty$ ».
On transforme $f(x)$ en utilisant l'expression conjuguée de $\sqrt{x^2+x+1} - x$, c'est-à-dire $\sqrt{x^2+x+1} + x$.

Pistes pour l'accompagnement personnalisé

137 Dénombrer les solutions de l'équation $f(x) = k$

Préciser si les affirmations suivantes sont vraies ou fausses. On justifiera les réponses.

Soit une fonction f définie et dérivable sur $\mathbb{R}\backslash\{1\}$ dont le tableau de variations est :

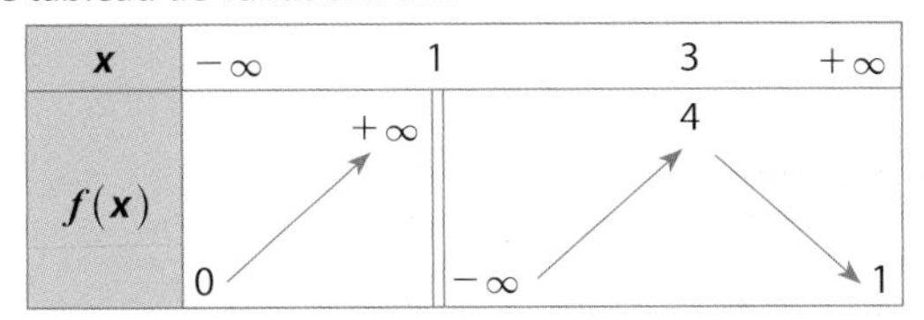

x	$-\infty$		1		3		$+\infty$
$f(x)$	0	↗	$+\infty$ ‖ $-\infty$	↗	4	↘	1

a. Pour tout $a \in \mathbb{R}$, l'équation $f(x) = a$ admet au moins une solution.

b. Pour tout $a \in]-\infty\,;0[$, l'équation $f(x) = a$ admet exactement une solution.

c. La courbe représentative de f admet deux asymptotes horizontales.

d. L'équation $f(x) = 0$ admet exactement une solution.

e. Pour tout $x \in]3\,;+\infty[$, $f(x) < 0$.

Mathématiques au fil du temps

138 Coniques

Dans le repère $(O, \vec{i}, \vec{j})$ on considère la courbe $\mathscr{H}$ d'équation $y^2 - x^2 = 16$.

1 On considère la fonction f définie sur $\mathbb{R}$ par :

$$f(x) = \sqrt{x^2 + 16}.$$

Montrer que $\mathscr{H}$ est la réunion de la courbe représentative $\mathscr{C}$ de la fonction f et de la courbe $\mathscr{C}_0$ représentative de la fonction $-f$.

2 Dresser le tableau de variations complet de f. On précisera en particulier les limites en $+\infty$ et en $-\infty$.

3 On appelle Δ la droite d'équation $y = x$.
Déterminer $\lim\limits_{x \to +\infty} [f(x) - x]$ et interpréter graphiquement ce résultat pour la courbe $\mathscr{C}$.

4 Construire $\mathscr{H}$, Δ et la droite d d'équation $y = -x$.

Pour info La courbe $\mathscr{H}$ est une hyperbole. C'est une des courbes « coniques », intersection d'un plan avec un cône.
L'étude des coniques a commencé 400 ans av. J.-C. par le mathématicien et géomètre grec Menechme, et s'est développée surtout grâce au géomètre et astronome grec Apollonios de Perga 200 ans av. J.-C.

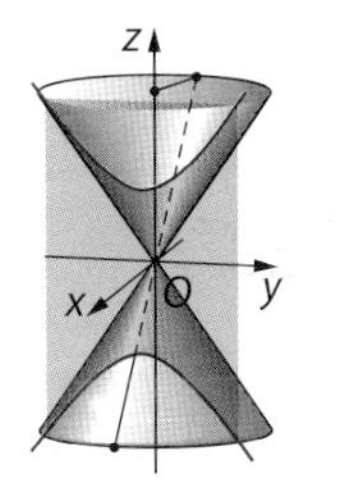

En lien avec les sciences

139 Un problème de vitesse moyenne

Pour aller d'une ville A à une ville B, un véhicule roule en moyenne à 80 km/h. Puis il effectue le trajet-retour à la vitesse moyenne de x km/h.

On s'intéresse à la vitesse-moyenne $v(x)$ sur l'ensemble du trajet, en km/h.

1 Justifier que pour tout réel $x > 0$: $\dfrac{1}{80} + \dfrac{1}{x} = \dfrac{2}{v(x)}$.

En déduire l'expression de $v(x)$ en fonction de x.

2 Déterminer la limite de v en 0 (à droite) et en $+\infty$. Interpréter physiquement les résultats.

3 Dresser le tableau de variations complet de v sur l'intervalle $]0\,;+\infty[$.

140 Loi de Descartes

On note f la distance focale d'une lentille convexe.
Lorsqu'un objet A est placé à une distance p $(p > f)$ de la lentille, son image A' se forme à une distance q de la lentille telle que : $\dfrac{1}{p} + \dfrac{1}{q} = \dfrac{1}{f}$.

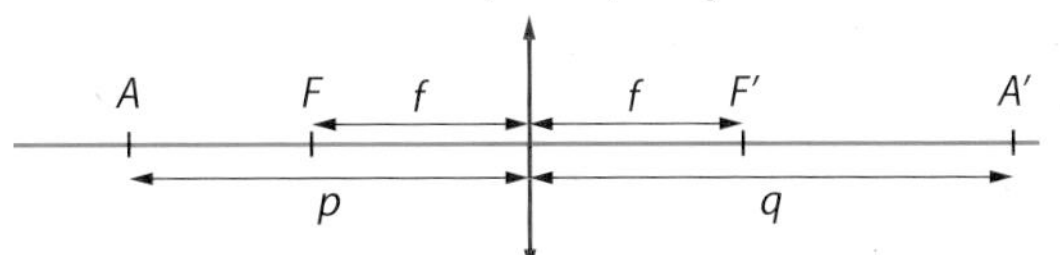

On appelle u la fonction définie sur $]f\,;+\infty[$ par :

$$u(p) = q.$$

1 Étudier les variations de u sur l'intervalle $]f\,;+\infty[$.

2 Déterminer les limites de u en f et en $+\infty$.
Interpréter physiquement les résultats.

Vers le Supérieur

141 Vrai ou faux ? (Concours ESSIE)

Soit une fonction f dérivable sur $[-1;1]$ telle que :

$$f(-1) = 0\,;\quad f(0) = 1 \quad \text{et} \quad f(1) = 0.$$

Préciser si les affirmations suivantes sont vraies ou fausses.

a. Pour tout $x \in [-1;0]$, $f'(x) \geqslant 0$.

b. Il existe $c \in]-1;0[$ tel que $f(c) = \dfrac{1}{2}$.

c. Il existe un unique $d \in [0\,;1]$ tel que $f(d) = \dfrac{1}{2}$.

d. L'équation $f(x) = \dfrac{1}{2}$ admet au moins deux solutions dans $[-1;1]$.

e. L'équation $f(x) = \dfrac{1}{2}$ admet exactement deux solutions dans $[-1;1]$.

Partir d'un bon pied

Voir corrigés en fin de manuel

A Revoir la notion de dérivée

QCM Pour chacune des affirmations suivantes, préciser **la seule** réponse correcte.

1 Si la fonction f est dérivable en a, alors :		
a. $f'(a)=\dfrac{f(a+h)-f(a)}{h}$	**b.** $\dfrac{f(a+h)-f(a)}{h}=0$	**c.** $f'(a)=\lim\limits_{h\to 0}\dfrac{f(a+h)-f(a)}{h}$
2 La fonction $f : x \mapsto \sqrt{x}-\dfrac{1}{x}$, dérivable sur $]0\,;+\infty[$, est telle que, pour tout réel $x>0$:		
a. $f'(x)=-\dfrac{1}{2\sqrt{x}}-\dfrac{1}{x^2}$	**b.** $f'(x)=\dfrac{1}{2\sqrt{x}}+\dfrac{1}{x^2}$	**c.** $f'(x)=\dfrac{1}{2\sqrt{x}}-\dfrac{1}{x^2}$
3 La fonction $f : x \mapsto 2x^5$, dérivable sur $\mathbb{R}$, est telle que, pour tout réel x :		
a. $f'(x)=2x^4$	**b.** $f'(x)=10x^4$	**c.** $f'(x)=8x^4$
4 Si les fonctions u et v sont dérivables sur l'intervalle I, alors leur produit uv est dérivable sur I et :		
a. $(uv)'=u'v+uv'$	**b.** $(uv)'=u'v-uv'$	**c.** $(uv)'=u'v'$
5 Soit $f : x \mapsto x\sqrt{x}$		
a. f n'est pas définie en zéro	**b.** f est définie mais pas dérivable en zéro	**c.** f est dérivable en zéro et $f'(0)=0$

B Composée de deux fonctions

Vrai ou faux ? On considère les fonctions $f : x \mapsto x^2$ et $g : x \mapsto f(3x-2)$ définies et dérivables sur $\mathbb{R}$. Préciser si les affirmations suivantes sont vraies ou fausses, justifier par un calcul.

1 $g(0)=f(-2)$.
2 $g(0)=-2$.
3 $g(0)=4$.
4 $g(x)=3x^2-2$.
5 $g(x)=(3x-2)^2$.
6 $g(x)=9x^2-12x+4$.
7 $g'(x)=6x$.
8 $g'(x)=2(3x-2)$.
9 $g'(x)=6(3x-2)$.

C Cosinus et sinus d'un réel

1 Le point A du cercle trigonométrique ci-contre est associé à un réel x.

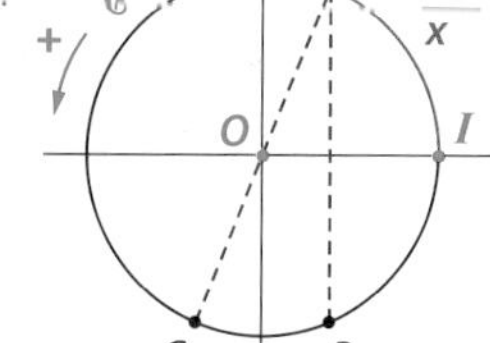

a. Quels sont les autres réels auxquels le point A est associé ?

b. Citer un réel auquel chacun des points B, C et D est associé.

c. Compléter les égalités suivantes, où x désigne un réel quelconque :

$\cos(-x)=\ldots$; $\cos(\pi+x)=\ldots$; $\cos(\pi-x)=\ldots$;
$\sin(-x)=\ldots$; $\sin(\pi+x)=\ldots$; $\sin(\pi-x)=\ldots$.

2 **Vrai ou faux ?** Préciser si les affirmations suivantes sont vraies ou fausses.

a. $\cos\dfrac{\pi}{3}=\dfrac{1}{2}$. **b.** $\sin\dfrac{\pi}{4}=\dfrac{\sqrt{2}}{2}$. **c.** $\cos\dfrac{\pi}{6}=\dfrac{1}{2}$. **d.** $\sin\dfrac{\pi}{3}=\dfrac{1}{2}$.

e. $\cos\dfrac{4\pi}{3}=\dfrac{1}{2}$. **f.** $\sin\dfrac{3\pi}{4}=\dfrac{\sqrt{2}}{2}$. **g.** $\cos\dfrac{-\pi}{6}=\dfrac{1}{2}$. **h.** $\sin\dfrac{5\pi}{6}=\dfrac{1}{2}$.

CHAPITRE

fonctions numériques

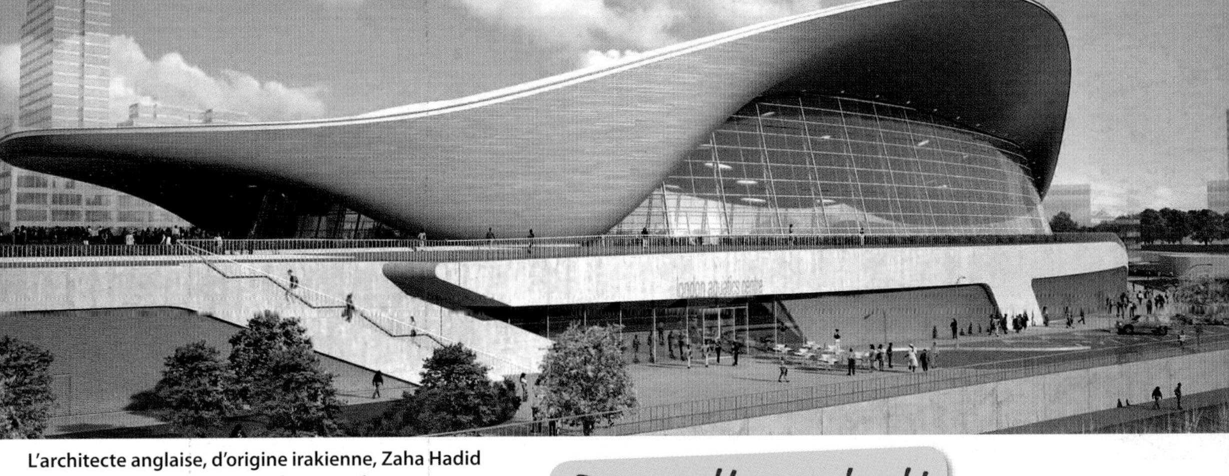

L'architecte anglaise, d'origine irakienne, Zaha Hadid a conçu pour les Jeux de Londres 2012 le centre aquatique ; on reconnaît son style qui mêle lignes tendues et courbes.

Des maths partout !

La continuité d'une fonction se traduit par une courbe représentative ininterrompue. La dérivabilité assure que cette courbe est bien « lissée », sans « points anguleux ». On démontre facilement que toute fonction dérivable sur un intervalle est continue sur cet intervalle.

L'agence néerlandaise NOX de Lars Spuybroek crée aussi bien des architectures que des œuvres d'art. Elle développe une architecture souple qui s'inspire des organismes biologiques comme dans cette œuvre Son-O-House, « La maison où les sons ont une vie ».

Au fil du temps

Au XIXe siècle, les mathématiciens pensaient que toute fonction continue est dérivable, sauf éventuellement en quelques points particuliers.

Le mathématicien allemand **Bernhard Riemann** étonna la communauté mathématique quand il exhiba, lors d'une conférence en 1861, un exemple de fonction qui est continue sur $\mathbb{R}$ mais dérivable seulement en de rares points.

Bernhard Riemann (1826-1866).

Activité 1   Variations des fonctions cosinus et sinus

On a appris en Seconde à associer à chaque réel x un unique point du cercle trigonométrique. En nommant respectivement $\cos x$ et $\sin x$ l'abscisse et l'ordonnée de ce point, on a ainsi défini deux fonctions sur $\mathbb{R}$: les fonctions **cosinus** et **sinus**, que l'on note **cos** et **sin**.

1 Construire la figure ci-contre **avec le logiciel Geogebra**.

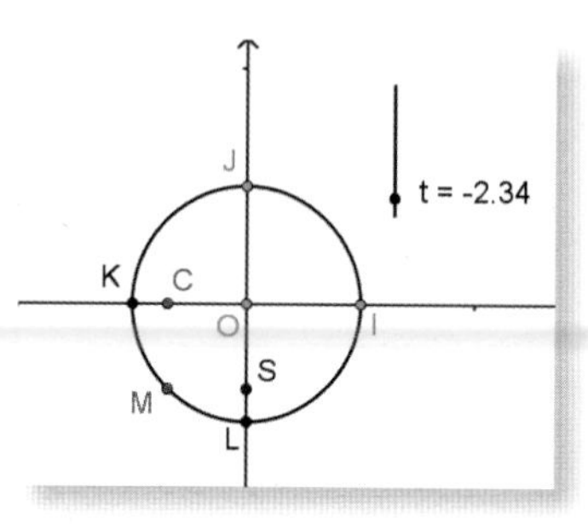

Indications pratiques
- Choisir le radian comme unité d'angle dans « option ».
- Noter le curseur avec la lettre t, car le logiciel n'accepte pas la lettre x pour un curseur.
- Faire varier le curseur entre $-\pi$ et π.
- Créer le point M associé au réel t en effectuant la saisie suivante : Saisie: M=(1 ; t)

Saisir les points C et S et leurs coordonnées respectives dans le repère (O, I, J) :

2 Avec le curseur, faire varier le point M de la position K à la position L. Décrire les trajets correspondants des points C et S. En déduire les variations des fonctions cosinus et sinus sur l'intervalle $\left[-\pi ; -\frac{\pi}{2}\right]$.

Vocabulaire
$(1 ; t)$ est le couple des coordonnées polaires du point M.

3 En faisant varier de même le point M de la position L à la position I, puis des positions I à J et enfin des positions J à K, donner les tableaux de variations des fonctions cosinus et sinus sur l'intervalle $[-\pi ; \pi]$.

4 Construire sur la figure précédente les points R et Q de coordonnées respectives $(t ; \cos t)$ et $(t ; \sin t)$. Faire afficher leurs traces et vérifier la cohérence entre les courbes obtenues et les tableaux de la question **3**.

Voir la fiche **Geogebra**.

Activité 2 Dérivabilité de sinus et cosinus en zéro

On considère un réel x appartenant à l'intervalle $\left]0 ; \frac{\pi}{2}\right]$, le point M du cercle trigonométrique associé à x, et le point T à l'intersection de la droite (OM) et de la tangente au cercle en I.

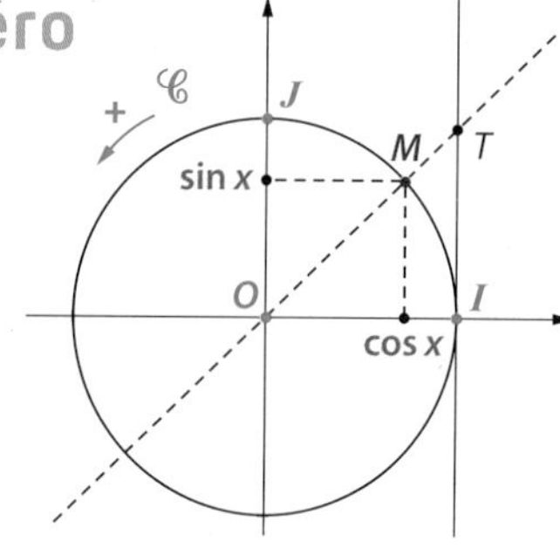

1 **a.** Montrer que $IT = \frac{\sin x}{\cos x}$.

b. En rangeant dans l'ordre croissant les aires des triangles OIM, OIT et celle du secteur de disque OIM, montrer que, pour tout x de $\left]0 ; \frac{\pi}{2}\right]$, $\sin x \leqslant x \leqslant \frac{\sin x}{\cos x}$.

En déduire que, pour tout x de $\left]0 ; \frac{\pi}{2}\right]$, $\boldsymbol{\cos x \leqslant \frac{\sin x}{x} \leqslant 1}$ **(1)**.

On montre de même que l'encadrement **(1)** est également vrai lorsque x appartient à l'intervalle $\left[-\frac{\pi}{2} ; 0\right[$.

c. En déduire, en utilisant la définition, que la fonction sinus est dérivable en zéro et que $\sin'(0) = 1$.

2 **a.** Montrer que pour tout réel h non nul de l'intervalle $\left[-\frac{\pi}{2} ; \frac{\pi}{2}\right]$, on a :

$$\frac{\cos h - 1}{h} = \frac{\sin h}{h} \times \frac{-\sin h}{\cos h + 1}.$$

b. En déduire le nombre dérivé en zéro de la fonction cosinus.

Indications

1. a. Penser au théorème de Thalès.
b. L'aire d'un secteur de disque de rayon r et d'angle de mesure α, en radian, est égale à $\frac{\alpha}{2} \times r^2$.

2. a. Multiplier et diviser par $(\cos h + 1)$ et utiliser la relation fondamentale de trigonométrie.

Activité 3 Notion de parité pour les fonctions

1 **a.** Saisir dans la calculatrice le programme ci-contre et le tester avec les fonctions suivantes :

$x \longmapsto x$; $x \longmapsto 2x+1$; $x \longmapsto x^2$; $x \longmapsto |x|$;

$x \longmapsto \frac{1}{x}$; $x \longmapsto 3$; $x \longmapsto \cos x$; $x \longmapsto \sin x$.

b. Afficher la courbe représentative des fonctions proposées ci-dessus pour lesquelles le programme a conclu « F EST PAIRE » et dégager une propriété commune de ces courbes.

2 Réécrire le programme en remplaçant l'instruction « A = B » par « A = – B » et l'affichage « F EST PAIRE » par « F EST IMPAIRE ». Reprendre alors la question **1**.

TI

```
PROGRAM:PARITE
:Y1→A
:Y1(-X)→B
:If A=B
:Then
:Disp "F EST PAI
RE"
:End
```

Voir les **Outils pour la programmation**.

Activité 4 Vers la dérivée de $x \longmapsto f(ax+b)$

On considère une fonction dérivable f, une fonction affine $u : x \longmapsto ax+b$, et on définit la fonction $\boldsymbol{g : x \longmapsto f(u(x))}$.

Vocabulaire

On dit que **g est la composée de u suivie de f**.

Cas 1 : f est la fonction carré

On pose : $f(x) = x^2$ et $u(x) = -3x+5$; on a donc $g(x) = (-3x+5)^2$.

1 Déterminer l'ensemble de définition de g.

2 Justifier que g est dérivable en tout point x de son ensemble de définition et calculer $g'(x)$ après avoir développé $g(x)$.

3 Pour tout réel x, calculer $f'(x)$, puis $-3f'(-3x+5)$. Que constate-t-on ?

Cas 2 : f est la fonction inverse

On pose : $f(x) = \frac{1}{x}$ et $u(x) = 2x+1$; on a donc $g(x) = \frac{1}{2x+1}$.

1 Déterminer l'ensemble de définition de g.

2 Justifier que g est dérivable en tout point de son ensemble de définition et calculer $g'(x)$ pour tout réel $x \neq -\frac{1}{2}$.

3 Calculer, pour tout réel $x \neq 0$, $f'(x)$, puis pour tout réel $x \neq -\frac{1}{2}$, $2f'(2x+1)$.
Que constate-t-on ?
Conjecturer une formule générale pour la dérivée de $g : x \longmapsto f(ax+b)$.

Activité 5 Utilisation de la quantité conjuguée

On considère la fonction f définie sur $\mathbb{R}$ par $f(x) = \sqrt{x^2+1}$.

Voir les fiches **Calculatrices**.

1 **a.** Faire afficher par la calculatrice le nombre dérivé de f en zéro.

b. Vérifier que le calcul de $\lim\limits_{h \to 0} \frac{f(0+h)-f(0)}{h}$ conduit à une forme indéterminée.

c. En multipliant le numérateur et le dénominateur par $\sqrt{h^2+1}+1$, montrer que $\frac{\sqrt{h^2+1}-1}{h} = \frac{h}{\sqrt{h^2+1}+1}$ et conclure.

2 Montrer, en utilisant une quantité conjuguée, que :

$$\frac{f(1+h)-f(1)}{h} = \frac{h+2}{\sqrt{h^2+2h+2}+\sqrt{2}}.$$

En déduire $f'(1)$ et vérifier le résultat avec la calculatrice.

Pour info

On dit que $\sqrt{h^2+1}+1$ est la **quantité conjuguée** de $\sqrt{h^2+1}-1$.
Pour étudier une limite indéterminée avec une expression comportant des racines carrées, l'idée d'utiliser la quantité conjuguée est souvent efficace.

1 Fonctions cosinus et sinus

a Définitions et propriétés

Le plan étant muni d'un repère orthonormé direct (O, I, J), on peut associer à tout réel x un unique point M du cercle trigonométrique.

Si x appartient à $[0 ; \pi]$, x désigne la mesure en radian de l'angle $\widehat{IOM}$.

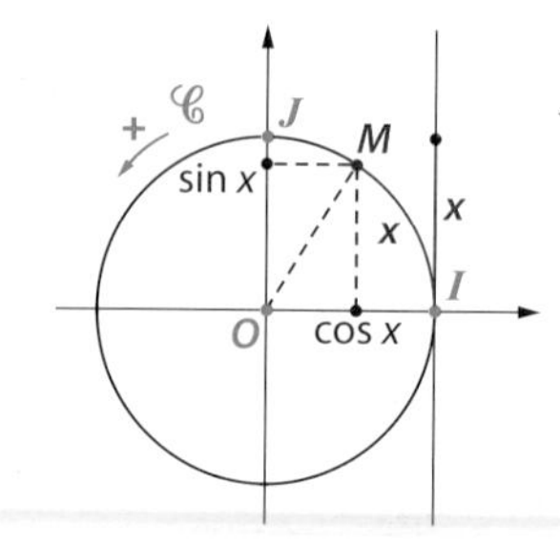

Définitions

- La fonction qui à tout réel **x associe l'abscisse de M** est la **fonction cosinus**, notée **cos**. Ainsi, $x \longmapsto \cos x$ est définie sur $\mathbb{R}$.
- La fonction qui à tout réel **x associe l'ordonnée de M** est la **fonction sinus**, notée **sin**. Ainsi, $x \longmapsto \sin x$ est définie sur $\mathbb{R}$.

Propriétés

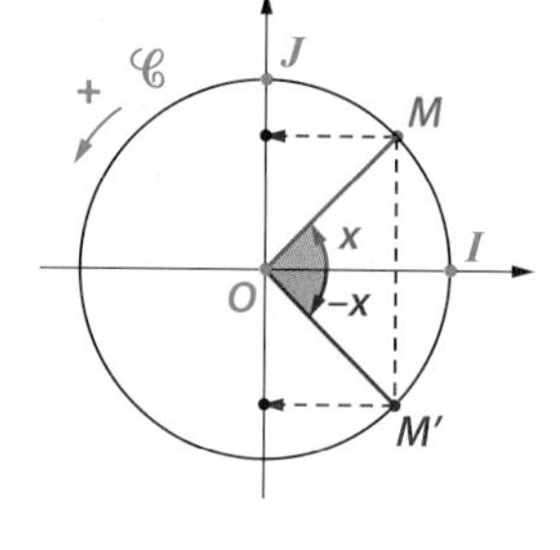

- **Périodicité**

Pour tout réel x, les points du cercle trigonométrique associés aux réels x et $(x + 2\pi)$ sont confondus. Ainsi, on a :

$$\cos(x + 2\pi) = \cos x \quad \text{et} \quad \sin(x + 2\pi) = \sin x.$$

On dit que les **fonctions cos et sin sont périodiques**, de période 2π.

- **Parité**

Pour tout réel x, les points M, associé à x, et M', associé à $(-x)$, sont symétriques par rapport à l'axe des abscisses. Ainsi, on a :

$$\cos(-x) = \cos x \quad \text{et} \quad \sin(-x) = -\sin x.$$

On dit que **la fonction cos est paire, la fonction sin impaire.**

Théorème Les fonctions cos et sin sont **dérivables** sur $\mathbb{R}$.

Pour tout réel x, on a :

$$\cos'(x) = -\sin x \quad \text{et} \quad \sin' x = \cos x.$$

Voir la **démonstration** à l'exercice 44, page 108.

Remarque

Le calcul du nombre dérivé de la fonction sinus en 0 donne : $\sin'(0) = \cos 0 = 1$.

On en déduit :

$$\lim_{x \to 0} \frac{\sin x}{x} = 1.$$

b Variations et représentations graphiques

Grâce à la périodicité des fonctions cos et sin, et au fait que l'une est paire et l'autre impaire, on peut limiter l'étude des variations à l'intervalle $[0 ; \pi]$.

On obtient les tableaux de variations et les représentations graphiques suivants :

Fonction cosinus

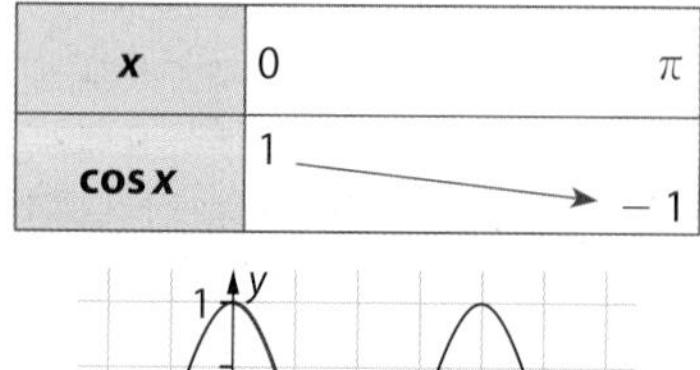

x	0		π
$\cos x$	1	↘	-1

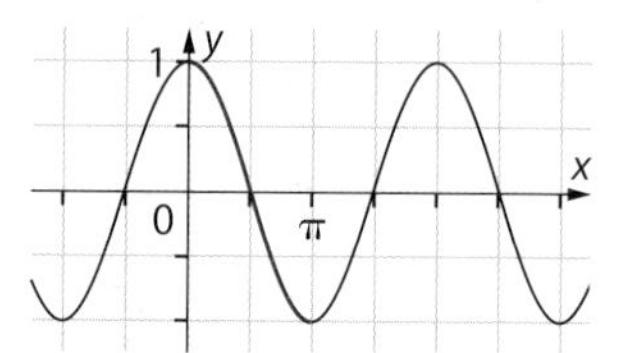

Fonction sinus

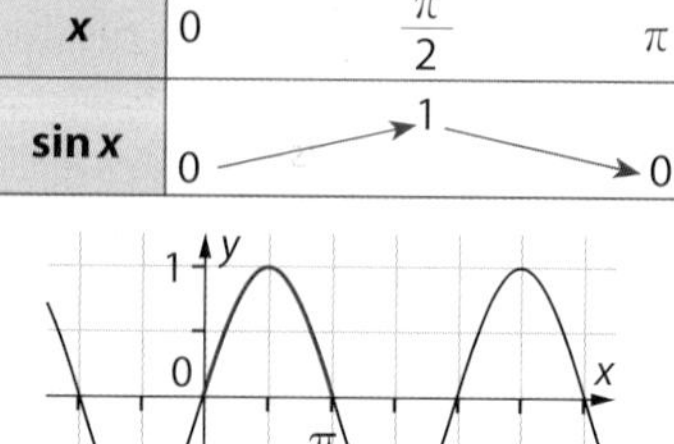

x	0		$\frac{\pi}{2}$		π
$\sin x$	0	↗	1	↘	0

Étudier une fonction trigonométrique

Exercice corrigé

Énoncé Soit la fonction f définie sur $\mathbb{R}$ par :

$$x \longmapsto \sin x + \cos x.$$

1 Justifier que f est dérivable sur $\mathbb{R}$. Pourquoi peut-on limiter l'étude de f à l'intervalle $[0\,;2\pi]$?

2 Déterminer la fonction dérivée f' de f.

3 En étudiant les positions relatives des représentations graphiques sur $[0\,;2\pi]$ des fonctions cos et sin, préciser le signe de la dérivée f' sur cet intervalle, puis dresser le tableau de variations de f sur $[0\,;2\pi]$.

Solution

1 La fonction f est dérivable, car elle est la somme de deux fonctions dérivables. De plus, les fonctions cos et sin sont périodiques de période 2π, donc pour tout réel x :

$$f(x+2\pi) = \sin(x+2\pi) + \cos(x+2\pi) = \sin x + \cos x = f(x).$$

Donc la fonction f est périodique de période 2π : on peut ainsi limiter son étude à un intervalle de longueur 2π.

2 Pour tout réel x, on a : $f'(x) = \sin'(x) + \cos'(x) = \cos x - \sin x$.

3 Étudier le signe de l'expression $(\cos x - \sin x)$ sur l'intervalle $[0\,;2\pi]$ revient à étudier la position relative des courbes représentant les fonctions cos et sin sur cet intervalle. On observe le tracé de ces deux courbes, à l'aide de la calculatrice, d'un logiciel de tracé ou en les traçant sur papier.

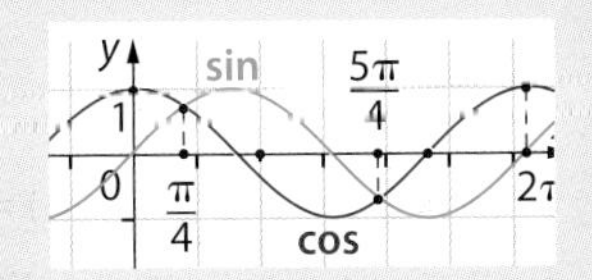

En observant les positions relatives des deux courbes, on obtient :

- Si $x \in \left[0\,;\frac{\pi}{4}\right[\cup \left]\frac{5\pi}{4}\,;2\pi\right]$, alors $\cos x > \sin x$, donc $\cos x - \sin x > 0$, c'est-à-dire $f'(x) > 0$.
- Si $x \in \left]\frac{\pi}{4}\,;\frac{5\pi}{4}\right[$, alors $\sin x > \cos x$, donc $\cos x - \sin x < 0$, c'est-à-dire $f'(x) < 0$.

On obtient donc le tableau de variations suivant de la fonction f sur l'intervalle $[0\,;2\pi]$: ▶1

x	0		$\frac{\pi}{4}$		$\frac{5\pi}{4}$		2π
$f'(x)$		+	0	−	0	+	
$f(x)$	1	↗	$\sqrt{2}$	↘	$-\sqrt{2}$	↗	1

Remarque : on peut également étudier le signe de $\cos x - \sin x$ en utilisant le cercle trigonométrique et en étudiant suivant les valeurs de x celles de $\cos x$ et $\sin x$.

Bon à savoir

▶1 Il faut connaître les « valeurs remarquables » des fonctions cos et sin :

x	0	$\frac{\pi}{6}$	$\frac{\pi}{4}$	$\frac{\pi}{3}$	$\frac{\pi}{2}$
$\cos x$	1	$\frac{\sqrt{3}}{2}$	$\frac{\sqrt{2}}{2}$	$\frac{1}{2}$	0
$\sin x$	0	$\frac{1}{2}$	$\frac{\sqrt{2}}{2}$	$\frac{\sqrt{3}}{2}$	1

Il faut également connaître les formules donnant cosinus et sinus des angles « associés » :

$\cos(\pi + x) = -\cos x$;
$\sin(\pi + x) = -\sin x$.
$\cos(\pi - x) = -\cos x$;
$\sin(\pi - x) = \sin x$.
$\cos\left(\frac{\pi}{2} + x\right) = -\sin x$;
$\sin\left(\frac{\pi}{2} + x\right) = \cos x$.
$\cos\left(\frac{\pi}{2} - x\right) = \sin x$;
$\sin\left(\frac{\pi}{2} - x\right) = \cos x$.

Ici, on a : $\cos\frac{5\pi}{4} = \cos\left(\pi + \frac{\pi}{4}\right) = -\cos\frac{\pi}{4} = -\frac{\sqrt{2}}{2}$;

de même : $\sin\frac{5\pi}{4} = -\frac{\sqrt{2}}{2}$.

Exercices d'application

1 Montrer que les fonctions $f : x \longmapsto x + \cos x$ et $g : x + \sin x$ sont croissantes sur $\mathbb{R}$.

2 Dans chacun des cas suivants, calculer $f'(x)$, puis déterminer une équation de la tangente à la courbe de f au point d'abscisse a.

1 $x \longmapsto \sin x$ et $a = 0$.

2 $x \longmapsto x + \cos x$ et $a = 0$.

3 $x \longmapsto \sin x + \cos x$ et $a = \frac{\pi}{2}$.

3 On considère la fonction $f : x \longmapsto \cos x - \sin x$.

1 Justifier que f est dérivable sur $\mathbb{R}$ et calculer $f'(x)$.

2 En utilisant le cercle trigonométrique ou les positions relatives des courbes des fonctions cos et − sin, étudier le signe de $f'(x)$ sur $[0\,;2\pi]$, puis établir le tableau de variations de f sur cet intervalle.

4 Montrer que la fonction $h : x \longmapsto \sin x \times \cos x$ a pour dérivée la fonction $x \longmapsto \cos(2x)$.

Voir exercices 19 à 36

2 Dérivée de $x \mapsto f(ax+b)$

Théorème On considère une fonction f dérivable sur un intervalle I et deux réels a et b fixés. On note J l'intervalle formé des réels x tels que $(ax+b) \in I$, et g la fonction : $\boldsymbol{g : x \mapsto f(ax+b)}$.
Alors la fonction g est dérivable sur J et, pour tout x de J :

$$\boldsymbol{g'(x) = a \times f'(ax+b)}.$$

Voir l'activité 2, page 92.

PRINCIPE DE LA DÉMONSTRATION

Soit $t \in J$; le taux d'accroissement de g en t est :

$$\tau(h) = \frac{g(t+h)-g(t)}{h} = \frac{f(a(t+h)+b)-f(at+b)}{h}$$

$$\tau(h) = \frac{f(at+b+ah)-f(at+b)}{h}.$$

En posant $T = at+b$ et $H = ah$, on peut écrire :

$$\tau(h) = \frac{f(T+H)-f(T)}{h} = a \times \frac{f(T+H)-f(T)}{H}.$$

Comme $t \in J$, on a $T \in I$, donc f est dérivable en T ; et quand h tend vers 0, comme $H = ah$, H tend également vers 0, d'où :

$$\lim_{H \to 0} \frac{f(T+H)-f(T)}{H} = f'(T) = f'(at+b) \text{ et } \lim_{h \to 0} \tau(h) = a \times f'(at+b).$$

Info
Pour démontrer une formule de dérivation, on est souvent conduit à utiliser la définition du nombre dérivé.

Exemple
a et b sont des réels fixés.
$\boldsymbol{x \mapsto \cos(ax+b)}$ est dérivable sur $\mathbb{R}$ de dérivée
$\boldsymbol{x \mapsto -a\sin(ax+b)}$.

3 Dérivées de $x \mapsto \sqrt{u(x)}$ et $x \mapsto (u(x))^n$

Propriété 1 On considère une fonction u strictement positive et dérivable sur un intervalle I. La fonction $\boldsymbol{g : x \mapsto \sqrt{u(x)}}$ est dérivable sur I et, pour tout réel x de I :

$$g'(x) = \frac{u'(x)}{2\sqrt{u(x)}}. \text{ On retient : } (\sqrt{u})' = \frac{u'}{2\sqrt{u}}.$$

PRINCIPE DE LA DÉMONSTRATION

Soit $a \in I$; le taux d'accroissement de g en t est :

$$\tau(h) = \frac{g(a+h)-g(a)}{h} = \frac{\sqrt{u(a+h)}-\sqrt{u(a)}}{h}.$$ En multipliant le numérateur et le dénominateur par la quantité conjuguée : $\sqrt{u(a+h)}+\sqrt{u(a)}$, on a :

$$\tau(h) = \frac{u(a+h)-u(a)}{h} \times \frac{1}{\sqrt{u(a+h)}+\sqrt{u(a)}}.$$

On obtient $\lim_{h \to 0} \tau(h) = u'(a) \times \frac{1}{2\sqrt{u(a)}}$; d'où le résultat.

Exemple
Soit h la fonction définie sur $\mathbb{R}$ par : $h(x) = \sqrt{3x^2+2}$.
On a dans ce cas :
$u(x) = 3x^2+2$, donc :

$$h'(x) = \frac{6x}{2\sqrt{3x^2+2}} = \frac{3x}{\sqrt{3x^2+2}}.$$

Propriété 2 Soit $n \in \mathbb{Z}^*$. On considère une fonction u dérivable sur un intervalle I et, dans le cas où n est négatif, ne s'annulant pas sur I. Alors la fonction $\boldsymbol{h : x \mapsto (u(x))^n}$ est dérivable sur I et, pour tout réel x de I :
$h'(x) = n \times u'(x) \times (u(x))^{n-1}$. On retient : $\boldsymbol{(u^n)' = n\,u'u^{n-1}}$.

Exemple Soit h la fonction définie sur $\left]\frac{1}{2} ; +\infty\right[$ par :

$$h(x) = \frac{1}{(2x-1)^3} = (2x-1)^{-3}.$$

On a dans ce cas $u(x) = 2x-1$, donc :

$$h'(x) = -3 \times 2 \times (2x-1)^{-3-1} = -6 \times (2x-1)^{-4}.$$

On peut alors écrire :

$$h'(x) = \frac{-6}{(2x-1)^4}.$$

REMARQUE : Les deux propriétés sont des cas particuliers de la dérivée d'une **fonction composée** $\boldsymbol{x \mapsto f(u(x))}$.
On admettra le résultat général :
$\boldsymbol{x \mapsto f(u(x))}$ **a pour fonction dérivée** $\boldsymbol{x \mapsto u'(x) \times f'(u(x))}$.

Voir la **démonstration** à l'exercice 61, page 110.

Utiliser les nouvelles formules de dérivation

Exercice corrigé

Énoncé Dans chacun des cas suivants :

Justifier que la fonction f, définie sur l'intervalle I, est dérivable sur I, puis calculer $f'(x)$ pour tout réel x de I.

a. $f : x \longmapsto \sqrt{4x^2+1}$; $I = \mathbb{R}$;

b. $f : x \longmapsto \cos\left(\frac{\pi}{2} - x\right)$; $I = \mathbb{R}$;

c. $f : x \longmapsto \sqrt{-x^2+3x-2}$; $I =]1\,;2[$;

d. $f : x \longmapsto (\sqrt{x}+1)^3$; $I =]0\,;+\infty[$.

e. $f : x \longmapsto \dfrac{1}{(x^2+2)^2}$; $I = \mathbb{R}$.

Solution

a. La fonction $x \longmapsto 4x^2+1$ est dérivable sur $\mathbb{R}$ et strictement positive.

Donc f est dérivable sur $\mathbb{R}$ et pour tout réel x, $f'(x) = \dfrac{8x}{2\sqrt{4x^2+1}} = \dfrac{4x}{\sqrt{4x^2+1}}$.

b. On applique le résultat du paragraphe 2 du cours à la fonction cosinus, et à la fonction affine $x \longmapsto -x + \frac{\pi}{2}$. Ainsi, f est dérivable sur $\mathbb{R}$ et pour tout réel x :

$$f'(x) = (-1)\times\left(-\sin\left(\frac{\pi}{2}-x\right)\right) = \sin\left(\frac{\pi}{2}-x\right).$$

c. Le trinôme $-x^2+3x-2$ a pour racines 1 et 2 ; il est strictement positif et dérivable sur l'intervalle $]1\,;2[$.

Donc f est dérivable sur $]1\,;2[$ et : pour tout x de I, $f'(x) = \dfrac{-2x+3}{2\sqrt{-x^2+3x-2}}$.

d. La fonction racine carrée étant dérivable sur $]0\,;+\infty[$, f l'est aussi.

Pour tout $x > 0$, $f'(x) = 3\times\dfrac{1}{2\sqrt{x}}\times(\sqrt{x}+1)^2 = \dfrac{3(\sqrt{x}+1)^2}{2\sqrt{x}}$.

e. $x \longmapsto x^2+2$ ne s'annule pas et est dérivable sur $\mathbb{R}$, donc f est dérivable sur $\mathbb{R}$. En écrivant $f(x) = (x^2+2)^{-2}$, on obtient : $f'(x) = -2\times 2x\times(x^2+2)^{-3} = \dfrac{-4x}{(x^2+2)^3}$. ▶1

Bon à savoir

▶1 Une puissance d'exposant négatif est l'inverse d'une puissance d'exposant positif : si $a \neq 0$ et si p est un entier, $a^{-p} = \dfrac{1}{a^p}$.

Ici, on écrit : $\dfrac{1}{(x^2+2)^2} = (x^2+2)^{-2}$.

Exercices d'application

5 Dans chacun des cas suivants, la fonction f est dérivable sur l'intervalle I ; calculer $f'(x)$.

a. $f : x \longmapsto 2\sqrt{x+1}$ et $I =]-1\,;+\infty[$;

b. $f : x \longmapsto \cos(2\pi x)$ et $I = \mathbb{R}$.

6 Démontrer que les fonctions $f : x \longmapsto \cos^2 x$ et $g : x \longmapsto -\sin^2 x$ ont même fonction dérivée.

7 Dans les cas suivants, justifier que f est dérivable sur l'intervalle I, puis calculer $f'(x)$ pour tout réel x de I en utilisant les formules du paragraphe 3 du cours.

1 $f(x) = \cos^3 x$ et $I = \mathbb{R}$.

2 $f(x) = \sqrt{5-x^2}$ et $I =]-\sqrt{5}\,;\sqrt{5}[$.

3 $f(x) = (0{,}5x^2-7)^4$ et $I = \mathbb{R}$.

4 $f(x) = \dfrac{2}{(2x+1)^3}$ et $I = \left]-\dfrac{1}{2}\,;+\infty\right[$.

8 Déterminer une équation de la tangente à la courbe de la fonction $h : x \longmapsto \sqrt{1+\sin x}$ au point d'abscisse zéro.

9 Dans les cas suivants, la fonction f est définie et dérivable sur $\mathbb{R}$; calculer $f'(x)$.

1 $f : x \longmapsto (x^2+x-1)^4$.

2 $f : x \longmapsto \sqrt{2+\cos x}$.

10 Selon cet écran de calculatrice, la fonction :

$$f : x \longmapsto (x^2-x+1)^3$$

semble admettre un minimum pour une valeur de x voisine de 0,5.

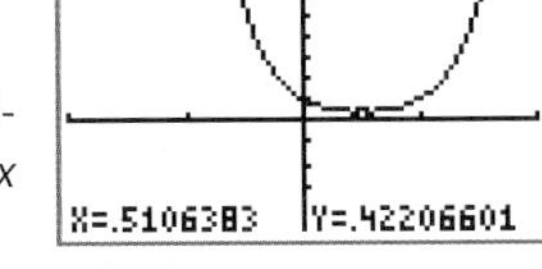

Valider cette conjecture par le calcul.

Voir exercices 37 à 60

Mener une recherche et rédiger

11  Le navigateur distrait

Robinson, en vacances dans une maison côtière (point M sur le dessin), se promène dans son canot à moteur. Distrait par un dauphin, il heurte un récif qui éventre son embarcation. Il doit alors rentrer à la nage et à pied.
Le lieu du naufrage (N sur le dessin) est à un kilomètre du point le plus proche de la côte, supposée rectiligne (point A sur le dessin). On sait de plus que, le long du rivage, la distance AM mesure dix kilomètres.
Robinson évalue ses vitesses moyennes à $3\text{ km}\cdot\text{h}^{-1}$ dans l'eau et $5\text{ km}\cdot\text{h}^{-1}$ sur terre.
On s'intéresse au problème suivant : en quel point de la côte Robinson doit-il atteindre la terre ferme pour rejoindre au plus vite la maison ?

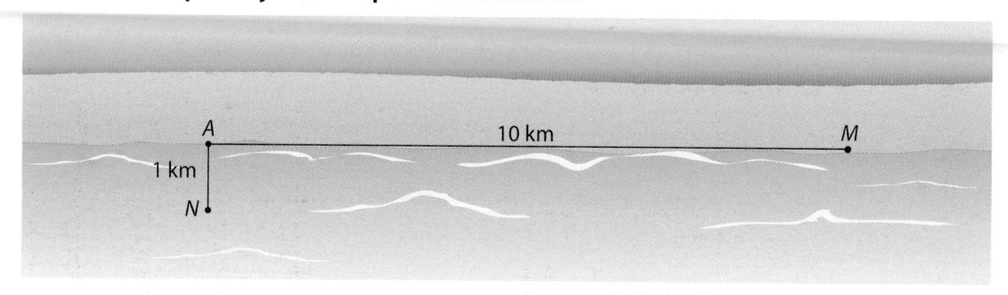

Mener une recherche étape par étape

❶ Se faire une idée du résultat

À l'aide du logiciel Geogebra, on crée un curseur a variant de 0 à 10 avec un pas de 0,01 et les points $A(0\,;0)$, $M(10\,;0)$, $N(0\,;-1)$ et $K(a\,;0)$.
La saisie permet de visualiser le temps de parcours t, en heure, dans la fenêtre algèbre.

Saisie: t=(Distance[N,K]/3)+(Distance[K,M]/5)

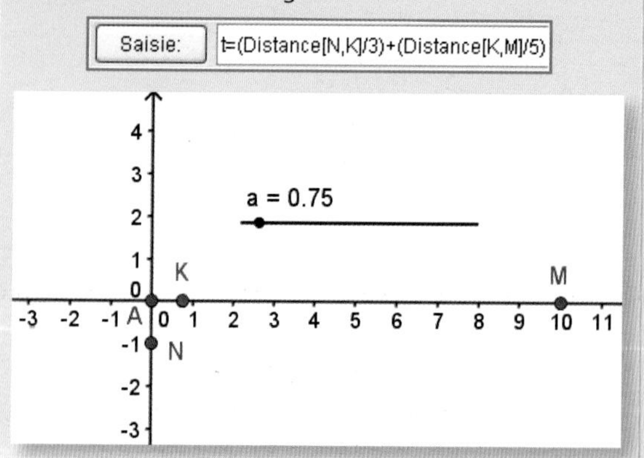

En faisant varier le curseur a, ou en faisant tracer la courbe de $a \longmapsto t$, on conjecture que Robinson doit rejoindre la côte au point K situé à environ 750 m de A :

K = (0.75, 0)
t = 2.2667

Voir la fiche **Geogebra**.

❷ Valider la conjecture formulée

En notant K le point de la côte que Robinson doit viser et x la distance AK en kilomètre, résoudre le problème revient à trouver le minimum sur l'intervalle $[0\,;10]$ de la fonction f qui à x associe la durée du trajet.

▸ $V = \dfrac{D}{T} \Leftrightarrow T = \dfrac{D}{V}$, donc la durée du trajet, en heure, est :

– dans l'eau $\dfrac{NK}{3} = \dfrac{\sqrt{x^2+1}}{3}$;

– sur terre $\dfrac{KM}{5} = \dfrac{10-x}{5}$.

Il faut donc étudier les variations de la fonction :

$f : x \longmapsto \dfrac{\sqrt{x^2+1}}{3} + \dfrac{10-x}{5}$ sur l'intervalle $[0\,;10]$.

▸ On calcule $f'(x)$.
En utilisant une quantité conjuguée, on mettra $f'(x)$ sous la forme d'un quotient dont le dénominateur est positif et dont le numérateur est égal à $16x^2-9$.

▸ Le cours de Première sur le signe du second degré permet alors de conclure.

❸ Rédiger une solution

À l'aide des deux parties précédentes, rédiger une solution du problème étudié.

12 Étude de la fonction tangente

Pour tout réel x tel que $\cos x \neq 0$, on définit la tangente de x par : $\tan x = \dfrac{\sin x}{\cos x}$.

1 Justifier que l'ensemble de définition de la fonction tan est $\mathbb{R}\backslash\left\{\dfrac{\pi}{2} + n\pi, n \in \mathbb{Z}\right\}$.

2 Soit $x \in \mathbb{R}\backslash\left\{\dfrac{\pi}{2} + n\pi, n \in \mathbb{Z}\right\}$ et $n \in \mathbb{Z}$.

Calculer $\tan(x + n\pi)$ et $\tan(-x)$.

Indication Traiter séparément n pair et n impair.

Que peut-on en déduire graphiquement ?

On étudie donc la fonction tan sur l'intervalle $\left[0\,;\dfrac{\pi}{2}\right[$.

3 Justifier que la fonction tan est dérivable sur $\left[0\,;\dfrac{\pi}{2}\right[$ et que, pour tout x de $\left[0\,,\dfrac{\pi}{2}\right[$:

$$\tan'(x) = \frac{1}{\cos^2 x} = 1 + \tan^2 x.$$

En déduire les variations de la fonction tan sur $\left[0\,;\dfrac{\pi}{2}\right[$.

4 Calculer $\lim\limits_{\substack{x \to \frac{\pi}{2} \\ x < \frac{\pi}{2}}} \tan x$.

Interpréter graphiquement le résultat obtenu.

5 Expliquer le tracé ci-dessous proposé par une calculatrice.

Indication La fenêtre a été définie avec $X_{max} = 2\pi$, $X_{min} = -2\pi$.
L'axe des abscisses est gradué de $\dfrac{\pi}{4}$ en $\dfrac{\pi}{4}$ et l'axe des ordonnées de 1 en 1.

Casio

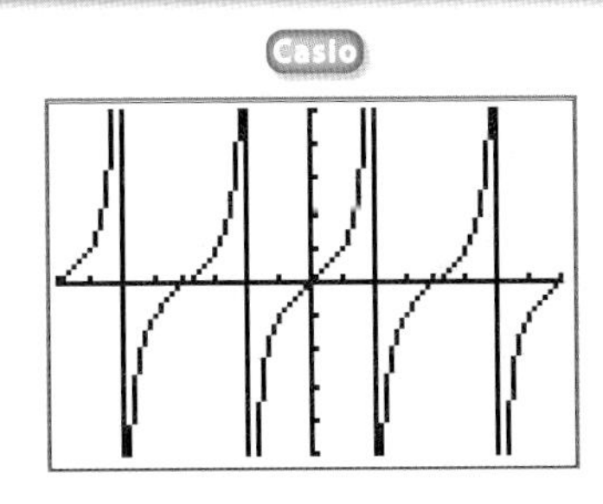

13 Le mouvement du bouchon

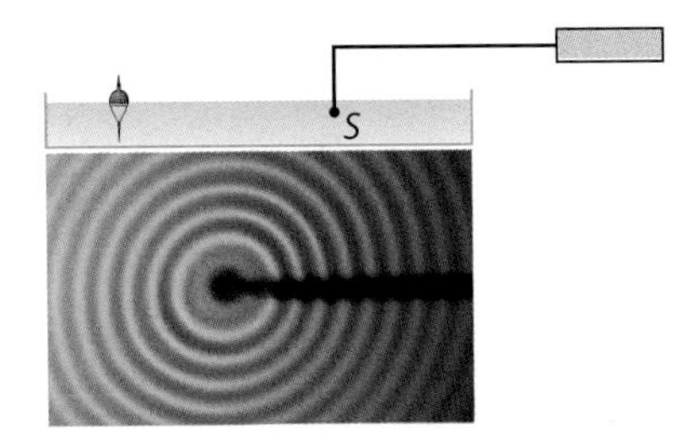

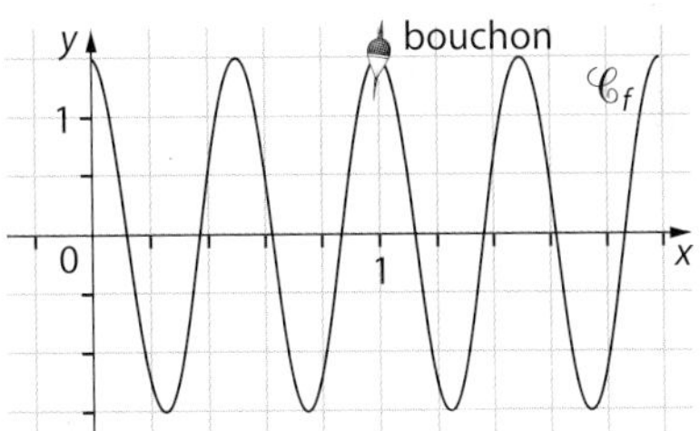

Un vibreur frappe la surface de l'eau en un point S. Le déplacement vertical en cm du point S est modélisé par la fonction f définie en fonction du temps t (exprimé en seconde) par :

$$f(t) = a\cos\left(\frac{2\pi t}{T}\right),$$

où a est l'amplitude du mouvement du vibreur et T sa période. On donne : $a = 1{,}5$ cm et $T = 0{,}5$ s.

1 Donner l'expression de $f(t)$.

L'onde ainsi produite se déplace à la surface de l'eau avec une vitesse de $10\ \text{cm}\cdot\text{s}^{-1}$. Un bouchon M est situé à 32,5 cm de S, il se déplace verticalement avec un retard r_0 égal au temps mis par l'onde pour l'atteindre en partant du point S.

2 Calculer r_0.

3 On admet que le mouvement vertical du bouchon en fonction du temps est donné pour $t \geqslant r_0$ par :

$$g(t) = f(t + r_0).$$

a. Montrer que pour tout t, avec $t \geqslant r_0$, on a :

$$g(t) = -1{,}5\cos(4\pi t).$$

b. À quels instants la hauteur à laquelle se trouve le bouchon sera-t-elle minimale ?

4 La vitesse du bouchon est donnée, pour tout $t \geqslant r_0$, par :

$$v(t) = \frac{dg}{dt}(t) = g'(t).$$

a. Calculer l'expression de $v(t)$.

b. À quels instants la vitesse du bouchon est-elle égale à 0 ?

Travail personnel : exercices résolus

14 Étude d'une fonction trigonométrique

Énoncé On considère la fonction $f : x \mapsto \dfrac{\sin x}{2+\cos x}$.

1 Justifier que f est définie et dérivable sur $\mathbb{R}$.

2 a. Soit $x \in \mathbb{R}$, calculer : $f(x+2\pi)$ et $f(-x)$.
Que peut-on en conclure ?

b. En déduire qu'il suffit d'étudier f sur l'intervalle $[0\,;\pi]$.

3 a. Montrer que, pour tout réel x, $f'(x) = \dfrac{1+2\cos x}{(2+\cos x)^2}$.

b. À l'aide du cercle trigonométrique, étudier le signe de $(1+2\cos x)$ sur $[0\,;\pi]$.

c. Établir le tableau de variations de f sur $[0\,;\pi]$.

4 Tracer la courbe représentative de f sur $[0\,;\pi]$, puis sur $[-\pi\,;0]$, et enfin sur $[-3\pi\,;3\pi]$.

Solution

1 Les fonctions sin et cos sont définies et dérivables sur $\mathbb{R}$, et, pour tout réel x, $2+\cos x \neq 0$, car $-1 \leqslant \cos x \leqslant 1$. Donc f est définie et dérivable sur $\mathbb{R}$.

2 a. $f(x+2\pi) = \dfrac{\sin(x+2\pi)}{2+\cos(x+2\pi)} = \dfrac{\sin x}{2+\cos x} = f(x)$

et $f(-x) = \dfrac{\sin(-x)}{2+\cos(-x)} = \dfrac{-\sin x}{2+\cos x} = -f(x)$.

La fonction f est donc périodique de période 2π et impaire.

b. Par périodicité, on peut limiter l'étude de f à un intervalle de longueur 2π. Si on choisit $[-\pi\,;\pi]$, comme f est impaire, on peut encore réduire l'intervalle d'étude à $[0\,;\pi]$.

3 a. $f'(x) = \dfrac{\cos x(2+\cos x) - \sin x(-\sin x)}{(2+\cos x)^2}$

$f'(x) = \dfrac{2\cos x + \cos^2 x + \sin^2 x}{(2+\cos x)^2} = \dfrac{1+2\cos x}{(2+\cos x)^2}$.

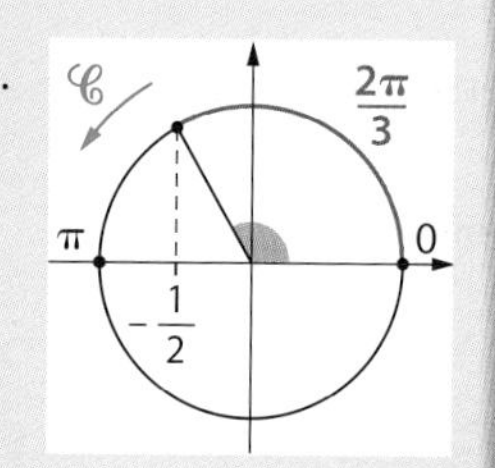

b. $1+2\cos x \geqslant 0 \Leftrightarrow \cos x \geqslant -\dfrac{1}{2}$.

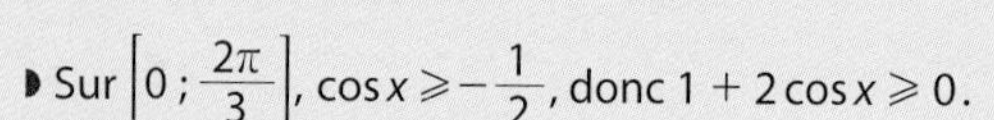

- Sur $\left[0\,;\dfrac{2\pi}{3}\right]$, $\cos x \geqslant -\dfrac{1}{2}$, donc $1+2\cos x \geqslant 0$.
- Sur $\left[\dfrac{2\pi}{3}\,;\pi\right]$, $\cos x \leqslant -\dfrac{1}{2}$, donc $1+2\cos x \leqslant 0$.

c.

x	0		$\frac{2\pi}{3}$		π
$f'(x)$		$+$	0	$-$	
$f(x)$	0	↗	$\frac{\sqrt{3}}{3}$	↘	0

4

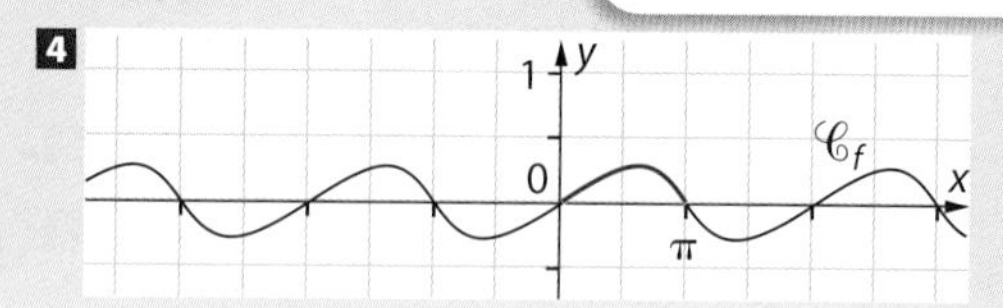

Stratégies

1 On utilise le cours de Première sur la dérivation d'un quotient.

2 a. On utilise les propriétés des fonctions sinus et cosinus.

3 a. On utilise les formules $\left(\dfrac{u}{v}\right)' = \dfrac{u'v-uv'}{v^2}$, $\cos'(x) = -\sin x$, $\sin'(x) = \cos x$ et $\cos^2 x + \sin^2 x = 1$.

b. On connaît $\cos\dfrac{\pi}{3} = \dfrac{1}{2}$; on en déduit $\cos\dfrac{2\pi}{3} = -\dfrac{1}{2}$.

c. $(2+\cos x)^2 > 0$, donc $f'(x)$ est du signe de $(1+2\cos x)$.
On utilise $\cos\dfrac{2\pi}{3} = -\dfrac{1}{2}$ et $\sin\dfrac{2\pi}{3} = \dfrac{\sqrt{3}}{2}$ pour calculer $f\left(\dfrac{2\pi}{3}\right)$.

4 Après avoir tracé la courbe sur l'intervalle $[0\,;\pi]$, on complète par symétrie par rapport à l'origine, puis par translations de vecteur $k \times 2\pi\,\overrightarrow{OI}$ avec $k \in \mathbb{Z}$.

15 BAC Étude de la dérivabilité en un point

Énoncé Soit f la fonction définie sur $[-1\,;1]$ par :
$$f(x) = (1-x)\sqrt{1-x^2}.$$

1 Justifier que f est dérivable sur $]-1\,;1[$ et que, pour x appartenant à $]-1\,;1[$, $f'(x) = \dfrac{2x^2-x-1}{\sqrt{1-x^2}}$.

2 En déduire les variations de f sur $]-1\,;1[$.

3 a. Étudier la dérivabilité de f en -1.

b. Étudier la dérivabilité de f en 1.

Solution

1 Pour tout $x \in]-1;1[$, $1-x^2>0$, donc $x \longmapsto \sqrt{1-x^2}$ est dérivable et f l'est aussi comme produit de fonctions dérivables.

$$f'(x) = -1 \times \sqrt{1-x^2} + (1-x) \times \frac{-2x}{2\sqrt{1-x^2}} = \frac{-(1-x^2)-x(1-x)}{\sqrt{1-x^2}}$$

$$f'(x) = \frac{2x^2-x-1}{\sqrt{1-x^2}}.$$

2 $f'(x)$ est du signe de $(2x^2-x-1)$; les racines de ce trinôme sont $-0,5$ et 1. On en déduit que f' est positive sur $]-1;-0,5]$ et négative sur $[-0,5;1[$, donc que f est croissante sur $]-1;-0,5]$ et décroissante sur $[-0,5;1[$.

3 a. Soit h un réel strictement positif ;

$$\frac{f(-1+h)-f(-1)}{h} = \frac{(2-h)\sqrt{-h^2+2h}}{h} = (2-h)\sqrt{-1+\frac{2}{h}}.$$

$\lim\limits_{\substack{h \to 0 \\ h>0}} \frac{2}{h} = +\infty$, donc f n'est pas dérivable en -1.

b. Soit h un réel strictement négatif :

$$\frac{f(1+h)-f(1)}{h} = \frac{-h\sqrt{-h^2-2h}}{h} = -\sqrt{-h^2-2h}.$$

Or : $\lim\limits_{h \to 0} \sqrt{-h^2-2h} = 0$, donc f est dérivable en 1 et $f'(1) = 0$.

Stratégies

1 Avant d'appliquer la formule $(\sqrt{u})' = \frac{u'}{2\sqrt{u}}$ on s'assure que les conditions d'application sont satisfaites : u doit être dérivable et strictement positive.

2 On utilise le cours de Première : ax^2+bx+c $(a \neq 0)$ est toujours du signe de a sauf lorsque ce trinôme admet deux racines et que x est compris entre ces deux racines.

3 Quand on ne peut démontrer la dérivabilité à l'aide des « formules », il faut utiliser la définition du nombre dérivé en un point.

a. On factorise par h^2 sous la racine et, h étant positif (pour que $-1+h>-1$), on a : $\sqrt{h^2} = h$.

16 BAC Réinvestir la notion de tangente

Énoncé **1** En factorisant l'expression x^4-1, résoudre dans $\mathbb{R}$ l'équation $x^4 = 1$.

2 Soit $f : x \longmapsto \frac{1}{(ax^2+x+1)^4}$ où a est un réel fixé. Calculer $f'(x)$.

3 Déterminer a pour que la courbe représentative de f dans un repère du plan admette au point d'abscisse 1 une tangente ayant pour équation :

$$y = -20x+21.$$

Solution

1 On a : $x^4 = 1 \Leftrightarrow x^4-1 = 0$. Or : $x^4 = (x^2)^2$.

D'où : $x^4-1 = (x^2)^2-1 = (x^2-1)(x^2+1) = (x-1)(x+1)(x^2+1)$.
Le produit des trois facteurs est nul si, et seulement si, l'un au moins des facteurs est nul. Pour tout réel x : $x^2+1 \geqslant 1$, donc $x^2+1 \neq 0$.
Donc : $x^4 = 1 \Leftrightarrow x = 1$ ou $x = -1$.

2 $f'(x) = -4(2ax+1)(ax^2+x+1)^{-5} = \frac{-4(2ax+1)}{(ax^2+x+1)^5}.$

3 Le point d'abscisse 1 sur la tangente appartient à la courbe de f.
Donc : $f(1) = -20 \times 1 + 21 = 1$.
De plus, la pente de la tangente est égale au nombre dérivé en 1 ; ainsi : $f'(1) = -20$

$f(1) = 1 \Leftrightarrow \frac{1}{(a+2)^4} = 1 \Leftrightarrow (a+2)^4 = 1$

$\Leftrightarrow a+2 = 1$ ou $a+2 = -1$ (d'après **1**) c'est-à-dire $a = -1$ ou $a = -3$.

Si $a = -1$, alors $f'(1) = 4$ et si $a = -3$, alors $f'(1) = -20$.

On peut donc conclure : $\boldsymbol{a = -3}$.

Stratégies

2 On utilise la formule : $(u^n)' = n\,u'u^{n-1}$ avec $n = -4$.

3 On déduit de l'équation de la tangente deux informations : l'image de 1 par f et le nombre dérivé de f en 1 (c'est le coefficient directeur de la tangente).

Travail personnel : faire le point

Savoir...	Comment faire ?

Décrire les variations des fonctions sinus et cosinus sur l'intervalle $[0\,;\pi]$.

On observe sur le cercle trigonométrique comment varient les coordonnées d'un point se déplaçant de I à K dans le sens direct.

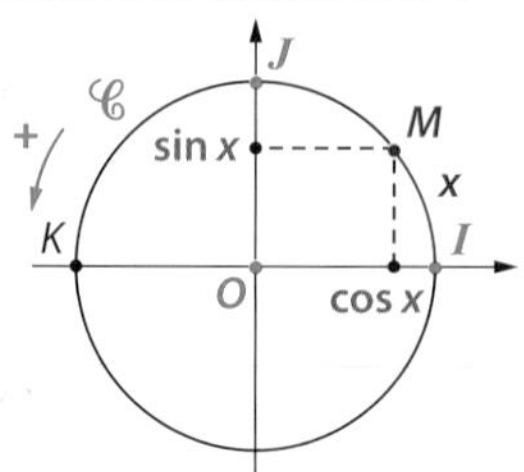

- Fonction cosinus :

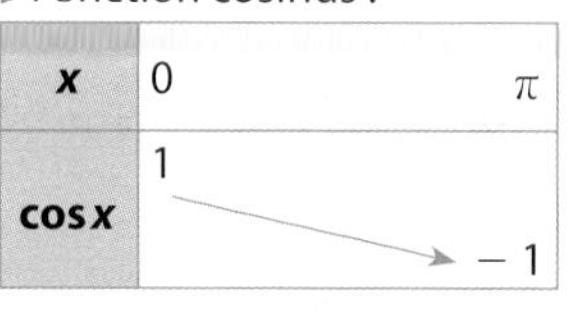

x	0	π
$\cos x$	1 ↘	-1

- Fonction sinus :

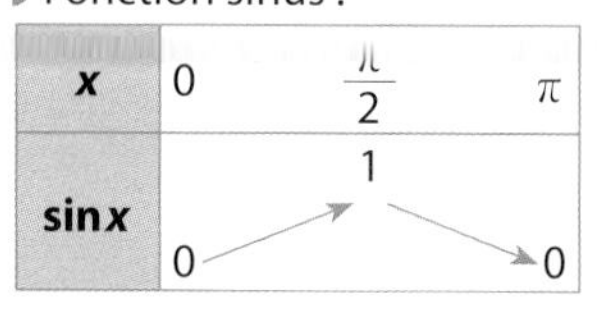

x	0	$\frac{\pi}{2}$	π
$\sin x$	0 ↗	1 ↘	0

Tracer les courbes représentatives des fonctions cosinus et sinus.

- On trace la courbe sur $[0\,;\pi]$ en s'aidant du tableau de variations.
- On complète par symétrie et par translation en exploitant les égalités : pour x un réel quelconque et k entier relatif quelconque :

$$\cos(-x) = \cos x\;; \qquad \sin(-x) = -\sin x\;;$$
$$\cos(x + k \times 2\pi) = \cos x \quad \text{et} \quad \sin(x + k \times 2\pi) = \sin x$$

- Fonction cosinus :

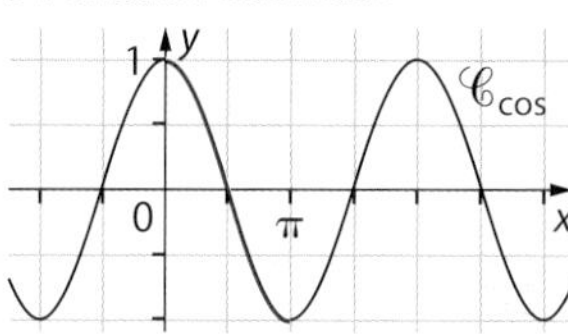

- Fonction sinus :

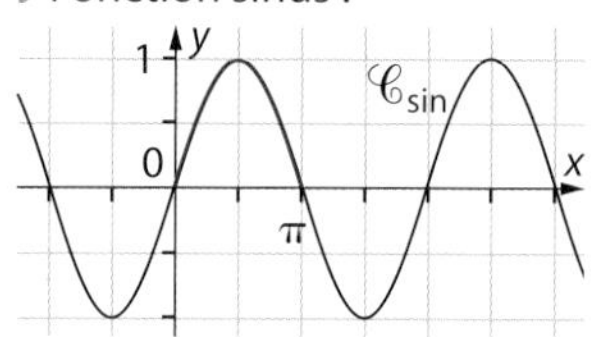

Dériver une fonction composée avec une fonction affine.

On utilise la propriété « $x \longmapsto f(ax+b)$ a pour **fonction dérivée** $\boldsymbol{x \longmapsto a \times f'(ax+b)}$ » en vérifiant ses conditions d'application.

Étudier une fonction trigonométrique.

- On exploite les éventuelles propriétés de parité et de périodicité pour limiter l'ensemble (ou domaine) d'étude.
- On utilise les formules de dérivation :

$$\cos'(x) = -\sin x \quad \text{et} \quad \sin'(x) = \cos x.$$

éventuellement combinées avec les formules vues en Première.
On a aussi :

$x \longmapsto \cos(ax+b)$ a pour dérivée : $x \longmapsto -a\sin(ax+b)$.

$x \longmapsto \sin(ax+b)$ a pour dérivée : $x \longmapsto a\cos(ax+b)$.

Dériver les fonctions « racine carrée » et « puissance entière » composées avec une autre fonction.

On utilise les propriétés $(\sqrt{u})' = \dfrac{u'}{2\sqrt{u}}$ et $(u^n)' = n\,u'u^{n-1}$ $(n \in \mathbb{Z}^*)$.

Avant d'appliquer une formule, **on n'oublie pas de s'assurer que l'on est dans les conditions d'application de cette formule**.

Travail personnel : faire le point

QCM

Voir corrigés en fin de manuel

17 Dans chacun des cas suivants, indiquer **l'unique bonne réponse.**

1 La fonction $x \longmapsto -2\sin x$ est :	**a.** croissante sur l'intervalle $\left[0 ; \frac{\pi}{2}\right]$	**b.** décroissante sur l'intervalle $\left[0 ; \frac{\pi}{2}\right]$	**c.** décroissante sur l'intervalle $[0 ; \pi]$
2 La fonction f définie sur l'intervalle $]0 ; \pi[$ par : $f(x) = \dfrac{\cos x}{\sin x}$ admet pour fonction dérivée :	**a.** $f' : x \longmapsto \dfrac{-\sin^2 x + \cos^2 x}{\sin^2 x}$	**b.** $f' : x \longmapsto \dfrac{1}{\sin^2 x}$	**c.** $f' : x \longmapsto \dfrac{-1}{\sin^2 x}$
3 La fonction f définie sur $\mathbb{R}$ par $f(x) = \sin^2 x$ admet pour fonction dérivée :	**a.** $f' : x \longmapsto 2\sin x \cos x$	**b.** $f' : x \longmapsto 2\cos x$	**c.** $f' : x \longmapsto \cos^2 x$
4 La fonction f définie par $f(x) = \cos\left(2x + \frac{\pi}{3}\right)$ a pour fonction dérivée :	**a.** $f' : x \longmapsto -\sin\left(2x + \frac{\pi}{3}\right)$	**b.** $f' : x \longmapsto 2\sin\left(2x + \frac{\pi}{3}\right)$	**c.** $f' : x \longmapsto -2\sin\left(2x + \frac{\pi}{3}\right)$
5 La fonction f définie sur $\left]\frac{1}{2} ; +\infty\right[$ par $f(x) = \sqrt{4x^2 - 1}$ a pour fonction dérivée :	**a.** $f' : x \longmapsto \dfrac{-8x}{2\sqrt{4x^2 - 1}}$	**b.** $f' : x \longmapsto \dfrac{8x}{\sqrt{4x^2 - 1}}$	**c.** $f' : x \longmapsto \dfrac{4x}{\sqrt{4x^2 - 1}}$
6 La fonction f définie sur $]-2 ; +\infty[$ par $f(x) = \dfrac{1}{(x+2)^4}$ a pour fonction dérivée :	**a.** $f' : x \longmapsto \dfrac{-4}{(x+2)^5}$	**b.** $f' : x \longmapsto \dfrac{-4}{(x+2)^3}$	**c.** $f' : x \longmapsto \dfrac{4}{(x+2)^5}$

Vrai ou faux ?

Voir corrigés en fin de manuel

18 Préciser si les affirmations suivantes sont vraies ou fausses.

1 Dans un repère orthogonal, la courbe représentative de la fonction sinus est symétrique par rapport à l'origine.

2 Dans un repère orthogonal, la courbe représentative de la fonction cosinus est symétrique par rapport à l'origine.

3 La fonction f définie par $f(x) = \sqrt{1 - x}$ est décroissante sur $]-\infty ; 1]$.

4 Si f est définie sur $\mathbb{R}$ par : $f(x) = \sqrt{x^2 + x + 1}$, alors $f'(0) = \frac{1}{2}$.

5 Si f est définie sur $\mathbb{R}$ par : $f(x) = (5x + 3)^6$, alors $f'(x) = 6 \times (5x + 3)^5$.

6 La dérivée de la fonction f définie sur $\mathbb{R}$ par : $x \longmapsto \dfrac{1}{(x^2 + 1)^2}$ est négative sur $\mathbb{R}$.

Exercices d'application

→ Les exercices portant un numéro jaune sont corrigés à la fin du manuel.

1 Fonctions cosinus et sinus

19 Vrai ou faux ?

Préciser si les affirmations suivantes sont vraies ou fausses.

1 La fonction cosinus est décroissante sur l'intervalle $[0\,;\pi]$.

2 La fonction sinus est croissante sur l'intervalle $\left[-\frac{\pi}{2}\,;\frac{\pi}{2}\right]$.

3 La fonction cosinus est croissante sur l'intervalle $[10\pi\,;11\pi]$.

4 La fonction sinus est décroissante sur l'intervalle $\left[-\frac{11\pi}{2}\,;-5\pi\right]$.

20 QCM

Dans chacun des cas suivants, indiquer **l'unique** bonne réponse.

1 La fonction cosinus est :
a. paire. **b.** impaire. **c.** ni paire ni impaire.

2 La fonction sinus est :
a. paire. **b.** impaire. **c.** ni paire ni impaire.

3 Pour tout réel x ; $\cos(-x)$ est égal à :
a. $\cos x$. **b.** $-\cos x$. **c.** $\sin x$.

4 Pour tout réel x ; $\sin(-x)$ est égal à :
a. $\sin x$. **b.** $-\sin x$. **c.** $\cos x$.

5 Pour tout réel x ; $\cos\left(x-\frac{\pi}{3}\right)$ est égal à :
a. $\cos\left(x+\frac{\pi}{3}\right)$. **b.** $\cos\left(\frac{\pi}{3}-x\right)$. **c.** $\cos x-\frac{1}{2}$.

21 QCM

Dans cet exercice, on se place sur un intervalle où la fonction est dérivable. Dans chacun des cas suivants, indiquer par **a.**, **b.** ou **c.** l'expression de la fonction dérivée de la fonction proposée.

1 $f : x \longmapsto x^2+\cos x$.
a. $f'(x)=2x+\sin x$.
b. $f'(x)=2x-\sin x$.
c. $f'(x)=x^2-\sin x$.

2 $f : x \longmapsto x\sin x$.
a. $f'(x)=\cos x$.
b. $f'(x)=\sin x-x\cos x$.
c. $f'(x)=\sin x+x\cos x$.

3 $f : x \longmapsto \frac{\cos x}{x}$.
a. $f'(x)=\frac{\sin x}{x^2}$.
b. $f'(x)=\frac{x\sin x-\cos x}{x^2}$.
c. $f'(x)=\frac{-x\sin x-\cos x}{x^2}$.

4 $f : x \longmapsto \frac{\cos x}{\sin x}$.
a. $f'(x)=\frac{-1}{\sin^2 x}$.
b. $f'(x)=\frac{-\sin^2 x+\cos^2 x}{\sin^2 x}$.
c. $f'(x)=\frac{1}{\sin^2 x}$.

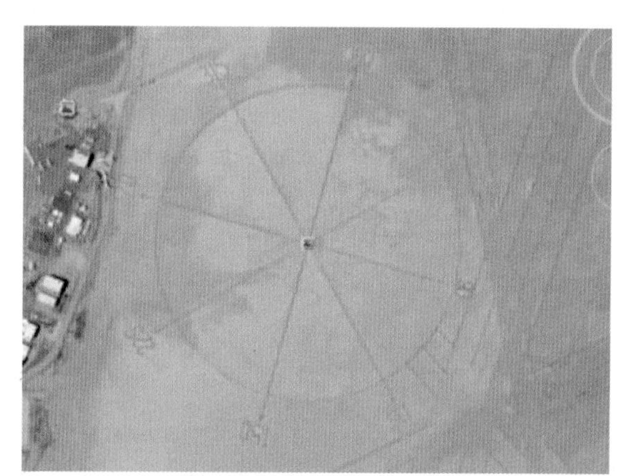

Sur le sol de la base aérienne américaine Edwards en Californie, le cercle trigonométrique, gradué en degrés, sert de boussole géante.

Pour les exercices 22 à 25, on se place sur un intervalle sur lequel la fonction est dérivable. Calculer l'expression de sa fonction dérivée.

22

1 $f : x \longmapsto \frac{1}{x}+2\cos x$.

2 $f : x \longmapsto \sin x-\sqrt{x}$.

3 $f : x \longmapsto 3\cos x-2\sin x+x$.

23

1 $f : x \longmapsto x^2\cos x$.

2 $f : x \longmapsto (x^3+2x^2+1)\sin x$.

3 $f : x \longmapsto \sqrt{x}\cos x$.

24 **1** $f : x \mapsto \dfrac{1}{\cos x}$.

2 $f : x \mapsto \dfrac{x}{\cos x}$.

3 $f : x \mapsto \dfrac{2\sin x}{2 + \sin x}$.

25 On considère la fonction f définie sur $\mathbb{R}$ par :

$$f(x) = x^2 + 3x + \sin x.$$

1 Démontrer que pour tout réel x, on a :

$$x^2 + 3x - 1 \leqslant f(x) \leqslant x^2 + 3x + 1.$$

2 Calculer $\lim\limits_{x \to +\infty} f(x)$ et $\lim\limits_{x \to -\infty} f(x)$.

Coup de pouce
Pour tout réel x, on a : $-1 \leqslant \sin x \leqslant 1$; $-1 \leqslant \cos x \leqslant 1$.

26 On considère la fonction f définie sur $]3 ; +\infty[$ par : $f(x) = \dfrac{x^2 + \cos x}{x - 3}$.

1 Écrire un encadrement de $f(x)$ pour tout réel $x > 3$.

2 Calculer $\lim\limits_{x \to +\infty} f(x)$.

27 Calculer la limite en $+\infty$ de chacune des fonctions suivantes en utilisant un théorème de comparaison.

1 $f : x \mapsto \cos x + x$.

2 $f : x \mapsto \dfrac{\sin x}{x}$.

3 $f : x \mapsto \sin x - \sqrt{x}$.

28 Calculer la limite en 0 de chacune des fonctions suivantes :

1 $f : x \mapsto \dfrac{\sin x + x}{x}$.

2 $f : x \mapsto \dfrac{x^2 + 2\sin x}{3x}$.

3 $f : x \mapsto \dfrac{\tan x}{x}$.

Coup de pouce
$\lim\limits_{x \to 0} \dfrac{\sin x}{x} = 1$.

29 Calculer les limites suivantes :

1 $\lim\limits_{\substack{x \to 0 \\ x > 0}} \dfrac{x - 1}{\sin x}$. **2** $\lim\limits_{\substack{x \to \frac{\pi}{2} \\ x > \frac{\pi}{2}}} \dfrac{x}{\cos x}$. **3** $\lim\limits_{\substack{x \to 0 \\ x < 0}} \dfrac{x^2 + \sin x}{x \sin x}$.

30 **1** En utilisant la définition du nombre dérivé, calculer $\lim\limits_{x \to 0} \dfrac{\cos x - 1}{x}$.

2 Même question avec $\lim\limits_{x \to \frac{\pi}{2}} \dfrac{\cos x}{x - \frac{\pi}{2}}$.

31 Calculer les limites suivantes :

1 $\lim\limits_{x \to 0} \dfrac{\sin(3x)}{3x}$. **2** $\lim\limits_{x \to 0} \dfrac{\sin x}{5x}$.

3 $\lim\limits_{x \to 0} \dfrac{\sin(2x)}{3x}$. **4** $\lim\limits_{x \to 0} \dfrac{\sin(3x)}{\sin(2x)}$.

32 **Vrai ou faux ?**

On considère la fonction f définie sur $\mathbb{R}^*$ par :

$$f(x) = x \sin\left(\frac{2}{x}\right).$$

Préciser si les affirmations suivantes sont vraies ou fausses et justifier.

1 $f\left(\dfrac{4}{\pi}\right) = \dfrac{4}{\pi}$.

2 On a $f(x) = 0$ si, et seulement si, il existe un entier relatif k non nul tel que $x = \dfrac{1}{k\pi}$.

3 $\lim\limits_{x \to 0} f(x) = 1$.

4 $\lim\limits_{x \to +\infty} f(x) = 2$.

Pour info
Un électrocardiogramme est l'enregistrement de signaux électriques liés à l'activité cardiaque. On mesure une tension électrique en fonction du temps. Le signal enregistré décrit en général un phénomène périodique.

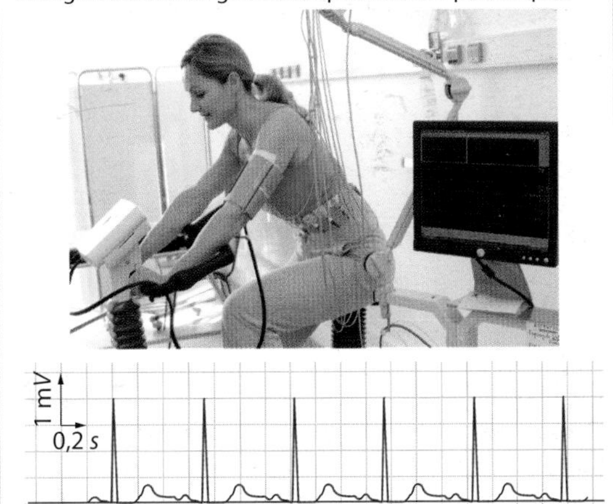

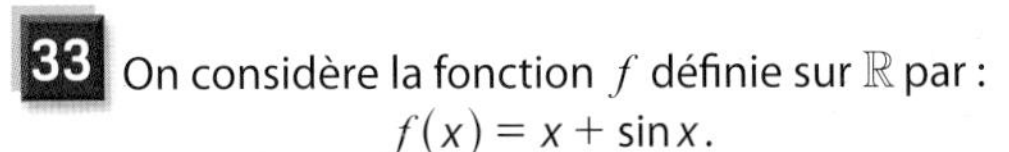

33 On considère la fonction f définie sur $\mathbb{R}$ par :

$$f(x) = x + \sin x.$$

1 Vérifier que f est impaire.

2 Calculer les limites de f en $-\infty$ et $+\infty$.

3 Calculer $f'(x)$.

4 Déterminer les réels x vérifiant $f'(x) = 0$.

5 Dresser le tableau de variations de f.

34 On considère la fonction f définie sur $\left]-\frac{\pi}{2}\,;\,\frac{\pi}{2}\right[$ par $f(x) = \tan x - x$.

1 Calculer les limites de f aux bornes de son intervalle de définition.

2 Démontrer que f est croissante sur son intervalle de définition.

3 Dresser le tableau de variations de f.

35 On a tracé sur l'intervalle $[-2\pi\,;2\pi]$ les courbes représentatives des fonctions f (en vert) et g (en rouge) définies par :

$$f(x) = x^2 \quad \text{et} \quad g(x) = x^2 - \cos x.$$

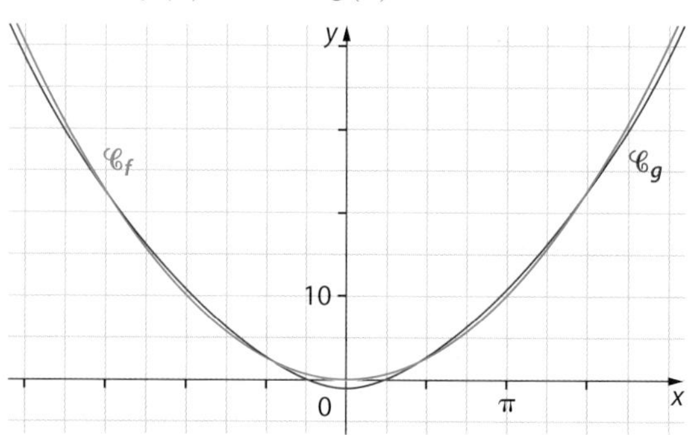

Coup de pouce
On pourra tracer les deux courbes à l'aide de la calculatrice et utiliser la fonction zoom.

1 Calculer les limites en $+\infty$ et en $-\infty$ de la fonction g.

2 Résoudre sur l'intervalle $[-2\pi\,;2\pi]$ l'équation :

$$f(x) = g(x).$$

3 Par lecture graphique, en utilisant la calculatrice, conjecturer les positions relatives des deux courbes en fonction des valeurs de x. Démontrer cette conjecture.

36 Courbes représentatives des fonctions sinus et cosinus

Sur la figure ci-dessous, on observe les courbes représentatives des fonctions sinus et cosinus.

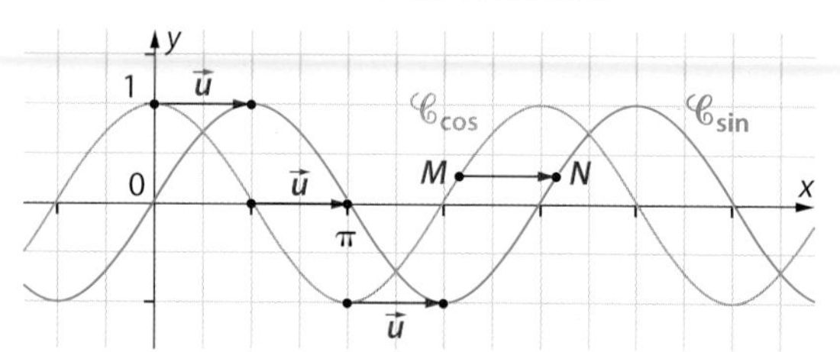

Soit $x \in \mathbb{R}$. On note M le point d'abscisse x de la courbe de la fonction cosinus et N le point d'abscisse $x + \frac{\pi}{2}$ de la courbe de la fonction sinus.

1 Montrer que le vecteur $\overrightarrow{MN}$ ne dépend pas de x.

2 En déduire que tout point de la courbe de la fonction sinus est l'image d'un point de la courbe de la fonction cosinus par une translation de vecteur $\vec{u}$, dont on précisera les coordonnées.

2 Dérivée de $x \mapsto f(ax + b)$

37 Vrai ou faux ?

Préciser si les affirmations suivantes sont vraies ou fausses.

1 La fonction $x \longmapsto \sin(2x)$ a pour fonction dérivée sur $\mathbb{R}$: $x \longmapsto \cos(2x)$.

2 La fonction $x \longmapsto \cos\left(3x + \frac{\pi}{4}\right)$ a pour fonction dérivée sur $\mathbb{R}$: $x \longmapsto 3\sin\left(3x + \frac{\pi}{4}\right)$.

3 La fonction $x \longmapsto \cos\left(\frac{x}{2}\right)$ a pour fonction dérivée sur $\mathbb{R}$: $x \longmapsto -\frac{1}{2}\sin\left(\frac{x}{2}\right)$.

4 La fonction $x \longmapsto \sin(\pi - x)$ a pour fonction dérivée sur $\mathbb{R}$: $x \longmapsto \cos x$.

38 Vrai ou faux ?

Répondre par vrai ou faux aux affirmations suivantes.

1 Sur $\left]-\frac{1}{4}\,;+\infty\right[$, la fonction $x \longmapsto \sqrt{4x+1}$ a pour fonction dérivée $x \longmapsto \frac{2}{\sqrt{4x+1}}$.

2 Sur $]-\infty\,;3[$, la fonction $x \longmapsto \sqrt{3-x}$ a pour fonction dérivée $x \longmapsto \frac{-1}{\sqrt{3-x}}$.

3 Sur $\left]-\infty\,;\frac{1}{2}\right[$, la fonction $x \longmapsto -\sqrt{1-2x}$ a pour fonction dérivée $x \longmapsto \frac{-1}{\sqrt{1-2x}}$.

4 Sur $]0\,;+\infty[$, la fonction $x \longmapsto \frac{4}{5}\sqrt{\frac{5x}{2}}$ a pour fonction dérivée $x \longmapsto \sqrt{\frac{2}{5x}}$.

39 QCM

Dans chacun des cas suivants, indiquer **l'unique** bonne réponse.

1 La tangente à la courbe de $f : x \longmapsto \sin(2x)$ au point d'abscisse $\frac{\pi}{2}$ a pour équation :

a. $y = -x + \frac{\pi}{2}$; **b.** $y = -2x$; **c.** $y = -2x + \pi$.

2 La tangente à la courbe de $f : x \longmapsto (1 - 2x)^3$ au point d'abscisse 1 a pour équation :

a. $y = -6x + 5$;
b. $y = 6x - 7$;
c. $y = 3x - 4$.

3 La tangente à la courbe de $f : x \longmapsto \cos\left(3x + \frac{\pi}{4}\right)$ au point d'abscisse 0 a pour équation :

a. $y = -\frac{\sqrt{2}}{2}x + \frac{\sqrt{2}}{2}$;
b. $y = -\frac{3\sqrt{2}}{2}x + \frac{\sqrt{2}}{2}$;
c. $y = \frac{3\sqrt{2}}{2}x + \frac{\sqrt{2}}{2}$.

4 La tangente à la courbe de $f : x \longmapsto \sqrt{3x - 1}$ au point d'abscisse $\frac{1}{3}$ a pour équation :

a. $x = \frac{1}{3}$; **b.** $x = 0$; **c.** $y = 0$.

40 QCM

Dans chacun des cas suivants, **une seule** expression est celle de la dérivée de f. Préciser laquelle.

1 $f : x \longmapsto (5x - 1)^3$.

a. $f'(x) = 3(5x - 1)^2$; **b.** $f'(x) = 15(5x - 1)^4$;
c. $f'(x) = 15(5x - 1)^2$.

2 $f : x \longmapsto (-4x + 3)^5$.

a. $f'(x) = 20(-4x + 3)^4$; **b.** $f'(x) = -5(-4x + 3)^4$;
c. $f'(x) = -20(-4x + 3)^4$.

3 $f : x \longmapsto 6(7 - 2x)^7$.

a. $f'(x) = -42(7 - 2x)^6$; **b.** $f'(x) = 84(7 - 2x)^6$;
c. $f'(x) = -84(7 - 2x)^6$.

4 $f : x \longmapsto \frac{1}{(3x + 4)^2}$.

a. $f'(x) = \frac{-6}{(3x + 4)^3}$; **b.** $f'(x) = \frac{-6}{3x + 4}$;
c. $f'(x) = \frac{-2}{(3x + 4)^3}$.

5 $f : x \longmapsto \frac{5}{(-x + 1)^4}$.

a. $f'(x) = \frac{-20}{(-x + 1)^5}$; **b.** $f'(x) = \frac{20}{(-x + 1)^5}$;
c. $f'(x) = \frac{20}{(-x + 1)^3}$.

41 QCM

Dans cet exercice, on se place sur un intervalle où la fonction est dérivable.
Dans chacun des cas suivants, préciser **la (ou les)** bonne(s) expression(s) de la dérivée de f.

1 $f : x \longmapsto \left(\frac{2}{3}x - 1\right)^{-3}$.

a. $f'(x) = -2\left(\frac{2}{3}x - 1\right)^{-4}$;
b. $f'(x) = -2\left(\frac{2}{3}x - 1\right)^{-2}$;
c. $f'(x) = 2\left(\frac{2}{3}x - 1\right)^{-4}$.

2 $f : x \longmapsto \frac{1}{(x + 5)^4}$.

a. $f'(x) = -4(x + 5)^{-5}$;
b. $f'(x) = 4(x + 5)^{-5}$;
c. $f'(x) = \frac{-4}{(x + 5)^5}$.

3 $f : x \longmapsto \frac{-3}{(2x + 3)^3}$.

a. $f'(x) = 9(2x + 3)^{-4}$;
b. $f'(x) = 18(2x + 3)^{-4}$;
c. $f'(x) = \frac{-18}{(2x + 3)^4}$.

42

1 **À l'aide de la calculatrice**, conjecturer que la fonction f définie sur l'intervalle $[1 ; +\infty[$ par $f(x) = \frac{\sqrt{x - 1}}{x}$ admet un maximum que l'on précisera pour une valeur de x que l'on indiquera.

2 Démontrer cette conjecture.

43

Étudier la dérivabilité en 1 de chacune des fonctions suivantes définies sur l'intervalle $[1 ; +\infty[$:

1 $f : x \longmapsto x\sqrt{x - 1}$.

2 $f : x \longmapsto (x - 1)\sqrt{x - 1}$.

Exercices d'application

44 **Démonstration du cours : dérivation des fonctions sinus et cosinus**

Voir le théorème du cours, page 94.

Rappel (voir l'activité 2, page 92) : les fonctions sinus et cosinus sont dérivables en zéro avec $\sin'(0) = 1$ et $\cos'(0) = 0$.

1 Démontrer que pour tout réel a et tout réel non nul h,
$$\frac{\sin(a+h) - \sin a}{h} = \sin a \times \frac{\cos h - 1}{h} + \cos a \times \frac{\sin h}{h}.$$

Coup de pouce $\sin(a+b) = \sin a \cos b + \sin b \cos a$.

2 En déduire que la fonction sinus est dérivable sur $\mathbb{R}$ et a pour dérivée la fonction cosinus.

3 Montrer alors que cos est dérivable sur $\mathbb{R}$ et que, pour tout réel x, $\cos'(x) = -\sin x$.

Coup de pouce
$$\cos x = \sin\left(x + \frac{\pi}{2}\right) ; \cos\left(x + \frac{\pi}{2}\right) = -\sin x.$$

Pour les exercices 45 et 46 : Préciser l'ensemble de dérivabilité de la fonction f et calculer l'expression de sa fonction dérivée.

45 **1** $f : x \mapsto \left(\frac{3}{4}x - 1\right)^4$. **2** $f : x \mapsto \frac{1}{(1-2x)^2}$.

3 $f : x \mapsto \sqrt{\frac{x}{2} - 1}$. **4** $f : x \mapsto \cos\left(2\pi x + \frac{\pi}{4}\right)$.

46 **1** $f : x \mapsto (3-4x)^{-3}$. **2** $f : x \mapsto \frac{-2}{\sqrt{x-1}}$.

3 $f : x \mapsto \frac{1}{2 + \sin 2x}$. **4** $f : x \mapsto \left(\frac{4x+5}{3}\right)^6$.

47 On considère la fonction f définie sur $\mathbb{R}$ par :
$$f(x) = 2\sin\left(\frac{x}{2} + \frac{\pi}{3}\right).$$
Déterminer les abscisses des points en lesquels la fonction dérivée de f s'annule.

48 Même exercice que le **47** avec la fonction f définie sur $\mathbb{R}$ par :
$$f(x) = -\frac{2}{3}\cos\left(\pi x - \frac{\pi}{4}\right).$$

49 On considère la fonction f définie sur $\mathbb{R}$ par :
$f(x) = \sin(\alpha x + \beta)$, avec $\alpha > 0$ et $\beta \in [0 ; \pi]$.

On donne $f(0) = \frac{\sqrt{2}}{2}$ et $f'(0) = -1$.

Calculer α et β.

50 On a représenté graphiquement une fonction f dont l'expression est donnée par :
$$f(x) = \cos(ax + b), \text{ où } a \in \mathbb{R} \text{ et } b \in \left[0 ; \frac{\pi}{2}\right].$$

La courbe représentative de f coupe l'axe des ordonnées en A, la tangente à cette courbe en A admet pour équation :
$$y = -x + \frac{\sqrt{3}}{2}.$$
Calculer a et b.

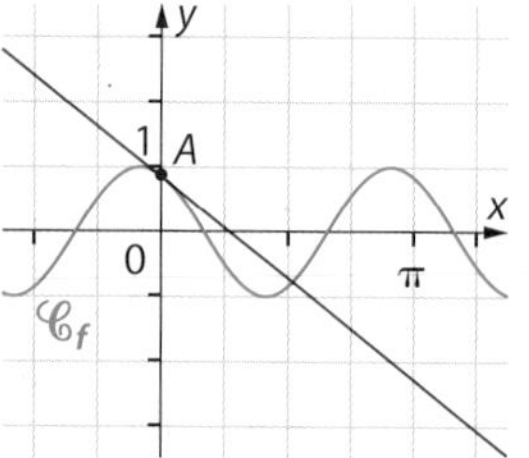

51 On considère la fonction f définie sur $\mathbb{R}$ par :
$$f(x) = \cos\left(2x - \frac{\pi}{3}\right).$$

1 Montrer que pour tout réel x :
$$f(x + \pi) = f(x).$$
On en déduit que f est périodique de période π.

2 On étudie alors cette fonction sur l'intervalle $[0 ; \pi]$.

a. Calculer $f'(x)$ où f' désigne la fonction dérivée de f.

b. Déterminer les réels x de l'intervalle $[0 ; \pi]$ tels que :
$$f'(x) = 0.$$

c. En déduire le signe de $f'(x)$ sur l'intervalle $[0 ; \pi]$ en fonction des valeurs de x.

d. Dresser le tableau de variations de f sur l'intervalle $[0 ; \pi]$.

3 Sur l'écran de la calculatrice, tracer la courbe représentative de la fonction f sur l'intervalle $[0 ; \pi]$.

Pour info

Lors d'un audiogramme, le médecin teste l'audition de son patient avec des sons ayant une fréquence comprise entre 125 Hz et 8,0 kHz. Le signal électrique correspondant à un son est représenté ci-dessous.

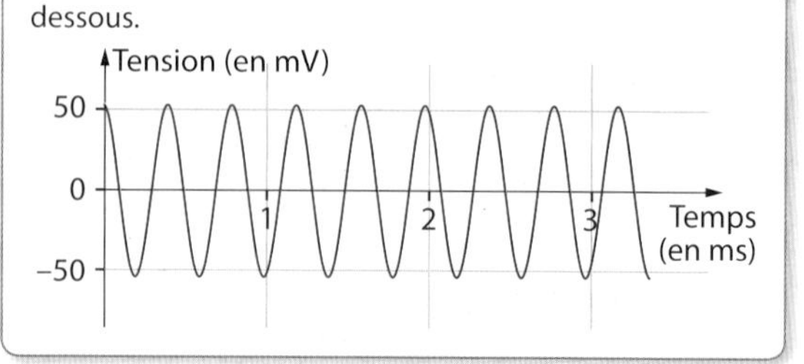

52 On considère la fonction f définie sur $\mathbb{R}$ par :

$$f(x) = \sqrt{3}\cos x - \sin x.$$

1 Démontrer que f est périodique de période 2π.
On étudie alors f sur l'intervalle $[0 ; 2\pi]$.

2 Démontrer que $f(x) = 2\cos\left(x + \frac{\pi}{6}\right)$.

Rappel $\cos(a+b) = \cos a \cos b - \sin a \sin b$.

3 Démontrer que f est décroissante sur l'intervalle $\left[0 ; \frac{5\pi}{6}\right]$, croissante sur $\left[\frac{5\pi}{6} ; \frac{11\pi}{6}\right]$ et décroissante sur $\left[\frac{11\pi}{6} ; 2\pi\right]$.

4 Dresser le tableau de variations de f.

53 **Tangente commune ?**

Sur le dessin ci-contre, on a représenté graphiquement les fonctions f et g définies sur $[-1 ; +\infty[$ par :

$$f(x) = \sin x\sqrt{x+1}$$
et $g(x) = \sqrt{x+1}$.

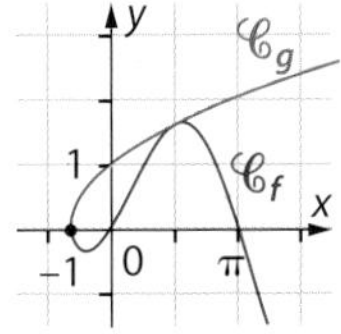

Les courbes représentatives de ces deux fonctions semblent avoir la même tangente au point d'abscisse $\frac{\pi}{2}$. Est-ce vrai ? Justifier la réponse.

Maths et physique

54 **Mouvement oscillatoire**

Un point M est soumis à un mouvement oscillatoire qui, en fonction du temps, est défini par :

$$x(t) = 2\sin\left(\frac{2\pi}{T}t - \frac{\pi}{3}\right) \text{ avec } T = 0{,}5 \text{ s}.$$

t est exprimé en seconde, $x(t)$ en centimètre.

La vitesse instantanée du point M est définie par :

$$v(t) = \frac{dx}{dt}(t) = x'(t).$$

L'accélération instantanée est définie par :

$$a(t) = \frac{dv}{dt}(t) = v'(t).$$

1 Calculer la vitesse instantanée et l'accélération instantanée du point M à l'instant $t = 0$.

2 À quels instants la vitesse instantanée du point M est-elle nulle ?

Pour info
La propagation d'une onde périodique (onde sonore ou onde mécanique), le mouvement d'un solide accroché à un ressort ou les oscillations d'un pendule sont décrits à l'aide de fonctions trigonométriques.

3 Dérivée de $x \mapsto \sqrt{u(x)}$ et $x \mapsto (u(x))^n$

55 **Vrai ou faux ?**

Préciser si les affirmations suivantes sont vraies ou fausses.

1 Sur $\mathbb{R}$, la fonction $x \mapsto \sin^2 x$ a pour fonction dérivée $x \mapsto 2\sin x$.

2 Sur $\mathbb{R}$, la fonction $x \mapsto \sqrt{x^2+1}$ a pour fonction dérivée $x \mapsto \frac{x}{\sqrt{x^2+1}}$.

3 Sur $]0 ; \pi[$, la fonction $x \mapsto \sqrt{\sin x}$ a pour fonction dérivée $x \mapsto \frac{\cos x}{2\sqrt{\sin x}}$.

4 Sur $\mathbb{R}$, la fonction $x \mapsto (x^2+x+1)^3$ a pour fonction dérivée $x \mapsto 3(2x+1)(x^2+x+1)^2$.

5 Sur $[0 ; +\infty[$, la fonction $x \mapsto \frac{1}{(x^3+2)^2}$ a pour fonction dérivée $x \mapsto \frac{-6x^2}{(x^3+2)^3}$.

56 **QCM**

Dans chacun des cas suivants, indiquer **la (ou les)** bonne(s) réponse(s).

1 La fonction $f : x \mapsto \sqrt{x^2+x+3}$:
a. est définie sur $\mathbb{R}$.
b. admet un minimum en $\frac{-1}{2}$.
c. admet un maximum en $\frac{-1}{2}$.

2 La fonction $f : x \mapsto \sin^3 x$:
a. est croissante sur $\left[0 ; \frac{\pi}{2}\right]$.
b. est dérivable sur $\mathbb{R}$.
c. est négative sur $[\pi ; 2\pi]$.

3 La fonction $f : x \mapsto (\sqrt{x}+1)^3$:
a. prend des valeurs négatives.
b. est croissante sur $[0 ; +\infty[$.
c. n'est pas dérivable en 0.

Exercices d'application

Pour les exercices 57 à 59 : Dans chacun des cas suivants, la fonction f est dérivable sur l'intervalle I. Calculer $f'(x)$.

57 **1** $I = [0\,;+\infty[$ et $f(x) = \sqrt{x^3+1}$.

2 $I =]-\infty\,;0[$ et $f(x) = \sqrt{1-\frac{1}{x}}$.

3 $I = \left[0\,;\frac{\pi}{2}\right[$ et $f(x) = \sqrt{\cos x}$.

58 **1** $I =]0\,;+\infty[$ et $f(x) = \left(x+\frac{1}{x}\right)^4$.

2 $I = \mathbb{R}$ et $f(x) = (\sin x + \cos x)^3$.

3 $I =]0\,;+\infty[$ et $f(x) = (\sqrt{x}+x)^4$.

59 **1** $I = \left]-\frac{1}{2}\,;+\infty\right[$ et $f(x) = \frac{1}{(2x+1)^3}$.

2 $I = \left]\frac{\pi}{2}\,;\frac{3\pi}{2}\right[$ et $f(x) = \frac{1}{(\cos x)^4}$.

3 $I = \left]\frac{\pi}{4}\,;\frac{5\pi}{4}\right[$ et $f(x) = \frac{1}{(\sin x - \cos x)^2}$.

Coup de pouce Utiliser les exposants négatifs.

60 Dans chacun des cas suivants, déterminer une équation de la tangente à la courbe de f au point d'abscisse a.

1 $f(x) = (3x^2-1)^3$ et $a = 1$.

2 $f(x) = \sqrt{x^2+x+1}$ et $a = -1$.

3 $f(x) = \sqrt{1+\cos x}$ et $a = \frac{\pi}{3}$.

61 Démonstration du cours : dérivation de u^n, n entier relatif non nul

➔ Voir le théorème du cours, page 96.

Soit u une fonction dérivable et ne s'annulant pas sur un intervalle I.

1 Démontrer à l'aide d'un raisonnement par récurrence que, pour tout entier naturel non nul n, $(u^n)' = n\,u'u^{n-1}$.

2 En déduire, en utilisant la formule $\left(\frac{1}{v}\right)' = -\frac{v'}{v^2}$, que pour tout entier naturel non nul n, $\left(\frac{1}{u^n}\right)' = \frac{-nu'}{u^{n+1}}$.

3 Conclure.

62 On considère la fonction f sur $\mathbb{R}$ définie par :

$$f(x) = \frac{1}{\sqrt{x^2+1}}.$$

Démontrer que l'équation réduite de la tangente à la courbe représentative de f au point d'abscisse 1 est :

$$y = -\frac{\sqrt{2}}{4}x + \frac{3\sqrt{2}}{4}.$$

63 On considère la fonction f définie sur $\mathbb{R}$ par :

$$f(x) = \frac{1}{3}\sin^3 x + \frac{1}{2}\sin^2 x.$$

1 Démontrer que f est périodique de période 2π.

2 Préciser si f est paire, impaire ou ni paire ni impaire.

3 **a.** Démontrer que pour tout réel x, on a :

$$f'(x) = (\sin x)(\cos x)(\sin x + 1).$$

b. En déduire le signe de $f'(x)$ sur l'intervalle $[0\,;2\pi]$.

4 Dresser le tableau de variations de la fonction f sur l'intervalle $[0\,;2\pi]$.

64 Distance d'un point fixe à un point mobile d'une courbe

On considère la fonction f définie sur $[0\,;+\infty[$ par $f(x) = \sqrt{x}$ et M un point quelconque de sa courbe représentative tracée dans un repère orthonormé (O, I, J).

On place le point $A(1\,;0)$.

Le but de cet exercice est de déterminer la position du point M pour lequel la distance AM est minimale.

1 **À l'aide d'un logiciel de géométrie dynamique,** réaliser la figure et conjecturer l'abscisse de M pour laquelle la longueur AM semble minimale.

Préciser cette longueur minimale.

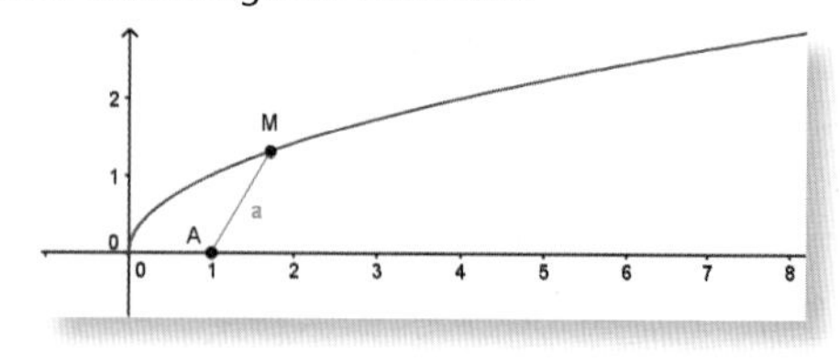

2 Démontrer que si on note x l'abscisse du point M, on a :

$$AM = \sqrt{x^2-x+1}.$$

3 On considère la fonction g définie sur $[0\,;+\infty[$ par :

$$g(x) = \sqrt{x^2-x+1}.$$

a. Calculer $g'(x)$ et déterminer son signe sur l'intervalle $[0\,;+\infty[$.

b. Dresser le tableau de variations de la fonction g.

4 Quelle est la position du point M qui répond au problème ? Quelle est la valeur de la distance minimale cherchée ?

Exercices guidés

65 On considère la fonction f définie sur $[0\,;+\infty[$ par $f(x)=\dfrac{\sin x}{\sqrt{x}}$ si $x>0$ et $f(0)=0$.

1 La fonction f est-elle continue en 0 ? Justifier.

2 La fonction f est-elle dérivable en 0 ? Justifier.

3 Déterminer $\lim\limits_{x\to+\infty} f(x)$.

En déduire l'existence d'une asymptote à la courbe représentative de f.

Pistes de résolution

1 La « fonction f est continue en a » signifie que $\lim\limits_{x\to a} f(x)=f(a)$. La limite à étudier étant indéterminée, on transforme l'écriture de $f(x)$ pour faire intervenir $\lim\limits_{x\to 0}\dfrac{\sin x}{x}=1$.

On écrit : $\dfrac{\sin x}{\sqrt{x}}=\dfrac{\sin x}{x}\times\sqrt{x}$.

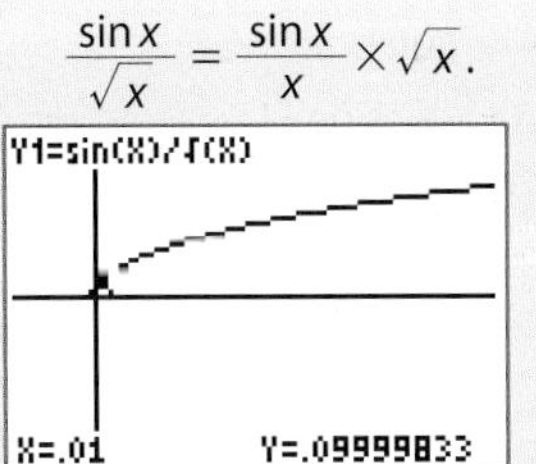

2 La fonction f est dérivable en 0 signifie que $\lim\limits_{h\to 0}\dfrac{f(h)-f(0)}{h}$ est un nombre réel.

Attention à la manipulation des quotients !

3 À partir de l'encadrement $-1\leqslant \sin x\leqslant 1$, on écrit un encadrement de $f(x)$ et on conclut à l'aide d'un théorème du cours.

Remarque :

Les réponses aux questions de cet exercice peuvent être conjecturées en traçant sur la calculatrice la courbe représentative de f, et en l'observant « au bon endroit ».

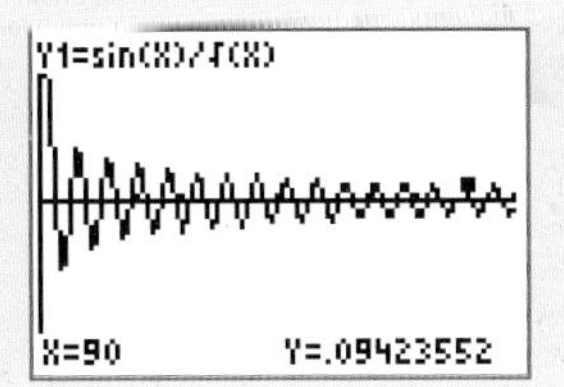

66 **Étude d'une fonction à l'aide d'une fonction auxiliaire**

Partie A – Une fonction auxiliaire

On considère la fonction g définie sur $\mathbb{R}$ par :

$$g(x)=x\sqrt{x^2+1}-1.$$

1 Calculer les limites de g en $-\infty$ et $+\infty$.

2 Étudier les variations de la fonction g.

3 Montrer qu'il existe un unique réel α tel que $g(\alpha)=0$. Donner un encadrement de α à 0,1 près.

4 En déduire le signe de g sur $\mathbb{R}$.

Partie B – Étude d'une fonction

Soit la fonction f définie sur $\mathbb{R}$ par :

$$f(x)=\frac{x^3}{3}-\sqrt{x^2+1}.$$

1 Calculer les limites de f en $-\infty$ et $+\infty$.

2 Montrer que $f'(x)=\dfrac{x\,g(x)}{\sqrt{x^2+1}}$.

3 **a.** Montrer que $f(\alpha)=\dfrac{\alpha^4-3}{3\alpha}$.

b. Déterminer le signe de $f'(x)$ suivant les valeurs de x et dresser le tableau de variations de f.

Pistes de résolution

Partie A

1 On utilise les opérations sur les limites.

2 On utilise les formules de dérivation de $u\times v$ et de $\sqrt{u}$.

3 Penser au théorème des valeurs intermédiaires. L'encadrement de α peut s'obtenir à la calculatrice par balayage.

4 On obtient :

x	$-\infty$		α		$+\infty$
$g(x)$		$-$	0	$+$	

Partie B

1 Seule la limite en $+\infty$ est indéterminée. Dans ce cas, on factorise par x.

2 On dérive les deux termes, puis on réduit au même dénominateur.

3 **a.** Penser à utiliser le fait que $g(\alpha)=0$.

b. On connaît le signe de $g(x)$ grâce à la partie **A**, on en déduit le signe de $f'(x)$ à l'aide d'un tableau de signes.

Prépa Bac

67 Des tangentes qui passent par l'origine

On considère la fonction f définie sur $]-1;+\infty[$ par :

$$f(x)=\left(\frac{x}{x+1}\right)^3.$$

1 Calculer les limites de f en -1 et en $+\infty$.

2 Étudier les variations de f. Dresser son tableau de variations.

Question ouverte

3 ***Dans cette question, toute trace de recherche, même incomplète, ou d'initiative, même infructueuse, sera prise en compte dans l'évaluation.***

On appelle $\mathscr{C}_f$ la courbe représentative de f dans un repère (O, I, J).

Existe-t-il des points de $\mathscr{C}_f$ en lesquels la tangente passe par l'origine du repère ? Si oui, préciser l'abscisse de chacun des points et l'équation de la tangente.

Pistes de résolution

1 On cherche dans un premier temps les limites en -1 et en $+\infty$ de $\frac{x}{x+1}$ et on utilise la limite d'une composée.

2 On utilise la formule $(u^n)'=n\,u'u^{n-1}$.

On obtient $f'(x)=\dfrac{3x^2}{(x+1)^4}$.

3 Soit a l'abscisse d'un point A de $\mathscr{C}_f$.

La tangente à $\mathscr{C}_f$ en A admet pour équation réduite :

$$y=f'(a)(x-a)+f(a)=f'(a)x-a\,f'(a)+f(a).$$

La tangente en A passe par O équivaut à :

$$-a\,f'(a)+f(a)=0.$$

On résout cette équation en réduisant au même dénominateur $(a+1)^4$, on obtient deux solutions.

Exercices d'entraînement

68

Pour tout entier naturel $n \geqslant 1$, on considère la fonction f_n définie sur $[0;1[$ par :

$$f_n(x)=x^n\sqrt{1-x}.$$

1 Étude de la fonction f_1

a. Calculer $f'_1(x)$ et déterminer son signe.

b. Dresser le tableau de variations de la fonction f_1.

c. En déduire que la fonction f_1 admet sur $[0;1[$ un maximum en une valeur $x_1 \in [0;1[$ que l'on précisera.

2 Étude des fonctions f_n

a. Montrer que, pour tout réel x de $[0;1[$:

$$f'_n(x)=\frac{x^{n-1}[2n-(2n+1)x]}{2\sqrt{1-x}}.$$

b. Déterminer le signe de $f'_n(x)$ en fonction des valeurs de x.

c. En déduire que pour tout entier $n \geqslant 1$, la fonction f_n admet sur $[0;1[$ un maximum en une valeur $x_n \in [0;1[$ que l'on précisera.

3 Étude de la suite $(x_n)_{n\geqslant 1}$

a. Démontrer que la suite $(x_n)_{n\geqslant 1}$ est croissante.

b. Calculer $\lim\limits_{n\to+\infty} x_n$.

69

On considère la fonction f définie sur $\mathbb{R}$ par :

$$f(x)=\cos^3 x-\sin^3 x.$$

1 Démontrer que f est 2π-périodique.

2 a. Démontrer que pour tout réel x :

$$\sqrt{2}\cos\left(x-\frac{\pi}{4}\right)=\cos x+\sin x.$$

b. Démontrer que pour tout réel x :

$$f'(x)=-3\sqrt{2}(\sin x)(\cos x)\cos\left(x-\frac{\pi}{4}\right).$$

3 À l'aide d'un tableau de signes, déterminer le signe de la dérivée de f sur $[-\pi,\pi]$ et dresser le tableau des variations de f sur cet intervalle.

4 Tracer la courbe représentative de f sur l'intervalle $[-\pi,\pi]$.

5 a. Montrer que pour tous réels a et b, on a l'égalité :

$$a^3-b^3=(a-b)(a^2+ab+b^2).$$

Question ouverte

b. ***Dans cette question, toute trace de recherche, même incomplète, ou d'initiative, même infructueuse, sera prise en compte dans l'évaluation.***

Résoudre dans $\mathbb{R}$ l'équation $f(x)=0$.

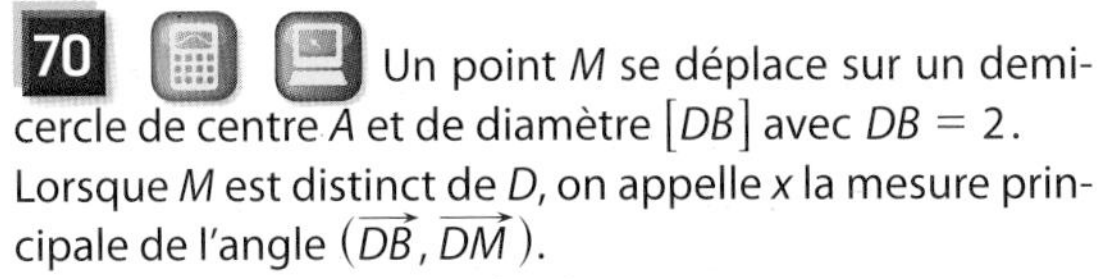

70 Un point M se déplace sur un demi-cercle de centre A et de diamètre $[DB]$ avec $DB = 2$.
Lorsque M est distinct de D, on appelle x la mesure principale de l'angle $(\overrightarrow{DB}, \overrightarrow{DM})$.
Lorsque M et D sont confondus, on convient que :

$$x = \frac{\pi}{2}.$$

On appelle $\mathscr{A}(x)$ la somme des aires des deux portions de disque limitées par le cercle et par les cordes $[DM]$ et $[BM]$ (en bleu sur le dessin ci-dessous).

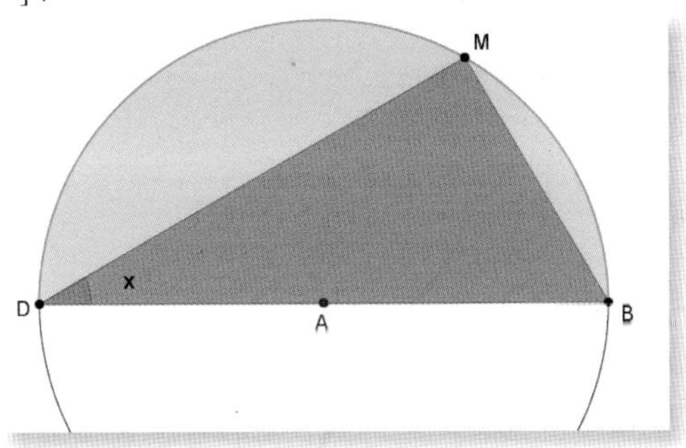

On cherche à savoir comment varie $\mathscr{A}(x)$ lorsque x varie de 0 à $\frac{\pi}{2}$.

1 Réaliser la figure **à l'aide d'un logiciel de géométrie dynamique** et conjecturer les réponses aux questions posées.

Voir la fiche **Geogebra**.

2 **a.** Pour M distinct de D et B, préciser la nature du triangle DBM et exprimer son aire en fonction x.
b. En déduire l'expression de $\mathscr{A}(x)$ en fonction de x.

3 Étudier les variations de la fonction $\mathscr{A}$.

4 Conclure en répondant au problème posé.

5 Donner une solution géométrique au problème en considérant la hauteur issue de M du triangle DMB.

71 Résolution approchée d'une équation

Dans cet exercice, on se propose de dénombrer les solutions dans $\mathbb{R}$ de l'équation (E) : $\cos x = x$ et de trouver une valeur approchée de chacune d'elles.

1 Tracer **sur l'écran de la calculatrice** les courbes représentatives des fonctions $x \longmapsto \cos x$ et $x \longmapsto x$. Conjecturer le nombre de solutions de l'équation (E) et une valeur approchée de chacune d'elles.

2 Démontrer que si $x > 1$, l'équation n'a pas de solution.

3 Démontrer que si $x < 0$, l'équation n'a pas de solution.

Coup de pouce On distinguera les cas suivants :

$$x \in \left[-\frac{\pi}{2}\,;0\right[\quad \text{et} \quad x \in \left]-\infty\,;-\frac{\pi}{2}\right[.$$

4 On considère la fonction f définie sur $[0\,;1]$ par :

$$f(x) = x - \cos x.$$

a. Démontrer que f est strictement croissante sur $[0\,;1]$.
b. En déduire que l'équation $f(x) = 0$ admet une solution unique α sur l'intervalle $[0\,;1]$.
c. À l'aide de la calculatrice, trouver un encadrement de α à 0,001 près.

Voir les fiches **Calculatrices.**

5 À l'aide d'un logiciel de calcul formel, on a résolu dans $\mathbb{R}$ l'équation (E), voici ce qu'on a obtenu :

```
fsolve(cos(x)=x)
                              0.739085133215
```

Vérifier la cohérence de ce résultat avec l'encadrement trouvé en **4 c.**

72 On considère les fonctions f et g définies sur $[-1; +\infty[$ par :

$$f(x) = \sqrt{x+1} \quad \text{et} \quad g(x) = 1 + \frac{x}{2} - \frac{x^2}{8}.$$

1 Calculer $f(0)$ et $g(0)$.

2 Démontrer que les courbes représentatives de ces deux fonctions admettent la même tangente au point A d'abscisse 0.

3 On a représenté graphiquement les fonctions f et g dans un repère orthonormé ainsi que leur tangente commune T au point A.

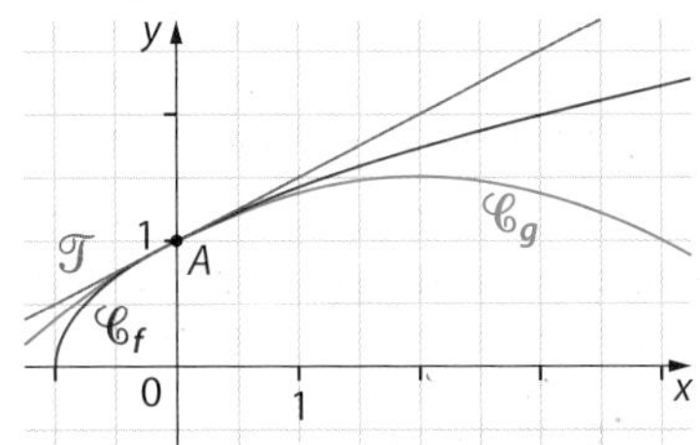

On pose pour tout réel $x \geqslant -1$: $d(x) = f(x) - g(x)$.
a. Montrer que pour tout $x > -1$:

$$d'(x) = \frac{2 + (x-2)\sqrt{x+1}}{4\sqrt{x+1}}.$$

b. Étudier sur l'intervalle $]-1; +\infty[$ les variations de la fonction h : $\quad x \longmapsto 2 + (x-2)\sqrt{x+1}$.
c. En déduire que pour tout réel $x > -1$, $d'(x) \geqslant 0$.

4 **a.** Calculer la limite en $+\infty$ de la fonction d.
b. Dresser le tableau de variations de la fonction d.

5 Déduire des questions précédentes, les positions relatives des courbes représentatives de f et g.

Problèmes

73 On considère la fonction f_n définie sur $\mathbb{R}$ par :

$$f_n(x) = \sin x + \sin(nx)$$

où n est un entier naturel.

On appelle $\mathcal{C}_n$ la courbe représentative de f_n dans un repère orthogonal (O, I, J).

1 Démontrer que pour tout entier naturel n, f_n est périodique de période 2π.

2 Démontrer par récurrence que :

pour tout entier naturel n, $\cos(n\pi) = (-1)^n$.

3 Démontrer que pour tout entier naturel n, $\mathcal{C}_n$ passe par le point $A(\pi\,;0)$.

4 Déterminer l'équation réduite de la tangente $\mathcal{T}_n$ à $\mathcal{C}_n$ en A.

5 **a.** La tangente à $\mathcal{C}_n$ en A coupe l'axe des ordonnées en un point B_n d'ordonnée y_n.

Montrer que $y_n = \pi(1 - n(-1)^n)$.

Question ouverte

b. La suite (y_n) admet-elle une limite ?

74 **Surface balayée sur un disque**

Sur la figure ci-après, $[CB]$ est un diamètre du cercle $\mathcal{C}$ de centre A et de rayon 1 et D est un point de $\mathcal{C}$ autre que C.

On note x la mesure principale de l'angle orienté $(\overrightarrow{CB}, \overrightarrow{CD})$; ainsi $x \in \left]-\frac{\pi}{2}\,;\frac{\pi}{2}\right[$.

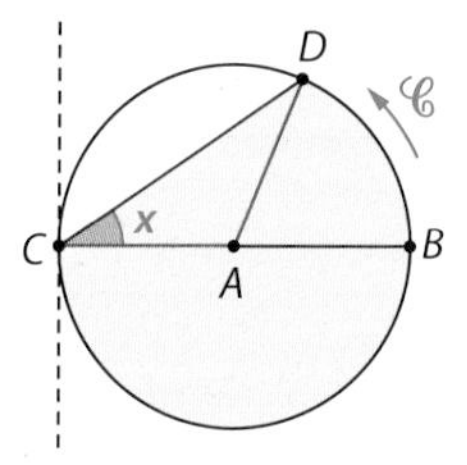

On note $a(x)$ l'aire de la portion du disque « balayée par la corde $[CD]$ » c'est-à-dire située en dessous de la corde $[CD]$.

1 Déterminer, en fonction de x, la mesure principale en radian de l'angle orienté $(\overrightarrow{AB}, \overrightarrow{AD})$.

2 Dans cette question, on suppose que $x \in \left[0\,;\frac{\pi}{2}\right[$. (Voir le dessin ci-dessus.)

a. Exprimer en fonction de x l'aire du triangle CAD et l'aire du secteur circulaire ABD.

b. En déduire que pour tout $x \in \left[0\,;\frac{\pi}{2}\right[$:

$$a(x) = \frac{\pi}{2} + \frac{1}{2}\sin(2x) + x.$$

3 Dans cette question, on suppose que $x \in \left]-\frac{\pi}{2}\,;0\right]$.

a. Réaliser à main levée un dessin correspondant à cette situation.

b. Démontrer que pour tout $x \in \left]-\frac{\pi}{2}\,;0\right]$ on a également $a(x) = \frac{\pi}{2} + \frac{1}{2}\sin(2x) + x$.

4 **a.** Démontrer que la fonction a est croissante sur l'intervalle $\left]-\frac{\pi}{2}\,;\frac{\pi}{2}\right[$.

b. Dresser le tableau de variations de la fonction a en précisant les limites en $-\frac{\pi}{2}$ et $\frac{\pi}{2}$.

5 Déterminer **à la calculatrice** un encadrement à 0,01 près du réel x tel que $a(x) = 1$.

Voir les fiches **Calculatrices**.

75 On considère la fonction f définie sur l'intervalle $[0\,;\pi]$ par $f(x) = \sqrt{\sin x}$.

1 Justifier que f est bien définie sur l'intervalle $[0\,;\pi]$.

2 Démontrer que f n'est pas dérivable en 0.

Coup de pouce On pourra écrire, pour $h > 0$, l'expression $\frac{\sqrt{\sin h}}{h}$ sous la forme $\sqrt{\frac{\sin h}{h}} \times \frac{1}{\sqrt{h}}$.

3 La fonction f est-elle dérivable en π ?

Attention ! Pour que $(\pi + h)$ appartienne à l'intervalle $[0\,;\pi]$, il faut que h soit négatif.

4 Dresser le tableau de variations de la fonction f.

76 **Dans ce problème, on cherche à représenter dans un repère orthonormé l'ensemble des points M du plan, de coordonnées $(x\,;y)$, vérifiant l'équation :**

$$\textbf{(E)} : \frac{x^2}{4} + y^2 = 1.$$

1 Justifier que, pour $x \in [-2\,;2]$, l'équation (E) est équivalente à : $y = \sqrt{1 - \frac{x^2}{4}}$ ou $y = -\sqrt{1 - \frac{x^2}{4}}$.

2 Soit f la fonction définie sur l'intervalle $[-2\,;2]$ par :

$$f(x) = \sqrt{1 - \frac{x^2}{4}}.$$

a. Pour $x \in]-2\,;2[$, calculer $f'(x)$ et déterminer son signe.

b. Étudier la dérivabilité de f en -2 et en 2.

c. Dresser le tableau de variations de f.

3 Tracer la courbe représentative $\mathcal{C}_1$ de f dans un repère orthonormé (O, I, J).

4 Comment obtient-on, à partir de $\mathcal{C}_1$, la courbe représentative $\mathcal{C}_2$ de la fonction $x \longmapsto -\sqrt{1 - \frac{x^2}{4}}$? Tracer cette courbe $\mathcal{C}_2$.

Pour info La réunion des deux courbes $\mathcal{C}_1$ et $\mathcal{C}_2$ est une **ellipse**.

5 **Pour aller plus loin**

Soit $F(\sqrt{3}\,;0)$ et $F'(-\sqrt{3}\,;0)$; montrer que, pour tout point de cette ellipse : $MF + MF' = 4$.

77 Des tangentes perpendiculaires

On considère les fonctions f et g définies par $f(x) = \sqrt{x + a}$ où a est un réel fixé quelconque et $g(x) = \sqrt{3 - 2x}$.

On appelle $\mathscr{C}_f$ et $\mathscr{C}_g$ leurs courbes représentatives dans un repère orthonormé (O, I, J).

Le but de ce problème est de déterminer si on peut choisir le réel *a* pour que les deux courbes se coupent en un point où leurs tangentes respectives sont perpendiculaires.

1 Démontrer que $\mathscr{C}_f$ et $\mathscr{C}_g$ se coupent si, et seulement si, $a \geqslant -\frac{3}{2}$.

Dans toute la suite du problème, on prendra $a \geqslant -\frac{3}{2}$, on appellera B le point d'intersection des deux courbes. T_f et T_g désignent les tangentes en B aux courbes $\mathscr{C}_f$ et $\mathscr{C}_g$ respectivement.

2 **À l'aide d'un logiciel de géométrie dynamique,** réaliser la figure après voir créé un curseur a. Conjecturer la valeur de a qui répond au problème (on pourra afficher la mesure de l'angle formé par les deux tangentes).

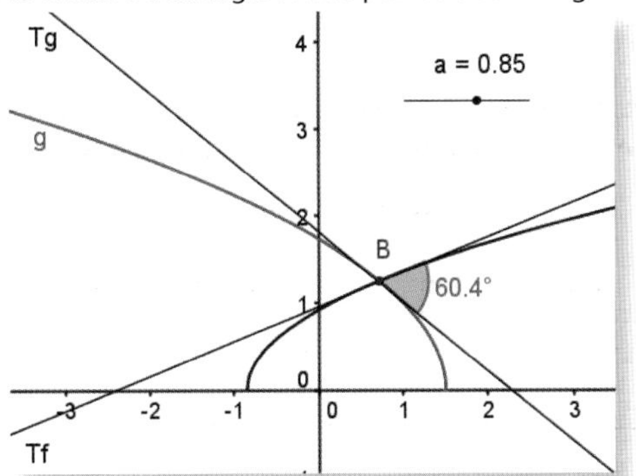

3 Démontrer que B a pour coordonnées :

$$\left(\frac{3-a}{3} ; \sqrt{\frac{2a+3}{3}}\right).$$

4 Déterminer l'équation réduite de chaque tangente.

5 Démontrer que :

a. T_f a pour vecteur directeur $\vec{v}\begin{pmatrix} 2\sqrt{\frac{2a+3}{3}} \\ 1 \end{pmatrix}$;

b. T_g a pour vecteur directeur $\vec{w}\begin{pmatrix} \sqrt{\frac{2a+3}{3}} \\ -1 \end{pmatrix}$.

> **Rappel** Une droite ayant pour équation cartésienne $ax + by + c = 0$ admet pour vecteur directeur $\vec{u}\begin{pmatrix} -b \\ a \end{pmatrix}$.

6 Calculer la valeur de a qui répond au problème. Vérifier la conjecture émise en **2**.

78 Un triangle isocèle d'aire maximale

Un triangle ABC de périmètre 12 est isocèle en A, et on note $AB = AC = x$ et $BC = y$.

On cherche à déterminer *x* et *y* pour que l'aire du triangle *ABC* soit maximale.

1 Justifier que $2x + y = 12$ et que $2x \geqslant y$.

2 En déduire que $3 \leqslant x \leqslant 6$.

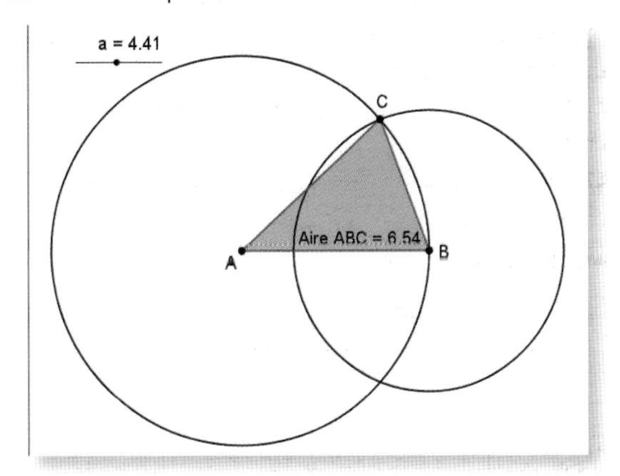

3 **Recherche à l'aide d'un logiciel de géométrie dynamique**

- Créer un curseur a.
- Avec A comme centre, construire le cercle de rayon a et placer un point B sur ce cercle.
- Avec B comme centre, construire le cercle de rayon $12 - 2a$.
- Placer le point C à l'intersection des deux cercles et tracer le triangle ABC.
- Faire bouger le curseur et conjecturer la valeur de a qui répond au problème (l'aire du triangle ABC apparaît dans la fenêtre algèbre).

Voir la fiche **Geogebra.**

Quelle semble être la nature du triangle dans le cas où l'aire paraît maximale ?

4 Exprimer en fonction de x la hauteur du triangle issue de A.

5 Démontrer que l'aire $f(x)$ du triangle ABC est donnée par : $f(x) = (6 - x)\sqrt{12x - 36}$.

6 **a.** Démontrer que pour tout réel $x \in \left]3 ; 6\right]$, on a :

$$f'(x) = \frac{-9x + 36}{\sqrt{3x - 9}}.$$

b. En déduire que la fonction f admet, sur $[3 ; 6]$, un maximum pour une valeur de x que l'on précisera.

7 Quelle est la nature du triangle d'aire maximale ? Préciser son aire.

Pistes pour l'accompagnement personnalisé

Revoir les outils de base

79 Écrire le plus simplement possible les expressions suivantes :

$\sin(x+\pi)$; $\cos(\pi - x)$; $\sin\left(x+\frac{\pi}{2}\right)$;

$\cos\left(\frac{\pi}{2}-x\right)$; $\cos(-x)+\cos x$; $\sin(-x)-\sin x$.

80 Trouver les réels x de l'intervalle $]-\pi, \pi]$ vérifiant chacune des inéquations suivantes (on pourra s'aider du cercle trigonométrique) :

$\sin x \geqslant \frac{1}{2}$, $\cos x \leqslant 0$, $\sin x \leqslant \frac{-\sqrt{2}}{2}$.

81 Résoudre dans $\mathbb{R}$ les équations suivantes :

a. $\sin x = -1$; **b.** $\cos x = \frac{1}{2}$;

c. $\sin x = \sin\frac{\pi}{5}$; **d.** $\cos x = -\cos\frac{\pi}{4}$.

82 Résoudre dans $\mathbb{R}$ les équations suivantes :

a. $\sin\left(x+\frac{\pi}{6}\right)=1$; **b.** $\sin\left(3x-\frac{\pi}{2}\right)=\sin\frac{3\pi}{4}$;

c. $\cos(2x)=\frac{\sqrt{2}}{2}$; **d.** $\cos\left(\frac{x}{2}+\frac{\pi}{3}\right)=-\cos\frac{\pi}{6}$.

83 On a tracé la courbe représentative d'une fonction f dont l'expression est donnée par $f(x)=ax^2+bx+c$ avec a, b et c qui sont des réels non nuls.

On a tracé la tangente à $\mathscr{C}_f$ au point A d'abscisse -2. La courbe coupe l'axe des ordonnées en B. En utilisant des renseignements lus sur le dessin, calculer a, b et c.

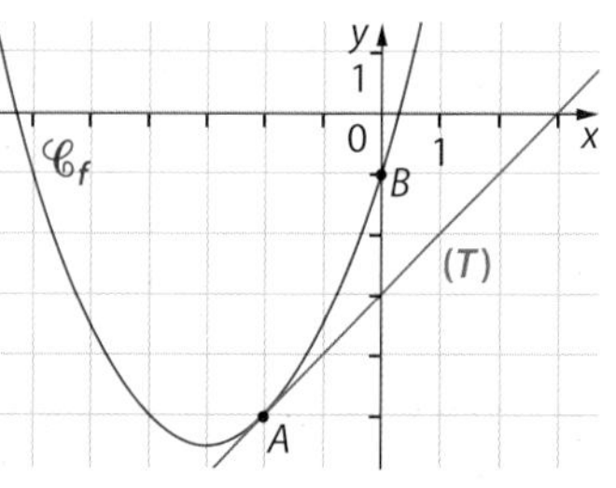

Les savoir-faire du chapitre

Étudier une fonction trigonométrique

84 Démontrer que la fonction $f : x \longmapsto \cos\left(\frac{x}{2}\right)$ est décroissante sur l'intervalle $[0 ; 2\pi]$.

85 Déterminer le sens de variation de la fonction g définie sur $[0 ; 2\pi]$ par $g(x)=\sin\left(\frac{x}{2}\right)$.

86 **1** Tracer sur l'écran de la calculatrice la courbe représentative de la fonction f définie sur $]0 ; \pi[$ par $f(x)=\frac{1}{\sin x}$.

2 Conjecturer son sens de variation, ainsi que ses limites aux bornes de l'ensemble de définition.

3 Démontrer les conjectures.

87 On considère la fonction f définie par :

$$f(x)=\frac{\cos x}{\cos x - 2}.$$

1 Démontrer que f est définie sur $\mathbb{R}$.

2 Démontrer que f est paire et périodique de période 2π.

3 Étudier les variations de f sur $[0 ; \pi]$.

4 Représenter graphiquement cette fonction sur l'intervalle $[-\pi ; \pi]$.

Méthode

La dérivée de la fonction $x \longmapsto \cos x$ est $x \longmapsto -\sin x$.
Une fonction définie sur $\mathbb{R}$ est paire lorsque pour tout réel x on a $f(-x)=f(x)$.
Une fonction f admet comme période 2π lorsque pour tout réel x, on a $f(x+2\pi)=f(x)$.

Étudier une fonction du type $x \longmapsto f(ax+b)$

88 On considère la fonction f définie sur $[1 ; +\infty[$ par :

$$f(x)=(x-1)\sqrt{x-1}.$$

Démontrer que pour tout $x>1$, $f'(x)=\frac{3}{2}\sqrt{x-1}$.

89 Dans chacun des cas suivants, la fonction f est dérivable sur l'intervalle I ; calculer $f'(x)$.

a. $f : x \longmapsto x\cos(2x)$ et $\mathrm{I}=\mathbb{R}$;

b. $f : x \longmapsto \frac{1}{\sqrt{2x+3}}$ et $\mathrm{I}=\left]-\frac{3}{2} ; +\infty\right[$;

c. $f : x \longmapsto \frac{1}{\sin\left(\frac{\pi}{3}-x\right)}$ et $\mathrm{I}=\left]\frac{\pi}{3} ; \frac{4\pi}{3}\right[$.

90 **Étudier une fonction du type $x \longmapsto \sqrt{ax+b}$**

On considère la fonction f définie sur $\left[\frac{1}{2} ; +\infty\right[$ par :

$$f(x)=\sqrt{2x-1}.$$

1 Démontrer que la fonction f est croissante sur $\left[\frac{1}{2} ; +\infty\right[$.

Pistes pour l'accompagnement personnalisé

2 Démontrer que f n'est pas dérivable en $\frac{1}{2}$.
La fonction f est donc dérivable sur $\left]\frac{1}{2}\,;+\infty\right[$.

3 Calculer la limite de f en $+\infty$ et dresser le tableau de variations de f.

4 Calculer l'équation réduite de la tangente à la courbe représentative de f au point d'abscisse 5.

91 Déterminer l'ensemble de dérivabilité de la fonction f et calculer $f'(x)$.

a. $f(x) = \sqrt{4x-1}$. **b.** $f(x) = \sqrt{-3x}$.
c. $f(x) = (5x+4)^3$. **d.** $f(x) = (1-x)^4$.
e. $f(x) = \dfrac{2}{(-2x+1)^2}$. **f.** $f(x) = \dfrac{1}{\sqrt{6x+3}}$.

Méthode

Si f est dérivable sur $\mathbb{R}$, et si g est la fonction :
$x \longmapsto f(ax+b)$, alors $g'(x) = a \times f'(ax+b)$.

Étudier une fonction du type $\sqrt{u}$ ou u^n

92 Déterminer l'ensemble de dérivabilité de la fonction f et calculer $f'(x)$.

a. $f(x) = \sqrt{x^2-x+3}$.
b. $f(x) = \sqrt{2+\cos x}$.
c. $f(x) = (1+2\sqrt{x})^3$.
d. $f(x) = (\sin x + \cos x)^4$.

Méthode

$(\sqrt{u})' = \dfrac{u'}{2\sqrt{u}}$ et $(u^n)' = n\,u'u^{n-1}$.

93 On considère la fonction f définie sur $\mathbb{R}$ par :

$$f(x) = (ax-1)^4$$

où a est un réel non nul.
Justifier tous les éléments qui apparaissent dans le tableau des variations de f ci-dessous pour toute valeur de a non nulle.

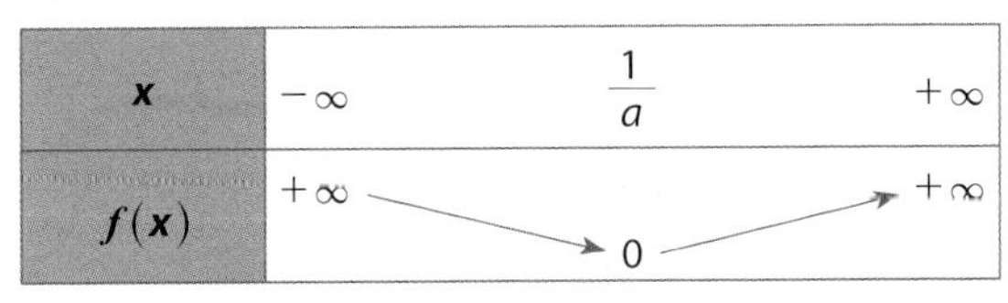

x	$-\infty$	$\frac{1}{a}$	$+\infty$
$f(x)$	$+\infty$ ↘	0	↗ $+\infty$

Coup de pouce

Étudier séparément les cas a positif et a négatif.

94 On considère la fonction f définie sur $\mathbb{R}$ par :

$$f(x) = \sqrt{1+\sin^2 x}.$$

1 Démontrer que f admet pour période π.

2 Démontrer que f est paire.

3 Déterminer la dérivée f' de f et étudier son signe sur l'intervalle $\left[0\,;\frac{\pi}{2}\right]$.

4 Dresser le tableau de variations de f sur $\left[-\frac{\pi}{2}\,;\frac{\pi}{2}\right]$.

Approfondissement

95 Une asymptote oblique

On considère la fonction f définie sur $\mathbb{R}$ par :

$$f(x) = x + \sqrt{x^2+1}.$$

1 Déterminer les limites de f en $+\infty$ et en $-\infty$.

Coup de pouce

En cas de forme indéterminée, penser à la quantité conjuguée.

2 Calculer $f'(x)$.

3 Démontrer que pour tout réel x, $f'(x) > 0$.

Coup de pouce

Lorsque x est négatif, on montrera que l'on a :

$$f'(x) = 1 - \frac{1}{\sqrt{1+\frac{1}{x^2}}}.$$

4 Dresser le tableau de variations de f.

5 **À l'aide de la calculatrice,** tracer la courbe représentative de f notée $\mathscr{C}_f$ dans un repère orthogonal et la droite $\mathscr{D}$ d'équation $y = 2x$. Qu'observe-t-on en $+\infty$ concernant la courbe et la droite ?

6 Démontrer que $\lim\limits_{x \to +\infty} [f(x) - 2x] = 0$.

On dira dans ce cas que la droite $\mathscr{D}$ est asymptote à $\mathscr{C}_f$ en $+\infty$.

Définition

La droite $\mathscr{D}$ d'équation $y = ax + b$ est asymptote à la courbe représentative d'une fonction f en $+\infty$ signifie que $\lim\limits_{x \to +\infty} [f(x) - (ax+b)] = 0$.

On a une définition similaire en $-\infty$.

Fonction

Partir d'un bon pied

Voir corrigés en fin de manuel

A Manipuler les puissances

QCM Pour chacune des affirmations suivantes, préciser **la seule** réponse correcte.
(a et b sont des réels non nuls quelconques, n est un entier quelconque.)

1 $\dfrac{(10a)^3}{5a^2} =$	a. $6a$	b. $200a$	c. $40a$
2 $\dfrac{a^{-3}\times(2b)^4}{4a^{-5}\times b^5} =$	a. $4a^{-8}\times b^{-1}$	b. $\dfrac{2a^2}{b}$	c. $4a^2b^{-1}$
3 $2a^n\times a^3 =$	a. $2^n\times a^{n+3}$	b. $2a^{n+3}$	c. $2a^{3n}$
4 $\dfrac{(a^n)^2}{a^{n+2}} =$	a. a^{n-2}	b. 1	c. a^{n^2-n-2}

B Dériver des fonctions

Déterminer la fonction dérivée de la fonction f :

a. f est définie sur $\mathbb{R}$ par $f(x) = (2x+3)^2$;
b. f est définie sur $\mathbb{R}$ par $f(x) = \sin\left(-4x + \dfrac{\pi}{3}\right)$;
c. f est définie sur $\mathbb{R}$ par $f(x) = g\left(\dfrac{x}{2} - 5\right)$, où g est une fonction dérivable sur $\mathbb{R}$.

C Travailler avec des suites

Sans calculatrice Pour chacune des affirmations suivantes, préciser la (ou les) réponse(s) correcte(s).

1 Si (u_n) est une suite géométrique de premier terme $u_0 = 4$ et de raison $q = \dfrac{1}{2}$, alors, pour tout entier naturel n :	a. $u_n = 4\times\left(\dfrac{1}{2}\right)^n$	b. $u_n = 2^{2-n}$	c. $u_{n+2} = \dfrac{1}{2^n}$
2 On a représenté deux suites, l'une géométrique et l'autre arithmétique. 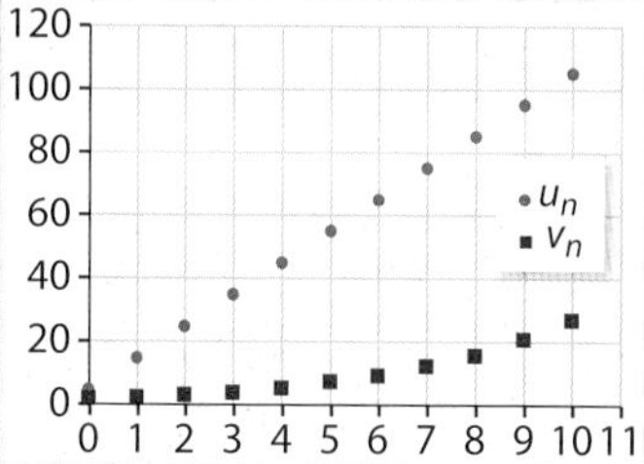	a. La suite (v_n) est géométrique et la suite (u_n) est arithmétique	b. Pour n assez grand, (v_n) finira par dépasser (u_n)	c. On ne peut pas savoir si (v_n) finira par dépasser (u_n)
3 (v_n) est une suite géométrique de premier terme $u_0 = 4$ et de raison r.	a. Si $r > 0$, (v_n) tend vers $+\infty$	b. Si $r < 1$, (v_n) tend vers 0	c. Si $0 < r < 1$, (v_n) tend vers 0

exponentielle

CHAPITRE 4

Le modèle ayant servi à décrire l'évolution de la population jusqu'à l'an 2000 est exponentiel.

Des maths partout !

La « demi-vie » (ou « période », utilisée ici dans un sens qui n'a rien à voir avec la périodicité dans le langage usuel ou en mathématiques), est le temps nécessaire pour que la moitié des atomes d'une quantité donnée d'un isotope radioactif se soit désintégrée de façon naturelle. La radioactivité naturelle est utilisée dans divers domaines scientifiques, par exemple l'archéologie pour des méthodes de datation.
Le phénomène de désintégration radioactive est un « phénomène exponentiel ».

Au fil du temps

Combien de grains de sables faudrait-il pour remplir l'univers ? C'est à partir de cette question qu'**Archimède** définit le premier, au IIIe siècle avant J.-C., un phénomène que nous qualifions aujourd'hui d'exponentiel. Toutefois, c'est **Leonhard Euler** (1707-1784) qui donna son nom à cette fonction et qui la relia à des phénomènes temporels.

C'est aujourd'hui une fonction que l'on retrouve dans tous les domaines de la modélisation, que ce soit pour prévoir l'évolution d'une population, comprendre la trajectoire d'une particule, etc.

Découvrir

Activité 1 Croissance d'une population de bactéries

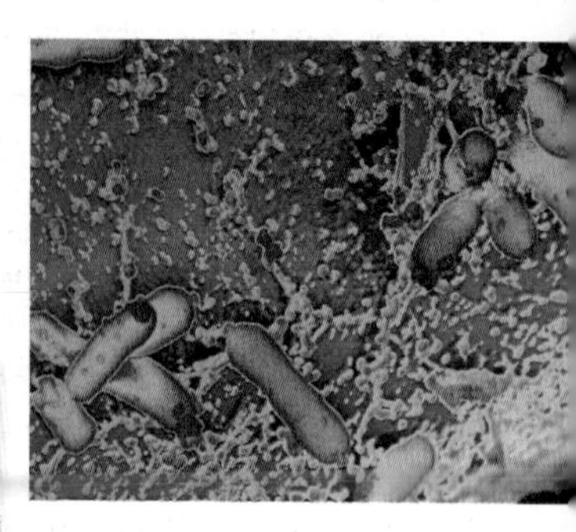

On étudie l'évolution du nombre de bactéries *Rhizobium*.
À l'instant $t = 0$, le nombre de bactéries dans la culture, en millions, est égal à $u_0 = 40$. On sait que le nombre de bactéries double toutes les quatre heures. On appelle u_n le nombre de bactéries, exprimé en millions, au bout de n heures.

1 Construire une feuille de calcul qui permette de visualiser l'évolution de la population.

	A	B
1	n	u_n
2	0	40
3	4	80
4	8	160
5	12	320
6	16	640
7	20	1280
8	24	2560
9	28	5120

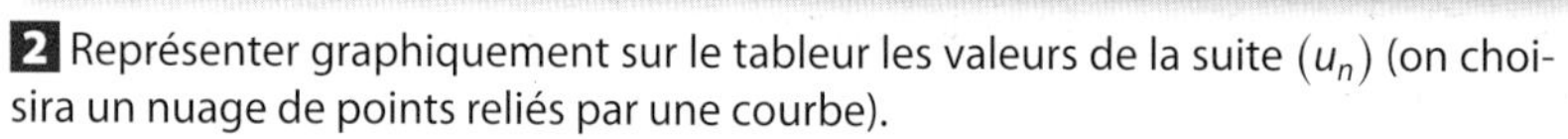

Voir la fiche **Tableur**.

2 Représenter graphiquement sur le tableur les valeurs de la suite (u_n) (on choisira un nuage de points reliés par une courbe).

3 À l'aide du graphique, estimer le nombre de bactéries au bout de 17 heures, 21 heures et 25 heures.

4 Comparer le taux d'évolution du nombre de bactéries entre 16 et 17 heures, puis entre 20 et 21 heures, puis entre 24 et 25 heures. Que peut-on conjecturer quant à la nature de la suite (u_n) ?

5 À l'aide du tableur, évaluer le temps nécessaire pour que la population atteigne 100 milliards de bactéries.

Activité 2 Loi de refroidissement de Newton, modélisation discrète

La loi de refroidissement de Newton peut s'énoncer de la façon suivante : *la variation de température d'un corps inerte est proportionnelle à la différence de température entre le corps et le milieu ambiant*. On va s'intéresser ici à un bol de soupe chaud que l'on laisse refroidir dans une pièce dont la température est 20 °C.

On appelle T_n la température de la soupe, en degrés Celsius, au bout de n minutes. On a $T_0 = 80$ °C.

1 Montrer que l'application de la loi de refroidissement de Newton implique que, pour tout entier n : $$T_{n+1} - T_n = k(T_n - 20).$$

2 a. Montrer que la suite définie par $u_n = T_n - 20$ est géométrique.
b. En déduire une expression de u_n, puis de T_n en fonction de n et k.
c. Sachant que le température de la soupe est de 69 °C au bout de 2 minutes, calculer k.

3 Quelle sera la température de la soupe au bout de 20 minutes ?

Isaac Newton (1643-1727), physicien et mathématicien anglais.

Activité 3 Des fonctions « transformant les sommes en produits »

1 On considère la suite géométrique (u_n) de raison q, de premier terme $u_0 = 1$. Démontrer que pour tous entiers naturels n et p, on a : $u_n \times u_p = u_{n+p}$.

En utilisant la notation fonctionnelle, le résultat de la question **1** s'écrit : pour tous entiers n et p, $u(n) \times u(p) = u(n+p)$.

On s'intéresse ici aux fonctions numériques f définies sur $\mathbb{R}$ et vérifiant le même type de relation fonctionnelle, à savoir : pour tous réels x et y, $f(x+y) = f(x) \times f(y)$ (relation $\mathcal{R}$).

Soit f une fonction définie sur $\mathbb{R}$ et vérifiant la relation $\mathcal{R}$.

2 Démonter que s'il existe un réel a tel que $f(a) = 0$, alors pour tout réel x, on a : $f(x) = 0$. On dit alors que « f est la fonction nulle ».

On écarte désormais ce cas, en supposant que f **ne s'annule pas sur** $\mathbb{R}$.

3 Soit x un réel quelconque.

a. En écrivant que $f(x+0) = f(x)$, démontrer que $f(0) = 1$.

b. En écrivant que $f(x) = f\left(\frac{x}{2} + \frac{x}{2}\right)$, démontrer que $f(x) > 0$.

c. En écrivant que $f(x+(-x)) = f(0)$, démontrer que : $f(-x) = \dfrac{1}{f(x)}$.

d. On s'intéresse à la suite des nombres $(f(n))$, pour n entier naturel. Démontrer que cette suite est géométrique de raison $f(1)$.

4 On suppose maintenant que f est non nulle, qu'elle vérifie la relation $\mathcal{R}$ et qu'elle est dérivable. On fixe un réel x quelconque, et on considère la fonction

$$g : y \longmapsto f(x+y).$$

Justifier que g est dérivable sur $\mathbb{R}$ et, en calculant $g'(y)$ de deux façons différentes, démontrer que, pour tout réel y : $f'(x+y) = f(x) \times f'(y)$. En déduire que pour tout réel x, on a : $f'(x) = k\, f(x)$, où k est un réel non nul constant.

5 Si f est une fonction non nulle, dérivable, vérifiant la relation $\mathcal{R}$, récapituler toutes les informations obtenues sur f dans les questions précédentes.

Pour info Le domaine des mathématiques qui étudie les opérations entre les nombres est celui de l'**algèbre**. C'est aussi le domaine de la résolution des équations. En algèbre, une fonction telle que celle étudiée ici, qui transforme sommes en produits, est appelée un « **morphisme** ».

Activité 4 Fonction f telle que $f' = f$ et $f(0) = 1$

On cherche à construire de façon approchée la courbe représentative d'une fonction dérivable f qui vérifie $f' = f$ et $f(0) = 1$, c'est-à-dire une fonction égale à sa dérivée et qui prend la valeur 1 en 0.

Construire un repère orthonormé en prenant 10 cm pour unité graphique.

1 Avec un pas de 1

a. Quel est le coefficient directeur de la tangente à la courbe au point d'abscisse 0 ?

b. Tracer le segment porté par cette tangente pour x variant de 0 à 1.

c. Si on assimile la courbe à sa tangente, quelle approximation de $f(1)$ obtient-on ?

2 Avec un pas de 0,5

a. Avec le tracé précédent, quelle approximation de $f(0{,}5)$ obtient-on ?

b. Quelle approximation de $f'(0{,}5)$ peut-on en déduire ? Construire ainsi un nouveau segment ayant cette approximation comme coefficient directeur, pour x variant de 0,5 à 1.

c. Quelle nouvelle approximation de $f(1)$ obtient-on ?

3 Avec un pas de 0,2

Adapter les méthodes précédentes avec un pas de 0,2 (on a représenté sur le graphique ci-contre les trois premières étapes).

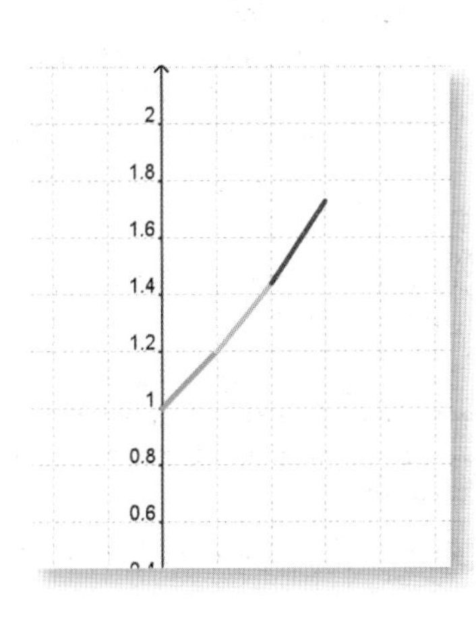

1 La fonction exponentielle

a Fonction exponentielle : existence et unicité

Théorème Il existe une unique fonction f dérivable sur $\mathbb{R}$ telle que :

$$f' = f \quad \text{et} \quad f(0) = 1.$$

Cette fonction est appelée **fonction exponentielle** et notée **exp**.

Ainsi, pour tout réel x : $\mathbf{exp}'(\boldsymbol{x}) = \mathbf{exp}(\boldsymbol{x})$ et $\mathbf{exp}(\mathbf{0}) = \mathbf{1}$.

Commentaire On admet l'existence de cette fonction. L'activité 4, p. 121, permet de conjecturer son existence grâce à la construction approchée de sa courbe représentative.

Propriété Si une fonction f dérivable sur $\mathbb{R}$ vérifie $f' = f$ et $f(0) = 1$, alors, pour tout réel x, on a : $f(x)f(-x) = 1$ et donc $f(x) \neq 0$.

Par conséquent : **pour tout reel x,** $\mathbf{exp}(\boldsymbol{x}) \neq \mathbf{0}$.

DÉMONSTRATION

Soit f une fonction dérivable sur $\mathbb{R}$ telle que : $f' = f$ et $f(0) = 1$.
On pose pour tout réel x, $\varphi(x) = f(x)f(-x)$; φ est dérivable sur $\mathbb{R}$ comme produit de deux fonctions dérivables et, pour tout réel x :
$\varphi'(x) = f'(x)f(-x) + f(x)\times(-f'(-x)) = f(x)f(-x) - f(x)f(-x) = 0$.
La fonction φ est donc constante sur $\mathbb{R}$ et, comme $\varphi(0) = 1$, on obtient pour tout réel x : $\varphi(x) = 1$.
Finalement, pour tout réel x, $f(x)f(-x) = 1$ et donc $f(x) \neq 0$.

Commentaire On utilise ici une propriété fondamentale : si une fonction admet une dérivée nulle sur un intervalle, alors cette fonction est constante sur cet intervalle.

DÉMONSTRATION DE L'UNICITÉ démo BAC

On suppose l'existence d'une fonction dérivable g vérifiant $g' = g$ et $g(0) = 1$. La fonction exp ne s'annulant pas, on peut définir $h = \dfrac{g}{\exp}$ sur $\mathbb{R}$.
Pour tout réel x, on a :

$$h'(x) = \frac{g'(x)\exp(x) - g(x)exp'(x)}{(\exp(x))^2} = \frac{g(x)\exp(x) - g(x)\exp(x)}{(\exp(x))^2} = 0.$$

h est donc constante sur $\mathbb{R}$ et $h(0) = \dfrac{g(0)}{\exp(0)} = 1$; ainsi, pour tout réel x, on a $h(x) = 1$. On en déduit que, pour tout réel x : $g(x) = \exp(x)$.

b Propriétés algébriques et notation e^x

Propriétés Pour tout réel x, pour tout réel y et pour tout entier relatif n :

❶ $\mathbf{exp}(\boldsymbol{x}+\boldsymbol{y}) = \mathbf{exp}(\boldsymbol{x})\times\mathbf{exp}(\boldsymbol{y})$; ❷ $\mathbf{exp}(-\boldsymbol{x}) = \dfrac{\mathbf{1}}{\mathbf{exp}(\boldsymbol{x})}$;

❸ $\mathbf{exp}(\boldsymbol{x}-\boldsymbol{y}) = \dfrac{\mathbf{exp}(\boldsymbol{x})}{\mathbf{exp}(\boldsymbol{y})}$; ❹ $\mathbf{exp}(\boldsymbol{nx}) = (\mathbf{exp}(\boldsymbol{x}))^{\boldsymbol{n}}$.

Le nombre exp(1) noté e, admet 2,718 28 pour valeur approchée à 10^{-5}.
Pour tout entier n, on a $\exp(n) = \exp(1\times n) = (\exp(1))^n = e^n$.
Par convention, on décide de noter pour tout réel x : $\mathbf{exp}(\boldsymbol{x}) = \mathbf{e}^{\boldsymbol{x}}$.
Avec cette nouvelle notation les résultats précédents s'écrivent :

Propriétés Pour tout réel x, pour tout réel y, pour tout entier relatif n :

❶ $e^{x+y} = e^x \times e^y$; ❷ $e^{-x} = \dfrac{1}{e^x}$;

❸ $e^{x-y} = \dfrac{e^x}{e^y}$; ❹ $e^{nx} = (e^x)^n$.

Voir la **démonstration** des propriétés algébriques aux exercices 29, page 134, et 55, page 138.

Remarque Ainsi, le nombre $\exp(3)$, noté e^3, est bien égal à $e\times e\times e$... !

Remarque On a, par exemple, $e^0 = 1$ et $e^1 = e$.

Utiliser les propriétés algébriques de la fonction exponentielle

Exercice corrigé

Énoncé **1** Simplifier au maximum chacune des expressions suivantes où x représente un réel quelconque :

$$A = \frac{e^{2x}}{e^{3x}}\ ;\quad B = e^x(1 + 2e^{-x})\ ;\quad C = \frac{e^{x+2}}{e^{x+1}}\ ;$$

$$D = (e^x + e^{-x})^2\ ;\quad E = \frac{e^{2x-1}}{(e^x)^2}.$$

2 On considère la fonction f définie sur $\mathbb{R}$ par :

$$f(x) = \frac{e^x + e^{-x}}{2}.$$

a. Démontrer que la fonction f est paire. Qu'en déduit-on pour sa courbe représentative dans un repère orthogonal ?

Représenter cette courbe sur l'écran de la calculatrice.

b. Démontrer que pour tout réel x : $f(2x) = 2(f(x))^2 - 1$.

Solution

1 $A = \frac{e^{2x}}{e^{3x}} = e^{2x-3x} = e^{-x}$; ▶1 $B = e^x(1 + 2e^{-x}) = e^x + 2e^x \times e^{-x} = e^x + 2$; ▶2

$C = \frac{e^{x+2}}{e^{x+1}} = e^{(x+2)-(x+1)} = e^1 = e$; ▶1

$D = (e^x + e^{-x})^2 = (e^x)^2 + 2e^x \times e^{-x} + (e^{-x})^2 = e^{2x} + 2 + e^{-2x}$; ▶2 et ▶3

$E = \frac{e^{2x-1}}{(e^x)^2} = \frac{e^{2x-1}}{e^{2x}} = e^{2x-1-2x} = e^{-1} = \frac{1}{e}$. ▶4

2 a. $f(-x) = \frac{e^{-x} + e^x}{2} = f(x)$, donc la fonction f est paire.

Sa courbe représentative est symétrique par rapport à l'axe des ordonnées. ▶5

b. $2(f(x))^2 - 1 = 2\left(\frac{e^x + e^{-x}}{2}\right)^2 - 1 = 2\left(\frac{e^{2x} + 2 + e^{-2x}}{4}\right) - 1 = \frac{e^{2x} + e^{-2x}}{2}$

$= f(2x)$.

Casio

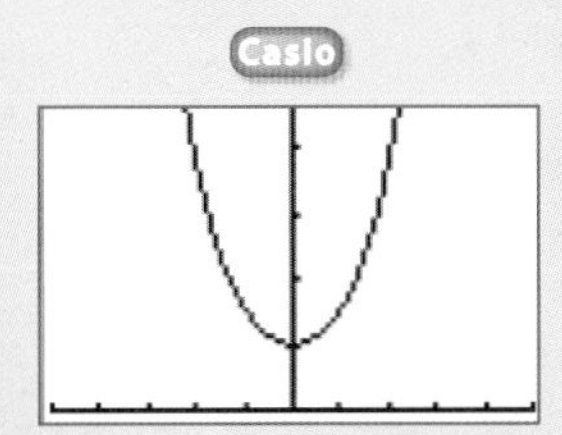

TI

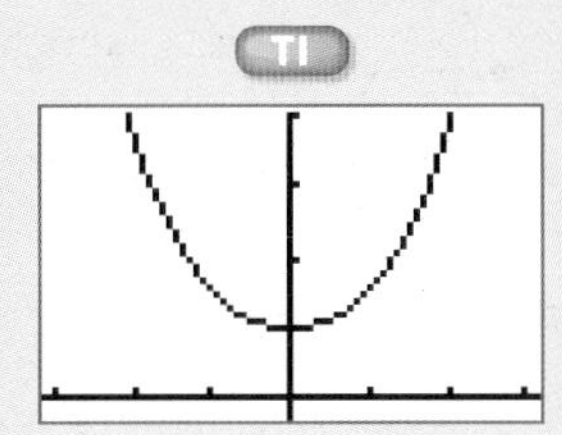

Bon à savoir

▶1 Pour tout réel x, pour tout réel y :

$$e^{x-y} = \frac{e^x}{e^y}.$$

▶2 Pour tout réel x, $e^x \times e^{-x} = 1$.

▶3 Pour tout réel x, $e^{nx} = (e^x)^n$.

Attention : la notation e^{x^2} est utilisée pour $\exp(x^2)$. Pour écrire $e^x \times e^x$, on utilise des parenthèses :

$$(e^x)^2 = (e^x) \times (e^x) = e^{2x}.$$

▶4 Pour tout réel x, on a :

$$e^{-x} = \frac{1}{e^x}.$$

▶5 Une fonction f est paire sur $\mathbb{R}$ signifie que pour tout réel x, on a : $f(-x) = f(x)$.

Exercices d'application

1 **Vrai ou faux ?** Pour tout réel x, on a :

a. $\exp(x^2) = (\exp(x))^2$; **b.** $\exp(-2x) = \frac{1}{(\exp(x))^2}$;

c. $\exp(1 - x) = \frac{e}{\exp(x)}$;

d. $\exp(x) + \exp(x) = 2\exp(x)$.

2 Simplifier les expressions suivantes :

a. $a = e^{2x} \times e^{-2x}$; **b.** $b = e^{2x+1} \times e^{1-x}$;

c. $c = \frac{e^{x+2}}{e^{-x+2}}$; **d.** $d = \frac{e^{3x} + e^x}{e^{2x} + 1}$.

3 Démontrer que pour tout réel x, on a :

1 $\frac{e^x - 1}{e^x + 1} = \frac{1 - e^{-x}}{1 + e^{-x}}$; **2** $\frac{e^x - 1}{e^{2x}} = e^{-x} - e^{-2x}$.

4 Répondre par vrai ou faux :

a. $\left(\frac{1}{e^x}\right)^3 = e^{-3x}$; **b.** $\frac{(e^x)^2}{e} = e^{2x-1}$;

c. $e^{x-1} \times e^{1-x} = 1$; **d.** $\frac{e^{3x}}{e^x} = e^3$.

Voir exercices 23 à 31

2 Étude de la fonction exponentielle

a Signe et sens de variation

Théorème La fonction exponentielle est strictement positive sur $\mathbb{R}$.

On peut écrire : **pour tout réel x, $e^x > 0$.**

DÉMONSTRATION

On sait, d'après la paragraphe 1, que pour tout réel x, $e^x \neq 0$.

De plus, pour tout réel x, $e^x = \left(e^{\frac{x}{2}}\right)^2 > 0$, donc pour tout réel x, on a : $e^x > 0$.

Théorème La fonction exponentielle est strictement **croissante** sur $\mathbb{R}$.

DÉMONSTRATION

On sait que $\exp' = \exp$ et, d'après le théorème précédent, la fonction exp est strictement positive sur $\mathbb{R}$.
Ainsi, la fonction exponentielle est strictement croissante sur $\mathbb{R}$.

Remarque La fonction exponentielle est de croissance très rapide. Ainsi, e^{21} dépasse un milliard…

D'où l'expression usuelle de « croissance exponentielle ».

Propriétés Pour tous réel x et y :

❶ $x < y \Leftrightarrow e^x < e^y$; ❷ $x = y \Leftrightarrow e^x = e^y$.

b Limites en $+\infty$ et en $-\infty$

Théorème $\lim\limits_{x \to +\infty} e^x = +\infty$.

DÉMONSTRATION démo BAC

On considère la fonction f définie sur $[0\,;+\infty[$ par $f(x) = e^x - x$.
On a $f'(x) = e^x - 1$; or pour tout réel x positif, $e^x \geqslant 1$, donc $f'(x) \geqslant 0$.
Ainsi, la fonction f est croissante sur $[0\,;+\infty[$ et comme $f(0) = 1$, on a, pour tout réel x, $f(x) \geqslant 0$ ce qui équivaut à $e^x \geqslant x$.
Or, $\lim\limits_{x \to +\infty} x = +\infty$, donc par comparaison, on a bien : $\lim\limits_{x \to +\infty} e^x = +\infty$.

Théorème $\lim\limits_{x \to -\infty} e^x = 0$.

Conséquence L'axe des abscisses est asymptote à la courbe représentative de la fonction exp en $-\infty$.

DÉMONSTRATION démo BAC

Pour tout réel x : $e^x = \dfrac{1}{e^{-x}}$, or si x tend vers $-\infty$, $-x$ tend vers $+\infty$, donc e^{-x} tend vers $+\infty$ d'après le théorème précédent.

Par conséquent, $\dfrac{1}{e^{-x}}$ tend vers 0, d'où le résultat.

Les résultats précédents permettent de dresser le tableau de variations de la fonction exponentielle :

x	$-\infty$ $\qquad\qquad$ $+\infty$
$\exp'(x)$	$+$
$\exp(x) = e^x$	$0 \nearrow +\infty$

Remarque Les deux théorèmes ci-contre permettent d'écrire :

$$\lim_{x \to +\infty} e^{-x} = 0$$

et $\lim\limits_{x \to -\infty} e^{-x} = +\infty$.

Étudier une fonction faisant intervenir la fonction exponentielle

Exercice corrigé

Énoncé On considère la fonction f définie sur $\mathbb{R}$ par :

$$f(x) = \frac{e^x - 1}{e^x + 1}.$$

On appelle $\mathscr{C}$ sa courbe représentative dans un repère (O, I, J).

1 Calculer la limite de f en $-\infty$. En déduire l'existence d'une asymptote à $\mathscr{C}$ en $-\infty$ dont on précisera une équation.

2 Calculer la limite de f en $+\infty$.
En déduire l'existence d'une deuxième asymptote à $\mathscr{C}$ en $+\infty$ dont on précisera une équation.

3 Démontrer que, pour tout réel x, $f(-x) = -f(x)$.
Que peut-on en déduire pour la fonction f et pour sa courbe représentative ?

4 Calculer la dérivée f' de f et préciser son signe.
En déduire le tableau de variations de f.

Solution

1 $\lim\limits_{x \to -\infty} e^x = 0$, donc $\lim\limits_{x \to -\infty} f(x) = -1$. Donc $\mathscr{C}$ admet en $-\infty$ la droite d'équation $y = -1$ comme asymptote horizontale. **1▸**

2 L'expression de f conduit à une forme indéterminée en $+\infty$.

On écrit donc $f(x) = \dfrac{e^x - 1}{e^x + 1} = \dfrac{e^x(1 - e^{-x})}{e^x(1 + e^{-x})} = \dfrac{1 - e^{-x}}{1 + e^{-x}}$; **2▸**

$\lim\limits_{x \to +\infty} e^{-x} = \lim\limits_{x \to +\infty} \dfrac{1}{e^x} = 0$, car $\lim\limits_{x \to +\infty} e^x = +\infty$.

Donc $\lim\limits_{x \to +\infty} f(x) = 1$ et $\mathscr{C}$ admet en $+\infty$ la droite d'équation $y = 1$ comme asymptote horizontale. **1▸**

3 $f(-x) = \dfrac{e^{-x} - 1}{e^{-x} + 1} = \dfrac{\frac{1}{e^x} - 1}{\frac{1}{e^x} + 1} = \dfrac{e^x\left(\frac{1}{e^x} - 1\right)}{e^x\left(\frac{1}{e^x} + 1\right)} = \dfrac{1 - e^x}{1 + e^x} = -f(x)$ **3▸**.

Donc la fonction f est impaire. Sa courbe représentative est symétrique par rapport à O.

4 $f'(x) = \dfrac{e^x(e^x + 1) - (e^x - 1)e^x}{(e^x + 1)^2} = \dfrac{e^{2x} + e^x - e^{2x} + e^x}{(e^x + 1)^2} = \dfrac{2e^x}{(e^x + 1)^2} > 0.$ **4▸**

La fonction f est croissante sur $\mathbb{R}$.

x	$-\infty$	$+\infty$
$f'(x)$	+	
$f(x)$	-1 ↗	1

Bon à savoir

1▸ Si $\lim\limits_{x \to -\infty} f(x) = a$ où a est un réel, alors la courbe représentative de f admet en $-\infty$ une asymptote horizontale d'équation $y = a$.

2▸ En $+\infty$, on « voit » que e^x est le terme « qui l'emporte », au numérateur et au dénominateur. On factorise donc, « haut et bas » par e^x.

3▸ Si, pour tout réel x, on a $f(-x) = -f(x)$, alors f est impaire.

4▸ Pour tout réel x, $e^x > 0$.

Exercices d'application

5 Soit f la fonction définie sur $\mathbb{R}$ par :

$$f(x) = e^x + x - 1.$$

Déterminer l'équation réduite de la tangente à la courbe représentative de f au point d'abscisse 1.

6 Calculer les limites suivantes :

a. $\lim\limits_{x \to +\infty} (e^{-x} - \sqrt{x})$; **b.** $\lim\limits_{x \to -\infty} \dfrac{1}{1 - e^{-x}}$;

c. $\lim\limits_{x \to +\infty} \dfrac{e^x + e^{-x}}{2}$; **d.** $\lim\limits_{x \to +\infty} \left(\dfrac{1 - x^2}{1 + x^2}\right)e^x$.

7 Calculer les limites suivantes :

a. $\lim\limits_{x \to +\infty} e^{1-x}$; **b.** $\lim\limits_{x \to -\infty} e^{x^2+x+1}$;

c. $\lim\limits_{x \to +\infty} \dfrac{e^{2x} + 1}{e^x + 2}$; **d.** $\lim\limits_{x \to +\infty} e^{\frac{1}{x}}$.

8 On considère la fonction f définie sur $\mathbb{R}$ par :

$$f(x) = 1 - e^{-x}.$$

a. Démontrer que pour tout réel $x < 0$, $f(x) < 0$.

b. Démontrer que pour tout réel $x \geqslant 0$, $0 \leqslant f(x) < 1$.

Voir exercices 35 à 41

C Représentation graphique

L'axe des abscisses est asymptote à la courbe $\mathscr{C}$ représentative de la fonction exp en $-\infty$, du fait de l'égalité : $\lim\limits_{x \to -\infty} \mathrm{e}^x = 0$.

La courbe $\mathscr{C}$ passe par les points de cordonnées $(0\,;1)$ et $(1\,;\mathrm{e})$. Du fait de la croissance très rapide de la fonction exp, on peut difficilement visualiser les points d'abscisse supérieure à 3 ; on a en effet : $\mathrm{e}^3 > 20$.

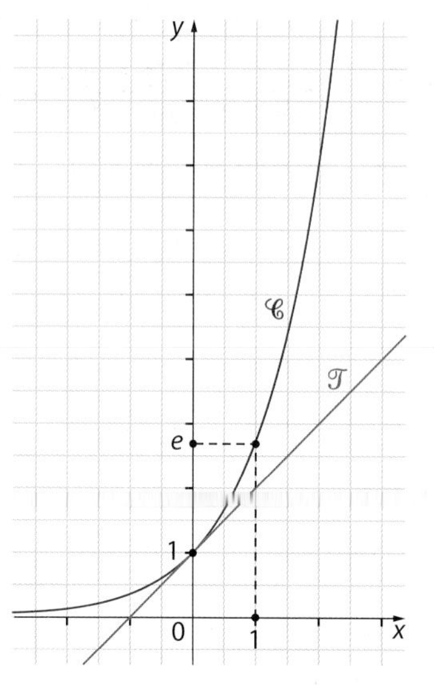

d Une limite à connaître

$$\lim_{x \to 0} \frac{\mathrm{e}^x - 1}{x} = 1.$$

DÉMONSTRATION

La fonction exponentielle est dérivable sur $\mathbb{R}$, donc en particulier en 0.

$$\exp'(0) = \lim_{h \to 0} \frac{\exp(0+h) - \exp(0)}{h} = \lim_{h \to 0} \frac{\mathrm{e}^h - \mathrm{e}^0}{h} = \lim_{h \to 0} \frac{\mathrm{e}^h - 1}{h}.$$

Or, $\exp'(0) = \exp(0) = \mathrm{e}^0 = 1$, donc $\lim\limits_{h \to 0} \dfrac{\mathrm{e}^h - 1}{h} = 1$.

Conséquence : la tangente $\mathscr{T}$ à la courbe $\mathscr{C}$ de la fonction exp au point de coordonnées $(0\,;1)$ a pour équation réduite : $y = x + 1$.

3 Croissance comparée

Théorème ❶ $\lim\limits_{x \to +\infty} \dfrac{\mathrm{e}^x}{x} = +\infty$. ❷ $\lim\limits_{x \to -\infty} x\mathrm{e}^x = 0$.

Remarque Dans le langage courant, on dira « **qu'à l'infini l'exponentielle l'emporte sur x** ».

DÉMONSTRATION

❶ Voir l'exercice résolu 16, page 130.

❷ On pose $X = -x$, alors $x\mathrm{e}^x = -X\mathrm{e}^{-X} = -\dfrac{X}{\mathrm{e}^X}$.

On obtient $\lim\limits_{x \to -\infty} x\mathrm{e}^x = \lim\limits_{X \to +\infty} -\dfrac{X}{\mathrm{e}^X} = 0$ d'après la partie ❶ du théorème.

4 Dérivée de $x \longmapsto \exp(u(x))$

On applique le résultat du chapitre 3 sur les fonctions composées pour obtenir la fonction dérivée de $x \longmapsto \exp(u(x))$ qui est :

$$x \longmapsto u'(x) \times \exp'(u(x)).$$

Comme $\exp' = \exp$, on obtient :

la dérivée de la fonction $x \longmapsto \mathrm{e}^{u(x)}$ est : $x \longmapsto u'(x) \times \mathrm{e}^{u(x)}$.

Théorème Si u est une fonction dérivable sur un intervalle I, alors la fonction $\mathrm{e}^u : x \longmapsto \exp(u(x))$ est dérivable sur I et : $(\mathbf{e}^{\boldsymbol{u}})' = \boldsymbol{u}'\mathbf{e}^{\boldsymbol{u}}$.

Cas particulier
Pour $u(x) = ax + b$, la dérivée de la fonction $x \longmapsto \mathrm{e}^{ax+b}$ est :
$x \longmapsto a \times \mathrm{e}^{ax+b}$.

REMARQUE

Les fonctions e^u et u ont le même sens de variation ; leurs fonctions dérivées, $u'\mathrm{e}^u$ et u' sont de mêmes signes.

Étudier une fonction du type $x \longmapsto e^{u(x)}$

Exercice corrigé

Énoncé On considère la fonction f définie sur $\mathbb{R}$ par :

$$f(x) = e^{x^2 - 2x}.$$

On appelle $\mathscr{C}$ sa courbe représentative dans un repère (O, I, J).

1 Calculer les limites de f en $-\infty$ et $+\infty$.

2 Calculer $f'(x)$ et déterminer son signe.

3 Dresser le tableau des variations de f.

Tracer la courbe de f sur l'écran de la calculatrice.

4 Résoudre l'équation $f(x) = 1$.

Solution

1 ▶ Calcul de $\lim\limits_{x \to +\infty} f(x)$.

$\lim\limits_{x \to +\infty} (x^2 - 2x) = \lim\limits_{x \to +\infty} x^2\left(1 - \frac{2}{x}\right)$; or : $\lim\limits_{x \to +\infty} x^2 = +\infty$ et $\lim\limits_{x \to +\infty}\left(1 - \frac{2}{x}\right) = 1$.

Ainsi, $\lim\limits_{x \to +\infty} (x^2 - 2x) = +\infty$ **1▶**. Puis $\lim\limits_{X \to +\infty} e^X = +\infty$, donc $\lim\limits_{x \to +\infty} e^{x^2 - 2x} = +\infty$.

▶ Calcul de $\lim\limits_{x \to -\infty} f(x)$.

$\lim\limits_{x \to -\infty} (x^2 - 2x) = +\infty$ (pas de forme indéterminée).

Puis $\lim\limits_{X \to +\infty} e^X = +\infty$, donc $\lim\limits_{x \to -\infty} e^{x^2 - 2x} = +\infty$.

2 $f'(x) = (2x - 2)e^{x^2 - 2x}$ **2▶**.

Comme pour tout réel x, $e^{x^2 - 2x} > 0$, le signe de la dérivée est celui de $(2x - 2)$.

3

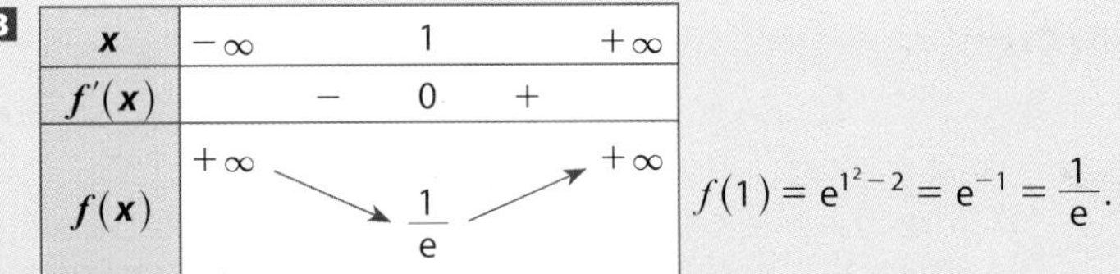

x	$-\infty$		1		$+\infty$
$f'(x)$		$-$	0	$+$	
$f(x)$	$+\infty$	↘	$\frac{1}{e}$	↗	$+\infty$

$f(1) = e^{1^2 - 2} = e^{-1} = \frac{1}{e}$.

4 $f(x) = 1 \Leftrightarrow e^{x^2 - 2x} = 1 \Leftrightarrow e^{x^2 - 2x} = e^0 \Leftrightarrow x^2 - 2x = 0$ **3▶**.

L'équation $x^2 - 2x = 0$ a pour solutions $x = 0$ et $x = 2$.

Ainsi : $S = \{0 ; 2\}$. On peut vérifier ce résultat à la calculatrice **4▶**.

Bon à savoir

1▶ Pour lever une forme indéterminée à l'infini dans le cas d'un polynôme, on factorise le terme de plus haut degré, qui « l'emporte » sur les autres.

2▶ $(e^u)' = u' \times e^u$.

3▶ $e^a = e^b \Leftrightarrow a = b$.

4▶ Résoudre l'équation $f(x) = 1$, c'est trouver les abscisses des points d'ordonnée 1 sur la courbe. Avec la calculatrice, on peut déplacer le curseur pour vérifier le résultat.

Courbes de f :

Casio

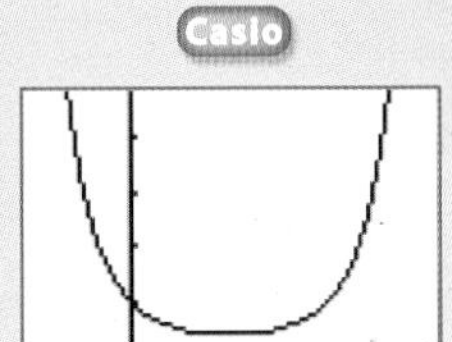

TI

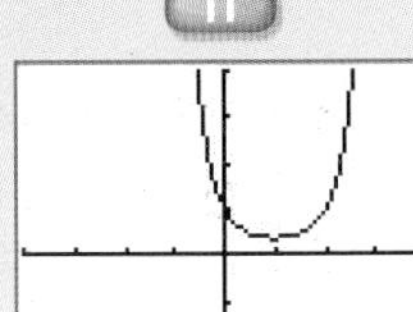

Exercices d'application

9 Calculer la dérivée de la fonction notée f dans chacun des cas suivants :

a. $x \longmapsto e^{1 - 2x}$ sur $\mathbb{R}$;

b. $x \longmapsto \frac{1}{2}e^{-x^2}$ sur $\mathbb{R}$;

c. $x \longmapsto e^{\sqrt{x}}$ sur $]0 ; +\infty[$;

d. $x \longmapsto e^{\cos x}$ sur $\mathbb{R}$.

10 **1** Dresser le tableau de variations de la fonction f : $x \longmapsto e^{x^3 + x^2}$ définie sur $\mathbb{R}$.

2 Déterminer l'équation réduite de la tangente à la courbe représentative de cette fonction au point d'abscisse -1.

11 Calculer les limites suivantes :

a. $\lim\limits_{x \to +\infty} e^x - x$;

b. $\lim\limits_{x \to 0} \frac{e^{2x} - e^x}{x}$;

c. $\lim\limits_{x \to +\infty} e^{-x}(x + 5)$;

d. $\lim\limits_{x \to -\infty} e^{1 - \frac{1}{x}}$.

12 **a.** Démontrer que la fonction $f : x \longmapsto e^{-3x}$ est décroissante sur $\mathbb{R}$.

b. Démontrer que la fonction $f : x \longmapsto e^{-\frac{1}{x}}$ est croissante sur $]0 ; +\infty[$ et sur $]-\infty ; 0[$.

c. Démontrer que la fonction $f : x \longmapsto e^{\sin x}$ est décroissante sur $[0 ; \pi]$.

Voir exercices 53 à 57

Travaux pratiques

Mener une recherche et rédiger

13  Distance minimale entre un point fixe et une courbe

On considère la représentation graphique de la fonction exponentielle **dans un repère orthonormé**.

On cherche ici à répondre à la question suivante :

Existe-t-il, parmi tous les points de la courbe de la fonction $x \longmapsto e^x$, un point plus près que tous les autres de l'origine O du repère ?

Si ce point existe, déterminer une valeur approchée à 10^{-2} près de son abscisse et de sa distance au point O.

Mener une recherche étape par étape

1 Se faire une idée du résultat

À l'aide d'un logiciel de géométrie dynamique, tracer la courbe de la fonction exp, créer un point mobile A sur cette courbe, et afficher la distance OA.

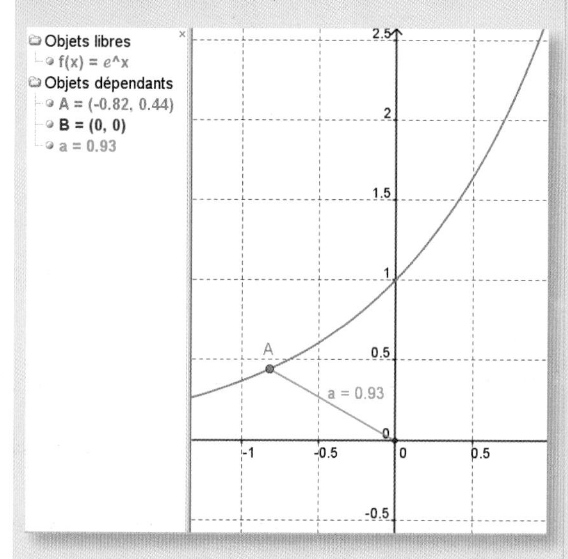

En faisant varier A sur la courbe, il semble qu'une valeur minimale de la distance OA se dégage (environ égale à 0,78), pour une abscisse de A environ égale à $-0{,}4$.

Voir la fiche **Geogebra**.

2 Valider la conjecture formulée

Considérer le point $A(x\,;e^x)$ sur la courbe de exp ; calculer la distance OA, et justifier que l'on cherche à minimiser sur $\mathbb{R}$ la fonction $f : x \longmapsto e^{2x} + x^2$.

Pour déterminer le signe de f', calculer sa dérivée (notée f'', c'est la **dérivée seconde** de f).

Dresser le tableau de variations de f' et montrer que f' s'annule une unique fois dans $\mathbb{R}$ en un réel α ; puis dresser le tableau de variations de f.

Pour finir, identifier le minimum de f et justifier que le point recherché existe, que son abscisse vaut α.

Achever en calculant une valeur approchée de α à l'aide de la calculatrice, en utilisant le fait que $f'(\alpha) = 0$.

3 Rédiger une solution

À l'aide des deux parties précédentes, rédiger une solution du problème posé.

4 Prolongement

On appelle (T) la tangente à la courbe de $x \longmapsto e^x$ au point $A(\alpha\,;e^{\alpha})$.

1 Déterminer le coefficient directeur de (T).

2 Déterminer le coefficient directeur de la droite (OA).

3 Démontrer que les droites (OA) et (T) sont perpendiculaires.

Indication

Avec l'équation $f'(\alpha) = 0$, on a : $e^{2\alpha} = -\alpha$.

14 Étude des fonctions $x \mapsto e^{-kx}$ et $x \mapsto e^{-kx^2}$, où $k > 0$

Pour tout réel strictement positif k, on considère les fonctions f_k et g_k définies sur $\mathbb{R}$ par :

$$f_k(x) = e^{-kx} \quad \text{et} \quad g_k(x) = e^{-kx^2}.$$

On appelle $\mathscr{C}_k$ les courbes représentatives des fonctions f_k et Γ_k les courbes représentatives des fonctions g_k dans un repère (O, I, J).

1 Étude des fonctions f_k

a. À l'aide d'un logiciel de géométrie dynamique, créer un curseur k variant de 0 à 5 et conjecturer le sens de variations de f_k et les limites en $-\infty$ et $+\infty$.

b. Les courbes représentatives de $\mathscr{C}_{0,2}$, $\mathscr{C}_{0,5}$, $\mathscr{C}_1$ et $\mathscr{C}_{1,5}$ sont tracées. Reconnaître ces courbes sur le graphique.

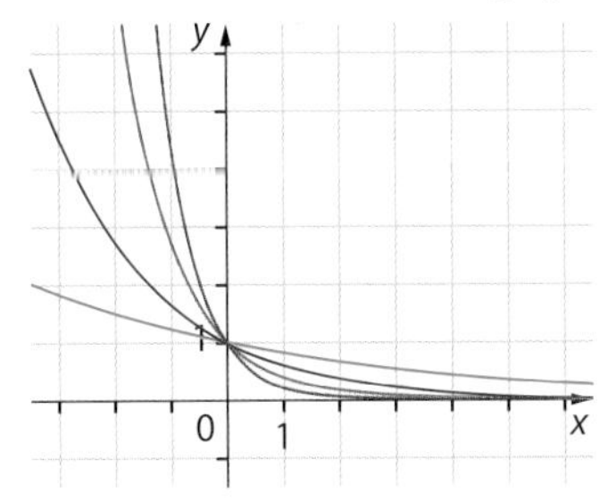

Conjecturer les positions relatives de $\mathscr{C}_k$ et $\mathscr{C}_{k'}$ lorsque $k < k'$.

c. Démontrer les conjectures faites en **1 a.** et **1 b.**

2 Étude des fonctions g_k

a. À l'aide d'un logiciel de géométrie dynamique, créer un curseur k variant de 0 à 5 et conjecturer le sens de variations de f_k et les limites en $-\infty$ et $+\infty$.

b. Sur le graphique ci-dessous, les courbes représentatives $\Gamma_{0,1}$, $\Gamma_{0,5}$, Γ_1 et Γ_3 sont tracées. Reconnaître ces courbes sur le graphique.

Conjecturer les positions relatives de Γ_k et $\Gamma_{k'}$ lorsque $k < k'$.

c. Démontrer les conjectures faites en **1 a.** et **1 b.**

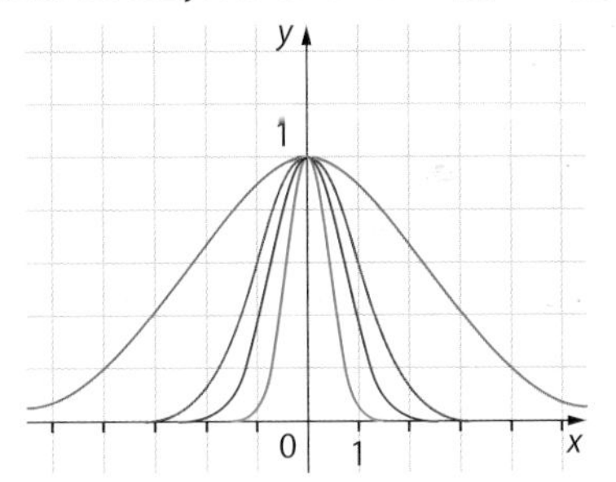

15 En Sciences physiques : décharge d'un condensateur

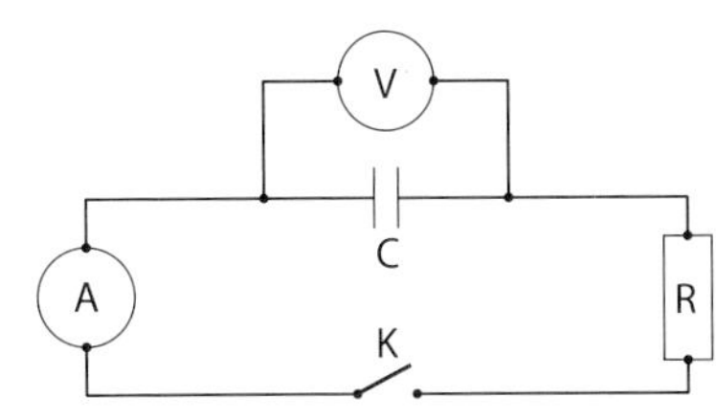

Un condensateur de capacité C a été chargé et la tension entre ses bornes est $E = 10$ V.

À l'instant $t = 0$ s, on ferme l'interrupteur K du circuit de résistance R. L'ampèremètre A indique le passage d'un courant dont l'intensité diminue progressivement tout comme la tension aux bornes du condensateur. La tension U_c aux bornes du condensateur est donnée, en volt, par :

$$U_c(t) = Ee^{-\frac{t}{\tau}},$$

où $\tau = RC$ est la constante de temps du circuit ; elle se mesure en seconde.

On donne $C = 10^{-5} F$ et $R = 140\,000\ \Omega$.

1 Donner l'expression de $U_c(t)$ en fonction de t.

2 Démontrer que U_c est une fonction décroissante du temps. Dresser son tableau de variations.

3 Tracer la représentation graphique Γ de la fonction U_c. On prendra en abscisse 2 cm pour 1 s, en ordonnée, 1 cm pour 1 V.

4 a. Déterminer l'équation réduite de la tangente (T) à Γ en 0. Tracer (T).

b. Montrer que cette tangente coupe l'axe des abscisses à l'instant $t = \tau$.

5 Lire sur le graphique la tension aux bornes du condensateur à l'instant $t = \tau$.

Démontrer qu'à cet instant, la tension aux bornes du condensateur a diminué d'environ 67 %.

Pour info Le condensateur est un composant fondamental des circuits électriques. Son rôle est de stocker des charges électriques. Il emmagasine de l'énergie au cours de sa charge, puis il la restitue lors de la décharge.
La quantité d'énergie électrique emmagasinée dépend de la capacité du condensateur, noté C.
On le trouve notamment dans les appareils comprenant un flash. Il libère son énergie dans une lampe qui émet alors une lumière intense. Dans ce cas, la décharge est très rapide.

Travail personnel : exercices résolus

16 Démonstration du résultat de cours $\lim\limits_{n \to +\infty} \frac{e^x}{x} = +\infty$

Voir le cours, page 126

Énoncé On considère la fonction définie sur $[0\,;+\infty[$ par $f : x \longmapsto e^x - \frac{x^2}{2}$.

1 Calculer $f'(x)$, puis $f''(x)$, où f'' désigne la dérivée seconde de f.

2 a. Déterminer le signe de $f''(x)$ pour tout $x \in [0\,;+\infty[$ et déterminer le sens de variation de la fonction dérivée f'.

b. En déduire le signe de f', puis le tableau de variations de la fonction f.

3 a. Démontrer que pour tout réel $\in [0\,;+\infty[$, $f(x) \geqslant 0$.

b. En déduire que pour tout réel $x > 0$, on a :

$$\frac{e^x}{x} \geqslant \frac{x}{2}.$$

Conclure.

Solution

1 $f'(x) = e^x - x$; $f''(x) = e^x - 1$.

2 a. Si $x \geqslant 0$, alors $e^x \geqslant e^0$, c'est-à-dire $e^x \geqslant 1$. D'où : $f''(x) \geqslant 0$.

On en déduit que la fonction f' est croissante sur $[0\,;+\infty[$. On obtient pour la fonction f le tableau de variations suivant :

x	0	$+\infty$
$f''(x)$	$+$	
$f'(x)$	1 ↗	

$f'(0) = e^0 - 0 = 1$.

b. Comme $f'(0) = 1$ et f' croissante sur $[0\,;+\infty[$, on a, pour tout réel x positif, $f'(x) \geqslant 0$. D'où le tableau de variations de f suivant :

x	0	$+\infty$
$f'(x)$	$+$	
$f(x)$	1 ↗	

$f(0) = e^0 - 0 = 1$.

3 a. Comme $f(0) = 1$ et f croissante sur $[0\,;+\infty[$, on a, pour tout réel x positif, $f(x) \geqslant 0$.

b. Comme pour tout réel positif x, $f(x) \geqslant 0$, on en déduit $e^x \geqslant \frac{x^2}{2}$, donc pour tout réel strictement positif x, $\frac{e^x}{x} \geqslant \frac{x}{2}$.

On a $\lim\limits_{x \to +\infty} \frac{x}{2} = +\infty$, donc, par comparaison, $\lim\limits_{x \to +\infty} \frac{e^x}{x} = +\infty$.

Stratégies

1 La dérivée seconde d'une fonction deux fois dérivable est la dérivée de sa dérivée.

2 a. $e^a \geqslant e^b \Leftrightarrow a \geqslant b$.

b. Comme f' est croissante sur $[0\,;+\infty[$, $f'(0)$ est le minimum de f' sur cet intervalle.

3 a. On raisonne avec f comme avec f' dans la question précédente.

b. Le signe positif de f permet de comparer les deux membres de la différence qui définit $f(x)$.

Théorème : s'il existe un réel A tel que pour tout $x > A$, $f(x) \geqslant g(x)$ et si $\lim\limits_{x \to +\infty} g(x) = +\infty$, alors $\lim\limits_{x \to +\infty} f(x) = +\infty$.

17 Une suite définie à l'aide de la fonction exponentielle

Énoncé Soit f la fonction définie sur $\mathbb{R}$ par $f(x) = e^{-\frac{1}{4}x^2}$ et la suite définie par :

$$\begin{cases} u_0 = 0{,}5 \\ u_{n+1} = f(u_n) \quad \text{pour } n \in \mathbb{N}. \end{cases}$$

1 Étudier les variations de f sur $[0\,;+\infty[$.

2 a. Démontrer que l'équation $f(x) = x$ admet une unique solution sur $[0\,;+\infty[$, notée α.

b. Grâce à la calculatrice, déterminer une valeur approchée de α à 10^{-3} près.

3 a. Représenter graphiquement les premiers termes de la suite (u_n).

b. Quelles conjectures peut-on faire sur le comportement de la suite (u_n) ?

Solution

1 $f'(x) = -\frac{1}{2}\, x\, e^{-\frac{1}{4}x^2}$.

f est donc strictement décroissante sur $[0\,;+\infty[$.

2 a. On pose $g(x) = f(x) - x = f(x) + (-x)$.

Les fonctions f et $x \longmapsto -x$ sont strictement décroissantes et continues sur $[0\,;+\infty[$. Donc g est également strictement décroissante et continue.

Par ailleurs, $g(0) = 1 - 0 = 1$ et $g(1) = e^{-0{,}25} - 1 < 0$.

Donc, grâce au théorème des valeurs intermédiaires, et g étant strictement décroissante, l'équation $g(x) = 0$ a une unique solution sur $[0\,;+\infty[$. D'où le résultat.

b. En tabulant la fonction g, on trouve : $\alpha \approx 0{,}838$.

3 a.

Casio

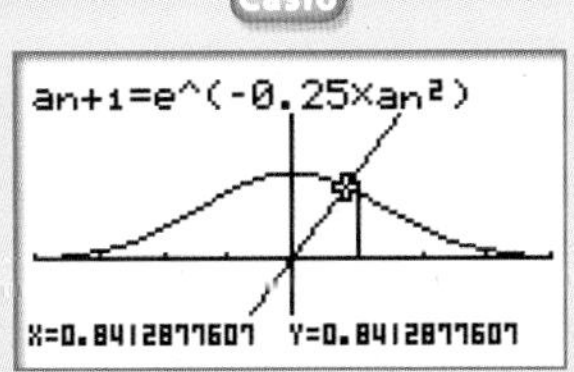

TI

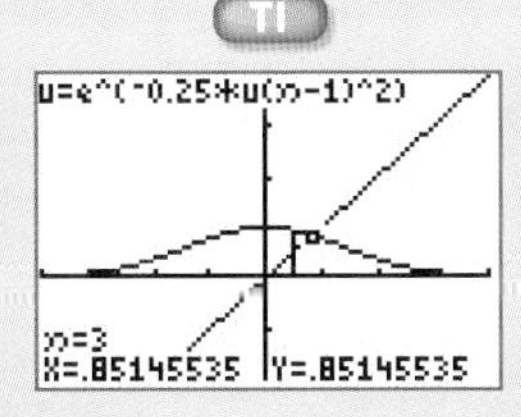

b. On peut conjecturer que la suite n'est pas monotone, mais qu'elle converge vers α.

Stratégies

1 On applique la formule de la dérivée de e^u.

2 a. Le calcul de la dérivée n'est pas toujours indispensable pour étudier des variations.
Pour justifier l'existence d'une solution, penser à utiliser le théorème des valeurs intermédiaires pour une fonction bien choisie.

b. On localise la solution positive de $g(x) = 0$.

3 Ne pas oublier de tracer $y = x$.

18 Utiliser une fonction auxiliaire

Énoncé On souhaite étudier les variations de la fonction $f : x \longmapsto \dfrac{x}{e^x - 1}$ définie sur $]0\,;+\infty[$.

On étudie pour cela une fonction « auxiliaire » g.

1 On considère la fonction définie sur $[0\,;+\infty[$ par

$$g : x \longmapsto (1-x)e^x - 1.$$

Déterminer les variations de g, puis son signe.

2 a. Justifier que la fonction f est bien définie sur $]0\,;+\infty[$.

b. Déterminer la limite de f en 0.

c. Déterminer les variations de f sur $]0\,;+\infty[$.

Solution

1 La fonction g est dérivable sur $]0\,;+\infty[$ et on a :

$g'(x) = -e^x + (1-x)e^x = -xe^x$. Sur $]0\,;+\infty[$, $x > 0$ et $e^x > 0$;

donc : $g'(x) < 0$. Ainsi : g est strictement décroissante.

Or, $g(0) = 0$; on en déduit que $g(x) < 0$ sur $]0\,;+\infty[$.

2 a. La fonction exponentielle est strictement croissante, donc, pour $x > 0$, $e^x > e^0$, c'est-à-dire $e^x > 1$. Ainsi, f est bien définie sur $]0\,;+\infty[$, puisque le dénominateur ne s'annule pas sur cet intervalle.

b. D'après le cours : $\lim\limits_{x \to 0} \dfrac{e^x - 1}{x} = 1$. Donc $\lim\limits_{x \to 0} f(x) = 1$.

c. La fonction f est bien dérivable sur $]0\,;+\infty[$ comme quotient de fonctions dérivables dont le dénominateur ne s'annule pas. On a :

$$f'(x) = \frac{(e^x - 1) - xe^x}{(e^x - 1)^2} = \frac{g(x)}{(e^x - 1)^2}.$$

Ainsi, pour $x > 0$, $f'(x)$ est du signe de $g(x)$. On en déduit que $f' < 0$ sur $]0\,;+\infty[$.

La fonction f est donc strictement décroissante sur $]0\,;+\infty[$.

Stratégies

1 On applique la formule de dérivée d'un produit.
On utilise le fait que le maximum de la fonction est égal à 0 pour en déduire son signe.

2 a. Les variations de l'exponentielle permettent d'établir des inégalités.

c. On fait apparaître dans le calcul de la dérivée la fonction auxiliaire définie au **1**.

Travail personnel : faire le point

Savoir…	Comment faire ?

Caractériser la fonction exponentielle à l'aide de la définition.

La seule fonction f dérivable sur $\mathbb{R}$ telle que $f' = f$ et $f(0) = 1$ est la fonction exponentielle.

Utiliser la relation fonctionnelle pour simplifier des expressions.

La fonction exponentielle « transforme une somme en produit » :
pour tous réels x et y : $\mathbf{e}^{x+y} = \mathbf{e}^{x} \times \mathbf{e}^{y}$.

On a aussi : $\mathbf{e}^{x-y} = \dfrac{\mathbf{e}^{x}}{\mathbf{e}^{y}}$; $\mathbf{e}^{-x} = \dfrac{1}{\mathbf{e}^{x}}$;

pour tout entier n : $\mathbf{e}^{nx} = (\mathbf{e}^{x})^{n}$.

Connaître et utiliser les variations de la fonction exponentielle.

La fonction exponentielle est strictement croissante sur $\mathbb{R}$.

x	$-\infty$		$+\infty$
$\exp'(x)$		$+$	
$\exp(x) = \mathrm{e}^{x}$	0	↗	$+\infty$

Pour résoudre des inéquations, on peut utiliser le fait que :
- $a < b \Leftrightarrow \mathrm{e}^{a} < \mathrm{e}^{b}$;
- pour tout réel x, $\mathrm{e}^{x} > 0$.

Connaître et exploiter la représentation graphique de la fonction exponentielle.

La connaissance de la courbe de la fonction exp permet de mémoriser simplement de nombreuses propriétés.

- exp est définie sur $\mathbb{R}$, strictement croissante et strictement positive sur $\mathbb{R}$.
- $\mathbf{e}^{0} = \mathbf{1}$; $\mathbf{e}^{1} = \mathbf{e}$.
- L'axe des abscisses est une asymptote horizontale à la courbe.
- La tangente à la courbe au point $A(0\,;1)$ a pour pente 1.

Calculer des limites.

On utilise les résultats :

$$\lim_{x \to +\infty} \mathrm{e}^{x} = +\infty \; ; \quad \lim_{x \to -\infty} \mathrm{e}^{x} = 0 \; ; \quad \lim_{x \to 0} \frac{\mathrm{e}^{x} - 1}{x} = 1.$$

Utiliser les résultats sur la « croissance comparée ».

On utilise les résultats :

$$\lim_{x \to +\infty} \frac{\mathrm{e}^{x}}{x} = +\infty \; ; \quad \lim_{x \to -\infty} x\mathrm{e}^{x} = 0.$$

On retient : la fonction exponentielle l'emporte à l'infini sur la fonction $x \longmapsto x$.

Étudier des fonctions du type e^{u}, où u est une fonction dérivable.

- Connaître la formule $(\mathbf{e}^{u})' = u'\mathbf{e}^{u}$ et ses conditions d'application.
- Les fonctions u et e^{u} ont le même sens de variations.

Travail personnel : faire le point

QCM

Voir corrigés en fin de manuel

19 Dans chacun des cas suivants indiquer quelle est **l'unique** bonne réponse.

1 f est définie sur $\mathbb{R}$ par $f(x) = e^{-2x}$.	**a.** f' est définie sur $\mathbb{R}$ par $f'(x) = e^{-2x}$	**b.** f' est définie sur $\mathbb{R}$ par $f'(x) = -2e^{-2x}$	**c.** f' est définie sur $\mathbb{R}$ par $f'(x) = -\frac{1}{2}e^{-2x}$
2 f est définie sur $\mathbb{R}$ par $f(x) = xe^{-x}$.	**a.** f' est définie sur $\mathbb{R}$ par $f'(x) = xe^{-x}$	**b.** f' est définie sur $\mathbb{R}$ par $f'(x) = (1 + x)e^{-x}$	**c.** f' est définie sur $\mathbb{R}$ par $f'(x) = (1 - x)e^{-x}$
3 f est définie sur $\mathbb{R}$ par $f(x) = e^{x^2}$.	**a.** f' est définie sur $\mathbb{R}$ par $f'(x) = x^2e^{x^2}$	**b.** f' est définie sur $\mathbb{R}$ par $f'(x) = 2xe^{x^2}$	**c.** f' est définie sur $\mathbb{R}$ par $f'(x) = 2xe^{2x}$

20 Dans chacun des cas suivants, déterminer **toutes** les bonnes réponses.

1 $e^7 \times e^{-3}$ est égal à :	**a.** $e^{\frac{7}{3}}$	**b.** e^1	**c.** e^{-21}
2 $\frac{1}{e^{-5}}$ est égal à :	**a.** $e^{-\frac{1}{5}}$	**b.** e^5	**c.** $-e^5$
3 $\frac{e^5}{e^6}$ est égal à :	**a.** $e^{\frac{5}{6}}$	**b.** e^{-1}	**c.** $\frac{1}{e}$
4 $\frac{e^x}{1 + e^x}$ est égal à :	**a.** $1 + e^{-x}$	**b.** $\frac{1}{1 + e^{-x}}$	**c.** $e^x + e^{-x}$
5 L'équation $e^{x-1} = 0$:	**a.** a pour solution $x = 0$	**b.** a pour solution $x = 1$	**c.** est impossible
6 $(e^x)^2$ est égal à :	**a.** e^{2x}	**b.** e^{x^2}	**c.** e^{x+2}

Vrai ou faux ?

Voir corrigés en fin de manuel

21 Déterminer si les affirmations suivantes sont vraies ou fausses.

1 Pour toute fonction $u : \mathrm{I} \longmapsto \mathbb{R}$, on a, pour tout x de I : $e^{u(x)} > 0$.

2 Pour toute fonction $u : \mathrm{I} \longmapsto \mathbb{R}$, la fonction e^u est strictement croissante.

3 Pour tout réel k, on a $e^x - kx > 0$ sur $\mathbb{R}$.

4 Pour tout réel k, on a $\lim_{x \to +\infty} (e^x - kx) = +\infty$.

5 $\lim_{x \to 0} \frac{e^x - 1}{3x} = \frac{1}{3}$.

22 Déterminer si les affirmations suivantes sont vraies ou fausses.

1 Pour tout réel k, la fonction définie sur $\mathbb{R}$ par $f(x) = e^{kx}$ vérifie $f' = f$.

2 Si une fonction f définie et dérivable sur $\mathbb{R}$ vérifie $f' = f$, alors pour tout réel x : $f(x) = e^x$.

3 La dérivée de $f : x \longmapsto e^{\sin x}$ sur $\mathbb{R}$ est $f' : x \longmapsto \cos x\, e^{\sin x}$.

4 $\lim_{x \to 0} x\, e^{3x} = 0$.

Exercices d'application

→ Les exercices portant un numéro jaune sont corrigés à la fin du manuel.

1 La fonction exponentielle

23 Vrai ou faux ?

Répondre par vrai ou faux aux affirmations suivantes.

1. La fonction exponentielle est croissante sur $\mathbb{R}$.
2. $\exp(0) = 0$.
3. La fonction exponentielle est strictement positive sur $\mathbb{R}$.
4. $\exp'(x) = \exp(x)$.

24 Vrai ou faux ?

Indiquer si les égalités suivantes sont vraies ou fausses.

1. Pour tout réel x, $e^{x-2} = e^x - e^2$.
2. Pour tous réels a et b, $e^a + e^b = e^{a+b}$.
3. Pour tout réel x, $\dfrac{1}{e^{-x}} = e^x$.
4. Pour tout réel non nul x, $\dfrac{e^x}{x} = e$.

25 LOGIQUE Vrai ou faux ?

Préciser si chacune des affirmations suivantes est vraie ou fausse, en justifiant.

1. Il existe un réel a et un réel b tels que :
$$e^{2a} + e^{2b} < 2\sqrt{e^{2a} \times e^{2b}}.$$
2. Pour tout réel a et tout réel b, $\sqrt{e^{2a} \times e^{2b}} = e^{a+b}$.
3. Il existe un réel a et un réel b tels que :
$$e^{2a} + e^{2b} = 2e^{a+b}.$$
4. Pour tout réel a, $\dfrac{1}{e^{-2a} + e^{-a}} = \dfrac{e^{2a}}{1 + e^a}$.

➔ Voir la fiche **Logique et raisonnement mathématique**.

26 Vrai ou faux ?

Répondre par vrai ou faux aux affirmations suivantes.

1. Pour tout réel x, $\sqrt{e^{x^2}} = e^x$.
2. Pour tout réel x, $\sqrt{e^{2x}} = e^x$.
3. Pour tout réel x, $\left(\dfrac{1}{e^{-\frac{x}{2}}}\right)^2 = e^x$.
4. Pour tout réel x, $e^{\frac{x}{2}} = \sqrt{e^x}$.

27 QCM Donner **la** bonne réponse dans chacun des cas suivants.

1. $e^{1+2x} \times e^{-x}$ est égal à :
   a. e^{1+3x}. b. e^{1+x}. c. e^{1-x}.
2. $\dfrac{e^x}{e}$ est égal à :
   a. x. b. e^{x-e}. c. e^{x-1}.
3. $(e^x + e^{-x})^2$ est égal à :
   a. $e^{2x} + e^{-2x} + 2$. b. 1. c. $e^{2x} + e^{-2x}$.
4. $(e^x + 1)(e^x - 1)$ est égal à :
   a. $e^{2x} - 1$. b. $2e^x$. c. $e^{x^2} - 1$.

28

On définit sur $\mathbb{R}$ les fonctions :
$$f(x) = \frac{e^x + e^{-x}}{2} \quad \text{et} \quad g(x) = \frac{e^x - e^{-x}}{2}.$$
Montrer que pour tout réel x :

a. $f(x)^2 - g(x)^2 = 1$;
b. $2f(x)^2 - 1 = f(2x)$;
c. $g(2x) = 2g(x) \times f(x)$.

29 Démonstration d'une propriété du cours

➔ Voir les propriétés algébriques, page 122.

Pour tous réels x et y, on a :
$$e^{x+y} = e^x \times e^y.$$

1. Soit y un réel quelconque, fixé. On considère la fonction f définie sur $\mathbb{R}$ par $f(x) = \dfrac{e^{x+y}}{e^x}$. Calculer $f'(x)$.
2. Démontrer que, pour tout réel x, $f(x) = e^y$.
3. Conclure.
4. En remarquant que $-x + x = 0$ et $x - y = x + (-y)$ démontrer que, pour tous réels x et y, on a : $e^{-x} = \dfrac{1}{e^x}$ et $e^{x-y} = \dfrac{e^x}{e^y}$.

30 Simplifier des expressions (1)

Simplifier au maximum les expressions suivantes :

a. $\dfrac{(e^2)^5}{e^9}$; b. $\sqrt{e^2} \times \dfrac{1}{e^{-2}}$; c. $\dfrac{1}{1+e} - \dfrac{e^{-1}}{1+e^{-1}}$.

31 Simplifier des expressions (2)

Simplifier au maximum les expressions suivantes :

a. $f(x) = (e^x + e^{-x})^2 - (e^x - e^{-x})^2$;

b. $g(x) = \dfrac{1 + e^{2x}}{1 - e^x} + \dfrac{e^{-x} + e^x}{1 - e^{-x}}$;

c. $h(x) = (e^x + 1)^2 - \sqrt{e^{4x}} - 1$.

32 On a utilisé l'instruction « expexpand » sur le logiciel de calcul formel *Xcas*.

1 Écrire et vérifier les égalités traduites par les calculs ci-dessous et expliquer ce que fait cette instruction.

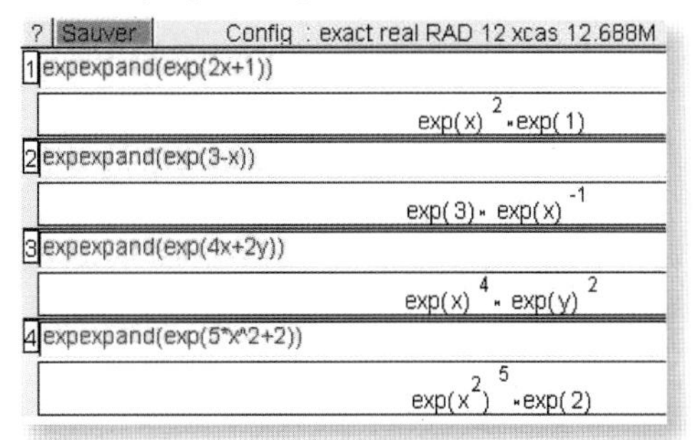

Voir la fiche **Logiciel *Xcas***.

2 Sur le même principe, transformer chacune des expressions suivantes en produits d'exponentielles :

a. e^{3x+2} ; **b.** e^{x-3} ;
c. e^{1-4x} ; **d.** e^{3x^2+2x}.

3 Vérifier les réponses avec le logiciel.

33 Le but de cet exercice est de factoriser des expressions qui comportent des exponentielles en utilisant un logiciel de calcul formel.

1 Factoriser $e^{3x} - 2e^{x}$.

2 Analyser les résultats ci-dessous donnés par un logiciel de calcul formel.

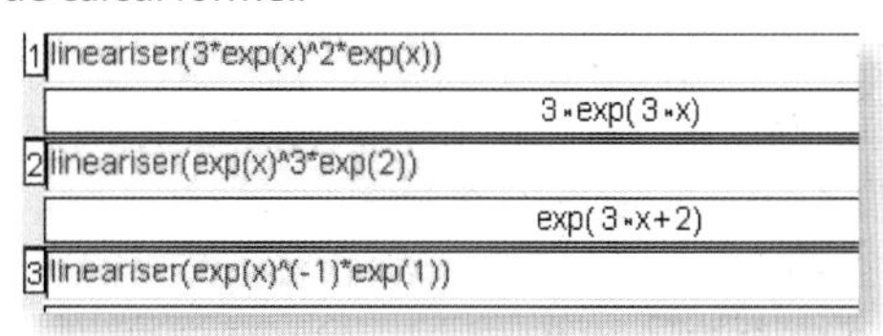

3 Utiliser le logiciel de calcul formel pour factoriser les expressions suivantes :

a. $e^{4x} + 2e^{x}$; **b.** $e^{3x} - e^{2x}$;
c. $3e^{4x} + e^{x}$; **d.** $2e^{2x} + 6e^{6x}$.

34 **1** Écrire et vérifier les égalités traduites par les résultats suivants obtenus à l'aide du logiciel de calcul formel *Xcas*.
Expliquer ce que fait l'instruction « linéariser ».

Voir la fiche **Logiciel *Xcas***.

2 Sur le même modèle, transformer les expressions suivantes :

a. $(e^{x})^3 \times 2e$; **b.** $3(e^{x})^2 \times e^{x}$;
c. $e \times (e^{x})^2$; **d.** $(e^{2x})^4 \times e^{x+1}$.

3 Vérifier les réponses à l'aide du logiciel.

2 Étude de la fonction exponentielle

35 Vrai ou faux ?

Répondre par vrai ou faux aux affirmations suivantes.

1 L'équation $e^{x} = 0$ n'a aucune solution dans $\mathbb{R}$.

2 $e^{-x} = 1$ a une unique solution dans $\mathbb{R}$, le réel 0.

3 $e^{1-x} = 1$ a une unique solution dans $\mathbb{R}$, le réel 0.

4 $e^{-x} > 1 \Leftrightarrow x > 0$.

36 Vrai ou faux ?

Préciser si les affirmations suivantes sont vraies ou fausses.

1 $\lim\limits_{x \to +\infty} e^{x} + \frac{1}{x} = 0$. **2** $\lim\limits_{x \to -\infty} e^{x} + \frac{1}{x} = 0$.

3 $\lim\limits_{x \to +\infty} \frac{1}{2 + e^{-x}} = \frac{1}{2}$. **4** $\lim\limits_{x \to +\infty} \sqrt{3 + e^{-x}} = +\infty$.

37 Vrai ou faux ?

Répondre par vrai ou faux.

1 Si $f(x) = e^{2x}$, $f'(x) = e^{2x}$.

2 Si $f(x) = xe^{2x}$, $f'(x) = 2xe^{2x}$.

3 Si $f(x) = e^{-x}$, $f'(x) = -e^{-x}$.

38 Calculs de limites (1)

Déterminer les limites en a des expressions suivantes :

a. e^{x^2} pour $a = -\infty$;

b. $\dfrac{e^{2x} - 1}{e^{2x} + 1}$ pour $a = -\infty$;

c. $e^{\frac{1}{x^2}}$ pour $a = +\infty$;

d. $\dfrac{1}{1 + e^{x}}$ pour $a = +\infty$.

39 Calculs de limites (2)

Déterminer les limites en a des expressions suivantes :

a. $\dfrac{e^{x^4}}{x^2}$ pour $a = -\infty$;

b. $\dfrac{e^{2x} - 1}{e^{2x} + 1}$ pour $a = +\infty$;

c. $e^{x} - x$ pour $a = +\infty$;

d. $\dfrac{e^{x} - 1}{1 + e^{x}}$ pour $a = +\infty$.

Exercices d'application

40 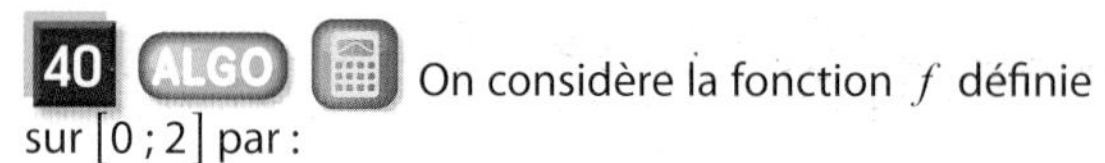

On considère la fonction f définie sur $[0\,;2]$ par :

$$f(x) = x + 3 - e^x.$$

1 Étudier le signe de la dérivée de f.

2 Dresser le tableau de variations de f.

3 Démontrer que l'équation $f(x) = 0$ admet une solution unique α sur $[0\,;2]$.

4 **À l'aide de la calculatrice,** trouver un encadrement de α à 10^{-2} près.

5 **a.** Compléter l'algorithme ci-dessous en faisant afficher les valeurs de $x - a$ et de x.

b. Tester cet algorithme pour $a = 0{,}1$; $a = 0{,}01$; puis pour $a = 0{,}001$. Que fait cet algorithme ?

ALGO

```
Lire a ;
Afficher « la valeur de a est : « ;
Afficher a ;
x prend la valeur 0 ;
y prend la valeur 2 ;
   TantQue (y > 0) Faire ;
        x prend la valeur x + a ;
        y prend la valeur x + 3 − exp(x) ;
   FinTantQue.
```

41 **Calculs de limites**

1 **a.** Calculer les limites suivantes :

$$\lim_{x\to+\infty} \frac{e^{2x}+1}{e^{2x}+4} \quad \text{et} \quad \lim_{x\to+\infty} \frac{e^{2x}+1}{e^{2x}+4}$$

(pour ce second cas, on pourra utiliser une factorisation).

b. On a calculé la première limite avec le logiciel de calcul formel *Xcas*. Vérifier la cohérence avec le résultat trouvé ci-dessous.

```
1 limit((exp(2*x)+1)/(exp(2*x)+4),x,-infinity)
```

$$\frac{1}{4}$$

c. Quelle est l'instruction pour calculer la seconde limite ? Comparer avec la réponse trouvée.

2 Calculer les limites suivantes, puis les vérifier avec le logiciel : $\displaystyle\lim_{x\to+\infty} \frac{e^{2x}+1}{2e^x-3}$; $\displaystyle\lim_{x\to+\infty} \frac{e^x+1}{1-5e^{2x}}$.

42 On considère la fonction f définie sur $\mathbb{R}$ par $f(x) = e^x - ax$, où a est un réel positif.

Le but de ce problème est de savoir s'il existe une valeur de a pour laquelle la courbe représentative de f est tangente à l'axe des abscisses et, dans ce cas, de déterminer l'abscisse du point de contact entre la courbe et la tangente.

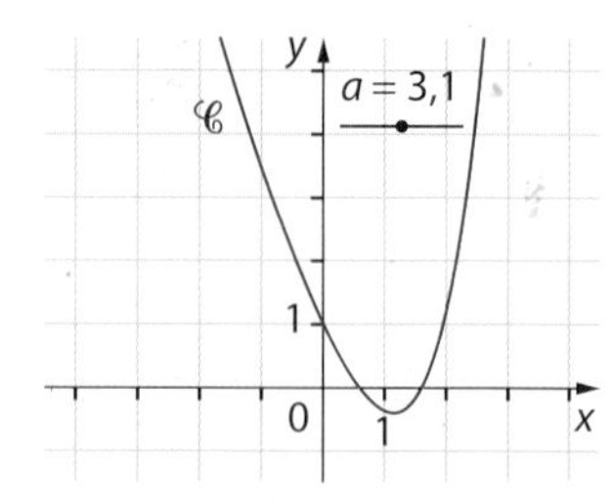

1 **À l'aide d'un logiciel de géométrie dynamique,** créer un curseur et conjecturer les réponses au problème posé.

2 Soit k l'abscisse d'un point quelconque de la courbe représentative de f. Écrire l'équation de la tangente à la courbe en ce point.

3 Conclure.

Voir la fiche **Geogebra**.

43 **1** Déterminer la limite de la suite (u_n) définie pour tout entier n non nul par $u_n = e^{\frac{n^2-n-1}{n^2}}$.

2 Même question avec la suite (v_n) définie pour tout entier n non nul par $v_n = e^{\cos\left(n-\frac{1}{n}\right)}$.

44 On considère la suite (u_n) définie pour tout entier n par $u_n = e^{1-n}$.

1 Démontrer que (u_n) est une suite géométrique dont on précisera le premier terme et la raison.

2 La suite (u_n) est-elle convergente ? Si oui, préciser sa limite.

3 On pose $S_n = \displaystyle\sum_{k=0}^{n} u_k$.

Montrer que $S_n = \dfrac{e^2}{e-1}(1 - e^{-n-1})$. Calculer la limite de la suite (S_n).

45 BAC On considère un réel strictement positif et la suite (u_n) définie pour tout entier naturel n par :

$$\begin{cases} u_0 = a \\ u_{n+1} = u_n e^{-u_n} \end{cases}.$$

1 **À l'aide du tableur,** tester plusieurs valeurs de a et conjecturer le sens de variation de la suite (u_n) et sa limite éventuelle.

2 Montrer par récurrence que, pour tout entier naturel n, $u_n > 0$.

3 Montrer que la suite (u_n) est décroissante.

4 La suite (u_n) est-elle convergente ? Si oui, calculer sa limite.

Voir la fiche **Tableur**.

3 Croissance comparée

46 **1** Calculer les limites suivantes :

$$\lim_{x \to +\infty} \frac{e^x + 1}{2x} \ ; \quad \lim_{x \to -\infty} \frac{e^x + 1}{2x} \ ; \quad \lim_{x \to +\infty} \frac{1 - 4x}{e^x}.$$

2 Vérifier les limites de la question **1** avec un logiciel de calcul formel.

47 Croissance comparée de la fonction exponentielle et des fonctions puissances

1 Réaliser une feuille de calcul sur le modèle suivant en modifiant la valeur de l'entier naturel n (supposé supérieur ou égal à 1).

x	exp(x)	x^n	exp(x)/x^n	
10	22026,46579	10000	2,202646579	n= 4
20	485165195,4	160000	3032,282471	
30	1,06865E+13	810000	13193178,5	
40	2,35385E+17	2560000	91947369858	
50	5,18471E+21	6250000	8,29553E+14	
60	1,14201E+26	12960000	8,81179E+18	
70	2,51544E+30	24010000	1,04766E+23	
80	5,54062E+34	40960000	1,35269E+27	
90	1,2204E+39	65610000	1,86009E+31	
100	2,68812E+43	100000000	2,68812E+35	
110	5,92097E+47	146410000	4,0441E+39	
120	1,30418E+52	207360000	6,28945E+43	
130	2,87265E+56	285610000	1,00579E+48	
140	6,32743E+60	384160000	1,64708E+52	
150	1,39371E+65	506250000	2,75301E+56	
160	3,06985E+69	655360000	4,68422E+60	
170	6,76179E+73	835210000	8,09592E+64	

Conjecturer la limite de $\frac{e^x}{x^n}$ en $+\infty$.

2 Pour tout réel x non nul, on pose $x = nt$.

Démontrer que $\frac{e^x}{x^n} = \frac{1}{n^n}\left(\frac{e^t}{t}\right)^n$.

3 Calculer $\lim_{x \to +\infty} \frac{e^x}{x^n}$.

4 On pose $x = -X$.

Démontrer que : $x^n e^x = A \frac{X^n}{e^X}$,

où A est une constante que l'on déterminera.

5 Calculer $\lim_{x \to -\infty} x^n e^x$.

48 Calculer les limites suivantes :

a. $\lim_{x \to +\infty} \frac{e^x + 3x}{x^3}$; **b.** $\lim_{x \to -\infty} (x^2 + 4x - 1)e^x$;

c. $\lim_{x \to +\infty} \frac{e^x - x^4}{e^x}$; **d.** $\lim_{x \to +\infty} (3x^3 - x^2)e^{-x}$.

49 QCM

Donner la bonne réponse.

1 $\lim_{x \to +\infty} \frac{e^x - 1}{x}$ est égale à :

a. 1. **b.** $+\infty$. **c.** 0.

2 $\lim_{x \to +\infty} (x - e^x)$ est égale à :

a. 0. **b.** $+\infty$. **c.** $-\infty$.

3 $\lim_{x \to +\infty} (x^2 - 3x + 1)e^{-x}$ est égale à :

a. $+\infty$. **b.** $-\infty$. **c.** 0.

50 Calcul de $\lim_{x \to +\infty} \frac{e^x}{\sqrt{x}}$

1 Première méthode

Écrire $\frac{e^x}{\sqrt{x}}$ à l'aide de $\frac{e^x}{x}$.

Conclure.

2 Seconde méthode

Pour tout réel $x \geqslant 1$, comparer x et $\sqrt{x}$. En déduire une comparaison entre $\frac{e^x}{x}$ et $\frac{e^x}{\sqrt{x}}$.

Conclure.

51 **1** On souhaite calculer $\lim_{x \to +\infty} \frac{e^{3x}}{2x}$.

On pose $X = 3x$.

Montrer que $\frac{e^{3x}}{2x} = \frac{3}{2} \times \frac{e^X}{X}$. Conclure.

2 Calculer les limites suivantes :

$$\lim_{x \to +\infty} \frac{e^{2x}}{4x} \ ; \quad \lim_{x \to +\infty} \frac{-x}{e^{3x}} \ ; \quad \lim_{x \to +\infty} \frac{e^{x^2}}{x}.$$

52 **1** Calculer $\lim_{x \to +\infty} \frac{e^{2x} - x^2}{e^{2x} + x^2}$.

2 Calculer $\lim_{x \to +\infty} (e^{3x} - \sqrt{x})$.

3 Calculer $\lim_{x \to +\infty} (e^x - x^2 - x)$.

4 Dérivée de $x \mapsto \exp(u(x))$

53 Vrai ou faux ?

Dans chaque cas, on donne l'expression d'une fonction f, dérivable sur l'intervalle I et de sa fonction dérivée f'.
Préciser si l'expression de $f'(x)$ est exacte ou pas.

1 $f(x) = e^{3x-1}$; $f'(x) = e^{3x-1}$; $I = \mathbb{R}$.

2 $f(x) = e^{\sqrt{x}}$; $f'(x) = \dfrac{e^{\sqrt{x}}}{2\sqrt{x}}$.; $I =]0 ; +\infty[$.

3 $f(x) = e^{\frac{1}{x}}$; $f'(x) = -\dfrac{1}{x^2}e^{\frac{1}{x}}$.; $I =]-\infty ; 0[$.

4 $f(x) = e^{\cos x}$; $f'(x) = \sin x\, e^{\cos x}$; $I = \mathbb{R}$.

54 Vrai ou faux ?

Préciser si les affirmations suivantes sont vraies ou fausses, en justifiant les réponses.

1 La fonction f définie sur $\mathbb{R}$ par $f(x) = e^{u(x)}$, où u est une fonction dérivable et positive sur $\mathbb{R}$, est croissante.

2 La fonction f définie sur $\mathbb{R}$ par $f(x) = e^{u(x)}$, où u est une fonction dérivable et croissante sur $\mathbb{R}$, est croissante.

3 La fonction f définie sur $\mathbb{R}$ par $f(x) = e^{u(x)}$, où u est une fonction dérivable strictement négative sur $\mathbb{R}$, est strictement positive.

4 La fonction f définie sur $\mathbb{R}$ par $f(x) = e^{-u(x)}$, où u est une fonction dérivable sur $\mathbb{R}$, est décroissante.

55 Démonstration de cours

Voir la propriété, page 122.

1 Première méthode

On considère la fonction f définie sur $\mathbb{R}$ par :

$$f(x) = \frac{e^{nx}}{(e^x)^n}.$$

a. Calculer $f'(x)$.
b. En déduire que f est constante sur $\mathbb{R}$.
Quelle est sa valeur ?
c. Conclure.

2 Seconde méthode

Démontrer l'égalité à l'aide d'un raisonnement par récurrence.

Point Méthode Raisonner par récurrence dans $\mathbb{N}$.
Lorsque la propriété est établie dans $\mathbb{N}$, passer à $\mathbb{Z}$ en remarquant que : $\exp(-nx) = \dfrac{1}{\exp(nx)}$.

56

On considère la fonction f définie sur $\mathbb{R}$ par :

$$f(x) = e^{-\cos x}.$$

1 Démontrer que cette fonction est paire et périodique de période 2π.

2 Calculer $f'(x)$ et déterminer son signe sur l'intervalle $[0 ; \pi]$. Dresser le tableau de variations de f sur l'intervalle $[0 ; \pi]$.

3 Tracer la courbe représentative $\mathscr{C}$ de f sur l'intervalle $[-\pi ; \pi]$.

4 Déterminer l'équation réduite de la tangente à $\mathscr{C}$ au point d'abscisse $\dfrac{\pi}{2}$.

57

On considère la fonction f définie sur $\left[-\dfrac{\pi}{2} ; \dfrac{\pi}{2}\right[$ par : pour tout $x \in \left]-\dfrac{\pi}{2} ; \dfrac{\pi}{2}\right[$,

$$f(x) = e^{\tan x} \quad \text{et} \quad f\left(-\frac{\pi}{2}\right) = 0.$$

1 Rappeler les limites de la fonction tangente en $-\dfrac{\pi}{2}$ et $\dfrac{\pi}{2}$ ou les calculer à l'aide d'un logiciel de calcul formel.
Avec *Xcas*, pour calculer la limite quand x tend vers $-\dfrac{\pi}{2}$ par valeurs supérieures, on entre :

```
1 lim(tan(x),x,-pi/2,1)
```

Pour une limite par valeurs inférieures, on entre -1 comme dernier argument.

2 a. Calculer la limite de f en $\dfrac{\pi}{2}$.

b. Calculer $\displaystyle\lim_{\substack{x \to -\frac{\pi}{2} \\ x > -\frac{\pi}{2}}} f(x)$.

c. La fonction f est-elle continue en $-\dfrac{\pi}{2}$?

3 a. A l'aide du logiciel *Xcas*, calculer $f'(x)$.

Voir la fiche **Logiciel *Xcas***.

```
1 f(x):=exp(tan(x))

2 deriver(f(x),x)
```

b. En déduire les variations de la fonction f sur $\left]-\dfrac{\pi}{2} ; \dfrac{\pi}{2}\right[$.

c. Dresser le tableau de variations de f.

4 Tracer la courbe représentative de f sur l'écran de la calculatrice ou avec le logiciel de calcul formel.

```
3 graphe(f(x),x=-pi/2..pi/2)
```

Exercices guidés

58 Soit f la fonction définie sur $\mathbb{R}$ par :

$$f(x) = 1 - \frac{4e^x}{e^{2x}+1}.$$

On note $\mathscr{C}$ sa courbe représentative dans un repère orthonormal $(O, \vec{i}, \vec{j})$. Sur le graphique ci-dessous, on a tracé la courbe $\mathscr{C}$. Elle coupe l'axe des abscisses aux points A et B.

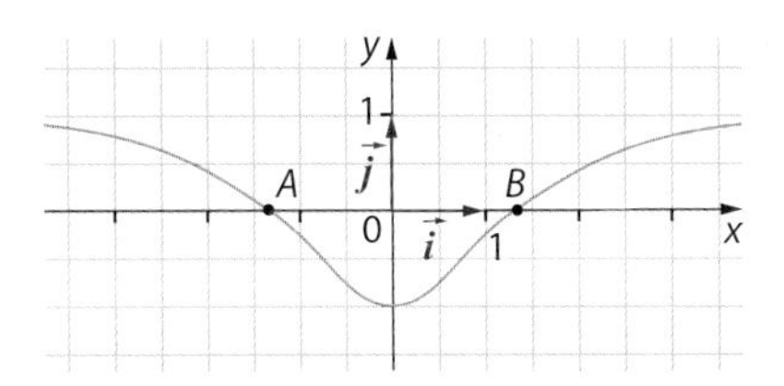

L'objectif de ce problème est de démontrer certaines propriétés de la fonction f que l'on conjecturera à partir du graphique.

1 La fonction f semble croissante sur l'intervalle $[0\,;+\infty[$.

a. Vérifier que pour tout réel x, on a :

$$f'(x) = \frac{4e^x(e^{2x}-1)}{(e^{2x}+1)^2}.$$

b. En déduire le sens de variation de la fonction f sur l'intervalle $[0\,;+\infty[$.

2 La droite d'équation $x = 0$ semble être un axe de symétrie de la courbe $\mathscr{C}$. Démontrer que cette conjecture est vraie.

Pistes de résolution

1 a. Transformer la dérivée en utilisant les propriétés de l'exponentielle. En général, on transforme l'expression d'une dérivée afin que l'étude de son signe soit la plus simple possible.

b. Repérer dans la dérivée la partie qui n'est pas de signe constant et étudier son signe. L'inéquation $e^{2x} > 1$ s'écrit aussi $e^{2x} > e^0$.

2 Comparer $f(-x)$ et $f(x)$ pour justifier que f est paire.

59 **Partie A**

On considère la fonction g définie sur $[0\,;+\infty[$ par :

$$g(x) = e^x - x - 1.$$

1 Étudier les variations de g.

2 Déterminer le signe de g suivant les valeurs de x.

3 En déduire que pour tout x de $[0\,;+\infty[$, $e^x - x > 0$.

Partie B

On considère la fonction f définie sur $[0\,;1]$ par :

$$f(x) = \frac{e^x - 1}{e^x - x}.$$

On note $\mathscr{C}$ sa courbe représentative dans un repère orthonormal $(O, \vec{i}, \vec{j})$.
Sur le graphique ci-dessous, on a tracé la courbe $\mathscr{C}$.
On admet que la fonction f est strictement croissante sur $[0\,;1]$.

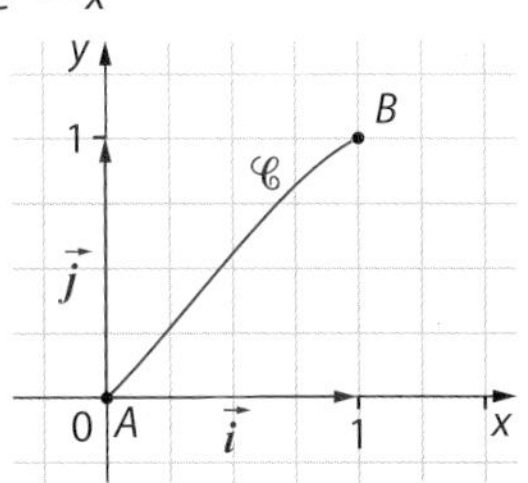

1 Montrer que pour tout x de $[0\,;1]$, $f(x) \in [0\,;1]$.

2 Soit $\mathscr{D}$ la droite d'équation : $y = x$.

a. Montrer que pour tout x de $[0\,;1]$:

$$f(x) - x = \frac{(1-x)g(x)}{e^x - x}.$$

b. Étudier la position relative de la droite $\mathscr{D}$ et de la courbe $\mathscr{C}$ sur $[0\,;1]$.

Partie C

On considère la suite (u_n) définie par : $\begin{cases} u_0 = \dfrac{1}{2} \\ u_{n+1} = f(u_n) \end{cases}$.

1 Construire sur l'axe des abscisses les quatre premiers termes de la suite en laissant apparents les traits de construction.

2 Montrer que pour tout entier naturel n :

$$\frac{1}{2} \leqslant u_n \leqslant u_{n+1} \leqslant 1.$$

3 En déduire que la suite (u_n) est convergente et déterminer sa limite.

Pistes de résolution

Partie A

2 Utiliser le minimum de g sur $[0\,;+\infty[$.

3 Traduire le résultat de la question précédente en termes d'inégalité.

Partie B

1 Utiliser la croissance de f.

2 b. Étudier le signe de l'expression obtenue au **a.**

Partie C

2 Procéder par récurrence et utiliser la croissance de f sur $[0\,;1]$.

3 Interpréter les résultats du **2**. Utiliser un théorème de convergence.

Partie 1

Soit g la fonction définie sur $\mathbb{R}$ par $g(x) = \mathrm{e}^x - x\mathrm{e}^x + 1$.

1 Déterminer la limite de g en $+\infty$.

2 Étudier les variations de la fonction g.

3 Donner le tableau de variations de la fonction g.

4 **a.** Démontrer que l'équation $g(x) = 0$ admet sur $[0\,;+\infty[$ une unique solution. On note α cette solution.
b. À l'aide de la calculatrice, déterminer un encadrement d'amplitude 10^{-2} de α.
c. Démontrer que $\mathrm{e}^{\alpha} = \dfrac{1}{\alpha - 1}$.

5 Déterminer le signe de $g(x)$ suivant les valeurs de x.

Partie 2

Soit A la fonction définie et dérivable sur $[0\,;+\infty[$ telle que $A(x) = \dfrac{4x}{\mathrm{e}^x + 1}$.

1 Démontrer que, pour tout réel x positif ou nul, $A'(x)$ a le même signe que $g(x)$, où g est la fonction définie dans la **partie 1**.

2 En déduire les variations de la fonction A sur $[0\,;+\infty[$.

Partie 3

On considère la fonction f définie sur $[0\,;+\infty[$ par :

$$f(x) = \frac{4}{\mathrm{e}^x + 1}.$$

On note $\mathscr{C}$ sa courbe représentative dans un repère orthonormal $(O, \vec{i}, \vec{j})$.
La figure est donnée ci-dessous.

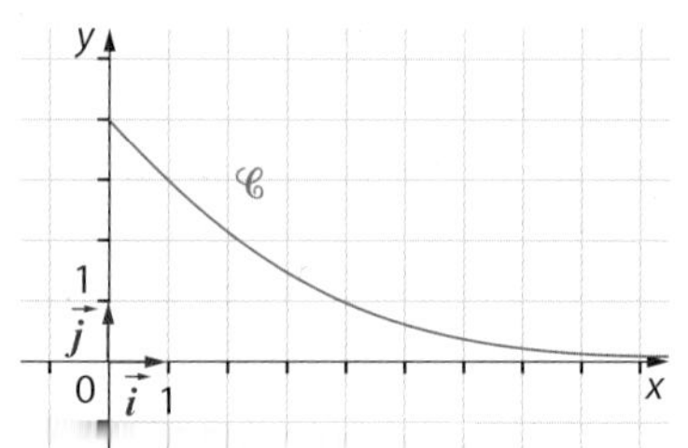

Pour tout réel x positif ou nul, on note : M le point de $\mathscr{C}$ de coordonnées $(x\,;f(x))$; P le point de coordonnées $(x\,;0)$; Q le point de coordonnées $(0\,;f(x))$.

1 Démontrer que l'aire du rectangle $OPMQ$ est maximale lorsque M a pour abscisse α.

2 Le point M a pour abscisse α. La tangente (τ) en M à la courbe $\mathscr{C}$ est-elle parallèle à la droite (PQ) ?

Pistes de résolution

Partie 1

1 Factoriser par e^x.

4 **a.** Penser au théorème des valeurs intermédiaires, bien vérifier les hypothèses.
b. Procéder par balayages successifs en divisant le pas par 10 à chaque balayage.
c. Transformer l'équation $g(\alpha) = 0$

5 Utiliser le tableau de variations, après y avoir placé α.

Partie 2

1 Calculer $A'(x)$ et factoriser le numérateur.

2 Utiliser les résultats du **5** de la **partie 2**.

Partie 3

1 Expliciter l'aire du rectangle en fonction de x et retrouver une fonction déjà étudiée.

2 Déterminer une équation de la tangente en fonction de α et utiliser la question **4** **c.** de la **partie 1**.

Exercices d'entraînement

QCM

Pour chaque question, trois propositions sont formulées. Indiquer la **seule bonne** réponse.
Soit la fonction g définie par :

$$g(x) = \frac{2\mathrm{e}^x}{\mathrm{e}^x - 1}$$

et $\mathscr{C}$ sa courbe représentative dans un repère.

1 L'ensemble de définition de g est :
a. $]0\,;+\infty[$; **b.** $\mathbb{R}\backslash\{0\}$; **c.** $\mathbb{R}\backslash\{1\}$.

2 La limite de g en $+\infty$ est :
a. -1 ; **b.** $+\infty$; **c.** 2.

3 La courbe $\mathscr{C}$ admet une asymptote d'équation :
a. $x = 0$; **b.** $y = -1$; **c.** $y = 0$.

4 La fonction dérivée de g est définie par :

a. $\dfrac{-2\mathrm{e}^x}{(\mathrm{e}^x - 1)^2}$; **b.** $\dfrac{2\mathrm{e}^x}{(\mathrm{e}^x - 1)^2}$;

c. $\dfrac{2(\mathrm{e}^x - 1 - \mathrm{e}^{2x})}{(\mathrm{e}^x - 1)^2}$.

  **62** On considère la fonction f définie sur $\mathbb{R}$ par :
$$f(x) = \sqrt{1 + e^{-x}}.$$

1 Calculer les limites de f en $-\infty$ et $+\infty$.
En déduire l'existence d'une asymptote à la courbe représentative de f. Préciser son équation.

2 Calculer $f'(x)$ et déterminer son signe. Dresser le tableau de variations de f.

3 Tracer la courbe représentative $\mathscr{C}$ de f sur l'écran de la calculatrice.

4 Déterminer l'équation réduite de la tangente à $\mathscr{C}$ au point d'abscisse 0.

63 On considère un entier naturel n non nul et la fonction f_n définie sur $]0\,;+\infty[$ par :
$$f_n(x) = \frac{e^{nx}}{x}.$$

1 Calculer les limites de f_n aux bornes de son intervalle de définition.

2 Calculer $f'_n(x)$ et déterminer les variations de f_n.

3 Démontrer que pour tout entier non nul n, la fonction f_n admet un minimum. Exprimer en fonction de n la valeur y_n de ce minimum et la valeur x_n pour laquelle il est atteint.

4 Étudier le comportement des suites (x_n) et (y_n).

  **64** On considère la fonction f définie sur $\mathbb{R}$ par :
$$f(x) = \frac{x}{e^x - x}.$$

On note $\mathscr{C}_f$ sa courbe représentative dans le plan rapporté à un repère orthogonal d'unité graphique 2 cm sur l'axe des abscisses et 5 cm sur l'axe des ordonnées.

Partie A

Soit g la fonction définie sur $\mathbb{R}$ par :
$$g(x) = e^x - x - 1.$$

1 Étudier les variations de la fonction g sur $\mathbb{R}$ et en déduire le signe de $g(x)$.

2 Justifier que, pour tout réel x, $(e^x - x)$ est strictement positif.

Partie B

1 **a.** Calculer les limites de f en $+\infty$ et $-\infty$.
b. Interpréter graphiquement les résultats précédents.

2 Étudier le sens de variation de f, puis dresser son tableau de variations.

3 **a.** Déterminer l'équation réduite de la tangente (T) à la courbe $\mathscr{C}_f$ au point d'abscisse 0.
b. À l'aide de la partie **A**, étudier la position de la courbe $\mathscr{C}_f$ par rapport à la droite (T).

4 Tracer la courbe $\mathscr{C}_f$, la droite (T) et les asymptotes.

65 Soit f la fonction définie sur l'intervalle $[-1\,;+\infty[$ par $f(x) = (1 - x^2)e^{-x}$.
Dans le plan muni d'un repère orthonormal (unité graphique : 2 cm), la représentation graphique de la fonction f est notée (C).

1 Déterminer la limite en $+\infty$ de f : interpréter graphiquement ce résultat.

2 **a.** Déterminer la fonction dérivée f' de f.
b. Déterminer, suivant les valeurs de x dans l'intervalle $[-1\,;+\infty[$, le signe de $(x^2 - 2x - 1)$.
En déduire le tableau de variations de f.

3 Déterminer une équation de la tangente notée (T) à la courbe (C) au point A de (C) dont l'abscisse est 0.

4 Tracer la tangente à la courbe (C) en A et la courbe (C).

66 On considère la suite définie par :
$$\begin{cases} u_0 = 0 \\ u_{n+1} = e^{2u_n - 2} \end{cases}.$$

1 **a.** Représenter sur un même graphique (unité : 20 cm) la fonction définie sur $[0\,;0{,}5]$ par $f(x) = e^{2x-2}$ et la droite d'équation $y = x$.
b. Représenter les premiers termes de la suite et conjecturer ses variations et son comportement.

2 **a.** Montrer que, pour tout entier naturel n, on a :
$$0 \leqslant u_n \leqslant u_{n+1} \leqslant 0{,}5.$$
b. En déduire que la suite (u_n) converge vers une limite ℓ.
c. **À l'aide de la calculatrice**, donner une valeur approchée de ℓ.

67 **Étude d'une fonction**

On considère la fonction f définie sur l'intervalle $[-1\,;+\infty[$ par $f(x) = e^{-x}\sqrt{1+x}$.

1 **a. ROC**
On suppose connu le résultat : $\lim\limits_{x \to +\infty} \frac{e^x}{x} = +\infty$.
Démontrer que $\lim\limits_{x \to +\infty} xe^{-x} = 0$.
b. En déduire la limite de f en $+\infty$.

2 Calculer $f'(x)$ et déterminer son signe suivant les valeurs de x.

3 Démontrer que f admet un maximum égal à $\sqrt{\frac{e}{2}}$ pour une valeur de x que l'on précisera.

4 Dresser le tableau de variations de la fonction f.

Prépa Bac

68 Lors d'un usinage, la partie active d'un outil, en mouvement relatif par rapport à la pièce travaillée et aux copeaux que l'on désire produire, est soumise à des sollicitations mécaniques et thermiques très importantes.

On usine des barres cylindriques (en alliage d'aluminium). Le volume V, exprimé en centimètre cube, de copeaux obtenus pendant la durée d'utilisation de l'outil est modélisé par la relation :

$$V = 36\,000\left(e^{-0{,}002v} - e^{0{,}004v}\right),$$

où v désigne la vitesse de coupe, exprimée en mètres par minute $(\mathrm{m \cdot min^{-1}})$.

L'objectif de ce problème est de déterminer la vitesse de coupe conduisant à une production maximale de copeaux au cours de la durée d'utilisation de l'outil.

1 Calculs préliminaires

a. Calculer le volume, en cm³, de copeaux obtenus pendant la durée d'utilisation de l'outil lorsque la vitesse de coupe est de 1 200 mètres par minute ; on donnera la valeur approchée arrondie au cm³.

b. Calculer V lorsque v est égale à 0 $(\mathrm{m \cdot min^{-1}})$. Pouvait-on prévoir ce résultat ?

2 Étude d'une fonction numérique

On considère la fonction numérique f, définie pour tout réel x de l'intervalle $[0\,;1200]$ par :

$$f(x) = 36\,000\left(e^{-0{,}002x} - e^{0{,}004x}\right).$$

On note f' la fonction dérivée de la fonction f, définie pour tout réel x de l'intervalle $[0\,;1200]$.

a. À l'aide de la calculatrice, conjecturer les variations de la fonction f, ainsi que son maximum, et la valeur de x pour laquelle il est atteint.

b. Donner l'expression de $f''(x)$, où f'' désigne la dérivée seconde de f, en fonction de x et déterminer son signe.

c. En déduire les variations de f' sur l'intervalle $[0\,;1200]$.

d. En déduire que la fonction f admet un maximum sur l'intervalle $[0\,;1200]$ en un réel α, dont on donnera une valeur approchée à l'unité près.

3 Grâce à l'étude précédente, répondre au problème posé.

69 Une fonction inconnue

1 On considère la fonction f définie sur $\mathbb{R}$ par $f(x) = (ax^2 + bx + c)e^{-x}$, où a, b et c désignent des réels non nuls.

On donne $f(0) = 1$; $f'(0) = 2$; $f''(0) = -1$.

Déterminer les réels a, b et c.

2 Parmi les trois courbes suivantes, une seule est la représentation graphique de f ? Préciser laquelle en expliquant.

Courbe n° 1

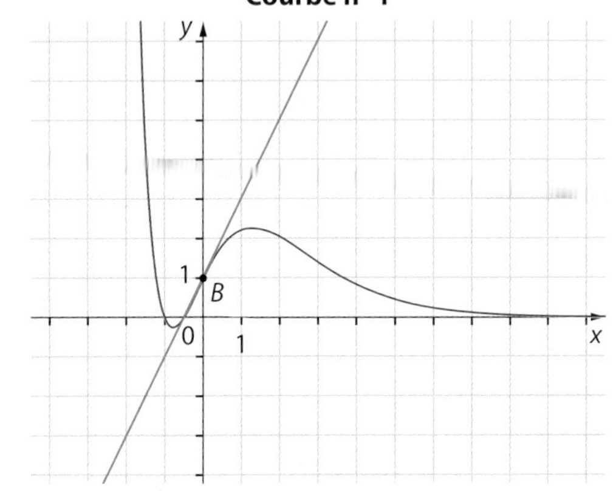

Courbe n° 2

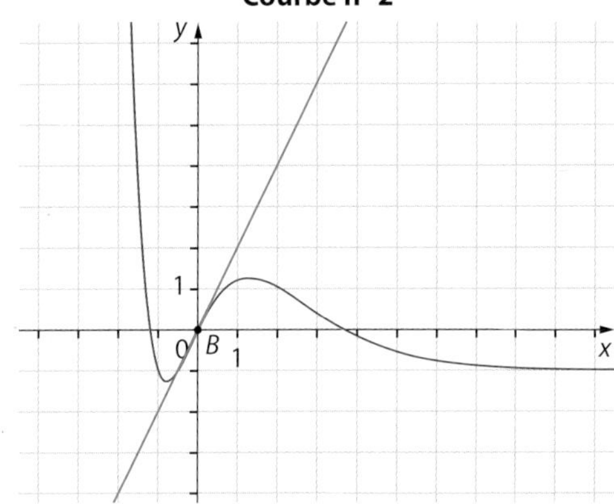

Courbe n° 3

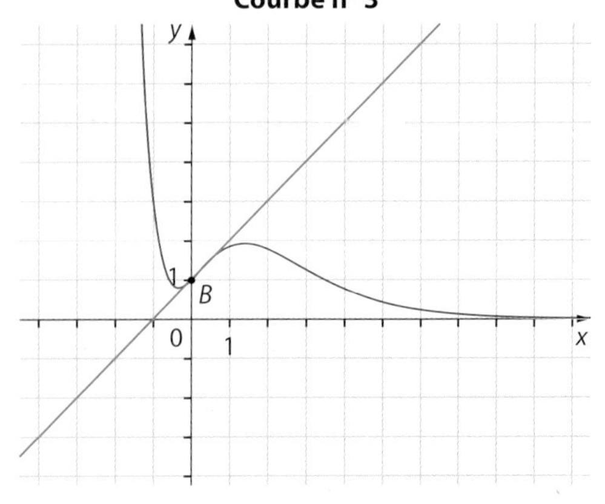

70 BAC Fonction de demande

Soit f la fonction définie sur l'intervalle $[4\,;20]$ par :

$$f(x)=(x-4)\mathrm{e}^{-0{,}25x+5}.$$

Partie A

1 Calculer $f'(x)$ et déterminer son signe.

2 Dresser le tableau de variations de f sur l'intervalle $[4\,;20]$.

Partie B

Une entreprise commercialise des centrales d'aspiration. Le prix de revient d'une centrale est 400 €.

On suppose que le nombre d'acheteurs d'une centrale est donné par $N=\mathrm{e}^{-0{,}25x+5}$, où x est le prix de vente d'une centrale, exprimé en centaines d'euro.

1 Exprimer en fonction de x le bénéfice réalisé par l'entreprise, en centaines d'euro.

2 À quel prix l'entreprise doit-elle vendre une centrale pour réaliser un bénéfice maximal ? Quel est ce bénéfice maximal à l'euro près ?

Pour info En économie, on définit, pour un produit donné, les fonctions « d'offre » et de « demande » selon le prix. La première décrit la quantité de produit mise sur le marché, en fonction du prix de vente ; elle est, en général, croissante. La seconde décrit la quantité de produit achetée par les consommateurs en fonction du prix ; elle est en général décroissante…
Le Britannique Alfred Marshall (1842-1924) est l'un des fondateurs de cette théorie économique.

71 BAC Partie A

On considère la fonction f définie sur l'intervalle $]0\,;+\infty[$ par : $f(x)=\dfrac{x}{\mathrm{e}^x-1}$.

1 Démontrer que : $\lim\limits_{h\to 0}\dfrac{\mathrm{e}^h-1}{h}=1$.

En déduire la limite de la fonction f en 0.

2 Déterminer la limite de la fonction f en $+\infty$.

Partie B

Soit (u_n) la suite définie pour tout entier n supérieur ou égal à 1 par :

$$u_n=\frac{1}{n}\left[1+\mathrm{e}^{\frac{1}{n}}+\mathrm{e}^{\frac{2}{n}}+\ldots+\mathrm{e}^{\frac{n-1}{n}}\right].$$

1 Démontrer que :

$$1+\mathrm{e}^{\frac{1}{n}}+\mathrm{e}^{\frac{2}{n}}+\ldots+\mathrm{e}^{\frac{n-1}{n}}=\frac{1-\mathrm{e}}{1-\mathrm{e}^{\frac{1}{n}}}.$$

2 En déduire que : $u_n=(\mathrm{e}-1)f\left(\dfrac{1}{n}\right)$.

3 Calculer la limite de la suite (u_n).

72 Durée de vie d'un appareil électroménager

La durée, en heure, de fonctionnement d'un appareil électroménager jusqu'à ce que survienne la première panne est modélisée par une loi de probabilité P, appelée loi de durée de vie sans vieillissement.

Elle est définie de la façon suivante : si on appelle X la variable aléatoire ainsi définie, la probabilité que l'appareil tombe en panne avant l'instant t est donnée par :

$$P(X\leqslant t)=1-\mathrm{e}^{-0{,}0005t}.$$

On admet que $(X\geqslant t)$ est l'événement contraire de l'événement $(X\leqslant t)$ et il signifie que l'appareil tombe en panne après l'instant t.

1 Calculer la probabilité que l'appareil tombe en panne avant 2 000 heures de fonctionnement.

2 Calculer la probabilité que l'appareil tombe en panne après 10 000 heures de fonctionnement.

Maths et physique

73 Loi de Beer-Lambert

Pour info

Loi de Beer-Lambert

Si un rayonnement lumineux monochromatique traverse un milieu transparent, l'intensité lumineuse I de ce rayonnement diminue en fonction de la distance parcourue dans ce milieu.

Si I_0 est l'intensité de la lumière incidente, exprimée en candela, et α le coefficient d'absorption du milieu, on a $I(x)=I_0\mathrm{e}^{-\alpha x}$, où x est la longueur, en mètre, parcourue dans le milieu.

On suppose un rayon lumineux qui pénètre dans l'eau d'un lac. On donne $I_0=110$ et $\alpha=\dfrac{1}{28}$.

1 Étudier les variations de la fonction I sur l'intervalle $[0\,;100]$. Dresser son tableau de variations.

2 Tracer la courbe représentative de la fonction I dans un repère orthogonal.

3 **À l'aide de la calculatrice,** trouver une valeur approchée de la profondeur à laquelle la lumière a perdu la moitié de son intensité.

Problèmes

74 Une suite qui converge vers e

Soit f la fonction définie sur $\mathbb{R}$ par :

$$f(x) = e^x - (x+1).$$

1 Étudier les variations de f et en déduire que pour tout réel x, $1 + x \leqslant e^x$.

2 Démontrer que pour tout réel $x < 1$, on a : $e^x \leqslant \frac{1}{1-x}$

(on pourra écrire l'inégalité du **1** pour un réel y quelconque et poser $y = -x$).

3 **a.** À l'aide de l'inégalité du **1** démontrer que pour tout entier n non nul, $\left(1+\frac{1}{n}\right)^n \leqslant e$.

b. En posant $x = \frac{1}{n+1}$ dans l'inégalité du **2**, démontrer que :

$$e \leqslant \left(1+\frac{1}{n}\right)^{n+1}$$

(on vérifiera que, dans ce cas, on a bien l'hypothèse $x < 1$).

4 Soit (u_n) la suite définie pour tout entier $n > 0$ par :

$$u_n = \left(1+\frac{1}{n}\right)^n.$$

a. Démontrer que pour tout entier $n > 0$:

$$0 \leqslant e - u_n \leqslant \frac{3}{n}.$$

b. En déduire que la suite (u_n) converge vers e.

75 Méthode d'Euler

On cherche à construire de façon approchée la courbe représentative d'une fonction dérivable f qui vérifie $f' = f$ et $f(0) = 1$, c'est-à-dire une fonction égale à sa dérivée et qui prend la valeur 1 en 0.

Partie A – Présentation de la méthode

D'après la définition du nombre dérivé, lorsqu'une fonction f est dérivable en a, on a :

$$f'(a) = \lim_{h \to 0} \frac{f(a+h) - f(a)}{h},$$

c'est-à-dire :

$$\frac{f(a+h) - f(a)}{h} = f'(a) + \varepsilon(h), \text{ avec } \lim_{h \to 0} \varepsilon(h) = 0.$$

On peut ainsi écrire, pour h voisin de 0 :

$$f(a+h) = f(a) + hf'(a) + h\varepsilon(h), \text{ avec } \lim_{h \to 0} \varepsilon(h) = 0.$$

Le terme $h\varepsilon(h)$ peut être négligé au voisinage de a (c'est-à-dire pour h voisin de 0), car il est « très petit », donc au voisinage de a, on a l'approximation :

$$f(a+h) \approx f(a) + hf'(a).$$

On dit que $h \longmapsto f(a) + hf'(a)$ est une approximation affine de $f(a+h)$ au voisinage de a.

Partie B – Tracé d'une courbe à l'aide de la méthode d'Euler

On considère une fonction f définie et dérivable sur l'intervalle $[0\,;1]$ vérifiant $f' = f$ et $f(0) = 1$.

Pour tout entier naturel n non nul, on définit une subdivision régulière de l'intervalle $[0\,;1]$ en posant, $x_0 = 0$ et pour tout entier k tel que $0 \leqslant k \leqslant n-1$:

$$x_{k+1} = x_k + \frac{1}{n}.$$

1 Cas $n = 10$

a. En utilisant l'approximation affine de la partie **A**, démontrer que pour tout entier k compris entre 0 et $n-1$, on a :

$$f(x_{k+1}) \approx 1{,}1 \times f(x_k).$$

b. Construire une feuille de tableur qui permet de calculer des approximations de $f(x_k)$ pour tout entier k compris entre 0 et n.

Représenter ces valeurs par un graphique réalisé à l'aide du tableur.

Voir la fiche **Tableur**.

	A	B
1	Xn	f(Xn)
2	0	1,000
3	0,1	1,100
4	0,2	1,210
5	0,3	1,331
6	0,4	1,464
7	0,5	1,611
8	0,6	1,772
9	0,7	1,949
10	0,8	2,144
11	0,9	2,358
12	1	2,594

c. Déterminer une approximation de $f(x_k)$ en fonction de k pour tout entier k compris entre 0 et n (on pourra poser $f(x_k) = u_k$ et utiliser la nature de la suite (u_k)).

2 Cas $n = 100$

a. En s'inspirant de la question **1**, exprimer $f(x_{k+1})$ en fonction de $f(x_k)$ pour tout entier k compris entre 0 et $n-1$.

b. Reprendre les questions **b.** et **c.** de la question **1**.

Cette méthode permet de trouver une très bonne approximation de la représentation graphique de la fonction f cherchée, qui est la fonction exponentielle. Plus n est grand, meilleure est l'approximation.

76 Une suite définie implicitement

On considère la fonction définie sur $[0\,;+\infty[$ par :

$$f(x) = \mathrm{e}^x - x.$$

Partie A – Définition d'une suite

1 Étudier les variations de la fonction f sur $[0\,;+\infty[$.

2 Soit n un entier naturel non nul. Montrer que l'équation $f(x) = n$ admet une unique solution sur $[0\,;+\infty[$ que l'on notera α_n.

3 **a.** Donner la valeur exacte de α_1.

b. Donner une valeur approchée à 10^{-2} près de α_2 et α_3.

Partie B – Étude de la suite $(\alpha_n)_{n\in\mathbb{N}^*}$

1 Montrer que la suite (α_n) est croissante.

2 Déterminer sa limite en $+\infty$.

3 Montrer que $\dfrac{\mathrm{e}^{u_n}}{n}$ tend vers 1 en $+\infty$.

77 Particules de pollution

Dans des conditions atmosphériques normales, la densité $N(t)$ de particules de pollution, en $\mathrm{g}\cdot\mathrm{cm}^{-3}$, dépend de deux facteurs :

– le paramètre de coagulation, k_c, qui dépend de la force avec laquelle les particules sont liées ;

– le paramètre de dissociation k_d, qui rend compte de la tendance des particules à se dissocier.

$N(t)$ est alors donnée par la formule :

$$N(t) = \frac{\mathrm{e}^{k_d dt}}{\dfrac{k_c}{k_d} - \mathrm{e}^{k_d dt} + C},$$

où la constante C dépend de la concentration initiale à $t = 0$.

1 Déterminer la constante C sachant que $N(0) = 1{,}2$.

2 Étudier la limite de $N(t)$ en $+\infty$.

3 Étudier les variations de $N(t)$.

4 Tracer la courbe de N pour les valeurs suivantes, correspondant à des polluants classiques :

k_c	k_d
163	5
125	26
95	57

Maths et physique

78 Chute libre

Un parachutiste de 80 kg s'élance d'une altitude de 1 000 m avec une vitesse verticale initiale de $1\,\mathrm{m}\cdot\mathrm{s}^{-1}$.

La distance $d(t)$ (t en seconde) parcourue par le parachutiste depuis son saut est donnée par la formule :

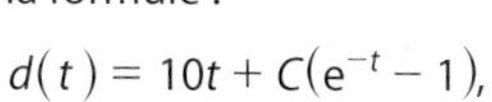

$$d(t) = 10t + C(\mathrm{e}^{-t} - 1),$$

où la constante C dépend de la vitesse initiale du parachutiste au moment du saut.

1 La vitesse $v(t)$ du parachutiste à l'instant t est donnée par $v(t) = d'(t)$.

a. Déterminer $v(t)$.

b. Sachant que $v(0) = 1$, déterminer la valeur de C.

c. Quelle est la vitesse limite que peut atteindre la parachutiste ?

2 Tracer la courbe de d à la calculatrice et déterminer le temps au bout duquel le parachutiste atteindra une altitude de 500 m, où il doit déclencher son parachute.

3 Trouver un lien entre la fonction v et sa dérivée.

79 Avec un parachute

On suppose qu'un parachute est ouvert alors que le parachutiste avait une vitesse verticale initiale à l'ouverture de $1\,\mathrm{m}\cdot\mathrm{s}^{-1}$.

La vitesse $v(t)$ (t en seconde) du parachutiste en fonction du temps écoulé depuis l'ouverture du parachute est donné par :

$$v(t) = \frac{-\sqrt{10}\left(K\mathrm{e}^{\sqrt{10}\,t} + 1\right)}{2 - 2K\mathrm{e}^{\sqrt{10}\,t}}.$$

1 Déterminer la constante K grâce aux données de l'énoncé.

2 Déterminer la vitesse limite atteinte par le parachutiste. Comparer avec le résultat obtenu à l'exercice **78**.

3 Établir une relation entre $v'(t)$ et $v^2(t)$.

Problèmes

80 Population américaine

On donne ci-dessous l'évolution de la population américaine depuis 1800 (en million d'individus) :

Année	Population
1800	5,3
1840	17,1
1880	50,2
1920	106
1960	179,3
1980	226,6
1990	248,7

On décide de prendre comme référence l'année 1880 et d'approximer la population par une fonction $P(t)$ (t en année et P en million) du type :

$$P(t) = \frac{ry_0}{ay_0 + (r - ay_0)e^{-rt}}$$

avec $r = 0{,}03$ et $a = 0{,}000\,1$.

1 On décide de prendre comme année 0 l'année 1830, soit $P(0) = 5{,}3$.
En déduire la valeur de y_0.

2 Donner l'expression de $P(t)$ et étudier les variations de la fonction.

3 Comparer les valeurs obtenues par le modèle avec les données fournies par l'énoncé sur la période 1880-1990. Le modèle paraît-il satisfaisant ?

4 **a.** Quelle est la limite de P en $+\infty$? Comment peut-on interpréter cette valeur ?
b. On donne les chiffres suivant pour la population américaine, en millions d'habitants :

Année	2000	2010
Population	281	308,8

Le modèle paraît-il toujours satisfaisant ?

81 BAC Famille de fonctions et suites

Dans tout le problème, le plan est rapporté au repère orthonormal $(O, \vec{i}, \vec{j})$ (unité graphique : 5 cm).

Partie A Soient la fonction f_1 définie sur $[0\,;+\infty[$ par $f_1(x) = xe^{-x^2}$ et $\mathscr{C}_1$ sa courbe représentative.

1 Montrer que, pour tout réel positif x :

$$f'_1(x) = e^{-x^2} - 2x^2e^{-x^2}.$$

En déduire le sens de variation de f_1.

2 Calculer la limite de f_1 en $+\infty$ (on pourra poser $u = x^2$). Interpréter graphiquement ce résultat.

3 Dresser le tableau de variations de f_1.

4 On appelle Δ la droite d'équation $y = x$. Déterminer la position de $\mathscr{C}_1$ par rapport à Δ.

5 Tracer $\mathscr{C}_1$ et Δ.

Partie B On considère la fonction f_3 définie sur $[0\,;+\infty[$ par $f_3(x) = x^3e^{-x^2}$ et on appelle $\mathscr{C}_3$ sa courbe représentative.

1 Montrer que, pour tout réel x positif, $f'_3(x)$ a même signe que $(3 - 2x^2)$.
En déduire le sens de variation de f_3.

2 Déterminer les positions relatives de $\mathscr{C}_1$ et $\mathscr{C}_3$.

3 Tracer $\mathscr{C}_3$ dans le même repère que $\mathscr{C}_1$ (on admettra que $\mathscr{C}_3$ a la même asymptote que $\mathscr{C}_1$ en $+\infty$).

Partie C On désigne par n un entier naturel non nul et on considère la fonction f définie sur $[0\,;+\infty[$ par :

$$f_n(x) = x^ne^{-x^2}.$$

On note $\mathscr{C}_n$ la courbe représentative de f dans le repère $(O, \vec{i}, \vec{j})$.

1 Montrer que, pour tout entier $n \geqslant 1$, f_n admet un maximum pour $x = \sqrt{\frac{n}{2}}$. On note α_n ce maximum.

2 On appelle S_n le point de $\mathscr{C}_n$ d'abscisse $\sqrt{\frac{n}{2}}$.

Montrer que, pour tout n, $\mathscr{C}_n$ passe par S_2.

Placer S_1, S_2, S_3 sur la figure.

82  La chaînette

Pour info

Le problème de la forme prise par un fil pesant flexible ou un câble a intéressé très tôt les mathématiciens. Au XVIIe siècle, Galilée pensait que cette forme devait être un arc de parabole, mais la preuve du contraire fut apportée, en 1669, par Joachim Jungius. En 1691, Gottfried Leibniz, Jean Bernoulli et Christian Huygens démontrent quasi simultanément que la forme exacte est une chaînette. C'est d'ailleurs Huygens qui la baptise ainsi, dans une lettre adressée à Leibniz.

On considère un réel strictement positif a et la fonction f_a définie sur $\mathbb{R}$ par :

$$f_a = \frac{a}{2}\left(\exp\left(\frac{x}{a}\right) + \exp\left(-\frac{x}{a}\right)\right).$$

1 **À l'aide d'un logiciel de géométrie dynamique**, créer un curseur a et tracer la courbe représentative de f_a pour plusieurs valeurs de a (on pourra activer le mode « trace »).

Conjecturer une propriété géométrique de la courbe de f_a, le sens de variations de cette fonction ainsi qu'un éventuel extremum.

Voir la fiche **Geogebra**.

2 Calculer les limites de f_a en $-\infty$ et en $+\infty$.

3 Démontrer que f_a est paire.

En déduire une propriété géométrique de sa courbe représentative.

4 Calculer $f'_a(x)$ et trouver son signe.

5 Dresser le tableau de variations de f_a.

6 Démontrer que f_a admet un minimum que l'on déterminera.

7 Tracer la courbe représentative de la fonction f_1 dans un repère orthonormé.

Pour info

La fonction f_1 définie sur $\mathbb{R}$ par $f_1(x) = \dfrac{e^x + e^{-x}}{2}$ est appelée **cosinus hyperbolique**.

On note $f_1(x) = \text{ch}\, x$.

83 Une fonction polynôme et la fonction exponentielle

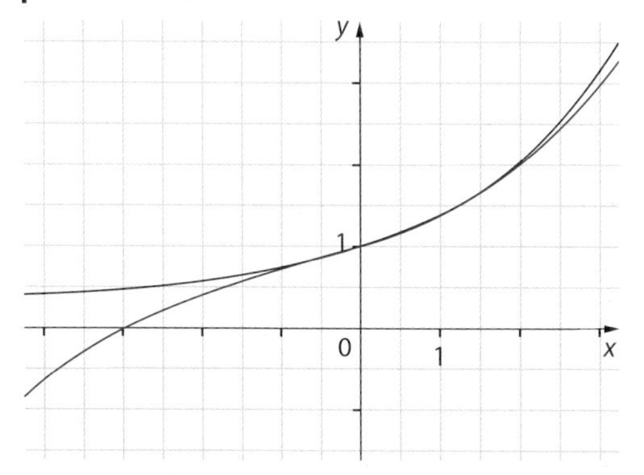

On a représenté dans un repère orthogonal les courbes représentatives de la fonction exponentielle (en noir) et de la fonction polynôme f définie par :

$$f(x) = 1 + x + \frac{x^2}{2} + \frac{x^3}{6} \text{ (en rouge).}$$

1 Vérifier que ces deux fonctions prennent la même valeur en 0.

Le but de cet exercice et d'étudier ces deux fonctions pour des valeurs de x proches de la valeur 0.

2 Conjecturer par lecture graphique les positions relatives des deux courbes.

3 On pose, pour tout réel x :

$$g(x) = e^x - 1 - x - \frac{x^2}{2} - \frac{x^3}{6}.$$

Calculer $g'(x)$, $g''(x)$, $g^{(3)}(x)$, où $g^{(3)}$ désigne la dérivée troisième de g, c'est-à-dire la dérivée de la dérivée seconde g''.

4 **a.** Étudier le signe de $g^{(3)}(x)$.

b. Dresser le tableau de variations de g''.

c. En déduire le signe de $g''(x)$ pour tout réel x.

5 **a.** Dresser le tableau de variations de g'.

b. En remarquant que $g'(0) = 0$, déduire de la question précédente le signe de $g'(x)$ pour tout réel x.

6 **a.** Dresser le tableau de variations de la fonction g et en déduire son signe pour tout réel x.

b. Que peut-on dire de la courbe représentative de la fonction exponentielle par rapport à celle de la fonction f ?

7 **Une approximation de exp x**

a. Construire une feuille de tableur comme ci-dessous qui calcule les images par la fonction exponentielle et par la fonction f des réels compris entre 0 et 1et qui ont deux chiffres après la virgule.

Préciser ce que l'on calcule dans la colonne D.

	A	B	C	D
1	x	exp(x)	f(x)	|exp(x)-f(x)|
2	0	1	1	0
3	0,01	1,01005	1,01005	4,17501E-10
4	0,02	1,02020	1,02020	6,69342E-09
5	0,03	1,03045	1,03045	3,39535E-08
6	0,04	1,04081	1,04081	1,07526E-07
7	0,05	1,05127	1,05127	2,63043E-07
8	0,06	1,06184	1,06184	5,46545E-07
9	0,07	1,07251	1,07251	1,01459E-06
10	0,08	1,08329	1,08329	1,73434E-06
11	0,09	1,09417	1,09417	2,78371E-06
12	0,1	1,10517	1,10517	4,25141E-06
13	0,11	1,11628	1,11627	6,23713E-06
14	0,12	1,12750	1,12749	8,85158E-06
15	0,13	1,13883	1,13882	1,22167E-05
16	0,14	1,15027	1,15026	1,64655E-05
17	0,15	1,16183	1,16181	2,17427E-05
18	0,16	1,17351	1,17348	2,82043E-05
19	0,17	1,18530	1,18527	3,6018E-05
20	0,18	1,19722	1,19717	4,53631E-05
21	0,19	1,20925	1,20919	5,6431E-05

Voir la fiche **Tableur**.

b. On souhaite remplacer e^x par $f(x)$.

Quelles sont les valeurs de x de ce tableau pour lesquelles l'erreur commise est inférieure à 0,001 ?

Pistes pour l'accompagnement personnalisé

Revoir les outils de base

84 Propriétés fondamentales de $x \longmapsto e^x$

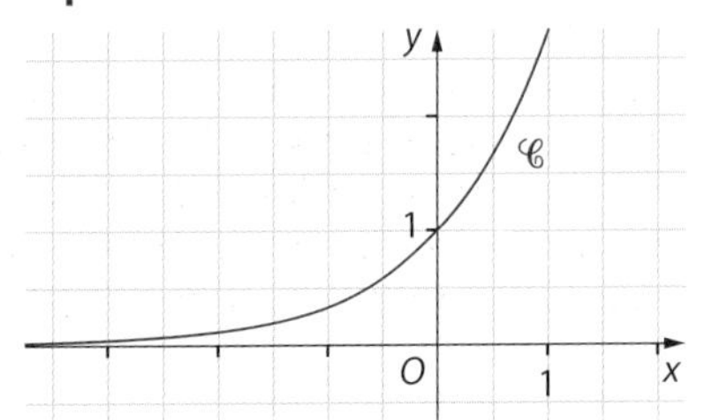

Rappeler, à l'aide du graphique donné ci-dessus :

a. les limites de la fonction $x \longmapsto e^x$ en $-\infty$ et en $+\infty$;

b. la valeur des images $\exp(0)$ et $\exp(1)$;

c. l'équation réduite de la tangente à la courbe au point d'abscisse 0.

Les savoir-faire du chapitre

Méthode

Les propriétés algébriques de la fonction exponentielle sont identiques aux propriétés des puissances entières :

$$e^a \times e^b = e^{a+b} \,; \qquad e^{-a} = \frac{1}{e^a} \,;$$

$$(e^a)^n = e^{na} \ (n \text{ entier}) \,; \qquad e^{a-b} = \frac{e^a}{e^b}.$$

85 Utiliser les propriétés de l'exponentielle

Simplifier les expressions suivantes :

a. $e^3 \times e^5 (e^3)^4$; **b.** $\dfrac{e}{e^4}(e^x + e^{-x})^2 - 2e^x$;

c. $\dfrac{e^{7x+2}}{(e^{3x})^2}$.

86 Déterminer des limites

Déterminer les limites suivantes :

a. $\lim\limits_{x \to +\infty} e^{-2x}$; **b.** $\lim\limits_{x \to -\infty} \dfrac{1 + e^x}{1 - 2e^x}$;

c. $\lim\limits_{x \to +\infty} (e^x - 2x)$; **d.** $\lim\limits_{x \to +\infty} \dfrac{1 + e^x}{e^x + x}$.

87 Calculer une dérivée

Calculer la dérivée de la fonction f.

1 $f(x) = e^{x^2 + 2x}$.

2 $f(x) = xe^{2x}$.

3 $f(x) = \dfrac{1 + e^x}{1 - 2e^x}$.

88 Étudier les variations d'une fonction

Étudier les variations des fonctions suivantes sur $\mathbb{R}$.

1 $f(x) = xe^{3x}$.

2 $f(x) = xe^{x^2}$.

3 $f(x) = \dfrac{1 - e^{2x}}{1 + e^{2x}}$.

Approfondissement

89 Évolution d'une population : modèle de Malthus

Voici un extrait de tableur donnant les valeurs de la population américaine, en millions d'habitants, entre 1800 et 1860 :

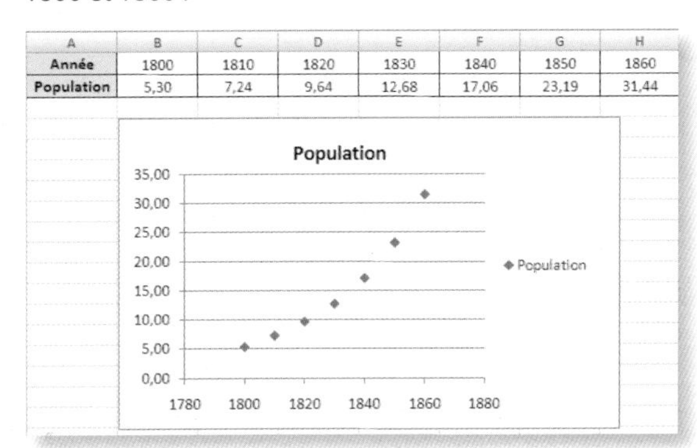

A	B	C	D	E	F	G	H
Année	1800	1810	1820	1830	1840	1850	1860
Population	5,30	7,24	9,64	12,68	17,06	23,19	31,44

On modélise l'évolution de la population par une fonction, en prenant 1830 comme origine :

$$P(t) = 5{,}3\, e^{0{,}03t}.$$

1 Comparer les valeurs obtenues par la modélisation avec les valeurs réelles.

2 Trouver une relation entre P' et P.

3 Quelle est la limite de P en $+\infty$? Que peut-on penser de ce modèle sur une longue durée ?

4 Trouver d'autres évolutions qui sont modélisées par une relation du type trouvé à la question **1**.

90 Évolution de la masse du rat musqué

On considère que l'évolution du poids de certains rongeurs, en gramme, peut être modélisée par une équation du type :

$$M(t) = C\exp(-be^{-at})$$

où C et a sont des constantes strictement positives et b une constante réelle.

1 Déterminer la limite de $V(t)$ en $+\infty$.

2 Comment peut-on interpréter ce nombre ?
Que représente la constante C ?

3 Si $M(t)$ représente l'évolution d'un poids, quel doit être le signe de b ?

4 **Application numérique :** $a = 0{,}04$; $b = 3{,}90$; $C = 750$ g.

a. Déterminer l'expression de $V(t)$.

b. Tracer la courbe représentative pour $t \in [0 ; 400]$.

Vers le Supérieur

91 Une équation fonctionnelle

On s'intéresse aux fonctions f, définies et dérivables sur $\mathbb{R}$, qui vérifient :
« pour tout réel u et tout réel t : $f(u+t) = f(u)f(t)$ ».

1 Montrer que si f n'est pas la fonction nulle, alors $f(0) = 1$.

2 Montrer que si f s'annule en $a \in \mathbb{R}$, alors f est la fonction nulle.

3 On suppose dans cette question que f ne s'annule pas sur $\mathbb{R}$. Montrer, en fixant u, que f vérifie :

« Pour tout $u \in \mathbb{R}$: $f'(u+t) = f(u)f'(t)$ ».

4 En déduire une relation entre f' et f, puis une expression de la fonction f.

92 BTS

Une entreprise fabrique des appareils. Dans cette partie, on suppose que, si chaque appareil est vendu au prix unitaire x (en euros), la quantité d'appareils demandés $f(x)$, en milliers d'unités, s'exprime par :

$$f(x) = 200\,\mathrm{e}^{-0{,}1x}.$$

La fonction f (fonction de demande) est définie sur l'intervalle $[15 ; 40]$.

1 Tracer la représentation graphique $\mathscr{C}$ de la fonction f sur $[15 ; 40]$.

2 Déterminer graphiquement le montant de la demande si l'entreprise propose l'appareil à 23 euros.

3 Par le calcul, déterminer dans quel intervalle doit se situer le prix unitaire pour que la quantité demandée soit supérieure ou égale à 9 000 unités.

4 Calculer $f'(x)$, où f' désigne la fonction dérivée de la fonction f. En déduire le sens de variation de la fonction f.

5 On appelle fonction d'offre la fonction g définie sur l'intervalle $[15 ; 40]$ par : $g(x) = 4x - 60$.

Le nombre $g(x)$ est le nombre de milliers d'appareils que l'entreprise est capable de produire et de vendre au prix de x euros l'appareil.
Tracer sur le même graphique la représentation graphique de la fonction g.

6 On appelle prix d'équilibre le prix unitaire x d'un appareil pour lequel l'offre est égale à la demande.

a. Déterminer graphiquement le prix d'équilibre.

b. Déterminer graphiquement combien l'entreprise peut compter vendre d'appareils, au prix d'équilibre.

93 CPGE scientifique

On pose, pour $\alpha \in \mathbb{R}$: $f_\alpha(x) = x\mathrm{e}^{\frac{1}{x-\alpha}}$.

1 Sur quels intervalles la fonction f_α est-elle définie ?

2 Déterminer les limites de f_α aux bornes de son ensemble de définition.

3 Montrer que la droite $\Delta : y = x + 1$ est asymptote à la courbe représentative de f_α.

4 Déterminer les variations de f_α.

5 Tracer les courbes de f_2, f_0, $f_{-0{,}25}$, f_{-1}.

94 Cambridge, examen de fin de première année

The size of the population of ducks on the pond of a certain Cambridge college is governed by the equation $\dfrac{dN}{dt} = \alpha N - N^2$ where $N = N(t)$ is the number of ducks at the time t and α is a positive constant. Given that $N(0) = 2\alpha$, find $N(t)$.
What does happen as $t \to \infty$?

Indications

- Poser $u = \dfrac{1}{N}$ et déterminer une relation entre u' et u.
- Vérifier que les fonctions du type $u(t) = Ce^{\alpha t} + \dfrac{1}{\alpha}$ vérifient la relation établie au **1**. (On admettra que ce sont les seules.)
- Finir la résolution du problème.

Fonction logarithme

Partir d'un bon pied

Voir corrigés en fin de manuel

A Connaître les propriétés de la fonction exponentielle

QCM Pour chacune des affirmations suivantes, préciser **la seule** réponse correcte.

1 $f(x) = xe^x$	**a.** $f'(x) = e^x$	**b.** $f'(x) = xe^x$	**c.** $f'(x) = (1+x)e^x$
2 $e^{[illegible]} \times e^{[illegible]} =$	**a.** $e^{[illegible]}$	**b.** e^4	**c.** e^6
3 $\frac{e^7}{e^5} =$	**a.** e^{12}	**b.** e^{35}	**c.** e^2
4 $\lim\limits_{x \to -\infty} e^{x^2} =$	**a.** 0	**b.** $+\infty$	**c.** $-\infty$
5 $f(x) = \frac{e^x}{x}$	**a.** $f'(x) = \frac{e^x(x-1)}{x^2}$	**b.** $f'(x) = e^x$	**c.** $f'(x) = -\frac{e^x}{x^2}$

B Utiliser le théorème des valeurs intermédiaires

On définit sur $\mathbb{R}$ la fonction f par : $f(x) = e^{2x} - 4$.

1 Déterminer les limites de f en $+\infty$ et $-\infty$.

2 Calculer $f'(x)$ et étudier son signe.

3 Justifier que l'équation $f(x) = 0$ admet une unique solution α dans $\mathbb{R}$ et donner un encadrement à 10^{-2} près de α.

C Construire une fonction réciproque

On a représenté ci-contre une fonction f continue strictement croissante sur l'intervalle $[-5\,;4]$.

1 Reproduire la courbe $\mathscr{C}_f$ le plus précisément possible.

2 Déterminer graphiquement une valeur approchée de l'antécédent par la fonction f de chacun des nombres suivants :

a. 2 ; **b.** -2 ; **c.** -1.

3 On définit une fonction g qui, à tout réel a de l'intervalle $[-6\,;3]$, associe son unique antécédent par f.

a. Justifier l'intervalle de définition de g.

b. Recopier et compléter le tableau de valeurs suivant :

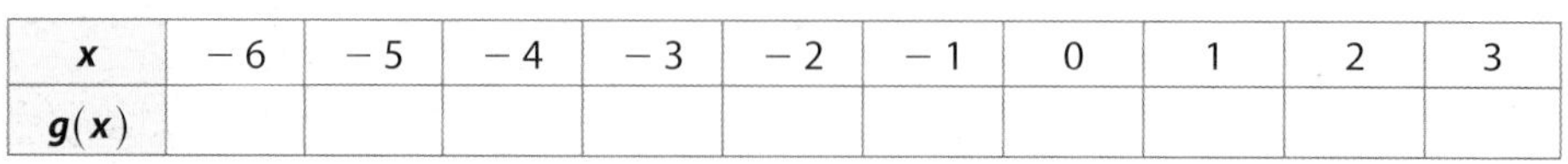

x	-6	-5	-4	-3	-2	-1	0	1	2	3
$g(x)$										

c. Construire sur le graphique utilisé pour $\mathscr{C}_f$ la courbe représentative de la fonction g sur $[-6\,;3]$.

CHAPITRE 5

népérien

Des maths partout !

Modéliser la forme d'un cyclone, d'un coquillage ou d'une fleur de tournesol, mais aussi représenter sur un même graphique les distances des planètes au Soleil en fonction de leurs périodes de révolution, sont autant d'activités qui utilisent une même famille de fonctions : les fonctions logarithmes.

Au fil du temps

C'est l'astronome écossais **John Napier**, ou **Neper** (1550-1617) qui crée un nouvel outil permettant de représenter à une même échelle des nombres très éloignés : le logarithme. Le mathématicien anglais **Henry Briggs** (1556-1630) réalise peu après les premières tables du logarithme décimal.

Par la suite, c'est le mathématicien suisse **Léonhard Euler** (1707-1783) qui relie véritablement le logarithme à l'analyse en l'utilisant pour calculer des dérivées et des intégrales. L'idée « d'échelle logarithmique » constitue un modèle toujours actuel pour de nombreux phénomènes scientifiques : de l'intensité des séismes à la magnitude des étoiles en passant par la mesure du bruit.

Gr. 0

0 + | −

min	Sinus.	Logarithmi	Differentiae	logarithmi	Sinus	
0	0	Infinitum	Infinitum	0	10000000	60
1	2909	81425681	81425680	1	10000000	59
2	5818	74494213	74494211	2	9999998	58
3	8727	70439564	70439560	4	9999996	57
4	11636	67562745	67562739	7	9999993	56
5	14544	65331315	65331304	11	9999989	55
6	17453	63508099	63508083	16	9999986	54
7	20362	61966595	61966573	22	9999980	53
8	23271	60631284	60631256	28	9999974	52
9	26180	59453453	59453418	35	9999967	51
10	29088	58399857	58399814	43	9999959	50
11	31997	57446759	57446707	52	9999950	49
12	34906	56576646	56576584	62	9999940	48
13	37815	55776222	55776149	73	9999928	47
14	40724	55035148	55035064	84	9999917	46
15	43632	54345225	54345129	96	9999905	45
16	46541	53699843	53699734	109	9999892	44
17	49450	53093600	53093577	123	9999878	43
18	52359	52522019	52521881	138	9999863	42
19	55268	51981356	51981202	154	9999847	41
20	58177	51468431	51468361	170	9999831	40
21	61086	50980537	50980450	187	9999813	39
22	63995	50515342	50515137	205	9999795	38
23	66904	50070827	50070603	224	9999776	37
24	69813	49645239	49644995	241	9999756	36
25	72721	49237030	49236765	265	9999736	35
26	75630	48844826	48844539	287	9999714	34
27	78539	48467431	48467122	309	9999692	33
28	81448	48103763	48103431	332	9999668	32
29	84357	47752859	47752503	356	9999644	31
30	87265	47413852	47413471	381	9999619	30

89

Les logarithmes de John Napier, publiés en 1614.

Activité 1 Une approche numérique du logarithme népérien

1 Dresser le tableau de variations de la fonction exponentielle sur $\mathbb{R}$.

2 **a.** Justifier que l'équation $e^x = 2$ admet une unique solution dans $\mathbb{R}$.
b. On note $\ln 2$ cette solution. Déterminer une valeur approchée à 10^{-2} près de $\ln 2$.

3 Reprendre la question **2** avec l'équation $e^x = 8$ (on notera $\ln 8$ la solution).

4 **a.** Pour quelles valeurs de a, peut-on définir ainsi $\ln a$?
b. Donner une valeur approchée à 10^{-2} près de : $\ln 3$; $\ln 6$; $\ln 18$; $\ln 0{,}1$; $\ln 0{,}01$; $\ln 500$; $\ln 5\,000$.
c. Conjecturer une relation entre $\ln 2$, $\ln 3$ et $\ln 6$, puis entre $\ln 2$ et $\ln 8$.

5 Conjecturer les limites suivantes : $\lim\limits_{a \to +\infty} \ln a$ et $\lim\limits_{a \to 0} \ln a$.

```
Math Rad Norm1  d/c Real
ln .01
                -4.605170186
ln 0.001
                -6.907755279
ln 0.001
                -6.907755279

JUMP DELETE ▸MAT MATH
```

Voir les fiches **Calculatrices**.

Activité 2 Une approche graphique du logarithme népérien

On a tracé ci-contre la courbe de la fonction exponentielle : $x \longmapsto e^x$.

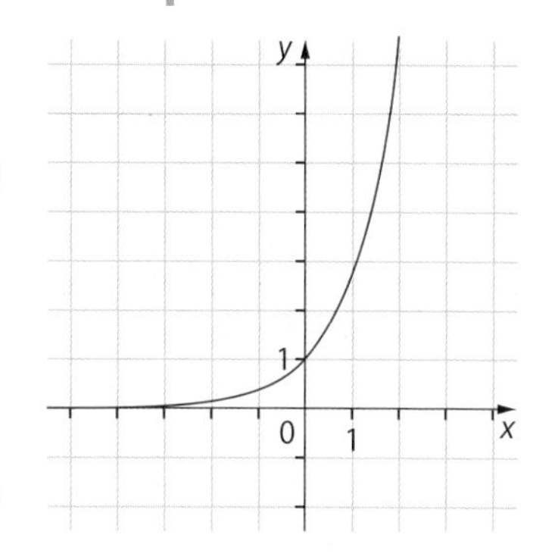

1 Reproduire soigneusement cette courbe.

2 À l'aide de cette courbe, faire apparaître en abscisse l'antécédent de 3 par la fonction exponentielle, que l'on notera $\ln 3$.
Placer, sans calculs, le point $A(3 ; \ln 3)$ (on pourra utiliser un compas).

3 En suivant la démarche du **2**, placer les points suivants :

$$B(2 ; \ln 2), \quad C(4 ; \ln 4), \quad E(5 ; \ln 5), \quad G(6 ; \ln 6), \quad H(7 ; \ln 7), \quad I(1, \ln 1),$$
$$J(0{,}5 ; \ln 0{,}5) \quad \text{et} \quad K(0{,}25 ; \ln 0{,}25).$$

a. Relier les points obtenus par une courbe en rouge aussi « régulière » que possible.
b. Tracer la droite d'équation $y = x$. Que remarque-t-on ?

Activité 3 Images de suites numériques

1 On considère la suite arithmétique u de premier terme $u_0 = 3$ et de raison $r = 5$.
a. Exprimer, pour tout entier naturel n, le terme u_n en fonction de n.
b. On appelle v la suite numérique définie pour tout entier naturel n par : $v_n = e^{u_n}$.
Quelle est la nature de la suite v ? Préciser ses éléments caractéristiques.
c. Énoncer une propriété générale concernant l'image d'une suite arithmétique par la fonction exponentielle.

2 On considère à présent la suite géométrique g de premier terme $g_0 = 2$ et de raison $q = 3$.
a. Exprimer, pour tout entier naturel n, le terme g_n en fonction de n.
b. On appelle w la suite définie pour tout entier naturel n par : $w_n = \ln(g_n)$, où ln désigne la fonction logarithme népérien (on admet que la suite w est bien définie sur $\mathbb{N}$). En utilisant l'outil de votre choix (calculatrice, ou tableur), conjecturer la nature de la suite w et préciser ses éléments caractéristiques.
c. Conjecturer un énoncé concernant l'image par la fonction ln d'une suite géométrique.

Activité 4 Relation fonctionnelle et fonctions logarithmes

On s'intéresse aux fonctions f, définies et dérivables sur $]0\,;+\infty[$, telles que : pour tous réels strictement positifs x et y, on a la relation (E) :

$$f(x \times y) = f(x) + f(y).$$

1 En posant $x = y = 1$ dans la relation (E), en déduire la valeur de $f(1)$.

2 En posant $y = \frac{1}{x}$, exprimer $f\left(\frac{1}{x}\right)$ en fonction de $f(x)$.

3 On pose $y = y_0$, où y_0 est un réel strictement positif fixé.

a. Quelle égalité obtient-on en dérivant par rapport à x les deux membres de la relation (E) ?

b. En déduire que $f'(y_0) = \frac{k}{y_0}$, où k est une constante que l'on déterminera.

Commentaire

Transformer des produits en sommes pour simplifier les calculs, telle était l'idée de John Napier (1550-1617), mathématicien écossais à l'origine des logarithmes. Il avait également inventé une machine à calculer basée sur ce principe.

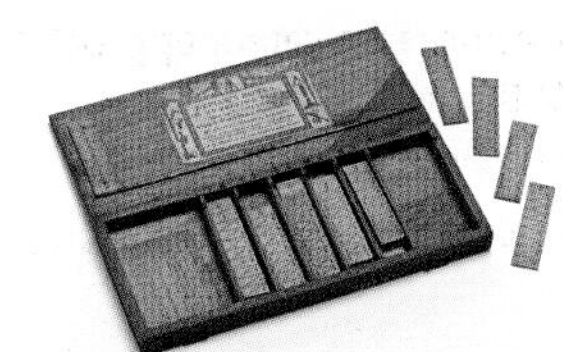

Activité 5 Loi de Kepler

On admet que les trajectoires des planètes du système solaire peuvent être assimilées à des trajectoires circulaires autour du Soleil.

Johannes Kepler (1571-1630) a, le premier, établi une loi reliant la période T de révolution d'une planète (c'est-à-dire le temps qu'elle met pour parcourir un tour autour du Soleil) et le rayon R du cercle qu'elle décrit.

1 Reproduire la page de tableur suivante :

	A	B	C
1	**Planète**	**R (en km)**	**T (en jours)**
2	Mercure	57 909 227	87,96
3	Vénus	108 208 475	224,7
4	Mars	227 943 824	687
5	Jupiter	778 340 821	4331
6	Saturne	1 426 666 422	10747
7	Uranus	2 870 658 186	30589
8	Neptune	4 498 396 441	59800

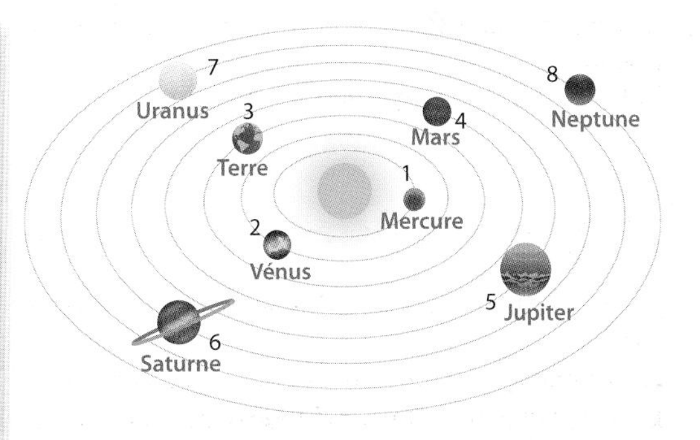

2 Construire un nuage de points représentant la période en fonction du rayon.

Voir la fiche **Tableur**.

3 **a.** Compléter les colonnes D et E avec les logarithmes népériens des nombres situés dans les colonnes B et C.

b. Réaliser un nuage de points à partir des deux dernières colonnes.
Quelle est l'allure de ce nuage ?

c. Tracer, à l'aide du logiciel, une droite de régression (ou courbe de tendance linéaire) et noter son équation.

d. Quelle relation peut-on conjecturer entre $\ln T$ et $\ln R$, puis entre T et R ?

4 Sachant que pour la Terre, on a $R = 149\,598\,262$ km, quelle période obtient-on ? Cela semble-t-il valider la loi établie à la question **3** ?

Cours

1 La fonction logarithme népérien

a Définition et propriétés

Soit a un réel **strictement positif.** La fonction $x \mapsto e^x$ est strictement croissante sur $\mathbb{R}$. De plus, $\lim_{x \to +\infty} e^x = +\infty$ et $\lim_{x \to -\infty} e^x = 0$. Donc, par le théorème des valeurs intermédiaires, l'équation $e^x = a$ admet une unique solution sur $\mathbb{R}$ appelée **logarithme népérien de a** et notée $\ln a$.

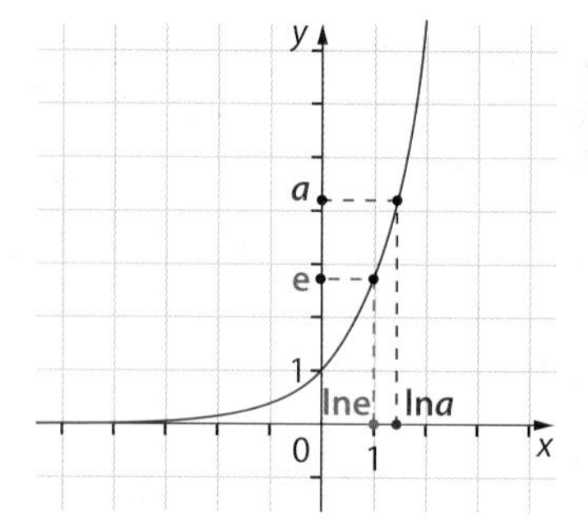

Définition Pour tout réel $a > 0$, l'équation $e^x = a$ admet une unique solution dans $\mathbb{R}$ appelée **logarithme népérien** de a, et notée $x = \ln a$.

On définit ainsi sur $]0\,;+\infty[$ la fonction logarithme népérien :

$$\mathbf{ln}:]0\,;+\infty[\to \mathbb{R}$$
$$x \mapsto \ln x.$$

À retenir
$\ln e = 1$ et $\ln 1 = 0$.

Propriétés

❶ Si a est un réel strictement positif et b un réel, alors on a :

$$e^b = a \Leftrightarrow b = \ln a.$$

❷ Pour tout réel strictement positif a : $e^{\ln a} = a$.

❸ Pour tout réel b : $\ln(e^b) = b$.

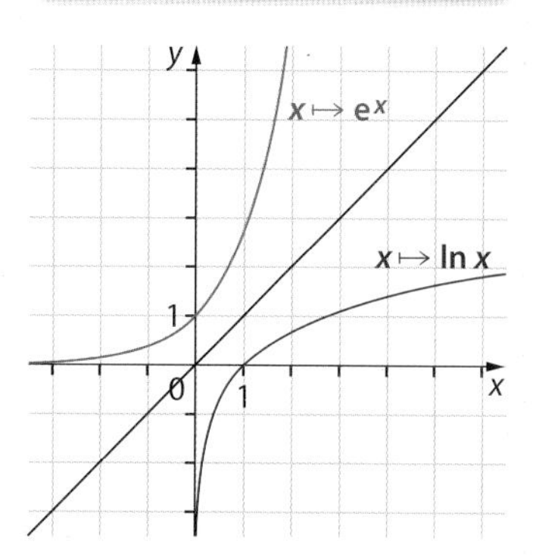

REMARQUES

- La fonction logarithme népérien et la fonction exponentielle sont des **fonctions réciproques** l'une de l'autre.
- Les courbes de la fonction **exponentielle** et de la fonction **logarithme népérien** dans un repère orthonormal sont symétriques par rapport à la première bissectrice d'équation $y = x$.

Voir la **démonstration** à l'exercice 85, page 173.

b Variations et limites

Propriétés

❶ La fonction ln **est strictement croissante sur $]0\,;+\infty[$**.

❷ $\lim_{x \to +\infty} \ln x = +\infty$ et $\lim_{x \to 0} \ln(x) = -\infty$.

Remarque Grâce à la croissance stricte de la fonction, on a, pour a et b strictement positifs :

$$\ln a \leqslant \ln b \Leftrightarrow a \leqslant b$$
$$\ln a = \ln b \Leftrightarrow a = b.$$

DÉMONSTRATIONS

❶ Soient a et b deux réels tels que $0 < a < b$.
On a : $a = e^{\ln a}$ et $b = e^{\ln b}$. Ainsi : $e^{\ln a} < e^{\ln b}$.
La fonction exponentielle étant strictement croissante, on en déduit :
$\ln a < \ln b$.

❷ Soit A un réel positif quelconque.
Si $x > e^A$, alors, par croissance de ln sur $]0\,;+\infty[$, on a : $\ln x > \ln(e^A)$.
Or : $\ln(e^A) = A$. D'où : si $x > e^A$, alors $\ln x > A$.
On en déduit : $\lim_{x \to +\infty} \ln x = +\infty$.

Soit A un réel négatif quelconque.
Si $0 < x < e^A$, alors : $\ln x < \ln e^A = A$.
Ainsi : **si $0 < x < e^A$, alors $\ln x < A$.**
On en déduit : $\lim_{x \to 0} \ln x = -\infty$.

Remarque Pour démontrer les propriétés, on utilise uniquement les propriétés de la fonction exponentielle, et le fait que la fonction exponentielle et la fonction logarithme népérien sont des fonctions réciproques.

Utiliser le logarithme népérien pour résoudre des équations ou des inéquations

Exercice corrigé

Énoncé Soit k un réel strictement positif.

On considère la fonction définie sur $[0\,;+\infty[$ par :

$$f_k(x) = \mathrm{e}^x - kx.$$

1 Dans cette question, on pose $k = 2$.

Étudier les variations sur $[0\,;+\infty[$ de la fonction :

$$f_2(x) = \mathrm{e}^x - 2x.$$

2 On revient au cas général.

a. Montrer que la fonction f_k admet un minimum sur $[0\,;+\infty[$ en un réel α_k que l'on précisera.

b. On pose $u_k = f(\alpha_k)$.

Exprimer u_k en fonction de k.

c. Déterminer la limite de u_k en $+\infty$.

Solution

1 f_2 est dérivable sur $[0\,;+\infty[$, et on a : $f'_2(x) = \mathrm{e}^x - 2$.

On a donc $f'_2(x) = 0 \Leftrightarrow \mathrm{e}^x = 2 \Leftrightarrow x = \ln 2$ (1).

On a aussi $f'_2(x) > 0 \Leftrightarrow \mathrm{e}^x > 2 \Leftrightarrow \mathrm{e}^x > \mathrm{e}^{\ln(2)} \Leftrightarrow x > \ln 2$ (2).

On a donc le tableau de variations suivant :

x	0		$\ln 2$		$+\infty$
$f'_2(x)$		$-$	0	$+$	
f_2	1	↘	$2-2\ln 2$	↗	

$f(\ln 2) = \mathrm{e}^{\ln 2} - 2\ln 2 = 2 - 2\ln 2.$

TI

2 a. f_k est bien dérivable sur $[0\,;+\infty[$, et on a : $f'_k(x) = \mathrm{e}^x - k$.

On a donc : $f'_k(x) = 0 \Leftrightarrow \mathrm{e}^x = k \Leftrightarrow x = \ln k$ (1).

On a aussi : $f'_k(x) > 0 \Leftrightarrow \mathrm{e}^x > k \Leftrightarrow \mathrm{e}^x > \mathrm{e}^{\ln k} \Leftrightarrow x > \ln k$ (2).

On a alors le tableau de variations suivant :

x	0		$\ln k$		$+\infty$
$f'_k(x)$		$-$	0	$+$	
f_k	1	↘	$f(\ln k)$	↗	

Casio

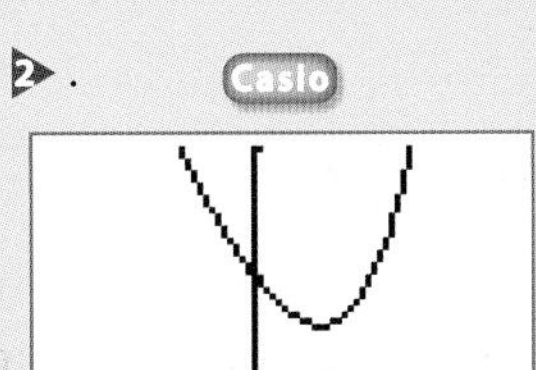

Ainsi, f_k admet un minimum sur $[0\,;+\infty[$ en $\alpha_k = \ln k$.

b. On a $u_k = f(\ln k) = \mathrm{e}^{\ln k} - k\ln k = k - k\ln k$.

c. $u_k = k(1-\ln k)$. Or, $\lim\limits_{k\to+\infty} \ln k = +\infty$ (3) ; donc $\lim\limits_{k\to+\infty} (-\ln k) = -\infty$. On obtient : $\lim\limits_{k\to+\infty} u_k = -\infty$.

Bon à savoir

(1) Pour résoudre une équation de la forme $\mathrm{e}^x = a$:
- si $a \leqslant 0$, cette équation est impossible ;
- si $a > 0$, on applique ln à chaque membre de l'équation, qui devient $\ln \mathrm{e}^x = \ln a$, c'est-à-dire $x = \ln a$.

(2) Pour résoudre une inéquation de la forme $\mathrm{e}^x > a$:
- si $a \leqslant 0$, tous les réels sont solution de l'inéquation ;
- si $a > 0$, on applique la fonction ln, qui est strictement croissante, à chaque membre de l'inéquation, qui devient $\ln \mathrm{e}^x > \ln a$, c'est-à-dire $x > \ln a$.

(3) On utilise les limites du cours.

Exercices d'application

1 Résoudre dans $\mathbb{R}$ les équations suivantes :

a. $\mathrm{e}^x = 5$; **b.** $\mathrm{e}^{x^2} = 4$;

c. $\mathrm{e}^{-x} = 2$; **d.** $\mathrm{e}^x = -2$.

2 Résoudre dans $\mathbb{R}$ les équations suivantes :

a. $\ln x = 5$; **b.** $\ln x = -4$;

c. $\ln x = \ln(x+1)$; **d.** $\ln(2x) = \ln(x-1)$.

3 Étudier les variations de la fonction définie sur $\mathbb{R}$, par :

$$f(x) = \mathrm{e}^{x^2} - 2x^2.$$

4 Étudier les variations de la fonction définie sur $\mathbb{R}$, par :

$$f(x) = \frac{\mathrm{e}^x}{\mathrm{e}^{2x}+2}.$$

Voir exercices 20 à 32

2 Propriétés algébriques de la fonction ln

Propriété Soient a et b deux réels strictement positifs. On a :

$$\ln(a \times b) = \ln a + \ln b.$$

Remarque Ainsi, la fonction logarithme transforme les produits en sommes. L'exponentielle transforme les sommes en produits, et ces deux fonctions sont réciproques l'une de l'autre... l'ensemble est bien cohérent !

DÉMONSTRATION

Soient a et b deux réels strictement positifs.
On peut écrire : $a = e^{\ln a}$, $b = e^{\ln b}$ et $a \times b = e^{\ln(a \times b)}$.
Ainsi : $a \times b = e^{\ln a} \times e^{\ln b} = e^{\ln a + \ln b}$.
On a donc : $e^{\ln(a \times b)} = e^{\ln a + \ln b}$; d'où : $\ln(a \times b) = \ln a + \ln b$.

Propriétés

Pour tous réels a et b strictement positifs :
- $\ln\left(\frac{1}{a}\right) = -\ln a$;
- $\ln\left(\frac{a}{b}\right) = \ln a - \ln b$.

Pour tout réel a strictement positif, pour tout entier relatif n non nul :
- $\ln(\sqrt{a}) = \frac{1}{2}\ln a$;
- $\ln(a^n) = n \ln a$.

Voir la **démonstration** à l'exercice 88, page 174.

3 Fonctions logarithme et dérivées

Propriété La fonction logarithme népérien est dérivable sur $]0\,;+\infty[$.
On a, pour tout réel x de $]0\,;+\infty[$: $\ln'(x) = \frac{1}{x}$.

DÉMONSTRATION

On pose $f(x) = \ln x$. On admet que f est dérivable sur $]0\,;+\infty[$.
Pour tout réel x strictement positif, on a (E) : $\exp(f(x)) = x$.
Or, $\exp(f)$, également notée $f \circ \exp$, est dérivable sur $]0\,;+\infty[$ et sa dérivée a pour expression : $f'(x)\exp(f(x))$.
En dérivant chaque membre de l'égalité (E), on obtient, pour tout $x > 0$: $f'(x)\exp(f(x)) = 1$.
Ainsi, pour tout $x > 0$: $f'(x) \times x = 1$; d'où : $f'(x) = \frac{1}{x}$.

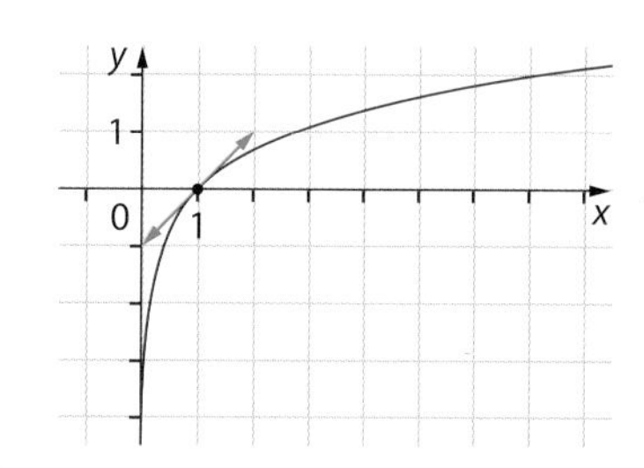

CONSÉQUENCE : L'égalité $\ln'(1) = 1$ permet d'écrire : $\lim\limits_{x \to 0} \frac{\ln(1+x)}{x} = 1$.

Propriété admise Si u est une fonction dérivable et strictement positive sur un intervalle I, alors la fonction $x \longmapsto \ln(u(x))$ est dérivable sur I, de dérivée égale à $\frac{u'(x)}{u(x)}$.

À retenir Pour u dérivable et strictement positive :
$$[\ln(u)]' = \frac{u'}{u}$$

4 Croissances comparées

Propriété $\lim\limits_{x \to +\infty} \frac{\ln x}{x} = 0$.

PISTE DE DÉMONSTRATION

Écrire, pour $x > 0$, $\frac{\ln x}{x} = \frac{\ln x}{e^{\ln x}}$ et utiliser le résultat : $\lim\limits_{y \to +\infty} \frac{e^y}{y} = +\infty$.

Commentaire Dans le langage courant, on dira qu'« à l'infini, x l'emporte sur $\ln x$ ».

Étudier une fonction comportant un logarithme népérien

Exercice corrigé

Énoncé On considère la fonction f définie sur $]0\,;+\infty[$ par :

$$f(x) = (\ln x + 1)^2.$$

1 Déterminer les limites de f en 0 et en $+\infty$.

2 Montrer que, pour tout réel x de $]0\,;+\infty[$:

$$f'(x) = \frac{2\ln x + 2}{x}.$$

3 Étudier le signe de la dérivée de f.
En déduire le tableau de variations de f.

4 Tracer la courbe représentative de f sur l'écran de la calculatrice.

Voir les fiches **Calculatrices**.

Solution

1 On sait que $\lim\limits_{x \to 0} \ln x = -\infty$, donc $\lim\limits_{x \to 0} (\ln x + 1) = -\infty$ 1.

Or, $\lim\limits_{X \to -\infty} X^2 = +\infty$, donc : $\lim\limits_{x \to 0} (\ln x + 1)^2 = +\infty$.

On sait que $\lim\limits_{x \to +\infty} \ln x = +\infty$, donc $\lim\limits_{x \to +\infty} (\ln x + 1) = +\infty$ 1.

Or, $\lim\limits_{X \to +\infty} X^2 = +\infty$, donc $\lim\limits_{x \to +\infty} (\ln x + 1)^2 = +\infty$.

2 $f'(x) = 2 \times \frac{1}{x} \times (\ln x + 1) = \frac{2\ln x + 2}{x}$ 2.

3 On sait que $x > 0$, donc $f'(x)$ est du signe de $(2\ln x + 2)$.

$2\ln x + 2 > 0 \Leftrightarrow 2\ln x \geqslant -2 \Leftrightarrow \ln x \geqslant -1 \Leftrightarrow x \geqslant \mathrm{e}^{-1}$ 3.

D'où le tableau de variations de f :

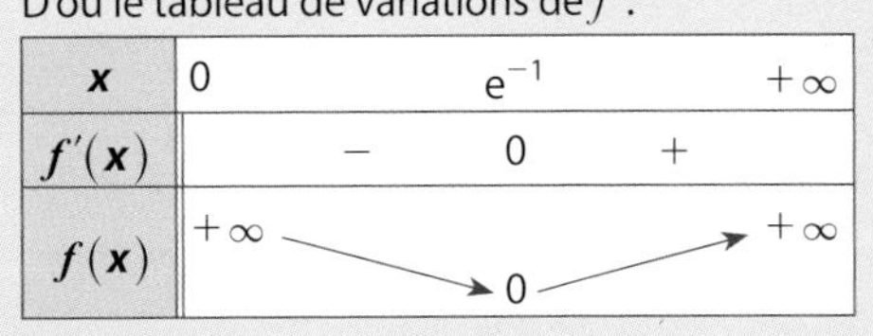

x	0		e^{-1}		$+\infty$
$f'(x)$		$-$	0	$+$	
$f(x)$	$+\infty$	↘	0	↗	$+\infty$

4 Voir la courbe représentative de f ci-contre.

TI

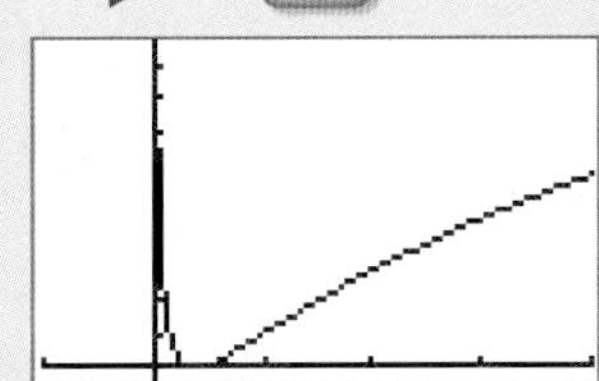

Casio

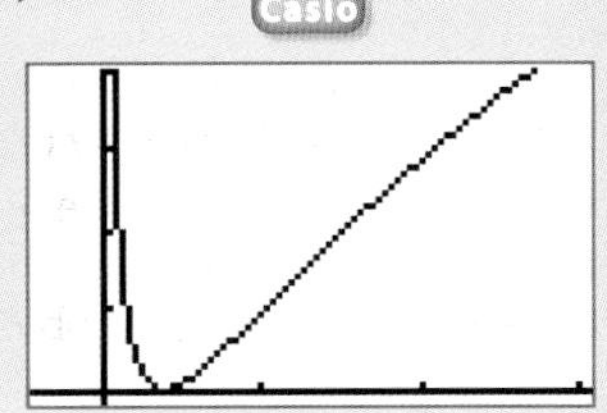

Bon à savoir

1 Pour calculer les limites, on utilise ici la « composition » des fonctions, en remarquant que $f(x)$ correspond à l'enchaînement de deux calculs successifs :
$x \longmapsto (\ln x + 1) \longmapsto (\ln x + 1)^2$.

2 On applique ici la formule de dérivation : $(u^2)' = 2u'u$.

3 Pour résoudre une inéquation du type $\ln x \geqslant a$, on utilise le fait que les fonctions exp et ln sont réciproques l'une de l'autre, et que exp est strictement croissante :
$\ln x \geqslant a \Leftrightarrow \exp(\ln x) \geqslant \exp a$ (croissance de exp) ;
$\Leftrightarrow x \geqslant \mathrm{e}^a$ (« réciprocité » de exp et ln).

Exercices d'application

5 On considère la fonction définie sur $]0\,;+\infty[$ par :

$$f(x) = (\ln x)^2.$$

a. Déterminer les limites de f en 0 et en $+\infty$.
b. Étudier les variations de f.
c. Donner le tableau de variations complet de f.

6 On considère la fonction définie sur $]0\,;+\infty[$ par :

$$f(x) = \ln x + (\ln x)^2.$$

a. Déterminer la limite de f en $+\infty$.
b. En remarquant que, pour tout $x > 0$,
$$f(x) = (\ln x)(1 + \ln x),$$
déterminer la limite de f en 0.
c. Étudier les variations de f.

7 On considère la fonction définie sur $]0\,;+\infty[$ par :

$$f(x) = \frac{\ln x}{x}.$$

a. Déterminer les limites de f en 0 et en $+\infty$.
b. Étudier les variations de f.

8 On considère la fonction définie sur $]0\,;+\infty[$ par :

$$f(x) = x - \ln x.$$

a. Déterminer la limite de f en 0.
b. En remarquant que, pour tout $x > 0$,
$f(x) = x\left(1 - \frac{\ln x}{x}\right)$, déterminer la limite de f en $+\infty$.
c. Étudier les variations de f.

Voir exercices 45 à 56

Travaux pratiques

Mener une recherche et rédiger

9 Qui est le plus grand ?

Quel est le plus grand parmi les nombres $2\,014^{2\,015}$ et $2\,015^{2\,014}$?
Peut-on généraliser le résultat ?

Mener une recherche étape par étape

❶ Se faire une idée du résultat

1 a. Comparer 3^4 et 4^3, 8^9 et 9^8.
b. Émettre une première conjecture.

2 a. La calculatrice permet-elle de tester les nombres proposés ?
b. Établir un résultat en comparant les logarithmes.

❷ Valider la conjecture formulée

1 Montrer que pour tout entier naturel non nul n :

$$n^{n+1} < (n+1)^n \Leftrightarrow \frac{\ln n}{n} < \frac{\ln(n+1)}{n+1}.$$

2 Étudier les variations de la fonction f définie sur $]0\,;+\infty[$ par $f(x) = \dfrac{\ln x}{x}$, puis valider les conjectures.
L'étude de la fonction ne règle pas tout ; il reste des cas à vérifier « à la main ».

❸ Rédiger une solution

À l'aide des deux parties précédentes, rédiger une solution du problème posé.

10 « Vitesse de croissance » de la fonction ln

La courbe ci-contre est la représentation graphique de la fonction ln.

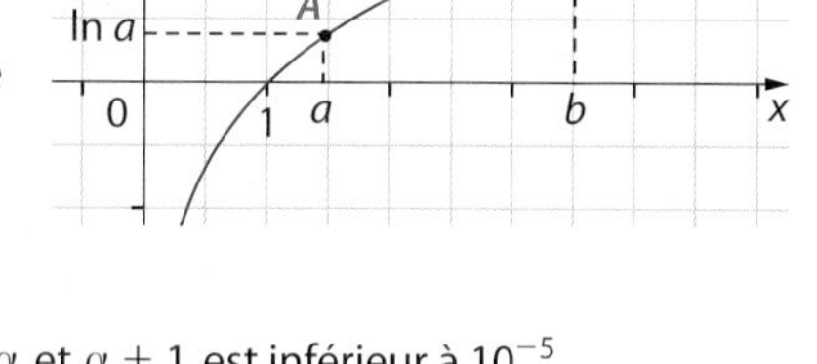

1 On dit souvent que « la fonction ln croît lentement ». Commenter cette phrase, en utilisant la courbe ci-contre.

2 Pour deux réels strictement positifs distincts a et b, on appelle « taux de variation de ln entre a et b » le quotient :

$$\frac{\ln b - \ln a}{b - a}.$$

a. Comment ce taux de variations s'interprète-t-il graphiquement, à l'aide des points $A(a\,;\ln a)$ et $B(b\,;\ln b)$?
b. Calculer les taux de variations de la fonction ln entre :
0,1 et 0,2 ; 0,5 et 0,6 ; 1 et 1,1 ; 2,7 et 2,8 ; 99 et 100.
Commenter ces résultats.
c. Déterminer un réel positif α pour lequel le taux de variations de ln entre α et $\alpha + 1$ est inférieur à 10^{-5}.
d. Soit n un entier naturel non nul ; peut-on trouver un réel positif α_n pour lequel le taux de variations de ln entre α_n et $\alpha_n + 1$ est inférieur à 10^{-n} ? Interpréter ce résultat.

11 ALGO Une approximation de ln 2

On définit les suites (u_n) et (v_n) par :

$$u_n = 1 - \frac{1}{2} + \frac{1}{3} - \ldots - \frac{1}{2n} \quad \text{et} \quad v_n = u_n + \frac{1}{2n+1}.$$

1 Montrer que la suite (u_n) est croissante et que la suite (v_n) est décroissante.

2 On admet que les deux suites convergent vers $\ln(2)$. En déduire que pour tout entier naturel n, $u_n < \ln 2 < v_n$.

3 Écrire un algorithme, qui, en entrant un entier p, renvoie un encadrement de ln2 d'amplitude inférieure ou égale à 10^{-p}. Que penser de l'efficacité pratique de cet algorithme ?
Voir les **Outils pour l'algorithmique**.

12 Logarithme décimal

Partie A – Le logarithme décimal

Le logarithme décimal, noté log est la fonction définie sur $]0\,;+\infty[$ par :

$$\log x = \frac{\ln x}{\ln 10}.$$

1 Déterminer $\log 10$, $\log 100$, $\log 0{,}001$.

2 Sans calculatrice, donner un encadrement entre deux entiers consécutifs des nombres :

$\log(1789)\,;\quad \log(25\,665)\,;\quad \log(0{,}009\,33)$.

3 Calculer la dérivée de la fonction log. En déduire le sens de variation de log sur l'intervalle $]0\,;+\infty[$.

Partie B – Une application : le décibel

Pour quantifier la sensation sonore, on utilise une grandeur appelée **niveau sonore**. Cette grandeur, notée ici L, se mesure en **décibel acoustique** ($\mathbf{dB_A}$).

Le niveau sonore, L, s'exprime en fonction de l'intensité sonore, I (exprimée en watt par mètre-carré), et de l'intensité sonore de référence, I_0, exprimée dans la même unité que I :

$$L = 10\log\left(\frac{I}{I_0}\right).$$

Par convention, $I_0 = 10^{-12}\ \text{W}\cdot\text{m}^{-2}$: c'est la limite de sensibilité de l'oreille à la fréquence de 1 000 Hz.

Le saviez-vous ?

En 1998, un décret sur l'intensité du bruit dans les lieux publics a fixé des seuils comme niveau sonore maximum acceptable par la population.

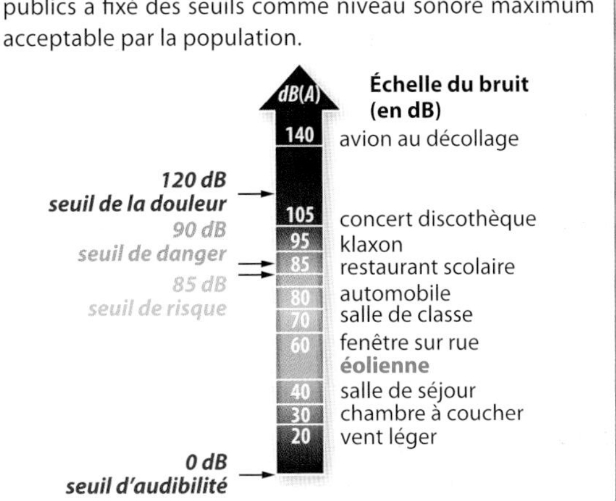

1 Calculer le niveau sonore correspondant à une intensité sonore de $10^{-5}\ \text{W}\cdot\text{m}^{-2}$ (correspond au niveau sonore d'un grand magasin, à l'heure d'affluence, ou d'une cantine).

2 Calculer l'intensité sonore correspondant à un niveau sonore de 100 dB_A (correspond au niveau sonore d'un marteau piqueur).

3 Un réacteur d'avion au décollage a un niveau sonore de 140 dB_A à environ 100 m (niveau qui peut occasionner des lésions irréversibles de l'audition).
Quelle est l'intensité sonore correspondante ?

4 On considère la fonction f définie sur $[10^{-12}\,;+\infty[$ par :

$$f(x) = 10\log\left(\frac{x}{10^{-12}}\right).$$

a. Calculer $f(10^{-12})$.

b. Démontrer que, pour tout réel x de $]0\,;+\infty[$:

$$f(x) = 10\log x + 120.$$

c. Calculer la dérivée de la fonction f et en déduire le tableau de variations de f sur $[10^{-12}\,;+\infty[$.

5 On a tracé la courbe représentative de f dans un repère orthogonal à l'aide de la calculatrice :

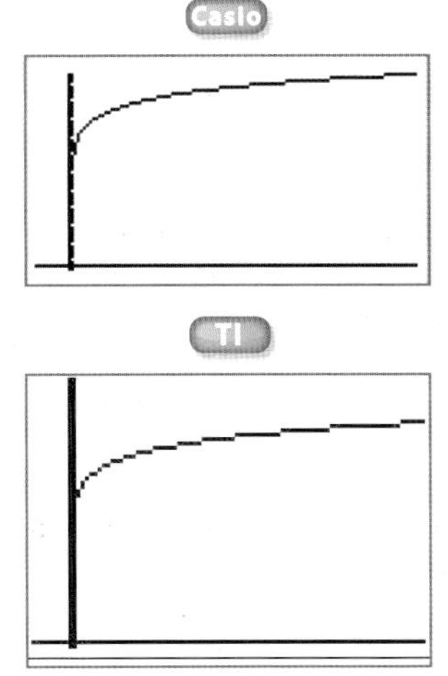

Par lecture graphique, répondre par vrai ou faux à l'affirmation suivante :
Si le niveau sonore passe de 40 à 50 dB_A, l'intensité sonore est multipliée par 10.

6 On a mesuré le niveau sonore de deux machines, dB_A et dB_B, en fonctionnement. L'enregistrement donne 70 dB_A pour la machine A et 80 dB_A pour la machine B.

a. Déterminer les intensités sonores de chaque machine.

b. On fait fonctionner ces deux machines côte à côte.
On admet que l'intensité sonore des deux machines ainsi réunies est la somme des intensités sonores produites par chacune des machines.
Calculer le niveau sonore des deux machines lorsqu'elles fonctionnent ensemble.
Que remarque-t-on ?

Travail personnel : exercices résolus

13 Une inégalité utile

Énoncé On considère la fonction $f : x \longmapsto \ln x - x$ définie sur $]0\,;+\infty[$.

1 a. Calculer $f'(x)$ et déterminer son signe suivant les valeurs de x.

b. En déduire le tableau de variations de la fonction f.

c. En déduire l'inégalité suivante :

pour tout $y \in]0\,;+\infty[$, $\ln y < y$.

2 a. Déduire de la question **1** que, pour tout réel $x \in]0\,;+\infty[$, $\ln x < 2\sqrt{x}$.

b. En déduire la limite en $+\infty$ de $\dfrac{\ln x}{x}$.

3 Déterminer : $\lim\limits_{x \to +\infty} \dfrac{\ln x}{\sqrt{x}} = 0$.

Solution

1 a. f est dérivable, comme somme de fonctions dérivables, et on a, pour $x \in]0\,;+\infty[$: $f'(x) = \dfrac{1}{x} - 1 = \dfrac{1-x}{x}$.

Comme $x > 0$, $f'(x)$ est du signe de $1 - x$.

Donc $f'(1) = 0$, $f'(x) > 0$ sur $]0\,;1[$ et $f'(x) < 0$ sur $]1\,;+\infty[$.

b.

x	0		1		$+\infty$
$f'(x)$		+	0	−	
$f(x)$		↗	−1	↘	

$f(1) = \ln 1 - 1 = -1$.

c. La fonction f est strictement négative sur $]1\,;+\infty[$; on a donc, pour tout $y \in]0\,;+\infty[$: $\ln y - y < 0 \Leftrightarrow \ln y < y$.

2 a. Soit x un réel strictement positif.

On peut appliquer l'inégalité établie au **2 c.** à $y = \sqrt{x}$.

On a donc $\ln(\sqrt{x}) < \sqrt{x}$. Or, $\ln(\sqrt{x}) = \dfrac{1}{2}\ln x$. D'où : $\dfrac{1}{2}\ln x < \sqrt{x}$. D'où : $\ln x < 2\sqrt{x}$.

b. Soit x un réel strictement positif, d'après le **a.**, on a $\ln x < 2\sqrt{x}$. Donc : $\dfrac{\ln x}{x} < \dfrac{2\sqrt{x}}{x}$.

D'où, pour $x > 1$: $0 < \dfrac{\ln x}{x} < \dfrac{2}{\sqrt{x}}$.

Or, $\lim\limits_{x \to +\infty} \dfrac{2}{\sqrt{x}} = 0$. Donc, par encadrement : $\lim\limits_{x \to +\infty} \dfrac{\ln x}{x} = 0$.

On retrouve le résultat concernant les croissances comparées de x et $\ln x$.

3 Soit x un réel strictement positif, on a : $\dfrac{\ln x}{\sqrt{x}} = \dfrac{\ln(\sqrt{x})^2}{\sqrt{x}} = 2\dfrac{\ln\sqrt{x}}{\sqrt{x}}$.

On a aussi : $\lim\limits_{x \to +\infty} \dfrac{\ln\sqrt{x}}{\sqrt{x}} = \lim\limits_{y \to +\infty} \dfrac{\ln y}{y}$, car $\lim\limits_{x \to +\infty} \sqrt{x} = +\infty$.

D'où, avec les résultats du **2**, $\lim\limits_{x \to +\infty} \dfrac{\ln\sqrt{x}}{\sqrt{x}} = 0$. Ainsi : $\lim\limits_{x \to +\infty} \dfrac{\ln x}{\sqrt{x}} = 0$.

Stratégies

1 Dans cette question, on utilise le tableau de variations d'une fonction pour en déduire une inégalité. C'est une stratégie très utilisée : l'analyse d'un tableau de variations permet de prouver de nombreuses inégalités.

2 a. On applique le résultat obtenu non pas avec une valeur numérique, mais avec $y = \sqrt{x}$.

b. On utilise le théorème des gendarmes.

14 Utiliser le logarithme népérien pour étudier une suite

Énoncé On considère la suite (u_n) définie par :

$$\begin{cases} u_0 = \mathrm{e} \\ u_{n+1} = \sqrt{\dfrac{u_n}{\mathrm{e}}} \quad \text{pour } n \in \mathbb{N}. \end{cases}$$

1 À l'aide de la calculatrice, conjecturer la limite de la suite (u_n).

2 On pose, pour tout entier naturel n : $v_n = \ln(u_n) + 1$.

a. Montrer que la suite (v_n) est géométrique.

b. En déduire une expression de v_n, puis une expression de u_n en fonction de n.

c. Déterminer la limite de u_n en $+\infty$.

Voir les fiches **Calculatrices**.

Solution

1 Apparemment, la suite converge vers une limite strictement positive, aux alentours de 0,37.

2 a. Soit n un entier naturel :

$$v_{n+1} = \ln(u_{n+1}) + 1 = \ln\left(\sqrt{\frac{u_n}{e}}\right) + 1 = \frac{1}{2}\ln\left(\frac{u_n}{e}\right) + 1$$
$$= \frac{1}{2}(\ln(u_n) - 1) + 1 = \frac{1}{2}(\ln(u_n) + 1) = \frac{1}{2}v_n.$$

Donc (v_n) est géométrique de raison $\frac{1}{2}$ et de premier terme :

$$v_0 = \frac{1}{2}\ln(e) + 1 = \frac{1}{2} + 1 = \frac{3}{2}.$$

b. Soit n un entier naturel, $v_n = v_0 \times \left(\frac{1}{2}\right)^n = \frac{3}{2} \times \left(\frac{1}{2}\right)^n$.

$v_n = \ln(u_n) + 1 \Leftrightarrow \ln(u_n) = v_n - 1 \Leftrightarrow u_n = e^{v_n - 1}$. D'où $u_n = e^{\frac{3}{2}\times\left(\frac{1}{2}\right)^n - 1}$.

c. (v_n) est une suite géométrique de raison $\frac{1}{2}$, elle tend donc vers 0 en $+\infty$.

D'où : $\lim\limits_{n \to +\infty} \left(\frac{3}{2} \times \left(\frac{1}{2}\right)^n - 1\right) = -1$. Ainsi, $\lim\limits_{n \to +\infty} u_n = e^{-1} = \frac{1}{e} \approx 0{,}37$.

Stratégies

1 On utilise la calculatrice pour constater que les valeurs de la suite semblent se stabiliser. Pour calculer les termes consécutifs d'une suite récurrente, on utilise la touche Ans.

2 a. On montre que (V_n) est géométrique en établissant une relation du type $v_{n+1} = kv_n$.

c. Si une suite géométrique non constante converge, c'est vers 0 : sa raison est, en effet, un réel q de $]-1\,;1[$ et $\lim\limits_{n \to +\infty} q^n = 0$.

Casio

```
√(Ans÷e¹)
            0.3682388739
√(Ans÷e¹)
            0.3680591137
JUMP DEL ▸MAT MATH
```

15 Avec une fonction trigonométrique

On considère la fonction f définie sur $]0\,;\pi[$ par :

$$f(x) = \ln(\sin x).$$

1 Justifier que f est bien définie sur $]0\,;\pi[$.

2 Déterminer les limites de f aux bornes de son ensemble de définition. En déduire que la courbe représentative de f admet deux asymptotes que l'on précisera.

3 On a tracé la courbe représentative de f sur l'écran de la calculatrice. Justifier le sens de variation de f.

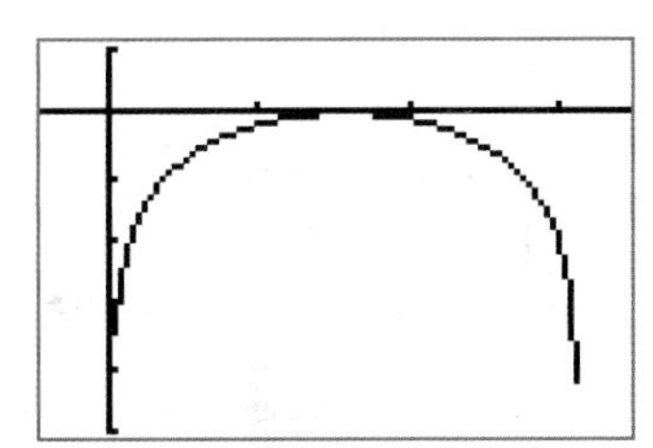

Solution

1 Si $x \in]0\,;\pi[$, alors $\sin x > 0$; donc $\ln(\sin x)$ existe.
f est bien définie sur $]0\,;\pi[$.

2 $\lim\limits_{\substack{x \to 0 \\ x > 0}} \sin x = 0^+$ et $\lim\limits_{\substack{X \to 0 \\ X > 0}} \ln X = -\infty$, donc $\lim\limits_{\substack{x \to 0 \\ x > 0}} \ln(\sin x) = -\infty$.

$\lim\limits_{\substack{x \to \pi \\ x < \pi}} \sin x = 0^+$ et $\lim\limits_{\substack{X \to 0 \\ X > 0}} \ln X = -\infty$, donc $\lim\limits_{\substack{x \to \pi \\ x > \pi}} \ln(\sin x) = -\infty$.

La courbe de f admet deux asymptotes verticales d'équations : $x = 0$; $x = \pi$.

3 $f'(x) = \frac{\cos x}{\sin x}$. Or, pour tout réel $x \in]0\,;\pi[$, $\sin x > 0$.

De plus, pour tout réel $x \in \left]0\,;\frac{\pi}{2}\right]$, $\cos x \geqslant 0$ et pour tout réel $x \in \left]\frac{\pi}{2}\,;\pi\right[$, $\cos x < 0$. D'où le tableau de variations de f :

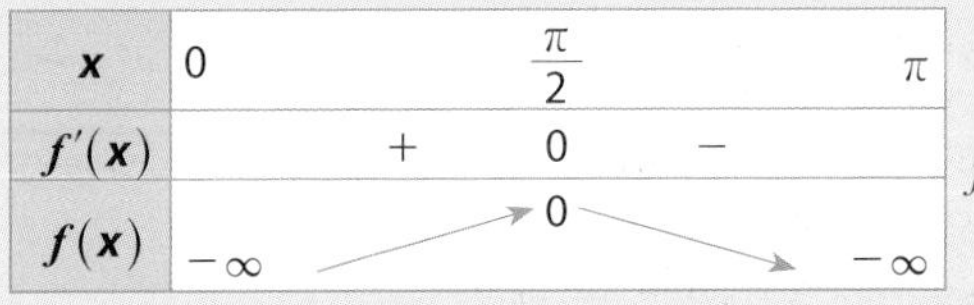

x	0		$\frac{\pi}{2}$		π
$f'(x)$		$+$	0	$-$	
$f(x)$	$-\infty$	↗	0	↘	$-\infty$

$f\left(\frac{\pi}{2}\right) = \ln\left(\sin\left(\frac{\pi}{2}\right)\right) = \ln 1 = 0.$

La fonction f admet 0 comme maximum (atteint pour $x = \frac{\pi}{2}$), donc f est négative sur son ensemble de définition.

Stratégies

1 La fonction ln est définie sur $]0\,;+\infty[$. Pour qu'une fonction du type $x \longmapsto \ln(u(x))$ soit définie, il faut vérifier que la fonction u est strictement positive.

2 On calcule ici des limites par composition :

$$x \longmapsto \sin x \longmapsto \ln(\sin x).$$

3 On déduit du tableau de variations que f est négative sur $]0\,;\pi[$. Ce résultat est immédiat d'après la définition de f : $\sin x \leqslant 1$ et ln croissante, donc $\ln(\sin x) \leqslant \sin 1 = 0$.

Travail personnel : faire le point

Savoir...	Comment faire ?
Utiliser la définition de la fonction logarithme népérien.	Savoir que la fonction logarithme népérien est la fonction réciproque de la fonction exponentielle sur $]0\,;+\infty[$. Si a est un réel strictement positif et b un réel, alors on a : $\mathbf{e}^{b}=a \Leftrightarrow b=\ln a$.
Résoudre des équations ou des inéquations faisant intervenir l'exponentielle ou le logarithme népérien.	Utiliser les relations : pour tout réel a strictement positif : $\mathbf{e}^{\ln a}=a$; pour tout réel b : $\ln(\mathbf{e}^{b})=b$; pour résoudre des inéquations, utiliser la croissance stricte de la fonction ln : si $0<a<b$, alors $\ln a<\ln b$.
Utiliser les propriétés algébriques du logarithme népérien pour simplifier des expressions.	On utilise les résultats du cours : pour tous réels strictement positifs x et y, pour tout entier relatif n non nul : $\ln(xy)=\ln x+\ln y$; $\ln\left(\frac{1}{x}\right)=-\ln x$; $\ln\left(\frac{x}{y}\right)=\ln x-\ln y$; $\ln(x^{n})=n\ln x$.
Connaître et exploiter la représentation graphique de la fonction ln.	La connaissance de la courbe de la fonction ln permet de mémoriser simplement de nombreuses propriétés : 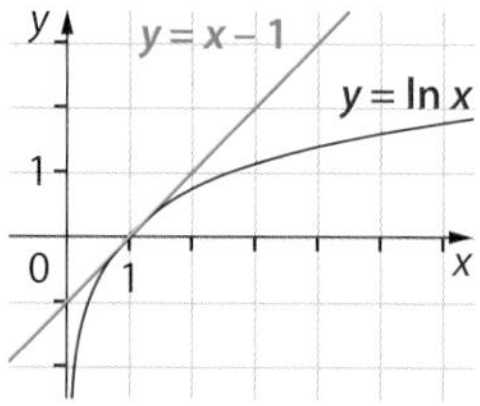 ln est définie et strictement croissante sur $]0\,;+\infty[$; $\ln 1=0$; $\ln x$ est négatif pour $0<x<1$, $\ln x$ est positif pour $x>1$; $\ln \mathrm{e}=1$; l'axe des ordonnées est asymptote verticale à la courbe : $\lim\limits_{x\to 0}\ln x=-\infty$; la tangente à la courbe en $A(1\,;0)$ a pour pente 1.
Calculer des limites.	On utilise les résultats : $\lim\limits_{x\to+\infty}\ln x=+\infty$; $\lim\limits_{x\to+\infty}\frac{\ln x}{x}=0$; $\lim\limits_{x\to 0}\ln x=-\infty$; $\lim\limits_{x\to 0}\frac{\ln(x+1)}{x}=1$.
Calculer des dérivées.	La dérivée de la fonction ln est la fonction inverse : pour tout réel x de $]0\,;+\infty[$, $\ln'(x)=\frac{1}{x}$. Si u est une fonction **strictement positive et dérivable** sur l'intervalle I, alors, $\ln(u)$ est dérivable sur I et : $(\ln(u))'=\frac{u'}{u}$.

Travail personnel : faire le point

QCM

Voir corrigés en fin de manuel

16 Dans chacun des cas suivants, indiquer par **a.**, **b.** ou **c.** l'**unique** bonne réponse.

1 $\ln 6 - \ln 4 =$	**a.** $\ln 2$	**b.** $\ln 1{,}5$	**c.** $\ln 24$
2 L'encadrement $e^9 < 20\,000 < e^{10}$ permet d'affirmer que :	**a.** $e^9 < \ln 20\,000 < e^{10}$	**b.** $9 < \ln 20\,000 < 10$	**c.** $\ln 9 < 20\,000 < \ln 10$
3 Pour avoir $\ln x > 10^3$, il suffit de choisir x :	**a.** supérieur à 10^3	**b.** supérieur à 1	**c.** environ égal à 2×10^{434}
4 $\ln(e^{-x}) =$	**a.** e^{-x}	**b.** x	**c.** $-x$
5 $\ln(2 + x) = 0$ a pour solution(s) :	**a.** $x = -1$	**b.** aucune solution	**c.** $x = 1$
6 $e^{2+x} = 2$ admet :	**a.** une unique solution	**b.** aucune solution	**c.** deux solutions

17 Dans chacun des cas suivants, indiquer par **a.**, **b.** ou **c.** l'**unique** bonne réponse.

1 f est définie sur $\mathbb{R}$ par $f(x) = \ln(1 + x^2)$.	**a.** f' est définie sur $\mathbb{R}$ par $f'(x) = \dfrac{1}{1 + x^2}$.	**b.** f' est définie sur $\mathbb{R}$ par $f'(x) = \dfrac{2x}{1 + x^2}$.	**c.** f' est définie sur $\mathbb{R}$ par $f'(x) = 2x$.
2 f est définie sur $]0\,;+\infty[$ par $f(x) = x \ln x$.	**a.** f' est définie sur $]0\,;+\infty[$ par $f'(x) = 1$.	**b.** f' est définie sur $]0\,;+\infty[$ par $f'(x) = \ln x$.	**c.** f' est définie sur $]0\,;+\infty[$ par $f'(x) = 1 + \ln x$.
3 f est définie sur $\mathbb{R}$ par $f(x) = \ln(1 + e^x)$.	**a.** f' est définie sur $\mathbb{R}$ par $f'(x) = 1$.	**b.** f' est définie sur $\mathbb{R}$ par $f'(x) = \dfrac{e^x}{1 + e^x}$.	**c.** f' est définie sur $\mathbb{R}$ par $f'(x) = e^x \ln(1 + e^x)$.

Vrai ou faux ?

Voir corrigés en fin de manuel

18 Déterminer si les affirmations ci-dessous sont vraies ou fausses.

1 Si u est une fonction définie sur I et strictement positive, on a, pour tout x de I : $\ln(u(x)) > 0$.

2 Si u est une fonction définie sur I et strictement positive, la fonction $\ln(u)$ a les mêmes variations que u.

3 Si u est une fonction définie sur I, l'écriture $\ln(-u)$ ne peut pas avoir de sens.

4 Pour tout réel k, on a $\lim\limits_{x \to +\infty} (\ln x - kx) = -\infty$.

19 Déterminer si les affirmations ci-dessous sont vraies ou fausses.

1 Pour tout réel a, on a $e^x = a \Leftrightarrow x = \ln a$.

2 Pour tout réel a, l'équation $\ln x = a$ a une unique solution sur $]0\,;+\infty[$.

3 Si $k > 0$, la fonction définie sur $]0\,;+\infty[$ par $f(x) = \ln(kx)$ est dérivable sur $]0\,;+\infty[$ et $f'(x) = \dfrac{1}{x}$.

4 Si $k > 0$ et si u est strictement positive et dérivable sur I, alors les fonctions $\ln(u)$ et $\ln(ku)$ ont la même dérivée sur I.

Exercices d'application

→ Les exercices portant un numéro jaune sont corrigés à la fin du manuel.

1 La fonction logarithme népérien

Fonction réciproque de la fonction exponentielle

20 Vrai ou faux ?

Répondre par vrai ou faux aux affirmations ci-dessous.

1 Pour tout réel x, $\ln(e^{x}) = x$.

2 Pour tout réel x, $e^{\ln x} = x$.

3 Pour tout réel x, $\ln(e^{-x}) \leqslant 0$.

4 Pour tout réel strictement positif x, $e^{-\ln x} = -x$.

5 Pour tout réel strictement positif x, $e^{2\ln x} = 2x$.

21 Calculer les réels suivants :

$a = \ln(e^{2})$; $b = \ln(e^{-3})$;

$c = e^{\ln 5}$; $d = e^{-\ln 3}$;

$e = e^{2\ln 7}$; $f = e^{-3\ln 2}$.

22 Résoudre dans $\mathbb{R}$ les équations suivantes :

a. $\ln x = 3$; **b.** $2\ln x + 6 = 0$;

c. $1 - 4\ln x = \ln x - 9$; **d.** $(\ln x)^{2} = 1$.

23 Résoudre dans $\mathbb{R}$ les équations suivantes :

a. $e^{x} = 4$; **b.** $5e^{x} + 2 = 8$;

c. $e^{2x} - 2 = 0$; **d.** $e^{x} - 3 = 2e^{x} - 1$.

24 Résoudre dans $\mathbb{R}$ les équations suivantes après avoir déterminé l'ensemble de définition :

a. $\ln(x + 2) = \ln 2$; **b.** $\ln(2x - 5) = 1$;

c. $4\ln(1 - x) = 8$; **d.** $\ln(3x + 8) = \ln x$.

25 Résoudre dans $\mathbb{R}$ les équations suivantes après avoir déterminé l'ensemble de définition :

a. $\ln(x + 1) + \ln x = 0$;

b. $\ln(x^{2} + 1) = \ln x$;

c. $\ln(3 - x) \times \ln(x + 1) = 0$;

d. $\ln(5x - 6) - 2\ln x = 0$.

26 Résoudre dans $\mathbb{R}$ les équations suivantes :

a. $\ln(e^{x} + 1) = \ln 2$; **b.** $\ln(2e^{x} + 1) = 1$;

c. $e^{1 + \ln x} = 2x - 1$; **d.** $e^{2\ln x - 3} = x$.

27 Résoudre dans $\mathbb{R}$ les équations suivantes :

a. $e^{x+2} = 3$; **b.** $4e^{2x-1} = 1$;

c. $24e^{2-x} = 10$.

28 **1** Résoudre dans $\mathbb{R}$ l'équation $X^{2} - 3X + 2 = 0$.

2 En déduire les solutions dans $\mathbb{R}$ des équations suivantes :

a. $(\ln x)^{2} - 3\ln x + 2 = 0$; **b.** $e^{2x} - 3e^{x} + 2 = 0$.

29 **1** Résoudre dans $\mathbb{R}$ l'équation $X^{2} - 6 = 0$.

2 En déduire les solutions dans $\mathbb{R}$ des équations suivantes :

a. $(\ln x)^{2} - 6 = 0$; **b.** $e^{2x} - 6 = 0$.

Variations et limites

30 Vrai ou faux ?

Répondre par vrai ou faux aux affirmations suivantes.

1 La fonction logarithme népérien est croissante sur $\mathbb{R}$.

2 $\lim\limits_{x \to 0} \ln x = 0$.

3 On a : $\ln x > 1 \Leftrightarrow x > e$.

4 $\lim\limits_{x \to +\infty} \ln x = +\infty$.

31 Résoudre dans $\mathbb{R}$ les inéquations suivantes :

a. $\ln x \leqslant 1$; **b.** $2\ln x > \ln 3$;

c. $4\ln x + 6 \geqslant 0$; **d.** $3\ln x - 4 < \ln x$.

32 Résoudre dans $\mathbb{R}$ les inéquations suivantes après avoir déterminé l'ensemble de définition :

a. $\ln(x + 1) \leqslant 0$; **b.** $\ln(x - 2) > \ln x$;

c. $2\ln(3 - x) \leqslant 1$.

33 Déterminer les limites suivantes :

a. $\lim\limits_{x \to +\infty} \ln(x^{2} + 2)$; **b.** $\lim\limits_{x \to +\infty} \ln\left(\dfrac{2x + 1}{x + 2}\right)$;

c. $\lim\limits_{x \to -\infty} \ln(e^{x} + 3)$; **d.** $\lim\limits_{x \to +\infty} \ln\left(\dfrac{x^{2}}{x + 5}\right)$.

34 Déterminer les limites suivantes :

a. $\lim\limits_{x \to +\infty} \ln(x^{2} + 3x + 7)$; **b.** $\lim\limits_{x \to +\infty} \ln\left(\dfrac{x + e^{-x}}{2x + 1}\right)$;

c. $\lim\limits_{\substack{x \to 0 \\ x > 0}} \ln(\sin x)$; **d.** $\lim\limits_{x \to -\infty} \ln(1 - x^{3})$.

2 Propriétés algébriques

35 QCM Dans chacun des cas suivants, préciser par **a.** **b.** ou **c.** l'**unique** bonne réponse.

1 L'expression $\ln(-x)$:
a. est égale à $-\ln x$.
b. est une écriture impossible.
c. est définie pour $x < 0$.

2 L'expression $\ln(x^2)$:
a. peut être négative.
b. est égale à $2\ln x$ pour tout réel x.
c. est égale à $(\ln x)^2$ pour tout réel strictement positif x.

3 L'expression $-\ln(-x)$ avec x strictement négatif :
a. désigne un réel négatif.
b. est égale à $\ln\left(-\frac{1}{x}\right)$.
c. est une écriture impossible.

4 Le réel $\ln\left(\frac{1}{x}\right)$, où $x > e$:
a. est supérieur à 1.
b. est inférieur à -1.
c. est compris entre -1 et 0.

36 Vrai ou faux ?
Répondre par vrai ou faux aux affirmations suivantes.

1 Pour tout réel strictement positif x : $\ln\left(\frac{1}{x}\right) < 0$.

2 Pour tous réels strictement positifs a et b :
$$\ln a \times \ln b = \ln(a+b).$$

3 Pour tout réel strictement positif x :
$$\ln(x^2) = 2\ln x.$$

4 Pour tout réel strictement positif x :
$$\ln\sqrt{x} = \frac{\ln x}{2}.$$

37 LOGIQUE Vrai ou faux ?
Préciser si chacune des affirmations suivantes est vraie ou fausse, en justifiant.

1 Pour tout réel strictement positif x :
$$\ln(2x) = \ln 2 + \ln x.$$

2 Il existe un réel x tel que $\ln(2x) = \ln x$.

3 Pour tout réel strictement positif x :
$$\ln(2x) > \ln x.$$

4 Pour tout réel $x \geqslant e$, on a $\ln x \geqslant 1$.

5 Il existe un réel x tel que $\ln(2+x) = \ln 2$.

Voir la fiche **Logique et raisonnement mathématique**.

38 Vrai ou faux ?
Indiquer si les égalités suivantes sont vraies ou fausses.

1 $\ln e = 1$.
2 $\ln 6 = \ln 3 + \ln 2$.
3 $\ln 4 = (\ln 2)^2$.
4 $\ln\left(\frac{5}{3}\right) = \ln 5 - \ln 3$.
5 $\ln\left(\frac{1}{2}\right) = 1 - \ln 2$.
6 $\ln 2 - \ln 3 = 2\ln\sqrt{\frac{2}{3}}$.

39 Exprimer chacun des nombres suivants en fonction de $\ln 2$ et/ou de $\ln 3$:
$a = \ln 12$; $b = \ln\sqrt{8}$; $c = 9$;
$d = \ln\left(\frac{3}{2}\right)$; $e = \ln(2\sqrt{e})$; $f - \ln\left(\frac{9}{e}\right)$.

40 Exprimer chacun des nombres suivants en fonction de $\ln 2$ et/ou de $\ln 5$:
$a = \ln 100$; $b = \ln\left(\frac{4}{25}\right)$; $c = \ln\left(\frac{\sqrt{5}}{2}\right)$;
$d = \ln(10e^2)$; $e = \ln\left(\sqrt{\frac{e}{5}}\right)$; $f = \ln\left(\frac{20}{\sqrt{e}}\right)$.

41 Exprimer chacun des nombres suivants en fonction de $\ln x$, où x est un réel strictement positif :
$a = \ln(x^4)$; $b = \ln\left(\frac{e}{x}\right)$; $c = \ln\left(\frac{\sqrt{x}}{e}\right)$;
$d = \ln(ex)$; $e = \left(\sqrt{\frac{x}{e}}\right)$; $f = \ln\left(\frac{x}{\sqrt{e}}\right)$.

42 Exprimer chacun des nombres suivants sous la forme $\ln A$, où A est un réel strictement positif :
$a = \ln 4 + \ln 5$; $b = \ln 6 - \ln 7$;
$c = \frac{1}{2}\ln 3 - \ln 5$; $d = 2\ln 6$;
$e = -\ln 2 + 1$; $f = 3\ln 5 + \frac{1}{2}$.

43 Reprendre l'énoncé de l'exercice **42**.
$a = 3\ln 2 + 2\ln 3$; $b = -2\ln 3$;
$c = \ln 45 - \ln 9$; $d = 4\ln 2 - \frac{1}{2}$;
$e = \frac{1}{2}(\ln 5 + \ln 3)$; $f = 1 + \frac{1}{2}\ln 5$.

44 Reprendre l'énoncé de l'exercice **42**.
$a = 3 + \ln 2$; $b = -\ln 3 - \ln 7$;
$c = \ln 6 - 2$; $d = 2\ln\left(\frac{1}{2}\right) - \frac{1}{2}$;
$e = -1 - \ln 2 + \ln 3$; $f = 2 + 2\ln 5$.

Exercices d'application

3 Étude de la fonction logarithme népérien

45 Vrai ou faux ?

Répondre par vrai ou faux aux affirmations suivantes.

1 La fonction logarithme népérien est croissante sur $]0\,;+\infty[$.

2 $\ln 1 = 0$.

3 La fonction logarithme népérien est positive sur $]0\,;+\infty[$.

4 $\ln'(x) = \frac{1}{x}$.

5 Si $0 < x \leqslant 1$, alors $\ln x \leqslant 0$.

46 Vrai ou faux ?

Répondre par vrai ou faux aux affirmations ci-dessous.

1 L'équation $\ln x = -1$ n'a pas de solution dans $\mathbb{R}$.

2 Les réels x qui vérifient $\ln x > 1$ sont supérieurs à e.

3 $\ln(x-1)$ existe pour tout réel x strictement positif.

4 L'inéquation $\ln x \leqslant 0$ a pour solutions tous les réels inférieurs ou égaux à 1.

47 Vrai ou faux ?

Préciser si les affirmations suivantes sont vraies ou fausses.

1 Pour tout réel $x < 0$, $\ln\left(-\frac{1}{x}\right) = -\ln(-x)$.

2 $\ln x > -1 \Leftrightarrow x > -\mathrm{e}$.

3 $\ln(\ln 2)$ est un réel positif.

4 $\ln(\mathrm{e}+x) = 1 + \ln x$.

48 Vrai ou faux ?

Dans chaque cas, on suppose que l'on se place sur un intervalle, où la fonction f est dérivable.
Préciser si les affirmations sont vraies ou fausses.

a. Si $f(x) = \ln(4x-1)$, alors $f'(x) = \frac{4}{4x-1}$;

b. Si $f(x) = \ln(x^2)$, alors $f'(x) = \frac{1}{x^2}$;

c. Si $f(x) = \ln(3x^2+x+1)$, alors :

$$f'(x) = \frac{6x+1}{\ln(3x^2+x+1)}\ ;$$

d. Si $f(x) = \ln(x^3+x^2)$, alors : $f'(x) = \frac{3x+2}{x^2+x}$.

49 QCM

Choisir l'affirmation correcte.

1 $f(x) = \ln(1+x+x^2)$:

a. $f'(x) = \frac{1}{1+x+x^2}$.

b. $f'(x) = \frac{1+2x}{1+x+x^2}$.

c. $f'(x) = \frac{1}{1+2x}$.

2 $f(x) = \ln(\mathrm{e}^x + \mathrm{e}^{-x})$:

a. $f'(x) = \frac{1}{\mathrm{e}^x - \mathrm{e}^{-x}}$.

b. $f'(x) = \frac{\mathrm{e}^x}{1+\mathrm{e}^x}$.

c. $f'(x) = \frac{\mathrm{e}^x - \mathrm{e}^{-x}}{\mathrm{e}^x + \mathrm{e}^{-x}}$.

50

1 Résoudre dans $\mathbb{R}$ les équations suivantes :

a. $(\ln x)^2 + \ln\left(\frac{1}{x}\right) = 1$;

b. $(\ln x)^3 + 3\ln x = 0$.

2 Montrer que l'équation $\mathrm{e}^{2x} - 5\mathrm{e}^x + 7 = 0$ n'admet aucune solution dans $\mathbb{R}$.

51

La probabilité d'obtenir au moins un 6 lorsqu'on lance fois un dé équilibré est égale à :

$$P_n = 1 - \left(\frac{5}{6}\right)^n.$$

Déterminer le nombre minimal de lancers pour que l'on ait $P_n \geqslant 0{,}99$.

52

On considère la fonction f définie sur $]0\,;+\infty[$ par :

$$f(x) = \ln x - (\ln x)^2.$$

1 Déterminer les limites de f en 0 et en $+\infty$.

2 Calculer $f'(x)$.

3 **a.** Résoudre l'inéquation $1 - 2\ln x \geqslant 0$.

b. En déduire le signe de la dérivée de f, puis dresser le tableau de variations de cette fonction.

4 Tracer la courbe représentative de f dans un repère orthonormé.

5 Déterminer en fonction du réel k le nombre de solutions de l'équation $f(x) = k$.

53 BAC Une salle informatique d'un établissement scolaire est équipée de vingt-cinq ordinateurs dont trois sont défectueux. On prélève au hasard deux ordinateurs de cette salle. On suppose que tous les ordinateurs ont la même probabilité d'être choisis.

1 Quelle est la probabilité que ces deux ordinateurs soient défectueux ?

2 Dans cette question, on admet que la durée de vie d'un ordinateur est indépendante de celle des autres et que la probabilité qu'un ordinateur ait une durée de vie supérieure à 5 ans est de 0,4.
Quel nombre minimal d'ordinateurs doit-on choisir pour que la probabilité de l'événement « l'un au moins d'entre eux a une durée de vie supérieure à 5 ans » soit supérieure à 0,999 ?

54 Calculer la dérivée de chacune des fonctions suivantes sur l'intervalle I indiqué.

1 $f : x \longmapsto x\ln x$; $I =]0 ; +\infty[$.

2 $f : x \longmapsto \dfrac{x}{\ln x}$; $I =]1 ; +\infty[$.

3 $f : x \longmapsto (\ln x)^2$; $I =]0 ; +\infty[$.

4 $f : x \longmapsto \ln x \times \sin x$; $I =]0 ; +\infty[$.

55 On considère la fonction f définie sur $]0 ; +\infty[$ par :

$$f(x) = (\ln x)^2.$$

1 Déterminer les limites de f en 0 et en $+\infty$.

2 Calculer $f'(x)$, trouver son signe, puis dresser le tableau de variations de f.

3 Démontrer que pour tout réel $k > 0$, l'équation $f(x) = k$ admet deux solutions.

4 Exprimer en fonction de k les solutions de cette équation.

56 Étudier une fonction avec un logiciel

On considère la fonction f définie sur $\mathbb{R}$ par :

$$f(x) = \ln(\sqrt{x^2 + x + 1}).$$

1 Expliquer quelles sont les questions auxquelles on a répondu ci-dessous en utilisant un logiciel de calcul formel ?

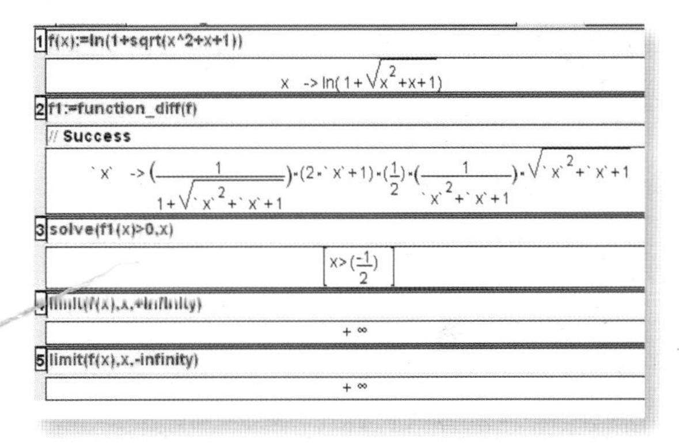

2 Faire les calculs permettant de valider ces réponses.

3 La courbe représentative ci-dessous, obtenue avec la calculatrice, est-elle en cohérence avec les résultats trouvés ?

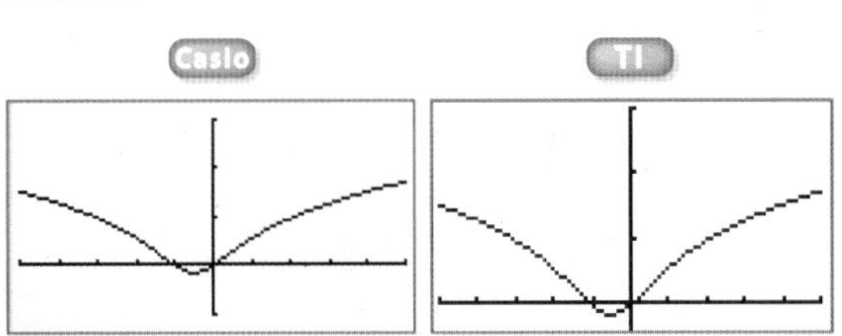

57 Un placement dans une banque rapporte 3 % par an en intérêts composés, c'est-à-dire, en fin de chaque année, les intérêts s'ajoutent au capital et rapportent à leur tour des intérêts les années suivantes.

1 On place un capital de 1 000 euros. Au bout de combien d'années aura-t-il doublé ?

2 **a.** Même question avec un capital de 2 000 euros.
Que remarque-t-on ? Démontrer cette remarque.
b. Démontrer le résultat précédent dans le cas général.

3 Établir une formule donnant, en fonction du taux de placement, le nombre d'années nécessaires pour le capital double.

Exercices d'application

58 On considère la fonction f définie par :

$$f(x) = \frac{1}{\ln x}.$$

1 Déterminer le domaine de définition de f.

2 Calculer les limites de f aux bornes de son ensemble de définition. En déduire que la courbe représentative de f admet deux asymptotes. Préciser leurs équations.

3 Calculer $f'(x)$, puis dresser le tableau de variations de f.

59 **1** On considère la fonction g définie sur $]0\,;+\infty[$ par :

$$g(x) = \ln x - \frac{2}{x}.$$

On donne ci-dessous le tableau de variations de g.

x	0	2,3	x_0	2,4	$+\infty$
$g(x)$	$-\infty$		0		$+\infty$

Démontrer toutes les propriétés de g regroupées dans ce tableau.

2 Soit f la fonction définie sur $]0\,;+\infty[$ par :

$$f(x) = \frac{5\ln x}{x}.$$

Démontrer que $f(x) = \dfrac{10}{x_0^2}$, où x_0 est la valeur présente dans le tableau ci-dessus.

60 On considère la fonction f_a définie sur $]0\,;+\infty[$ par $f_a(x) = a\ln x$, où a désigne un réel strictement positif.

Dans un repère orthogonal, on trace la droite $\mathcal{D}$ d'équation $y = \frac{1}{2}x$ et $\mathcal{C}_a$ la courbe représentative de f_a.

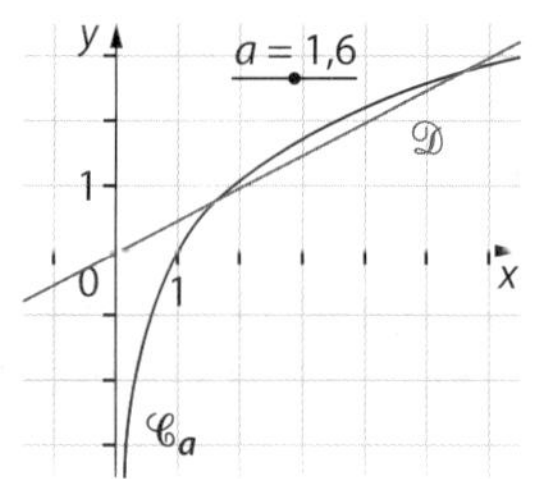

Le but de cet exercice est de trouver s'il existe une valeur de *a* pour laquelle la courbe représentative de *f* admet la droite *D* comme tangente et de calculer les coordonnées du point de contact.

1 **À l'aide d'un logiciel de géométrie dynamique**, créer un curseur et conjecturer une valeur approchée de a.

Quelles semblent être les coordonnées du point de contact ? Voir la fiche **Geogebra**.

2 Montrer que $\mathcal{C}_a$ est tangente à $\mathcal{D}$ en $M(x_0\,;y_0)$ si, et seulement si :

$$\begin{cases} \dfrac{a}{x_0} = \dfrac{1}{2} \\ a\ln x_0 - a = 0. \end{cases}$$

3 Calculer a, puis les coordonnées de M.

Ces résultats sont-ils cohérents avec ceux conjecturés à la question **1** ?

61 Sur le graphique ci-dessous, on a tracé la courbe représentative d'une fonction f définie sur $]0\,;+\infty[$ par :

$$f(x) = (ax + b)\ln x,$$

où a et b sont deux réels donnés. La courbe passe par les points $A(1;0)$ et $B(3;0)$.

La tangente à la courbe au point d'abscisse 1 coupe l'axe des ordonnées au point d'ordonnée 2.

Calculer a et b.

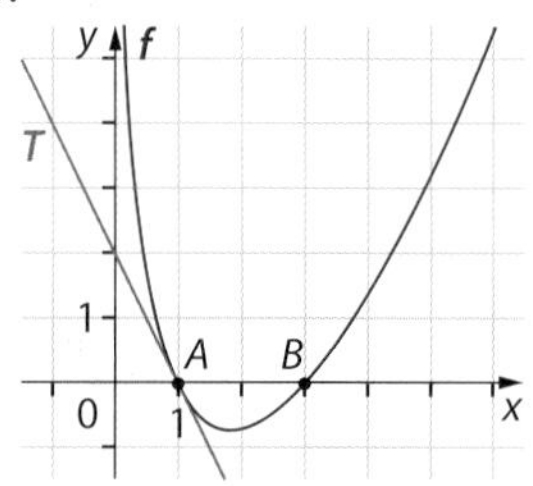

Dans les exercices 62 à 64, déterminer la fonction dérivée de *f* sur un intervalle I donné.

62 **a.** $f(x) = \ln(2x-1)\,;\, \mathrm{I} = \left]\frac{1}{2}\,;+\infty\right[$;

b. $f(x) = \ln(x^2+x+1)\,;\, \mathrm{I} = \mathbb{R}$;

c. $f(x) = \ln\left(\dfrac{x}{x^2+1}\right)\,;\, \mathrm{I} =]0\,;+\infty[$;

d. $f(x) = (x+1)\ln(2-x)\,;\, \mathrm{I} =]-\infty\,;2[$.

63 **a.** $f(x) = \ln(\ln x)\,;\, \mathrm{I} =]1;+\infty[$

b. $f(x) = \ln(\sqrt{x})\,;\, \mathrm{I} =]0\,;+\infty[$;

c. $f(x) = \ln(\mathrm{e}^x+1)\,;\, \mathrm{I} = \mathbb{R}$;

d. $f(x) = \ln(\sin x)\,;\, \mathrm{I} =]0\,;\pi[$.

64 **a.** $f(x) = \ln(1+\mathrm{e}^{-x})\,;\, \mathrm{I} = \mathbb{R}$.

b. $f(x) = \ln(\cos x)\,;\, \mathrm{I} = \left]-\frac{\pi}{2}\,;\frac{\pi}{2}\right[$;

c. $f(x) = \ln(x\sqrt{x})\,;\, \mathrm{I} =]0\,;+\infty[$.

65 On considère une suite géométrique (u_n) de premier terme $u_0 = \frac{4}{5}$ et de raison $q = 1{,}2$.

1 Démontrer que cette suite est croissante.

2 Pour quelles valeurs de n a-t-on $u_n \geqslant 100$?

Pour info

Fleur de tournesol.

Galaxie en forme de spirale logarithmique.

La fonction logarithme népérien permet de modéliser mathématiquement des objets de tailles et de nature aussi différentes que les fleurs de tournesol et les galaxies.

66 **Vrai ou faux ?**

1 La fonction f définie sur $]0\,;+\infty[$ par $f(x) = \ln\sqrt{x}$ est croissante sur son intervalle de définition.

2 La fonction f définie sur $]-\infty\,;0[$ par $f(x) = \ln(-x)$ est croissante sur son intervalle de définition.

3 La fonction f définie sur $]-\infty\,;2[$ par :

$$f(x) = \ln(-2x+4)$$

est décroissante sur son intervalle de définition.

Prendre des initiatives

67 **Question ouverte**

On considère la fonction f définie sur $]0\,;+\infty[$ par :

$$f(x) = \ln\left(\frac{x}{x+1}\right).$$

1 Tracer la courbe représentative de f. Conjecturer le signe de $f(x)$.

2 Démontrer la conjecture.

4 Croissance comparée

68 **Vrai ou faux ?**

Répondre par vrai ou faux à chacune des affirmations suivantes :

a. $\lim\limits_{x\to+\infty} (\ln x - x) = 0$;

b. $\lim\limits_{x\to+\infty} \frac{1+\ln x}{x} = 0$;

c. $\lim\limits_{x\to+\infty} (\ln x)^2 - x^2 = -\infty$;

d. $\lim\limits_{x\to+\infty} \frac{x+1}{\ln x} = +\infty$.

69 **Vrai ou faux ?**

Préciser si les affirmations suivantes sont vraies ou fausses.

a. $\lim\limits_{x\to+\infty} \ln x \times e^x = +\infty$;

b. $\lim\limits_{x\to+\infty} (\ln x - x - 1)$;

c. $\lim\limits_{x\to+\infty} \left(\frac{\ln x}{x} + \frac{x-1}{x+1}\right)$.

70 **1** Calculer les limites suivantes :

a. $\lim\limits_{x\to+\infty} \frac{x+\ln x}{2x}$;

b. $\lim\limits_{x\to+\infty} (\ln x - x + 1)$;

c. $\lim\limits_{x\to+\infty} \frac{\ln x - x^2 + 3}{2x}$;

d. $\lim\limits_{x\to+\infty} \frac{x}{\ln x}$;

e. $\lim\limits_{x\to+\infty} \ln\left(\frac{1}{x}\right)$.

2 **À l'aide du logiciel *Xcas***, utiliser l'instruction limit(f(x),x,+/-infinity) pour valider chacune des réponses du **1**.

Exemple :

```
1 f(x):=(x+ln(x))/(2x)
                         x -> (x+ln(x))/(2*x)
2 limit(f(x),x,+infinity)
                         1/2
```

Voir la fiche **Logiciel *Xcas***.

71 **1** On sait d'après le cours que :

$$\lim_{x \to +\infty} \frac{\ln x}{x} = 0.$$

Utiliser ce résultat pour calculer les limites suivantes :

a. $\lim_{x \to +\infty} \frac{\ln x}{\sqrt{x}}$; **b.** $\lim_{x \to +\infty} \frac{x+1}{\ln \sqrt{x}}$;

c. $\lim_{x \to +\infty} \frac{\ln x}{x^2}$; **d.** $\lim_{x \to +\infty} \frac{\ln(x^2)}{x}$.

2 Vérifier les réponses **à l'aide d'un logiciel de calcul formel**. Voir les fiches **Logiciel**.

72 On cherche à calculer $\lim_{x \to +\infty} \frac{x}{(\ln x)^2}$.

On pose $\ln x = X$. Exprimer $\frac{x}{(\ln x)^2}$ en fonction de X.

Calculer la limite demandée.

73 **Calculs de limites**

On sait d'après le cours que $\lim_{x \to +\infty} \frac{\ln x}{x} = 0$.

1 Démontrer que, pour tout entier naturel $n \geqslant 1$, on a :

$$\lim_{x \to +\infty} \frac{\ln x}{x^n} = 0.$$

2 En posant $X = \frac{1}{x}$, démontrer que, pour tout entier naturel $n \geqslant 1$, $\lim_{x \to 0} x^n \ln x = 0$.

3 Calculer les limites suivantes :

a. $\lim_{x \to +\infty} (\ln x - x^2 + 1)$;

b. $\lim_{x \to +\infty} (\ln x - x^3 + x^2 - x + 3)$;

c. $\lim_{x \to 0} (x^2 - 2x) \ln x$.

74 Calculer les limites suivantes :

a. $\lim_{x \to +\infty} \frac{e^x}{\ln x}$; **b.** $\lim_{x \to +\infty} (e^x - \ln x)$; **c.** $\lim_{x \to +\infty} \ln x \times e^{-x}$.

75 On considère la fonction f définie sur $]0\,;+\infty[$ par $f(x) = \ln x - 1 - x^2$.

1 Calculer la limite de f en 0.

2 On a calculé la limite de f en $+\infty$ **à l'aide d'un logiciel de calcul formel** :

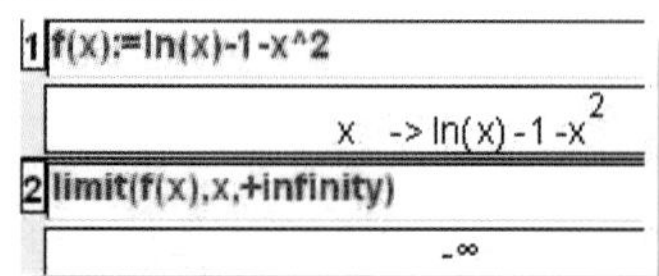

1 f(x):=ln(x)-1-x^2
x -> ln(x) - 1 - x^2
2 limit(f(x),x,+infinity)
-∞

Justifier le résultat proposé par le logiciel.

3 Démontrer que la fonction f ne prend que des valeurs strictement négatives.

76 On considère la fonction f définie sur $]0\,;+\infty[$ par :

$$f(x) = \ln x + x - 2.$$

1 Déterminer les limites de f en 0 et en $+\infty$.

2 Calculer $f'(x)$, puis dresser le tableau de variations de f.

3 Démontrer que l'équation $f(x) = 0$ admet une solution unique a sur $]0\,;+\infty[$.

4 Démontrer que $1{,}557 < a < 1{,}558$.

77 On considère la fonction f définie sur $]-1\,;+\infty[$ par :

$$f(x) = x - \ln(1 + x).$$

1 Déterminer les limites de f aux bornes de son ensemble définition.

2 Étudier les variations de f et tracer sa courbe représentative dans un repère.

3 Déterminer le signe de f sur $]-1\,;+\infty[$.

4 **a.** Utilisant le signe de f, justifier que pour tout entier naturel n, $\ln\left(1 + \frac{1}{n}\right) < \frac{1}{n}$.

b. En déduire que pour tout entier naturel n non nul :

$$\left(1 + \frac{1}{n}\right)^n < e.$$

78 Répondre par vrai ou faux à chacune des affirmations suivantes en justifiant chaque réponse.

1 Si la suite (u_n) est convergente, alors la suite (v_n) définie par $v_n = \ln(u_n)$ est convergente.

2 (u_n) est une suite géométrique définie pour tout entier naturel n, de premier terme $u_0 > 0$ et de raison $q > 0$.

Pour tout entier naturel n, on définit la suite (v_n) par $v_n = \ln(u_n)$. Alors (v_n) est arithmétique, de premier terme $\ln(u_0)$ et de raison $\ln q$.

3 Pour tout entier n, $n \geqslant 2$, on définit la suite (u_n) par :

$$u_n = \frac{\ln(1+n)}{\ln n}.$$

Alors la suite (u_n) converge vers 1.

4 La suite (u_n) est définie pour tout entier naturel n, $n \geqslant 2$ par :

$$u_n = \sum_{k=2}^{n} \ln\left(\frac{k-1}{k}\right).$$

Alors la suite (u_n) est divergente.

Exercices guidés

79 LOGIQUE Logarithme népérien et suites

1 Soit (u_n) la suite définie par $u_0 = 0$ et pour tout entier naturel n :

$$u_{n+1} = \frac{1}{2 - u_n}.$$

a. Calculer u_1, u_2, u_3.

b. Comparer les quatre premiers termes de la suite (u_n) aux quatre premiers termes de la suite (w_n) définie sur $\mathbb{N}$ par :

$$w_n = \frac{n}{n+1}.$$

c. À l'aide d'un raisonnement par récurrence, démontrer que pour tout entier naturel n, $u_n = w_n$.

2 Soit (v_n) la suite définie par :

$$v_n = \ln\left(\frac{n}{n+1}\right).$$

a. Montrer que $v_1 + v_2 + v_3 = -\ln 4$.

b. Soit $S_n = v_1 + v_2 + \ldots + v_n$, où $n > 0$. Exprimer S_n en fonction de n.

Déterminer la limite de (S_n) lorsque n tend vers $+\infty$.

Pistes de résolution

1 c. Pour faire une démonstration par récurrence, on doit procéder en deux étapes :

- initialisation : ici, on vérifie l'égalité $u_0 = w_0$;
- nature héréditaire de la propriété : on suppose que pour un entier naturel n, on a $u_n = w_n$; c'est l'hypothèse de récurrence.

On démontre alors qu'on a, au rang suivant :

$$u_{n+1} = w_{n+1}.$$

On termine le calcul du membre de droite pour aboutir à w_{n+1}.

2 a. $v_1 + v_2 + v_3 = \ln\left(\frac{1}{2}\right) + \ln\left(\frac{2}{3}\right) + \ln\left(\frac{3}{4}\right)$.

b. Comme dans la question précédente, on utilise le fait qu'une somme de logarithmes est égale au logarithme du produit.

On trouve que (S_n) diverge.

80 Un problème de distance

Partie A – Étude du signe d'une fonction

On désigne par f la fonction définie sur l'intervalle $]0\,;+\infty[$ par : $f(x) = x^2 + 4\ln x$.

1 Déterminer le tableau de variations de la fonction f en précisant les limites de f en 0 et en $+\infty$.

2 Démontrer que l'équation $f(x) = 0$ admet une solution α et une seule dans l'intervalle $]0\,;+\infty[$. Déterminer une valeur approchée de α à 10^{-2} près.

3 En déduire le signe de $f(x)$ selon les valeurs du réel strictement positif x.

Partie B

On appelle $\mathscr{C}$ la courbe représentative, dans un repère orthonormal, de la fonction définie sur l'intervalle $]0\,;+\infty[$ par : $g(x) = 2\ln x$.

L'objectif de cette partie est de démontrer que, parmi les points de la courbe $\mathscr{C}$, il y en a un et un seul qui est plus proche de l'origine *O* que tous les autres.

1 Soient M un point de la courbe $\mathscr{C}$ et x son abscisse. Exprimer OM en fonction de x.

2 a. Soit h la fonction définie sur l'intervalle $]0\,;+\infty[$ par :

$$h(x) = x^2 + 4(\ln x)^2.$$

Étudier les variations de la fonction h. On pourra utiliser la partie **A**.

b. En déduire qu'il existe un unique point A de la courbe $\mathscr{C}$ tel que pour tout point M de $\mathscr{C}$, distinct de A, on ait $OM > OA$.

3 Démontrer que la droite (OA) est perpendiculaire à la tangente T_A à la courbe $(\mathscr{C})$ au point A.

Pistes de résolution

Partie A

2 On applique le théorème des valeurs intermédiaires dans le cas d'une fonction strictement monotone.

Partie B

1 Utiliser la formule de la distance à l'origine au repère orthonormal : $OM = \sqrt{x_M^2 + y_M^2}$.

2 b. On traduit le résultat obtenu pour le minimum de h.

Prépa Bac

  Avec une fonction auxiliaire

On considère la fonction f définie sur $]0\,;+\infty[$ par :

$$f(x)=\frac{x\ln x}{x+1}.$$

1 Soit g la fonction définie sur $]0\,;+\infty[$ par :

$$g(x)=\ln x+x+1.$$

a. Calculer $g'(x)$ et étudier son signe.
b. Calculer les limites de g en 0 et $+\infty$.
c. Dresser le tableau de variations de g.
d. Montrer que l'équation $g(x)=0$ admet une unique solution a sur $]0\,;+\infty[$. Montrer que $0{,}27<a<0{,}28$.
e. Déterminer le signe de $g(x)$ en fonction de x.

2 Calculer les limites de f en 0 et $+\infty$ (on admet que $\lim\limits_{x\to 0} x\ln x=0$).

3 Pour $x>0$, exprimer $f'(x)$ en fonction de $g(x)$. Dresser le tableau de variations de f.

4 Calculer l'équation réduite de la tangente à la courbe représentative de f au point d'abscisse 1.

5 **Sur l'écran de la calculatrice**, tracer la courbe représentative de f et la tangente en son point d'abscisse 1.

Pistes de résolution

1 a. $g'(x)=\dfrac{1+x}{x}>0.$

b. On utilise les limites du cours de la fonction ln. Il n'y a aucune forme indéterminée.

c.

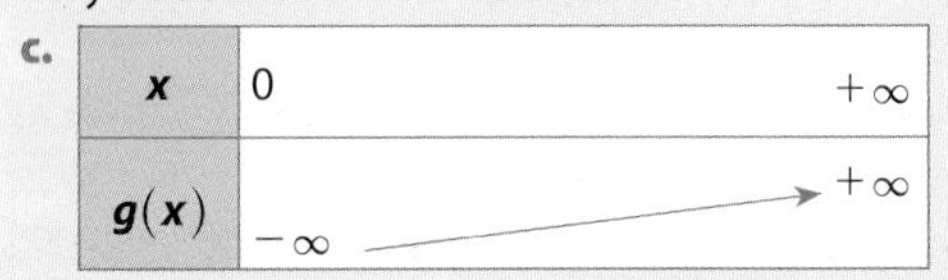

x	0	$+\infty$
$g(x)$	$-\infty$ ↗	$+\infty$

d. La fonction g est continue et strictement croissante sur $]0\,;+\infty[$.
De plus, elle change de signe…
Pour l'encadrement de a, on procède par balayage avec la calculatrice.

e. Le tableau de variations de g permet de déduire son signe.

2 La limite en 0 ne pose pas de problème.
Pour la limite en $+\infty$, qui est une forme indéterminée, on peut écrire :

$$f(x)=\frac{x\ln x}{x\left(1+\frac{1}{x}\right)}.$$

3 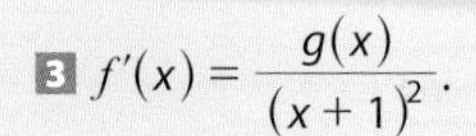

$$f'(x)=\frac{g(x)}{(x+1)^2}.$$

On déduit le signe de $f'(x)$ de celui de $g(x)$.

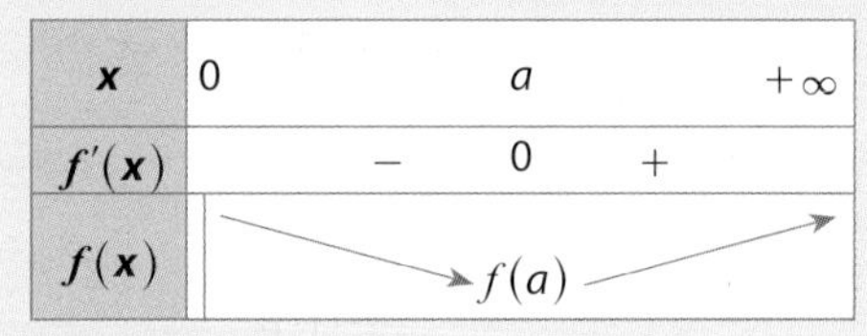

x	0		a		$+\infty$
$f'(x)$		$-$	0	$+$	
$f(x)$		↘	$f(a)$	↗	

4 La tangente a pour équation réduite :

$$y=\frac{1}{2}x-\frac{1}{2}.$$

5 Casio

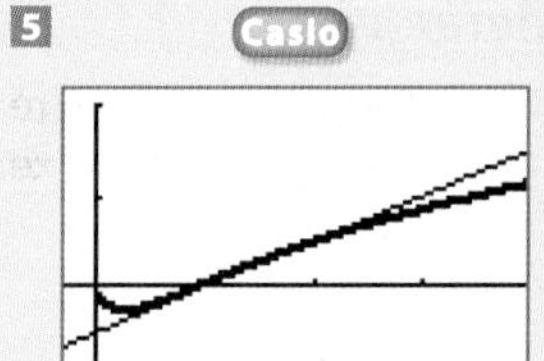

TI

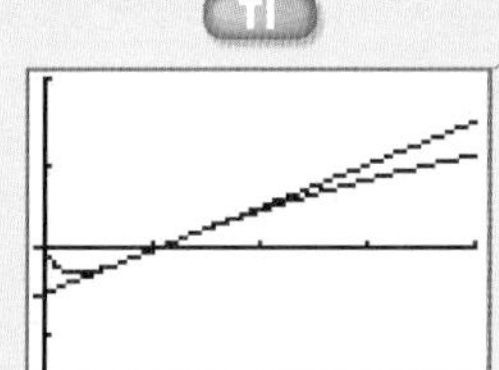

Exercices d'entraînement

82  Vrai ou faux ?

Répondre par vrai ou faux à chacune des affirmations suivantes.

1 Pour tout réel $x\in]0\,;+\infty[$, $\ln x>0$.

2 La tangente à la courbe représentative de la fonction ln au point d'abscisse 1 a pour coefficient directeur 1.

3 Sur $]0\,;+\infty[$, la fonction f définie par $f(x)=\ln\left(\dfrac{1}{x}\right)$ a pour fonction dérivée la fonction $f':x\longmapsto -\dfrac{1}{x}$.

4 Pour tout réel $x\in]3\,;+\infty[$, $\ln(x-3)=\dfrac{\ln x}{\ln 3}$.

5 Pour tout réel $x\in]1\,;+\infty[$:

$$\ln(x-3)-\ln x=\ln\left(1-\frac{1}{x}\right).$$

6 L'équation $\ln(x-1)=\ln x-1$ admet pour solution $\dfrac{\mathrm{e}}{\mathrm{e}-1}$ dans l'intervalle $]1\,;+\infty[$.

7 $\lim\limits_{x\to+\infty}\dfrac{\ln x}{x}=0.$

8 $\lim\limits_{x\to 0}\dfrac{\ln x}{x}=0.$

83 Soient les fonctions f et g définies sur l'intervalle $]0\,;+\infty[$ par :

$$f(x) = \ln x \quad \text{et} \quad g(x) = (\ln x)^2.$$

On note $\mathscr{C}$ et $\mathscr{C}'$ les courbes représentatives de f et g dans un repère orthogonal. Les courbes $\mathscr{C}$ et $\mathscr{C}'$ ont été tracées à l'aide de la calculatrice.

Casio

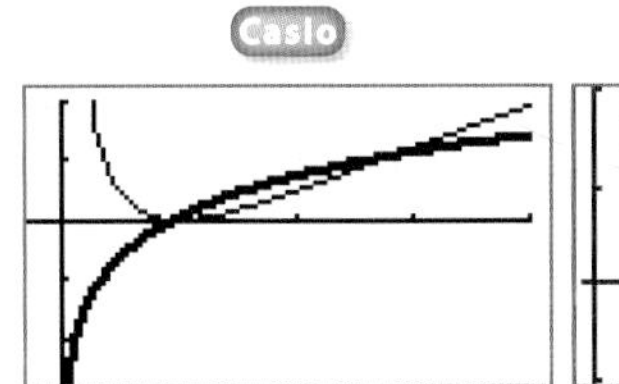

TI

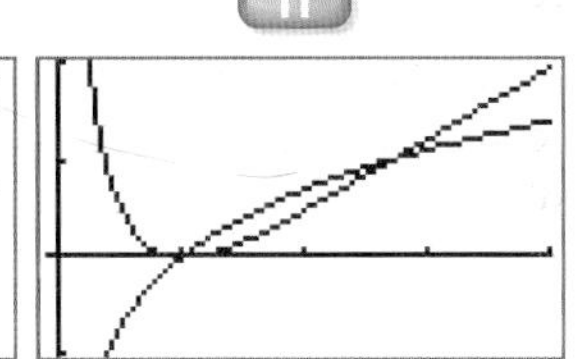

1 a. Étudier le signe de $(\ln x)(1 - \ln x)$ sur $]0\,;+\infty[$.

b. En déduire la position relative des deux courbes $\mathscr{C}$ et $\mathscr{C}'$ sur $]0\,;+\infty[$.

2 Pour x appartenant à $]0\,;+\infty[$, M est le point de $\mathscr{C}$ d'abscisse x et N est le point de $\mathscr{C}'$ de même abscisse.

a. Soit h la fonction définie sur l'intervalle $]0\,;+\infty[$ par :

$$h(x) = f(x) - g(x).$$

Étudier les variations de h sur $]0\,;+\infty[$.

b. En déduire que, sur l'intervalle $[1\,;\mathrm{e}]$, la valeur maximale de la distance MN est obtenue pour $x = \sqrt{\mathrm{e}}$. Quelle est la valeur de cette distance maximale ?

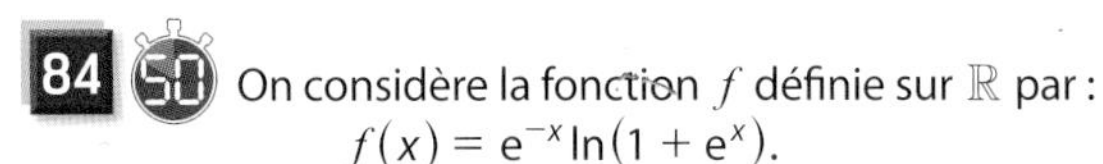

84 On considère la fonction f définie sur $\mathbb{R}$ par :

$$f(x) = \mathrm{e}^{-x}\ln(1 + \mathrm{e}^{x}).$$

On note $\mathscr{C}$ sa courbe représentative dans un repère orthogonal (O, I, J). L'unité graphique est 1 cm sur l'axe des abscisses, 10 cm sur l'axe des ordonnées.

1 a. ROC Démontrer que $\lim\limits_{h \to 0} \dfrac{\ln(1+h)}{h} = 1$.

b. Déterminer la limite de f en $-\infty$.

c. Vérifier que pour tout réel x :

$$f(x) = \frac{x}{\mathrm{e}^{x}} + \mathrm{e}^{-x}\ln(1 + \mathrm{e}^{-x}).$$

Déterminer la limite de f en $+\infty$.

d. En déduire que la courbe $\mathscr{C}$ admet deux asymptotes que l'on précisera.

2 a. On considère la fonction g définie sur l'intervalle $[0\,;+\infty[$ par :

$$g(t) = \frac{t}{1+t} - \ln(1+t).$$

Démontrer que g est strictement décroissante sur $[0\,;+\infty[$.

b. En déduire le signe de $g(t)$ lorsque $t > 0$.

3 Calculer $f'(x)$. En déduire le sens de variation de la fonction f et dresser son tableau de variations.

4 Tracer la courbe $\mathscr{C}$ et ses deux asymptotes.

85 **1** Soit f la fonction définie sur $]0\,;+\infty[$ par :

$$f(x) = \ln\left(1 + \frac{1}{x}\right) - x.$$

a. Déterminer les limites de la fonction f en 0 et en $+\infty$.

b. Montrer que la fonction f est strictement décroissante sur $]0\,;+\infty[$.

c. Montrer qu'il existe un unique réel α appartenant à $]0\,;+\infty[$ tel que :

$$f(\alpha) = 0.$$

Déterminer une valeur approchée de α à 10^{-3} près.

2 Soit g la fonction définie sur $]0\,;+\infty[$ par :

$$g(x) = \ln\left(1 + \frac{1}{x}\right).$$

La suite $(u_n)_{n\in\mathbb{N}}$ est définie par $u_0 = 1{,}5$ et pour tout entier naturel n :

$$u_{n+1} = g(u_n).$$

a. Représenter la courbe $\mathscr{C}$ représentative de la fonction g et la droite d'équation $y = x$.

b. Construire sur l'axe des abscisses, en laissant les traits de construction apparents, les cinq premiers termes de la suite $(u_n)_{n\in\mathbb{N}}$.

c. On admet que la suite $(u_n)_{n\in\mathbb{N}}$ est convergente vers une limite strictement positive ℓ.

Montrer que : $\quad \ln\left(1 + \dfrac{1}{\ell}\right) = \ell.$

d. Démontrer que $\ell = \alpha$.

86 Vrai ou faux ?

Pour chaque affirmation, répondre par vrai ou faux en justifiant.

Pour tout entier n non nul, on considère la fonction f_n définie sur $]-1\,;+\infty[$ par :

$$f_n(x) = x^n \ln(1+x).$$

On désigne par $\mathscr{C}_n$ la courbe représentative de f_n dans un repère du plan.

1 Pour tout entier naturel non nul n, la courbe $\mathscr{C}_n$ passe par le point A de coordonnées $(1\,;\ln 2)$.

2 La suite (u_n) définie pour tout entier non nul n par $u_n = f_n(2)$ est une suite géométrique.

3 Pour tout entier naturel non nul n, $\mathscr{C}_n$ admet en 0 une tangente horizontale.

4 Pour tout entier naturel non nul n, pour tout réel $x \in [0\,;1]$:

$$f_{n+1}(x) \geqslant f_n(x).$$

Problèmes

87 Une propriété graphique

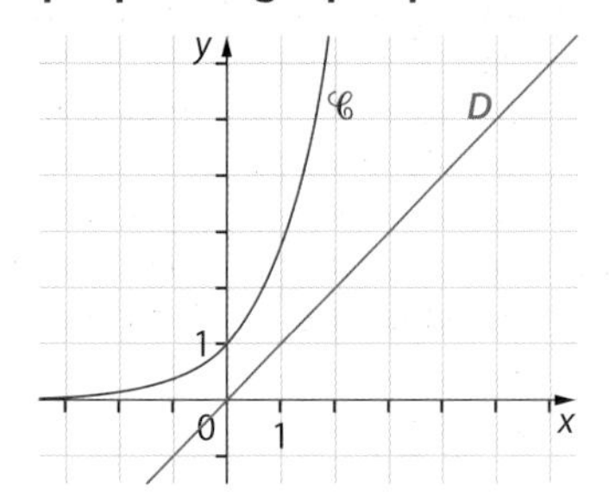

1 On a tracé la courbe $\mathscr{C}$ de la fonction exponentielle et la droite $\mathscr{D}$ d'équation $y = x$.
On désire construire la courbe $\mathscr{C}'$, symétrique de $\mathscr{C}$ par rapport à $\mathscr{D}$.
a. Reproduire la figure.
b. Construire avec soin la courbe $\mathscr{C}'$, symétrique de $\mathscr{C}$ par rapport à $\mathscr{D}$.

2 Soit un point M de la courbe $\mathscr{C}$ d'abscisse x, où x est un réel fixé.

a. Quelle est l'ordonnée de M ?

b. On appelle N le symétrique de M par rapport à $\mathscr{D}$.
c. Justifier que le milieu de $[MN]$ se trouve sur $\mathscr{D}$.

d. Justifier que les vecteurs $\overrightarrow{MN}$ et $\overrightarrow{OK}$ sont orthogonaux.
e. Déduire des deux questions précédentes les coordonnées de N.
f. En déduire que N appartient à la courbe de la fonction logarithme népérien.

88 Quelques propriétés algébriques

1 Soient a et b des réels strictement positifs.
a. Rappeler l'expression de $\ln(a \times b)$ en fonction de $\ln a$ et $\ln b$.
b. En appliquant cette relation à $b = \frac{1}{a}$, en déduire que :
$$\ln\left(\frac{1}{a}\right) = -\ln a.$$

c. En déduire que :
$$\ln\left(\frac{a}{b}\right) = \ln a - \ln b.$$

2 Soient un réel c strictement positif et un entier naturel n non nul.
a. En appliquant la relation établie au **1 a.** à $b = a = \sqrt{c}$, en déduire que :
$$\ln(\sqrt{c}) = \frac{1}{2}\ln c.$$

b. Montrer par récurrence que :
$$\ln(a^n) = n\ln a.$$

Voir la fiche **Logique et raisonnement mathématique.**

89 Emprunt et remboursements

Lorsqu'on emprunte de l'argent à une banque sur une certaine durée, elle transmet un plan d'amortissement qui permet de connaître le montant de chaque mensualité à payer sur la durée du prêt.
Si on appelle C le capital emprunté, t le taux mensuel de l'intérêt et n le nombre de mois de remboursement du prêt, la mensualité m, hors assurance, est donnée par la formule :
$$m = \frac{t \times C}{1-(1+t)^{-n}}.$$

Remarque Par exemple, un taux annuel de 6 % correspond à la valeur $t = \frac{0{,}06}{12} = 0{,}005$.

1 On emprunte à la banque 5 000 € à un taux annuel de 5,4 % sur une durée de 3 ans. Calculer le montant de la mensualité.

2 Représenter **sur l'écran de la calculatrice** le montant de la mensualité du remboursement en fonction du nombre de mois de remboursement pour 5 000 € empruntés à un taux annuel de 5,4 %.

3 On emprunte à la banque un capital $\mathscr{C}$ à un taux annuel de 6 % sur une durée de 4 ans. Le montant de la mensualité s'élève à 234,85 €. Calculer le capital $\mathscr{C}$ emprunté (arrondir à l'euro près).

4 On emprunte à la banque un capital de 6 000 € à un taux annuel de 4,8 %. On rembourse 112,68 € par mois. Quelle est la durée du prêt ?

90 Le lieu d'un point correspondant à un maximum

On considère la fonction f_a définie sur $]0\,;+\infty[$ par :
$$f_a(x) = \frac{\ln x + a}{x},$$
où a désigne un réel quelconque.
On appelle $\mathscr{C}_a$ la courbe représentative de f_a tracée dans un repère.

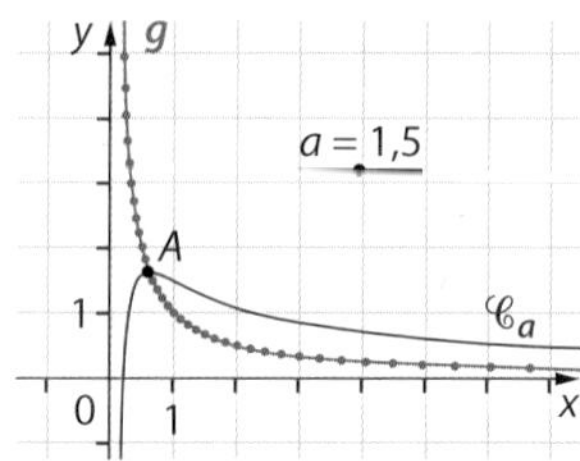

Le but de cet exercice est de montrer que pour toute valeur de a, la fonction f admet un maximum.
On étudiera ensuite le lieu des points où le maximum est atteint pour chaque valeur de a.

1 Déterminer les limites de f_a en 0 et en $+\infty$.

2 Calculer $f'(x)$.

3 Démontrer que pour tout réel a, la fonction f_a admet un maximum pour une valeur de x que l'on calculera. On notera cette valeur x_a. Quelle est la valeur y_a de ce maximum ?

4 Soit $A(x_a\,;y_a)$. Exprimer y_a en fonction de x_a. Montrer que lorsque a varie, le point A appartient à la courbe représentative d'une fonction connue. Préciser laquelle.

Maths et biologie

91 Population d'animaux

Un laboratoire de recherche étudie l'évolution d'une population animale qui semble en voie de disparition.
En 2000, une étude a été effectuée sur un échantillon de cette population dont l'effectif initial est égal à 1 000.
Cet échantillon évolue et son effectif, exprimé en milliers d'individus, est approché par une fonction f du temps t (exprimé en années à partir de l'origine 2000).
D'après le modèle d'évolution choisi, la fonction f est définie sur $[0\,;+\infty[$ par :

$$f(t)=\exp\left(3+k\exp\left(\frac{t}{20}\right)\right),$$

où k est une constante.

1 Calculer k.

2 Démontrer que f est décroissante sur l'intervalle $[0\,;+\infty[$.

3 Au bout de combien d'années, selon ce modèle, la taille de l'échantillon serait-elle inférieure à 20 individus ?

La tortue Luth est en voie de disparition.

92 Une famille de fonctions

On considère la fonction f_n définie sur $]0\,;+\infty[$ par :

$$f_n(x)=\frac{1+n\ln x}{x^2},$$

où n désigne un entier naturel non nul. On appelle $\mathscr{C}_n$ la courbe représentative de f_n tracée dans un repère orthonormé.

1 Déterminer les limites de f_n en 0 et en $+\infty$.

2 Montrer que $f'_n(x)=\dfrac{n-2-2n\ln x}{x^2}$.

3 Dresser le tableau de variations de la fonction f_n.
Montrer que pour tout entier naturel n non nul, cette fonction admet un maximum en un réel $a_n>0$.

4 Calculer la valeur de ce maximum b_n.

5 **À l'aide d'un logiciel de géométrie dynamique**, tracer les courbes représentatives des fonctions f_n pour $1\leqslant n\leqslant 30$. On utilisera un curseur et le mode « *trace activée* » pour les différentes courbes.
Conjecturer les limites des suites (a_n) et (b_n).
Vérifier que toutes les courbes $\mathscr{C}_n$ passent par un point fixe dont on déterminera les coordonnées.

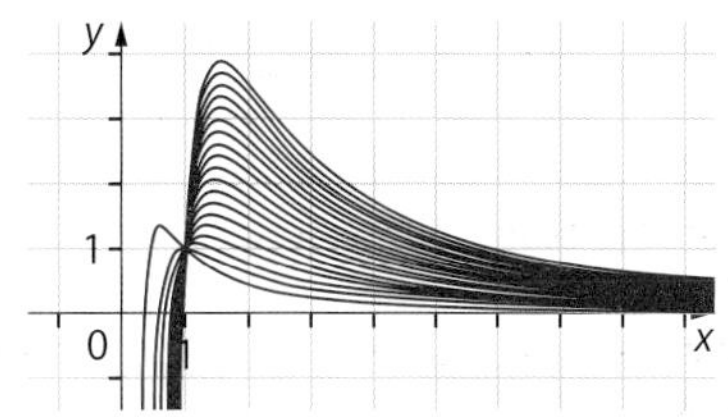

Voir la fiche **Geogebra.**

6 Déterminer, par le calcul, les coordonnées du point fixe par lequel passent toutes les courbes $\mathscr{C}_n$.

7 Calculer les limites des suites (a_n) et (b_n).

93 Une suite qui converge vers ln2

On considère la suite (u_n) définie pour tout entier naturel non nul n par : $u_n=\dfrac{1}{n+1}+\dfrac{1}{n+2}+\ldots+\dfrac{1}{2n}$.

1 Calculer u_1, u_2, u_3, u_4.

2 Démontrer que, pour tout entier naturel non nul n :

$$u_{n+1}-u_n=\frac{1}{2(n+1)(2n+1)}.$$

En déduire le sens de variation de cette suite.

3 **a.** Soit f la fonction définie sur $]0\,;+\infty[$ par :

$$f(x)=\ln x-(x-1).$$

Étudier les variations de f et montrer que pour tout réel $x>0$, $\ln x\leqslant x-1$.

b. En utilisant le changement de variable $X=\dfrac{1}{x}$ dans l'inégalité précédente, montrer que pour tout réel $x>0$:

$$1-\frac{1}{x}\leqslant \ln x.$$

c. Déduire des deux questions précédentes que pour tout entier naturel non nul p :

$$\frac{1}{p+1}\leqslant \ln\left(\frac{p+1}{p}\right)\leqslant\frac{1}{p}.$$

4 n désigne un entier naturel non nul.

a. Écrire l'encadrement du **3** **c.** pour toutes les valeurs de p allant de n à $2n-1$.

b. En additionnant membre à membre les inégalités obtenues, démontrer que, pour tout entier naturel non nul n :

$$u_n\leqslant \ln 2\leqslant u_n+\frac{1}{2n}.$$

c. En déduire un encadrement de $\ln 2-u_n$ et prouver que la suite (u_n) converge vers $\ln 2$.

94 Deux tangentes sécantes

On considère un réel a strictement positif et la fonction f définie sur $\mathbb{R}$ par : $f(x) = \ln(ax^2 + 1)$.

1 Calculer les limites de f en $-\infty$ et $+\infty$.

2 Démontrer que f est une fonction paire.

3 Démontrer que f est croissante sur $]0\,;+\infty[$.
En déduire le tableau de variations de f.

4 On appelle $\mathcal{C}_f$ la courbe représentative de f tracée dans un repère orthonormé.
On considère les points A et B de $\mathcal{C}_f$ d'abscisses respectives 1 et -1, puis on trace les tangentes $\mathcal{T}_A$ et $\mathcal{T}_B$ à $\mathcal{C}_f$ passant respectivement par A et B. Ces deux tangentes se coupent en M (voir dessin ci-dessous).

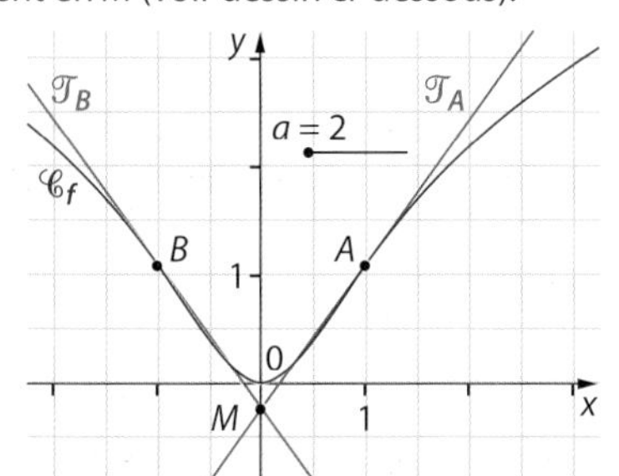

À l'aide d'un logiciel de géométrie dynamique, créer un curseur a, avec des valeurs allant de 0 à 20 pour un pas de 0,1. Tracer la courbe et les deux tangentes, puis, avec la fonction « *animer* » du logiciel, conjecturer la position du point M.

Voir la fiche **Geogebra**.

Ce point semble-t-il avoir une ordonnée minimale lorsque a varie ? Pour quelle valeur de a cette ordonnée minimale semble-t-elle atteinte ?

Validation des conjectures

1 Position de M

a. Déterminer les équations réduites des tangentes $\mathcal{T}_A$ et $\mathcal{T}_B$.

b. Démontrer que ces deux tangentes se coupent sur l'axe des ordonnées.

c. Montrer que les coordonnées du point M sont :

$$M\left(0\,;\ln(a+1) - \frac{2a}{a+1}\right).$$

2 Ordonnée minimale de M

On considère la fonction g définie sur $]0\,;+\infty[$ par :

$$g(x) = \ln(x+1) - \frac{2x}{x+1}.$$

a. Calculer $g'(x)$ et étudier son signe.

b. Démontrer que g admet un minimum lorsque $x = 1$.

c. Quelle est l'ordonnée minimale de M lorsque a varie dans $]0\,;+\infty[$?

95 Une famille de fonctions

On considère un réel a strictement positif et la fonction f_a définie par :

$$f_a(x) = \frac{\ln(ax+1)}{x}.$$

On nomme $\mathcal{C}_a$ sa courbe représentative dans un repère orthogonal.

Le but de ce problème est de déterminer l'ensemble de définition de la fonction f_a, son sens de variation et d'étudier le comportement de cette fonction pour $x = 0$.

1 À l'aide d'un logiciel de géométrie dynamique, conjecturer l'ensemble de définition de la fonction f_a et son sens de variations. On pourra créer un curseur a avec un pas de 0,5 et activer la trace de $\mathcal{C}_a$ pour avoir plusieurs courbes à l'écran.

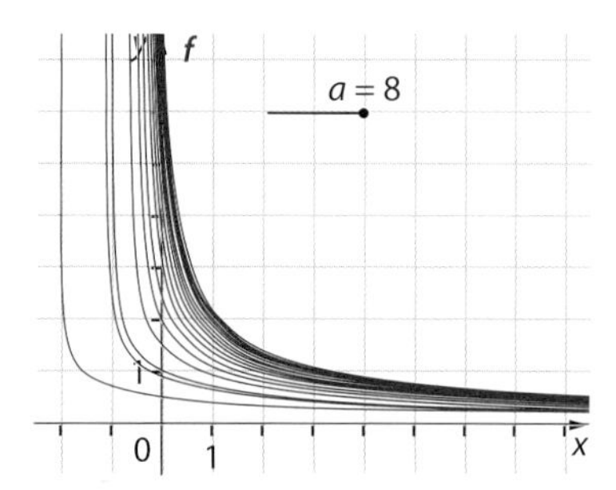

La fonction est-elle définie en 0 ?

2 Quel est le domaine de définition de f_a ?

3 Cette fonction est-elle continue sur l'intervalle $\left]-\frac{1}{a}\,;+\infty\right[$?

Calculer $\lim\limits_{x \to 0} f_a(x)$ (on pourra poser $ax = X$).

Quelle valeur doit-on donner à $f_a(0)$ pour que f_a soit continue sur $\left]-\frac{1}{a}\,;+\infty\right[$? Vérifier sur le graphique.

4 Calculer les limites de f_a en $-\frac{1}{a}$ et en $+\infty$.
En déduire l'existence de deux asymptotes à $\mathcal{C}_a$.

5 a. Montrer que :

$$f'_a(x) = \frac{ax - (ax+1)\ln(ax+1)}{x^2(ax+1)}.$$

b. On considère la fonction g_a définie sur $\left]-\frac{1}{a}\,;+\infty\right[$ par :

$$g_a(x) = ax - (ax+1)\ln(ax+1),$$

où a est strictement positif.

- Calculer $g'_a(x)$ et déterminer son signe en fonction de x.
- En déduire que pour tout réel $x \in \left]-\frac{1}{a}\,;+\infty\right[$, $g_a(x) \leqslant 0$.
- Conclure sur le sens de variation de f_a.

Maths et chimie

96 Le pH

Le pH en phase aqueuse au quotidien	
Substance	pH approximatif
	0
Drainage minier acide	< 1,0
Acide d'une batterie	< 1,0
Acide gastrique	2,0
Jus de citron	2,4 - 2,6
Cola	2,5
Vinaigre	2,5 - 2,9
Jus d'orange ou de pomme	3,5
Bière	4,5
Café	5,0
Thé	5,5
Pluie acide	< 5,6
Lait	6,5
Eau pure	7,0
Salive humaine	6,5 - 7,4
Sang	7,34 - 7,45
Eau de mer	8,0
Savon	9,0 à 10,0
	11,5
Chaux	12,5
	14,0

En 1893, le chimiste danois Soren Sorensen travaille sur les effets des concentrations de quelques ions sur des protéines et remarque l'importance des ions hydrogène. Il décide d'introduire le concept de pH et définit l'acidité d'une solution en fonction de la concentration (exprimée en moles par litre) en ions hydrogène, H^+, par la formule :

$$\mathrm{pH} = -\log[\mathrm{H}^+]$$

(où log désigne le logarithme décimal).

1 Une solution est dite neutre lorsque son pH est égal à 7. Calculer la concentration en ions H^+ d'une solution neutre.

2 Une solution est dite acide lorsque son pH est inférieur à 7. Que peut-on dire de la concentration en H^+ d'une solution acide ?

3 Toute solution dont le pH est supérieur à 7 est appelée une base. La concentration en ions H^+ d'une solution d'ammoniaque est 3×10^{-12} mole par litre.
Calculer le pH de cette solution. Cette solution d'ammoniaque est-elle basique ?

4 Un chimiste affirme que lorsque la concentration en ions H^+ augmente, le pH diminue. Est-ce vrai ? Justifier.

97 Résolution approchée d'une équation à l'aide d'une suite

On considère l'équation notée (E) :

$$\ln x = -x.$$

Le but de l'exercice est de prouver que l'équation (E) admet une solution unique notée α appartenant à l'intervalle $]0\,;+\infty[$ et d'utiliser une suite convergente pour en obtenir un encadrement.

Partie A – Existence et unicité de la solution

On considère la fonction f définie sur l'intervalle $]0\,;+\infty[$ par :

$$f(x) = x + \ln x.$$

a. Déterminer le sens de variation de la fonction f sur l'intervalle $]0\,;+\infty[$.

b. Démontrer que l'équation $f(x) = 0$ admet une unique solution, notée α, appartenant à l'intervalle $]0\,;+\infty[$.

c. Vérifier que : $A < \alpha < 1$.

Partie B – Encadrement de la solution α

1 On considère la fonction g définie sur l'intervalle $]0\,;+\infty[$ par :

$$g(x) = \frac{4x - \ln x}{5}.$$

a. Étudier le sens de variation de la fonction g sur l'intervalle $]0\,;+\infty[$.

b. En déduire que, pour tout nombre réel x appartenant à l'intervalle $\left[\frac{1}{2}\,;1\right]$, $g(x)$ appartient à cet intervalle.

c. Démontrer qu'un nombre réel x appartenant à l'intervalle $]0\,;+\infty[$ est solution de l'équation (E) si, et seulement si, $g(x) = x$.

2 On considère la suite (u_n) définie par $u_0 = \frac{1}{2}$ et, pour tout entier naturel n, par :

$$u_{n+1} = g(u_n).$$

a. En utilisant le sens de variation de la fonction g, démontrer par récurrence que, pour tout entier naturel n :

$$0 \leqslant u_n \leqslant u_{n+1} \leqslant 1.$$

b. En déduire que la suite (u_n) converge vers α.

3 Recherche d'une valeur approchée de α

À l'aide de la calculatrice, déterminer une valeur approchée de u_{10}, arrondie à la sixième décimale.
On admet que u_{10} est une valeur approchée par défaut à 5×10^{-4} près de α.
En déduire un encadrement de α sous la forme $u < \alpha < v$, où u et v sont deux décimaux écrits avec trois décimales.

Problèmes

Maths et physique

98 Demi-vie d'un élément radioactif

Le Thorium 237 est un élément radioactif émetteur de rayons alpha. Lorsqu'une source radioactive de thorium a une masse initiale m_0, cette masse varie en fonction du temps selon la loi de décroissance radioactive.
On appelle demi-vie radioactive (ou période), le temps mis par le thorium pour perdre la moitié de sa masse.

Minéral contenant, entre autre, du thorium.

Si $M(t)$ est la masse, en gramme, de thorium, à l'instant t, on a $M(t) = m_0 e^{-\lambda t}$, où t est exprimé en jours.

1 On dispose à l'instant $t = 0$ d'une source radioactive de thorium de masse $m_0 = 10^{-6}\,\text{g} = 1\,\mu\text{g}$. Sachant que la demi-vie du thorium est égale à 18 jours, calculer λ.

2 Quelle est la masse de thorium restante au bout de 36 jours ?

3 Au bout de combien de jours le thorium aura-t-il perdu 90 % de sa masse ?

4 Représenter graphiquement dans un repère orthogonal la fonction masse M. Déterminer graphiquement la demi-vie du thorium 237.

99 BAC Étude de suites

Soit $v = (v_n)_{n \geqslant 0}$ une suite. On considère la suite u définie pour tout entier naturel n par :

$$u_n = e^{-v_n} + 1.$$

Pour chacune des questions, quatre propositions sont données dont une seule est exacte. Indiquer à chaque fois, sans justification, la bonne réponse.

1 α est un réel strictement positif et ln désigne la fonction logarithme népérien.
Si $v_0 = \ln a$, alors :

a. $u_0 = \ln a + 1$;
b. $u_0 = \dfrac{1}{a} + 1$;
c. $u_0 = -a + 1$;
d. $u_0 = e^{-a} + 1$.

2 Si v est strictement croissante, alors :
a. u est strictement décroissante et majorée par 2 ;
b. u est strictement croissante et minorée par 1 ;
c. u est strictement croissante et majorée par 2 ;
d. u est strictement décroissante et minorée par 1.

3 Si v diverge vers $+\infty$, alors :
a. u converge vers 2 ;
b. u diverge vers $+\infty$;
c. u converge vers 1 ;
d. u converge vers un réel L tel que $L > 1$.

4 Si v est majorée par 2, alors :
a. u est majorée par $1 + e^{-2}$;
b. u est minorée par $1 + e^{-2}$;
c. u est majorée par $1 + e^{2}$;
d. u est minorée par $1 + e^{2}$.

5 Démontrer que, pour tout entier naturel n on a $\ln(u_n) + v_n > 0$.

100

On considère la fonction f définie sur $]-1\,;+\infty[$ par :

$$f(x) = x - \frac{\ln(1+x)}{1+x}.$$

TI

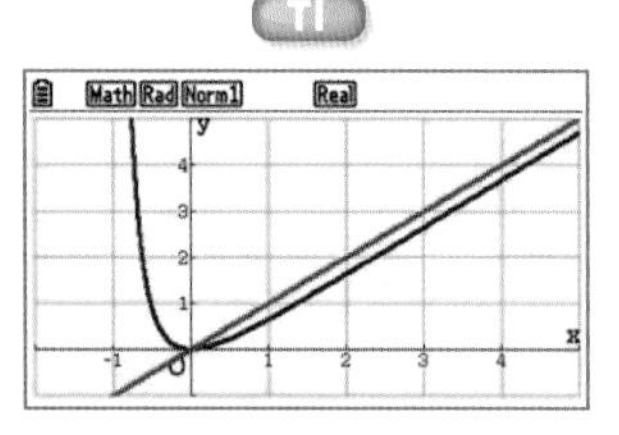

La courbe représentative $\mathscr{C}$ de f ainsi que la droite d'équation $y = x$ sont données ci-contre.

Partie A – Étude de certaines propriétés de la courbe $\mathscr{C}$

1 Calculer $f'(x)$ pour tout réel x de l'intervalle $]-1\,;+\infty[$.

2 Pour tout x de l'intervalle $]-1\,;+\infty[$, on pose :

$$N(x) = (1+x)^2 - 1 + \ln(1+x).$$

a. Montrer que la fonction N ainsi définie est strictement croissante sur $]-1\,;+\infty[$.
b. Calculer $N(0)$. En déduire les variations de f.
c. Vérifier la cohérence du résultat précédent avec le graphique ci-dessus.

3 Calculer les coordonnées du point d'intersection de la courbe $\mathscr{C}$ et de la droite D.

Partie B – Étude d'une suite récurrente définie à partir de la fonction f

1 Démontrer que si $x \in [0\,;4]$, alors :

$$f(x) \in [0\,;4].$$

2 On considère la suite (u_n) définie par :

$$\begin{cases} u_0 = 4 \\ u_{n+1} = f(u_n) \end{cases} \text{ pour tout entier naturel } n.$$

a. Démontrer que, pour tout entier naturel n, on a $u_n \in [0\,;4]$.
b. Étudier la monotonie de la suite (u_n).
c. Démontrer que la suite (u_n) est convergente.
On désigne par ℓ sa limite.
d. Utiliser la partie **A** pour donner la valeur de ℓ.

101 ALGO Résolution approchée d'une équation à l'aide d'un algorithme

On considère la fonction f définie sur $]0\,;+\infty[$ par :

$$f(x)=\ln x+\frac{x^2}{2}-1.$$

1 Calculer les limites de f aux bornes de son domaine de définition.

2 Démontrer que f est strictement croissante sur $]0\,;+\infty[$.
Dresser son tableau de variations.

3 Démontrer que l'équation $f(x)=0$ admet une solution unique α sur $]0\,;+\infty[$ et montrer que :

$$1<\alpha<2.$$

4 Tester l'algorithme suivant dans lequel on a entré :

$$a=1\,;\quad b=2\,;\quad n=6\,;\quad F_1(x)=\ln x+\frac{x^2}{2}-1.$$

Expliquer ce que fait cet algorithme.

ALGO

```
Début
Variables :
    a est du type Nombre ;
    b est du type nombre ;
    n est du type nombre ;
    x est du type nombre ;
    y est du type nombre ;
Lire a ;
Lire b ;
Lire n ;
TantQue ((b – a) > 10^(–n)) Faire
    x prend la valeur (a + b)/2
    y prend la valeur F1(x)
    Si (y < 0) Alors
        a prend la valeur x
    FinSi
    Sinon
        b prend la valeur x
    FinSinon ;
FinTantQue ;
Afficher a ;
Afficher b ;
Fin.
```

Voir les **Outils pour l'algorithmique**.

Maths et biologie

102 Population animale en voie d'extinction

Un laboratoire de recherche étudie l'évolution d'une population animale qui semble en voie de disparition.
En 2000, une étude est effectuée sur un échantillon de cette population dont l'effectif initial est égal à mille.
Cet échantillon évolue et son effectif, exprimé en milliers d'individus, est approché par une fonction f du temps t (exprimé en années à partir de l'origine, 2000).

Le tigre blanc est un animal en voie d'extinction.

D'après le modèle dévolution choisi, la fonction f est dérivable, strictement positive sur $[0\,;+\infty[$ et vérifie la relation (E) suivante : pour tout t de $[0\,;+\infty[$,

$$f'(t)=-\frac{1}{20}f(t)\left[3-\ln(f(t))\right].$$

1 **a.** Déterminer $f'(0)$.
b. Démontrer l'équivalence suivante :
une fonction f dérivable, strictement positive sur $[0\,;+\infty[$, vérifie la relation (E) si, et seulement si, $g=\ln(f)$ vérifie la relation (E′) :

$$\text{pour tout } t \text{ de } [0\,;+\infty[,\quad g'(t)=\frac{1}{20}g(t)-\frac{3}{20}.$$

2 Vérifier que les fonctions définies sur $[0\,;+\infty[$ par $g(t)=3+Ce^{\frac{t}{20}}$, où C est un réel, vérifient la relation (E′). On admettra que ce sont les seules.
a. En déduire l'expression de f en fonction de t.
b. Déterminer la limite de f en $+\infty$.
c. D'après ce modèle, déterminer, par le calcul, au bout de combien d'années la population serait inférieure à vingt individus.

Pistes pour l'accompagnement personnalisé

Revoir les outils de base

103 Dériver avec l'exponentielle

Calculer la dérivée de la fonction f.

1 $f(x) = e^{2x+3}$; $f(x) = x \times e^{-x}$.

2 $f(x) = \dfrac{e^x - 1}{e^x + 3}$; $f(x) = (e^x + e^{-x})^2$.

104 Étudier les variations d'une fonction

Étudier les variations des fonctions f dont les expressions sont les suivantes sur $\mathbb{R}$:

a. $f(x) = x^2 e^x$; **b.** $f(x) = \dfrac{e^x + 1}{e^x + 3}$.

Les savoir-faire du chapitre

105 Utiliser le lien entre les fonctions exponentielle et logarithme

1 Simplifier les expressions suivantes :

a. $\ln(e^3)$; **b.** $\ln(e^{-5})$; **c.** $\ln\left(\sqrt{\dfrac{7}{3}}\right)$;

d. $e^{\ln(4)}$; **e.** $e^{-\ln 3}$; **f.** $e^{\ln \frac{1}{e}}$;

g. $\ln(e^{2x+3})$; **h.** $\ln(e^{x^2})$; **i.** $(\ln(e^x))^2$.

2 Dresser le tableau de variations de la fonction f définie sur $\mathbb{R}$ par : $f(x) = e^x - 3x$.

106 Résoudre des équations et des inéquations

1 Résoudre les équations suivantes dans $\mathbb{R}$:

a. $\ln x = 4$; **b.** $e^x = 4$;

c. $\ln(x + 2) = 4$; **d.** $e^{x+3} = 5$.

2 Résoudre les équations et inéquations suivantes dans $\mathbb{R}$, après avoir déterminé sur quels intervalles elles sont définies :

a. $\ln(x + 2) = \ln(3x - 2)$;

b. $\ln(x + 2) < \ln(3x - 2)$;

c. $\ln(x^2 - 1) = \ln(x + 1)$;

d. $\ln(x^2 - 1) = \ln(x^2 + 2x - 3)$.

107 Déterminer des limites

Déterminer les limites suivantes :

a. $\lim\limits_{x \to +\infty} \ln(x^2 + 4)$; **b.** $\lim\limits_{x \to +\infty} \ln\left(\dfrac{1}{3 + x^2}\right)$;

c. $\lim\limits_{x \to 0} \dfrac{\ln(1 + x^2)}{x^2}$; **d.** $\lim\limits_{x \to +\infty} (x^2 - \ln x)$.

108 Utiliser les propriétés de la fonction logarithme népérien

Exprimer les expressions ci-dessous en fonction de $\ln(3)$.

1 $\ln(9)$.

2 $\ln(6) - \ln(2)$.

3 $\ln(24) - 3\ln(2)$.

109 Étudier les variations d'une fonction

Étudier les variations des fonctions f suivantes sur $]0\,;+\infty[$:

a. $f(x) = x^2 + \ln x$; **b.** $f(x) = x \ln x$;

c. $f(x) = \dfrac{\ln x}{x}$; **d.** $f(x) = \ln(x^2 + 2)$.

Méthode

Attention à :
- être attentif aux valeurs de x pour lesquelles l'expression étudiée existe ;
- bien connaître la fonction exponentielle et ses liens avec la fonction logarithme.

Approfondissement

110 Séismes : loi de Gutenberg-Richter

La force d'un séisme est déterminée par sa « magnitude », M. En 1949, Beno Gutenberg et Charles F. Richter établissent une loi reliant le nombre $N(M)$ de séismes de magnitude supérieure ou égale à M, et la magnitude M par la loi :

$$\log(N(M)) = a - bM,$$

où log désigne la fonction logarithme décimal.

On a effectué les relevés de magnitude des séismes pour la Californie du Sud sur un papier semi-logarithmique.

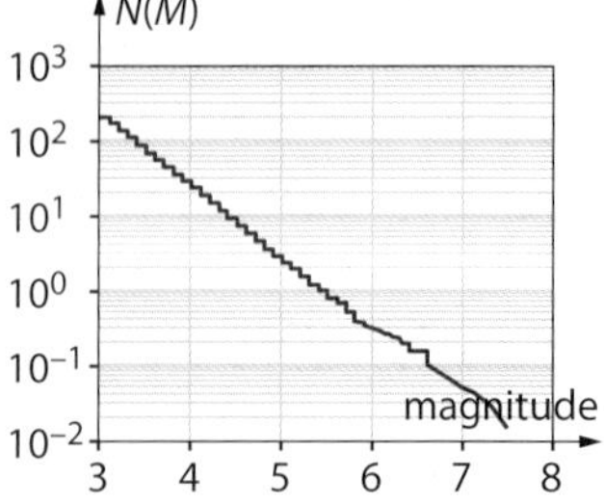

1 En quoi la forme de la courbe permet-elle de valider la loi énoncée ?

2 Déterminer une valeur approchée de a et b.

Pistes pour l'accompagnement personnalisé

111 Loi de Benford

En 1881, l'astronome Simon Newcomb remarque que les tables de logarithmes utilisées sont généralement plus usées dans leurs premières pages que leurs dernières, ce qui semblerait indiquer que lorsque les utilisateurs ont besoin de chercher un nombre dans la table, son premier chiffre significatif non nul est plus souvent 1 que 2, plus souvent 2 que 3, et ainsi de suite jusqu'à 9. Cette remarque est reprise et développée au XXe siècle par Frank Benford qui s'aperçoit, en compilant des milliers de données chiffrées, que la répartition des premiers chiffres significatifs non nuls est approximativement la suivante :

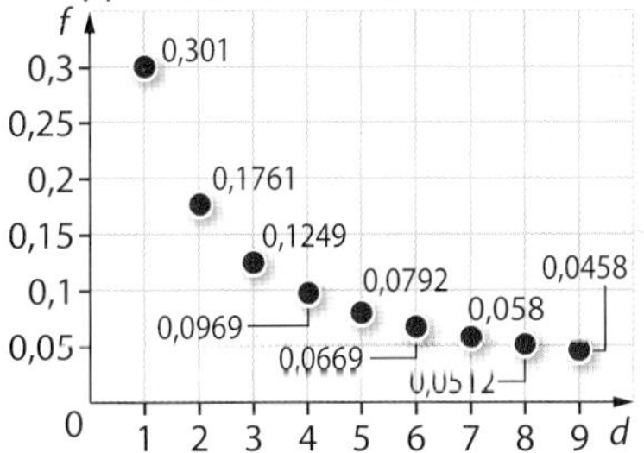

1 **a.** Vérifier que le lien entre la fréquence observée f et le premier chiffre non nul d est de la forme :

$$f = A\ln\left(1+\frac{1}{d}\right).$$

b. Comparer la valeur trouvée pour A avec $\frac{1}{\ln 10}$.

2 La loi de Benford est utilisée pour lutter contre la fraude fiscale en détectant les fausses déclarations. Indiquer la manière dont elle peut être utilisée.

112 Des équations fonctionnelles

1 On s'intéresse aux fonctions f définies et continues sur $]0\,;+\infty[$ et qui vérifient :

pour tous réels strictement positifs x et y,

$$f(x\times y)=f(x)+f(y) \quad (\text{E}).$$

Montrer que les fonctions définies sur $]0\,;+\infty[$ par $f(x)=k\ln x$, où k est un réel, sont des fonctions qui vérifient (E). On admet que ce sont les seules.

2 Déterminer les fonctions g définies et continues sur $]0\,;+\infty[$ et qui vérifient :

pour tous réels strictement positifs x et y,

$$g(x\times y)=xg(y)+yg(x).$$

(On pourra poser $f(x)=\frac{g(x)}{x}$.)

Vers le Supérieur

113 BTS Comptabilité - Gestion

Une entreprise de loisirs possède 60 bateaux et les loue à la semaine. Le coût de fonctionnement hebdomadaire $C(q)$, exprimé en milliers d'euros, correspondant à la location d'un nombre q de bateaux est donné par :

$$C(q)=15+2q-40\ln(0{,}1q+1).$$

1 **a.** Calculer $C(10)$ et $C(20)$. Le coût de fonctionnement hebdomadaire est-il proportionnel au nombre de bateaux loués ?

b. On considère la fonction définie sur l'intervalle $[0\,;60]$ par $f(x)=15+2x-40\ln(0{,}1x+1)$.

2 **a.** Étudier les variations de f sur $[0\,;60]$.

b. En déduire le coût de fonctionnement hebdomadaire minimal.

3 Chaque bateau est loué 3 000 euros la semaine.

a. Montrer que le bilan financier hebdomadaire, $B(q)$, en milliers d'euros, correspondant à la location d'un nombre q de bateaux, est donné par :

$$B(q)=q+40\ln(0{,}1q+1)-15.$$

b. À l'aide de la calculatrice, déterminer à partir de quelle valeur le bilan est positif.

114

On considère dans un repère orthonormé d'origine O la courbe représentative $\mathscr{C}$ de la fonction ln et un point A appartenant à $\mathscr{C}$ d'abscisse a ($a>0$).

On cherche la position du point A pour que le segment $[OA]$ soit perpendiculaire à la tangente T à $\mathscr{C}$ en A.

1 **a.** Montrer qu'une équation cartésienne de T est :

$$\frac{1}{a}x-y-1+\ln a=0.$$

b. En déduire un vecteur directeur $\vec{v}$ de la tangente T.

2 Montrer que $\overrightarrow{OA}$ et $\vec{v}$ sont orthogonaux si, et seulement si, $a^2+\ln a=0$.

3 On considère la fonction f définie sur $]0\,;+\infty[$ par $f(x)=x^2+\ln x$.

a. Montrer que f est strictement croissante sur $]0\,;+\infty[$.

b. Montrer que l'équation $f(x)=0$ admet sur $]0\,;+\infty[$ une solution unique .

c. Déduire des questions précédentes les coordonnées du point A répondant au problème, en arrondissant au millième.

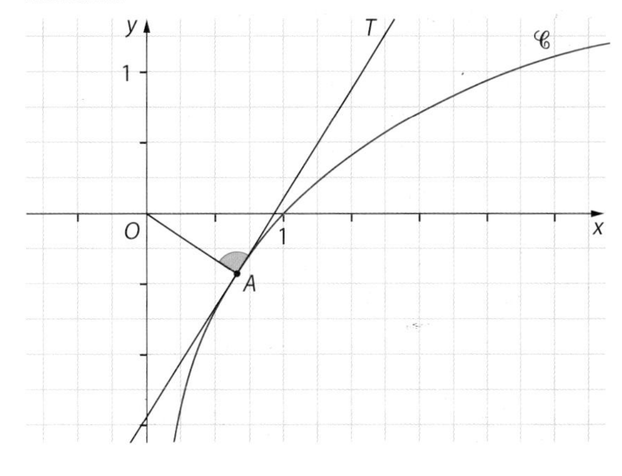

Calcul

Partir d'un bon pied

Voir corrigés en fin de manuel

A Fonctions de même dérivée

QCM Déterminer **la (ou les)** bonne(s) réponse(s).

1 La fonction définie pour $x \neq 1$ par $x \longmapsto \dfrac{-1}{(x-1)^2}$ est la dérivée de :	**a.** $x \longmapsto \dfrac{1}{x-1}$	**b.** $x \longmapsto -\ln[(x-1)^2]$	**c.** $x \longmapsto \dfrac{2x-1}{x-1}$
2 La fonction définie sur $\mathbb{R}$ par $x \longmapsto 3x^2 - 2x$ est la dérivée de :	**a.** $x \longmapsto x^3 - x^2$	**b.** $x \longmapsto (x-2)(x^2+x+2)$	**c.** $x \longmapsto x^3 - x^2 + 1$
3 La fonction définie sur $]1\,;+\infty[$ par $x \longmapsto \dfrac{1}{x\ln x}$ est la dérivée de :	**a.** $x \longmapsto (\ln x)^2$	**b.** $x \longmapsto \ln(\ln x)$	**c.** $x \longmapsto \ln(2\ln x)$
4 La fonction définie sur $\mathbb{R}$ par $x \longmapsto x\mathrm{e}^{-x^2}$ est la dérivée de :	**a.** $x \longmapsto x^2\mathrm{e}^{-x^2}$	**b.** $x \longmapsto \dfrac{-1}{2\mathrm{e}^{x^2}}$	**c.** $x \longmapsto \dfrac{1}{2}x\mathrm{e}^{-x^2}$

B Dérivées : vrai ou faux ?

Répondre par vrai ou par faux aux affirmations suivantes :

1 Si f est continue sur l'intervalle I, alors elle est dérivable sur I.

2 Si f est dérivable sur l'intervalle I, alors elle est continue sur I.

3 Si les fonctions f et g dérivables sur l'intervalle I vérifient $f' = g'$, alors $f = g$.

C Évaluation d'aires

Dans chacun des cas ci-dessous, calculer l'aire de la surface colorée ou en donner un encadrement. On supposera que chaque carreau a pour côté 1 cm.

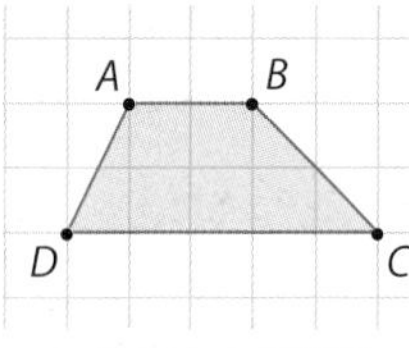

Trapèze ABCD

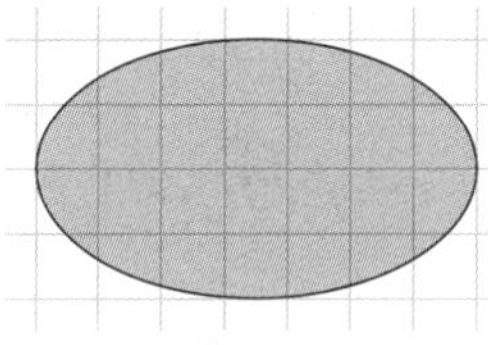
Ellipse

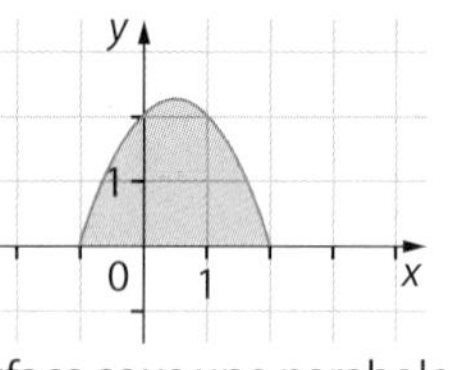

Surface sous une parabole

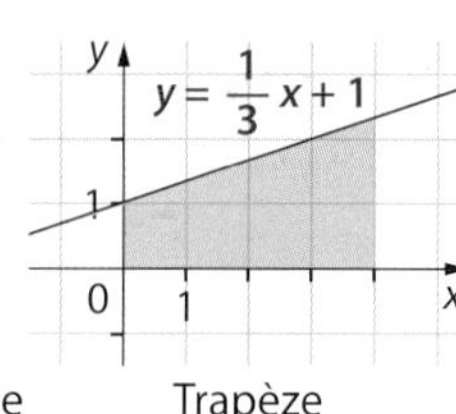

Trapèze

D Associer un domaine du plan et des inégalités

Le plan est rapporté à un repère orthonormé.

1 a. Tracer la droite d'équation $y = x$ et la parabole d'équation $y = 1 - x^2$.

b. Sur le graphique du **a.**, colorer l'ensemble des points $M(x\,;y)$ tel que :

$$0 \leqslant x \leqslant 1 \quad \text{et} \quad x \leqslant y \leqslant 1 - x^2.$$

2 Sur le graphique ci-contre, caractériser l'ensemble des points $M(x\,;y)$ coloré, par des inégalités utilisant x et y.

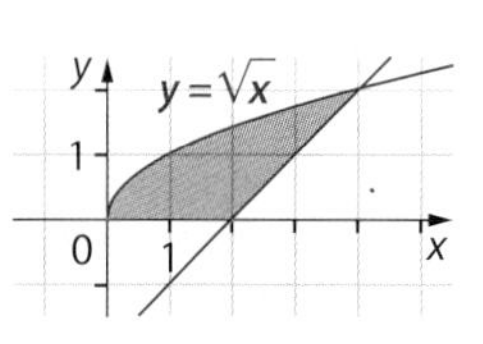

intégral

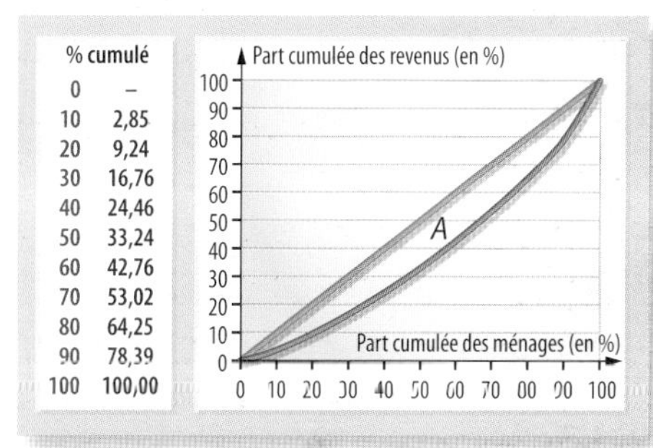

	% cumulé
0	–
10	2,85
20	9,24
30	16,76
40	24,46
50	33,24
60	42,76
70	53,02
80	64,25
90	78,39
100	100,00

Exemple de « courbe de Lorenz » qui permet de déterminer « l'indice de Gini » utilisé en économie. C'est le taux d'inégalité de répartition (double de l'aire A).

Des maths partout !

Le calcul intégral permet :
- de mesurer des grandeurs (longueur d'une courbe, aire, volume, flux…) ;
- de calculer des probabilités et des statistiques ;
- de résoudre des « équations différentielles » omniprésentes en mathématiques et en physique (mouvement, quantité d'énergie, ondes, mécanique quantique…). Son utilisation est très fréquente dans le monde de l'industrie (automatisme, électronique).

Au fil du temps

UNE LONGUE HISTOIRE…

Le calcul de l'aire d'une surface a été l'un des moteurs dans la mise en place des concepts mathématiques. Beaucoup de grands mathématiciens se sont penchés sur ce problème, depuis **Archimède** (287 av. J.-C. – 212 av. J.-C.) qui calcula l'aire de la surface située sous une parabole, **Bonaventura Cavalieri** (1598-1647) qui développa sa théorie des indivisibles, **Gilles de Roberval** (1602-1675) qui calcula l'aire sous une arche de cycloïde, **Gottfried Leibniz** (1646-1716) qui utilisa pour la première fois le symbole $\int$, jusqu'à **Bernhard Riemann** (1826-1866) qui établit une théorie aboutie du calcul intégral.

Bonaventura Francesco Cavalieri mathématicien italien (1598-1647).

Découvrir

Activité 1 ALGO Aire sous une hyperbole à l'aide de rectangles

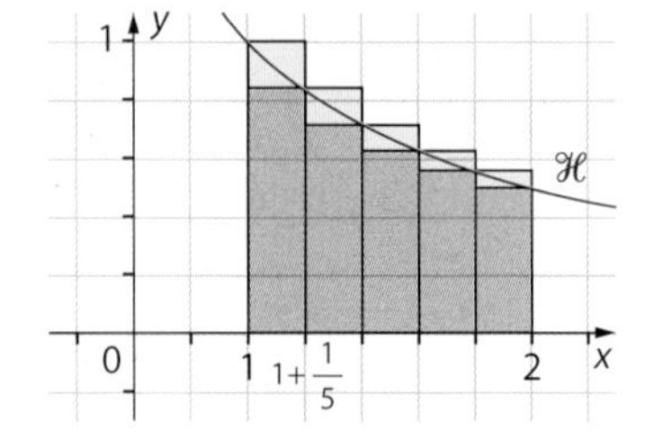

Le plan est muni d'un repère orthonormé. On désignera par f la fonction inverse. On se propose d'obtenir des valeurs approchées de l'aire $\mathscr{A}$ de la surface $\mathscr{S}$ située entre l'hyperbole $\mathscr{H}$ d'équation $y = \frac{1}{x}$, l'axe des abscisses et les droites d'équations respectives $x = 1$ et $x = 2$.

1 On partage l'intervalle $[1;2]$ en cinq intervalles de même amplitude $\frac{1}{5}$. Puis on trace, en prenant appui sur la courbe $\mathscr{H}$, cinq rectangles « inférieurs » et cinq rectangles « supérieurs », tous de largeur $\frac{1}{5}$, comme sur la figure ci-contre.

a. Justifier que :

$$\frac{f\left(1+\frac{1}{5}\right)+f\left(1+\frac{2}{5}\right)+\ldots+f\left(1+\frac{5}{5}\right)}{5} \leqslant \mathscr{A} \leqslant \frac{f(1)+f\left(1+\frac{1}{5}\right)+\ldots+f\left(1+\frac{4}{5}\right)}{5}.$$

b. On a effectué les calculs ci-contre à l'aide du logiciel *Xcas*.
En déduire un encadrement de $\mathscr{A}$ entre deux nombres rationnels, puis un encadrement de $\mathscr{A}$ d'amplitude 0,1.

```
1 f(x):=1/x
        x -> 1/x
2 somme(f(1+k/5),k,0,4)
        1879/504
3 somme(f(1+k/5),k,1,5)
        1627/504
```

2 Soit un entier $n \geqslant 1$.

a. En généralisant la démarche précédente, montrer que :

$$\frac{f\left(1+\frac{1}{n}\right)+f\left(1+\frac{2}{n}\right)+\ldots+f\left(1+\frac{n}{n}\right)}{n} \leqslant \mathscr{A} \leqslant \frac{f(1)+f\left(1+\frac{1}{n}\right)+\ldots+f\left(1+\frac{n-1}{n}\right)}{n}.$$

On pose :

$$S_n = \frac{f\left(1+\frac{1}{n}\right)+f\left(1+\frac{2}{n}\right)+\ldots+f\left(1+\frac{n}{n}\right)}{n} \quad \text{et} \quad T_n = \frac{f(1)+f\left(1+\frac{1}{n}\right)+\ldots+f\left(1+\frac{n-1}{n}\right)}{n}.$$

b. On propose l'algorithme ci-contre pour calculer S_n.
Expliquer la démarche. Modifier ensuite l'algorithme de façon à ce qu'il affiche comme résultat final S_n et T_n.

ALGO

```
Variables :
    n , k : entiers ;
    S : réel ;
Début :
    Entrer (n) ; S ← 0 ;
    Pour k allant de 1 à n Faire
        S ← S + f(1 + k/n) / n ;
    FinPour ;
    Afficher (S) ;
Fin.
```

c. Justifier que : $T_n - S_n = \frac{f(1)-f(2)}{n} = \frac{1}{2n}$.

d. Pour quelles valeurs de n les nombres S_n et T_n sont-ils des valeurs approchées de $\mathscr{A}$ à 0,001 près ?
À l'aide d'une calculatrice ou d'un logiciel de calcul, obtenir un encadrement de $\mathscr{A}$ à 0,001 près.

3 Exploiter les encadrements de $\mathscr{A}$ obtenus aux questions **1 b.** et **2 d.** pour encadrer $\exp(\mathscr{A})$.
Que peut-on ainsi conjecturer comme valeur de $\mathscr{A}$?

Activité 2 ALGO Aire sous une parabole à l'aide de trapèzes

Le plan est muni d'un repère orthonormé.
On se propose de calculer l'aire $\mathscr{A}$ de la surface située entre la parabole d'équation $y = x^2$, l'axe des abscisses et les droites d'équations respectives $x = 0$ et $x = 1$.
Soit un entier $n \geqslant 1$.

1 On considère les points M et N de la parabole d'abscisses respectives $\frac{k}{n}$ et $\frac{k+1}{n}$, où k est un entier tel que $0 \leqslant k \leqslant n-1$.
Vérifier que l'aire du trapèze $ABNM$ est $A_k = \frac{1}{2n^3}\left[k^2 + (k+1)^2\right]$.

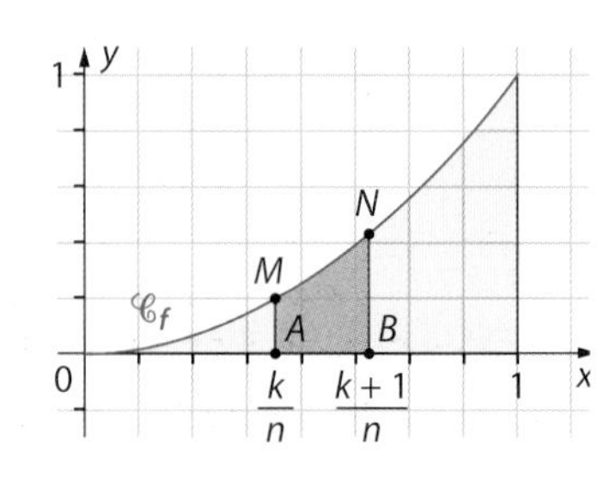

2 On pose : $S_n = A_0 + A_1 + \ldots + A_{n-1} = \sum_{k=0}^{n-1} A_k$. On s'intéresse à S_n en tant que valeur approchée de $\mathscr{A}$.

a. S_n est-elle une valeur approchée de $\mathscr{A}$ par excès ou par défaut ?
b. Construire un algorithme calculant S_n pour $n = 10$, puis pour $n = 100$.
c. Quelle conjecture peut-on émettre pour la valeur de $\mathscr{A}$?

3 a. Démontrer que :

$$S_n = \frac{1}{2n} + 2\left(1^2 + 2^2 + \ldots + (n-1)^2\right) = \frac{1}{2n} + 2\sum_{k=1}^{n-1} k^2.$$

b. En déduire l'expression de S_n en fonction de n.

On utilisera : $1^2 + 2^2 + \ldots + n^2 = \dfrac{(n+1)(2n+1)}{6}$ (voir chapitre 1, p. 14).
c. Conclure.

Pour info
Ce résultat a été obtenu par Archimède par des méthodes algébriques. Il a été prouvé au chapitre 1 à l'aide de rectangles au lieu de trapèzes.

Activité 3 Aire et primitives

La droite (CB) a pour équation $y = \frac{1}{2}x + 2$.

L'unité d'aire est visualisée par le rectangle dont le bord est blanc

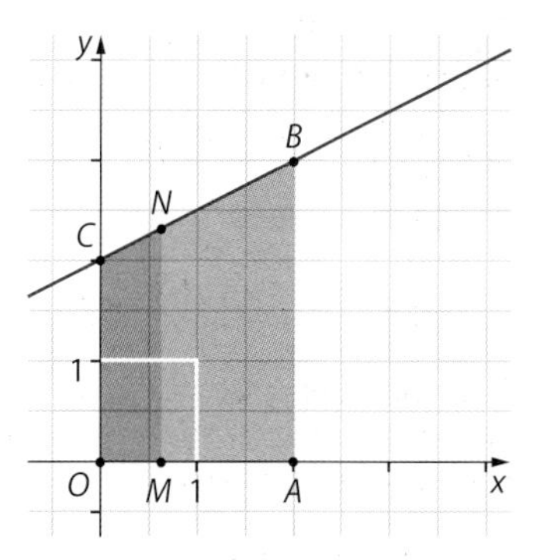

1 Déterminer l'aire du trapèze $OABC$ en unités d'aire.

2 Pour tout réel x de $[0\,;2]$, on considère le point $M(x\,;0)$ et le point N de la droite (BC) d'abscisse x. Calculer en fonction de x l'aire du trapèze $OMNC$.

3 On considère la fonction F définie sur $[0\,;2]$ par : $F(x) = \frac{1}{4}x^2 + 2x$.
a. Quel est le lien entre les fonctions f et F ?
b. Montrer que l'aire du trapèze $OABC$ est égale à $F(2) - F(0)$.

Activité 4 Fonction « aire sous la courbe »

Soit une fonction f continue et positive sur un intervalle $[a\,;b]$.
On suppose, de plus, que f est croissante sur $[a\,;b]$.
On appelle S le domaine formé des points $M(x\,;y)$ tels que : $\begin{cases} a \leqslant x \leqslant b \\ 0 \leqslant y \leqslant f(x) \end{cases}$.
On se propose de calculer l'aire de S, en unités d'aire.
Pour tout réel t de $[a\,;b]$, on appelle $\mathscr{A}(t)$ l'aire du domaine formé par les points $M(x\,;y)$ tels que $\begin{cases} a \leqslant x \leqslant t \\ 0 \leqslant y \leqslant f(x) \end{cases}$, en unités d'aire.

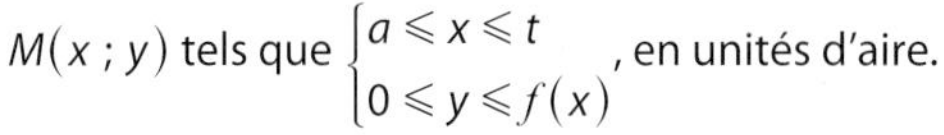

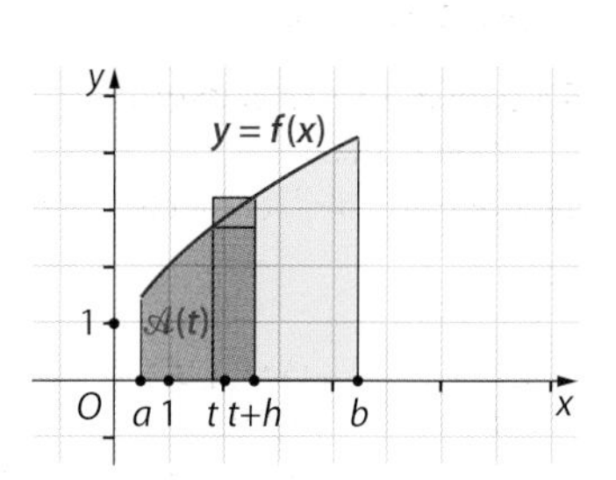

1 Calculer $\mathscr{A}(a)$. Que représente $\mathscr{A}(b) - \mathscr{A}(a)$?

2 Soit un réel t de $[a\,;b]$ et un réel h tel que $t + h \in [a\,;b]$.
a. On suppose que $h > 0$. Par des considérations géométriques, montrer que :
$$h \times f(t) \leqslant \mathscr{A}(t+h) - \mathscr{A}(t) \leqslant h \times f(t+h).$$
b. On suppose que $h < 0$. Montrer que :
$$(-h) \times f(t+h) \leqslant \mathscr{A}(t) - \mathscr{A}(t+h) \leqslant (-h) \times f(t).$$

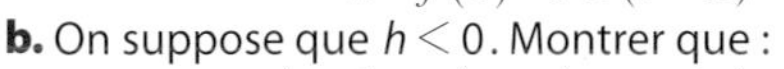

c. En déduire que la fonction $\mathscr{A}$ est dérivable en t et que $\mathscr{A}'(t) = f(t)$.

3 Retrouver le résultat de l'activité 2.

Rappel
On dit que la fonction $\mathscr{A}$ est la primitive de la fonction f qui s'annule en a.

Dans tout le chapitre, le plan est muni d'un repère orthogonal $(O, \vec{i}, \vec{j})$.
En posant $\overrightarrow{OI} = \vec{i}$ et $\overrightarrow{OJ} = \vec{j}$, l'aire du rectangle $OIKJ$ définit l'**unité d'aire** (u.a.).

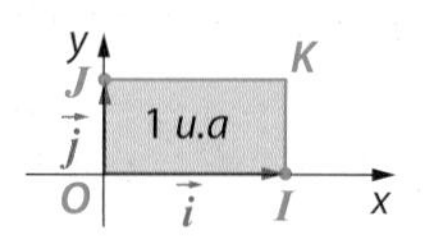

1 Intégrale d'une fonction continue et positive

Dans tout ce paragraphe, f et g désignent des fonctions continues et positives sur un intervalle $[a\,;b]$. $\mathscr{C}$ désigne la représentation graphique de f.

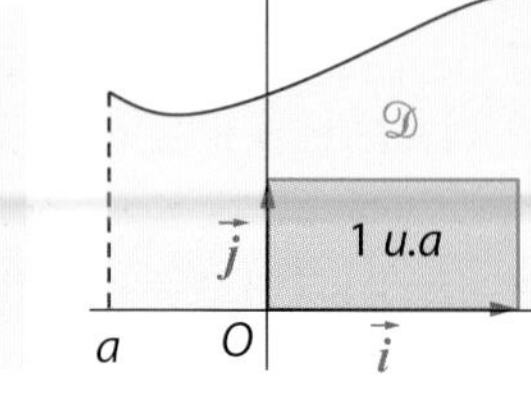

Définition 1 — **Intégrale d'une fonction positive**

L'**intégrale de a à b de f**, notée $\int_a^b f(x)\mathrm{d}x$, est égale à l'**aire** exprimée en unités d'aires, du domaine $\mathscr{D}$, délimitée par $\mathscr{C}$, l'axe des abscisses, et les droites verticales d'équation $x = a$ et $x = b$.
On parle aussi d'**aire sous la courbe $\mathscr{C}$ sur $[a\,;b]$**.

COMMENTAIRES

- $\int_a^b f(x)\mathrm{d}x$ se lit aussi « somme de a à b de $f(x)\mathrm{d}x$ ».
- x est une variable muette : elle n'intervient pas dans le résultat.
On peut la remplacer par d'autres lettres, par exemple, t ou u :
$$\int_a^b f(x)\mathrm{d}x = \int_a^b f(t)\mathrm{d}t = \int_a^b f(u)\mathrm{d}u.$$

REMARQUE $\int_a^a f(x)\mathrm{d}x = 0$, car $\mathscr{D}$ est alors réduit à un segment.

Définition 2 — **Valeur moyenne**

La valeur moyenne de f sur $[a\,;b]$ est le réel :
$$\mu = \frac{1}{b-a}\int_a^b f(x)\mathrm{d}x.$$

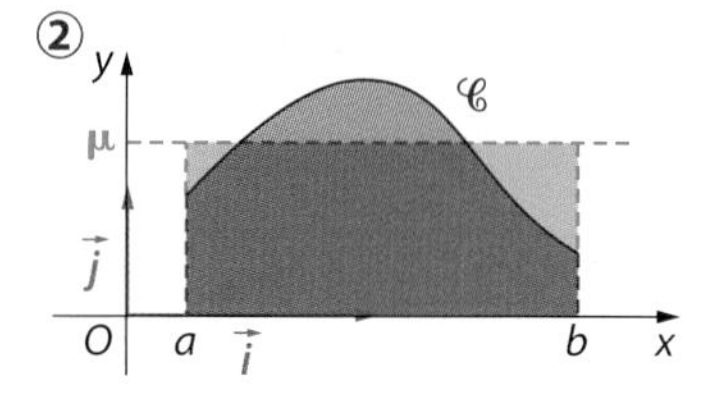

Le graphique ② illustre cette définition : la valeur moyenne μ correspond à la hauteur du rectangle de base $(b-a)$ dont l'aire est égale à l'aire sous la courbe $\mathscr{C}$ sur $[a\,;b]$.

Propriété 1 — **Relation de Chasles**

Pour tout réel c de $[a\,;b]$, on a $\int_a^b f(x)\mathrm{d}x = \int_a^c f(x)\mathrm{d}x + \int_c^b f(x)\mathrm{d}x$.

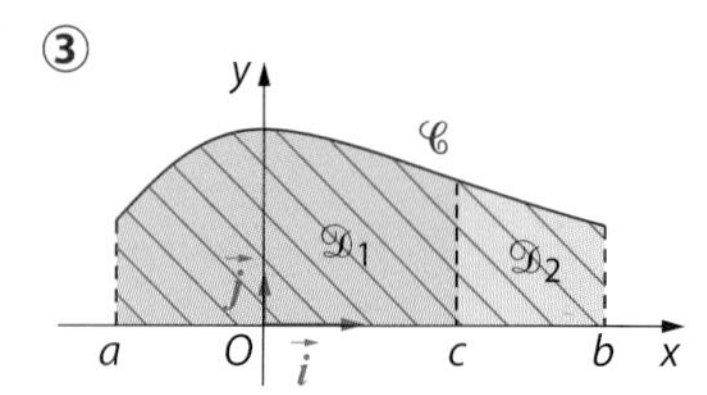

Le graphique ③ illustre la relation : l'aire du domaine hachuré est égal à la somme des aires des deux domaines colorés $\mathscr{D}_1$ et $\mathscr{D}_2$.

Propriété 2 — **Conservation de l'ordre**

Si pour tout réel x de $[a\,;b]$, on a $f(x) \leqslant g(x)$, alors :
$$\int_a^b f(x)\mathrm{d}x \leqslant \int_a^b g(x)\mathrm{d}x.$$

Le graphique ④ illustre la propriété : le domaine $\mathscr{D}_1$ est inclus dans le domaine $\mathscr{D}_2$. Donc l'aire de $\mathscr{D}_1$ est inférieure à l'aire de $\mathscr{D}_2$.

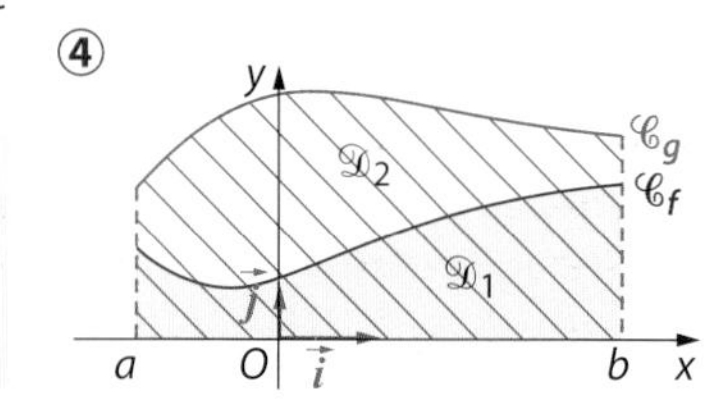

Propriété 3 — **Linéarité**

Pour tous réels α et β positifs :
$$\int_a^b [\alpha f(x) + \beta g(x)]\mathrm{d}x = \alpha\int_a^b f(x)\mathrm{d}x + \beta\int_a^b g(x)\mathrm{d}x.$$

Déterminer une intégrale à partir de calculs d'aires

Exercice corrigé

Énoncé **1** Soit k un réel strictement positif et deux réels a et b tels que : $a < b$. Calculer $\int_a^b k\,dx$.

2 On considère la fonction f définie sur $\mathbb{R}$ par :

$$f(x) = |x - 2| + 1.$$

a. Calculer $\int_0^3 f(x)dx$.

b. En déduire la valeur moyenne de f sur $[0\,;3]$.

3 Calculer $\int_0^3 [3f(x) + 2]dx$.

Solution

Les aires sont toutes exprimées en unité d'aire.

1 L'aire sous la courbe est un rectangle de longueur $b - a$ et de largeur k, donc $\int_a^b k\,dx = (b - a)k$.

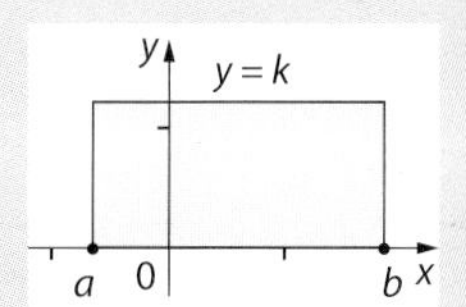

2 a. La fonction f est définie par :

$$f(x) = \begin{cases} 3 - x & \text{si } x \leqslant 2 \\ x - 1 & \text{si } x > 2 \end{cases},$$

d'où sa représentation graphique ci-contre. **1▸**

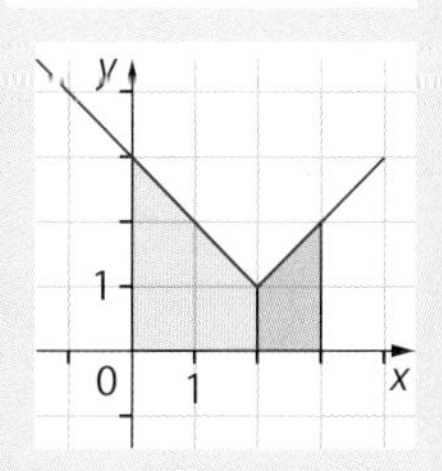

D'après la relation de Chasles,

$$\int_0^3 f(x)dx = \int_0^2 (3 - x)dx + \int_2^3 (x - 1)dx. \text{ 2▸ 3▸}$$

▸ $\int_0^2 (3 - x)dx$ est l'aire du trapèze vert, soit $\frac{(3 + 1)\times 2}{2} = 4$.

▸ $\int_2^3 (x - 1)dx$ est l'aire du trapèze bleu, soit $\frac{(1 + 2)\times 1}{2} = \frac{3}{2}$.

▸ On en déduit $\int_0^3 f(x)dx = 4 + \frac{3}{2} = \frac{11}{2}$.

b. La valeur moyenne de f sur $[0\,;3]$ est égale à : $\frac{1}{3 - 0}\int_0^3 f(x)dx = \frac{11}{6}$.

3 En utilisant la linéarité de l'intégrale,

$\int_0^3 [3f(x) + 2]dx = 3\int_0^3 f(x)dx + \int_0^3 2\,dx$, soit en tenant compte des résultats précédents :

$$\int_0^3 [3f(x) + 2]dx = 3 \times \frac{11}{2} + (3 - 0)\times 2 = \frac{45}{2}.$$

Bon à savoir

L'intégrale d'une fonction continue et positive sur un intervalle mesure une aire dans le plan. On va ici calculer cette intégrale en calculant l'aire correspondante.

1▸ On visualise la courbe représentative de f pour contrôler qu'elle est positive.

2▸ On décompose si possible le domaine « sous la courbe » en surfaces dont on peut calculer les aires.

3▸ On utilise la relation de Chasles.

Exercices d'application

1 On considère la fonction f dont la courbe représentative est donnée ci-contre. Calculer :

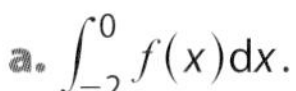

a. $\int_{-2}^0 f(x)dx$.

b. $\int_0^t f(x)dx$ en fonction du réel $t \in [0\,;2]$.

2 **a.** Démontrer que $y = \sqrt{4x - x^2}$ est l'équation d'un demi-cercle dans un repère orthonormé. Préciser son centre et son rayon.

b. En déduire $\int_0^4 \sqrt{4x - x^2}\,dx$.

3 Sachant que $\int_0^1 x^2 dx = \frac{1}{3}$ (résultat obtenu par Archimède en 287-212 av. J.-C.), calculer :

a. $\int_0^1 (3x^2 + 1)dx$;

b. $\int_0^1 \sqrt{x}\,dx$ grâce aux symétries constatées de la figure ci-dessus.

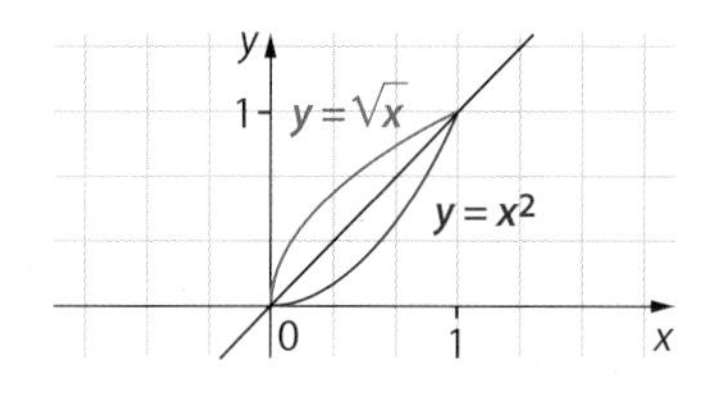

Voir exercices 26 à 29

2 Intégration et primitives

a Notion de primitive

Définition Soient deux fonctions f et F définies sur un intervalle I.
On dit que **F est une primitive de f sur I** si F est dérivable sur I et admet pour dérivée f : pour tout réel x de I, $\boldsymbol{F'(x) = f(x)}$.

Propriétés Soit une fonction f définie sur un intervalle I admettant une primitive F sur I. Alors :

❶ toutes les primitives de f sur I sont les fonctions de la forme $x \longmapsto F(x) + k$, où k est un réel ;

❷ pour tout réel x_0 de I et tout réel y_0, il existe une unique primitive F_0 de f sur I telle que $F_0(x_0) = y_0$.

DÉMONSTRATION

❶ ▸ Pour tout réel k, $(F + k)' = F' = f$; donc $F + k$ est une primitive de f sur I.

▸ Soit une primitive G de f sur I. Alors $(G - F)' = G' - F' = f - f = 0$.
Comme I est un intervalle, on en déduit que $G - F$ est une fonction constante sur I : il existe un réel k tel que pour tout réel x de I, $G(x) - F(x) = k$, c'est-à-dire $G(x) = F(x) + k$.

❷ $F_0(x_0) = y_0 \Leftrightarrow F(x_0) + k = y_0 \Leftrightarrow k = y_0 - F(x_0)$.
Donc, l'unique primitive F_0 de f sur I vérifiant $F_0(x_0) = y_0$ est définie par : $x \longmapsto F(x) + y_0 - F(x_0)$.

Exemples

▸ $x \longmapsto x^2$ et $x \longmapsto x^2 - 3$ sont des primitives sur $\mathbb{R}$ de $x \longmapsto 2x$.

▸ Les primitives de $x \longmapsto \ln(x)$ sur $]0 ; +\infty[$ sont les fonctions définies sur $]0 ; +\infty[$ par :
$x \longmapsto x\ln(x) - x + k$, où k est un réel.
En effet,
si $F(x) = x\ln(x) - x$, alors
$F'(x) = 1\ln(x) + x \times \frac{1}{x} - 1$
$= \ln(x)$.

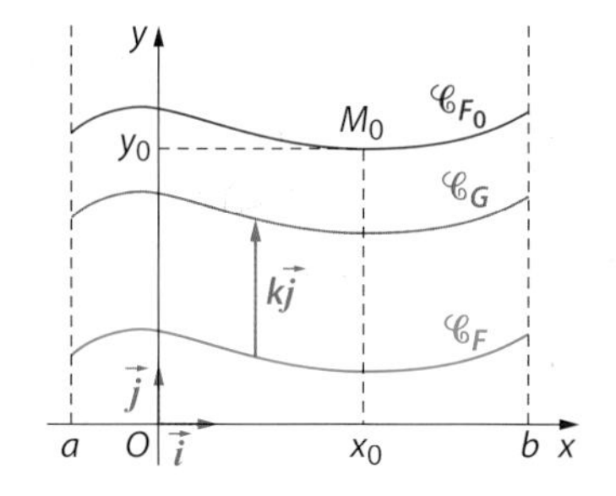

INTERPRÉTATION GRAPHIQUE

Les courbes représentatives des primitives de f se déduisent donc l'une de l'autre par des translations de vecteur $k\vec{j}$, avec k réel.
Une seule d'entre elles passe par le point M_0 de coordonnées $(x_0 ; y_0)$.

CONSÉQUENCE

Des primitives sont obtenues par lecture inverse du tableau des dérivées.
Ainsi, pour une fonction u dérivable sur un intervalle I :

La fonction de la forme	... admet pour primitive sur I les fonctions
❶ $u' \times e^u$	$e^u + k$, où k est un réel
❷ $u' \times u^n$, où $n \in \mathbb{Z}$ avec $n \neq -1$	$\frac{u^{n+1}}{n+1} + k$, où k est un réel
❸ $\frac{u'}{\sqrt{u}}$, avec pour tout x de I, $u(x) > 0$	$2\sqrt{u} + k$, où k est un réel
❹ $\frac{u'}{u}$, avec pour tout x de I, $u(x) > 0$	$\ln(u) + k$, où k est un réel

IDÉE DE DÉMONSTRATION

Il suffit, compte tenu de la définition d'une primitive, de vérifier que chaque fonction de la colonne de gauche est la dérivée de la fonction correspondante dans la colonne de droite.

Déterminer des primitives

Exercice corrigé

Énoncé **1** Démontrer que la fonction $F : x \longmapsto xe^x - e^x + 2$ est une primitive sur $\mathbb{R}$ de la fonction $f : x \longmapsto xe^x$.

2 Déterminer les primitives de chaque fonction suivante sur l'intervalle I.

a. $f : x \longmapsto 3x^3 - 2x$ sur $\mathbb{R}$.

b. $g : x \longmapsto \sin 2x - \cos x$ sur $\mathbb{R}$.

c. $h : x \longmapsto xe^{x^2} - 3x$ sur $\mathbb{R}$.

d. $j : x \longmapsto \dfrac{2x}{(x^2-1)^3}$ sur $\mathrm{I} =]-1\,;1[$.

Solution

1 En utilisant les formules de dérivation, on obtient, pour tout réel x : **1▸**

$$F'(x) = xe^x + e^x - e^x = xe^x = f(x).$$

Donc F est une primitive de f sur $\mathbb{R}$.

2 a. On pense à la formule, $(x^n)' = nx^{n-1}$ avec n entier. **2▸**

Pour tout réel x, on a : $f(x) = \frac{3}{4}(4x^3) - 2x$.

Donc toute primitive F de f sur $\mathbb{R}$ est définie par : $F(x) = \frac{3}{4}x^4 - x^2 + k$, k étant un réel quelconque.

b. On pense à la formule $(\cos 2x)' = -2\sin 2x$. **2▸**

Pour tout réel x, on a : $g(x) = -\frac{1}{2}(-2\sin 2x) - \cos x$.

Donc toute primitive G de g sur $\mathbb{R}$ est définie par : $G(x) = -\frac{1}{2}\cos 2x - \sin x$, k étant un réel quelconque.

c. Si on pose $u(x) = x^2$, alors $u'(x) = 2x$ et on peut écrire, pour tout réel x : **3▸**

$$h(x) = \frac{1}{2}u'(x)e^{u(x)} - 3x.$$

Donc, toute primitive H de h sur $\mathbb{R}$ est telle que :

$H(x) = \frac{1}{2}e^{u(x)} - \frac{3}{2}x^2 + k$, soit $H(x) = \frac{1}{2}e^{x^2} - \frac{3}{2}x^2 + k$, où k réel quelconque.

d. On peut écrire $j(x) = 2x(x^2-1)^{-3}$. En posant $u(x) = x^2 - 1$, on a $u'(x) = 2x$ et $j(x) = u'(x)(u(x))^{-3}$ qui est de la forme $u' \times u^n$ avec $n = -3$. **4▸** Donc toute primitive J de j sur $]-1\,;1[$ est définie par $J(x) = \dfrac{(u(x))^{-2}}{-2} + k$, donc, en écriture usuelle, $J : x \longmapsto -\dfrac{1}{2(x^2-1)^2} + k$; k étant un réel quelconque.

Bon à savoir

1▸ Pour démontrer qu'une fonction F est une primitive de f sur I, il suffit de prouver que pour tout $x \in \mathrm{I}$, $F'(x) = f(x)$.

2▸ On essaie de faire apparaître une formule du tableau des dérivées usuelles.

3▸ On essaie de faire apparaître une des formules de la page précédente.

4▸ Bien se souvenir que $\dfrac{u^{n+1}}{n+1}$ est une primitive de $u' \times u^n$, où $n \in \mathbb{Z}$ et $n \neq -1$, sur un intervalle où u ne s'annule pas.

Exercices d'application

4 Déterminer une primitive sur I de :

a. $f : x \longmapsto 3x^3 - 2x + 2$ sur $\mathrm{I} = \mathbb{R}$;

b. $g : x \longmapsto x + 2 + \dfrac{1}{x^3}$ sur $\mathrm{I} =]0\,;+\infty[$;

c. $h : x \longmapsto \dfrac{3}{\sqrt{x}}$ sur $\mathrm{I} =]0\,;+\infty[$.

5 On a représenté ci-contre des courbes représentatives de primitives de : $f : x \longmapsto \dfrac{e^x}{1+e^x}$ sur $\mathbb{R}$.

Déterminer une équation de celle qui passe par le point $A(0\,;1)$.

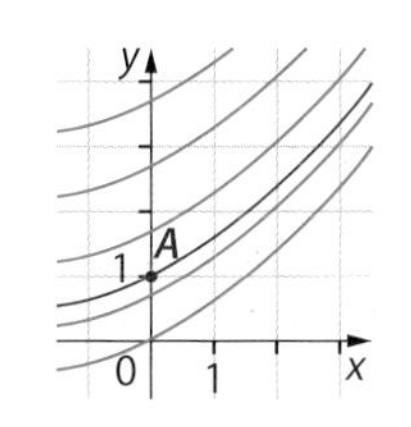

6 Déterminer une primitive sur I de chacune des fonctions suivantes :

a. $f : x \longmapsto \dfrac{2x}{\sqrt{x^2+1}}$ sur $\mathrm{I} = \mathbb{R}$;

b. $g : x \longmapsto \dfrac{\ln x}{x}$ sur $\mathrm{I} =]0\,;+\infty[$.

7 Soit une fonction u strictement positive et dérivable sur I.

a. Quelle est la dérivée de la fonction $u\sqrt{u}$? En déduire une primitive de la fonction $u'\sqrt{u}$.

b. Déterminer une primitive de $x \longmapsto x\sqrt{x^2-1}$ sur $]1\,;+\infty[$.

Voir exercices 43 à 54

b Étude de $x \mapsto \int_a^x f(t)\mathrm{d}t$ (f continue et positive sur $[a\,;b]$)

Théorème Soit une fonction f continue et positive sur un intervalle $[a\,;b]$.
Alors, la fonction F définie sur $[a\,;b]$ par :

$$F(x) = \int_a^x f(t)\mathrm{d}t$$

est dérivable sur $[a\,;b]$ et pour tout réel x de $[a\,;b]$, $F'(x) = f(x)$.
Plus précisément, **F est la primitive de f sur $[a\,;b]$ qui s'annule en a.**

Conséquence Les fonctions continues et positives admettent des primitives.

PLAN DE LA DÉMONSTRATION

Cas où f est croissante sur $[a\,;b]$
Pour tout x de $[a\,;b]$, $F(x)$ est l'aire sous la courbe $\mathscr{C}$ entre a et x.
On fixe x_0 dans $[a\,;b]$. Pour $h \neq 0$ tel que $x_0 + h \in [a\,;b]$, on encadre le taux d'accroissement $\tau(h) = \dfrac{F(x_0+h) - F(x_0)}{h}$:

- si $h > 0$, $F(x_0+h) - F(x_0)$, égal à l'aire sous la courbe $\mathscr{C}$ entre x_0 et $x_0 + h$, est compris entre les aires des rectangles de base h et de hauteur $f(x_0)$ et $f(x_0+h)$;
- si $h < 0$, on raisonne de même sur $F(x_0) - F(x_0+h)$.

La limite du taux $\tau(h)$ lorsque h tend vers 0 est obtenue par le théorème des gendarmes en utilisant la continuité de la fonction f en x_0.

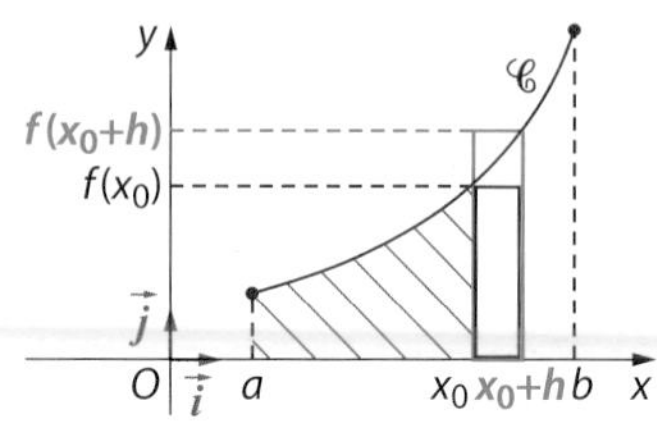

Voir l'activité 4, page 185.

Théorème Soit une fonction f continue et positive sur un intervalle $[a\,;b]$.
Alors, pour toute primitive F de f sur $[a\,;b]$, on a :

$$\int_a^b f(x)\mathrm{d}x = F(b) - F(a).$$

Commentaires
- Ce théorème sert en pratique pour calculer des intégrales.
- La différence $F(b) - F(a)$ est notée $[F(x)]_a^b$ ce qui permet d'alléger les notations dans les calculs d'intégrales.

DÉMONSTRATION

Soit une primitive F de f sur $[a\,;b]$.
Comme $x \mapsto \int_a^x f(t)\mathrm{d}t$ est aussi une primitive de f sur $[a\,;b]$, alors il existe un réel k tel que :

pour tout réel x de $[a\,;b]$, $F(x) = \int_a^x f(t)\mathrm{d}t + k$.

Ainsi, $F(a) = \int_a^a f(t)\mathrm{d}t + k = k$ et $F(b) = \int_a^b f(t)\mathrm{d}t + k$.

On en déduit que : $F(b) - F(a) = \int_a^b f(t)\mathrm{d}t = \int_a^b f(x)\mathrm{d}x$.

Exemple
Soit $\mathrm{I} = \int_0^1 x^2\mathrm{d}x$.
On a :
$\mathrm{I} = \left[\dfrac{x^3}{3}\right]_0^1 = \dfrac{1}{3} - \dfrac{0}{3} = \dfrac{1}{3}$.

c Théorème fondamental

Théorème Toute fonction continue f sur un intervalle admet des primitives sur cet intervalle.

PREUVE

Cas où f est définie sur $\mathrm{I} = [a\,;b]$ BAC

Pré-requis : on admet que dans ce cas, f admet un minimum m sur $[a\,;b]$.
La fonction $g : x \mapsto f(x) - m$ est alors continue et positive sur $[a\,;b]$.
Elle admet donc une primitive G sur $[a\,;b]$:

pour tout réel x de $[a\,;b]$, $G'(x) = f(x) - m$.

On définit la fonction F sur $[a\,;b]$ par : $F(x) = G(x) + mx$.
F est dérivable sur $[a\,;b]$ et, pour tout x de $[a\,;b]$:

$$F'(x) = G'(x) + m = f(x).$$

Ainsi, f admet F pour primitive sur $[a\,;b]$.

Calculer et utiliser une intégrale

Exercice corrigé

Énoncé **1** Calculer les intégrales suivantes, après avoir vérifié que la fonction concernée est continue et positive sur l'intervalle d'intégration :

a. $A = \int_0^1 \frac{x}{x^2+1} dx$; **b.** $B = \int_0^{\frac{\pi}{2}} \cos t \sin t \, dt$.

2 Déterminer, en unités d'aire, l'aire du domaine délimité par la courbe représentative de la fonction $f : x \longmapsto x + \sin 2x$, l'axe des abscisses et les droites d'équations $x = 0$ et $x = \pi$.

3 Pour tout entier naturel n, on pose $I_n = \int_0^1 t^n \sin(\pi t) dt$.

a. Montrer que pour tout entier naturel n :

$$0 \leqslant I_n \leqslant \int_0^1 t^n dt.$$

b. Montrer que la suite de terme général I_n converge et donner sa limite.

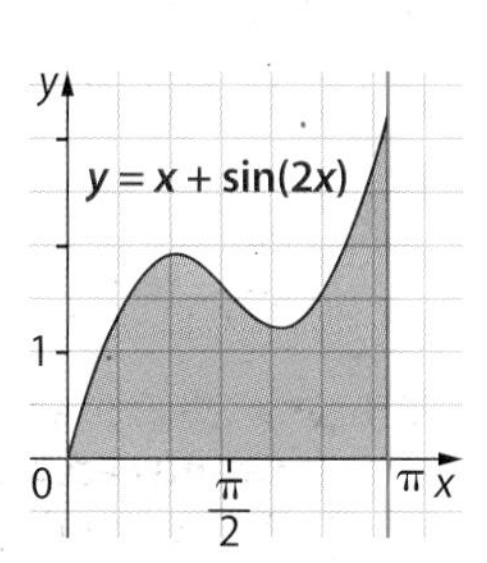

Solution

1 a. $f : x \longmapsto \frac{x}{x^2+1}$ est continue et positive sur $[0\,;1]$. **1▸**

Donc si F est une primitive de f sur $[0\,;1]$, alors $\int_0^1 \frac{x}{x^2+1} dx = F(1) - F(0)$.

On peut choisir $F : x \longmapsto \frac{1}{2}\ln(x^2+1)$. Donc $A = \frac{1}{2}\ln 2$.

b. $g : x \longmapsto \cos x \sin x$ est continue et positive sur $\left[0\,;\frac{\pi}{2}\right]$. **1▸**

Donc, si G est une primitive de g, alors $\int_0^{\frac{\pi}{2}} \cos t \sin t \, dt = G\left(\frac{\pi}{2}\right) - G(0)$.

On peut choisir $G : x \longmapsto \frac{1}{2}\sin^2 t$. Donc $B = \frac{1}{2}$.

2 La fonction f est continue et positive sur $[0\,;\pi]$. Donc l'aire $\mathscr{A}$ du domaine orange est donnée, en unités d'aire, par $\mathscr{A} = \int_0^\pi f(x)dx$. **2▸**

La fonction f admet pour primitive $F : x \longmapsto \frac{x^2}{2} - \frac{1}{2}\cos 2x$.

Donc $\mathscr{A} = \left[\frac{x^2}{2} - \frac{1}{2}\cos 2x\right]_0^\pi = \left(\frac{\pi^2}{2} - \frac{1}{2}\cos 2\pi\right) - \left(-\frac{1}{2}\cos 0\right) = \frac{\pi^2}{2}$.

3 a. Pour tout $t \in [0\,;1]$, on a : $0 \leqslant t^n \sin(\pi t) \leqslant t^n$.

Donc $\int_0^1 0 \, dt \leqslant \int_0^1 t^n \sin(\pi t) dt \leqslant \int_0^1 t^n dt$, soit $0 \leqslant I_n \leqslant \int_0^1 t^n dt$. **3▸**

b. On a, pour tout entier naturel n, $0 \leqslant I_n \leqslant \left[\frac{t^{n+1}}{n+1}\right]_0^1$. En conséquence, $0 \leqslant I_n \leqslant \frac{1}{n+1}$.

Comme $\lim_{n \to +\infty} \frac{1}{n+1} = 0$, en utilisant le théorème des gendarmes, on obtient $\lim_{n \to +\infty} I_n = 0$.

Bon à savoir

1▸ Pour calculer une intégrale I entre a et b, on vérifie la continuité (et ici la positivité) de la fonction f à intégrer sur l'intervalle $[a\,;b]$, pour pouvoir utiliser une primitive F de f :

$$I = \int_a^b f(x)dx = F(b) - F(a).$$

2▸ L'aire sous la courbe représentative d'une fonction f continue positive, délimitée par les droites d'équations respectives $x = a$ et $x = b$ $(a < b)$ est égale à $\int_a^b f(x)dx$, en unités d'aire.

On utilise une primitive F de f pour calculer l'intégrale.

3▸ L'intégrale conserve l'ordre. On obtient des inégalités en intégrant membre à membre de a à b (avec $a \leqslant b$).

Exercices d'application

8 **a.** Calculer $\int_{-3}^3 (x-1)^2 dx$.

b. Calculer la valeur moyenne de la fonction $f : x \longmapsto x^3 + x^2 - x + 1$ sur $[-1\,;2]$.

9 Avec la relation de Chasles, calculer :

$$\int_{-2}^2 |x^2 - 1| dx.$$

10 Soit la fonction f définie sur $[0\,;3]$ par $f(x) = xe^{-x}$.

a. Rechercher une primitive F de f sous la forme $F(x) = (ax+b)e^{-x}$.

b. En déduire l'aire du domaine jaune ci-contre, en unités d'aire.

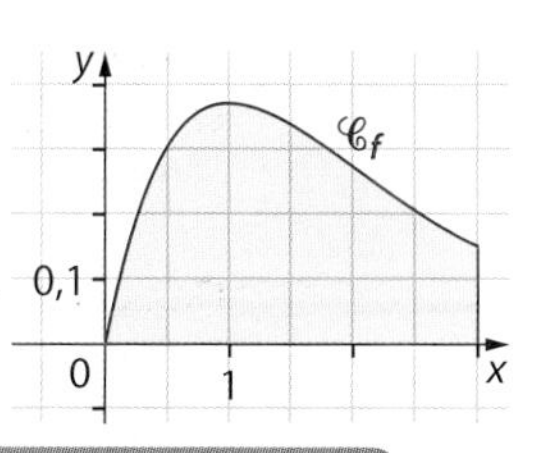

Voir exercices 62 à 66

3 Intégrale d'une fonction continue de signe quelconque

a Définition

Théorème - Définition Soit une fonction f continue sur un intervalle I et une primitive F de f sur I. Alors, pour tous réels a et b de I, la différence $F(b) - F(a)$ ne dépend pas de la primitive F de f choisie.

On définit l'**intégrale de a à b de f** par : $\int_a^b f(x)\mathrm{d}x = F(b) - F(a)$.

Rappel x est une variable « muette » : elle n'intervient pas dans le résultat.

DÉMONSTRATION

Soit G une primitive de f sur I. Il existe alors un réel k tel que $G = F + k$.
Alors, pour tous a et b de I :

$$G(b) - G(a) = F(b) + k - F(a) - k = F(b) - F(a).$$

Définition Soit une fonction f continue sur un intervalle $[a\,;b]$.

La **valeur moyenne de f sur $[a\,;b]$** est le réel : $\mu = \frac{1}{b-a}\int_a^b f(x)\mathrm{d}x$.

b Propriétés généralisées

Les propriétés déjà vues pour les fonctions continues et positives se généralisent aux fonctions continues de signe quelconque.

Théorème Soit une fonction f continue sur un intervalle I, et un réel a de I. Alors la fonction F définie sur I par : $F(x) = \int_a^x f(t)\mathrm{d}t$ **est la primitive de f sur I qui s'annule en a.**

➔ Voir **la démonstration** à l'exercice 82, page 206.

Propriétés f et g désignent deux fonctions continues sur un intervalle I.

❶ **Relation de Chasles**
Pour tous réels a, b et c de I : $\int_a^b f(x)\mathrm{d}x = \int_a^c f(x)\mathrm{d}x + \int_c^b f(x)\mathrm{d}x$.

❷ **Linéarité**
Pour tous réels a et b de I et tous réels α et β :

$$\int_a^b [\alpha f(x) + \beta g(x)]\mathrm{d}x = \alpha\int_a^b f(x)\mathrm{d}x + \beta\int_a^b g(x)\mathrm{d}x.$$

❸ **Positivité et conservation de l'ordre**
Pour tous réels a et b de I, tels que $a \leqslant b$:
- si, pour tout x de $[a\,;b]$, $f(x) \geqslant 0$, alors : $\int_a^b f(x)\mathrm{d}x \geqslant 0$;
- si, pour tout x de $[a\,;b]$, $f(x) \leqslant g(x)$, alors : $\int_a^b f(x)\mathrm{d}x \leqslant \int_a^b g(x)\mathrm{d}x$.

Conséquence
Pout tous réels a et b,
$\int_a^b f(x)\mathrm{d}x + \int_b^a f(x)\mathrm{d}x$
$= \int_a^a f(x)\mathrm{d}x = 0$.
D'où le résultat :
$\int_b^a f(x)\mathrm{d}x = -\int_a^b f(x)\mathrm{d}x$.

IDÉES DE DÉMONSTRATION

❶ Relation de Chasles : on utilise une primitive F de f sur I, et on écrit :
$\int_a^b f(x)\mathrm{d}x = F(b) - F(a)$, $\int_a^c f(x)\mathrm{d}x = F(c) - F(a)$,
$\int_c^b f(x)\mathrm{d}x = F(b) - F(c)$.

❷ Linéarité : Si F et G désignent respectivement des primitives de f et g sur I, on remarque que $(\alpha F + \beta G)$ est une primitive de $(\alpha f + \beta g)$. On calcule ensuite les trois intégrales en utilisant des primitives, et on compare les résultat obtenus.

➔ Voir la **démonstration** de la propriété ❸ à l'exercice 87, page 206.

Utiliser les propriétés de l'intégrale

Exercice corrigé

Énoncé

1 a. Vérifier que la fonction :

$$F : x \longmapsto \sin x - x\cos x$$

est une primitive sur $\mathbb{R}$ de :

$$f : x \longmapsto x\sin x.$$

b. Calculer $\int_{-\frac{\pi}{2}}^{\frac{\pi}{2}} f(t)\,\mathrm{d}t$.

2 Déterminer la valeur du réel $a > 0$ tel que :

$$\int_0^a x(x-2)\,\mathrm{d}x = 0.$$

3 a. Calculer l'intégrale $I = \int_{-3}^{3} \sqrt{9 - x^2}\,\mathrm{d}x$ en utilisant un calcul d'aire.

b. En déduire $J = \int_{-3}^{3} [3x^2 + \sqrt{9-x^2}]\,\mathrm{d}x$.

4 a. Soit un entier $n \geqslant 1$. Démontrer que, pour tout réel $x \in [n\,;n+1]$, $\frac{1}{n+1} \leqslant \frac{1}{x} \leqslant \frac{1}{n}$.

b. En déduire que, pour tout entier $n \geqslant 1$:

$$\frac{1}{n+1} \leqslant \ln\left(1 + \frac{1}{n}\right) \leqslant \frac{1}{n}.$$

Solution

1 a. Pour tout réel x, $F'(x) = \cos x - (\cos x + x(-\sin x)) = x\sin x = f(x)$.
Donc F est une primitive de f sur $\mathbb{R}$. **1▶**

b. On a donc : $\int_{-\frac{\pi}{2}}^{\frac{\pi}{2}} f(t)\,\mathrm{d}t = F\left(\frac{\pi}{2}\right) - F\left(-\frac{\pi}{2}\right) = (1) - (-1) = 2.$

2 ▶ La fonction $f : x \longmapsto x(x-2)$ est continue sur $\mathbb{R}$. Pour calculer l'intégrale, on cherche une primitive F de f en écrivant $f(x) = x^2 - 2x$.
Par lecture inverse du tableau des dérivées, on peut choisir $F : x \longmapsto \frac{x^3}{3} - x^2$. **2▶**

▶ Dans ces conditions, $\int_0^a x(x-2)\,\mathrm{d}x = F(a) - F(0) = \frac{a^3}{3} - a^2$.

$\int_0^a x(x-2)\,\mathrm{d}x = 0 \Leftrightarrow \frac{a^3}{3} - a^2 = 0 \Leftrightarrow a^2\left(\frac{a}{3} - 1\right) = 0 \Leftrightarrow a = 3$ (car $a > 0$).

3 a. La courbe d'équation $y = \sqrt{9 - x^2}$ est un demi-cercle de centre O et de rayon 3.
I représente l'aire d'un demi-disque de rayon 3. Donc $\mathrm{I} = \frac{9\pi}{2}$.

b. En utilisant la linéarité de l'intégrale, $J = \int_{-3}^{3} 3x^2\,\mathrm{d}x + \int_{-3}^{3} \sqrt{9-x^2}\,\mathrm{d}x$. **3▶**
Donc $J = [x^3]_{-3}^{3} + \frac{9\pi}{2} = 54 + \frac{9\pi}{2}$.

4 a. La fonction inverse est décroissante sur $]0\,;+\infty[$, donc si $n \leqslant x \leqslant n+1$, on a :

$$\mathbf{\frac{1}{n+1} \leqslant \frac{1}{x} \leqslant \frac{1}{n}}.$$

b. On en déduit que : $\int_n^{n+1} \frac{1}{n+1}\,\mathrm{d}x \leqslant \int_n^{n+1} \frac{1}{x}\,\mathrm{d}x \leqslant \int_n^{n+1} \frac{1}{n}\,\mathrm{d}x$; soit : $\left[\frac{1}{n+1}x\right]_n^{n+1} \leqslant [\ln x]_n^{n+1} \leqslant \left[\frac{1}{n}x\right]_n^{n+1}$. **4▶**

Donc $\frac{1}{n+1} \leqslant \ln(n+1) - \ln n \leqslant \frac{1}{n}$. Or : $\ln(n+1) - \ln n = \ln\left(\frac{n+1}{n}\right) = \ln\left(1 + \frac{1}{n}\right)$; d'où le résultat attendu.

Bon à savoir

Pour calculer $A = \int_a^b f(x)\,\mathrm{d}x$ on utilise une primitive F de f obtenue :

1▶ soit en vérifiant que la fonction F donnée dans l'énoncé est une primitive de f en montrant que $F' = f$;

2▶ soit par lecture inverse du tableau des dérivées usuelles ou les formules du cours. (Voir Savoir faire, page 189).

3▶ on peut décomposer A en utilisant la linéarité de l'intégrale.

4▶ Pour obtenir un encadrement de A, on détermine deux fonctions g et h telles que pour tout $x \in [a\,;b]$, $g(x) \leqslant f(x) \leqslant h(x)$, puis on utilise la conservation de l'ordre par l'intégrale en intégrant membre à membre.
Attention, il faut avoir $a \leqslant b$.

Exercices d'application

11 Pour tout réel x, exprimer $\cos^2 x - 1$ en fonction de $\cos 2x$, puis calculer $\int_0^{\frac{\pi}{4}} (\cos^2 x - 1)\,\mathrm{d}x$.

12 Vérifier leur existence et calculer les intégrales :

a. $\int_0^1 \frac{1-2x}{x^2 - x + 1}\,\mathrm{d}x$; **b.** $\int_0^{\frac{\pi}{4}} \tan x\,\mathrm{d}x$.

13 Sans chercher à les calculer, quel est le plus grand des deux nombres suivants ?

$A = \int_0^1 \sqrt{1+x}\,\mathrm{d}x$; $B = \int_0^1 \left(1 + \frac{x}{2}\right)\mathrm{d}x$.

Voir exercices 88 à 93

Travaux pratiques

Mener une recherche et rédiger

14 Étude de la série harmonique

On a vu au chapitre 1, page 43, que « la série harmonique », c'est-à-dire la suite de terme général $h_n = 1 + \frac{1}{2} + \frac{1}{3} + \ldots + \frac{1}{n}$ (pour $n \geqslant 1$), diverge vers $+\infty$, de façon très « lente ».

C'est Leonhard Euler qui a eu l'idée de comparer cette suite à la suite de terme général $u_n = \ln(n)$.
Mettre en place la comparaison des suites h et u, en particulier en étudiant leur différence.

Mener une recherche étape par étape

❶ Lire l'énoncé et fixer des notations

1 À l'aide d'un tableur, construire le tableau donnant les valeurs de $h_n = \sum_{k=1}^{n} \frac{1}{k}$ et de $u_n = \ln(n)$ pour $n \geqslant 1$.

	A	B	C
1	**n**	**h(n)**	**u(n)**
2	1	=1/A2	=LN(A2)
3	2	=B2+1/A3	

2 Représenter graphiquement les premiers termes des suites h et u. Que peut-on conjecturer ?

❷ Élaborer une démarche

L'observation du graphique incite à penser que la différence $h_n - u_n$ tend à devenir constante.
Soit un entier $n \geqslant 1$.

1 La courbe ci-contre représente la fonction inverse $x \longmapsto \frac{1}{x}$ sur l'intervalle $[1\,; n]$. Elle permet d'obtenir pour tout entier k compris entre 1 et $n - 1$, les inégalités suivantes :

$$\frac{1}{k+1} \leqslant \int_k^{k+1} \frac{1}{x}\,dx \leqslant \frac{1}{k}.$$

Justifier ces inégalités.

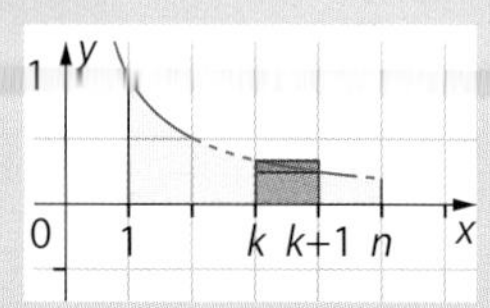

2 En utilisant les inégalités ci-dessus, montrer que la suite de terme général $d_n = h_n - \ln(n)$ est décroissante.

3 En utilisant

$$\int_1^n \frac{1}{x}\,dx = \int_1^2 \frac{1}{x}\,dx + \int_2^3 \frac{1}{x}\,dx + \ldots + \int_{n-1}^n \frac{1}{x}\,dx$$ et la question **1**, démontrer que :

$$\frac{1}{n} \leqslant d_n \leqslant 1.$$

4 En déduire que la suite d converge.

Conseil Euler a appelé en 1791 cette limite « gamma » et en a donné une valeur approchée : 0,577215664.

❸ Rédiger une solution

À l'aide des deux parties précédentes, rédiger une solution du problème posé.

15 Mouvement d'un solide en chute libre

En négligeant les forces de résistance de l'air, un corps abandonné en chute libre est soumis à la seule action de son poids. Son accélération est alors constante et égale à l'intensité de la pesanteur g. (On prendra $g = 10\ \text{m} \cdot \text{s}^{-2}$.)
Au temps $t = 0$, on lance une bille de 1 g vers le haut à partir d'une hauteur de 1 m, avec une vitesse initiale de $3\ \text{m} \cdot \text{s}^{-1}$.
On note $a(t)$, $v(t)$ et $z(t)$, respectivement l'accélération, la vitesse et l'abscisse du point M dans le repère $(O, \vec{k})$ ci-contre, en fonction du temps t.
On sait que $a(t) = -10$; $v'(t) = a(t)$ et $z'(t) = v(t)$.

1 Montrer que $v(t) = -10t + 3$ et que $z(t) = -5t^2 + 3t + 1$.

2 Déterminer le temps t_0 au bout duquel la bille atteint le sol.

1,25
1 A
0,75
0,50
0,25
0 O

16 ALGO  Étude d'une suite définie par une intégrale

On considère la suite u définie sur $\mathbb{N}$ par :

$$u_n = \int_0^1 \frac{e^{-nx}}{1+e^{-x}}\,dx.$$

1 a. Montrer que $u_0 + u_1 = 1$.

b. Calculer u_1. En déduire u_0.

2 a. Montrer que pour tout entier $n \geqslant 1$,

$$u_{n+1} + u_n = \frac{1-e^{-n}}{n}.$$

En déduire les valeurs de u_2 et u_3.

b. On souhaite calculer u_n pour $n \geqslant 2$.

On propose pour cela l'algorithme ci-contre.

Expliquer pourquoi celui-ci est incorrect, puis le corriger de façon à résoudre le problème.

ALGO

Variables :
  n, i : entiers ; u : réel ;
Début
  Entrer (n) ;
  $u \leftarrow \ln\left(\frac{2}{e+1}\right)+1$;
  Pour i allant de 2 à n Faire
  $u \leftarrow \frac{1-e^{-i}}{i}$;
  FinPour ;
  Afficher (u) ;
Fin.

3 On utilise le tableur pour calculer les premiers termes de la suite u :

	A	B
1	***n***	***u(n)***
2	0	=LN((EXP(1)+1)/2)
3	1	=LN(2/(EXP(1)+2))+1
4	2	

a. Parmi les formules suivantes, laquelle faut-il entrer en B4 de façon à obtenir u_2 ?

= (1–EXP(–A4))/A4 – B3
= (1–EXP(–A3))/A4 – B3
= (1–EXP(–A3))/A3 – B3

b. Recopier la formule vers le bas et calculer les 100 premiers termes de la suite u.
Que peut-on conjecturer sur le comportement à l'infini de la suite u ?

4 a. En utilisant la question **2 a.**, montrer que pour tout entier $n \geqslant 1$, $0 \leqslant u_n \leqslant \frac{1-e^{-n}}{n}$.

b. En déduire la limite de la suite u.

c. Rémi affirme que pour tout entier $n \geqslant 100$, on a :

$$u_n \leqslant 0{,}1.$$

A-t-il raison ?

17 Formule de Simpson et calcul approché d'intégrale

On peut montrer (voir l'exercice **130**) que tout polynôme P de degré inférieur ou égal à 3 vérifie la **formule de Simpson** : pour tous a et b réels,

$$\int_a^b P(x)dx = \frac{b-a}{6}\left[P(a)+4P\left(\frac{a+b}{2}\right)+P(b)\right].$$

On étend cette formule à d'autres fonctions f définies sur un intervalle $[a\,;b]$ pour obtenir une valeur approchée I_S de l'intégrale $I = \int_a^b f(x)dx$.

En notant $I_S = \frac{b-a}{6}\left[f(a)+4f\left(\frac{a+b}{2}\right)+f(b)\right]$, on peut démontrer et on admet, dans le cas où f est 5 fois dérivable sur $[a\,;b]$, que :

$|I - I_S| \leqslant \frac{(b-a)^5}{2\,880} \times M_4$, où M_4 est le maximum sur $[a\,;b]$ de $|f^{(4)}|$.

Rappel $f^{(4)}$ est la dérivée d'ordre 4 de la fonction f.

1 On considère la fonction f définie sur $[0\,;1]$ par :
$f(x) = \frac{1}{1+x^2}$ et on pose $I = \int_0^1 f(x)dx$.

a. Obtenir une valeur approchée de I en appliquant la formule de Simpson.

b. À l'aide d'un logiciel de calcul formel, calculer la dérivée d'ordre 4, $f^{(4)}$ de f, puis étudier les variations de $f^{(4)}$ sur $[0\,;1]$. En déduire la valeur de M_4.

1	f(x):=1/(1+x^2)
2	g:=fonction_derivee(f)
3	h:=fonction_derivee(g)
4	k:=fonction_derivee(h)
5	m:=fonction_derivee(k)
6	factoriser(m(x))

c. Déterminer un majorant de l'erreur commise lorsqu'on approche I par la valeur de la question **a.**

2 On divise $[0\,;1]$ en 10 intervalles $[x_i\,;x_{i+1}]$ de même amplitude 0,1.

a. Utiliser un tableur et appliquer la formule de Simpson sur chacun de ces 10 intervalles.
En déduire une valeur approchée de I.

b. Déterminer un majorant de $|f^{(4)}|$ sur chaque intervalle $[x_i\,;x_{i+1}]$. En déduire un majorant de l'erreur commise lorsqu'on approche I par la valeur de la question **2 a.**

Pour info La valeur exacte de I est : $I = \frac{\pi}{4}$.

18 Calculer l'aire de la surface comprise entre deux courbes

Énoncé On considère les fonctions f et g définies sur $]0\,;+\infty[$ par :

$$f(x)=\frac{\ln(x)}{x} \quad \text{et} \quad g(x)=\frac{(\ln(x))^2}{x}.$$

On note $\mathscr{C}$ et Γ les courbes représentant respectivement f et g dans un repère orthogonal (unités graphiques : 2 cm sur l'axe des abscisses et 4 cm sur l'axe des ordonnées).

1 Étudier les positions relatives de $\mathscr{C}$ et Γ.

2 Calculer $I=\int_1^{e} f(x)\mathrm{d}x$ et $J=\int_1^{e} g(x)\mathrm{d}x$.

3 En déduire l'aire $\mathscr{A}$, en cm², du domaine délimité par $\mathscr{C}$, Γ et les droites d'équations respectives $x=1$ et $x=\mathrm{e}$.

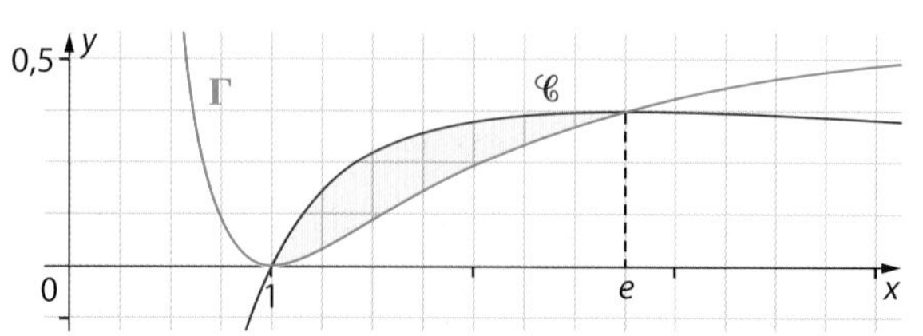

Solution

1 On pose, pour tout réel $x>0$, $d(x)=f(x)-g(x)=\dfrac{\ln(x)}{x}-\dfrac{(\ln(x))^2}{x}$,

soit $d(x)=\dfrac{\ln(x)\times(1-\ln(x))}{x}$.

On dresse le tableau de signes de $d(x)$.

x	0		1		e		$+\infty$
$\ln(x)$		−	0	+		+	
x		+		+		+	
$1-\ln(x)$		+		+	0	−	
$d(x)$		−	0	+	0	−	

Donc $\mathscr{C}$ est au-dessus de Γ sur $[1\,;\mathrm{e}]$ et en dessous de Γ sur $]0\,;1]$ et $[\mathrm{e}\,;+\infty[$.

2 ▸ $f(x)$ est de la forme $u'(x)\times u(x)$ avec $u(x)=\ln(x)$ et $u'(x)=\dfrac{1}{x}$.

Donc la fonction $x\longmapsto\dfrac{1}{2}u(x)^2=\dfrac{1}{2}(\ln(x))^2$ est une primitive de f sur $]0\,;+\infty[$. Ainsi, $\mathrm{I}=\left[\dfrac{1}{2}(\ln(x))^2\right]_1^{\mathrm{e}}=\dfrac{1}{2}-0=\dfrac{1}{2}$.

▸ $g(x)$ est de la forme $u'(x)\times(u(x))^2$ avec $u(x)=\ln(x)$ et $u'(x)=\dfrac{1}{x}$. Donc la fonction

$x\longmapsto\dfrac{1}{3}u(x)^3=\dfrac{1}{3}(\ln(x))^3$ est une primitive de g sur $]0\,;+\infty[$. Ainsi, $\mathrm{J}=\left[\dfrac{1}{3}(\ln(x))^3\right]_1^{\mathrm{e}}=\dfrac{1}{3}-0=\dfrac{1}{3}$.

3 Sur l'intervalle $[1\,;\mathrm{e}]$, $\mathscr{C}$ est au-dessus de Γ. Donc, en unité d'aire, $\mathscr{A}=I-J=\dfrac{1}{2}-\dfrac{1}{3}=\dfrac{1}{6}$.

Comme l'unité d'aire est $2\times4=8$ cm², on a : $\mathscr{A}=\dfrac{8}{6}$, soit $\mathscr{A}=\dfrac{4}{3}$ cm².

Stratégies

1 Le signe de la différence $f(x)-g(x)$ permet d'étudier les positions de $\mathscr{C}$ et Γ.

On factorise et on utilise un tableau pour conclure.

2 On détermine des primitives pour calculer les intégrales I et J, en utilisant les formules du cours.

3 On utilise la définition de l'intégrale comme aire sous la courbe, en unité d'aire.

L'unité d'aire est l'aire du rectangle dont les côtés mesurent une unité, soit $2\times4=8$ cm².

19 Obtenir un encadrement d'une intégrale

Énoncé **BAC**

1 Restitution organisée des connaissances

On suppose connus les résultats suivants : pour toutes fonctions u et v continues sur un intervalle $[a\,;b]$ (où $a\leqslant b$) :

▸ si pour tout réel x de $[a\,;b]$, $u(x)\geqslant0$, alors $\int_a^b u(x)\mathrm{d}x\geqslant0$;

▸ pour tout réel α et β,

$\int_a^b(\alpha f(x)+\beta g(x))\mathrm{d}x=\alpha\int_a^b f(x)\mathrm{d}x+\beta\int_a^b g(x)\mathrm{d}x$.

Soient deux fonctions f et g continues sur un intervalle $[a\,;b]$ (où $a\leqslant b$).

On suppose que, pour tout réel x de $[a\,;b]$, $f(x)\leqslant g(x)$.

Démontrer que $\int_a^b f(x)\mathrm{d}x\leqslant\int_a^b g(x)\mathrm{d}x$.

2 Soit la fonction f définie sur $[1\,;+\infty[$ par $f(x)=\dfrac{\ln(x)}{1+x^2}$.

a. Justifier que, pour tout réel $x\geqslant1$, $0\leqslant f(x)\leqslant\dfrac{\ln(x)}{x^2}$.

b. Justifier que la fonction G définie sur $[1\,;+\infty[$ par $G(x)=\dfrac{-\ln(x)-1}{x}$ est une primitive de $x\longmapsto\dfrac{\ln(x)}{x^2}$.

c. En déduire un encadrement de $I=\int_1^{e} f(x)\mathrm{d}x$.

Solution

1 La fonction $g-f$ est continue sur $[a\,;b]$.
Comme pour tout x de $[a\,;b]$, $f(x)\leqslant g(x)$, on a : $g(x)-f(x)\geqslant 0$.
Alors : $\int_a^b (g(x)-f(x))\mathrm{d}x \geqslant 0$ en utilisant le premier résultat.
Or, par le second résultat, $\int_a^b (g(x)-f(x))\mathrm{d}x = \int_a^b g(x)\mathrm{d}x - \int_a^b f(x)\mathrm{d}x$.
On en déduit que $\int_a^b g(x)\mathrm{d}x \geqslant \int_a^b f(x)\mathrm{d}x$.

2 a. Pour tout $x\geqslant 1$, $x^2+1\geqslant x^2$, donc $0<\dfrac{1}{1+x^2}<\dfrac{1}{x^2}$.
En multipliant par $\ln(x)\geqslant 0$ pour $x\geqslant 1$, on obtient : $0\leqslant f(x)\leqslant \dfrac{\ln(x)}{x^2}$.
b. En utilisant la formule de dérivation d'un quotient, on a pour tout $x\geqslant 1$:

$$G'(x)=\frac{-\frac{1}{x}\times x-(-\ln(x)-1)\times 1}{x^2}=\frac{-1+\ln(x)+1}{x^2}=\frac{\ln(x)}{x^2}.$$

Donc F est une primitive de $x\longmapsto \dfrac{\ln(x)}{x^2}$ sur $[1\,;+\infty[$.
c. Avec la question **a.**, $\int_1^e 0\,\mathrm{d}x \leqslant \int_1^e f(x)\mathrm{d}x \leqslant \int_1^e \dfrac{\ln(x)}{x^2}\mathrm{d}x$.
D'après la question **b.**, $\int_1^e \dfrac{\ln(x)}{x^2}\mathrm{d}x = G(\mathrm{e})-G(1)$

$$=\frac{-1-1}{\mathrm{e}}-\frac{0-1}{1}=-\frac{2}{\mathrm{e}}+1.$$

On obtient : $0\leqslant I\leqslant 1-\dfrac{2}{\mathrm{e}}$ $\left(\text{et on a : } 1-\dfrac{2}{\mathrm{e}}\approx 0{,}264\right)$.

Stratégies

1 On met en relation les deux résultats donnés dans l'énoncé.
2 Pour prouver que G est une primitive sur $[1\,;+\infty[$ de $x\longmapsto\dfrac{\ln(x)}{x^2}$, il suffit de vérifier que pour tout réel $x\geqslant 1$, $G'(x)=\dfrac{\ln(x)}{x^2}$.
On peut utiliser la calculatrice pour calculer I et vérifier l'encadrement obtenu :

TI

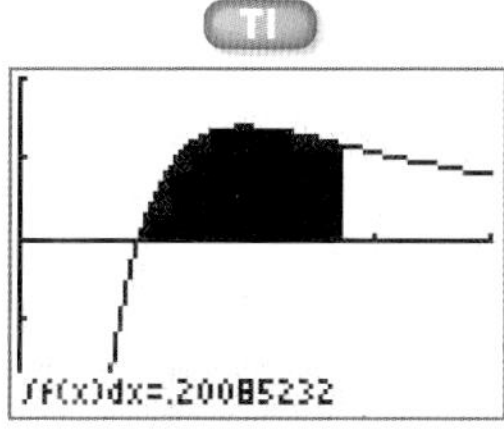

Casio

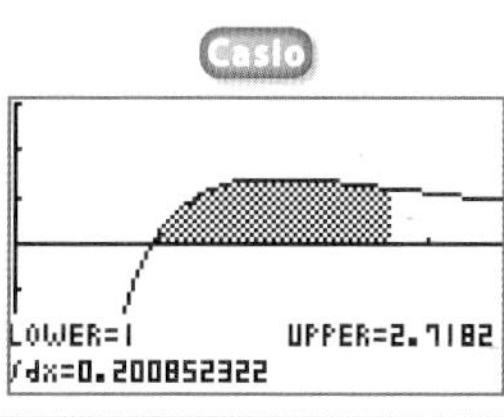

20 Étudier une primitive

Énoncé On considère le tableau ci-contre des variations d'une fonction f continue sur $\mathbb{R}$. On définit la fonction F sur $\mathbb{R}$ par $F(x)=\int_0^x f(t)\mathrm{d}t$.

1 Dresser le tableau de variations de F sur $\mathbb{R}$.

2 Déterminer la limite de F en $+\infty$.

x	$-\infty$		-1		0		1		$+\infty$
$f(x)$	0	↘	-1	↗	0 ↗		2	↘	1

Solution

1 La fonction f étant continue sur $\mathbb{R}$, F est la primitive de f s'annulant en 0 : pour tout x, $F'(x)=f(x)$.
En lisant le signe de $f(x)$ dans le tableau, on obtient :

x	$-\infty$		0		$+\infty$
$F(x)$		↘	0	↗	

2 Pour tout réel $x\geqslant 1$, $F(x)=\int_0^x f(t)\mathrm{d}t=\int_0^1 f(t)\mathrm{d}t+\int_1^x f(t)\mathrm{d}t$.
Ainsi, pour tout $x\geqslant 1$, $F(x)=F(1)+\int_1^x f(t)\mathrm{d}t$.
Or, pour tout $t\geqslant 1$, $f(t)\geqslant 1$. Donc, $\int_1^x f(t)\mathrm{d}t\geqslant\int_1^x 1\,\mathrm{d}t$. Ainsi, $\int_1^x f(t)\mathrm{d}t\geqslant x-1$.
On en déduit que, pour tout $x\geqslant 1$, $F(x)\geqslant F(1)+x-1$.
Or, $\lim\limits_{x\to+\infty}(F(1)+x-1)=+\infty$. Ainsi, avec le théorème de comparaison, $\lim\limits_{x\to+\infty}F(x)=+\infty$.

Stratégies

1 Le tableau de variations de f donné, permet de connaître le signe de $f(x)$. Et le signe de $f(x)$ donne les variations de F.

2 Une minoration de $f(x)$ permet d'obtenir une minoration de $F(x)$ par une fonction qui admet $+\infty$ comme limite en $+\infty$.

Travail personnel : faire le point

Savoir...	Comment faire ?
Déterminer une primitive F d'une fonction f sur un intervalle I.	Si la fonction F est connue, il suffit de démontrer que $F' = f$ sur I. Sinon : ▸ on utilise le tableau des dérivées de base en en faisant une « lecture inverse » ; ▸ on essaie de reconnaître les formes « usuelles » de primitives : $\boldsymbol{u' \times e^u}$; $\boldsymbol{u' \times u^n}$ (avec $n \neq -1$) ; $\boldsymbol{\dfrac{u'}{\sqrt{u}}}$ et $\boldsymbol{\dfrac{u'}{u}}$; ▸ on transforme l'écriture de $f(x)$ pour retrouver l'un des cas précédents.
Déterminer la primitive F_0 d'une fonction f sur un intervalle I telle que $F_0(x_0) = y_0$.	▸ On trouve une primitive F de f sur I. ▸ On écrit F_0 sous la forme $x \longmapsto F(x) + k$, où k est un réel quelconque. ▸ On calcule la valeur de la constante k pour laquelle la condition $F_0(x_0) = y_0$ est vérifiée. 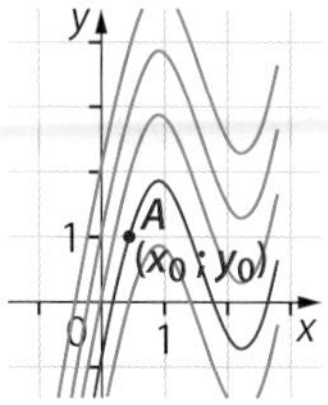
Calculer $\int_a^b f(x)\mathrm{d}x$.	▸ Si on connaît une primitive F de f sur un intervalle contenant a et b, alors : $\boldsymbol{\int_a^b f(x)\mathrm{d}x = F(b) - F(a)}$. ▸ Dans le cas où f est positive sur $[a\,;b]$ avec $a \leqslant b$, $\int_a^b f(x)\mathrm{d}x$ est égale à l'aire sous la courbe $\mathscr{C}_f$ sur $[a\,;b]$, en unité d'aire. ▸ On peut utiliser la relation de Chasles, pour fractionner les calculs, ou la linéarité de l'intégrale.
Déterminer le signe de $\int_a^b f(x)\mathrm{d}x$.	▸ Si $a \leqslant b$ et si f est positive sur $[a\,;b]$, alors $\int_a^b f(x)\mathrm{d}x \geqslant 0$. ▸ Si $a \leqslant b$ et si f est négative sur $[a\,;b]$, alors $\int_a^b f(x)\mathrm{d}x \leqslant 0$. ▸ Si f change de signe sur $[a\,;b]$, on peut chercher à encadrer l'intégrale sur les intervalles où f reste de signe constant, et utiliser la relation de Chasles.
Calculer l'aire $\mathscr{A}$ d'un domaine délimité par une courbe $\mathscr{C}_f$, l'axe des abscisses, et les droites d'équations $x = a$ et $x = b$ avec $a \leqslant b$, en unités d'aire.	▸ Si f est positive sur $[a\,;b]$, $\mathscr{A} = \int_a^b f(x)\mathrm{d}x$. (Voir la figure.) ▸ Si f est négative sur $[a\,;b]$, $\mathscr{A} = -\int_a^b f(x)\mathrm{d}x$. 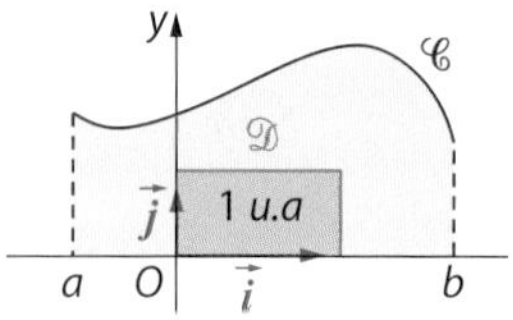
Calculer l'aire $\mathscr{A}$ d'un domaine délimité par deux courbes $\mathscr{C}_f$ et $\mathscr{C}_g$.	Si $a \leqslant b$ et si $\mathscr{C}_f$ est au-dessus de $\mathscr{C}_g$ sur $[a\,;b]$, alors l'aire du domaine dont les points $M(x\,;y)$ vérifient $a \leqslant x \leqslant b$ et $g(x) \leqslant y \leqslant f(x)$ est égale à $\int_a^b [f(x) - g(x)]\mathrm{d}x$, en unité d'aire. 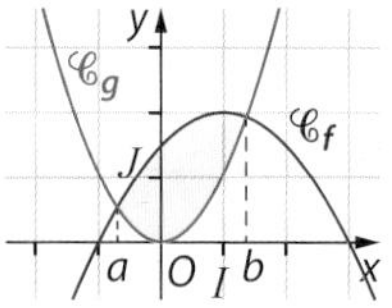
Calculer la valeur moyenne de f sur $[a\,;b]$.	La valeur moyenne μ de f sur l'intervalle $[a\,;b]$ avec $a \leqslant b$ est : $\mu = \dfrac{1}{b-a}\int_a^b f(x)\mathrm{d}x$.

Travail personnel : faire le point

QCM

Voir corrigés en fin de manuel

21 Pour chacune des questions suivantes, **une ou plusieurs** réponses sont correctes.

1 La fonction $x \longmapsto e^x + e^{-x}$ admet pour primitive :	**a.** $x \longmapsto e^x + e^{-x}$	**b.** $x \longmapsto e^x - e^{-x}$	**c.** $x \longmapsto \dfrac{e^{2x} - 1}{e^x}$
2 On appelle F la primitive de $f : x \longmapsto \ln(x+1)$ sur $]-1 ; +\infty[$ qui s'annule en 1.	**a.** Pour $x \in]-1 ; +\infty[$, $F(x) = \int_1^x f(t)\mathrm{d}t$	**b.** F est croissante sur $[0 ; +\infty[$	**c.** Pour tout $x > -1$, $F'(x) = \dfrac{1}{x+1}$
3 $\int_{-3}^{0} \dfrac{1}{2x-1}\mathrm{d}x =$	**a.** $\dfrac{1}{2}\ln(2x-1)$	**b.** $-\dfrac{\ln 7}{2}$	**c.** $\dfrac{\ln 5}{2}$
4 L'aire, en unités d'aire, de l'ensemble des points $M(x ; y)$ tels que $0 \leqslant x \leqslant \pi$ et $0 \leqslant y \leqslant \sin^2 x$ est égale à :	**a.** $\int_0^{\pi} \dfrac{1 - \cos 2x}{2}\mathrm{d}x$	**b.** $\dfrac{\pi}{4}$	**c.** $\dfrac{\pi}{2}$
5 L'aire de la surface colorée, en unités d'aire, est : $y = x(x-1)$	**a.** $\dfrac{2}{3}$	**b.** 1	**c.** $\dfrac{1}{3}$
Pour les questions **6** à **8**, on considère la fonction f dérivable sur $\mathbb{R}$, dont le tableau de variations est donné ci-contre.			
6 Le signe de l'intégrale $J = \int_0^{-3} f(x)dx$ est :	**a.** positif	**b.** négatif	**c.** Impossible à déterminer avec ce tableau
7 Le signe de l'intégrale $K = \int_{-2}^{2} f(x)\mathrm{d}x$ est :	**a.** positif	**b.** négatif	**c.** Impossible à déterminer avec ce tableau
8 La valeur moyenne μ de f sur $[-2 ; 0]$ vérifie :	**a.** $-\dfrac{2}{2} \leqslant \mu \leqslant -\dfrac{1}{2}$	**b.** $-3 \leqslant \mu \leqslant 0$	**c.** $0 \leqslant \mu \leqslant \dfrac{3}{2}$

x	$-\infty$		-2		0		2		$+\infty$
$f(x)$	-1	↘	-3	↗	0	↗	1	↘	$0,5$

Vrai ou faux ?

Voir corrigés en fin de manuel

22 On considère deux réels a et b tels que $a < b$. Les affirmations suivantes sont-elles vraies ou fausses ?

1 Si $\int_a^b f(x)\mathrm{d}x = \int_a^b g(x)\mathrm{d}x$, alors pour tout réel x de $[a ; b]$, $f(x) = g(x)$.

2 La fonction F définie sur $\mathbb{R}$ par $F(x) = \int_3^x t(t-2)\mathrm{d}t$ est décroissante sur $[0 ; 2]$.

3 Si f est une fonction continue sur $\mathbb{R}$ et si $\int_a^b f(x)\mathrm{d}x \geqslant 0$, alors pour tout réel x de $[a ; b]$, $f(x) \geqslant 0$.

4 Si f est une fonction continue sur $[a ; b]$, alors $\left|\int_a^b f(x)\mathrm{d}x\right| \geqslant \int_a^b |f(x)|\mathrm{d}x$.

5 Si $\int_0^1 f'(x) \cdot f(x)\mathrm{d}x = 0$, alors $f(0)$ et $f(1)$ sont égaux ou opposés.

Exercices d'application

→ Les exercices portant un numéro jaune sont corrigés à la fin du manuel.

1 Intégrale d'une fonction continue et positive

23 QCM

Soit la fonction f définie sur [0 ; 6] par sa courbe représentative $\mathscr{C}$.

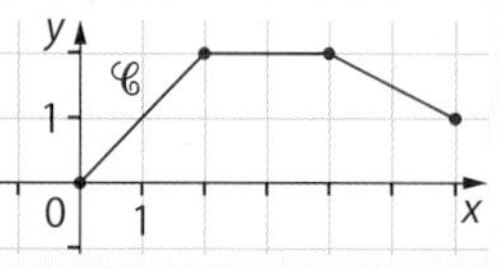

Donner toutes les bonnes réponses.

1 $\int_0^2 f(x)\mathrm{d}x$ est égal à :

a. 2. **b.** 4. **c.** $\int_0^2 f(t)\mathrm{d}t$.

2 $\int_2^4 f(x)\mathrm{d}x$ est égal à :

a. 2. **b.** 4. **c.** 6.

3 $\int_0^6 f(x)\mathrm{d}x$ est égal à :

a. 6. **b.** 8. **c.** 9.

24 Vrai ou faux ?

Soit f continue et positive sur $\mathbb{R}$. Indiquer si les propositions suivantes sont vraies ou fausses.

1 $\int_{-2}^4 f(x)\mathrm{d}x + \int_4^6 f(x)\mathrm{d}x = \int_{-2}^6 f(x)\mathrm{d}x$.

2 Si f est 2π-périodique, alors :

$$\int_{-\pi}^{\pi} f(x)\mathrm{d}x = \int_{\pi}^{3\pi} f(x)\mathrm{d}x.$$

3 La valeur moyenne de f sur $[2 ; 5]$ est :

$$\frac{1}{5}\int_2^5 f(x)\mathrm{d}x.$$

4 La valeur moyenne de f sur $[-2 ; 3]$ est :

$$\frac{1}{5}\int_{-2}^3 f(x)\mathrm{d}x.$$

25 Vrai ou faux ?

On considère la fonction f définie sur $\mathbb{R}$ par sa courbe représentative $\mathscr{C}$ symétrique par rapport à l'axe des ordonnées. Indiquer si les affirmations suivantes sont vraies ou fausses.

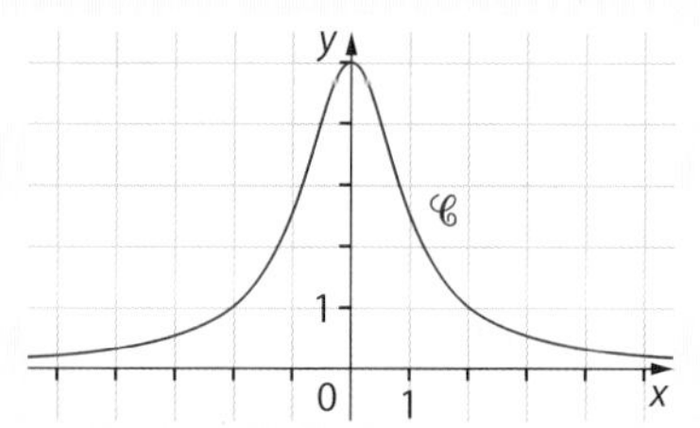

1 $\int_{-3}^0 f(x)\mathrm{d}x = \int_0^3 f(x)\mathrm{d}x$.

2 $\int_0^1 f(x)\mathrm{d}x > \int_1^2 f(x)\mathrm{d}x$. **3** $\int_1^2 f(x)\mathrm{d}x \leqslant 1$.

4 La valeur moyenne de f sur $[2 ; 3]$ est 2.

Utiliser la définition

26 Soit la fonction f définie sur $[-1 ; 1]$ par :

$$f(x) = \sqrt{1 - x^2}.$$

On note $\mathscr{C}$ la courbe représentative de f.

1 Vérifier que la courbe $\mathscr{C}$ est un demi-cercle de centre O et de rayon 1.

2 En déduire la valeur de $\int_0^1 \sqrt{1 - x^2}\,\mathrm{d}x$.

27 Soit la fonction f affine par morceaux, définie sur l'intervalle $[-4 ; 4]$ par sa courbe représentative $\mathscr{C}$.

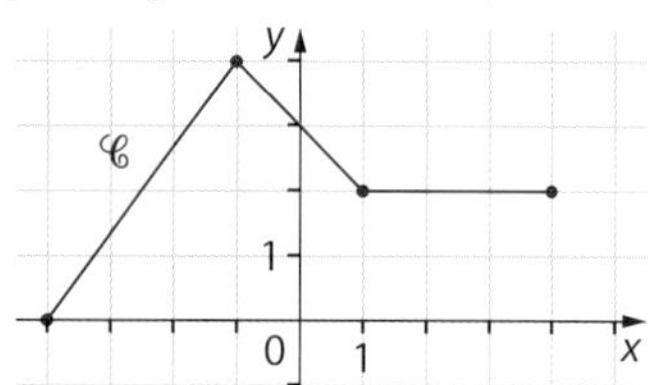

Calculer $\int_{-4}^{-1} f(x)\mathrm{d}x$, $\int_{-1}^{1} f(x)\mathrm{d}x$ et $\int_1^3 f(x)\mathrm{d}x$.

En déduire $\int_{-4}^3 f(x)\mathrm{d}x$.

28 Soit la fonction f définie sur $[-3 ; 3]$ de courbe représentative $\mathscr{C}$. Sur $[-2 ; 2]$, $\mathscr{C}$ est un demi-cercle.

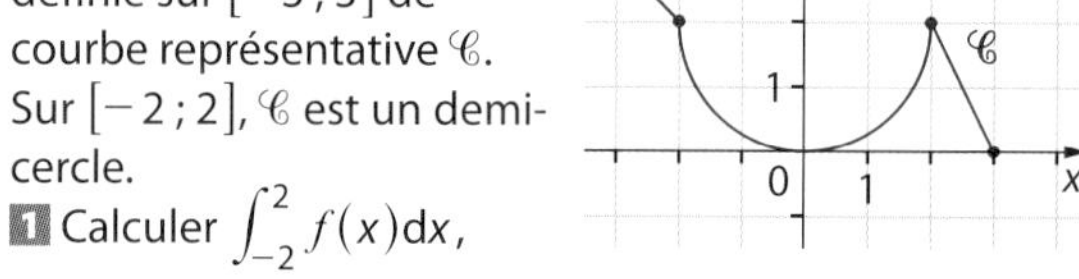

1 Calculer $\int_{-2}^2 f(x)\mathrm{d}x$, puis $\int_{-3}^3 f(x)\mathrm{d}x$.

2 Soit la fonction g définie sur $[-3 ; 3]$ par :

$$g(x) = f(x) + 2.$$

a. Tracer la courbe représentative de g sur $[-3 ; 3]$.

b. En déduire $\int_{-3}^3 g(x)\mathrm{d}x$.

29 Soit la fonction f, 2π-périodique sur $\mathbb{R}$, telle que pour tout réel x de $[0 ; 2\pi[$:

- si $x \in [0 ; \pi]$, alors $f(x) = x$;
- si $x \in]\pi ; 2\pi[$, alors $f(x) = -x + 2\pi$.

1 Tracer la courbe représentative de f sur $[-4\pi ; 4\pi]$.

2 Justifier que f est continue et positive sur $\mathbb{R}$.

3 Calculer $\int_0^{\pi} f(x)\mathrm{d}x$ et $\int_0^{2\pi} f(x)\mathrm{d}x$.

4 En déduire $\int_{-2\pi}^{2\pi} f(x)\mathrm{d}x$ et $\int_{-4\pi}^{3\pi} f(x)\mathrm{d}x$.

Encadrer une intégrale

30 Soit la fonction f définie sur $[-2\,;4]$ par sa courbe représentative $\mathscr{C}$.

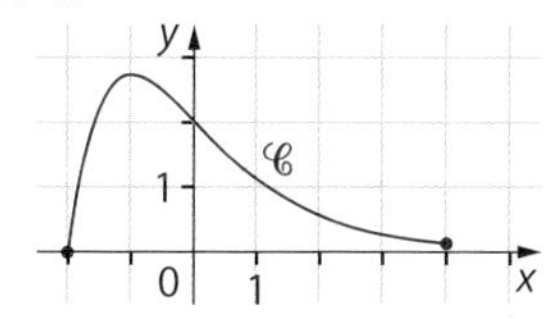

1 Justifier que $1 \leqslant \int_0^1 f(x)\mathrm{d}x \leqslant 2$.

2 Déterminer un encadrement de :

$\int_{-2}^{-1} f(x)\mathrm{d}x$, $\int_{-1}^{0} f(x)\mathrm{d}x$, $\int_{1}^{2} f(x)\mathrm{d}x$ et $\int_{4}^{2} f(x)\mathrm{d}x$.

3 En déduire un encadrement de $\int_{-2}^{4} f(x)\mathrm{d}x$.

31 On considère la fonction f définie sur $[0\,;5]$ par la courbe représentative $\mathscr{C}$.
En utilisant des trapèzes bien choisis, encadrer $\int_0^5 f(x)\mathrm{d}x$.

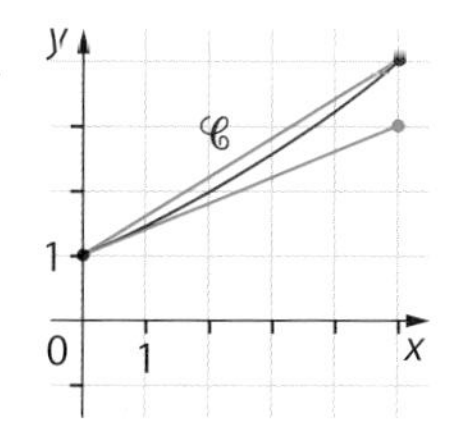

Valeur moyenne

32 Soit la fonction f définie sur $\mathbb{R}$ par $f(x) = 2x - 3$.
Calculer la valeur moyenne de f sur l'intervalle $[2\,;5]$, puis sur l'intervalle $[10\,;20]$.

33 On considère la fonction f définie sur $[-3\,;3]$ par la courbe représentative $\mathscr{C}$.

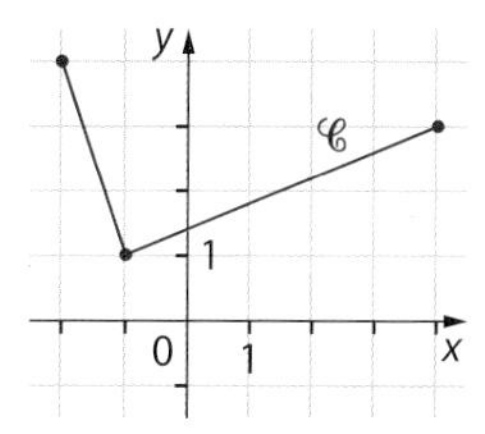

1 Calculer les valeurs moyennes μ_1 et μ_2 de f respectivement sur $[-3\,;-1]$, puis sur $[-1\,;3]$.

2 Calculer la valeur moyenne μ de f sur $[-3\,;3]$. Obtient-on la moyenne de μ_1 et μ_2 ?

3 Démontrer que μ est égale à la moyenne pondérée de μ_1 et μ_2, avec des coefficients à déterminer.

2 Intégration et primitives

34 Vrai ou faux ?

1 La fonction $f : x \longmapsto 2x^3 + 1 + \dfrac{1}{x}$ est une primitive sur $]0\,;+\infty[$ de la fonction $x \longmapsto 6x^2 - \dfrac{1}{x^2}$.

2 Sur $\mathbb{R}$, la fonction $f : x \longmapsto (x+1)^2$ a pour primitive la fonction $x \longmapsto \dfrac{1}{3}(x+1)^3$.

3 Sur $\mathbb{R}$, la fonction $f : x \longmapsto \sin x$ a pour primitive la fonction $x \longmapsto \cos x$.

4 Les fonctions $x \longmapsto x(x-2)$ et $x \longmapsto (x-1)^2$ sont deux primitives sur $\mathbb{R}$ de la même fonction.

35 Vrai ou faux ?

Soit la fonction f définie sur $[0\,;+\infty[$ par :

$$f(x) = \frac{1}{x+1}.$$

Soit la primitive F de f sur $[0\,;+\infty[$ s'annulant en 0.

Dire si les affirmations suivantes sont vraies ou fausses.

1 F est définie sur $[0\,;+\infty[$ par $F(x) = \int_0^x f(t)\mathrm{d}t$.

2 Pour tout réel $x \geqslant 0$, $F'(x) = \dfrac{1}{x+1}$.

3 F est croissante sur $[0\,;+\infty[$.

4 Pour tout réel $x \geqslant 0$, $F(x) = \ln(x+1)$.

36 QCM

Donner **la** bonne réponse.

1 $\int_0^1 x\,\mathrm{d}x$ est égal à :

a. 0. **b.** 0,5. **c.** 1.

2 $\int_0^1 \mathrm{e}^{2x}\mathrm{d}x$ est égal à :

a. $\dfrac{-1+\mathrm{e}^2}{2}$. **b.** $1 - \mathrm{e}^2$. **c.** $2\mathrm{e}^2 - 2$.

3 $\int_0^1 \dfrac{1}{x+2}\mathrm{d}x$ est égal à :

a. $\ln 3$. **b.** $\ln\dfrac{3}{2}$. **c.** $\ln\dfrac{2}{3}$.

Exercices d'application

Utiliser des représentations graphiques

37 Soit une fonction f définie et dérivable sur $\mathbb{R}$, de courbe représentative $\mathscr{C}$.
Une des trois courbes ci-dessous représente graphiquement une primitive de la fonction f sur $\mathbb{R}$.

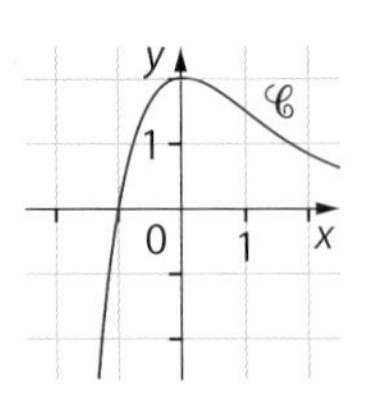

Déterminer laquelle, en expliquant le choix effectué.

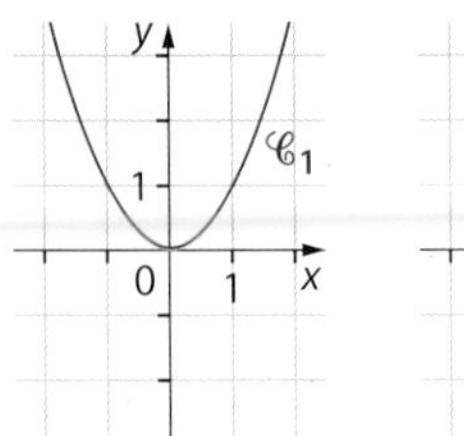

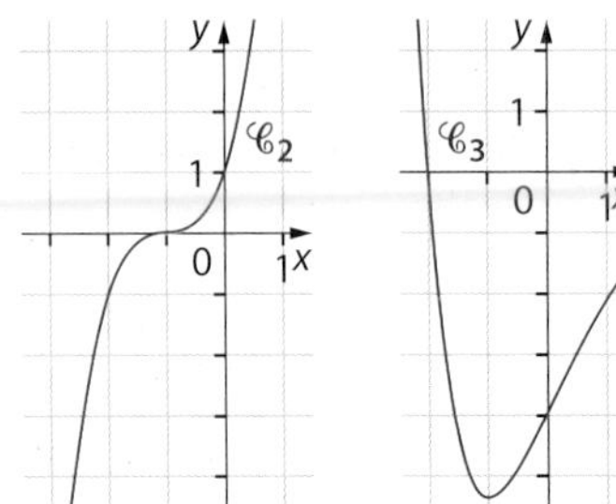

38 On considère la courbe représentative $\mathscr{C}$ d'une fonction f dérivable sur $\mathbb{R}$.
Soit une primitive F de f sur $\mathbb{R}$.

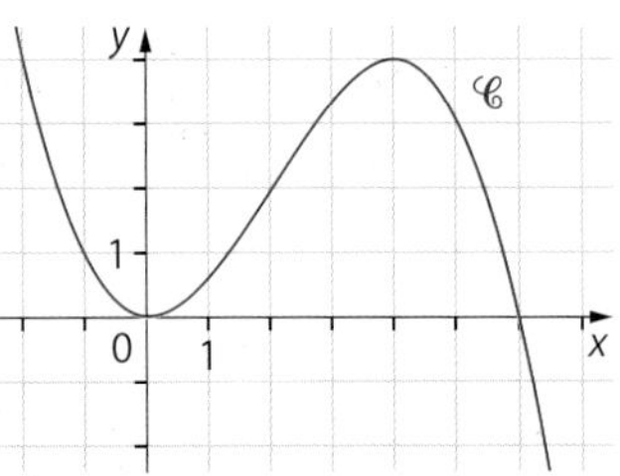

Dire si les affirmations suivantes sont vraies ou fausses :
a. F est décroissante sur $[4\,;+\infty[$;
b. F admet un minimum en 0 ;
c. F admet un maximum local en 6.

Utiliser la définition

39 On considère deux fonctions f et F définies sur $\mathbb{R}$.
Dans chaque cas, montrer que F est une primitive de f sur $\mathbb{R}$.
a. $f(x) = (x-2)(x+3)$; $F(x) = \dfrac{x^3}{3} + \dfrac{x^2}{2} - 6x + 1$;
b. $f(x) = (3x+1)\mathrm{e}^{3x}$; $F(x) = x\mathrm{e}^{3x}$;
c. $f(x) = 2x\ln(x^2+1)$;
$$F(x) = (x^2+1)\times\ln(x^2+1) - x^2.$$

40 On considère la fonction f définie sur $]0\,;+\infty[$ par : $f(x) = x\ln(x) - x$.
1 Calculer $f'(x)$.
2 En déduire la primitive de la fonction ln qui prend la valeur 0 en 1.

41 Soit la fonction f définie sur $\mathbb{R}$ par : $f(x) = |x|$.
1 La fonction f est-elle dérivable sur $\mathbb{R}$?
2 On considère la fonction F définie sur $\mathbb{R}$ par :
$$F(x) = \frac{x^2}{2},\ \text{si } x \geqslant 0\ ; \qquad F(x) = -\frac{x^2}{2},\ \text{si } x < 0.$$
Montrer que la fonction F est une primitive de f sur $\mathbb{R}$.
3 Déterminer la primitive de f sur $\mathbb{R}$ qui vaut 0 en 1.

42 Soit la fonction partie entière définie sur l'intervalle $[0\,;2[$ et notée f :
$$f(x) = 0,\ \text{si } 0 \leqslant x < 1\ ; \qquad f(x) = 1,\ \text{si } 1 \leqslant x < 2.$$
On veut démontrer que la fonction f n'admet pas de primitive sur $[0\,;2[$.
On raisonne par l'absurde, en supposant que f admet une primitive F sur $[0\,;2[$.
On pose $F(0) = a$.
1 Démontrer que :
- si $0 \leqslant x < 1$, alors $F(x) = a$;
- si $1 \leqslant x < 2$, alors $F(x) = x + a - 1$.

2 En déduire une contradiction en étudiant la dérivabilité de F en 1 et conclure.
➔ Voir la fiche **Logique et raisonnement mathématique**.

Détermination de primitives

Pour les exercices 43 à 50, déterminer une primitive de la fonction donnée, sur un intervalle que l'on précisera, où celle-ci est continue.

43 **1** $x \longmapsto x^3 - 2x + 2$. **2** $x \longmapsto x + 2 + \dfrac{1}{x^3}$.

44 **1** $x \longmapsto 3\mathrm{e}^x + 3x - 1$. **2** $x \longmapsto 4\mathrm{e}^{3x} - 1$.

45 **1** $x \longmapsto \dfrac{3x^2+4x-2}{x^4}$. **2** $x \longmapsto \dfrac{2x}{(x^2+2)^2}$.

46 **1** $x \longmapsto (2x+3)^3$. **2** $x \longmapsto x^3(x^4-1)^2$.

47 **1** $x \longmapsto \dfrac{2}{\sqrt{2x-1}}$. **2** $x \longmapsto \dfrac{x+1}{(x^2+2x+2)^2}$.

48 **1** $x \longmapsto \dfrac{2x}{x^2+2}$. **2** $x \longmapsto \dfrac{\sin x}{\cos x}$.

49 **1** $x \longmapsto 3x\mathrm{e}^{x^2}$. **2** $x \longmapsto \dfrac{7}{3x+1}$.

50 **1** $x \longmapsto \dfrac{\ln x}{x}$. **2** $x \longmapsto \dfrac{1}{x\ln x}$.

51 Déterminer les primitives des fonctions suivantes :

a. $f : x \longmapsto \dfrac{x+1}{(x^2+2x)^4}$ définie sur $]0 ; +\infty[$;

b. $g : x \longmapsto \dfrac{x}{x^2+1}$ définie sur $\mathbb{R}$.

Pour les exercices 52 à 54, déterminer la primitive F de f sur $\mathbb{R}$ vérifiant la condition indiquée.

52 **1** $f(x) = 2x - 5$ et $F(0) = 1$.

2 $f(x) = \mathrm{e}^x$ et $F(2) = 0$.

53 **1** $f(x) = \dfrac{x}{4} - \cos(x)$ et $F\left(\dfrac{\pi}{2}\right) = 0$.

2 $f(x) = 3x^2 + 2$ et la courbe représentative de F passe par le point $A(-1 ; 3)$.

54 **1** $f(x) = (\sin^2 x + \sin x)\cos x$ et la primitive F prend la valeur 1 en $\dfrac{\pi}{2}$.

2 $f(x) = -1 - \dfrac{\sin x}{2 + \cos x}$ et la primitive F prend la valeur $1 + \ln 3$ en 0.

55 Soit une fonction u strictement positive et dérivable sur un intervalle I.

1 Quelle est la dérivée sur I de la fonction $u\sqrt{u}$?

2 En déduire les primitives sur I de la fonction $u'\sqrt{u}$.

3 *Application* : déterminer les primitives sur I de chacune des fonctions f :

a. $f : x \longmapsto 2\sqrt{2x+3}$ sur $\mathrm{I} = \left]-\dfrac{3}{2} ; +\infty\right[$;

b. $f : x \longmapsto x\sqrt{x^2+3}$ sur $\mathrm{I} = \mathbb{R}$;

c. $f : x \longmapsto \mathrm{e}^x\sqrt{1+\mathrm{e}^x}$ sur $\mathrm{I} = \mathbb{R}$.

Avec transformation d'écriture

56 Soit la fonction f définie pour $x \neq 1$ par :

$$f(x) = \frac{2x+3}{(x-1)^3}.$$

1 Déterminer deux réels a et b tels que, pour tout $x \neq 1$,

$$f(x) = \frac{a}{(x-1)^2} + \frac{b}{(x-1)^3}.$$

2 En déduire une primitive de f sur $]-\infty ; 1[$.

57 On considère la fonction f définie sur $\mathbb{R}\backslash\{-1\}$ par :

$$f(x) = \frac{x^3 + 2x^2 + x - 3}{x^2 + 2x + 1}.$$

1 Démontrer que pour tout $x \neq 1$:

$$f(x) = x - \frac{3}{(x+1)^2}.$$

2 Déterminer la primitive F de f sur $]-1 ; +\infty[$ qui vérifie $F(0) = -1$.

58 On considère la fonction f définie sur $\mathbb{R}$ par :

$$f(x) = -\frac{1}{\mathrm{e}^x + 1}.$$

1 Démontrer que, pour tout réel x, $f(x) = \dfrac{\mathrm{e}^x}{1 + \mathrm{e}^x} - 1$.

2 Déterminer la primitive de f sur $\mathbb{R}$ qui prend la valeur 0 en 0.

Fonction $x \longmapsto \int_a^x f(t)\mathrm{d}t$, où f est continue positive

59 Soit la fonction f définie sur $[-1 ; +\infty[$ par :

$$f(x) = \int_{-1}^{x} \frac{1}{t^2+1}\mathrm{d}t.$$

1 Justifier que f est dérivable sur $[-1 ; +\infty[$. Calculer $f'(x)$.

2 En déduire le sens de variation de f sur $[-1 ; +\infty[$.

60 Préciser les variations de la fonction f définie sur l'intervalle I, sans chercher à exprimer $f(x)$.

a. $f(x) = \int_0^x \mathrm{e}^{-t^2}\mathrm{d}t$ sur $\mathrm{I} = [0 ; +\infty[$.

b. $f(x) = \int_{-4}^{x} \sqrt{16 - t^2}\,\mathrm{d}t$ sur $\mathrm{I} = [-4 ; 4]$.

61 On considère la fonction f définie sur $[0 ; +\infty[$ par :

$$f(x) = \int_0^x \frac{\mathrm{e}^t}{t+1}\mathrm{d}t.$$

1 Calculer $f'(x)$. Étudier les variations de f sur $[0 ; +\infty[$.

2 **a.** Montrer que pour tout réel $t \geqslant 0$, $\dfrac{\mathrm{e}^t}{t+1} \geqslant 1$.

b. En déduire que $f(2) \geqslant 2$.

3 Montrer qu'il existe un unique réel c de $[0 ; 2]$ tel que $f(c) = 1$.

Exercices d'application

Primitives et intégrales

62 
Calculer l'intégrale I et vérifier à la calculatrice.

a. $I = \int_0^1 2e^x \mathrm{d}x$. **b.** $I = \int_2^5 t(t^2 - 4)\mathrm{d}t$.

Conseil Une fois entré $f(x) = 2e^x$ en Y1, tracer la courbe représentative de f, puis utiliser :

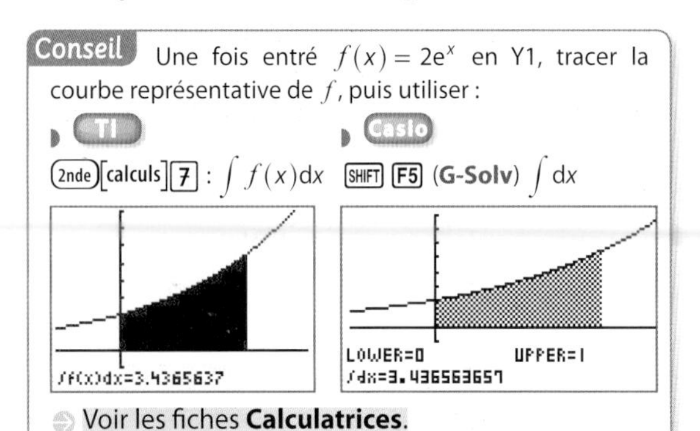

Voir les fiches **Calculatrices.**

Pour les exercices 63 et 64, calculer l'intégrale I.

63 **a.** $I = \int_0^2 \frac{1}{\sqrt{4x+1}}\mathrm{d}x$; **b.** $I = \int_{-1}^3 \frac{2}{x+2}\mathrm{d}x$.

64 **a.** $I = \int_2^4 x(x^2 - 1)\mathrm{d}x$; **b.** $\int_1^5 \frac{4}{(2x+1)^2}\mathrm{d}x$.

65 On considère l'intégrale $I = \int_0^1 \frac{x^2}{x+2}\mathrm{d}x$.

1 Démontrer que pour tout réel x de $[0\,;1]$:

$$\frac{x^2}{x+2} = x - 2 + \frac{4}{x+2}.$$

2 À l'aide du logiciel *Xcas*, on a obtenu : Justifier la valeur exacte de I.

```
1 int(x^2/(x+2),x,0,1)
```

$$4\cdot\ln(3) + \frac{-3}{2} - 4\cdot\ln(2)$$

66 Soit une fonction f continue sur $[0\,;+\infty[$.
Soit la primitive F de f sur $[0\,;+\infty[$ qui s'annule en 0, dont on donne la courbe représentative $\mathscr{C}$.

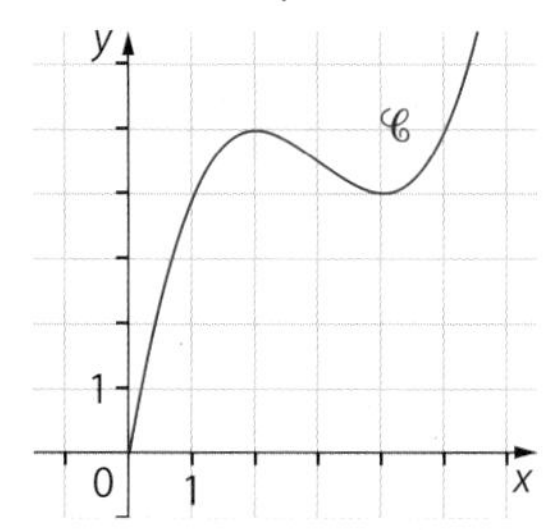

1 Sur quel(s) intervalle(s) f est-elle positive ?

2 Déterminer la valeur exacte de $\int_0^2 f(x)\mathrm{d}x$.

3 Soit la primitive G de g sur $[0\,;+\infty[$ telle que $G(0) = 1$. Calculer $G(2)$.

3 Intégrale d'une fonction continue de signe quelconque

67 Vrai ou faux ?

Soit une fonction f continue sur $\mathbb{R}$. Préciser si les affirmations suivantes sont vraies ou fausses.

1 Si f est paire, alors $\int_{-2}^2 f(t)\mathrm{d}t = 0$.

2 On a $\int_1^2 (-f(x))\mathrm{d}x = -\int_1^2 f(x)\mathrm{d}x$.

3 $\int_2^3 xt^2\mathrm{d}t = \int_2^3 xt^2\mathrm{d}x$.

68 Vrai ou faux ?

Soit une fonction f continue sur $\mathbb{R}$.

1 Si f est positive sur $\mathbb{R}$, alors, pour tout réel t, $\int_0^t f(x)\mathrm{d}x$ est un nombre réel positif.

2 Si $\int_0^1 f(x)\mathrm{d}x$ est un nombre positif, alors la fonction f est positive sur $[0\,;1]$.

3 Pour tout a et b réels, $\int_b^a f(x)\mathrm{d}x = -\int_a^b f(x)\mathrm{d}x$.

69 Vrai ou faux ?

Soit une fonction f continue et croissante sur $\mathbb{R}$, et telle que $f(1) = 0$. On pose $g(x) = \int_0^x f(t)\mathrm{d}t$.

Répondre par vrai ou faux aux affirmations suivantes :

a. g est dérivable sur $\mathbb{R}$;
b. g est continue sur $\mathbb{R}$;
c. la représentation graphique de g possède une tangente horizontale en $x = 1$.
d. g possède un maximum local en $x = 1$.

Calculs d'intégrales

70 On a effectué des calculs d'intégrales à l'aide du logiciel de calcul formel Xcas.
Pour chaque ligne de saisie, préciser l'intégrale calculée, puis justifier le résultat obtenu.

```
1 int(x*(x^2-1),x,-1,3)
  16
2 int(x/(x^2-1)^2,x,2,4)
  2/15
3 int(cos(x)*sin(x),x,0,pi/2)
  1/2
```

Pour les exercices 71 à 76, calculer l'intégrale I.

71 **a.** $I = \int_{-1}^{1} x^2 + 3x + 1\,\mathrm{d}x$. **b.** $I = \int_{-5}^{-1} xe^{x^2}\,\mathrm{d}x$.

Conseil Vérifier à la calculatrice (voir exercice **62**).

72 **a.** $I = \int_{-4}^{1} \frac{1}{(2x-4)^2}\,\mathrm{d}x$. **b.** $I = \int_{0}^{\pi} \cos(3x)\,\mathrm{d}x$.

73 **a.** $I = \int_{1}^{2} \frac{\ln(t)}{t}\,\mathrm{d}t$. **b.** $I = \int_{2}^{0} \frac{1}{2x+1}\,\mathrm{d}x$.

74 **a.** $I = \int_{-1}^{2} \frac{x}{\sqrt{x^2+1}}\,\mathrm{d}x$. **b.** $I = \int_{-1}^{3} e^{3x+3}\,\mathrm{d}x$.

75 **a.** $I = \int_{-1}^{5} (2x+1)^3\,\mathrm{d}x$. **b.** $I = \int_{0}^{3} \frac{e^t}{e^t+1}\,\mathrm{d}t$.

76 **a.** $I = \int_{1}^{3} \frac{2x^2+1}{x}\,\mathrm{d}x$. **b.** $I = \int_{-0,5}^{0} \frac{t}{t^2-1}\,\mathrm{d}t$.

Calculs d'aires

77 Signe d'une fonction et aire

Soit une fonction f continue sur un intervalle $[a\,;b]$, de courbe représentative $\mathscr{C}$.
Dans l'exercice, les aires considérées sont exprimées en unités d'aire. On pose $I = \int_{a}^{b} f(x)\,\mathrm{d}x$.

1 Supposons que f est négative sur $[a\,;b]$.
En utilisant $\int_{a}^{b} -f(x)\,\mathrm{d}x$, justifier que I est égal à l'opposé de l'aire du domaine compris entre $\mathscr{C}$, l'axe des abscisses et les droites d'équation $x = a$ et $x = b$.

2 Supposons que le tableau de signes de $f(x)$ soit :

x	a		c		b
$f(x)$		$+$	0	$-$	

On note $\mathscr{A}_1$ l'aire du domaine compris entre $\mathscr{C}$, l'axe des abscisses et les droites d'équation $x = a$ et $x = c$, et $\mathscr{A}_2$ l'aire du domaine compris entre $\mathscr{C}$, l'axe des abscisses et les droites d'équation $x = c$ et $x = b$.

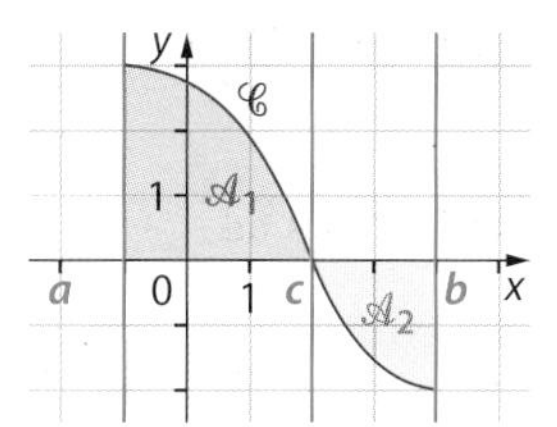

En utilisant la relation de Chasles, montrer que :
$$I = \mathscr{A}_1 - \mathscr{A}_2.$$

3 Soit la fonction f définie par sa courbe $\mathscr{C}$ ci-dessous.

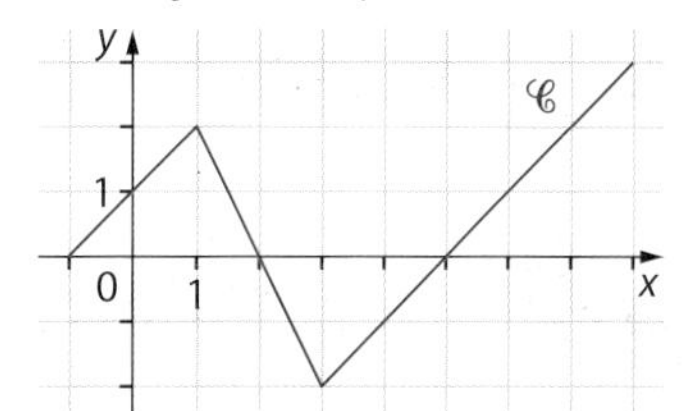

Calculer $\int_{-1}^{8} f(x)\,\mathrm{d}x$.

78 On a représenté dans le repère ci-contre la courbe $\mathscr{C}$ d'équation :
$$y = -2x^3 + 6x^2 + 8x.$$
Calculer, en unités d'aire, l'aire de la surface colorée.

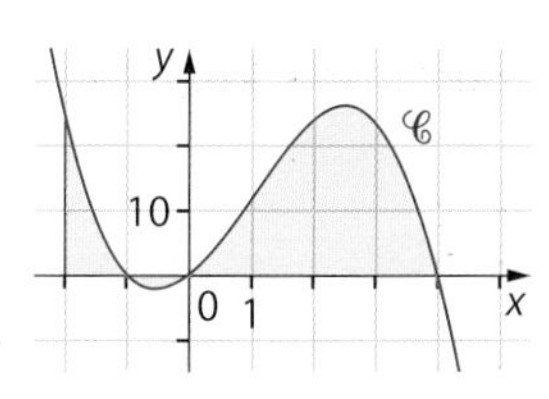

79 On a représenté dans le repère ci-contre la courbe d'équation $y = 2 - x^2$ et la droite d'équation $y = -x$.
Calculer, en unités d'aire, l'aire de la surface colorée.

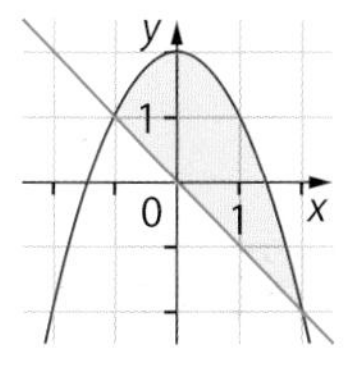

80 Déterminer l'aire de la surface délimitée par les courbes d'équations respectives $y = \frac{1}{x^2}$, $y = \frac{2x}{1+x^2}$ et la droite d'équation $x = 2$.

81 Soit les fonctions f et g définies sur $]0\,;+\infty[$ par :
$$f(x) = x^2 \text{ et } g(x) = x^2 + \frac{4}{x^2}.$$
On appelle $\mathscr{C}_f$ et $\mathscr{C}_g$ leurs courbes représentatives.

1 Étudier les positions respectives des courbes $\mathscr{C}_f$ et $\mathscr{C}_g$ en fonction des valeurs de x.

2 Soit un réel $t \geqslant 1$. Calculer l'aire $A(t)$ de la surface délimitée par les courbes $\mathscr{C}_f$ et $\mathscr{C}_g$ et les droites d'équations $x = 1$ et $x = t$, en unités d'aire.

3 Déterminer la limite de $A(t)$ en $+\infty$.

Exercices d'application

Fonction $x \mapsto \int_a^x f(t)\mathrm{d}t$, où f est continue

82 Démonstration de cours

➔ Voir le théorème du cours, page 192.

Soit une fonction f continue sur un intervalle I, et un réel a de I. On sait que f admet une primitive F sur I.

Soit la fonction F_a définie sur I par :

$$F_a(x) = \int_a^x f(t)\mathrm{d}t.$$

1 Justifier que pour tout réel x de I :

$$F_a(x) = F(x) - F(a).$$

2 Montrer que F_a est la primitive de f sur I qui s'annule en a.

83 Vrai ou faux ?

On considère la fonction f définie sur $]-1;1[$ par :

$$f(x) = \int_0^x \frac{2}{1-t^2}\mathrm{d}t.$$

a. $f'(0) = 1$.
b. f est croissante sur $]-1;1[$.
c. $f(0) = 1$.
d. $f(x) = \ln\left(\frac{1+x}{1-x}\right)$.

84

Soit la fonction f définie sur $\mathbb{R}$ par :

$$f(x) = \frac{e^{-3x}}{1+e^{-3x}}.$$

On désigne par $\mathscr{C}$ sa courbe représentative.

1 Déterminer les limites de f en $-\infty$ et en $+\infty$. Puis étudier les variations de f sur $\mathbb{R}$.

2 Pour tout réel α, on pose : $I(\alpha) = \int_0^\alpha f(x)\mathrm{d}x$.

a. Donner le signe et une interprétation graphique de $I(\alpha)$ en fonction de α.
b. Exprimer I_α en fonction de α.
c. Déterminer la limite de $I(\alpha)$ lorsque α tend vers $+\infty$.

85

Soit la fonction f définie sur $\mathbb{R}$ par :

$$f(x) = x\,e^x.$$

1 Déterminer deux réels a et b tels que :
$x \mapsto (ax+b)\times e^x$ soit une primitive de f sur $\mathbb{R}$.

2 En déduire la valeur de $\int_{-1}^1 x\,e^x\mathrm{d}x$.

86

Soit la fonction f définie sur $]-\infty;0[$ par :

$$f(x) = \frac{1}{x^2}e^{1/x}.$$

1 a. Déterminer la primitive F de f sur $]-\infty;0[$ qui s'annule en -1.
b. Étudier le sens de variations de F sur $]-\infty;0[$.

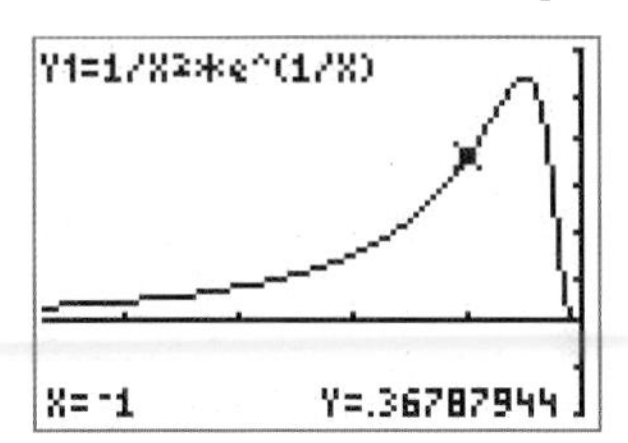

2 Déterminer la limite de F en 0.
Interpréter graphiquement le résultat.

3 Faire de même pour la limite de F en $-\infty$.

Propriétés de l'intégrale

87 Démonstration de cours : conservation de l'ordre

➔ Voir la propriété du cours, page 192.

Soit deux fonctions f et g continues sur un intervalle I.
Soient $a \leqslant b$ dans I.
On suppose que pour tout x de $[a;b]$, $f(x) \leqslant g(x)$.

1 Justifier que : $\int_a^b [g(x) - f(x)]\mathrm{d}x \geqslant 0$.

2 En déduire que : $\int_a^b f(x)\mathrm{d}x \leqslant \int_a^b g(x)\mathrm{d}x$.

88 Signe d'une intégrale

Soit une fonction f continue sur un intervalle I.
Soient a et b deux réels de I.

1 On suppose f positive sur I.

Quel est le signe de $\int_a^b f(x)\mathrm{d}x$ dans le cas où :

a. $a \leqslant b$?
b. $a \geqslant b$?

2 Reprendre la question précédente dans le cas où la fonction f est négative sur I.

3 Donner le signe de chacune des intégrales suivantes, sans les calculer :

$I_1 = \int_{-1}^2 \frac{1}{x-3}\mathrm{d}x$; $I_2 = \int_2^{-3} (2x+1)^2\mathrm{d}x$;

$I_3 = \int_e^{1-e} \frac{1}{x^2+1}\mathrm{d}x$; $I_4 = \int_{\frac{1}{e}}^1 \ln(x)\mathrm{d}x$.

89 **Parité d'une fonction**

Soit une fonction f continue sur $\mathbb{R}$ et un réel a de I.

1 a. Montrer que, dans le cas où f est impaire,

$$\int_{-a}^{a} f(x)\mathrm{d}x = 0.$$

b. Montrer que, dans le cas où f est paire,

$$\int_{-a}^{a} f(x)\mathrm{d}x = 2\int_{0}^{a} f(x)\mathrm{d}x.$$

2 Calculer rapidement :

$I_1 = \int_{-\pi}^{\pi} \sin(x)\mathrm{d}x$; $\quad I_2 = \int_{-3}^{3}\left[3x^2 + |x|\right]\mathrm{d}x$.

90 Soient les fonctions f et g définies sur $\mathbb{R}$ par :

$$f(x) = \frac{x}{1+x^2} \quad \text{et} \quad g(x) = \frac{x^3}{1+x^2}.$$

1 Calculer $I = \int_0^1 f(x)\mathrm{d}x$.

2 Soit $J = \int_0^1 g(x)\mathrm{d}x$.

Calculer $I + J$. En déduire la valeur de J.

91 Soit la fonction f définie sur $[2\,;4]$ par :

$$f(x) = \frac{2x-4}{(2x-3)^2}.$$

1 Justifier que $f(x) = \dfrac{1}{2x-3} - \dfrac{1}{(2x-3)^2}$.

2 Calculer $I = \int_2^4 f(x)\mathrm{d}x$.

92 Soit la fonction f définie sur $\mathbb{R}$ par :

$$f(x) = \sqrt{x^2+1}.$$

1 Justifier que pour tout réel $x \geqslant 1$, $x \leqslant f(x) \leqslant x + \dfrac{1}{2}$.

2 En déduire un encadrement de $\int_1^3 f(x)\mathrm{d}x$.

93 Soit la fonction f définie sur $\left[0\,;\dfrac{1}{2}\right]$ par $f(x) = \dfrac{1}{1+x^2}$. On note $\mathscr{C}$ la courbe représentative de f, et A et B les points de $\mathscr{C}$ d'abscisses respectives 0 et $\dfrac{1}{2}$.

1 a. Justifier que la tangente Γ à $\mathscr{C}$ en B a pour équation :

$$y = -\frac{16}{25}x + \frac{28}{25}.$$

b. Justifier que la droite (AB) a pour équation :

$$y = -\frac{2}{5}x + 1.$$

2 Voici les résultats obtenus par la calculatrice formelle TI-repère :

$f(x) := \dfrac{1}{1+x^2}$	*Terminé*
$\text{factor}\left(f(x) - \left(\dfrac{-16}{25}\cdot x + \dfrac{28}{25}\right)\right)$	$\dfrac{(2\cdot x-1)^2\cdot(4\cdot x-3)}{25\cdot(x^2+1)}$
$\text{factor}\left(f(x) - \left(\dfrac{-2}{5}\cdot x + 1\right)\right)$	$\dfrac{x\cdot(x-2)\cdot(2\cdot x-1)}{5\cdot(x^2+1)}$

En utilisant ces résultats, étudier les positions relatives de $\mathscr{C}$ et Γ, puis de $\mathscr{C}$ et (AB).

3 En déduire un encadrement de $\int_0^{\frac{1}{2}} f(x)\mathrm{d}x$.

Valeur moyenne

94 Soit la fonction f définie sur $\mathbb{R}$ par :

$$f(x) = \cos(\pi x).$$

1 Montrer que la fonction f est périodique.

2 Déterminer une primitive F de f sur $\mathbb{R}$.

3 Calculer la valeur moyenne de f sur $[-1\,;1]$.

95 La figure ci-dessous, sur laquelle la distance d et la hauteur $h(d)$ sont indiquées en mètres, montre le profil d'un terrain, modélisé par :

$$h(d) = \frac{d^2}{1600} - \frac{d}{4} + 125, \quad \text{où} \quad 0 \leqslant d \leqslant 400.$$

On voudrait niveler le terrain décrit ci-dessus. À quelle hauteur faut-il situer le terrain nivelé pour que les remblais équilibrent exactement les déblais ?

a. Répondre à cette question en utilisant le graphique.

b. Répondre à cette question en calculant la valeur moyenne de h sur $[0\,; 400]$.

96 La capacité pulmonaire, en litres, de l'être humain suivant son âge x de 10 à 90 ans, peut être modélisée au moyen de la fonction f définie par :

$$f(x) = \frac{110(\ln(x) - 2)}{x}.$$

Déterminer la valeur moyenne de la capacité pulmonaire entre 20 et 70 ans, à 0,1 litre près par défaut.

Exercices guidés

97 Utiliser un tableau

On donne le tableau de variations d'une fonction f dérivable sur $\mathbb{R}$.

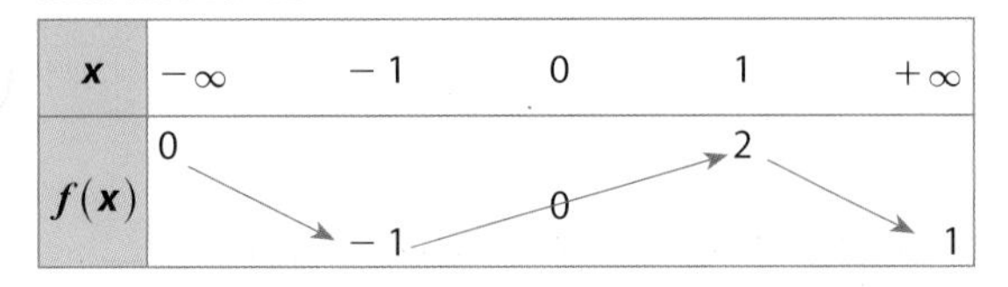

x	$-\infty$	-1	0	1	$+\infty$
$f(x)$	0 ↘	-1 ↗	0 ↗	2 ↘	1

1 On considère les intégrales suivantes :

$$I = \int_0^3 f(t)\mathrm{d}t,\ J = \int_{-5}^{-2} f(t)\mathrm{d}t \text{ et } K = \int_{-1}^{1} f(t)\mathrm{d}t.$$

Pour laquelle des intégrales peut-on affirmer qu'elle est positive ? Qu'elle est négative ? Justifier.

2 À l'aide du tableau de variations de f, encadrer par des entiers chacune des intégrales suivantes :

$$A = \int_0^1 f(t)\mathrm{d}t \quad \text{et} \quad B = \int_1^2 f(t)\mathrm{d}t.$$

Pistes de résolution

1 On est certain du signe de $\int_a^b f(x)\mathrm{d}x$ avec $a \leqslant b$ lorsqu'on connaît le signe de $f(x)$ sur $[a\,;b]$.

2 Le tableau de variations de f permet d'obtenir un encadrement de $f(x)$ sur $[0\,;1]$ et, également, sur $[1\,;2]$. On peut en déduire un encadrement de A et de B.

98 Calcul d'une valeur moyenne

Soit f la fonction définie sur $\mathbb{R}$ par :

$$f(x) = \frac{x-1}{|x^2-2x|+1}.$$

1 Calculer $\int_0^2 f(x)\mathrm{d}x$.

2 Soit m un réel strictement supérieur à 2

Calculer la valeur moyenne de f sur l'intervalle $[0\,;m]$

Pistes de résolution

1 Étudier le signe de $x^2 - 2x$ en fonction de x pour pouvoir écrire $f(x)$ sans le symbole valeur absolue.
Ensuite penser aux primitives des fonctions $\frac{u'}{u}$.

2 Utiliser la relation de Chasles :

$$\int_0^m f(x)\mathrm{d}x = \int_0^2 f(x)\mathrm{d}x + \int_2^m f(x)\mathrm{d}x,$$

puis utiliser la bonne expression de $f(x)$ dans chaque cas pour effectuer les calculs.

99 Calculer une aire en utilisant une primitive

On considère la fonction f définie sur $\mathbb{R}$ par :

$$f(x) = (x^2+1)\mathrm{e}^{-x+2}.$$

Le plan est muni d'un repère orthogonal d'unités graphiques : 1 cm sur l'axe des abscisses et 0,5 cm sur l'axe des ordonnées.

On note $\mathscr{C}$ la courbe représentative de f, Δ la droite d'équation $y = \frac{5}{2}x$ et $\mathscr{A}$ l'aire, en cm², de la surface comprise entre $\mathscr{C}$, Δ et l'axe des ordonnées.

1 Exprimer l'aire $\mathscr{A}$ à l'aide d'une intégrale.

2 Soit la fonction G définie sur $\mathbb{R}$ par :

$$G(x) = (-x^2-2x-3)\mathrm{e}^{-x+2}.$$

a. Calculer $G'(x)$.
En déduire une primitive F de f sur $\mathbb{R}$.
b. En déduire la valeur exacte de $\mathscr{A}$.

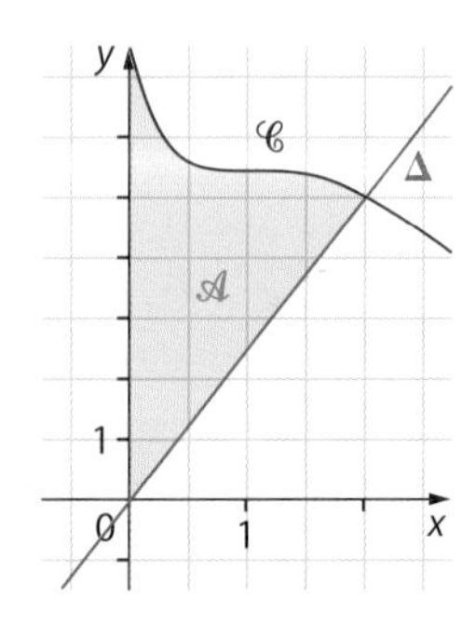

Pistes de résolution

1 De façon générale, l'aire comprise entre les courbes $\mathscr{C}_f$ et $\mathscr{C}_g$ sur l'intervalle $[0\,;2]$, où $\mathscr{C}_f$ est au-dessus de $\mathscr{C}_g$, est égale à $\int_0^2 (f(x)-g(x))\mathrm{d}x$, en unités d'aire.

Ici, l'unité d'aire est $1\text{ cm} \times 0{,}5\text{ cm}$, soit $0{,}5\text{ cm}^2$.

2 **a.** On utilise les formules :

$$(\mathrm{e}^u)' = u' \times \mathrm{e}^u \quad \text{et} \quad (u \times v)' = u' \times v + u \times v'.$$

Le résultat obtenu pour $G'(x)$ est à mettre en relation avec $f(x)$.

b. On utilise $\int_0^2 f(x)\mathrm{d}x = F(2) - F(0)$.

100 Étudier une suite définie par une intégrale

Pour tout entier naturel n, on pose :

$$I_n = \int_0^1 x^n \mathrm{e}^{-x}\mathrm{d}x.$$

1 Calculer I_0.

2 **a.** Montrer que la suite (I_n) est décroissante.

b. En déduire que la suite (I_n) converge.

3 **a.** Justifier que, pour tout entier naturel n :

$$I_n \leqslant \int_0^1 x^n \mathrm{d}x.$$

b. En déduire la limite de la suite (I_n).

Pistes de résolution

1 $I_0 = \int_0^1 \mathrm{e}^{-x}\mathrm{d}x$.

Utiliser une primitive de $x \longmapsto \mathrm{e}^{-x}$.

2 **a.** On obtient le signe de $I_{n+1} - I_n$ en étudiant le signe de $x^{n+1}\mathrm{e}^{-x} - x^n\mathrm{e}^{-x}$ sur $[0\,;1]$ (factoriser).

b. La suite (I_n) est minorée par 0 et décroissante.

3 **a.** On pense à utiliser la relation d'ordre.

b. Penser au théorème des gendarmes.

101 Étudier la primitive d'une fonction qui s'annule en *a*

Soit la fonction f définie sur $\mathbb{R}$ par :

$$f(x) = 1 - \frac{2\mathrm{e}^x}{\mathrm{e}^{2x}+1}.$$

Soit la fonction F définie sur $\mathbb{R}$ par :

$$F(x) = \int_0^x f(t)\mathrm{d}t.$$

1 Étudier le signe de f sur $\mathbb{R}$.

2 Justifier que F est dérivable sur $\mathbb{R}$ et calculer $F'(x)$. En déduire les variations de F sur $\mathbb{R}$.

3 **a.** Montrer que pour tout $t \geqslant 0$, on a :

$$f(t) \geqslant 1 - 2\mathrm{e}^{-t}.$$

b. En déduire que pour tout réel $x \geqslant 0$,

$$F(x) \geqslant x - 2.$$

c. Déterminer la limite de F en $+\infty$.

Question ouverte

4 ***Dans cette question, toute trace de recherche ou d'initiative, même incomplète, sera prise en compte dans l'évaluation.***

Déterminer la limite de F en $-\infty$.

Pistes de résolution

1 On réduit $f(x)$ au même dénominateur et on factorise :

$$f(x) = \frac{(\mathrm{e}^x - 1)^2}{\mathrm{e}^{2x}+1}.$$

D'où le signe de $f(x)$ sur $\mathbb{R}$.

2 f étant continue sur $\mathbb{R}$, F est la primitive de f sur $\mathbb{R}$ qui s'annule en 0.

3 **a.** Exprimer $f(t) - 1$ en fonction de t et utiliser l'inégalité $\mathrm{e}^{2t} + 1 \geqslant \mathrm{e}^{2t}$.

b. Utiliser la conservation de l'ordre par l'intégrale.

c. Utiliser le résultat précédent et le théorème de minoration. Ne pas oublier que $\mathrm{e}^{-x} > 0$.

4 Penser à utiliser des propriétés de f : parité, symétrie éventuelle de sa courbe représentative, etc. On peut en déduire des propriétés de F : parité, etc.

Exercices d'entraînement

102 Soit la fonction f définie sur $]-3\,;3[$ par :

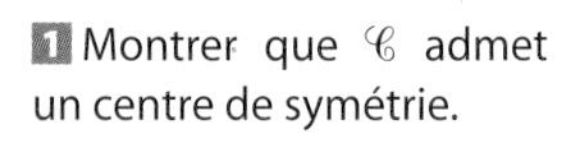

$$f(x) = \ln\left(\frac{3+x}{3-x}\right)$$

et sa courbe représentative $\mathscr{C}$.

1 Montrer que $\mathscr{C}$ admet un centre de symétrie.

2 Démontrer que $\mathscr{C}$ admet deux asymptotes.

3 Justifier que f est positive sur $[0\,;3[$.

4 **a.** Calculer la dérivée de la fonction $h : x \longmapsto xf(x)$.

b. En déduire une primitive de f sur $]-3\,;3[$.

c. Calculer l'aire de la surface hachurée sur le graphique, en unités d'aire.

103 **1** Soit la fonction g définie sur $]0\,;+\infty[$ par :

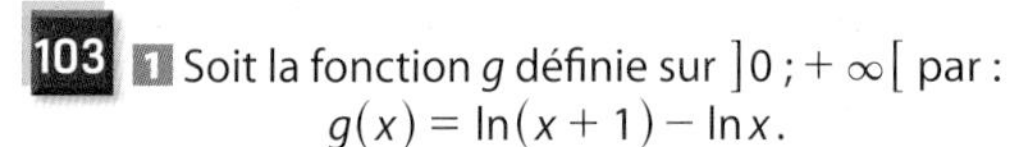

$$g(x) = \ln(x+1) - \ln x.$$

a. Étudier le signe de $g(x)$ suivant les valeurs de x.

b. Déterminer les limites de g en 0 et en $+\infty$.

2 Soit la fonction f définie sur $]0\,;+\infty[$ par :

$$f(x) = x + 2 + \ln(x+1) - \ln x.$$

On a tracé $\mathscr{C}$ sa courbe représentative et la droite $\mathscr{D}$ d'équation $y = x + 2$.

a. Donner les limites de f en 0 et $+\infty$.

b. Étudier la position de la courbe $\mathscr{C}$ par rapport à $\mathscr{D}$.

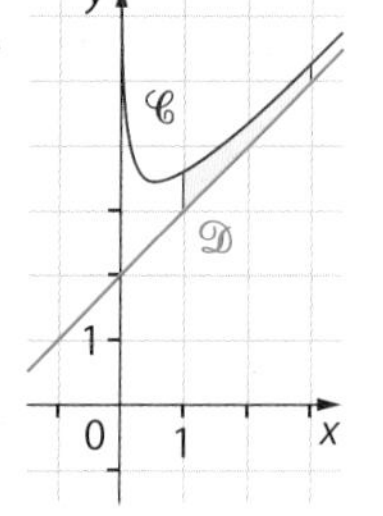

3 **a.** Démontrer que la fonction G définie sur $]0\,;+\infty[$ par :

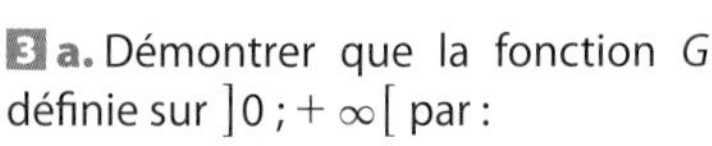

$$G(x) = (x+1)\ln(x+1) - x\ln x$$

est une primitive de g sur $]0\,;+\infty[$.

b. En déduire l'aire, en unités d'aire, de la surface délimitée par $\mathscr{C}$, $\mathscr{D}$ et les droites d'équations respectives $x = 1$ et $x = 3$.

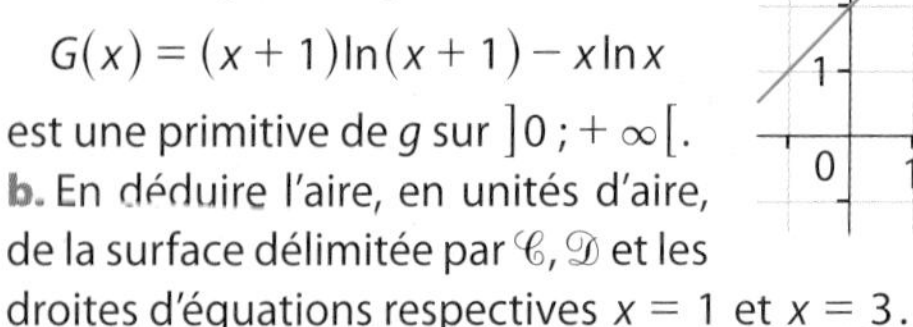

104 **Question de cours**

Prérequis : positivité et linéarité de l'intégrale.

Soient deux réels $a < b$ d'un intervalle I de $\mathbb{R}$. Soient deux fonctions f et g continues sur I.

Démontrer que, si pour tout réel x de I, $f(x) \geqslant g(x)$, alors :

$$\int_a^b f(x)\mathrm{d}x \geqslant \int_a^b g(x)\mathrm{d}x.$$

Partie A

1 Soit un réel x tel que $x \geqslant 1$. Calculer $\int_1^x (2-t)\mathrm{d}t$ en fonction de x.

2 Démontrer que, pour tout réel $t \geqslant 1$, on a :

$$\frac{1}{t} \geqslant 2 - t.$$

3 En déduire que pour tout réel $x \geqslant 1$, on a :

$$-\frac{1}{2}x^2 + 2x - \frac{3}{2} \leqslant \ln x.$$

Partie B Soit la fonction h définie sur $\mathbb{R}$ par :

$$h(x) = -\frac{1}{2}x^2 + 2x - \frac{3}{2}.$$

On a tracé les courbes $\mathscr{C}$ et Γ représentant respectivement les fonctions h et ln, et la droite (d) d'équation $x = 4$.

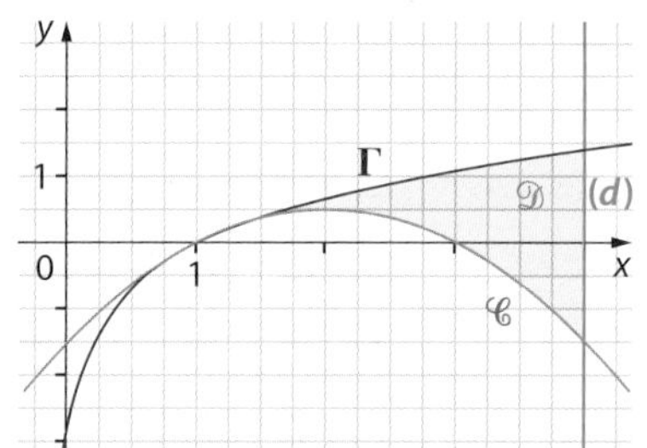

1 Démontrer que $\int_1^4 h(x)\mathrm{d}x = 0$. Interpréter graphiquement le résultat.

2 On note $\mathscr{D}$ le domaine du plan délimité par les courbes $\mathscr{C}$, Γ et la droite (d) sur $[1;4]$.

En utilisant le fait que $x \longmapsto x\ln x - x$ est une primitive de $x \longmapsto \ln x$, calculer l'aire de $\mathscr{D}$ en unités d'aire.

105 Pour tout entier $n \geqslant 1$, on appelle f_n la fonction définie sur $[0\,;+\infty[$ par $f_n(x) = \ln(1 + x^n)$ et I la suite de terme général $I_n = \int_0^1 \ln(1+x^n)\mathrm{d}x$.

1 **a.** Montrer que, pour tout entier $n \geqslant 1$, on a :

$$0 \leqslant I_n \leqslant \ln(2).$$

b. Étudier les variations de la suite (I_n).

c. En déduire que la suite I converge.

2 Soit la fonction g définie sur $[0\,;+\infty[$ par :

$$g(x) = \ln(1+x) - x.$$

a. Étudier les variations de g sur $[0\,;+\infty[$.

b. En déduire le signe de $g(x)$ sur $[0\,;+\infty[$.

c. Montrer que, pour tout entier $n \geqslant 1$ et pour tout réel $x \geqslant 0$, on a : $\ln(1+x^n) \leqslant x^n$.

3 Déterminer la limite de la suite I.

106 ALGO On considère la fonction f définie sur $[0\,;1]$ par :

$$f(x) = \frac{e^x}{1+x}.$$

et l'intégrale $I = \int_0^1 f(x)\mathrm{d}x$.

1 Étudier les variations de f sur $[0\,;1]$.

2 Pour tout entier $n \geqslant 1$, on pose :

$$S_n = \sum_{k=0}^{n-1} f\left(\frac{k}{n}\right) \quad \text{et} \quad T_n = \sum_{k=1}^{n} f\left(\frac{k}{n}\right).$$

Soit un entier $n \geqslant 1$.

a. Justifier que, pour tout entier k de 0 à $n-1$, on a :

$$\frac{1}{n} f\left(\frac{k}{n}\right) \leqslant \int_{\frac{k}{n}}^{\frac{k+1}{n}} f(x)\mathrm{d}x \leqslant \frac{1}{n} f\left(\frac{k+1}{n}\right).$$

b. En déduire que : $\frac{1}{n} S_n \leqslant I \leqslant \frac{1}{n} T_n$.

c. Calculer $\frac{1}{n}(T_n - S_n)$.

d. Soit un entier $p \geqslant 1$. Justifier que les nombres $\frac{S_n}{n}$ et $\frac{T_n}{n}$ sont des valeurs approchées de I à 10^{-p} près dès que $\frac{e-2}{2n} \leqslant 10^{-p}$.

3 **a.** On propose l'algorithme suivant :

ALGO

```
Variables :
    n, k : entiers ;
    S : réel ;
Début
    Entrer (n) ;
    S ← 0 ;
    Pour k allant de 0 à n − 1 Faire
    S ← S + f(k/n) ;
    FinPour ;
    Afficher (S/n) ;
Fin.
```

Quel est le résultat final affiché par cet algorithme ?

➔ Voir les **Outils pour la programmation**.

b. Modifier l'algorithme précédent de façon qu'il affiche, en fonction d'un entier p, une valeur approchée de I à 10^{-p} près par défaut.

c. À l'aide d'un logiciel de calcul, on a obtenu :

n	100	500	1 000	5 000
S_n	112,36	562,513	1 125,2	5 626,7

Donner une valeur approchée de I à 0,001 près.

107 Soient les fonctions f et g définies sur $\mathbb{R}$ par :

$$f(x) = x \cdot e^{1-x} \quad \text{et} \quad g(x) = x^2 \cdot e^{1-x}$$

On note $\mathscr{C}$ et Γ les courbes représentant respectivement f et g dans un repère orthogonal.

Partie A – Étude des fonctions f et g

1 Déterminer les limites de f et g en $-\infty$.

2 Déterminer les limites de f et g en $+\infty$.

3 Dresser les tableaux de variations de chacune des fonctions f et de g sur $\mathbb{R}$.

Partie B – Calcul d'une aire plane

1 Étudier les positions relatives de $\mathscr{C}$ et Γ.

2 Pour obtenir des primitives de f et g sur $\mathbb{R}$, on a réalisé la recherche suivante à l'aide du logiciel Xcas :

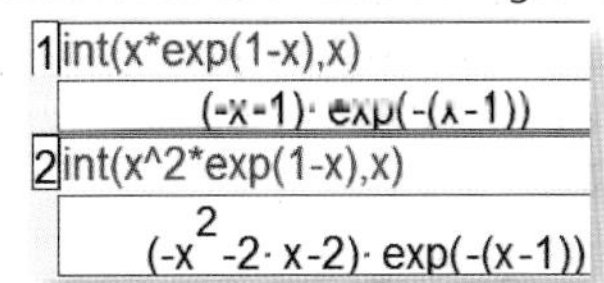

1 int(x*exp(1-x),x)
(-x-1)· exp(-(x-1))
2 int(x^2*exp(1-x),x)
(-x^2-2· x-2)· exp(-(x-1))

En utilisant les résultats du logiciel, calculer $\int_0^1 f(x)\mathrm{d}x$ et $\int_0^1 g(x)\mathrm{d}x$.

3 On note $\mathscr{A}$ l'aire, en unités d'aire, de la partie du plan comprise entre $\mathscr{C}$, Γ et les droites d'équations respectives $x = 0$ et $x = 1$.

Montrer que $\mathscr{A} = 3 - e$.

Partie C – Étude de l'égalité de deux aires

Soit $a > 1$. On désigne par $S(a)$ l'aire, en unités d'aire, de la partie du plan comprise entre $\mathscr{C}$, Γ et les droites d'équations respectives $x = 1$ et $x = a$.

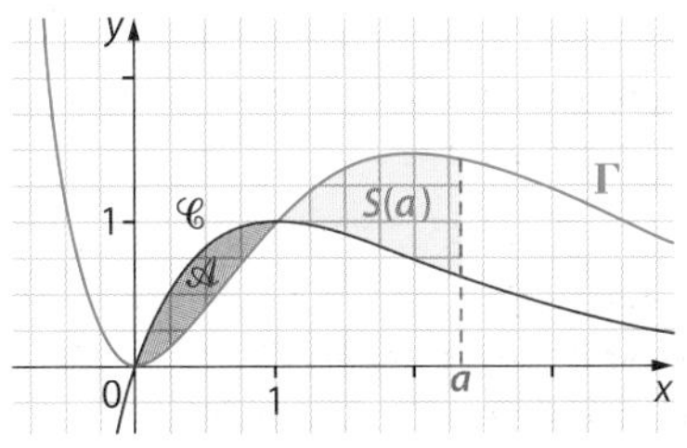

On admet que $S(a) = 3 - e^{1-a} \times (a^2 + a + 1)$.

1 Démontrer que l'équation $S(a) = \mathscr{A}$ est équivalente à l'équation : $e^a = a^2 + a + 1$.

Question ouverte

2 ***Dans cette question, toute trace de recherche ou d'initiative, même incomplète, sera prise en compte dans l'évaluation.***

Montrer qu'il existe une unique valeur de a pour laquelle les aires $\mathscr{A}$ et $S(a)$ sont égales.

Prépa Bac

108 On considère la fonction f définie sur $]0\,;+\infty[$ par :
$$f(x)=1+x\ln x.$$
On note $\mathscr{C}$ sa courbe représentative dans un repère orthogonal. Les aires sont exprimées en unités d'aire.
On appelle $\mathscr{A}$ l'aire du domaine délimité par l'axe des abscisses, la courbe $\mathscr{C}$ et les deux droites d'équations $x=1$ et $x=2$.

Partie A – Déterminer un encadrement de l'aire $\mathscr{A}$

On note M et N les points de $\mathscr{C}$ d'abscisses respectives 1 et 2, P et Q leurs projetés orthogonaux respectifs sur l'axe des abscisses.

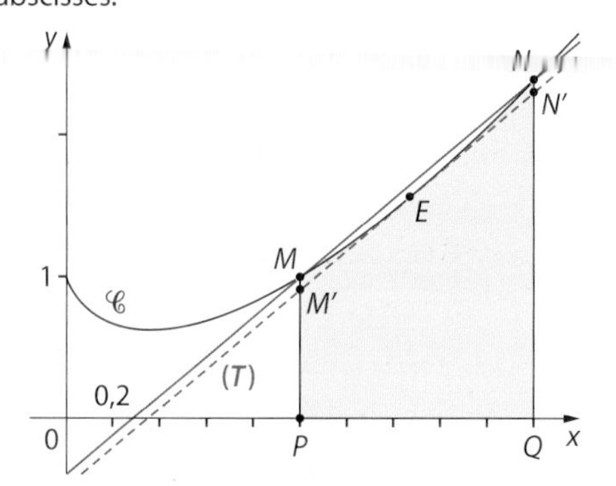

1 a. Montrer que f est positive sur $[1\,;2]$.
b. Montrer que le coefficient directeur de la droite (MN) est $2\ln 2$.
c. Soit E le point de $\mathscr{C}$ d'abscisse $\dfrac{4}{\mathrm{e}}$.
Montrer que sur $[1\,;2]$, le point E est l'unique point de $\mathscr{C}$ en lequel la tangente à $\mathscr{C}$ est parallèle à (MN).
d. On appelle (T) la tangente à $\mathscr{C}$ au point E. Montrer qu'une équation de (T) est : $y=(2\ln 2)x-\dfrac{4}{\mathrm{e}}+1$.

2 Soit la fonction g définie sur $[1\,;2]$ par :
$$g(x)=f(x)-\left[(2\ln 2)x-\frac{4}{\mathrm{e}}+1\right].$$
a. Montrer que $g'(x)=1+\ln\left(\dfrac{x}{4}\right)$.
b. Étudier les variations de g sur $[1\,;2]$. En déduire la position relative de $\mathscr{C}$ et de (T) sur cet intervalle.

3 Soient M' et N' les points de (T) d'abscisses 1 et 2.
On admet que la courbe $\mathscr{C}$ est en dessous de la droite (MN) sur $[1\,;2]$ et que les points M' et N' ont des ordonnées strictement positives.
a. Calculer les aires des trapèzes $MNQP$ et $M'N'QP$.
b. En déduire un encadrement de $\mathscr{A}$ d'amplitude 10^{-1}.

Partie B – Déterminer la valeur exacte de $\mathscr{A}$

1 Démontrer que $x\longmapsto \dfrac{x^2}{2}\ln x-\dfrac{x^2}{4}$ est une primitive de la fonction $x\longmapsto x\ln x$ sur $]0\,;+\infty[$.
2 En déduire la valeur exacte de $\mathscr{A}$.

109 On considère une fonction f dérivable sur $\mathbb{R}$. On donne le tableau de ses variations :

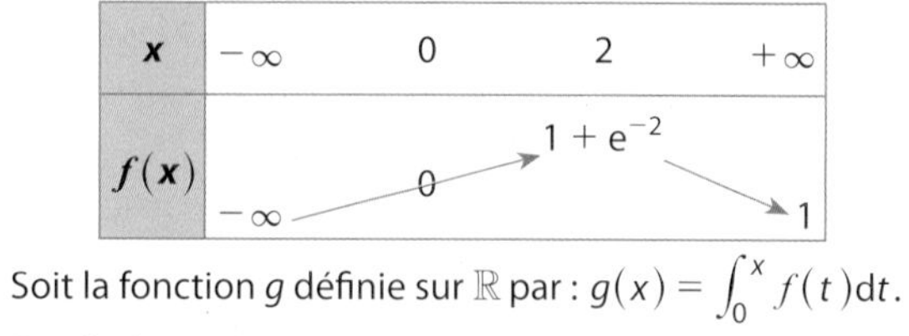

x	$-\infty$	0	2	$+\infty$
$f(x)$	$-\infty$ ↗	0 ↗	$1+\mathrm{e}^{-2}$ ↘	1

Soit la fonction g définie sur $\mathbb{R}$ par : $g(x)=\displaystyle\int_0^x f(t)\,\mathrm{d}t$.

Partie A

1 Tracer une courbe $\mathscr{C}$ susceptible de représenter f dans le plan (unités graphiques : 1 cm sur l'axe des abscisses, 2 cm sur l'axe des ordonnées).
2 a. Interpréter graphiquement $g(2)$.
b. Montrer que $0\leqslant g(2)\leqslant 2{,}5$.
3 a. Soit un réel x tel que $x\geqslant 2$. Montrer que :
$$\int_2^x f(t)\,\mathrm{d}t\geqslant x-2.$$
En déduire que $g(x)\geqslant x-2$.
b. Déterminer la limite de la fonction g en $+\infty$.
4 Étudier le sens de variation de la fonction g sur $\mathbb{R}$.

Partie B

On admet que, pour tout réel t : $f(t)=(t-1)\mathrm{e}^{-t}+1$.
1 Montrer que pour tout réel x, $g(x)=x(1-\mathrm{e}^{-x})$.
2 Déterminer la limite de la fonction g en $-\infty$.

110 **Partie A**

On considère la fonction f définie sur $]0\,;+\infty[$ par :
$$f(x)=\ln(x)+1-\frac{1}{x}.$$
1 Déterminer les limites de f en 0 et en $+\infty$.
2 Étudier les variations de f sur $]0\,;+\infty[$.
En déduire le signe de $f(x)$ sur $]0\,;+\infty[$.
3 Pour obtenir la primitive F de f sur $]0\,;+\infty[$ qui s'annule en 1, on a réalisé la recherche suivante à l'aide d'une calculatrice formelle :

$$\int_1^x \left(\ln(t)+1-\frac{1}{t}\right)\mathrm{d}t \qquad (x-1)\cdot\ln(x)$$

Après avoir expliqué la démarche, justifier le résultat obtenu par la calculatrice.
4 a. Démontrer que F est strictement croissante sur l'intervalle $[1\,;+\infty[$.
b. En déduire que l'équation $F(x)=1-\dfrac{1}{\mathrm{e}}$ admet une unique solution α sur $[1\,;+\infty[$.
Donner un encadrement de α à 0,1 près.

Partie B

Soit les fonctions g et h définies sur $]0\,;+\infty[$ par :

$$g(x)=\frac{1}{x} \quad \text{et} \quad h(x)=\ln(x)+1.$$

On note $\mathscr{C}$ et Γ les courbes représentatives de g et h. Toutes les aires sont exprimées en unité d'aire.

1 Soit A le point d'intersection de Γ et de l'axe des abscisses. Déterminer les coordonnées de A.

2 Soit P le point d'intersection de $\mathscr{C}$ et Γ. Justifier que le point P a pour coordonnées $(1\,;1)$.

3 On note $\mathscr{A}$ l'aire du domaine délimité par $\mathscr{C}$, Γ et les droites d'équations respectives $x=\frac{1}{\mathrm{e}}$ et $x=1$.

a. Exprimer $\mathscr{A}$ à l'aide de la fonction f.

b. Montrer que $\mathscr{A}=1-\frac{1}{\mathrm{e}}$.

4 Soit un réel $t>1$. On note $\mathscr{B}(t)$ l'aire du domaine délimité par $\mathscr{C}$, Γ et les droites d'équations respectives $x=1$ et $x=t$.

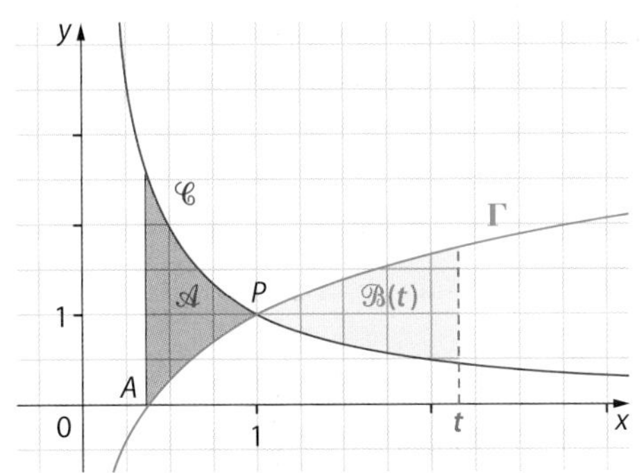

a. Montrer que $\mathscr{B}(t)=t\cdot\ln(t)-\ln(t)$.
b. Peut-on trouver une valeur t telle que $\mathscr{B}(t)=\mathscr{A}$? Si oui, y a-t-il unicité de la solution t ?

111 Le but de cet exercice est de déterminer une valeur approchée à 10^{-2} près de l'intégrale :

$$I=\int_0^1 \frac{\mathrm{e}^{-x}}{2-x}\,\mathrm{d}x.$$

On définit la fonction f sur $[0\,;1]$ par :

$$f(x)=\frac{\mathrm{e}^{-x}}{2-x}.$$

1 a. Étudier les variations de la fonction f sur $[0\,;1]$.
b. Montrer que, pour tout réel x de $[0\,;1]$, on a :

$$\frac{1}{\mathrm{e}}\leqslant f(x)\leqslant\frac{1}{2}.$$

2 Soit J et K les intégrales définies par :

$$J=\int_0^1(2+x)\mathrm{e}^{-x}\mathrm{d}x \quad \text{et} \quad K=\int_0^1 x^2 f(x)\mathrm{d}x.$$

a. À l'aide du logiciel de calcul formel *Xcas*, on a obtenu une primitive de $x\longmapsto(2+x)\mathrm{e}^{-x}$:

```
1 int((2+x)*exp(-x),x)
        (-x-3)· exp(-x)
```

Justifier le résultat obtenu, puis calculer J.

b. En utilisant **1 b.**, montrer que : $\frac{1}{3\mathrm{e}}\leqslant K\leqslant\frac{1}{6}$.

c. Démontrer que $J+K=4I$.

d. Déduire de tout ce qui précède un encadrement de I, puis donner une valeur approchée à 10^{-2} près de I.

112 Soit la fonction f définie sur $[0\,;+\infty[$ par :

$$f(x)=x\mathrm{e}^{-x^2}.$$

On désigne par $\mathscr{C}$ la courbe représentative de f dans un repère orthogonal.

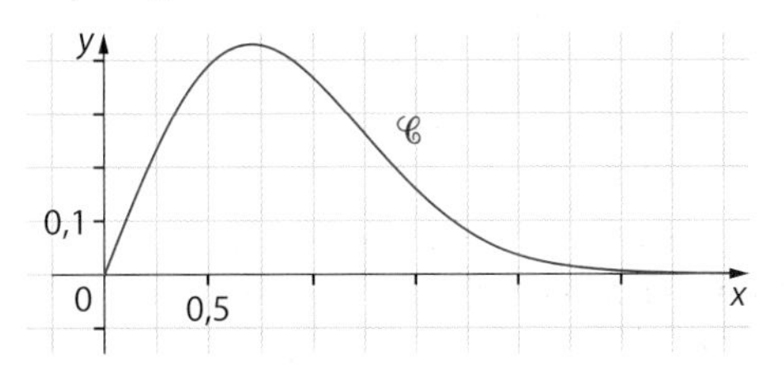

Partie A

1 a. Déterminer la limite de la fonction f en $+\infty$.

b. Démontrer que f admet un maximum en $\frac{\sqrt{2}}{2}$ et calculer ce maximum.

2 Soit un réel $a\geqslant 0$. On note $F(a)$ l'aire, en unités d'aire, du domaine délimité par $\mathscr{C}$, l'axe des abscisses et les droites d'équations respectives $x=0$ et $x=a$.

a. Exprimer $F(a)$ en fonction de a.

b. Quelle est la limite de $F(a)$ quand a tend vers $+\infty$?

Partie B

On considère la suite u définie sur $\mathbb{N}$ par :

$$u_n=\int_n^{n+1} f(x)\mathrm{d}x.$$

On ne cherchera pas à expliciter u_n.

1 Montrer que, pour tout entier $n\geqslant 1$:

$$f(n+1)\leqslant u_n\leqslant f(n).$$

2 Quel est le sens de variation de la suite u ?

3 Montrer que la suite u converge.
Quelle est sa limite ?

Problèmes

113 LOGIQUE **Théorèmes et réciproques**

1 Si deux fonctions f et g continues sur $\mathrm{I} = [a\,;b]$ sont telles que, pour tout réel x de I, $f(x) = g(x)$, alors :

$$\int_a^b f(x)\mathrm{d}x = \int_a^b g(x)\mathrm{d}x.$$

La réciproque n'est pas vraie. Trouver un contre-exemple.

2 Si deux fonctions f et g continues sur $\mathrm{I} = [a\,;b]$ sont telles que, pour tout réel x de I, $f(x) \leqslant g(x)$, alors :

$$\int_a^b f(x)\mathrm{d}x \leqslant \int_a^b g(x)\mathrm{d}x.$$

La réciproque n'est pas vraie. Trouver un contre-exemple.

114 Soit une fonction f continue sur $[a\,;b]$, où $a < b$.
Démontrer que $\left|\int_a^b f(x)\mathrm{d}x\right| \leqslant \int_a^b |f(x)|\mathrm{d}x$.

115 BAC **D'après ENI GEIPI, 2011.**

On considère la fonction f définie sur $\mathbb{R}$ par :

$$f(x) = \mathrm{e}^{2x} - 4\mathrm{e}^x + 3.$$

Soit $\mathscr{C}$ la courbe représentant f dans un repère orthonormé.

1 a. Déterminer la limite de f en $+\infty$.

b. Déterminer la limite de f en $-\infty$.

En déduire que $\mathscr{C}$ admet, au voisinage de $-\infty$, une asymptote Δ dont on donnera une équation.

2 a. Déterminer et factoriser $f'(x)$.

b. Dresser le tableau de variation de f sur $\mathbb{R}$ et donner la valeur exacte du minimum.

3 La courbe $\mathscr{C}$ coupe l'asymptote Δ en un point E. Déterminer les coordonnées $(x_E\,;y_E)$ du point E.

4 Soit l'intégrale : $J = \int_0^{\ln 4}(3 - f(x))\mathrm{d}x$.

a. Calculer la valeur de J.

b. J est l'aire (en unités d'aire) d'une surface S.
Définir S.

116 Soient la fonction f définie sur $\mathbb{R}$ par :

$$f(t) = \frac{4\mathrm{e}^t}{\mathrm{e}^t + 1}$$

et $\mathscr{C}$ sa courbe représentative dans un repère orthonormé.

Pour tout entier $n \geqslant 1$, on pose :

$$u_n = \int_{\ln n}^{\ln(n+1)} f(t)\mathrm{d}t.$$

1 a. Interpréter graphiquement le nombre u_n.

b. Établir que, pour tout $n \geqslant 1$, $u_n = 4\ln\left(\frac{n+2}{n+1}\right)$.

2 On pose pour tout entier $n \geqslant 1$:

$$S_n = \sum_{k=1}^{n} u_k = u_1 + u_2 + \dots + u_n.$$

Donner une interprétation de S_n en terme d'aire , et déduire du **1 b.** une expression simple de S_n.

3 a. Calculer, en unités d'aire, l'aire $\mathscr{A}_n$ du domaine délimité par la courbe $\mathscr{C}$ et les droites d'équations $y = 4$, $x = 0$ et $x = \ln(n+1)$.

b. Déterminer la limite de $(\mathscr{A}_n)$.

117 **1** On considère la fonction g définie sur l'intervalle $]0\,;+\infty[$ par : $g(x) = \ln x - \frac{2}{x}$.

On donne ci-dessous le tableau de variations de g.

x	0	$2{,}3$	x_0	$2{,}4$	$+\infty$
$g(x)$	$-\infty$ ↗		0		$+\infty$

Démontrer toutes les propriétés de la fonction g regroupées dans ce tableau.

2 Soit la fonction f définie sur $]0\,;+\infty[$ par :

$$f(x) = \frac{5\ln x}{x}.$$

a. Démontrer que $f(x_0) = \frac{10}{{x_0}^2}$, où x_0 est le réel apparaissant dans le tableau ci-dessus.

b. Soit un réel $a > 1$. Exprimer $\int_1^a f(t)$ en fonction de a.

3 On a tracé dans un repère orthonormé les courbes représentatives $\mathscr{C}_f$ et $\mathscr{C}_g$ des fonctions f et g.

On appelle I le point de coordonnées $(1\,;0)$, P_0 le point d'intersection de $\mathscr{C}_g$ et de l'axe des abscisses, M_0 le point de $\mathscr{C}_f$ ayant même abscisse que P_0, et H_0 le projeté orthogonal de M_0 sur l'axe des ordonnées.

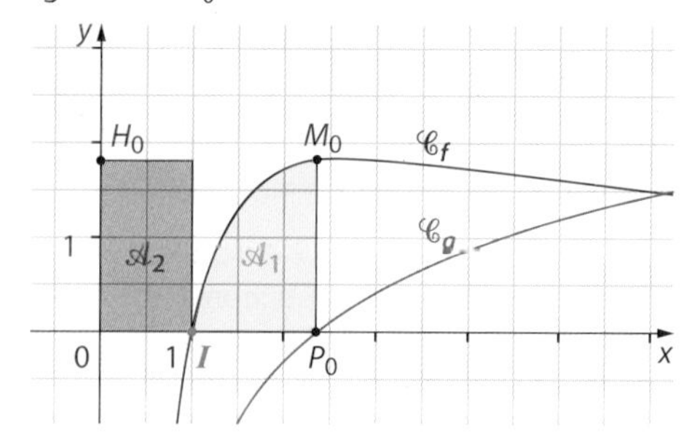

On nomme :

- $\mathscr{A}_1$ le domaine délimité par la courbe $\mathscr{C}_f$ et les segments $[IP_0]$ et $[P_0M_0]$ (en jaune sur le schéma) ;
- $\mathscr{A}_2$ le domaine délimité par le rectangle construit à partir de $[OI]$ et $[OH_0]$ (en rouge sur le schéma).

Justifier que les domaines $\mathscr{A}_1$ et $\mathscr{A}_2$ ont la même aire, dont on donnera un encadrement d'amplitude 0,2.

118 On considère la fonction f définie sur $\mathbb{R}$ par :

$$f(x) = e^{-x}\sin x.$$

1 Pour obtenir une primitive de f sur $\mathbb{R}$, on a réalisé la recherche suivante à l'aide du logiciel Xcas. Justifier le résultat obtenu.

```
1 int(exp(-x)*sin(x),x)
   exp(-x)·(cos(x)/-2 + sin(x)/-2)
```

2 Calculer $I = \int_0^{\pi} f(x)\mathrm{d}x$.

3 On définit la suite u sur $\mathbb{N}$ par :

$$u_n = \int_{2n\pi}^{(2n+1)\pi} f(x)\mathrm{d}x.$$

Démontrer que la suite u est une suite géométrique dont on précisera la raison et le premier terme.

119 Soit une fonction f continue sur l'intervalle $[0\,;1]$. Soient deux réels M et m tels que, pour tout réel x de $[0\,;1]$, $m \leqslant f(x) \leqslant M$.
Étudier la convergence de la suite de terme général :

$$u_n = \int_0^{\frac{1}{n}} f(x)\mathrm{d}x.$$

120 Longueur de la chaînette

On laisse pendre un fil d'une longueur de 4 m entre deux points situés à une même hauteur et distants de 2 m.

On montre et on admettra dans ce problème que, rapportée à un repère orthonormé convenable, la chaînette a pour équation : $y = f_\beta(x) = \dfrac{e^{\beta x} + e^{-\beta x}}{2\beta}$,

où β est un paramètre réel positif dépendant de la longueur du fil. On note $\mathscr{C}_\beta$ la courbe représentative de f_β.

Le but du problème est de calculer une valeur approchée de la flèche prise par le fil, c'est-à-dire l'écart de hauteur entre le point le plus bas et celui le plus haut.

Soit un réel $\beta > 0$.

A. Étude de la chaînette

1 Déterminer les limites de f_β en $+\infty$ et en $-\infty$, puis étudier les variations de f_β sur $\mathbb{R}$.

2 Tracer les courbes $\mathscr{C}_1$, $\mathscr{C}_2$ et $\mathscr{C}_3$.

B. Recherche de la flèche

On admet, dans le cas d'une fonction f dérivable sur un intervalle $[a\,;b]$, que la longueur de la courbe d'équation $y = f(x)$ entre les points d'abscisses respective a et b est donnée par :

$$L = \int_a^b \sqrt{1 + [f'(x)]^2}\,\mathrm{d}x.$$

1 Faire un schéma du fil en prenant l'axe de la chaînette comme axe des ordonnées et montrer que :

$$4 = \int_{-1}^{1} \sqrt{1 + [f_\beta'(x)]^2}\,\mathrm{d}x \quad \text{(E)}.$$

2 Montrer qu'il existe un unique réel β_0 solution de l'équation (E).

3 Donner une valeur approchée à 10^{-2} près de β_0.

4 Déterminer les coordonnées du minimum de la fonction f_{β_0}.

En déduire la flèche du fil.

Pour info

La chaînette est la forme prise par un fil pesant flexible infiniment mince homogène inextensible suspendu entre deux points, placé dans un champ de pesanteur uniforme. Sa courbe représentative a été étudiée par Gottfried Leibniz, Jean Bernoulli et Christiaan Huygens, en 1691. L'architecte catalan Antoni Gaudi l'a beaucoup utilisé dans ses constructions.

Maths et physique

121 On considère un circuit électrique fermé comprenant un condensateur, une bobine et un interrupteur. À l'instant $t = 0$, on suppose le condensateur chargé, on ferme l'interrupteur ; le condensateur se décharge dans le circuit. La valeur de la charge, exprimée en coulomb, à l'instant t (en s) est donnée par :

$$q(t) = 6 \times 10^{-3}\cos(400t).$$

On sait que la valeur $i(t)$ de l'intensité du courant, exprimée en ampère, qui parcourt le circuit à l'instant t vérifie $i(t) = q'(t)$.

1 Calculer $i(t)$ pour $t \in [0\,;+\infty[$.

2 Justifier que i est périodique de période $\dfrac{\pi}{200}$.

3 On désigne par I_e la valeur, exprimée en ampère, de l'intensité efficace du circuit :

$$I_e^{\,2} = \frac{400}{\pi}\int_0^{\frac{\pi}{400}} i^2(t)\mathrm{d}t.$$

Calculer I_e, puis en donner une valeur approchée à 10^{-3} près.

Problèmes

Maths et économie

122 Offre, demande et surplus

Partie 1 Soient les fonctions f et g définies sur $[0\,;9]$ par :

$$f(x) = \frac{10}{1+x} - 1 \text{ et } g(x) = \frac{x}{2}.$$

1 Résoudre algébriquement l'équation $f(x) = g(x)$.

2 Calculer l'intégrale $I = \int_3^9 f(x)dx$.
On donnera la valeur exacte de I.

Partie 2 Un produit conditionné en boîte est mis sur le marché. On désigne par x *le prix d'une boîte* de ce produit en dizaine d'euros.

On admet que la **quantité achetée** par les consommateurs, en fonction du prix x appliqué sur le marché, est donnée par $\boldsymbol{f(x)}$, en centaines de boîtes.

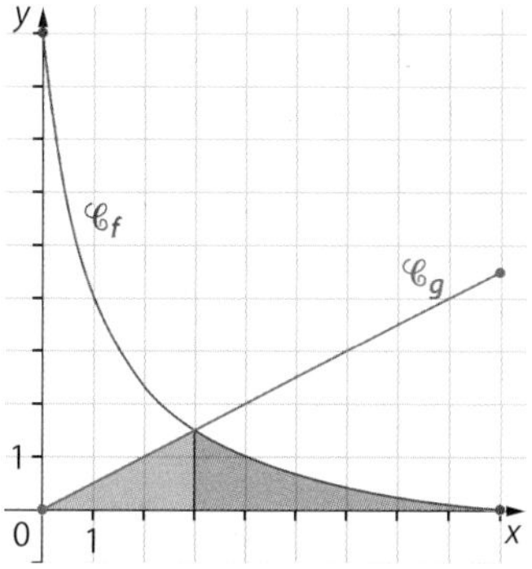

On admet que la **quantité proposée** sur le marché par les producteurs, en fonction du prix de vente x auquel les producteurs sont disposés à vendre, est donnée par $\boldsymbol{g(x)}$ en centaines de boîtes.

1 On pourra utiliser le graphique pour conjecturer les réponses aux questions suivantes, puis on les justifiera algébriquement.

a. Combien de boîtes seront achetées par les consommateurs si le prix de vente est de 40 € la boîte ?

b. Lorsque l'offre est égale à la demande, le marché atteint son équilibre. Donner le prix d'équilibre, en €, et le nombre de boîtes correspondant.

2 **a.** D'après le graphique, les producteurs étaient disposés à vendre des boîtes à un prix inférieur au prix d'équilibre.

On appelle **surplus des producteurs**, le gain réalisé en vendant des boîtes au prix d'équilibre. Ce gain est donné en milliers d'euros par l'aire du triangle bleu (1 unité d'aire = 1 millier d'euros).

Calculer ce surplus, en euros.

b. Le **surplus des consommateurs** est l'économie réalisée par les consommateurs qui étaient prêts à payer plus cher que le prix d'équilibre. Ce surplus est donné en milliers d'euros par l'aire de la partie violette sur le graphique. Préciser quelle intégrale permet de calculer ce surplus et en donner l'arrondi à l'euro.

123

Pour tout entier $n \geqslant 0$, on pose : $I_n = \int_0^1 \frac{x^n}{1+x}dx$.

1 **a.** Montrer que, pour tout entier naturel n :

$$0 \leqslant I_n \leqslant \int_0^1 x^n dx.$$

b. En déduire que la suite (I_n) converge vers 0.

2 Calculer $I_n + I_{n+1}$ en fonction de n.

3 Pour tout entier $n \geqslant 0$, on pose :

$$S_n = (I_0 + I_1) - (I_1 + I_2) + \ldots + (-1)^n(I_n + I_{n+1}).$$

a. Simplifier S_n.

b. En déduire une expression de :

$1 - \frac{1}{2} + \frac{1}{3} - \frac{1}{4} + \ldots + (-1)^{n-1}\frac{1}{n}$ et sa limite lorsque n tend vers $+\infty$.

124

Soit la suite u définie sur $\mathbb{N}$ par : $u_0 = \int_0^1 \frac{1}{\sqrt{1+x^2}}dx$.

Et, pour tout entier $n \geqslant 1$, $u_n = \int_0^1 \frac{x^n}{\sqrt{1+x^2}}dx$.

1 **a.** Soit la fonction f définie sur $[0\,;1]$ par :

$$f(x) = \ln(x + \sqrt{1+x^2}).$$

Calculer la dérivée f' de f. En déduire u_0.

b. Calculer u_1.

2 **a.** Prouver que la suite u est décroissante (on ne cherchera pas à calculer u_n).

En déduire que la suite u est convergente.

b. Montrer que, pour tout réel x de $[0\,;1]$, on a :

$$1 \leqslant \sqrt{1+x^2} \leqslant \sqrt{2}.$$

En déduire que, pour tout entier $n \geqslant 1$, on a :

$$\frac{1}{(n+1)\sqrt{2}} \leqslant u_n \leqslant \frac{1}{n+1}.$$

Déterminer la limite de u.

125 BAC D'après ENI, 2010.

Soit la fonction h définie sur $]0\,;+\infty[$ par :

$$h(t) = 1 - \ln(t).$$

1 Étudier le signe de $h(t)$ sur $]0\,;+\infty[$.

2 Soit la fonction g définie sur $]0\,;+\infty[$ par :

$$g(t) = t \times (1 - \ln(t)).$$

a. Déterminer $g'(t)$.

b. En déduire la primitive H de h sur $]0\,;+\infty[$ qui s'annule en e^2.

3 On considère la suite v définie sur $\mathbb{N}$ par :

$$v_n = \int_{e^{-(n+1)}}^{e^{-n}} (1 - \ln t)dt.$$

a. Justifier que, pour tout entier n, on a : $v_n \geqslant 0$.

b. Calculer v_n en fonction de n.

c. Déterminer la limite de v.

4 Pour tout entier n de $\mathbb{N}$, on pose :

$$S_n = \sum_{k=0}^{n} v_k = v_0 + v_1 + \ldots + v_n.$$

a. Exprimer S_n en fonction de n.

b. Déterminer la limite de S.

126 Formule d' Archimède

Archimède a prouvé que l'aire de la surface sous une arche parabolique vaut les deux tiers de la base multipliée par la hauteur de l'arche.

1 En utilisant une intégrale, calculer l'aire sous l'arche de parabole d'équation $y = 6 - x - x^2$ sur $[-3\,;2]$.

2 Trouver la hauteur h de l'arche.

3 Vérifier l'affirmation d'Archimède.

Cité des Arts et des Sciences – Valence

127 Méthode de Fermat

On considère deux réels strictement positifs a_0 et α, et la suite géométrique (a_n) de terme initial a_0 et de raison $(1+\alpha)$:

pour tout entier $n \geqslant 0$, $a_n = a_0(1+\alpha)^n$.

Cette suite s'appelle **suite de Fermat**.

Dans un repère orthonormé, on s'intéresse au domaine $\mathscr{A}$ situé entre la courbe d'équation $y = \dfrac{1}{x^2}$, l'axe des abscisses et à droite la droite d'équation $x = a_0$.

Dans la suite, les aires sont exprimées en unité d'aire.

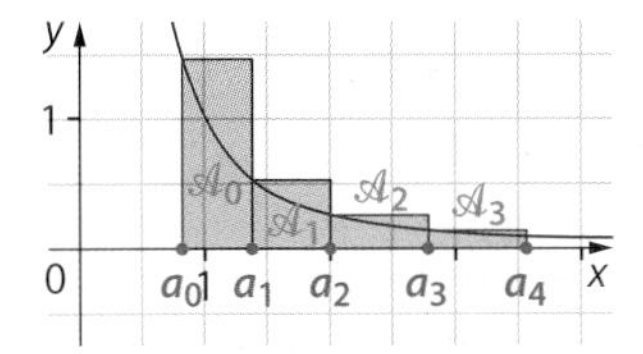

Pour tout entier $n \geqslant 1$, on construit n rectangles « supérieurs », d'aires $\mathscr{A}_0, \mathscr{A}_1, \ldots \mathscr{A}_{n-1}$, comme sur la figure ci-dessus.

On admet que le domaine $\mathscr{A}$ admet une aire finie S.

1 **a.** Montrer que $\mathscr{A}_0 = \dfrac{\alpha}{a_0}$.

b. Calculer $\mathscr{A}_k$ pour tout entier k, où $0 \leqslant k \leqslant n-1$.

c. En déduire que :

$$\sum_{k=0}^{n-1} \mathscr{A}_k = \frac{\alpha}{a_0}\left[1 + \frac{1}{1+\alpha} + \ldots + \frac{1}{(1+\alpha)^{n-1}}\right].$$

d. Démontrer que :

$$\sum_{k=0}^{n-1} \mathscr{A}_k = \frac{1+\alpha}{a_0}\left[1 - \frac{1}{(1+\alpha)^n}\right].$$

e. En déduire que $S \leqslant \dfrac{1+\alpha}{a_0}$.

Pour info

Dans le livre « *Précis des œuvres de Fermat* et de l'Arithmétique de Diophante, 1853 » de Émile Brassinne (1805-1884), qui retranscrit la méthode de Pierre de Fermat, il est affirmé directement que $S = \dfrac{1+\alpha}{a_0}$.

2 **a.** Reprendre la méthode précédente en prenant des rectangles avec la même subdivision, mais situés sous la courbe et démontrer que :

$$\frac{1}{a_0(1+\alpha)} \leqslant S \leqslant \frac{1+\alpha}{a_0}.$$

b. Fermat fait ensuite tendre α vers 0, ce qui augmente le nombre de rectangles. Quelle valeur de S obtient-on ?

3 En posant le problème à l'aide d'intégrales, confirmer le résultat précédent.

Prendre des initiatives

128 Partage équitable

Dans le plan muni d'un repère orthonormé, on considère le domaine $\mathscr{D}$ situé sous l'arche de parabole d'équation $y = x - x^2$ et au-dessus de l'axe des abscisses.

Déterminer la droite passant par l'origine qui découpe le domaine $\mathscr{D}$ en deux surfaces de même aire.

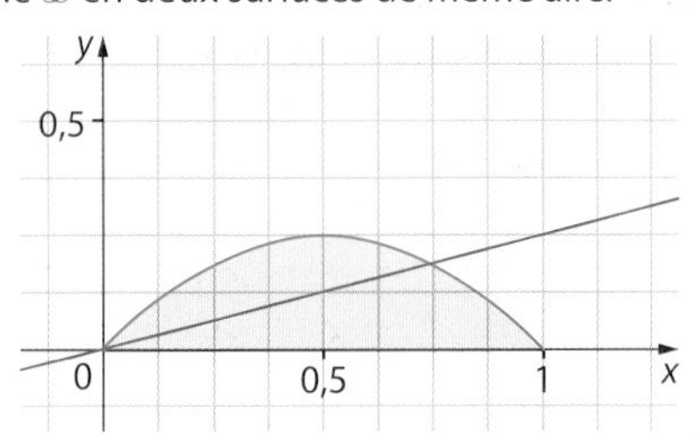

129

Étudier la convergence de la suite de terme général : $u_n = \displaystyle\int_n^{n+1} \mathrm{e}^{-x}\,dx$.

130 Formule des trois niveaux

Soient deux réels a et b, avec $a \leqslant b$. Montrer que pour tout polynôme f de degré inférieur ou égal à trois, on a :

$$\int_a^b f(t)\,dt = \frac{b-a}{6}\left[f(a) + 4f\left(\frac{a+b}{2}\right) + f(b)\right].$$

⊖ Pistes pour l'accompagnement personnalisé

Revoir les outils de base

131 Calculer des aires de figures usuelles

Dans le repère orthonormé ci-contre, l'unité d'aire est l'aire du carré $OIKJ$.

Calculer les aires du triangle BOJ, du quadrilatère $ABJC$ et et du demi-disque de diamètre $[CK]$.

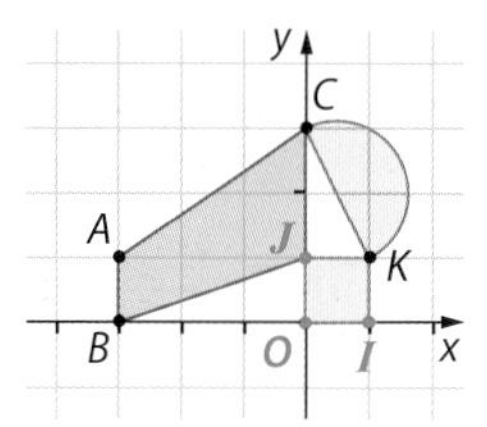

132 Calcul de dérivées

Déterminer la dérivée des fonctions suivantes

a. $f : x \longmapsto \dfrac{e^x}{1+e^x}$ sur $\mathbb{R}$;

b. $g : x \longmapsto \ln\dfrac{x+1}{1-x}$ sur $]-1;1[$;

c. $h : x \longmapsto \sqrt{x^2+4}$ sur $\mathbb{R}$;

d. $k : x \longmapsto \cos(2x)\times e^x$ sur $\mathbb{R}$.

Conseil Revoir au **chapitre 3** le tableau des dérivées usuelles et les formules de dérivation.

133 Caractériser un domaine plan

Ci-contre, la droite $\mathscr{D}$ a pour équation $y = -0{,}5x + 1$ et la parabole $\mathscr{P}$ a pour équation $y = -x^2 + x + 2$.

Caractériser les points de la surface jaune par des inégalités portant sur leurs coordonnées.

Méthode

Commencer par déterminer les coordonnées des points d'intersection de $\mathscr{D}$ et $\mathscr{P}$.

Les savoir-faire du chapitre

Calculer ou encadrer une intégrale en utilisant des calculs d'aires

134 Linéarité de l'intégrale

On pose $A = \int_0^1 1\,dx$, $B = \int_0^1 x\,dx$ et $C = \int_0^1 x^2\,dx$.

1 Exprimer l'intégrale $I = \int_0^1 (x^2+2x+2)dx$ en fonction de A, B et C.

2 Calculer I sachant que $C = \dfrac{1}{3}$.

Méthode

Pour calculer A et B, représenter graphiquement les droites $y = 1$ et $y = x$ sur $[0;1]$.

135 En dents de scie

On considère la fonction $f : x \longmapsto x - E(x)$, où E est la fonction partie entière.

a. Démontrer que f est périodique de période 1.

b. Calculer $I = \int_0^1 f(x)dx$, puis $J = \int_0^5 f(x)dx$.

Méthode

Représenter graphiquement la fonction f. La périodicité induit des translations qui conservent les aires.

Déterminer des primitives

136 Vrai ou faux ?

On a représenté ci-contre une fonction f dérivable sur $[-2;3]$. On note F une de ses primitives sur $[-2;3]$.

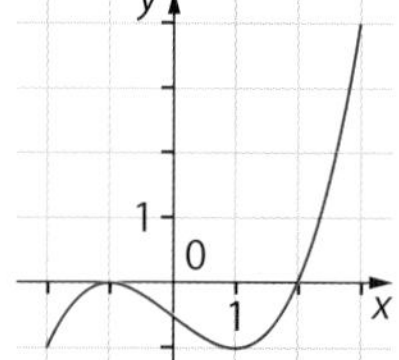

a. F est croissante sur $[1;3]$.

b. F présente un maximum en -1.

c. F présente un minimum en 2.

d. F est décroissante sur $[-2;2]$.

Conseil Attention, la courbe dessinée est celle de la fonction dérivée de F, car $F' = f$.

137 Calcul de primitives

Déterminer les primitives de chaque fonction f sur l'intervalle I.

a. $f : x \longmapsto x^4 - 3x^3 + 5x^2$ sur $\mathbb{R}$;

b. $f : x \longmapsto \dfrac{1}{x^2} + \dfrac{2}{\sqrt{x}}$ sur $]0;+\infty[$;

c. $f : x \longmapsto \sin x \cos^3 x$ sur $\mathbb{R}$;

d. $f : x \longmapsto \dfrac{x-1}{x^2-2x}$ sur $]2;+\infty[$.

138 Calcul d'une primitive particulière

Déterminer la primitive F de chaque fonction f sur l'intervalle I qui vérifie la condition donnée.

a. $f : x \longmapsto \sin x$ sur $\mathbb{R}$ et $F\left(\dfrac{3\pi}{4}\right) = 0$;

b. $f : x \longmapsto e^x + e^{-x}$ sur $\mathbb{R}$ et $F(0) = 3$;

c. $f : x \longmapsto \dfrac{1}{(2x+5)^4}$ sur $\left]-\infty;-\dfrac{5}{2}\right[$ et $F(-3) = \dfrac{1}{6}$;

d. $f : x \longmapsto \dfrac{x^2}{x^3+1}$ sur $]-1;+\infty[$ et $F(0) = 1$.

Pistes pour l'accompagnement personnalisé

Calculer et utiliser une intégrale

139 Vrai ou faux ?

On considère la fonction $F : x \longmapsto \int_0^x e^{-t^2} dt$ définie sur $[0\,;+\infty[$.

1 La fonction F est décroissante sur $[0\,;+\infty[$.

2 F présente un minimum en 0.

3 $\frac{1}{e} \leqslant F(1) \leqslant 1$.

140 Calculer des intégrales

Calculer les intégrales suivantes :

a. $\int_1^3 \left(x^2 - \frac{1}{x^2}\right) dx$;

b. $\int_0^1 \frac{t}{\sqrt{t^2+1}} dt$;

c. $\int_0^3 \frac{2x+1}{x^2+x+1} dx$;

d. $\int_{\frac{\pi}{6}}^{\frac{\pi}{4}} \tan t \, dt$.

141 Transformation d'écriture

Soit la fonction f définie sur $]1\,;+\infty[$ par :

$$f(x) = \frac{5x-1}{x^2-1}.$$

1 Déterminer deux réels a et b tels que pour tout réel $x \in]1\,;+\infty[$, $f(x) = \frac{a}{x-1} + \frac{b}{x+1}$.

2 En déduire $\int_2^3 f(x) dx$.

Utiliser les propriétés de l'intégrale

142 Obtenir un encadrement à l'aide d'une intégrale

1 Montrer que pour tout réel $t \geqslant 0$,

$$1 - t \leqslant \frac{1}{1+t} \leqslant 1 - t + t^2.$$

2 En déduire que pour tout réel $x \geqslant 0$.

$$x - \frac{x^2}{2} \leqslant \ln(1+x) \leqslant x - \frac{x^2}{2} + \frac{x^3}{3}.$$

Méthode

Passer aux intégrales entre 0 et x à partir des inégalités du **1**.

143 Un calcul d'aire

On a représenté ci-contre la courbe représentative de la fonction f définie sur $[-2\,;3]$ par :

$$f(x) = \frac{x^3}{2} - x^2 - \frac{x}{2} + 1.$$

Calculer l'aire de la surface jaune, en unités d'aire.

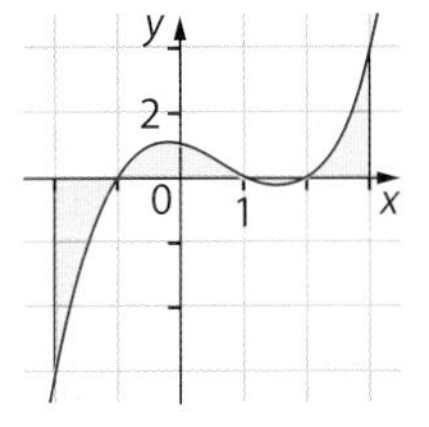

Méthode

Décomposer la surface sur des intervalles où f est de signe constant, et utiliser des intégrales.

Approfondissement

En lien avec les sciences

144 Calcul de vitesse moyenne

Un véhicule se déplace sur un trajet rectiligne.
Sa vitesse $v(t)$, en fonction du temps t, est représentée ci-contre.
On rappelle que la distance parcourue $x(t)$ vérifie :
$x'(t) = v(t)$ avec $x(0) = 0$.

v(en m/s)
10
0
10
t en s

1 Déterminer $x(t)$ en fonction du temps t.

2 Calculer la vitesse moyenne du mobile sur l'ensemble du trajet.

145 En économie

Une entreprise fabrique et vend des objets.
À la date $t \geqslant 1$, exprimée en semaines, on modélise :

- la quantité $f(t)$ d'objets produits par l'entreprise, en milliers, par : $f(t) = 1{,}1t - \ln(t) - \ln(t+1)$ (on parle de **quantité offerte** par l'entreprise) ;
- la quantité $g(t)$ d'objets commandés par les consommateurs à cette entreprise, en milliers, par : $g(t) = 1{,}1t + \frac{1}{t}$ (on parle de **quantité demandée** à l'entreprise).

1 On dit que « la demande est satisfaite à la date t » lorsque l'on a $f(t) \geqslant g(t)$.
Démontrer que la demande n'est jamais satisfaite.

Aide Étudier les variations, puis le signe de la fonction $h : t \longmapsto f(t) - g(t)$ définie sur $[1\,;+\infty[$.

2 On admet que le nombre d'objets manquants pour que la demande soit satisfaite entre les dates n_1 et n_2 ($n_1 \leqslant n_2$), en milliers, est : $\int_{n_1}^{n_2} [g(t) - f(t)] dt$.

a. Dériver la fonction k définie sur $[1\,;+\infty[$ par :

$$k(t) = (t+1)\ln(t+1) + t\ln(t).$$

b. Donner, à un objet près, le nombre total d'objets manquants pour que la demande soit satisfaite entre les dates 1 et 5 (en semaines).

146 Intensité efficace

On considère un courant alternatif de période T, dont l'intensité $i(t)$ (en A) passant dans la résistance R est donnée, en fonction du temps t, par : $i(t) = 10\cos(\omega t)$. ω est la pulsation du signal (en rad $\cdot$ s^{-1}).

1 Calculer la période T en fonction de ω.

2 Préciser l'intensité maximale I_{max} du courant.

3 Pendant la période T, la quantité de chaleur produite par le passage dans la résistance R, en joule, est :

$$W = \int_0^T R(i(t))^2 \mathrm{d}t \text{ (loi de Joule)}$$

Calculer W.

4 Déterminer l'intensité du courant continu I_c qui produirait le même dégagement de chaleur W durant la période T. Exprimer une relation entre I_c et I_{max}.

Pour info L'intensité I_c est appelée intensité efficace de i.

147 Courbes de Lorenz et indice de Gini

On a représenté ci-contre les courbes $\mathscr{C}$ et Γ représentant respectivement les fonctions f et g définies sur $[0\,;1]$ par :

$$f(x) = \frac{3}{2}x + \frac{1}{x+1} - 1 \text{ et } g(x) = \mathrm{e}^x - (\mathrm{e}-2)x - 1.$$

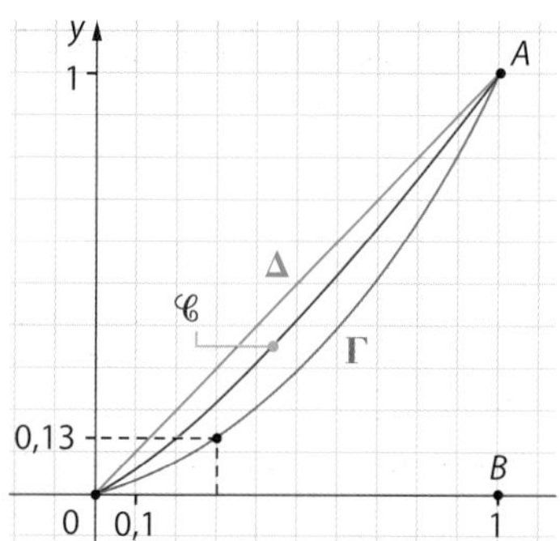

Elles illustrent la répartition des surfaces agricoles de deux pays F et G en fonction de la répartition de la taille des exploitations (on parle de **courbes de Lorenz**).

Ainsi, on lit $g(0{,}3) \approx 0{,}13$. Cela signifie que dans le pays G, 30 % des exploitations les plus petites représentent environ 13 % de la superficie des exploitations de ce pays.

1 a. Calculer $f(0)$ et $f(1)$. Interpréter.
b. Justifier que f est croissante sur $[0\,;1]$. Interpréter.

2 Reprendre la question précédente pour g.

3 On appelle **indice de Gini**, γ, le quotient de l'aire comprise entre la courbe de Lorenz et Δ, par l'aire du triangle OAB.

a. Expliquer la phrase : « plus l'indice de Gini est petit, plus la répartition de la surface agricole est égalitaire ».
b. D'après le graphique, lequel des deux pays correspond à la répartition la plus égalitaire ? Calculer les indices de Gini γ_F et γ_G respectivement des pays F et G et expliquer la réponse par le calcul.

Calcul de volumes

Aide On considère un solide délimité par les plans d'équations $z = a$ et $z = b$ (avec $a < b$).
Tout plan d'équation $z = t$, avec $t \in [a\,;b]$, coupe ce solide suivant une section d'aire $S(t)$, en unités d'aire.

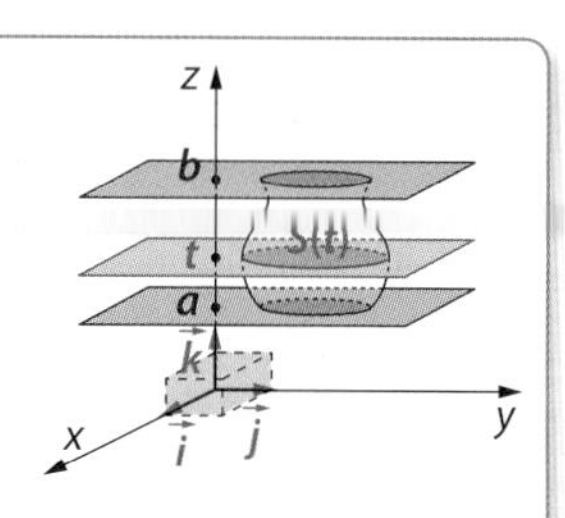

Lorsque $S : t \longmapsto S(t)$ est continue sur $[a\,;b]$, on admet que le volume V du solide, en unités de volume, est :

$$V = \int_a^b S(t)\mathrm{d}t.$$

148 Volumes de solides usuels

1 Volume d'une boule

On coupe une boule de centre O et de rayon R par un plan (P) et on appelle x la distance OH de O au plan (P). On appelle (D) le disque intersection.

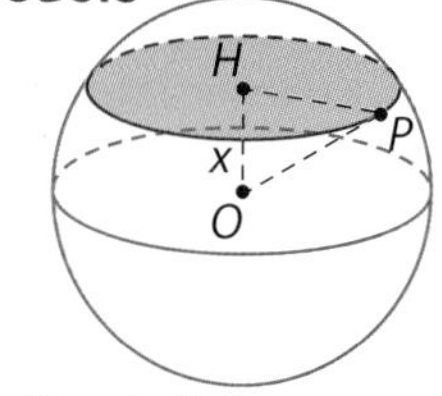

a. Déterminer l'aire de (D) en fonction de R et x.
b. À l'aide d'un calcul d'intégrale, retrouver la formule du volume d'une sphère.

2 Volume d'un cône de révolution

De manière analogue, retrouver le volume d'un cône de rayon de base R et de hauteur h.

149 Solides de révolution

Partie 1 On considère un solide obtenu par la rotation d'une courbe $\mathscr{C}$ autour de l'axe (Oz). Dans ce cas, la section du solide avec tout plan d'équation $z = t$ est un disque de rayon $R(t)$. Alors $S(t) = \pi \times R(t)^2$.

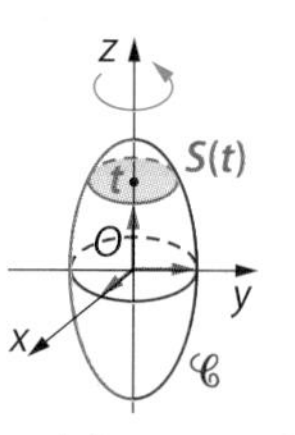

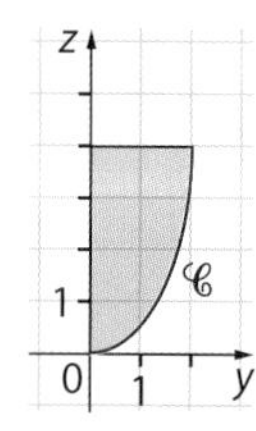

Calculer le volume du solide engendré par la rotation de l'arc de parabole d'équation $z = y^2$ pour y dans $[0\,;2]$ autour de l'axe (Oz).

Partie 2 On considère la fonction f définie sur $[0 ; \pi]$ par $f(x) = \sin^2(x)$ et $\mathscr{C}$ sa courbe représentative dans un repère orthonormé (unité graphique 2 cm).
Le domaine $\mathscr{D}$ est l'ensemble des points $M(x ; y)$ du plan tels que $0 \leqslant x \leqslant \pi$ et $0 \leqslant y \leqslant f(x)$.

1 Représenter graphiquement le domaine $\mathscr{D}$.

2 Exprimer $\sin^2(x)$ en fonction de $\cos(2x)$, puis $\sin^4(x)$ en fonction de $\cos(4x)$ et de $\cos(2x)$.

3 En déduire la valeur de $\int_0^{\pi} \sin^4(t)\mathrm{d}t$.

4 La courbe $\mathscr{C}$, en tournant autour de l'axe (Ox), engendre un solide S dont le volume est donné par V, en unité de volume. Calculer le volume V, en cm³.

Vers le Supérieur

150 Intégration par parties

1 Soient deux fonctions u et v dérivables sur un intervalle I, de dérivées u' et v' continues sur I.
Justifier que pour tout réel a et b de I :

$$\int_a^b u(x) \cdot v'(x)\mathrm{d}x = [u(x) \cdot v(x)]_a^b - \int_a^b u'(x) \cdot v(x)\mathrm{d}x.$$

2 Applications

a. Calculer $I = \int_0^1 x \cdot \mathrm{e}^x \mathrm{d}x$ et $J = \int_1^e x^2 \ln(x)\mathrm{d}x$.

b. Déterminer la primitive de la fonction ln sur l'intervalle $]0 ; +\infty[$ qui s'annule en 1.

151 Avec les fonctions trigonométriques

Soit la suite (I_n) définie pour $n \geqslant 0$ par :

$$I_n = \int_0^{\frac{\pi}{3}} \frac{(\sin x)^n}{\cos x}\mathrm{d}x.$$

1 Calculer $\int_0^{\frac{\pi}{3}} (\sin x)^n \cos x \, \mathrm{d}x$. En déduire $I_{n+2} - I_n$ en fonction de n.

2 Calculer I_1 et en déduire I_3 et I_5.

3 a. Calculer la dérivée de $f : x \longmapsto \ln\left(\tan\frac{x}{2} + \frac{\pi}{4}\right)$.

b. En déduire I_0, puis I_2 et I_4.

152 Valeurs approchées de e

Soit $a > 0$. Pour tout entier $n \geqslant 0$, on pose :
- f_n la fonction définie sur $\mathrm{I} = [0 ; +\infty[$ par :

$$f_n(x) = \frac{x^n}{n!}\mathrm{e}^{-x} ;$$

- $\mathscr{C}_n$ la courbe représentative de f_n ;
- $\mathrm{I}_n(a) = \int_0^a f_n(x)\mathrm{d}x$.

Rappel $0! = 1$.

1 Calculer $\mathrm{I}_0(a)$.

2 Montrer que, pour tout réel $x \geqslant 0$ et tout entier $k \geqslant 1$:

$$f_k(0) = 0 \quad \text{et} \quad f_k'(x) = f_{k-1}(x) - f_k(x).$$

En déduire que pour tout entier $k \geqslant 1$:

$$I_k(a) - I_{k-1}(a) = -\frac{a^k}{k!}\mathrm{e}^{-a}.$$

3 En déduire que pour tout entier $n \geqslant 1$:

$$I_n(a) = 1 - \left(\sum_{k=0}^{n} \frac{a^k}{k!}\right)\mathrm{e}^{-a}.$$

4 Dans cette question, on prend $a = 1$.
Pour tout entier $n \geqslant 0$, on pose $u_n = I_n(1)$:

$$u_n = \int_0^1 f_n(x)dx = 1 - \left(\sum_{k=0}^{n} \frac{1}{k!}\right)\mathrm{e}^{-1}.$$

a. Montrer que pour tout entier $n \geqslant 1$, $u_n \geqslant 0$.
Donner une interprétation géométrique de u_n.

b. Montrer que pour tout entier naturel n et pour tout $x \in [0 ; 1]$:

$$f_n(x) \leqslant \frac{1}{n!}x^n.$$

c. En déduire que pour tout entier naturel n :

$$0 \leqslant u_n \leqslant \frac{1}{(n+1)!}.$$

Quelle est la limite de la suite u ?

d. En déduire que $e = \lim\limits_{n \to +\infty}\left(\sum_{k=0}^{n} \frac{1}{k!}\right)$.

Pour info C'est au mathématicien suisse Léonard Euler (1707-1783) que l'on doit ce résultat.

153 Intégrales généralisées

Définition Soit une fonction f continue sur $]a ; b]$ (respectivement $[a ; b[$).
Si $\lim\limits_{t \to a} \int_t^b f(x)\mathrm{d}x$ (resp. $\lim\limits_{t \to b} \int_a^t f(x)\mathrm{d}x$) existe et est finie, alors on dit que l'intégrale $\int_a^b f(x)\mathrm{d}x$ converge et sa valeur est la limite trouvée.
La définition reste valable si $a = -\infty$ ou $b = +\infty$.

Les intégrales suivantes sont elles convergentes ? Si oui, les calculer.

1 a. $\int_0^1 \frac{1}{\sqrt{x}}\mathrm{d}x$; **b.** $\int_0^1 \frac{1}{x}\mathrm{d}x$;

c. $\int_0^1 \ln x \, \mathrm{d}x$ (On rappelle que $x \longmapsto x\ln x - x$ est une primitive de la fonction ln).

2 a. $\int_1^{+\infty} \frac{1}{x^2}\mathrm{d}x$; **b.** $\int_e^{+\infty} \frac{1}{x(\ln x)^2}\mathrm{d}x$;

c. $\int_0^{+\infty} \frac{1}{(1+\mathrm{e}^x)(1+\mathrm{e}^{-x})}\mathrm{d}x$.

Les nombres

Partir d'un bon pied

Voir corrigés en fin de manuel

A Revoir le trinôme $ax^2 + bc + c\ (a \neq 0)$

QCM Pour chacune des affirmations suivantes, préciser **la seule** réponse correcte.

1 Le discriminant du trinôme $ax^2 + bx + c\ (a \neq 0)$ est le réel :	**a.** $-\frac{b}{2a}$	**b.** $b^2 - 4ac$	**c.** $4ac - b^2$
2 La « forme canonique » du trinôme $ax^2 + bx + c\ (a \neq 0)$ est :	**a.** $a\left(x + \frac{b}{2a}\right)^2 - \frac{\Delta}{4a}$	**b.** $a\left(x + \frac{b}{2a}\right)^2 + \frac{\Delta}{4a}$	**c.** $a\left(x - \frac{b}{2a}\right)^2 - \frac{\Delta}{4a}$
3 L'équation $3x^2 + x - 2 = 0$ a pour ensemble de solutions :	**a.** $\varnothing$	**b.** $\{-1\}$	**c.** $\left\{-1\,;\frac{2}{3}\right\}$
4 Si le trinôme $ax^2 + bx + c\ (a \neq 0)$ admet deux racines x_1 et x_2, alors sa forme factorisée est :	**a.** $a(x + x_1)(x + x_2)$	**b.** $(x - x_1)(x - x_2)$	**c.** $a(x - x_1)(x - x_2)$

B Utiliser des coordonnées

Dans un repère orthonormé (O, I, J) du plan, on considère les points $A(1\,;3)$, $B(0\,;-2)$ et $E(-4\,;3)$.

1 Calculer les coordonnées du vecteur $\overrightarrow{AB}$.

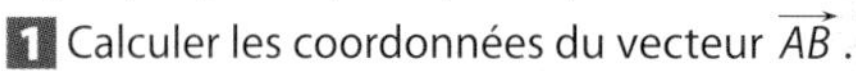

2 Calculer les coordonnées du milieu C du segment $[BE]$.

3 Calculer la distance OE.

4 Calculer les coordonnées du point F tel que le quadrilatère $ABEF$ soit un parallélogramme.

5 Déterminer les coordonnées du point E' symétrique du point E par rapport à l'origine O.

6 Déterminer les coordonnées du point A' symétrique du point A par rapport à l'axe (OI).

7 Les droites (BI) et (EJ) sont-elles perpendiculaires ?

C Revoir les angles orientés

Le plan est muni d'un repère orthonormé (O, I, J) ; $\vec{u}$ et $\vec{v}$ sont deux vecteurs non nuls.

Vrai ou faux ? Préciser si les affirmations suivantes sont vraies ou fausses.

1 On dit que le repère orthonormé (O, I, J) est direct lorsque $(\overrightarrow{OI}, \overrightarrow{OJ}) = \frac{\pi}{2}\ (2\pi)$.

2 Si le point M, distinct de O, appartient à l'axe des abscisses, alors $(\overrightarrow{OI}, \overrightarrow{OM}) = 0\ (2\pi)$.

3 L'ensemble des points M tels que $(\overrightarrow{OI}, \overrightarrow{OM}) = \frac{\pi}{2}\ (2\pi)$ est l'axe des ordonnées privé de l'origine.

4 Si $(\overrightarrow{OI}, \vec{v}) = (\overrightarrow{OI}, \vec{u})\ (2\pi)$, alors les vecteurs $\vec{u}$ et $\vec{v}$ sont colinéaires.

5 Si les vecteurs $\vec{u}$ et $\vec{v}$ sont colinéaires, alors $(\overrightarrow{OI}, \vec{v}) = (\overrightarrow{OI}, \vec{u})\ (2\pi)$.

6 Si M appartient au cercle de centre O et de rayon 1, ses coordonnées sont de la forme $(\cos\alpha\,;\sin\alpha)$, où α est une mesure en radian de l'angle $(\overrightarrow{OI}, \overrightarrow{OM})$.

complexes

7

Des maths partout !

Le mathématicien franco-américain Benoît Mandelbrot a développé la notion de *fractales* qui a permis de modéliser des formes naturelles comme celles d'un chou-fleur, d'un poumon, d'une côte rocheuse … Il a utilisé des suites de *nombres complexes* pour tracer à l'aide d'un ordinateur des ensembles comme celui représenté ci-contre.

Benoît Mandelbrot (1924-2010).

Au fil du temps

Les nombres complexes sont apparus au XVIe siècle pour résoudre les équations de degré 3 sous l'impulsion des mathématiciens italiens **Cardan**, **Bombelli**, **Tartaglia**. Ce n'est qu'au XIXe siècle que le suisse **Argand** proposa une représentation géométrique de ces nombres qui fut reprise et adoptée par **Gauss** et **Cauchy**.

Nicolo Fontana, appelé Tartaglia (1499-1557).

Découvrir

Activité 1  Des nouveaux nombres

1 La calculatrice contient un nombre noté « i » ; après avoir repéré ce nombre, calculer son carré et expliquer pourquoi ce nombre ne peut pas être un réel.
Voici un extrait des manuels d'utilisation des calculatrices Casio et TI :

Casio

MENU RUN EXE — Avant de commencer un calcul de nombres complexes, appuyez sur OPTN F3 (CPLX) pour afficher le menu de calcul de nombres complexes.

- {i} ... {entrée de l'unité imaginaire i}
- {**Abs**}/{**Arg**} ... obtention de {la valeur absolue}/{l'argument}
- {**Conj**} ... {calcul du conjugué}
- {**ReP**}/{**ImP**} ... extraction de la partie {réelle}/{imaginaire}

TI

Menu MATH CPX

Pour afficher le menu **MATH CPX** appuyez sur MATH ▸ ▸.

MATH NUM CPX PRB

1:	conj(	Donne le conjugué complexe
2:	real(	Donne la partie réelle
3:	imag(	Donne la partie imaginaire
4:	angle(	Donne un argument
5:	abs(	Donne le module
6:	▸Rect	Affiche le résultat sous forme algébrique
7:	▸Polar	Affiche le résultat en forme exponentielle

conj(

conj((conjugué) donne le conjugué complexe d'un nombre complexe ou d'une liste de nombres complexes.

Indication
On appelle **nombre complexe** un nombre de la forme $x + \mathrm{i}y$, avec x et y réels et i un nombre imaginaire vérifiant $\mathrm{i}^2 = -1$.
On note $\mathbb{C}$ l'ensemble des nombres complexes.

On considère les nombres complexes $a = -3 + 2\mathrm{i}$ et $b = 2 - 5\mathrm{i}$.

2 **a. À l'aide de la calculatrice**, calculer $a + b$ et $a \times b$; retrouver les résultats par un calcul « à la main ». Pour calculer $a \times b$, utiliser la « distributivité » comme on l'utilise dans $\mathbb{R}$ (voir ci-contre).

$(-3 + 2\mathrm{i}) \times (2 - 5\mathrm{i})$

b. Calculer « à la main » a^2 ; vérifier le résultat avec la calculatrice.

3 **a.** En utilisant l'extrait du manuel d'utilisation, faire afficher par la calculatrice la partie réelle, la partie imaginaire et le conjugué de chacun des nombres a et b.
b. Soit $z = x + \mathrm{i}y$ un nombre complexe, avec x et y réels ; grâce aux résultats de la question **3** **a.** proposer une définition de « la partie réelle de z », de « la partie imaginaire de z » et du « conjugué de z ».

Voir les fiches **Calculatrices**.

Activité 2 Le second degré dans $\mathbb{C}$

1 Résoudre dans $\mathbb{C}$ les équations suivantes :
a. $x^2 = -4 = (2\mathrm{i})^2$; **b.** $x^2 = k$, où k est un réel négatif.

Indication
On admet que l'équation $x^2 = -1$ admet dans $\mathbb{C}$ deux solutions, notées i et $(-\mathrm{i})$.

2 On considère l'équation $x^2 - 2x + 5 = 0$.
a. Montrer que cette équation n'a pas de solution dans $\mathbb{R}$.
b. Donner la forme canonique de $x^2 - 2x + 5$; en déduire que l'équation à résoudre équivaut à : $(x - 1)^2 = -4$.
c. Montrer alors que l'équation $x^2 - 2x + 5 = 0$ admet deux solutions dans $\mathbb{C}$.

3 Utiliser la même méthode pour résoudre dans $\mathbb{C}$ l'équation $z^2 + 4z + 13 = 0$.

Activité 3 Un peu d'histoire : recherche documentaire

1 a. Pour résoudre quel type de problèmes les mathématiciens italiens Tartaglia, Cardan et Bombelli ont-ils été amenés à considérer des nombres (qu'ils ont appelés *imaginaires*) ayant un carré négatif ?
b. À quelle époque ces mathématiciens ont-ils vécu ?

Jérôme Cardan, mathématicien, philosophe et astrologue italien (1501-1576).

2 À quel mathématicien doit-on la notation i pour éviter l'écriture « $\sqrt{-1}$ » ?
En quelle année ?

3 L'appellation « nombre complexe » à la place de « nombre imaginaire » est due à un mathématicien qui a donné une définition précise de ces nombres et popularisé leur étude : de qui s'agit-il ?

4 Pourquoi dit-on que l'ensemble des nombres complexes est « algébriquement clos » ?
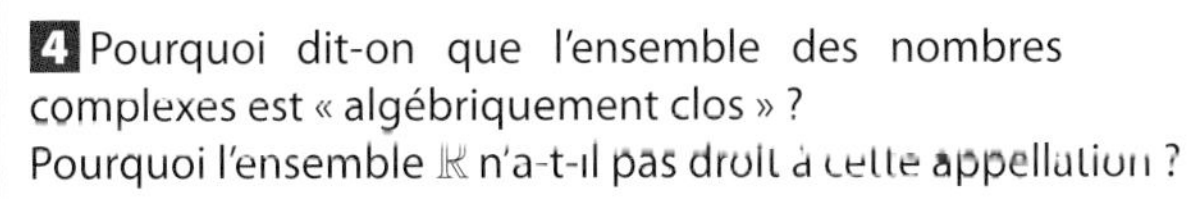
Pourquoi l'ensemble $\mathbb{R}$ n'a-t-il pas droit à cette appellation ?

5 À partir du timbre ci-contre, dédié au mathématicien allemand Carl Friedrich Gauss (1777-1855), expliquer comment, un repère orthonormé du plan étant fixé, on associe un nombre complexe à un point du plan.

Activité 4 Un autre repérage pour les points du plan

On munit le plan d'un repère orthonormé direct (O, I, J) et on note $\mathscr{C}$ le cercle trigonométrique associé à ce repère.

1 Placer les points A, B et C tels que :

$$OA = 1 \text{ et } (\overrightarrow{OI}, \overrightarrow{OA}) = \frac{\pi}{3}\ (2\pi)\ ;$$

$$OB = 2 \text{ et } (\overrightarrow{OI}, \overrightarrow{OB}) = -\frac{\pi}{4}\ (2\pi)\ ;$$

$$OC = 1 \text{ et } (\overrightarrow{OI}, \overrightarrow{OC}) = \frac{5\pi}{6}\ (2\pi).$$

Pour info
On peut repérer un point M du plan autre que O en connaissant la distance $r = OM$ et une mesure α, en radian, de l'angle orienté $(\overrightarrow{OI}, \overrightarrow{OM})$.
On dit que r et α sont les *coordonnées polaires* de M dans le repère (O, I).

2 Quelles sont les coordonnées polaires des points I et J ?

3 Faire le lien entre les coordonnées polaires et les coordonnées cartésiennes : soit $M(x\ ;\ y)$ un point autre que l'origine ;
on note r la distance OM, α une mesure en radian de l'angle orienté $(\overrightarrow{OI}, \overrightarrow{OM})$ et m le point de $\mathscr{C}$ associé au réel α.
a. Donner les coordonnées polaires de m dans le repère (O, I).
b. Donner les coordonnées cartésiennes de m dans le repère (O, I, J).
c. Justifier que les vecteurs $\overrightarrow{Om}$ et $\overrightarrow{OM}$ sont colinéaires et de même sens.
Pour cela, calculer l'angle $(\overrightarrow{Om}, \overrightarrow{OM})$ à l'aide de la relation de Chasles.
d. En déduire que $\overrightarrow{OM} = r\,\overrightarrow{Om}$.
e. Montrer que $x = r\cos\alpha$ et $y = r\sin\alpha$.

Cours

1 L'ensemble $\mathbb{C}$

a Théorème (admis)

Théorème Il existe un ensemble de nombres, noté $\mathbb{C}$ et appelé **ensemble des nombres complexes**, possédant les propriétés suivantes :

- $\mathbb{C}$ contient $\mathbb{R}$;
- on définit dans $\mathbb{C}$ une addition et une multiplication qui suivent les mêmes règles de calcul que l'addition et la multiplication des réels ;
- il existe dans $\mathbb{C}$ un nombre i tel que $i^2 = -1$;
- tout élément z de $\mathbb{C}$ s'écrit **de manière unique $z = x + iy$ avec x et y réels**.

Exemple
Soit $z = 3 + 5i$ et $z' = 2 - 3i$.
Calcul de leur somme $z + z'$ et de leur produit $z \times z'$ (noté aussi zz') :

$$z + z' = 3 + 5i + 2 - 3i = 3 + 2 + i(5 - 3) = 5 + 2i ;$$

$$zz' = (3 + 5i)(2 - 3i) = 6 - 9i + 10i - 15i^2 = 6 + i + 15 = 21 + i.$$

b Vocabulaire

Si un nombre complexe s'écrit $z = x + iy$ **avec x et y réels**, alors :

- $x + iy$ s'appelle la **forme algébrique** de z ;
- x est la **partie réelle** de z ; on note $\boldsymbol{x = \mathrm{Re}(z)}$;
- y est la **partie imaginaire** de z ; on note $\boldsymbol{y = \mathrm{Im}(z)}$;
- si $y = 0$, alors $z = x \in \mathbb{R}$ (on retrouve le fait que $\mathbb{C}$ contient $\mathbb{R}$) ;
- si $x = 0$, alors $z = iy$ est dit **imaginaire pur** ; on note $i\mathbb{R}$ l'ensemble des nombres imaginaires purs.

Attention !
La partie imaginaire d'un nombre complexe est un réel.

REMARQUES

- Deux nombres complexes sont égaux si, et seulement si, ils ont même partie réelle et même partie imaginaire :

$$z = z' \Leftrightarrow \mathrm{Re}(z) = \mathrm{Re}(z') \quad \text{et} \quad \mathrm{Im}(z) = \mathrm{Im}(z').$$

- En particulier : $z = 0 \Leftrightarrow \mathrm{Re}(z) = \mathrm{Im}(z) = 0$.

Commentaire
C'est une autre façon de dire que la forme algébrique est unique.

c Conjugué d'un nombre complexe

Définition Soit z un nombre complexe de forme algébrique $x + iy$.
On appelle **conjugué** de z et on note $\overline{z}$ le nombre complexe $\overline{z} = x - iy$.
Ainsi :

$$\boldsymbol{\mathrm{Re}(\overline{z}) = \mathrm{Re}(z)} \quad \text{et} \quad \boldsymbol{\mathrm{Im}(\overline{z}) = -\mathrm{Im}(z)}.$$

Exemples

- $\overline{-2 + 3i} = -2 - 3i$.
- $\overline{5} = 5$; $\overline{2i} = -2i$.

La notion de conjugué permet de caractériser les nombres réels et les nombres imaginaires purs parmi les nombres complexes.

Propriété Soit z un nombre complexe :

$$\boldsymbol{z \in \mathbb{R} \Leftrightarrow \overline{z} = z} \quad \text{et} \quad \boldsymbol{z \in i\mathbb{R} \Leftrightarrow \overline{z} = -z}.$$

Remarques

- $\overline{\overline{z}} = z$.
- $z + \overline{z} = 2\,\mathrm{Re}(z)$.
  $z - \overline{z} = 2i\,\mathrm{Im}(z)$.

DÉMONSTRATION

On note $x + iy$ la forme algébrique de z ;
$\overline{z} = z \Leftrightarrow x - iy = x + iy \Leftrightarrow -2iy = 0 \Leftrightarrow y = 0 \Leftrightarrow z = x \Leftrightarrow z \in \mathbb{R}$;
$\overline{z} = -z \Leftrightarrow x - iy = -x - iy \Leftrightarrow 2x = 0 \Leftrightarrow x = 0 \Leftrightarrow z = iy \Leftrightarrow z \in i\mathbb{R}$.

Utiliser la forme algébrique

Exercice corrigé

Énoncé **1** Résoudre dans $\mathbb{C}$ les équations d'inconnue z suivantes :

a. $3z + 1 - \mathrm{i} = 7 + 3\mathrm{i}$; **b.** $2z + \mathrm{i}\overline{z} = 5 - 2\mathrm{i}$.

2 On considère le nombre complexe $z = a + 2\mathrm{i}$ avec $a \in \mathbb{R}$. Déterminer a dans les cas suivants :

a. $z^2 \in \mathrm{i}\mathbb{R}$; **b.** $z + a\overline{z} \in \mathbb{R}$.

Solution

1 a. $3z + 1 - \mathrm{i} = 7 + 3\mathrm{i} \Leftrightarrow 3z = 7 + 3\mathrm{i} - 1 + \mathrm{i}$

$\Leftrightarrow 3z = 6 + 4\mathrm{i} \Leftrightarrow z = \dfrac{6 + 4\mathrm{i}}{3} = 2 + \dfrac{4}{3}\mathrm{i}$ **1▸**.

Donc : $\mathcal{S} = \left\{\mathbf{2 + \dfrac{4}{3}i}\right\}$.

b. On pose $z = x + \mathrm{i}y$ avec x et y réels **2▸**.

$2z + \mathrm{i}\overline{z} = 5 - 2\mathrm{i} \Leftrightarrow 2(x + \mathrm{i}y) + \mathrm{i}(x - \mathrm{i}y) = 5 - 2\mathrm{i}$

$\Leftrightarrow 2x + 2\mathrm{i}y + \mathrm{i}x + y = 5 - 2\mathrm{i} \Leftrightarrow (2x + y) + \mathrm{i}(x + 2y) = 5 - 2\mathrm{i}$

$\Leftrightarrow \begin{cases} 2x + y = 5 \\ x + 2y = -2, \end{cases}$ car $2x + y$ et $x + 2y$ sont des réels **3▸**.

On résout le système par substitution :

$$\begin{cases} 2x + y = 5 \\ x + 2y = -2 \end{cases} \Leftrightarrow \begin{cases} y = 5 - 2x \\ x + 2(5 - 2x) = -2 \end{cases} \Leftrightarrow \begin{cases} y = 5 - 2x \\ -3x = -12 \end{cases} \Leftrightarrow \begin{cases} x = 4 \\ y = -3 \end{cases}.$$

Donc : $\mathcal{S} = \{\mathbf{4 - 3i}\}$.

2 a. $z^2 = (a + 2\mathrm{i})^2 = a^2 + 4a\mathrm{i} - 4 = a^2 - 4 + 4a\mathrm{i}$. Comme a est un réel, $(a^2 - 4)$ et $4a$ sont des réels, et $(a^2 - 4) + 4a\mathrm{i}$ est la forme algébrique de z^2.

$z^2 \in \mathrm{i}\mathbb{R} \Leftrightarrow a^2 - 4 = 0 \Leftrightarrow a = 2$ ou $a = -2$ **4▸**.

b. $z + a\overline{z} = a + 2\mathrm{i} + a(a - 2\mathrm{i}) = a^2 + a + \mathrm{i}(2 - 2a)$; on obtient ainsi la forme algébrique de $z + a\overline{z}$.

$$z + a\overline{z} \in \mathbb{R} \Leftrightarrow 2 - 2a = 0 \Leftrightarrow \boldsymbol{a = 1} \text{ 5▸}.$$

Bon à savoir

1▸ Comme pour une résolution dans $\mathbb{R}$, on effectue les calculs nécessaires afin d'isoler l'inconnue dans un membre de l'égalité.

2▸ Pour utiliser la définition du conjugué, il faut introduire la forme algébrique de z.

3▸ Deux nombres complexes sont égaux si, et seulement si, ils ont même partie réelle et même partie imaginaire.

4▸ Un nombre complexe est un imaginaire pur si, et seulement si, sa partie réelle est nulle.

5▸ Un nombre complexe est un réel si, et seulement si, sa partie imaginaire est nulle.

Exercices d'application

1 Déterminer la partie réelle, la partie imaginaire et le conjugué de chacun des nombres complexes suivants :

$z_1 = -2\mathrm{i} + 5$; $z_2 = 15$; $z_3 = 3\mathrm{i}$;

$z_4 = \mathrm{i}(2 + 3\mathrm{i})$; $z_5 = (1 - 5\mathrm{i})^2$.

2 Écrire sous forme algébrique les nombres complexes suivants :

$z_1 = (2 + 5\mathrm{i}) + (\mathrm{i} + 3)$; $z_2 = (3 - 11\mathrm{i}) - (-8 + 9\mathrm{i})$;

$z_3 = (7 + 5\mathrm{i})(-4 + 3\mathrm{i})$; $z_4 = (1 - 5\mathrm{i})^2$;

$z_5 = \mathrm{i}(1 - 3\mathrm{i})^2$; $z_6 = 1 + \mathrm{i} + \mathrm{i}^2$.

3 Montrer que, pour tout nombre complexe z :

- $z + \overline{z}$ est réel et $z - \overline{z}$ est imaginaire pur ;
- $\overline{\overline{z}} = z$.

4 Résoudre dans $\mathbb{C}$ les équations suivantes :

a. $2z + \mathrm{i} = 3 + 2\mathrm{i}$;

b. $\mathrm{i}z + 3 = -1 + 2\mathrm{i}$ (multiplier par i) ;

c. $z^2 + 2\mathrm{i}z - 1 = 0$ (reconnaître une identité remarquable) ;

d. $z + \mathrm{i} = 2\overline{z} + 1$ (utiliser la forme algébrique de z).

5 Soit $z = x + \mathrm{i}y$ avec x et y réels ; déterminer les parties réelles et imaginaires des nombres complexes suivants :

a. $5z - \mathrm{i}$; **b.** $(3 - 2\mathrm{i})z$;

c. z^2 ; **d.** $3\overline{z} - 5z$;

e. $(2 + \mathrm{i})(2\mathrm{i} - \overline{z})$; **f.** $(z - 1)(\overline{z} - \mathrm{i})$.

Voir exercices 30 à 36

2 Calculs avec le conjugué

a Calcul d'un inverse, d'un quotient

Propriété Soit z un nombre complexe de forme algébrique $x + iy$ et $\overline{z}$ son conjugué. Alors : $\boldsymbol{z\overline{z} = x^2 + y^2}$.

$z\overline{z}$ est donc un **réel positif**, nul si, et seulement si, $z = 0$.

Conséquence Tout nombre complexe z non nul de forme algébrique $x + iy$ a un inverse : $\boldsymbol{\dfrac{1}{z} = \dfrac{\overline{z}}{x^2 + y^2}}$.

Indication
Pour la démonstration, il suffit de développer $(x + iy)(x - iy)$.

Méthode
La forme algébrique d'un quotient est obtenue en multipliant le numérateur et le dénominateur par le conjugué du dénominateur :

$$\frac{1-i}{1+2i} = \frac{(1-i)(1-2i)}{(1+2i)(1-2i)} = \frac{1-2i-i-2}{1+4} = -\frac{1}{5} - \frac{3}{5}i.$$

b Conjugaison et opérations

Propriétés Pour tous nombres complexes z et z', $\boldsymbol{\overline{z+z'} = \overline{z} + \overline{z'}}$ et $\boldsymbol{\overline{zz'} = \overline{z}\,\overline{z'}}$; si, de plus, $z' \neq 0$, $\boldsymbol{\overline{\left(\dfrac{1}{z'}\right)} = \dfrac{1}{\overline{z'}}}$ **et** $\boldsymbol{\overline{\left(\dfrac{z}{z'}\right)} = \dfrac{\overline{z}}{\overline{z'}}}$.

Pour tout nombre complexe z et tout entier relatif n, $\boldsymbol{\overline{z^n} = \overline{z}^n}$ (avec $z \neq 0$ si n est négatif).

➔ Voir la **démonstration** à l'exercice 42, page 241.

3 Équation du second degré à coefficients réels

Théorème On considère l'équation $az^2 + bz + c = 0$ dont l'inconnue z est un nombre complexe et les coefficients ***a*, *b*, *c* sont des réels**, avec $a \neq 0$. On note Δ **le réel** $b^2 - 4ac$ appelé le discriminant.

- Si $\Delta > 0$, alors l'équation admet deux solutions **réelles** :
$$\frac{-b-\sqrt{\Delta}}{2a} \quad \text{et} \quad \frac{-b+\sqrt{\Delta}}{2a}.$$
- Si $\Delta = 0$, alors l'équation admet une solution **réelle** : $-\dfrac{b}{2a}$.
- Si $\Delta < 0$, alors l'équation admet deux solutions **complexes conjuguées** : $\dfrac{-b-i\sqrt{-\Delta}}{2a}$ et $\dfrac{-b+i\sqrt{-\Delta}}{2a}$.

DÉMONSTRATION

Lorsque $\Delta > 0$ ou $\Delta = 0$, la résolution dans $\mathbb{R}$ a été vue en Première et, puisque $\mathbb{R} \subset \mathbb{C}$, les solutions sont les mêmes dans $\mathbb{C}$.

Si $\Delta < 0$: $az^2 + bz + c = 0 \Leftrightarrow a\left[\left(z + \dfrac{b}{2a}\right)^2 - \dfrac{\Delta}{4a^2}\right] = 0$.

Dans $\mathbb{C}$, $\dfrac{\Delta}{4a^2}$ est le carré de $\dfrac{i\sqrt{-\Delta}}{2a}$; on peut donc factoriser :

$$az^2 + bz + c = 0 \Leftrightarrow a\left[\left(z + \frac{b}{2a}\right)^2 - \left(\frac{i\sqrt{-\Delta}}{2a}\right)^2\right] = 0$$

$$\Leftrightarrow a\left(z + \frac{b}{2a} + \frac{i\sqrt{-\Delta}}{2a}\right)\left(z + \frac{b}{2a} - \frac{i\sqrt{-\Delta}}{2a}\right) = 0$$

$a \neq 0$, d'où les deux solutions complexes conjuguées :

$$\frac{-b-i\sqrt{-\Delta}}{2a} \quad \text{et} \quad \frac{-b+i\sqrt{-\Delta}}{2a}.$$

Méthode
- On utilise la forme canonique vue en Première.
- Dans $\mathbb{C}$, le réel négatif Δ est un carré : $\Delta = (i\sqrt{-\Delta})^2$.
- Dans $\mathbb{C}$, un produit est nul si, et seulement si, l'un des facteurs est nul.

➔ Voir la **démonstration** à l'exercice 43, page 241.

Résoudre une équation dans $\mathbb{C}$

Exercice corrigé

Énoncé Résoudre dans $\mathbb{C}$ les équations ci-contre. Les solutions seront données sous forme algébrique.

1 $(-1+2i)z = 3+i$.

2 $z^2 = -9$.

3 $4z^2 + 16z + 25 = 0$.

4 $\dfrac{3z-2}{z+1} = z$.

Solution

1 $(-1+2i)z = 3+i \Leftrightarrow z = \dfrac{3+i}{-1+2i}$ ▶1.

On met la solution sous forme algébrique ▶2 :

$$z = \frac{(3+i)(-1-2i)}{(-1+2i)(-1-2i)} = \frac{-3-6i-i+2}{1+4} = -\frac{1}{5} - \frac{7}{5}i \text{ ; donc } \mathcal{S} = \left\{-\frac{\mathbf{1}}{\mathbf{5}} - \frac{\mathbf{7}}{\mathbf{5}}\mathbf{i}\right\}.$$

2 $z^2 = -9 \Leftrightarrow z^2 = (3i)^2 \Leftrightarrow z^2 - (3i)^2 = 0$

$\Leftrightarrow (z-3i)(z+3i) = 0 \Leftrightarrow z = 3i$ ou $z = -3i$ ▶3 et ▶4.

Donc $\mathcal{S} = \{-\mathbf{3i} \text{ ; } \mathbf{3i}\}$.

3 Cette équation du second degré est à coefficients réels ; elle a pour discriminant :
$\Delta = 16^2 - 4\times4\times25 = -144 = -12^2$, donc elle a deux solutions dans $\mathbb{C}$ ▶5 :

$$\frac{-16-12i}{8} = -2 - \frac{3}{2}i \quad \text{et} \quad \frac{-16+12i}{8} = -2 + \frac{3}{2}i \text{ ;}$$

$$\mathcal{S} = \left\{-\mathbf{2} - \frac{\mathbf{3}}{\mathbf{2}}\mathbf{i} \text{ ; } -\mathbf{2} + \frac{\mathbf{3}}{\mathbf{2}}\mathbf{i}\right\}.$$

4 Pour tout nombre complexe $z \neq -1$ ▶6 :

$$\frac{3z-2}{z+1} = z \Leftrightarrow (3z-2) = z(z+1) \Leftrightarrow -z^2 + 2z - 2 = 0 \text{ ;}$$

$\Delta = 2^2 - 4\times(-1)\times(-2) = -4 = -2^2$, donc l'équation a deux solutions dans $\mathbb{C}$ ▶5 :

$$\frac{-2-2i}{-2} = 1+i \quad \text{et} \quad \frac{-2+2i}{-2} = 1-i \text{ ; } \quad \mathcal{S} = \{\mathbf{1+i} \text{ ; } \mathbf{1-i}\}.$$

Bon à savoir

▶1 On n'arrête pas le calcul à cette étape, car z n'est pas sous forme algébrique.

▶2 On multiplie numérateur et dénominateur par le conjugué du dénominateur, car :
$$z\bar{z} = x^2 + y^2.$$

▶3 -9 est le carré de $3i$, donc on peut factoriser en utilisant l'identité remarquable :
$$a^2 - b^2 = (a-b)(a+b).$$

▶4 Comme dans $\mathbb{R}$, un produit est nul si, et seulement si, un des facteurs est nul.

▶5 Le discriminant étant négatif, l'équation a deux solutions dans $\mathbb{C}$:
$$\frac{-b - i\sqrt{-\Delta}}{2a} \text{ et } \frac{-b + i\sqrt{-\Delta}}{2a}.$$

▶6 Comme dans $\mathbb{R}$, on exclut les éventuelles valeurs qui annulent le dénominateur.

Exercices d'application

6 Écrire sous forme algébrique les inverses des nombres complexes non nuls suivants :

$z_1 = i$; $z_2 = 2 - i$; $z_3 = 2i + 1$.

7 Résoudre dans $\mathbb{C}$ les équations suivantes en donnant les solutions sous forme algébrique :

a. $i(z - i) = 1$; **b.** $(2+i)z = 3z - i$.

8 Soit z un nombre complexe non nul de forme algébrique $x + iy$.
Calculer les parties réelles et imaginaires des nombres complexes suivants :

a. $z_1 = \dfrac{\bar{z}}{z}$; **b.** $z_2 = \dfrac{iz}{\bar{z}}$.

9 Résoudre dans $\mathbb{C}$ les équations suivantes sans calculer le discriminant :

a. $z^2 + 16 = 0$; **b.** $z^2 - 5 = 0$;
c. $z^4 = 81$; **d.** $z^2 + 2iz - 1 = 0$.

10 Résoudre dans $\mathbb{C}$ les équations ci-dessous.

1 $z^2 - 5z + 6 = 0$. **2** $z^2 - 5z - 6{,}5 = 0$.

3 $4z^2 - 4z + 17 = 0$. **4** $-z^2 + 2z - 5 = 0$.

11 Résoudre dans $\mathbb{C}$ les équations suivantes :

a. $\dfrac{z-i}{z+i} = z - i$. **b.** $\dfrac{z+2}{z} = -\dfrac{z}{z+2}$.

Voir exercices 37 à 52

4 Représentation géométrique

Le plan muni d'un repère orthonormé direct (O, I, J) est appelé plan complexe, car on associe un unique point du plan à chaque nombre complexe et réciproquement ; ainsi :

- à $z = x + iy$ avec x et y réels, on associe le point M de coordonnées $(x ; y)$; on dit que ***M* est l'image de *z*** et on note $\boldsymbol{M(z)}$;
- à $M(x ; y)$, on associe le nombre complexe $z_M = x + iy$; on dit que $\boldsymbol{z_M}$ **est l'affixe de *M***. Le vecteur $\overrightarrow{OM}$ ayant les mêmes coordonnées que le point M, on dit aussi que $x + iy$ est **l'affixe du vecteur** $\boldsymbol{\overrightarrow{OM}}$.
- L'axe des abscisses $(O ; \vec{u})$ est appelé **axe réel**, celui des ordonnées $(O ; \vec{v})$ est appelé **axe imaginaire**.

Notation En posant $\vec{u} = \overrightarrow{OI}$ et $\vec{v} = \overrightarrow{OJ}$, le repère (O, I, J) se note aussi $(O, \vec{u}, \vec{v})$.

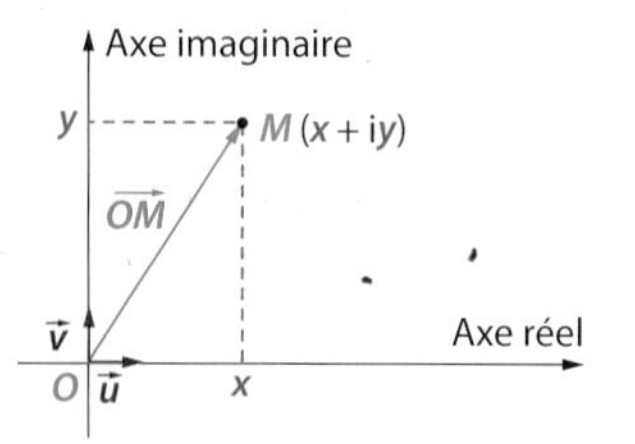

EXEMPLES : O, I et J ont pour affixes respectives 0, 1 et i ;

$\overrightarrow{IJ}$ a pour coordonnées $\begin{pmatrix} -1 \\ 1 \end{pmatrix}$, donc le vecteur $\overrightarrow{IJ}$ a pour affixe $-1 + i$ notée $z_{\overrightarrow{IJ}}$.

REMARQUES

- Les points d'affixes z et $\bar{z}$ sont symétriques par rapport à l'axe réel.
- Les points d'affixes z et $-z$ sont symétriques par rapport à l'origine.

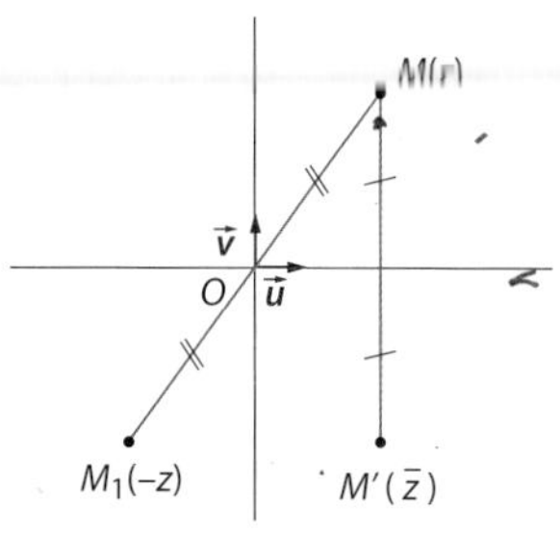

Propriété Pour tous points A et B du plan complexe :

- l'affixe du vecteur $\overrightarrow{AB}$ est : $z_{\overrightarrow{AB}} = z_B - z_A$;
- le milieu I du segment $[AB]$ a pour affixe $z_I = \dfrac{z_A + z_B}{2}$.

Voir la **démonstration** à l'exercice 58, page 242.

5 Module et arguments d'un nombre complexe

Le plan complexe est muni d'un repère orthonormé direct $(O, \vec{u}, \vec{v})$.

Définition Soit z un nombre complexe et M son image dans le plan complexe. Le **module de *z*, noté** $\boldsymbol{|z|}$, est la distance OM : $\boldsymbol{|z| = OM}$.
Si z est non nul, on appelle **argument de *z*, noté** $\boldsymbol{\arg(z)}$**,** toute mesure en radian de l'angle orienté $(\vec{u}, \overrightarrow{OM})$: $\boldsymbol{\arg(z) = (\vec{u}, \overrightarrow{OM})\ (2\pi)}$.

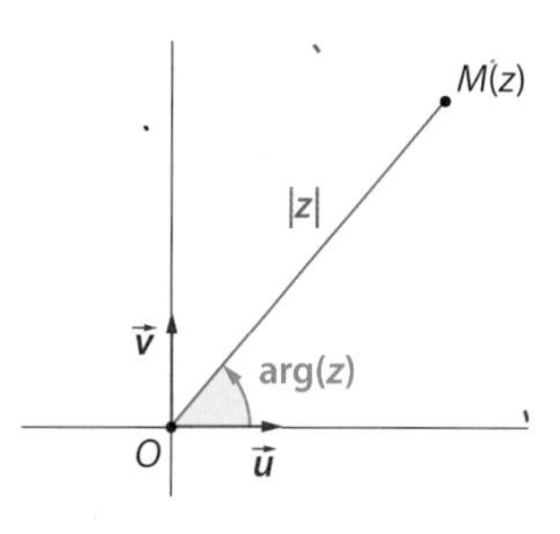

EXEMPLES : $|i| = 1$; $\arg(i) = \dfrac{\pi}{2}\ (2\pi)$; $|-3| = 3$; $\arg(-3) = \pi\ (2\pi)$.

REMARQUES

- Si $z = x + iy$ avec x et y réels, alors $|z| = \sqrt{x^2 + y^2}$.
- Si les points A et B ont pour affixes respectives z_A et z_B, alors $\boldsymbol{AB = |z_B - z_A|}$.

Propriétés

- Pour tout nombre complexe z, $z\bar{z} = x^2 + y^2 = |z|^2$.
- Pour tout nombre complexe z, $|-z| = |\bar{z}| = |z|$.
- Pour tout nombre complexe **non nul** z :

$$\arg(-z) = \arg(z) + \pi\ (2\pi) ; \quad \arg(\bar{z}) = -\arg(z)\ (2\pi) ;$$

- z est un réel si, et seulement si, $\arg(z) = 0\ (\pi)$;
- z est un imaginaire pur si, et seulement si, $\arg(z) = \dfrac{\pi}{2}\ (\pi)$.

Attention Les mesures d'angles des deux dernières propriétés sont « modulo π » et non « modulo 2π ».

Voir la **démonstration** à l'exercice 65, page 243.

Nombres complexes et géométrie

Exercice corrigé

Énoncé Dans le plan complexe muni d'un repère orthonormé direct $(O, \vec{u}, \vec{v})$, on considère le point $A(2\,;2)$, le point $B(-\sqrt{3}\,;1)$ et le point C d'affixe $z_C = 2\mathrm{i}$. On note z_A et z_B les affixes respectives des points A et B.

1 a. Donner la forme algébrique de z_A, puis calculer son module.

b. Quelle est la nature du triangle $OA'A$ avec le point $A'(2\,;0)$? En déduire un argument de z_A.

2 a. Calculer $|z_B|$, $|z_C|$ et $|z_B - z_C|$. Donner une conséquence géométrique de ces résultats.

b. Déterminer alors un argument de z_B.

Solution

1 a. $z_A = 2 + 2\mathrm{i}$, donc $|z_A| = \sqrt{2^2 + 2^2} = \sqrt{8} = 2\sqrt{2}$ ❶ et ❷.

b. Par lecture des coordonnées, $OA' = A'A = 2$, donc le triangle $OA'A$ est isocèle en A'. Comme (AA') est parallèle à (Oy) et (OA') à (Ox), et les axes du repère étant perpendiculaires, $OA'A$ est rectangle en A'.

On en déduit : $(\vec{u}, \overrightarrow{OA}) = \frac{\pi}{4}\ (2\pi)$ en s'aidant du graphique pour le signe de l'angle orienté ; un argument de z_A est donc $\frac{\pi}{4}$ ❸.

2 a. $|z_B| = |-\sqrt{3} + \mathrm{i}| = \sqrt{3+1} = \sqrt{4} = 2$;

$|z_C| = |2\mathrm{i}| = 2$;

$|z_B - z_C| = |-\sqrt{3} - \mathrm{i}| = \sqrt{3+1} = 2$ ❶ et ❷.

Ainsi $OB = OC = BC$, donc le triangle BOC est équilatéral ❹ et ❺.

b. $\arg(z_B) = (\vec{u}, \overrightarrow{OB}) = (\vec{u}, \vec{v}) + (\vec{v}, \overrightarrow{OB}) = \frac{\pi}{2} + \frac{\pi}{3} = \frac{5\pi}{6}\ (2\pi)$

en s'aidant du graphique pour les signes des angles orientés ❸ et ❻.

Bon à savoir

❶ Le point $M(x\,;y)$ a pour affixe le nombre complexe $z_M = x + \mathrm{i}y$.

❷ Si z a pour forme algébrique $x + \mathrm{i}y$, alors le module de z est : $|z| = \sqrt{x^2 + y^2}$.

❸ Si z est l'affixe d'un point M autre que l'origine, un argument de z est une mesure de l'angle orienté $(\vec{u}, \overrightarrow{OM})$.

❹ Si z est l'affixe de M, alors : $|z| = OM$.

❺ Si B et C ont pour affixes respectives z_B et z_C, alors : $BC = |z_C - z_B| = |z_B - z_C|$.

❻ On utilise la relation de Chasles des angles orientés : $(\vec{u}, \vec{v}) + (\vec{v}, \vec{w}) = (\vec{u}, \vec{w})\ (2\pi)$.

Exercices d'application

Pour les exercices qui suivent, le plan complexe est muni d'un repère orthonormé direct $(O, \vec{u}, \vec{v})$.

12 Placer les points A, B, C et D respectivement associés aux nombres complexes suivants :

$z_A = 3\mathrm{i}$; $z_B = -5$; $z_C = -2 + \mathrm{i}$; $z_D = 2\mathrm{i} + 3$.

13 On considère les points A et B d'affixes respectives $z_A = 1 + 2\mathrm{i}$ et $z_B = 2 - \mathrm{i}$. Déterminer l'affixe du point C tel que $OABC$ soit un parallélogramme :

a. en utilisant les affixes de vecteurs ;

b. en utilisant l'affixe d'un milieu.

14 Dans chacun des cas suivants, placer le point M d'affixe z, puis donner le module et un argument de z :

a. $z = 4$; **b.** $z = -3$;

c. $z = 2\mathrm{i}$; **d.** $z = -1{,}5\mathrm{i}$.

15 Le point M de la figure ci-contre a pour affixe z.

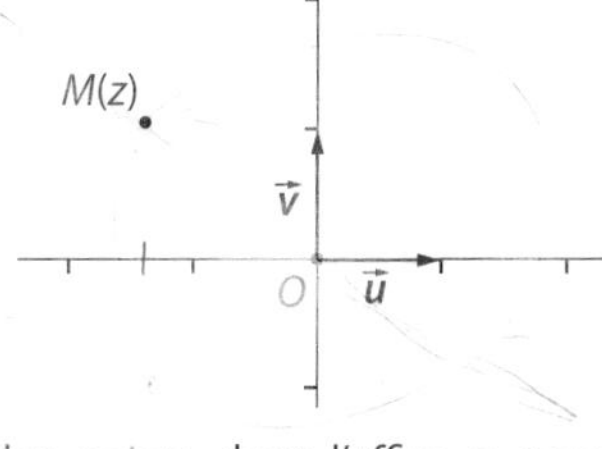

Reproduire la figure et tracer :

- en vert l'ensemble des points dont l'affixe a pour argument $\arg(z)$,
- en bleu l'ensemble des points dont l'affixe a pour argument $\arg(-z)$,
- en rouge l'ensemble des points dont l'affixe a pour argument $\arg(\bar{z})$,
- en noir l'ensemble des points dont l'affixe a pour module $|z|$.

Voir exercices 53 à 64

6 Forme trigonométrique, notation exponentielle

a Forme trigonométrique

Propriété – Définition Soit z un nombre complexe non nul ; on pose :

$$x = \mathrm{Re}(z),\quad y = \mathrm{Im}(z),\quad r = |z|,\quad \alpha = \arg(z)\,(2\pi).$$

On a alors $x = r\cos\alpha$ et $y = r\sin\alpha$.

On obtient ainsi l'écriture $\boldsymbol{z = r(\cos\alpha + i\sin\alpha)}$ qui est appelée **forme trigonométrique du nombre complexe z.**

Voir l'activité 4, page 225.

PASSAGE D'UNE FORME À L'AUTRE

Si le nombre complexe non nul z s'écrit $x + iy$ sous forme algébrique et $r(\cos\theta + i\sin\theta)$ sous forme trigonométrique, alors :

- $x = r\cos\theta$ et $y = r\sin\theta$;
- $r = \sqrt{x^2+y^2}$; $\cos\theta = \dfrac{x}{\sqrt{x^2+y^2}}$; $\sin\theta = \dfrac{y}{\sqrt{x^2+y^2}}$.

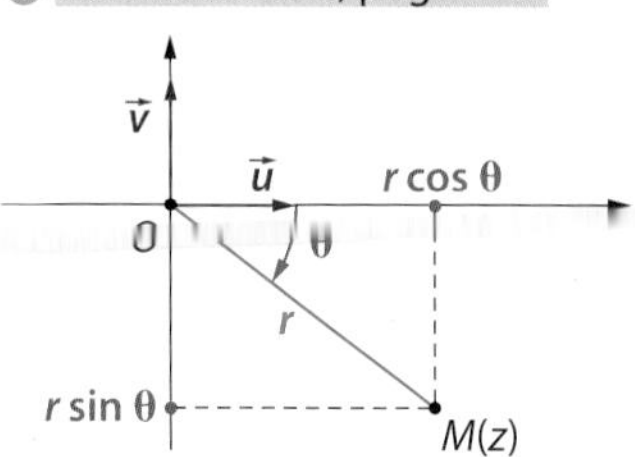

b Notation exponentielle

Soit f la fonction qui, à tout réel α, associe le nombre complexe $\cos\alpha + i\sin\alpha$.

$$f(\alpha+\alpha') = \cos(\alpha+\alpha') + i\sin(\alpha+\alpha')$$
$$= \cos\alpha\cos\alpha' - \sin\alpha\sin\alpha' + i(\sin\alpha\cos\alpha' + \sin\alpha'\cos\alpha).$$

Et : $f(\alpha)\times f(\alpha') = (\cos\alpha + i\sin\alpha)(\cos\alpha' + i\sin\alpha')$

$$= \cos\alpha\cos\alpha' - \sin\alpha\sin\alpha' + i(\sin\alpha\cos\alpha' + \sin\alpha'\cos\alpha).$$

Ainsi, pour tous réels α et α', on a $f(\alpha+\alpha') = f(\alpha)\times f(\alpha')$.

On retrouve la même propriété algébrique que pour la fonction exponentielle : $\exp(a+b) = \exp(a)\times\exp(b)$.

Pour cette raison, on adopte la notation $e^{i\alpha} = \cos\alpha + i\sin\alpha$.

Ainsi, $e^{i\alpha}$ désigne le nombre complexe de module 1 et d'argument α.

La forme trigonométrique $z = r(\cos\alpha + i\sin\alpha)$ s'écrit donc aussi $\boldsymbol{z = re^{i\alpha}}$; elle est appelée **forme exponentielle de z.**

Indication
On utilise les formules d'addition :
$\cos(a+b) = \cos a\cos b - \sin a\sin b$;
$\sin(a+b) = \sin a\cos b + \sin b\cos a$.

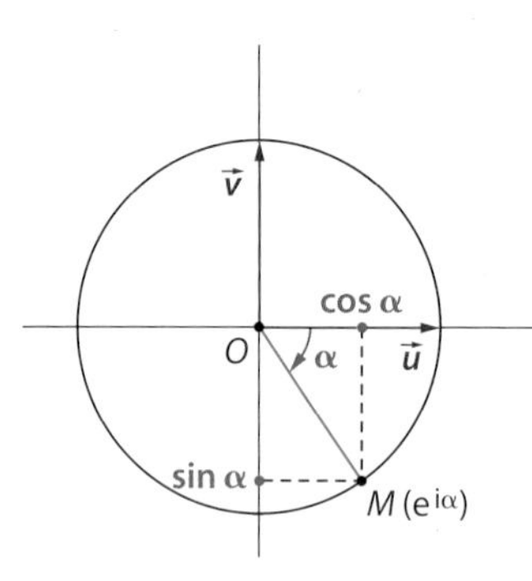

REMARQUE

La forme exponentielle permet d'écrire « naturellement » les égalités :

$$e^{2ia} = (e^{ia})^2 \quad\text{et}\quad e^{i(a+b)} = e^{ia}\times e^{ib}\ ;$$

en les développant, on retrouve les *formules de duplication* :

$$\sin 2a = 2\sin a\cos a \quad\text{et}\quad \cos 2a = \cos^2 a - \sin^2 a,$$

et les *formules d'addition* : $\cos(a+b) = \cos a\cos b - \sin a\sin b$ et $\sin(a+b) = \sin a\cos b + \sin b\cos a$.

EXEMPLE : Déterminer le module et les arguments de z_1z_2 avec :

$$z_1 = \sqrt{2}\left(\cos\frac{\pi}{4} + i\sin\frac{\pi}{4}\right) \text{ et } z_2 = \cos\frac{\pi}{3} + i\sin\frac{\pi}{3}.$$

On écrit $z_1 = \sqrt{2}\,e^{i\frac{\pi}{4}}$ et $z_2 = e^{i\frac{\pi}{3}}$, et on obtient :

$z_1z_2 = \sqrt{2}\,e^{i\left(\frac{\pi}{4}+\frac{\pi}{3}\right)} = \sqrt{2}\,e^{i\frac{7\pi}{12}}$;

d'où $|z_1z_2| = \sqrt{2}$ et $\arg(z_1z_2) = \dfrac{7\pi}{12}\ (2\pi)$.

Note
Tout nombre complexe de la forme $e^{i\alpha}$ est représenté par un point du cercle trigonométrique et réciproquement.

Utiliser différentes formes

Exercice corrigé

Énoncé On considère les nombres complexes :

$$z_1 = 1 + i\sqrt{3} \text{ et } z_2 = 6\left(\cos\frac{\pi}{4} - i\sin\frac{\pi}{4}\right).$$

1 Déterminer une forme trigonométrique de z_1.

2 Préciser un argument de z_2.

3 a. Écrire le produit $z_1 z_2$ sous forme algébrique.

b. En utilisant la notation exponentielle, écrire le produit $z_1 z_2$ sous forme trigonométrique.

c. En déduire les valeurs exactes de $\cos\frac{\pi}{12}$ et $\sin\frac{\pi}{12}$.

Solution

1 $|z_1| = \sqrt{1+3} = \sqrt{4} = 2$; en posant $\alpha_1 = \arg z_1$ on obtient :

$\cos\alpha_1 = \frac{1}{2}$ et $\sin\alpha_1 = \frac{\sqrt{3}}{2}$ ▶1 ; on reconnaît un angle remarquable : $\alpha_1 = \frac{\pi}{3}\ (2\pi)$.

Une forme trigonométrique de z_1 est donc $z_1 = 2\left(\cos\frac{\pi}{3} + i\sin\frac{\pi}{3}\right)$.

2 ▶2 $\cos\frac{\pi}{4} = \cos\left(-\frac{\pi}{4}\right)$ et $-\sin\frac{\pi}{4} = \sin\left(-\frac{\pi}{4}\right)$, donc

$z_2 = 6\left(\cos\left(-\frac{\pi}{4}\right) + i\sin\left(-\frac{\pi}{4}\right)\right)$, donc **un argument de z_2 est $-\frac{\pi}{4}$**.

3 a. $z_2 = 6\left(\frac{\sqrt{2}}{2} - i\frac{\sqrt{2}}{2}\right) = 3\sqrt{2} - 3\sqrt{2}\,i$ ▶3 ;

donc $z_1 z_2 = (1 + i\sqrt{3})(3\sqrt{2} - 3\sqrt{2}\,i) = 3\sqrt{2} - 3\sqrt{2}\,i + 3\sqrt{6}\,i + 3\sqrt{6}$.

Ainsi : $z_1 z_2 = 3\sqrt{6} + 3\sqrt{2} + i(3\sqrt{6} - 3\sqrt{2})$.

b. $z_1 z_2 = 2e^{i\frac{\pi}{3}} \times 6e^{-i\frac{\pi}{4}} = 12e^{i\left(\frac{\pi}{3} - \frac{\pi}{4}\right)} = 12e^{i\frac{\pi}{12}}$ ▶4 ;

donc $\mathbf{z_1 z_2 = 12\cos\frac{\pi}{12} + 12\sin\frac{\pi}{12} i}$.

c. Des questions **3 a.** et **3 b.** on déduit $\cos\frac{\pi}{12} = \frac{3\sqrt{6} + 3\sqrt{2}}{12} = \frac{\sqrt{6} + \sqrt{2}}{4}$

et $\sin\frac{\pi}{12} = \frac{3\sqrt{6} - 3\sqrt{2}}{12} = \frac{\sqrt{6} - \sqrt{2}}{4}$ ▶5 .

Bon à savoir

▶1 On utilise les formules $r = \sqrt{x^2 + y^2}$; $\cos\alpha = \frac{x}{r}$ et $\sin\alpha = \frac{y}{r}$ pour passer de la forme algébrique $z = x + iy$ à la forme trigonométrique $z = r(\cos\alpha + i\sin\alpha)$.

▶2 Attention ! $\frac{\pi}{4}$ n'est pas la bonne réponse : en effet, l'écriture $6\left(\cos\frac{\pi}{4} - i\sin\frac{\pi}{4}\right)$ n'est pas une forme trigonométrique en raison de la présence du signe « − ».

▶3 On connaît les valeurs particulières $\cos\frac{\pi}{4} = \sin\frac{\pi}{4} = \frac{\sqrt{2}}{2}$.

▶4 La notation exponentielle $e^{i\alpha} = \cos\alpha + i\sin\alpha$ permet d'utiliser la formule :

$$e^{ia} \times e^{ib} = e^{i(a+b)}.$$

▶5 On identifie par unicité les deux formes algébriques de $z_1 z_2$.

Exercices d'application

16 Calculer le module et un argument de chacun des nombres complexes suivants :

$z_1 = 2i$; $z_2 = -3i$; $z_3 = 5$; $z_4 = -7$.

17 Écrire sous forme algébrique les nombres complexes suivants :

$z_1 = 2\left(\cos\frac{\pi}{6} + i\sin\frac{\pi}{6}\right)$; $z_2 = 3e^{-i\frac{\pi}{3}}$; $z_3 = 2e^{\frac{5i\pi}{6}}$.

18 Déterminer un argument de chacun des nombres complexes suivants :

$z_1 = -3 + \sqrt{3}\,i$; $z_2 = -2 - 2i$; $z_3 = \frac{z_1}{z_2}$;

$z_4 = -5\left(\cos\frac{\pi}{6} + i\sin\frac{\pi}{6}\right)$; $z_5 = 1 - e^{i\pi}$.

19 Déterminer par lecture graphique le module et un argument des affixes z_A, z_B et z_C des points A, B et C de la figure ci-dessous puis écrire ces nombres complexes sous forme exponentielle.

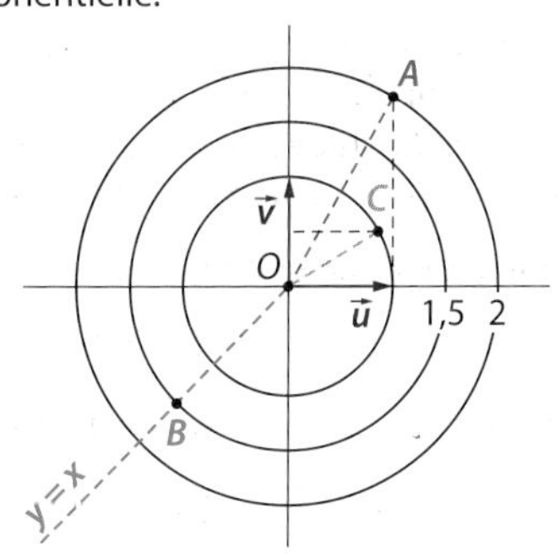

Voir exercices 66 à 73

Mener une recherche et rédiger

20 BAC Étude d'un lieu de points

Dans le plan complexe muni d'un repère orthonormé direct $(O, \vec{u}, \vec{v})$, on associe à tout point M d'affixe z, non nulle, le point M' d'affixe $z' = \frac{1}{2}\left(z + \frac{1}{z}\right)$.

Le point M' est appelé l'image du point M.

1 Déterminer l'ensemble des points M tels que : $M = M'$.

2 Démontrer que lorsque M décrit le cercle Γ de centre O et de rayon 1, l'ensemble des images M' est un segment que l'on précisera.

Mener une recherche étape par étape

❶ Se faire une idée du résultat

1 Lire l'énoncé et reformuler la question **1**.

L'égalité des points M et M' dans le contexte du plan complexe, se traduit par l'égalité de leurs affixes.

a. Écrire l'équation vérifiée par l'affixe z d'un point M lorsque $M = M'$.

b. Transformer cette équation pour obtenir un membre nul, reconnaître une équation du second degré « classique » et la résoudre (on sait, d'après l'énoncé, que $z \neq 0$).

2 Faire une conjecture sur l'ensemble cherché. Il s'agit de trouver les images de quelques points (4 ou 5) pour identifier ce segment (deux points suffisent pour une droite…, mais on n'est pas sûr des extrémités pour un segment).

a. La résolution de la question **1** donne une indication pour l'image de deux points du cercle Γ.

b. Déterminer les images des points $A(\mathrm{i})$ et $B(-\mathrm{i})$, puis d'un autre point remarquable de Γ non situé sur un axe du repère, par exemple, C tel que $(\vec{u}, \overrightarrow{OC}) = \frac{\pi}{3}\ (2\pi)$, et faire une figure.

c. Formuler une conjecture pour le segment cherché.

❷ Valider la conjecture formulée

On doit chercher à traduire mathématiquement l'appartenance d'un point M au cercle Γ, en tenant compte du contexte du plan complexe. Γ est le cercle trigonométrique, donc :

- une forme trigonométrique ou une forme exponentielle pour l'affixe z semblent bien adaptées, on pourra alors noter α un argument de z.
- on peut aussi, à la lumière du calcul effectué au **2 b.** pour le point C, exprimer autrement $\frac{1}{z}$ lorsque $|z| = 1$.

a. Choisir l'une des pistes proposées ci-dessus et exprimer z' en fonction de α, ou de z, suivant le choix.

b. En déduire que z' est un réel de l'intervalle $[-1 ; 1]$.

c. Justifier que tout point dont l'affixe est un réel de l'intervalle $[-1 ; 1]$ est bien l'image d'un point du cercle Γ.

d. Conclure.

❸ Rédiger une solution

À l'aide des deux parties précédentes, rédiger une solution du problème posé.

Conseil Le compte rendu de recherche doit contenir : la mise en équation et sa résolution pour le ❶, la conjecture sur le segment au ❷, avec les calculs qui ont conduit à sa formulation, la preuve générale et la conclusion trouvée au ❸.

21 Résolution d'équations polynomiales et applications

Partie A

1 Résoudre dans $\mathbb{C}$ les équations suivantes :

a. $z^2 - 2z + 26 = 0$; **b.** $13z^2 + 6z + 1 = 0$;

c. $4z^2 + 4z + 1 = 0$.

2 Factoriser dans $\mathbb{C}$, avec seulement des facteurs du 1er degré, chacune des expressions suivantes :

$P(z) = z^2 - 2z + 26$; $Q(z) = (z^2 + 7)(z^2 - 7)$;

$R(z) = 13z^3 + 6z^2 + z$.

Partie B

On définit la fonction polynôme f de $\mathbb{C}$ dans $\mathbb{C}$ par :

$$f(z) = z^4 - 6z^3 + 14z^2 - 24z + 40.$$

1 Démontrer que l'équation $f(z) = 0$ a deux solutions imaginaires pures.

Indication On pourra poser $z = \mathrm{i}y$, avec $y \in \mathbb{R}$, puis mettre $f(\mathrm{i}y)$ sous forme algébrique et enfin traduire la nullité de $f(\mathrm{i}y)$ par un système.

2 Trouver deux réels a et b tels que, pour tout z de $\mathbb{C}$, on ait :

$$f(z) = (z^2 + az + b)(z^2 + 4).$$

3 En déduire l'ensemble des solutions dans $\mathbb{C}$ de l'équation $f(z) = 0$.

4 a. Placer, dans le plan complexe rapporté au repère orthonormé direct $(O, \vec{u}, \vec{v})$, les images A, B, C et D des solutions de l'équation $f(z) = 0$.

b. Démontrer que ces points sont sur un même cercle Γ dont on précisera le centre et le rayon.

Indication On pourra conjecturer sur la figure l'affixe du centre de Γ.

22 Racines n-ièmes de l'unité

Si n est un entier naturel non nul, on dit que le nombre complexe z est une « racine n-ième de l'unité » si on a :

$$z^n = 1.$$

1 Résolution dans $\mathbb{C}$ de l'équation E_3 :

$$z^3 = 1$$

a. Déterminer une racine évidente de l'équation E_3, puis justifier que cette équation équivaut à :

$$(z - 1)(z^2 + z + 1) = 0.$$

b. Résoudre l'équation E_3, puis écrire les solutions sous forme exponentielle.

c. On pose $j = e^{i\frac{2\pi}{3}}$, et on rapporte le plan complexe à un repère orthonormé direct $(O, \vec{u}, \vec{v})$.

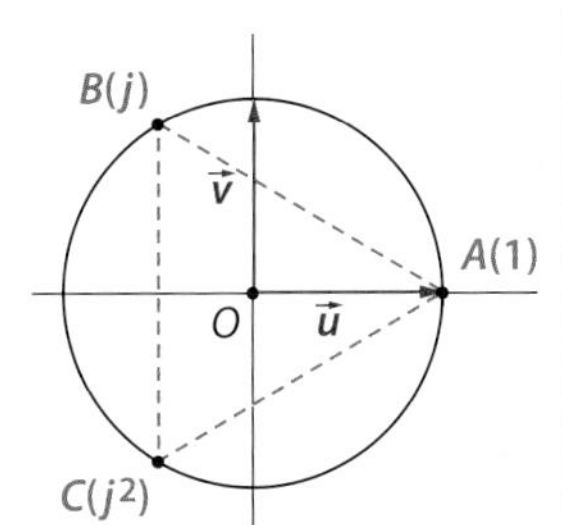

Démontrer que les trois points d'affixes respectives 1, j et j^2 forment un triangle équilatéral dont le centre du cercle circonscrit est le point O.

2 Résolution dans $\mathbb{C}$ de l'équation E_4 :

$$z^4 = 1$$

a. On pose $z = re^{i\alpha}$, $r > 0$ et $\alpha \in \mathbb{R}$.

Justifier que $z^4 = 1 \Leftrightarrow \begin{cases} r^4 = 1 \\ 4\alpha = 0 \ (2\pi) \end{cases}$.

b. Démontrer que l'équation E_4 a exactement quatre solutions qui sont les puissances successives du nombre complexe i.

3 Résolution dans $\mathbb{C}$ de l'équation E_n :

$$z^n = 1, \text{ où } n \geqslant 2$$

Adapter la méthode exposée dans le **2** pour résoudre l'équation E_n et exprimer sous forme exponentielle ses n solutions. Retrouver, pour le cas $n = 4$ les solutions de l'équation E_4.

23 ALGO Programmer la résolution d'une équation du second degré

On considère dans $\mathbb{C}$ l'équation $az^2 + bz + c = 0$ d'inconnue z, où a, b et c sont trois **réels** et $a \neq 0$.

1 Rappeler, suivant les valeurs de son discriminant , le nombre et la nature des solutions de l'équation dans $\mathbb{C}$.

2 L'algorithme donné ci-contre permet-il d'obtenir les solutions dans tous les cas ?
Sinon, le corriger et le compléter, de sorte qu'il distingue les trois cas rappelés à la question **1**.

3 a. Programmer cet algorithme sur la calculatrice ou en utilisant un logiciel de programmation.
(Dans scilab, le nombre complexe i s'écrit « %i ».)

b. En utilisant l'algorithme, résoudre dans $\mathbb{C}$ les équations suivantes :

❶ $z^2 - 2z + 26 = 0$;
❷ $-2z^2 + z + 1 = 0$;
❸ $13z^2 + 6z + 1 = 0$;
❹ $4z^2 + 4z + 1 = 0$.

ALGO

```
Variables :
a, b, c, D, u, v : réels ;
Début
Entrer (a, b, c) ;
D ← b² − 4 × a × c
  Si D ⩾ 0
  Alors
    u ← (−b − √D) / 2a
    v ← (−b + √D) / 2a
    Afficher (u, v) ;
  Sinon
    Afficher (« pas de solution ») ;
  FinSi ;
Fin.
```

Travail personnel : exercices résolus

24 Utiliser la forme algébrique d'un quotient

Énoncé Dans le plan complexe muni d'un repère orthonormé direct $(O, \vec{u}, \vec{v})$, on associe à tout point M d'affixe z distincte de 2i, le point M' d'affixe $z' = \dfrac{z-3}{\text{i}z+2}$.

On désigne par A le point d'affixe 3 et par B celui d'affixe 2i.

1 On pose $z = x + \text{i}y$ et $z' = x' + \text{i}y'$, avec x, y, x' et y' réels. Exprimer x' et y' en fonction de x et y.

2 Démontrer que l'ensemble Γ des points M du plan, tels que M' soit un point de l'axe des réels $(O\,;\vec{u})$, est le cercle de diamètre $[AB]$ privé d'un point que l'on précisera.

3 Résoudre l'équation $\dfrac{z-3}{\text{i}z+2} = 1$.

On désigne par K le point d'affixe $\dfrac{5}{2} + \dfrac{5}{2}\text{i}$.

Justifier sans calcul que $K \in \Gamma$.

Solution

1 $z' = \dfrac{x+\text{i}y-3}{\text{i}(x+\text{i}y)+2} = \dfrac{x-3+\text{i}y}{(2-y)+\text{i}x} = \dfrac{[(x-3)+\text{i}y][(2-y)-\text{i}x]}{(2-y)^2+x^2}$

$z' = \dfrac{[(x-3)(2-y)+xy]+\text{i}[y(2-y)-x(x-3)]}{(2-y)^2+x^2}$

$z' = \dfrac{2x+3y-6}{x^2+(2-y)^2} + \text{i}\dfrac{-x^2-y^2+3x+2y}{x^2+(2-y)^2}$.

Comme $\dfrac{2x+3y-6}{x^2+(2-y)^2}$ et $\dfrac{-x^2-y^2+3x+2y}{x^2+(2-y)^2}$ sont des **réels**, puisque x et y le sont aussi, cette écriture est **la forme algébrique de z'** et, du fait de son unicité on a : $\boldsymbol{x' = \dfrac{2x+3y-6}{x^2+(2-y)^2}}$ et $\boldsymbol{y' = \dfrac{-x^2-y^2+3x+2y}{x^2+(2-y)^2}}$.

2 $M \in \Gamma \Leftrightarrow z' \in \mathbb{R} \Leftrightarrow y' = 0$

$\Leftrightarrow x^2+y^2-3x-2y = 0$ et $x^2+(2-y)^2 \neq 0$

$\Leftrightarrow \left(x-\dfrac{3}{2}\right)^2 + (y-1)^2 = \dfrac{13}{4}$ et $(x\,;y) \neq (0\,;2)$.

Comme $(0\,;2)$ vérifie l'équation du cercle ci-dessus, on conclut que : Γ est le cercle de centre $\Omega\left(\dfrac{3}{2}+\text{i}\right)$ et de rayon $\dfrac{\sqrt{13}}{2}$, privé du point $B(2\text{i})$.

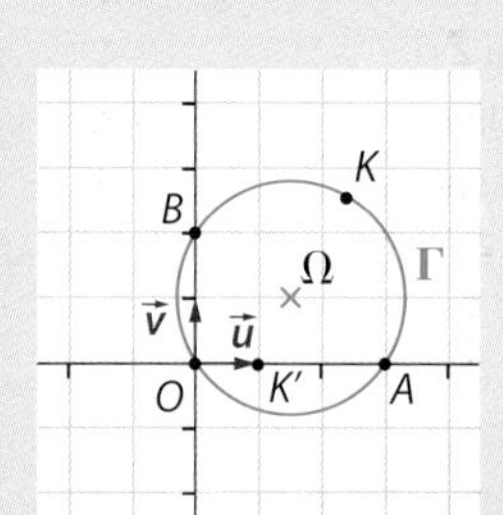

De plus, $\dfrac{z_A+z_B}{2} = \dfrac{3}{2} + \text{i} = z_\Omega$; donc Ω est le milieu du segment $[AB]$ et par suite Γ est bien le cercle de diamètre $[AB]$ privé du point B.

3 $\dfrac{z-3}{\text{i}z+2} = 1 \Leftrightarrow z-3 = \text{i}z+2 \Leftrightarrow z(1-\text{i}) = 5 \Leftrightarrow z = \dfrac{5}{1-\text{i}} = \dfrac{5(1+\text{i})}{1+1}$.

L'équation a une seule solution dans $\mathbb{C}$: $\boldsymbol{\dfrac{5}{2} + \dfrac{5}{2}\text{i}}$.

$z_{K'} = 1$, donc K' appartient à l'axe des réels : K est donc un point de Γ.

Stratégies

1 On prépare le numérateur et le dénominateur pour voir clairement les parties réelles et les parties imaginaires. On multiplie « haut et bas » par le conjugué du dénominateur : on obtient au dénominateur **la somme des carrés** des parties réelle et imaginaire.
L'unicité de la forme algébrique permet d'identifier $x' = \text{Re}(z')$ et $y' = \text{Im}(z')$.

2 Pour mettre en évidence les éléments caractéristiques de Γ, on met l'équation du cercle sous forme canonique.
La non-nullité du dénominateur $x^2+(2-y)^2 \neq 0$ est une autre façon de dire que $z \neq 2\text{i}$. En effet, la somme des carrés de deux nombres réels est nulle si, et seulement si, ces deux nombres sont nuls.

3 Contrairement au **1**, on résout en conservant l'inconnue z sans utiliser la forme algébrique.

25 Utiliser la forme exponentielle pour étudier une configuration

Énoncé On considère dans le plan complexe muni d'un repère orthonormé direct $(O, \vec{u}, \vec{v})$ les points A, B et C d'affixes respectives $z_A = 3 + \text{i}\sqrt{3}$, $z_B = -\sqrt{3} + 3\text{i}$ et $z_C = z_A + z_B$.

1 Déterminer une forme exponentielle de z_A et de z_B.

2 En déduire une mesure de l'angle $(\overrightarrow{OA}, \overrightarrow{OB})$, en radian.

3 Déterminer la nature du quadrilatère $OACB$.

Solution

1 $|z_A| = \sqrt{9+3} = 2\sqrt{3}$, et $z_A = 2\sqrt{3}\left(\frac{3}{2\sqrt{3}} + \frac{1}{2}\mathrm{i}\right) = 2\sqrt{3}\left(\frac{\sqrt{3}}{2} + \frac{1}{2}\mathrm{i}\right)$.

En appelant α un argument de z_A, il vient par identification :

$$\begin{cases}\cos\alpha = \frac{\sqrt{3}}{2}\\ \sin\alpha = \frac{1}{2}\end{cases} \Leftrightarrow \alpha = \frac{\pi}{6}\ (2\pi).\quad \text{Par suite } z_A = 2\sqrt{3}\,\mathrm{e}^{\mathrm{i}\frac{\pi}{6}}.$$

On obtient de manière analogue $z_B = 2\sqrt{3}\left(-\frac{1}{2} + \frac{\sqrt{3}}{2}\mathrm{i}\right) = 2\sqrt{3}\,\mathrm{e}^{\mathrm{i}\left(\frac{2\pi}{3}\right)}$.

2 $(\vec{u}, \overrightarrow{OA}) = \alpha = \frac{\pi}{6}\ (2\pi)$ et $(\vec{u}, \overrightarrow{OB}) = \frac{2\pi}{3}\ (2\pi)$.

Or, $(\overrightarrow{OA}, \overrightarrow{OB}) = (\vec{u}, \overrightarrow{OB}) - (\vec{u}, \overrightarrow{OA})$;

donc $(\overrightarrow{OA}, \overrightarrow{OB}) = \frac{2\pi}{3} - \frac{\pi}{6} = \frac{\pi}{2}\ (2\pi)$.

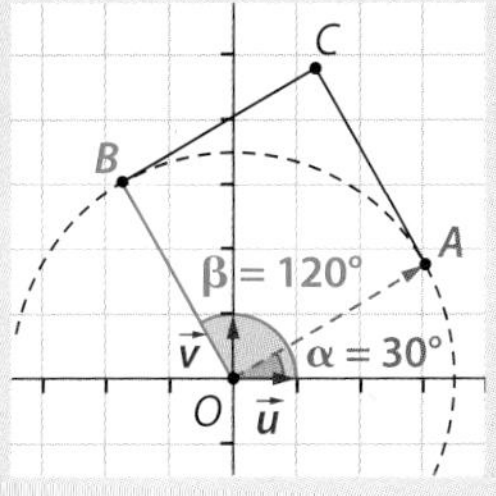

3 L'égalité $z_C = z_A + z_B$ traduit l'égalité de vecteurs $\overrightarrow{OC} = \overrightarrow{OA} + \overrightarrow{OB}$, c'est-à-dire que $OACB$ est un parallélogramme.

On sait, d'après **2**, que le triangle OAB est rectangle direct en O. De plus, comme $OA = |z_A| = 2\sqrt{3} = |z_B| = OB$, le triangle OAB est aussi isocèle. En définitive, le quadrilatère $OACB$ est un carré direct.

Stratégies

1 Pour déterminer une forme exponentielle de z, on calcule le module de z : $|z| = \sqrt{x^2+y^2}$, puis on le met en facteur dans la forme algébrique, ce qui permet d'identifier le cosinus et le sinus d'un argument α de z. z s'écrit alors sous forme exponentielle : $z = |z|\mathrm{e}^{\mathrm{i}\alpha}$.

2 On interprète les arguments de z_A et z_B comme les angles de vecteurs $(\vec{u}, \overrightarrow{OA})$ et $(\vec{u}, \overrightarrow{OB})$, puis on utilise la relation de Chasles sur les angles orientés.

3 Une **égalité entre modules** s'interprète comme une **égalité entre longueurs**, une **égalité entre affixes** comme une **égalité vectorielle**.

26 Résoudre une équation dans $\mathbb{C}$ et déterminer un ensemble de points

Énoncé **A – ROC** *Rappel* : soit z un nombre complexe non nul, r un réel strictement positif et α un réel :

$|z| = r$ *et* $\arg z = \alpha\ (2\pi)$ si, et seulement si, $z = r\mathrm{e}^{\mathrm{i}\alpha}$.

Démontrer que, pour tout nombre complexe z non nul, on a : $|z^2| = |z|^2$ et $\arg(z^2) = 2\arg(z)\ (2\pi)$.

B – Application Dans le plan complexe muni d'un repère orthonormé direct $(O, \vec{u}, \vec{v})$, on associe à tout point M d'affixe z le point image M' d'affixe $z' = z^2 - 2z$.

On désigne par A le point d'affixe $-\frac{5}{2}$.

1 a. Démontrer que $OMAM'$ est un parallélogramme si, et seulement si, $z^2 - z + \frac{5}{2} = 0$.

b. Résoudre dans $\mathbb{C}$ l'équation $z^2 - z + \frac{5}{2} = 0$.

2 a. Exprimer $z' + 1$ en fonction de $z - 1$. Déduire de la partie **A** une relation entre $|z'+1|$ et $|z-1|$.

b. Démontrer que les points M du cercle $(\mathscr{C})$ de centre $B(1)$ et de rayon 1 ont leur image M' sur un cercle que l'on précisera.

Solution

A. Soit z un nombre complexe non nul, $z = r\mathrm{e}^{\mathrm{i}\alpha}$ avec $r > 0$ et α réel ;

alors $z^2 = (r\mathrm{e}^{\mathrm{i}\alpha})^2 = r^2(\mathrm{e}^{\mathrm{i}\alpha})^2 = r^2\mathrm{e}^{2\mathrm{i}\alpha}$. Or, $r^2 > 0$ et 2α est un réel ; par suite :

$|z^2| = r^2 = |z|^2$ et $\arg(z^2) = 2\alpha = 2\arg(z)\ (2\pi)$.

B. 1 a. $OMAM'$ est un parallélogramme $\Leftrightarrow \overrightarrow{OM'} = \overrightarrow{MA} \Leftrightarrow z' = -\frac{5}{2} - z$.

Et : $z' = -\frac{5}{2} - z \Leftrightarrow z^2 - 2z = -\frac{5}{2} - z \Leftrightarrow z^2 - z + \frac{5}{2} = 0$.

b. L'équation a pour discriminant $\Delta = 1 - 10 = -9 = (3\mathrm{i})^2$; elle a donc deux solutions complexes conjuguées :

$z_1 = \frac{1-3\mathrm{i}}{2} = \frac{1}{2} - \frac{3}{2}\mathrm{i}$ et $z_2 = \overline{z_1} = \frac{1}{2} + \frac{3}{2}\mathrm{i}$; $\mathscr{S} = \left\{\mathbf{\frac{1}{2} - \frac{3}{2}i\,;\,\frac{1}{2} + \frac{3}{2}i}\right\}$.

2 a. $z' + 1 = z^2 - 2z + 1 = (z-1)^2$; donc, d'après **A.**, $|z'+1| = |z-1|^2$.

b. $M \in (C) \Leftrightarrow BM = 1 \Leftrightarrow |z-1| = 1$, donc $|z'+1| = 1$, c'est-à-dire $KM' = 1$, en appelant K le point d'affixe (-1). Par suite, M' appartient au cercle de centre $K(-1)$ et de rayon 1.

Stratégies

A. Il suffit d'utiliser les propriétés des puissances avec la notation exponentielle.

B 1 a. Un parallélogramme se caractérise par une égalité vectorielle, que l'on traduit par une égalité entre affixes : $Z_{\overrightarrow{MA}} = z_A - z_M$.

2 a. On reconnaît une identité remarquable.

b. On interprète le module d'une différence comme la longueur d'un segment : $|z_B - z_A| = AB$.

Travail personnel : faire le point

Savoir...	Comment faire ?
Travailler avec la forme algébrique.	Une écriture de la forme $x + \mathrm{i}y$ est une forme algébrique **à condition** de savoir que x et y **sont des réels**. Deux nombres complexes sont **égaux** si, et seulement si, ils ont **même partie réelle et même partie imaginaire**.
Mettre un quotient sous forme algébrique.	On multiplie numérateur et dénominateur par le conjugué du dénominateur, car $\frac{1}{z} = \frac{\bar{z}}{z\bar{z}}$ et $z\bar{z} = \lvert z \rvert^2$ est un réel positif, non nul pour $z \neq 0$.
Résoudre dans $\mathbb{C}$ une équation du second degré à coefficients réels : $az^2 + bz + c = 0$ (avec $a \neq 0$).	On calcule le discriminant $\Delta = b^2 - 4ac$. ▸ Si $\Delta \geqslant 0$, la résolution se fait dans $\mathbb{R}$, comme étudié en Première. ▸ Si $\Delta < 0$, alors l'équation admet deux solutions complexes conjuguées : $\frac{-b - \mathrm{i}\sqrt{-\Delta}}{2a}$ et $\frac{-b + \mathrm{i}\sqrt{-\Delta}}{2a}$.
Utiliser la représentation géométrique des nombres complexes dans un repère orthonormé direct $(O, \vec{u}, \vec{v})$.	▸ Si M a pour affixe $z = \mathrm{Re}\,z + \mathrm{i}\,\mathrm{Im}\,z$, alors $(\mathrm{Re}\,z\,;\mathrm{Im}\,z)$ sont les coordonnées du point M dans le repère. ▸ Une égalité entre affixes peut s'interpréter comme une égalité vectorielle : $z = z' \Leftrightarrow \overrightarrow{OM} = \overrightarrow{OM'}$ avec $M(z)$ et $M'(z')$.
Écrire une forme trigonométrique. **Interpréter géométriquement le module et un argument dans un repère orthonormé direct $(O, \vec{u}, \vec{v})$.**	▸ Si $M(z)$, alors $OM = \lvert z \rvert$ et, si $z \neq 0$, $\arg(z) = (\vec{u}, \overrightarrow{OM}) = \alpha$, on a : $z = \lvert z \rvert(\cos\alpha + \mathrm{i}\sin\alpha)$. ▸ Le vecteur $\overrightarrow{AB}$ ayant pour affixe $z_B - z_A$, on a $AB = \lvert z_B - z_A \rvert$. En utilisant la relation de Chasles, $(\overrightarrow{OA}, \overrightarrow{OB}) = \arg(z_B) - \arg(z_A)\ (2\pi)$. 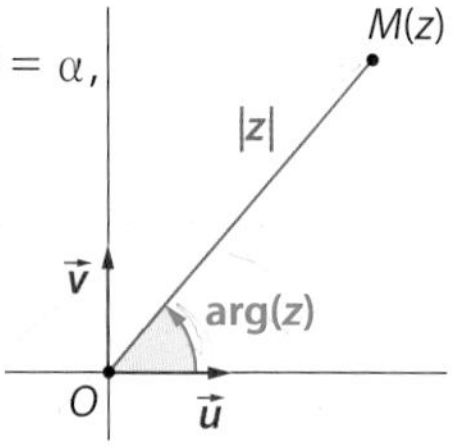
Passer de la forme algébrique à une forme trigonométrique et inversement.	▸ On passe de la forme algébrique à une forme trigonométrique en utilisant les formules : $r = \sqrt{x^2 + y^2}$; $\cos\alpha = \frac{x}{r}$; $\sin\alpha = \frac{y}{r}$. ▸ On passe d'une forme trigonométrique à la forme algébrique en utilisant les formules : $x = r\cos\alpha$; $y = r\sin\alpha$.
Interpréter la forme exponentielle.	L'égalité $\mathrm{e}^{\mathrm{i}\alpha} = \cos\alpha + \mathrm{i}\sin\alpha$ permet de caractériser le cercle trigonométrique comme l'ensemble des points dont l'affixe est de la forme $\mathrm{e}^{\mathrm{i}\alpha}$, α décrivant $\mathbb{R}$ ou un intervalle de longueur 2π. Autrement dit, tout point du cercle trigonométrique a une affixe de la forme $\mathrm{e}^{\mathrm{i}\alpha}$ et, réciproquement, tout nombre complexe de la forme $\mathrm{e}^{\mathrm{i}\alpha}$ a pour image un point du cercle trigonométrique. 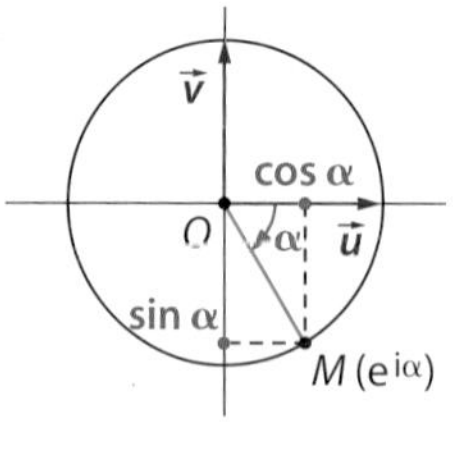
Utiliser la notation exponentielle.	Les égalités « naturelles » en notation exponentielle du type $\mathrm{e}^{\mathrm{i}a} \times \mathrm{e}^{\mathrm{i}b} = \mathrm{e}^{\mathrm{i}(a+b)}$ et $\mathrm{e}^{-\mathrm{i}a} = \frac{1}{\mathrm{e}^{\mathrm{i}a}}$; $\frac{\mathrm{e}^{\mathrm{i}a}}{\mathrm{e}^{\mathrm{i}b}} = \mathrm{e}^{\mathrm{i}(a-b)}$ permettent de trouver des arguments de produits, inverses et quotients de nombres complexes. Elles permettent également de retrouver rapidement les formules trigonométriques d'addition et de duplication vues en Première.

Travail personnel : faire le point

QCM

Voir corrigés en fin de manuel

27 Dans chacun des cas suivants, indiquer **la (ou les) bonne(s) réponse(s)**.

1 $(-1+2\mathrm{i})^3$ est égal à :	**a.** $-13-2\mathrm{i}$	**b.** $11-2\mathrm{i}$	**c.** $11+14\mathrm{i}$
2 L'inverse de $\frac{\sqrt{3}}{2}-\frac{1}{2}\mathrm{i}$ est égal à :	**a.** son opposé	**b.** son conjugué	**c.** l'opposé de son conjugué
3 $\frac{2-5\mathrm{i}}{3+\mathrm{i}}$ est égal à :	**a.** $\frac{11}{8}-\frac{17}{8}\mathrm{i}$	**b.** $\frac{11}{10}-\frac{13}{10}\mathrm{i}$	**c.** $\frac{1}{10}-\frac{17}{10}\mathrm{i}$
4 L'équation $-2z^2+2z-\frac{17}{2}=0$ a deux solutions dans $\mathbb{C}$ qui sont :	**a.** $\frac{1}{2}+2\mathrm{i}$ et $\frac{1}{2}-2\mathrm{i}$	**b.** $-1+4\mathrm{i}$ et $-1-4\mathrm{i}$	**c.** $\frac{1+3\sqrt{2}}{2}$ et $\frac{1-3\sqrt{2}}{2}$
5 Pour tout nombre complexe z, $(z-\mathrm{i})(\overline{z}+\mathrm{i})$ est :	**a.** un réel	**b.** un imaginaire pur	**c.** un nombre complexe ni réel ni imaginaire pur
6 Soit z un nombre complexe et $\overline{z}$ son conjugué :	**a.** $\mathrm{Re}(z^2)=[\mathrm{Re}(z)]^2$	**b.** $\mathrm{Re}(z^2)=\mathrm{Re}(\overline{z}^2)$	**c.** $\mathrm{Im}(\overline{z}^2)=-2\,\mathrm{Re}(z)\times\mathrm{Im}(z)$
7 Soit z un complexe non nul ; $\frac{1}{z}=\overline{z}$ si, et seulement si,	**a.** $\lvert z\rvert=1$	**b.** $z=1$ ou $z=-1$	**c.** $z=\mathrm{e}^{\mathrm{i}\alpha}$, $\alpha\in\mathbb{R}$

28 Le plan complexe est muni d'un repère orthonormé direct $(O,\vec{u},\vec{v})$.
Dans chacun des cas suivants, indiquer **la (ou les) bonne(s) réponse(s)**.

1 On donne les points $A(1-\mathrm{i})$; $B(2\mathrm{i})$ et $C(-2)$. L'affixe du point D tel que $ABCD$ est un parallélogramme :	**a.** est égale à $3+\mathrm{i}$	**b.** est égale à $-3+3\mathrm{i}$	**c.** est égale à $-1-3\mathrm{i}$
2 $-1+\sqrt{3}\,\mathrm{i}$:	**a.** est égal à $2\left(-\cos\frac{\pi}{3}+\mathrm{i}\sin\frac{\pi}{3}\right)$	**b.** est égal à $-2\mathrm{e}^{-\mathrm{i}\frac{\pi}{3}}$	**c.** a pour module 2 et pour argument $\frac{2\pi}{3}$
3 L'ensemble des points M d'affixe z tels que $\lvert z-\mathrm{i}\rvert=3$ est :	**a.** un segment de droite	**b.** un cercle	**c.** égal à l'ensemble des points d'affixe $z=\mathrm{i}+3\mathrm{e}^{\mathrm{i}\theta}$, $\theta\in\mathbb{R}$
4 L'ensemble des points M d'affixe z telle que $\arg z=\frac{\pi}{4}\ (2\pi)$:	**a.** est la droite d'équation $x=\frac{\pi}{4}$	**b.** est réduit au point $A\left(\mathrm{e}^{\mathrm{i}\frac{\pi}{4}}\right)$	**c.** a pour équation $y=x$ et $x>0$

Vrai ou faux ?

Voir corrigés en fin de manuel

29 Pour chacune des affirmations suivantes répondre par vrai ou faux.

1 $(-\sqrt{3}+\mathrm{i})^{2013}$ est un imaginaire pur.

2 L'équation $z^2+2\cos\frac{\pi}{5}z+1=0$ a deux solutions complexes de module 1.

Pour les questions **3** et **4**, le plan complexe est muni d'un repère orthonormé direct $(O,\vec{u},\vec{v})$.

3 L'ensemble des points M d'affixe z telle que :
$$\lvert z+2\rvert=\lvert z-4\mathrm{i}\rvert$$
est la droite d'équation $y=-\frac{1}{2}x+\frac{3}{2}$.

4 On considère les points $A(-1+\mathrm{i})$ et $B\left(\sqrt{2}\,\mathrm{e}^{-5\mathrm{i}\frac{\pi}{6}}\right)$. Le triangle OAB est isocèle rectangle.

5 L'équation $z^2-6\overline{z}=2$ d'inconnue z a exactement deux solutions dans $\mathbb{C}$, qui sont réelles.

Exercices d'application

→ Les exercices portant un numéro jaune sont corrigés à la fin du manuel.

Dans tous les exercices, chaque fois que c'est nécessaire, le plan complexe est muni d'un repère orthonormé direct $(O, \vec{u}, \vec{v})$.

1 L'ensemble $\mathbb{C}$

30 Vrai ou faux ?
Préciser si les affirmations suivantes sont vraies ou fausses.

1. La partie réelle de $2i - 3$ est -3.
2. La partie imaginaire de $4 + 5i$ est $5i$.
3. Les entiers naturels sont des nombres complexes.
4. $(1 + i)^2$ est un imaginaire pur.

31 QCM Pour chaque question, **plusieurs réponses proposées** peuvent être exactes.

1. Le conjugué de $i + i^2$ est :
a. $-i + 1$. **b.** $i - 1$. **c.** $-i - 1$.
2. La somme de deux nombres complexes :
a. est un nombre complexe.
b. peut être un entier.
c. peut être un imaginaire pur.
3. Le produit de deux imaginaires purs est :
a. un réel.
b. un nombre complexe.
c. un imaginaire pur.
4. $(2 - i)(2 + i)$ est égal à :
a. 3. **b.** 5. **c.** $4 - i^2$.

32 Vrai ou faux ? Préciser si les affirmations suivantes sont vraies ou fausses.

1. Si $z \in i\mathbb{R}$, alors $z = \overline{z}$.
2. Si $z \neq 0$, alors $\overline{z} \neq 0$.
3. $\overline{z} = \text{Re}(z) - \text{Im}(z)$.
4. $i\mathbb{R} \subset \mathbb{C}$.
5. Si $z = \overline{z}$, alors $\text{Re}(z) = 0$.

33 Dans chacun des cas suivants, déterminer les parties réelle et imaginaire du nombre complexe z.

1. $z = (3 - i)^2$.
2. $z = (2i - 1)(3 + i)$.
3. $z = 3i(1 + i) - 5(2 - 3i)$.

34 On pose $z = x + iy$ avec x et y réels.
Dans chacun des cas suivants, déterminer $\text{Re}(z')$ et $\text{Im}(z')$.

1. $z' = iz$.
2. $z' = z + z^2$.
3. $z' = (3 + 2i)\overline{z}$.
4. $z' = (z + \overline{z})^2$.
5. $z' = (z + i)(\overline{z} + 1)$.

35 Résoudre dans $\mathbb{C}$ les équations suivantes.

1. $3z + 2 - i = z + 5 + 4i$.
2. $(1 + i)z = 3 - 2i$.
3. $-1 - z^2 = 0$.

Coup de pouce
2 Multiplier les deux membres par $(1 - i)$.
3 $-1 = i^2$.

36 Résoudre dans $\mathbb{C}$ les équations suivantes en utilisant la forme algébrique de z.

1. $2z + i = \overline{z} + 1$.
2. $z^2 = \overline{z}$.

IT'S NOT "COMPLICATED"
ME
GIRLFRIEND
(REAL)
(IMAGINARY)
IT'S "COMPLEX"

2 Calculs avec le conjugué

37 Vrai ou faux ? On considère deux nombres complexes z et z' quelconques. Préciser si les affirmations suivantes sont vraies ou fausses.

1. L'inverse de i est $-i$.
2. Si $z \neq 0$, $\dfrac{1}{z} + \dfrac{1}{\overline{z}}$ est un réel.
3. Le conjugué de $\dfrac{z}{i}$ est $\dfrac{\overline{z}}{i}$.
4. Le conjugué de $z + iz'$ est $z - iz'$.

38 QCM Pour chaque question, **plusieurs réponses** proposées peuvent être exactes.

1. L'inverse de $z = 1 + i$ est :
a. $1 - i$; **b.** $\dfrac{1}{2}\overline{z}$; **c.** $\dfrac{1}{1 + i}$.
2. L'inverse de $\dfrac{i}{2 + i}$ est :
a. $\dfrac{2 + i}{i}$; **b.** $1 - 2i$; **c.** $1 + 2i$.
3. Le nombre complexe $i + \dfrac{1}{i}$ est :
a. un réel ; **b.** un imaginaire pur ; **c.** égal à 0.

39 Résoudre dans $\mathbb{C}$ les équations suivantes.
Les solutions seront données sous forme algébrique.

1 $(2-\mathrm{i})z+1=(3+2\mathrm{i})z-\mathrm{i}$.

2 $z+2\mathrm{i}=\mathrm{i}z-1$. **3** $(3+2\mathrm{i})(z-1)=\mathrm{i}$.

40 On pose $z=x+\mathrm{i}y$ avec x et y réels tels que $z\neq 0$ et $z\neq \mathrm{i}$. Dans chacun des cas suivants, déterminer $\mathrm{Re}(z')$ et $\mathrm{Im}(z')$.

1 $z'=\dfrac{z}{\mathrm{i}}$. **2** $z'=\dfrac{1-\mathrm{i}}{z}$.

3 $z'=\dfrac{z+1}{z-\mathrm{i}}$. **4** $z'=\dfrac{\mathrm{i}z-2}{\overline{z}}$.

41 Mettre sous forme algébrique les quotients suivants.

1 $\dfrac{1-2\mathrm{i}}{3+\mathrm{i}}$. **2** $\dfrac{2}{1-\sqrt{3}\,\mathrm{i}}$. **3** $\dfrac{(1-\mathrm{i})^2}{2+2\mathrm{i}}$.

La calculatrice permet de vérifier les calculs.

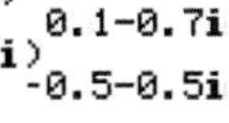

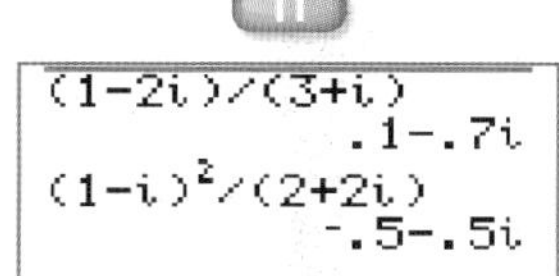

Casio :
```
(1-2i)÷(3+i)
            0.1-0.7i
(1-i)²÷(2+2i)
           -0.5-0.5i
```

Voir les fiches **Calculatrices**.

Démonstrations du cours

42 **Propriétés de la conjugaison** (voir page 228)

1 Démontrer que pour tous complexes z et z', on a :
a. $\overline{\overline{z}}=z$; **b.** $\overline{z+z'}=\overline{z}+\overline{z'}$; **c.** $\overline{zz'}=\overline{z}\,\overline{z'}$.

2 Démontrer, en utilisant le résultat de la question **1 c.**, que pour tous complexes z et z' avec $z'\neq 0$, on a :
a. $\overline{\left(\dfrac{1}{z'}\right)}=\dfrac{1}{\overline{z'}}$; **b.** $\overline{\left(\dfrac{z}{z'}\right)}=\dfrac{\overline{z}}{\overline{z'}}$.

3 Soit z un nombre complexe.
a. Démontrer à l'aide d'un raisonnement par récurrence que, pour tout entier naturel n, $\overline{(z^n)}=(\overline{z})^n$.
b. En utilisant le résultat de la question **2 a.** montrer que, si $z\neq 0$, le résultat est encore vrai lorsque l'entier n est négatif.

43 **Nullité d'un produit dans $\mathbb{C}$**

1 Soit z un complexe de forme algébrique $x+\mathrm{i}y$.
Justifier que $0\times z=0$.

2 Soit z et Z deux nombres complexes tels que $z\times Z=0$.
a. Démontrer que si $z\neq 0$, alors $Z=0$.

Coup de pouce On pourra utiliser l'inverse de z.

b. Formuler la propriété ainsi démontrée.

3 Résoudre dans $\mathbb{C}$ l'équation suivante :
$$(z^2-4)(z^2+4)=0.$$

3 Équation du second degré à coefficients réels

44 **QCM**
Pour chaque question, une seule réponse est correcte.

1 L'équation $z^2+z-1=0$ admet :
a. deux solutions dans $\mathbb{R}$.
b. deux solutions dans $\mathbb{C}\setminus\mathbb{R}$.
c. une seule solution dans $\mathbb{R}$.

2 L'équation $-z^2+z-1=0$ admet :
a. deux solutions dans $\mathbb{R}$.
b. deux solutions dans $\mathbb{C}\setminus\mathbb{R}$.
c. une seule solution dans $\mathbb{R}$.

3 L'équation $z^2+2z+1=0$ admet :
a. deux solutions dans $\mathbb{R}$.
b. deux solutions dans $\mathbb{C}\setminus\mathbb{R}$.
c. une seule solution dans $\mathbb{R}$.

4 L'équation $2z^2+9z+13{,}25=0$ a pour ensemble de solutions dans $\mathbb{C}$:
a. $\{-4{,}5-2{,}5\mathrm{i}\,;-4{,}5+2{,}5\mathrm{i}\}$.
b. $\{-2{,}25-1{,}25\mathrm{i}\,;-2{,}25+1{,}25\mathrm{i}\}$.
c. $\varnothing$.

45 **Vrai ou faux ?** Préciser si les affirmations suivantes sont vraies ou fausses.

1 L'équation $z^2-z-2=0$ n'a pas de solution dans $\mathbb{C}$.

2 L'équation $z^4-1=0$ a quatre solutions dans $\mathbb{C}$.

3 L'équation $z^4-1=0$ a deux solutions réelles.

4 Pour tout nombre complexe z,
$2z^2+6z+5=(z+1{,}5-0{,}5\mathrm{i})(2z+3+\mathrm{i})$.

46 **Vrai ou faux ?**
a, b et c sont des réels, et a est différent de zéro. Préciser si les affirmations suivantes sont vraies ou fausses.

1 L'équation $az^2+bz+c=0$ a deux solutions distinctes dans $\mathbb{C}$.

2 Si l'équation $az^2+bz+c=0$ a pour solutions z_1 et z_2, alors $z_1=\overline{z_2}$.

3 Si l'équation $az^2+bz+c=0$ a pour solutions z_1 et z_2, alors $az^2+bz+c=a(z+z_1)(z+z_2)$.

Exercices d'application

47 Résoudre dans $\mathbb{C}$ les équations suivantes.

1 $2z^2 + 6z + 5 = 0$. **2** $z^2 - 6z + 13 = 0$.

3 $4z^2 - 12z + 9 = 0$. **4** $z^2 - 6z - 7 = 0$.

48 Résoudre dans $\mathbb{C}$ les équations suivantes.

1 $\dfrac{3z+2}{z+1} = z + 3$. **2** $z^4 = 16$.

3 $\left(\dfrac{z-3\mathrm{i}}{z+2}\right)^2 + 6\left(\dfrac{z-3\mathrm{i}}{z+2}\right) + 13 = 0$.

49 Résoudre dans $\mathbb{C}$ les systèmes suivants.

1 $\begin{cases} z + z' = 2 \\ zz' = 17 \end{cases}$. **2** $\begin{cases} z + z' = 5 \\ zz' = 6{,}5 \end{cases}$.

50 Résoudre dans $\mathbb{C}$ les équations suivantes :

1 $2z^2 + 6z + 5 = 0$. **2** $z^2 - 6z + 13 = 0$.

3 $4z^2 - 12z + 9 = 0$. **4** $z^2 - 6z - 7 = 0$.

51 On pose $P(z) = z^3 + \mathrm{i}z^2 - \mathrm{i}z + 1 + \mathrm{i}$.

1 Calculer $P(-1-\mathrm{i})$.

2 Déterminer les réels a et b tels que, pour tout complexe z, $P(z) = (z + 1 + \mathrm{i})(z^2 + az + b)$.

3 Résoudre dans $\mathbb{C}$ l'équation $P(z) = 0$.

52 On pose $P(z) = z^3 - (6 + \mathrm{i})z^2 + \alpha z - 13\mathrm{i}$, où α est un nombre complexe.

1 Calculer α pour que $P(\mathrm{i}) = 0$.

2 Déterminer les réels a et b tels que, pour tout complexe z :

$$P(z) = (z - \mathrm{i})(z^2 + az + b).$$

3 Résoudre dans $\mathbb{C}$ l'équation $P(z) = 0$.

4 Représentation géométrique

Pour les exercices 53 et 54, on utilisera la figure ci-contre et on répondra par lecture graphique.

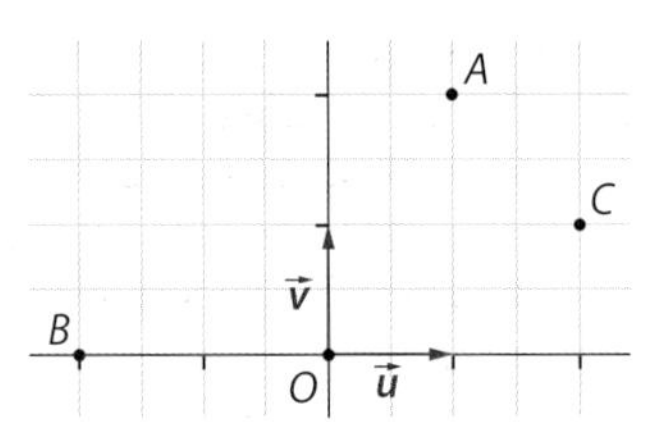

53 Vrai ou faux ? Préciser si les affirmations suivantes sont vraies ou fausses.

1 L'affixe du point A est $1 + 2\mathrm{i}$.

2 Le vecteur $\overrightarrow{OB}$ a pour affixe $-2\mathrm{i}$.

3 Le symétrique du point A par rapport à l'axe réel a pour affixe $-1 + 2\mathrm{i}$.

4 Le symétrique du point C par rapport à l'origine a pour affixe $-2 - \mathrm{i}$.

54 QCM

Pour chaque question, une seule réponse est correcte.

1 Le vecteur $\overrightarrow{AB}$ a pour affixe :

a. $2 - 3\mathrm{i}$. **b.** $3 + 2\mathrm{i}$. **c.** $-3 - 2\mathrm{i}$.

2 Le milieu du segment $[BC]$ a pour affixe :

a. $\dfrac{1}{2}\mathrm{i}$. **b.** $-\dfrac{1}{2}\mathrm{i}$. **c.** $2 + \dfrac{1}{2}\mathrm{i}$.

3 Le point D tel que $ACDB$ soit un parallélogramme a pour affixe :

a. $-3 - \mathrm{i}$. **b.** $-3 + \mathrm{i}$. **c.** $-1 - \mathrm{i}$.

55 On considère le nombre complexe $z = 3 - 2\mathrm{i}$. Placer dans le plan complexe les points A, B, C, D d'affixes respectives z, $\bar{z}$, $-z$, $-\bar{z}$.

56 On considère le nombre complexe $z = -2 + \mathrm{i}$. Placer dans le plan complexe les points A, B, C, D d'affixes respectives $2z$, $\mathrm{i} - z$, $\mathrm{i}z$, $z - \bar{z}$.

57 Représenter dans le plan complexe l'ensemble des points M d'affixe z tel que :

a. $\mathrm{Re}(z) = 2$ (en bleu) ; **b.** $\mathrm{Im}(z) = -1$ (en vert) ;

c. $\mathrm{Re}(z) = \mathrm{Im}(z)$ (en rouge) ;

d. $\mathrm{Im}(z) = (\mathrm{Re}(z)^2)$ (en noir).

58 Démonstration du cours : affixe d'un vecteur, d'un milieu (voir page 230)

A et B sont deux points du plan complexe d'affixes respectives $z_A = x_A + \mathrm{i}y_A$ et $z_B = x_B + \mathrm{i}y_B$.

1 Quelles sont les coordonnées du vecteur $\overrightarrow{AB}$?
En déduire que $z_{\overrightarrow{AB}} = z_B - z_A$.

2 Quelles sont les coordonnées du milieu I de $[AB]$?
En déduire que $z_I = \dfrac{z_A + z_B}{2}$.

3 Soit C le point d'affixe z_C.
Démontrer que le centre de gravité G du triangle ABC a pour affixe :

$$z_G = \frac{z_A + z_B + z_C}{3}.$$

Indication
$\overrightarrow{CG} = \dfrac{2}{3}\overrightarrow{CI}$.

5 Module et arguments d'un nombre complexe

59 QCM

Pour chaque question, **plusieurs réponses** proposées peuvent être exactes.

1 Le module de $4+3i$ est :
a. 25. b. $\sqrt{5}$. c. 5.

2 Si $|z|=2$ alors :
a. $|-z|=-2$. b. $|\overline{z}|=2$. c. $z\,\overline{z}=4$.

3 Si $M(z)$ et $M'(z')$ sont tels que $|z|=|z'|$, alors :
a. O, M, M' sont nécessairement alignés.
b. le triangle OMM' est isocèle.
c. M et M' sont sur un même cercle de centre O.

4 L'ensemble des points $M(z)$ tels que $|z|=3$ est :
a. le cercle de centre O et de rayon 3.
b. le cercle de diamètre $[OM]$.
c. constitué des quatre points dont les coordonnées sont $(3;0)$, $(0;3)$, $(-3;0)$, $(0;-3)$.

60 QCM

Pour chaque question, **plusieurs réponses** proposées peuvent être exactes.

1 Si $A(z_A)$ et $B(z_B)$, alors AB est égale à :
a. $|z_A-z_B|$. b. $|z_A+z_B|$. c. $|z_B-z_A|$.

2 Si $A(z_A)$ et $B(z_B)$ avec $|z_A|=|z_B|$, alors :
a. $OA=OB$. b. $|\overline{z_A}|=|\overline{z_B}|$. c. $AB=0$.

3 Si $A(z_A)$ et $B(z_B)$, alors le point $M(z)$ tel que $|z-z_A|=|z-z_B|$ est un point :
a. du cercle de diamètre $[AB]$.
b. du segment $[AB]$.
c. de la médiatrice du segment $[AB]$.

61 Vrai ou faux ?

On note I le point d'affixe 1 et M un point d'affixe z avec $z\neq 0$. Préciser si les affirmations suivantes sont vraies ou fausses.

1 Si $(\overrightarrow{OM},\overrightarrow{OI})=\frac{\pi}{2}\ (2\pi)$, alors $M\in(O;\vec{v})$.

2 Si $\widehat{IOM}=60°$, alors $\arg(z)=\frac{\pi}{3}\ (2\pi)$.

3 Si $\arg(z)=0\ (2\pi)$, alors $z\in\,]0;+\infty[$.

4 Si $M\in(O;\vec{v})$, alors $\arg(z)=\frac{\pi}{2}\ (2\pi)$.

62 Vrai ou faux ?

Le point M a pour affixe z avec $z\neq 0$. Préciser si les affirmations suivantes sont vraies ou fausses.

1 Si M' a pour affixe $-z$, alors $OM=OM'$.

2 Si $M'(\overline{z})$, alors $(\vec{u},\overrightarrow{OM})+(\vec{u},\overrightarrow{OM'})=0\ (2\pi)$.

3 Si $M'(z')$ tel que $z'\neq 0$ et $\arg(z')=\arg(z)\ (2\pi)$, alors $M'\in[OM]$.

4 Si $M'(z')$ tel que $z'\neq 0$ et $M'\in[OM]$, alors $\arg(z')=\arg(z)\ (2\pi)$.

63

Par lecture graphique, donner le module et un argument de z_A, z_B, z_C et z_D.

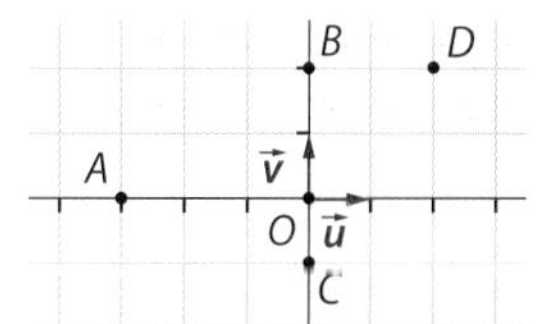

64

Le point M de la figure ci-contre a pour affixe z. Reproduire la figure et tracer :

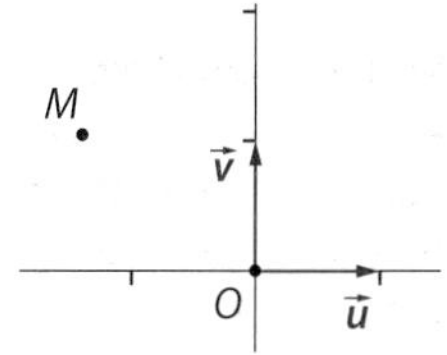

a. en vert l'ensemble des points dont l'affixe non nulle z' est telle que :
$$\arg(z')=\arg(z)+\frac{\pi}{2}\ (2\pi);$$
b. en bleu, l'ensemble des points dont l'affixe non nulle z' est telle que $|z'|=|2z|$;
c. en rouge, l'ensemble des points dont l'affixe non nulle z' est telle que $\arg(z')=\arg(z)\ (\pi)$;
d. en noir, l'ensemble des points dont l'affixe non nulle z' est telle que $\arg(z')=\arg(z)+\arg(\overline{z})\ (2\pi)$.

65 Démonstration du cours : module et argument d'un opposé et d'un conjugué

Voir le cours, page 230.

1 Soit z un nombre complexe. En utilisant la forme algébrique de z montrer que : $|-z|=|\overline{z}|=|z|$.

2 Soit z un nombre complexe non nul et M le point du plan complexe d'affixe z.
a. Comment est situé le point M' d'affixe $\overline{z}$ par rapport à M ? En déduire $\arg(\overline{z})$ en fonction de $\arg(z)$.
b. Comment est situé le point M_1 d'affixe $-z$ par rapport à M ? En déduire $\arg(-z)$ en fonction de $\arg(z)$.
c. En utilisant les résultats du **2** a. et **2** b., exprimer $\arg(-\overline{z})$ en fonction de $\arg(z)$.

6 Forme trigonométrique et notation exponentielle

$$e^{i\pi} + 1 = 0$$

- A *Euh Hippie, c'était dans les années 70 non ?*
- B *C'est vrai !*
- C *C'est faux.*
- D *Je ne suis pas concerné par la question.*

66 Vrai ou faux ?

Préciser si les affirmations suivantes sont vraies ou fausses.

1 Un argument de $1 + i$ est $\frac{\pi}{4}$.

2 Un argument de $-1 + i$ est $-\frac{\pi}{4}$.

3 Un argument de $-1 - i$ est $-\frac{\pi}{4}$.

4 Un argument de $1 - i$ est $-\frac{\pi}{4}$.

67 QCM

Pour chaque question, **plusieurs réponses** proposées peuvent être exactes.

1 Si $z = -e^{i\frac{\pi}{3}}$, alors :
a. $|z| = 1$. b. $\arg(z) = -\frac{\pi}{3}\ (2\pi)$. c. $\overline{z} = -e^{-i\frac{\pi}{3}}$.

2 Si $z = -1 - i\sqrt{3}$, alors :
a. sa forme trigonométrique est $-2\left(\cos\frac{\pi}{3} + i\sin\frac{\pi}{3}\right)$.
b. $z = -2e^{i\frac{\pi}{3}}$. c. $z = 2e^{i\frac{4\pi}{3}}$.

3 Si $z_1 = 2e^{i\frac{\pi}{6}}$ et $z_2 = \frac{1}{2}e^{i\frac{\pi}{2}}$, alors :
a. le point d'affixe z_1z_2 appartient au cercle trigonométrique.
b. $\left|\frac{z_1}{z_2}\right| = 4$.
c. une forme exponentielle de $\frac{z_2}{z_1}$ est $\frac{1}{4}e^{i\frac{\pi}{3}}$.

68 QCM

Pour chaque question, **une seule réponse** est correcte.

1 Un argument de $\cos\frac{\pi}{4} - i\sin\frac{\pi}{4}$ est :
a. $\frac{\pi}{4}$. b. $-\frac{\pi}{4}$. c. $\frac{5\pi}{4}$.

2 Un argument de $-2\left(\cos\frac{\pi}{3} + i\sin\frac{\pi}{3}\right)$ est :
a. $\frac{4\pi}{3}$. b. $\frac{\pi}{3}$. c. $-\frac{\pi}{3}$.

3 Si $z = -3e^{i\theta}$, où θ est réel, alors :
a. $|z| = 3$. b. $|z| = -3$. c. $\arg(z) = \theta\ (2\pi)$.

4 Si $z = 2e^{-i\frac{\pi}{4}}$, alors :
a. $z = \sqrt{2} + i\sqrt{2}$. b. $\arg(-z) = \frac{\pi}{4}\ (2\pi)$.
c. $\overline{z} = \sqrt{2} + i\sqrt{2}$.

69

Dans le plan complexe, placer les points A, B, C et D d'affixes respectives :

$$z_A = 2e^{i\frac{\pi}{3}}\ ;\ z_B = -e^{i\frac{\pi}{6}}\ ;\ z_C = -z_A \times z_B\ ;\ z_D = \frac{-z_B}{z_A}.$$

70

Déterminer la forme algébrique de chacun des nombres complexes suivants.

1 $z_1 = e^{i\frac{\pi}{3}} + e^{i\frac{\pi}{6}}$. 2 $z_2 = 2 - i + 3e^{i\pi}$.

3 $z_3 = -2i\left(\cos\frac{\pi}{3} + i\sin\frac{\pi}{3}\right)$.

71

Pour chacun des nombres complexes suivants, donner sa forme algébrique, une forme trigonométrique et une écriture exponentielle.

1 $z_1 = 1 - i\sqrt{3}$. 2 $z_2 = 3e^{i\frac{\pi}{4}}$.

3 $z_3 = 2\left(\cos\frac{\pi}{6} + i\sin\frac{\pi}{6}\right)$.

72

Même consigne qu'à l'exercice précédent.

1 $z_1 = 1 - e^{i\frac{\pi}{2}}$. 2 $z_2 = -2e^{i\frac{\pi}{6}}$.

3 $z_3 = 6\left(\sin\frac{\pi}{3} + i\cos\frac{\pi}{3}\right)$.

73

Soit les nombres complexes :

$$z_1 = \sqrt{2} + i\sqrt{6},\ z_2 = 2 - 2i \text{ et } Z = \frac{z_1}{z_2}.$$

1 Écrire Z sous forme algébrique.

2 a. Déterminer le module et un argument de chacun des nombres z_1 et z_2, puis les écrire sous forme exponentielle.
b. En déduire le module et un argument de Z.
c. Déterminer les valeurs de $\cos\frac{7\pi}{12}$ et $\sin\frac{7\pi}{12}$.

3 Pour le dessin, on prendra 2 cm comme unité.
On désigne par A, B et C les points d'affixes respectives z_1, z_2 et Z. Placer le point B, puis placer les points A et C en utilisant la règle et le compas (on laissera les traits de construction apparents).

4 Écrire sous forme algébrique le nombre complexe Z^{2012}.

74

En utilisant la calculatrice, déterminer une forme exponentielle pour chacun des nombres complexes suivants, en exprimant, lorsque c'est possible, l'argument comme une fraction de π :

$$z_1 = -4 - 3i\ ;\quad z_2 = 2\sqrt{3} - 2i\ ;$$
$$z_3 = -2e^{i} - 3i\ ;\quad z_4 = -2 + i\sqrt{5}.$$

Exercices guidés

75 Vrai ou faux ?

Pour chacune des propositions suivantes, dire si elle est vraie ou fausse et justifier votre choix.
Le plan complexe est rapporté à un repère orthonormé direct $(O, \vec{u}, \vec{v})$.

1 Soit z un nombre complexe d'argument $\frac{\pi}{3}$.
Proposition 1 : « z^{100} est un nombre réel ».

2 Soit $(\mathscr{F})$ l'ensemble des points M d'affixe z tel que $|z| = |1 - z|$.
Proposition 2 : « l'ensemble $(\mathscr{F})$ est une droite parallèle à l'axe des réels ».

3 On considère l'ensemble $(\mathscr{G})$ des points M d'affixe $z = 1 - 2e^{i\alpha}$, $\alpha \in [0 ; \pi]$.
Proposition 3 : « l'ensemble $(\mathscr{G})$ est inclus dans un cercle de rayon 2 ».

4 Avec les mêmes notations qu'au **3**.
Proposition 4 : « le point A d'affixe $(1 + 2i)$ est un point de l'ensemble $(\mathscr{G})$ ».

5 On considère l'équation (E) suivante :

$$z^2 - 2\left(\cos\frac{\pi}{7}\right)z + 1 = 0.$$

Proposition 5 : « l'équation (E) a deux solutions complexes de modules égaux à 1 ».

Pistes de résolution

1 La forme adaptée aux calculs des puissances de z est la forme exponentielle : $z = re^{i\frac{\pi}{3}}$.
Celle de z^{100} permettra de « lire » un argument de ce complexe.
Il n'y a plus qu'à savoir caractériser un réel non nul au moyen de son argument : les réels non nuls ont pour argument 0 ou π modulo 2π.

2 Par définition $|z| = OM$ et une égalité entre modules s'interprète comme une égalité entre deux longueurs. L'appartenance de M à $(\mathscr{F})$ s'écrit donc $OM = AM$, où l'affixe du point A est à indiquer.

Autre idée : on peut poser $z = x + iy$, x et y étant réels, et calculer les deux modules en prenant garde pour $1 - z$ de bien faire apparaître la partie réelle et la partie imaginaire, $1 - z = (1 - x) + i(-y)$, avant de calculer le module. L'égalité entre modules se traite en élevant au carré, puis en simplifiant.
Cette piste est à déconseiller ici : elle conduit à de nombreux calculs ; elle est bien plus lourde que la précédente.

3 On peut donner à α quelques valeurs simples permettant de trouver des points : $\alpha = 0$; $\alpha = \frac{\pi}{2}$; $\alpha = \pi$.
Trois points déterminant un cercle, on peut trouver son centre et son rayon.
On peut aussi réfléchir à la signification de l'écriture $z - 1 = -2e^{i\alpha} = 2e^{i\beta}$, en identifiant β, et à la valeur dans ce cas de $|z - 1|$.

4 Tout revient à savoir si on peut écrire $-i = e^{i\alpha}$ avec $\alpha \in [0 ; \pi]$.

5 Il convient de calculer le discriminant.
On obtient $\Delta = -4\sin^2\frac{\pi}{7}$, en utilisant la relation $\cos^2 t + \sin^2 t = 1$.

76

Le plan complexe est rapporté à un repère orthonormé direct $(O, \vec{u}, \vec{v})$, d'unité graphique 2 cm.

1 Résoudre dans $\mathbb{C}$ l'équation d'inconnue z suivante :

$$z^2 - 2\sqrt{3}z + 4 = 0.$$

2 On considère les points :
- A d'affixe $a = \sqrt{3} - i$;
- B d'affixe $b = \sqrt{3} + i$;
- C, le milieu du segment $[OB]$, d'affixe c.

a. Déterminer une forme exponentielle de a, b et c.
b. Sur une figure, placer les points A, B et C.
c. Montrer que le triangle OAB est équilatéral.

3 Soit D le point tel que le triangle OCD est isocèle rectangle en O et $(\overrightarrow{OC}, \overrightarrow{OD}) = -\frac{\pi}{2}$ (2π), et E tel que $DABE$ soit un parallélogramme.
a. Placer les points D et E.
b. Déterminer une forme exponentielle de l'affixe d du point D, puis sa forme algébrique et montrer que l'affixe ε du point E est : $\varepsilon = \frac{1}{2} + \left(\frac{4 - \sqrt{3}}{2}\right)i$.
c. Démontrer que : $OE = BE = \sqrt{5 - 2\sqrt{3}}$.

Question ouverte

4 ***Dans cette question toute trace de recherche, toute initiative sera prise en compte.***
Démontrer que les points A, C et E sont alignés.

Pistes de résolution

1 On calcule le discriminant Δ. Si on ne se trompe pas dans les formules, on a la bonne surprise de trouver comme solutions les nombres a et b du **2**, *d'où l'intérêt de lire intégralement l'énoncé d'un exercice avant de commencer la recherche* : on comprend mieux où l'on doit aller.

2 **a.** Les modules de a et b sont égaux à 2 : A et B se trouvent donc sur le cercle de centre O et de rayon 2. On identifie les arguments de a et b, qui sont opposés, puisque $a = \overline{b}$, grâce aux valeurs remarquables des cosinus et sinus : si $\alpha = \arg a$, on a :

$$\cos\alpha = \frac{\sqrt{3}}{2} \quad \text{et} \quad \sin\alpha = -\frac{1}{2}.$$

Comme C est le milieu du segment $[OB]$, on a $c = \frac{1}{2}b$.

b. On peut placer précisément les points A et B situés sur le cercle de centre O et de rayon 2, grâce à leur ordonnée ± 1.

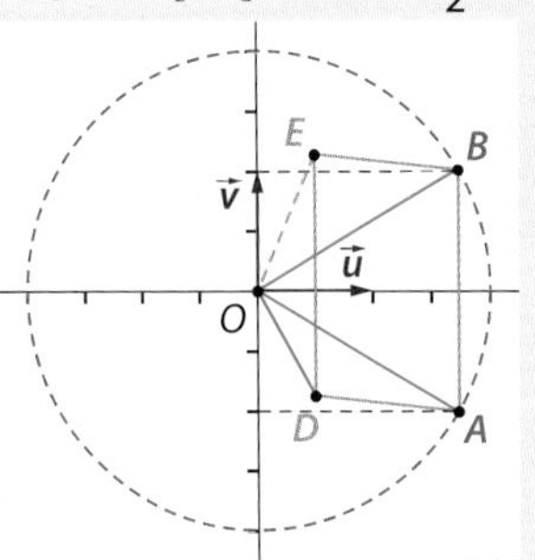

c. On peut déterminer l'angle $(\overrightarrow{OA}, \overrightarrow{OB})$ en interprétant géométriquement les arguments de a et de b, et en utilisant la relation de Chasles, puis penser que l'on a déjà établi que $OA = OB$.
Autre idée : on peut calculer la longueur AB et la comparer avec celle des deux autres cotés.

3 Pour une forme exponentielle de d, on a besoin de connaître OD et l'angle $\delta = (\vec{u}, \overrightarrow{OD})$ et alors $d = OD \times e^{i\delta}$. Or, en utilisant la relation de Chasles, on obtient $(\vec{u}, \overrightarrow{OD}) = (\vec{u}, \overrightarrow{OC}) + (\overrightarrow{OC}, \overrightarrow{OD})$.

En utilisant $e^{-i\frac{\pi}{2}} = -i$, on prouvera que :

$$d = \frac{1}{2} - \frac{\sqrt{3}}{2}i.$$

Pour trouver e on utilise :
$DABE$ est un parallélogramme $\Leftrightarrow \overrightarrow{DE} = \overrightarrow{AB}$.
Les longueurs OE et BE s'obtiennent comme les modules des affixes des vecteurs $\overrightarrow{OE}$ et $\overrightarrow{BE}$.

4 Le plus simple est de faire la synthèse des résultats établis au fil des questions, en interprétant les égalités de longueurs :

$$OA = BA, \quad OE = BE.$$

Que sait-on du point C ?
La figure aussi est un support pour la réflexion.
Autre idée : on peut examiner la colinéarité des vecteurs $\overrightarrow{AC}$ et $\overrightarrow{AE}$.

77 **Partie A – ROC**

On rappelle les propriétés suivantes :
- il existe un nombre complexe i tel que $i^2 = -1$;
- soit Z et Z' deux nombres complexes :
$ZZ' = 0$ si, et seulement si, $Z = 0$ ou $Z' = 0$.

Démontrer que pour tout réel a strictement positif, l'équation $Z^2 + a = 0$ a deux solutions dans $\mathbb{C}$, dont on donnera l'écriture sous forme algébrique.

Partie B – Le plan complexe est rapporté à un repère orthonormé direct $(O, \vec{u}, \vec{v})$.
Dans toute la suite de l'exercice, z désigne un nombre complexe **non nul**.
À tout point M d'affixe z, on associe le point M' d'affixe $z' = -\frac{1}{z}$, puis le point N milieu du segment $[MM']$.
L'affixe de N est donc $\frac{1}{2}\left(z - \frac{1}{z}\right)$.
On désigne par Γ le cercle de centre O et de rayon 1, J le point d'affixe i et J' celui d'affixe $-i$.

1 Dans cette question $z = e^{i\alpha}$, où α est un réel.
a. Écrire z' sous forme exponentielle.
b. Sur la figure on a placé le point M_1 d'affixe z_1.
Expliquer comment on peut obtenir géométriquement le point M'_1, puis le placer et construire alors le point N_1.
c. Calculer la forme algébrique de l'affixe du point N.
En déduire l'ensemble décrit par le point N lorsque M décrit le cercle Γ.

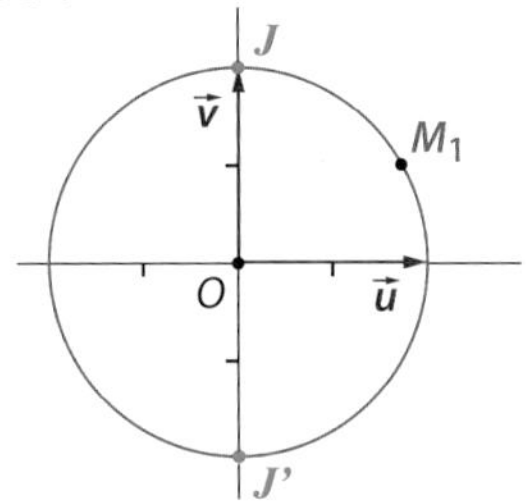

2 Dans cette question, M est un point du plan distinct de O.
a. Déterminer les points M du plan pour lesquels M et N sont confondus.
b. Développer $(z - 2i)^2 + 3$. Déterminer les points M du plan pour lesquels l'affixe de N est $2i$.

3 Dans cette question, M est un point du plan distinct de O, d'affixe $z = x + iy$, avec x et y réels.
a. Exprimer, en fonction de x et y, la partie réelle et la partie imaginaire de l'affixe du point N.
b. Déterminer l'ensemble $\mathscr{E}$ des points M du plan tels que N appartient à l'axe $(O, \vec{u})$.
c. Déterminer l'ensemble $\mathscr{F}$ des points M du plan tels que N appartient à l'axe $(O, \vec{v})$.

Pistes de résolution

Partie A - ROC

L'existence de i permet de transformer l'équation $Z^2 + a = 0$ en $Z^2 - b^2 = 0$, où b est un nombre complexe que l'on exprimera en fonction de a.
Il n'y a plus qu'à factoriser la différence de deux carrés (déjà pratiqué dans $\mathbb{R}$), puis la propriété du produit nul pour obtenir le résultat.

Partie B

1 Attention, une forme exponentielle $re^{i\theta}$ nécessite un réel $r > 0$.
Dans l'écriture de z', il conviendra d'utiliser l'écriture exponentielle de -1 qui est $e^{i\pi}$.
La construction géométrique découle de l'interprétation du module et de l'argument du nombre complexe z' mis en évidence par la forme exponentielle :

$$\arg z' = (\vec{u}, \overrightarrow{OM'})\ (2\pi).$$

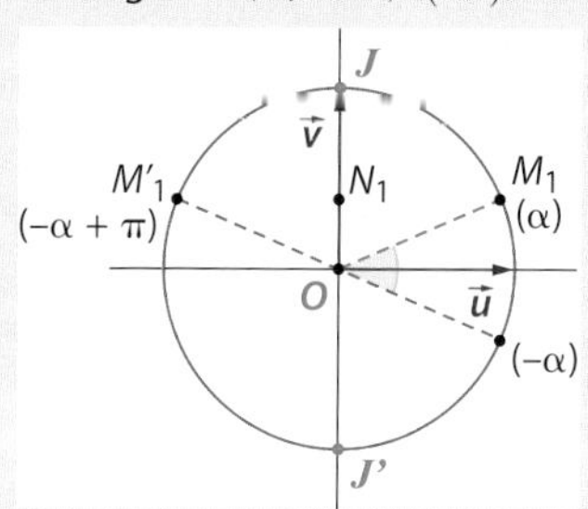

Pour l'ensemble décrit par le point N, on n'oubliera pas de vérifier que tout point du segment trouvé est bien l'image d'au moins un point M de Γ.

2 Il convient de mettre en équation, **en conservant l'inconnue z**, les différentes conditions indiquées pour un point M et son image N.
C'est l'occasion d'appliquer le résultat de la partie **A** pour résoudre ces équations du second degré qu'on aura pris soin de mettre sous la forme $Z^2 + a = 0$.

3 Dans **a.** on calculera la forme algébrique de $\frac{1}{z}$:

$$\frac{1}{z} = \frac{1}{x + iy} = \frac{x - iy}{x^2 + y^2}$$

$$= \frac{x}{x^2 + y^2} + i\frac{-y}{x^2 + y^2}.$$

On aura soin aussi, pour la suite, de factoriser au maximum les numérateurs de $\mathrm{Re}(z_N)$ et $\mathrm{Im}(z_N)$.
Dans tout le problème, on a $z \neq 0$, c'est-à-dire $M \neq 0$: les ensembles $\mathscr{E}$ et $\mathscr{F}$ cherchés ne doivent donc pas contenir le point O.

Attention, dans cette question, le point M n'appartient pas forcément au cercle Γ, comme au **1**.
Mais le résultat établi au **1 c.** donne une indication sur l'ensemble $\mathscr{F}$, qui contient nécessairement le cercle Γ.

Exercices d'entraînement

Chaque fois que nécessaire, le plan complexe est rapporté à un repère orthonormé direct $(O, \vec{u}, \vec{v})$.

1 Pour tout nombre complexe z, on pose :

$$P(z) = z^3 - 3z^2 + 3z + 7.$$

a. Calculer $P(-1)$.
b. Déterminer les réels a et b tels que pour tout nombre complexe z, on ait :

$$P(z) = (z + 1)(z^2 + az + b).$$

c. Résoudre dans $\mathbb{C}$ l'équation $P(z) = 0$.

2 Le plan complexe est rapporté à un repère orthonormé direct $(O, \vec{u}, \vec{v})$, d'unité graphique 2 cm.
On désigne par A, B, C et D les points d'affixes respectives :

- $z_A = -1$,
- $z_B = 2 + i\sqrt{3}$,
- $z_C = 2 - i\sqrt{3}$
- $z_D = 3$.

a. Réaliser une figure et placer les points A, B, C et D.
b. Calculer les distances AB, BC et CA. En déduire la nature du triangle ABC.
c. Déterminer les affixes des vecteurs $\overrightarrow{CA}$ et $\overrightarrow{CD}$.
Calculer le produit scalaire $\overrightarrow{CA} \cdot \overrightarrow{CD}$.
En déduire la nature du triangle ADC.

79 45 On considère dans l'ensemble des nombres complexes, l'équation (E) d'inconnue z :

$$z^3 + (-8 + i)z^2 + (17 - 8i)z + 17i = 0.$$

1 Démontrer que l'équation (E) a une solution imaginaire pure.

2 Déterminer deux réels a et b tels que :

$$z^3 + (-8 + i)z^2 + (17 - 8i)z + 17i = (z + i)(z^2 + az + b).$$

3 Résoudre l'équation (E) dans $\mathbb{C}$.

80 Résoudre dans $\mathbb{C}$ l'équation :

$$z^4 - 8z^3 + 26z^2 - 72z + 153 = 0.$$

Démontrer que les quatre points ayant pour affixe les solutions sont cocycliques.

Coup de pouce

a. On montrera d'abord que l'équation a deux solutions imaginaires pures.

b. On cherchera ensuite à factoriser le membre de gauche de l'équation sous la forme :

$$(z^2 + 9)(z^2 + az + b) \text{ avec } a \text{ et } b \text{ réels.}$$

81 Dans l'ensemble $\mathbb{C}$ des nombres complexes, i désigne le nombre de module 1 et d'argument $\frac{\pi}{2}$.

1 Montrer que $(1 + \mathrm{i})^6 = -8\mathrm{i}$.

2 On considère l'équation $(\mathrm{E}) : z^2 = -8\mathrm{i}$.

a. Déduire de **1** une solution de l'équation (E).

b. L'équation (E) possède deux solutions : écrire ces deux solutions sous forme algébrique.

3 **a.** Déduire également de **1** une solution notée t de l'équation $(\mathrm{E}') : z^3 = -8\mathrm{i}$.

b. On pose $j = \mathrm{e}^{\mathrm{i}\left(\frac{2\pi}{3}\right)}$. Démontrer que jt et j^2t sont aussi des solutions de (E').

4 On considère dans le repère orthonormé direct $(O, \vec{u}, \vec{v})$ les points A, B et C d'affixes respectives t, jt et j^2t.

a. Donner une forme exponentielle de chacune de ces affixes, puis représenter les points A, B et C.

b. Démontrer que le triangle ABC est équilatéral.

82 À tout point M d'affixe z dans le plan complexe, on associe le point M' d'affixe z' telle que : $z' = z^2 - 4z$. Le point M' est appelé image du point M.

1 Soit A et B les points d'affixes :

$$z_A = 1 - \mathrm{i} \quad \text{et} \quad z_B = 3 + \mathrm{i}.$$

a. Calculer les affixes des points A' et B' images des points A et B.

b. On suppose que deux points ont la même image. Démontrer qu'ils sont confondus ou bien qu'ils forment un segment de milieu le point K d'affixe 2.

2 Soit I le point d'affixe -3.

a. Démontrer que $OMIM'$ est un parallélogramme si, et seulement si, $z^2 - 3z + 3 = 0$.

b. Résoudre l'équation $z^2 - 3z + 3 = 0$.

3 **a.** Exprimer $(z' + 4)$ en fonction de $(z - 2)$.

b. On pose $z - 2 = r\mathrm{e}^{\mathrm{i}\alpha}$, avec $r > 0$ et α réel.

Déterminer une forme exponentielle de $z' + 4$.

En déduire que $\arg(z' + 4) = 2\alpha \ (2\pi)$ et exprimer $|z' + 4|$ en fonction de r.

4 Soit E le point d'affixe $z_E = -4 + 3\mathrm{i}$.

a. À l'aide de **3** **b.** démontrer qu'il existe deux points qui ont pour image le point E.

b. Déterminer la forme algébrique des affixes de ces deux points et vérifier leur positionnement par rapport au point K.

83 30 **Vrai ou faux ?**

Pour chacune des propositions suivantes, indiquer si elle est vraie ou fausse et justifier la réponse choisie.

Le plan complexe est rapporté à un repère orthonormé direct $(O, \vec{u}, \vec{v})$ si nécessaire.

1 Pour tout nombre complexe z :

$$\mathrm{Im}(z^2) = [\mathrm{Im}(z)]^2.$$

2 Pour tout nombre complexe non nul z, les points M d'affixe z, N d'affixe $\frac{1}{z}$ et O sont alignés.

3 Pour tout nombre complexe z, si $|2 + \mathrm{i}z| = |2\mathrm{i} - \overline{z}|$, alors la partie imaginaire de z est nulle.

4 Pour tout nombre complexe z, si $|1 + \mathrm{i}z| = |1 - \mathrm{i}\overline{z}|$, alors la partie réelle de z est nulle.

5 Pour tout nombre complexe z de module 1, si $\arg(z^2) = \arg(\overline{z}) \ (2\pi)$, alors :

$$z = \mathrm{e}^{\mathrm{i}\left(\frac{2\pi}{3}\right)} \text{ ou } z = 1.$$

84 Pour tout nombre complexe z, on définit :

$$P(z) = z^3 + 2(\sqrt{2} - 1)z^2 + 4(1 - \sqrt{2})z - 8.$$

1 **a.** Calculer $P(2)$.

b. Déterminer deux réels a et b tels que :

$$P(z) = (z - 2)(z^2 + az + b).$$

2 Résoudre dans $\mathbb{C}$ l'équation $P(z) = 0$. On appelle z_1 et z_2 les solutions de l'équation autres que 2, z_1 ayant une partie imaginaire positive.

Vérifier que :

$$z_1 + z_2 = -2\sqrt{2}.$$

Déterminer le module et un argument de z_1 et de z_2.

3 **a.** Placer dans le plan, muni d'un repère orthonormé direct $(O, \vec{u}, \vec{v})$ (unité graphique : 2 cm), les points A d'affixe 2, B et C d'affixes respectives z_1 et z_2, et I milieu de $[AB]$.

b. Démontrer que le triangle OAB est isocèle direct.

En déduire une mesure de l'angle $(\vec{u} \,; \overrightarrow{OI})$.

c. Calculer l'affixe z_I de I, puis le module de z_I.

d. Déduire des résultats précédents les valeurs exactes de $\cos\frac{3\pi}{8}$ et $\sin\frac{3\pi}{8}$.

   **Partie A - ROC**

On rappelle le prérequis suivant : dans un repère orthonormé deux vecteurs $\vec{t}$ et $\vec{t'}$ de coordonnées respectives $\begin{pmatrix} x \\ y \end{pmatrix}$ et $\begin{pmatrix} x' \\ y' \end{pmatrix}$ sont orthogonaux si, et seulement si :

$$xx' + yy' = 0.$$

1 Démontrer la propriété :
« deux vecteurs $\vec{t}$ et $\vec{t'}$ d'affixes respectives z et z' sont orthogonaux si, et seulement si $z \times \overline{z'} \in i\mathbb{R}$ ».

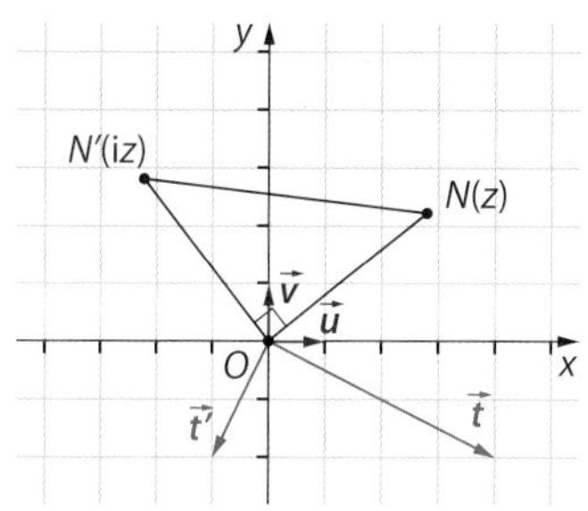

2 En déduire que si N a pour affixe z et N' a pour affixe iz, alors le triangle ONN' est isocèle rectangle en O.
On admet dans ce cas que le triangle ONN' est direct, c'est-à-dire que :

$$(\overrightarrow{ON}, \overrightarrow{ON'}) = +\frac{\pi}{2} \ (2\pi).$$

Partie B

1 a. Déterminer le nombre complexe α tel que :

$$\alpha(1 + i) = 1 + 3i.$$

b. Vérifier que $i\alpha^2 = -4 + 3i$.

2 Pour tout nombre complexe z, on pose :

$$f(z) = z^2 - (1 + 3i)z + (-4 + 3i).$$

a. Montrer que $f(z)$ s'écrit sous la forme $(z - \alpha)(z - i\alpha)$.
b. En déduire les solutions dans $\mathbb{C}$, sous forme algébrique, de l'équation $f(z) = 0$.

Partie C

1 On considère les points A et B d'affixes respectives $a = 2 + i$ et $b = -1 + 2i$.
Placer A et B dans le repère et compléter au fur et à mesure. L'unité graphique est 3 cm.
Démontrer que le triangle OAB est isocèle rectangle.

2 On considère le point C d'affixe $c = -3 + 2i$.
Déterminer l'affixe d du point D tel que le triangle OCD soit isocèle rectangle direct en O.

3 On appelle M le milieu du segment $[BC]$.
a. Déterminer les affixes des vecteurs $\overrightarrow{OM}$ et $\overrightarrow{DA}$.
b. Démontrer que les droites (OM) et (DA) sont perpendiculaires.
c. Établir que $OM = \frac{1}{2}DA$.

4 On appelle J, K et L les milieux respectifs des segments $[CD]$, $[DA]$ et $[AB]$.
a. Démontrer que le quadrilatère $JKLM$ est un parallélogramme.
b. En utilisant la partie **A** démontrer que $JKLM$ est un carré.

86 Le plan complexe est rapporté à un repère orthonormé direct $(O, \vec{u}, \vec{v})$ d'unité graphique 1 cm.

1 Résoudre dans l'ensemble $\mathbb{C}$ l'équation :

$$z^2 + 6z + 18 = 0.$$

On donnera les solutions sous forme algébrique, puis sous forme trigonométrique.

2 On note A et B les points d'affixes respectives :

$$a = 3 - 3i \quad \text{et} \quad b = -a.$$

a. Placer ces points sur le graphique qui sera complété au fur et à mesure des questions.
b. Déterminer l'affixe c du point C tel que $OC = OB$ et $(\overrightarrow{OB}, \overrightarrow{OC}) = \frac{\pi}{2} \ (2\pi)$.
c. Déterminer l'affixe d du point D tel que le quadrilatère $ABCD$ soit un parallélogramme.

3 On cherche à déterminer l'ensemble $(\mathscr{E})$ des points M du plan tels que :

$$\left\| \overrightarrow{MA} + \overrightarrow{MB} + \overrightarrow{MC} \right\| = 2 \times BD.$$

a. Justifier que D appartient à $(\mathscr{E})$.
b. On note z l'affixe d'un point M ; déterminer l'affixe du vecteur $\overrightarrow{MA} + \overrightarrow{MB} + \overrightarrow{MC}$.
Montrer que : $M \in (\mathscr{E}) \Leftrightarrow |z + 1 + i| = 4\sqrt{5}$.
c. En déduire la nature de $(\mathscr{E})$ et le représenter.

87 ALGO On considère la suite de nombres complexes (z_n) définie par :
$z_0 = 1$ et, pour tout entier $n \geqslant 1$, $z_n = a^n$ avec $a = \frac{1}{2} + \frac{1}{2}i$; A_n désigne le point d'affixe z_n.

1 a. Déterminer une forme exponentielle de a.
b. Calculer sous forme algébrique les six termes de z_1 à z_6.
c. Dans un repère orthonormé d'unité graphique 8 cm, placer les sept points A_k d'affixe z_k, pour $k = 0 ; 1 ; \ldots ; 6$.

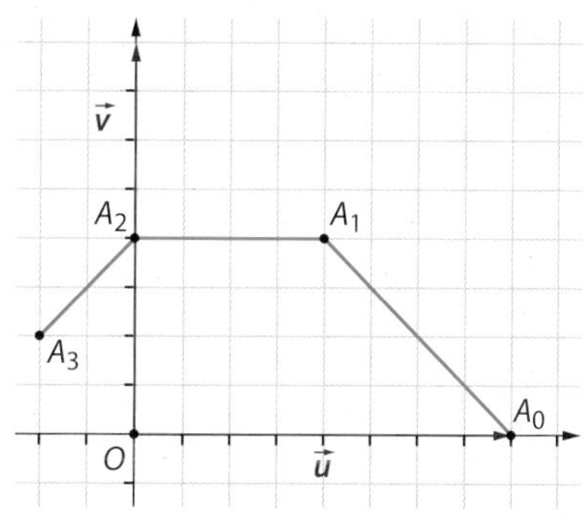

2 Pour tout entier n on considère une forme exponentielle de $z_{n+1} - z_n$:

$$z_{n+1} - z_n = r_n e^{i\alpha_n}.$$

a. Calculer r_0, puis vérifier que, pour tout $n \geqslant 1$:

$$z_{n+1} - z_n = a(z_n - z_{n-1}).$$

b. En déduire une relation entre r_n et r_{n-1} pour tout entier $n \geqslant 1$, puis exprimer r_n en fonction de n.

c. Donner une interprétation géométrique de chaque nombre r_n.

d. On pose $L_n = \sum_{k=0}^{k=n} A_k A_{k+1}$, la longueur de la ligne polygonale de sommets successifs $A_0, A_1, A_2, \ldots, A_{n+1}$.
Déterminer L_n en fonction de n, puis la limite de L_n quand n tend vers $+\infty$.

3 On considère l'algorithme suivant :

ALGO

```
Variables :
    n, p : entiers ;
    h, r, L, t : réels ;
Début
    Entrer(p) ;
    h ← 10^(−p) ;
    r ← √2/2 ;
    L ← 0 ; n ← 0 ;
    TantQue r^(n+1) > h Faire
    L ← L + r^(n+1) ; n ← n + 1 ;
    FinTantQue ;
    t ← partie entière(n/8) ;
    Afficher(la longueur parcourue
        jusqu'au point … est L) ;
    Afficher(on a fait … tours autour du point O) ;
Fin.
```

a. Expliquer ce que calcule cet algorithme et compléter les deux dernières phrases.

Coup de pouce On pourra prendre la valeur $p = 1$ et tester l'algorithme à la main, en calculant les puissances de r avec la calculatrice.

b. Lorsque l'algorithme s'arrête, est-on sûr qu'il reste moins de h cm à parcourir sur la ligne polygonale ?

c. Modifier l'algorithme pour que, lorsqu'il s'arrête, la longueur parcourue soit proche à moins de h de la longueur totale.

d. Programmer cet algorithme **sur la calculatrice ou un logiciel** et déterminer le nombre de tours nécessaires pour une précision $h = 10^{-6}$.
Cela change-t-il par rapport au premier algorithme ?

Voir les **Outils pour l'algorithmique** et les **Outils pour la programmation**.

88 BAC QCM

Pour chaque question, une seule des trois réponses est exacte. Choisir **la** réponse correcte et en donner une courte preuve.

1 Une solution de l'équation $2\overline{z} + z = 9 - i$ est :
a. 3 ; **b.** $3 - i$; **c.** $3 + i$.

2 Soit z un nombre complexe, $|z - i|$ est égal à :
a. $|i\overline{z} - 1|$; **b.** $|z - 1|$; **c.** $|z| - 1$.

3 Soit z le nombre complexe de forme exponentielle : $z = re^{i\theta}$, $r > 0$ et $\theta \in [0 ; 2\pi]$.
Un argument de $\dfrac{-1 + i\sqrt{3}}{z}$ modulo 2π est :
a. $-\dfrac{\pi}{3} - \theta$; **b.** $\dfrac{2\pi}{3} - \theta$; **c.** $\dfrac{2\pi}{3} + \theta$.

4 Soit n un entier naturel. Le nombre $(1 - i\sqrt{3})^n$ est un réel positif si, et seulement si :
a. $n = 6$; **b.** $n = 6k + 3$, $k \in \mathbb{N}$;
c. $n = 6k$, $k \in \mathbb{N}$.

5 Soient A et B les points d'affixes respectives 1 et i.
L'ensemble des points M d'affixe z vérifiant $|z - 1| = |\overline{z} + i|$ est :
a. la droite (AB) ;
b. le cercle de diamètre $[AB]$;
c. la médiatrice du segment $[AB]$.

6 L'ensemble des points M d'affixe $z = x + iy$, avec x et y réels, vérifiant $|z - 1 + i| = |\sqrt{5} - 2i|$ a pour équation :
a. $y = -x + 1$;
b. $(x - 1)^2 + (y + 1)^2 = \sqrt{5}$;
c. $z = 1 - i + 3e^{i\alpha}$, $\alpha \in \mathbb{R}$.

7 Soit A le point d'affixe $\sqrt{2}\, e^{i\left(-\frac{\pi}{3}\right)}$. Le point B tel que le triangle OBA est direct, rectangle et isocèle en O a pour affixe :
a. $\sqrt{2}\, e^{-i\frac{\pi}{2}}$; **b.** $\sqrt{2}\, e^{i\left(-\frac{5\pi}{6}\right)}$; **c.** $-1 - i$.

8 L'ensemble des solutions dans $\mathbb{C}$ de l'équation $\dfrac{z - 8}{z - 3} = z$ est :
a. $\{2 + 2i\}$; **b.** $\{-2 + 2i\}$; **c.** $\{2 + 2i, 2 - 2i\}$.

89 BAC QCM

Une ou plusieurs réponses sont correctes, les déterminer dans chaque cas.
z est le complexe de module 2 et d'argument $\dfrac{2\pi}{3}$.
On pose $t = \dfrac{1}{\sqrt{2}}(1 - i)$.

1 a. $\overline{t} = \dfrac{1}{t}$; **b.** $|t| = \dfrac{1}{\sqrt{2}}$;
c. t^{4n} est réel, si n est entier.

2 a. z^3 est réel ;

b. un argument de $\dfrac{z^2}{t^3}$ est $\dfrac{\pi}{12}$;

c. il existe deux entiers non nuls m et n tels que $z^n = t^m$.

3 **a.** $\operatorname{Re}(z^{10}) = -2^9$;

b. $\dfrac{t^4}{z^3} = \dfrac{1}{8}$;

c. $1 + t + t^2 + \ldots + t^7 = 0$.

90 Le plan complexe est rapporté à un repère orthonormé direct $(O, \vec{u}, \vec{v})$.

On place dans ce repère les points A d'affixe 1 et B d'affixe $b = e^{i\beta}$, où $\beta \in [0 ; \pi]$.

On construit à l'extérieur du triangle OAB les carrés directs $ODCA$ et $OBEF$, comme indiqué sur la figure ci-dessous.

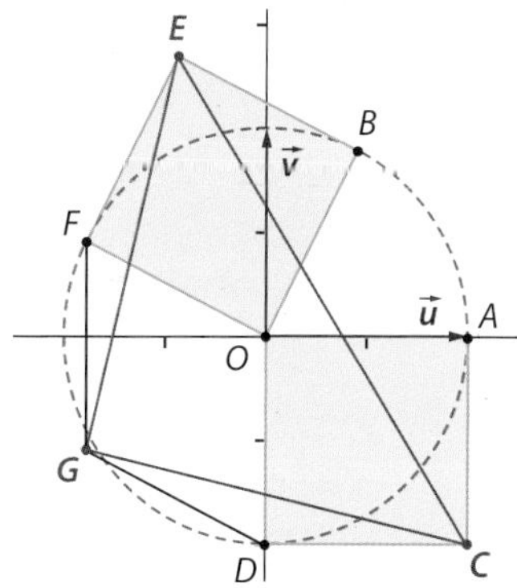

1 Déterminer les affixes c et d des points C et D.

2 **a.** Justifier que l'affixe f du point F est : $f = e^{i\left(\beta + \frac{\pi}{2}\right)}$.

b. En déduire que $f = ib$.

c. Déterminer l'affixe ε du point E.

3 On appelle G le point tel que $OFGD$ soit un parallélogramme.

Démontrer que l'affixe g du point G est égale à $i(b - 1)$.

4 **a.** Écrire une forme trigonométrique de b.

b. Déterminer les affixes des vecteurs $\overrightarrow{GE}$ et $\overrightarrow{GC}$, puis leurs coordonnées dans le repère $(O, \vec{u}, \vec{v})$ en fonction de β.

c. En déduire que le triangle GCF est isocèle rectangle.

Question ouverte

5 Le résultat établi au **4** demeure-t-il si b n'a plus un module égal à 1 ?

91 Dans tout l'exercice, le plan complexe est rapporté à un repère orthonormé direct $(O, \vec{u}, \vec{v})$ d'unité graphique 2 cm.

On considère les points A, B et C d'affixes respectives

$a = \dfrac{\sqrt{3}}{2} + \dfrac{3}{2}i$, $\quad b = -\overline{a} \quad$ et $\quad c = 3i$.

Partie A

1 Écrire les nombres complexes a, b et c sous forme exponentielle.

2 Placer les points A, B et C dans le repère.

3 Démontrer que le triangle ABC est équilatéral.

Partie B

À tout point M d'affixe z, on associe le point M' d'affixe :

$z' = \dfrac{1}{3}z^2$.

Le point M' est appelé image du point M.

On note A', B' et C' les images des points A, B et C.

1 **a.** Déterminer une forme exponentielle des affixes des points A', B' et C', puis placer ces points.

b. Démontrer l'alignement des points O, A et B', ainsi que des points O, B et A'.

2 **a.** Soit K le milieu du segment $[AB]$. Déterminer l'affixe du point image K'.

b. Quel est l'ensemble des images des points de l'axe $(O, \vec{v})$?

3 On considère un point libre M sur la demi-droite $[KA)$.

a. **Avec un logiciel de géométrie dynamique**, réaliser une figure : une fois M placé, on pourra créer $OM = m$ et $(\vec{u}, \overrightarrow{OM}) = \alpha$, puis déterminer une forme exponentielle de $z' = r'e^{i\alpha'}$ en fonction de r et α', et définir alors le point M' à partir de ses coordonnées polaires $(r' ; \alpha')$.

Voir la fiche **Geogebra**.

Indication Geogebra Pour les coordonnées polaires, le séparateur entre module et argument doit être un **point virgule.**

On peut aussi créer le point M et dans l'onglet propriétés/algèbre/coordonnées le transformer en un nombre complexe ; on peut alors définir dans la barre de saisie $M' = 1/3 * M^2$

b. Faire une conjecture sur l'ensemble $(\mathscr{L})$ des points M' lorsque M décrit la demi-droite $[KA)$.

c. Démontrer que l'ensemble $(\mathscr{L})$ est inclus dans la parabole d'équation $x' = \dfrac{1}{3}y'^2 - \dfrac{3}{4}$.

Indiquer une équation de $(\mathscr{L})$.

92 Pour tout point P on convient de noter son affixe z_P.

1 On considère dans $\mathbb{C}$ l'équation $(E) : z^3 + 8 = 0$.

a. Déterminer deux réels a et b tels que, pour tout nombre complexe z, $z^3 + 8 = (z + 2)(z^2 + az + b)$.

b. Résoudre l'équation (E) (on donnera les solutions sous la forme $x + iy$ avec x et y réels).

c. Écrire ces solutions sous la forme $re^{i\theta}$, où r est un réel positif.

2 On considère les points A, B, C d'affixes respectives -2, $1-\mathrm{i}\sqrt{3}$ et $1+\mathrm{i}\sqrt{3}$, et le point D milieu du segment $[OB]$.

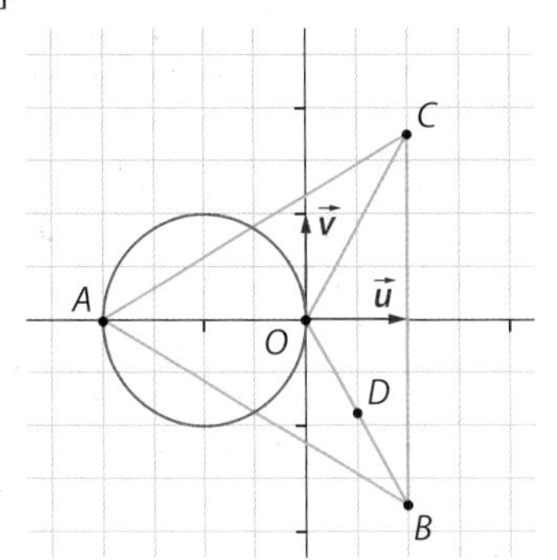

Montrer que, modulo 2π, on a :

$$(\overrightarrow{OA}, \overrightarrow{OB}) = (\overrightarrow{OB}, \overrightarrow{OC}) = (\overrightarrow{OC}, \overrightarrow{OA}) = \frac{2\pi}{3},$$

puis que le triangle ABC est équilatéral.

3 **a.** Déterminer l'affixe z_L du point L tel que $AODL$ soit un parallélogramme.

b. Démontrer que les vecteurs $\overrightarrow{OL}$ et $\overrightarrow{AL}$ sont orthogonaux.

c. En déduire que L appartient au cercle de diamètre $[OA]$.

Placer L sur la figure.

93 **BAC** Le plan complexe est rapporté à un repère orthonormé direct $(O, \vec{u}, \vec{v})$.

1 ROC

On rappelle les prérequis suivants :

- Soit z un nombre complexe non nul et M le point d'affixe z. On appelle arg z un nombre réel α tel que :

$$(\vec{u}, \overrightarrow{OM}) = \alpha \ (2\pi).$$

- Soit $\vec{s}$ et $\vec{t}$ deux vecteurs non nuls, $\vec{s}$ et $\vec{t}$ sont colinéaires si, et seulement si $(\vec{s}, \vec{t}) = k\pi$, $k \in \mathbb{Z}$.

Démontrer que z est un imaginaire pur si, et seulement si :

$$z = 0 \text{ ou } \arg z = \frac{\pi}{2} + k\pi, k \in \mathbb{Z}.$$

2 On désigne par $\mathscr{E}$ l'ensemble des points M d'affixe z tels que z^3 soit un imaginaire pur.

a. Le point A d'affixe $\mathrm{e}^{-\mathrm{i}\frac{\pi}{6}}$ appartient-il à $\mathscr{E}$?

b. On note B le point d'affixe $b = -\sqrt{3} - \mathrm{i}$.

Calculer un argument de b et montrer que B appartient à $\mathscr{E}$.

c. On suppose $z \neq 0$ et on pose $z = r\mathrm{e}^{\mathrm{i}\alpha}$, où r est un réel strictement positif et α un réel.

Déterminer une condition nécessaire et suffisante sur α pour que z^3 soit un imaginaire pur.

d. Après avoir vérifié que le point O appartient à $\mathscr{E}$, déduire des résultats précédents que $\mathscr{E}$ est la réunion de trois droites que l'on déterminera. Placer A et B, et représenter $\mathscr{E}$ sur une figure.

3 **Application :** on veut résoudre l'équation (F) :

$$(z^3 + 8\mathrm{i})(z^3 - 8\mathrm{i}) = 0.$$

a. En utilisant une forme exponentielle de z, montrer que toute solution de (F) a un module égal à 2.

b. En utilisant les résultats du **2**, démontrer que les solutions de (F) sont les affixes des points d'intersection d'un cercle de centre O avec l'ensemble $\mathscr{E}$.

Donner la liste des solutions sous forme exponentielle.

94 Le plan complexe est rapporté à un repère orthonormé direct $(O, \vec{u}, \vec{v})$, unité graphique 4 cm.

À tout nombre complexe z différent de $-\mathrm{i}$, on associe le nombre complexe :

$$z' = \frac{z - 2 + \mathrm{i}}{z + \mathrm{i}}.$$

1 Si $z = x + \mathrm{i}y$, x et y étant deux réels, exprimer la partie réelle et la partie imaginaire de z' en fonction de x et y.

On vérifiera que :

$$\mathrm{Re}(z') = \frac{x^2 + y^2 - 2x + 2y + 1}{x^2 + (y+1)^2}.$$

2 En déduire la nature de :

a. l'ensemble $\mathscr{E}$ des points M d'affixe z, tels que z' soit un réel ;

b. l'ensemble $\mathscr{F}$ des points M d'affixe z, tels que z' soit un imaginaire pur.

c. Représenter ces deux ensembles.

3 Résoudre dans $\mathbb{C}$ l'équation $\dfrac{z - 2 + \mathrm{i}}{z + \mathrm{i}} = 2\mathrm{i}$.

On désigne par α la solution. Justifier que le point d'affixe α appartient à $\mathscr{F}$.

4 On appelle A et B les points d'affixes respectives $a = 1$ et $b = -\mathrm{i}$.

On considère, dans toute la suite de l'exercice, un point M d'affixe $z = -\mathrm{i} + 2\mathrm{e}^{\mathrm{i}\theta}$, $\theta \in [0\,;2\pi]$.

a. Justifier que le point M appartient au cercle Γ de centre B et de rayon 2.

b. Calculer $z' - 1$, puis déterminer une forme exponentielle du nombre complexe $\dfrac{-2}{z + \mathrm{i}}$.

c. En déduire le module du nombre complexe $z' - 1$.

d. Démontrer que, lorsque le point M d'affixe z décrit le cercle Γ, les points M' d'affixe z' appartiennent à un cercle Γ' dont on précisera le centre et le rayon.

Représenter Γ et Γ'.

Maths et histoire

95 L'équation du 3e degré (1re partie)

Au XVIe siècle, l'algébriste italien Tartaglia, puis Jérôme Cardan, proposent des méthodes pour résoudre une équation du 3e degré.

Partie A – Exemple

On veut résoudre l'équation **(1)** : $x^3 = 3x + 14$.

1 On pose $x = u + v$.

a. Que devient l'équation **(1)** en substituant $(u + v)$ à x ? On pourra utiliser l'identité :

$$\begin{aligned}(u+v)^3 &= u^3 + 3u^2v + 3uv^2 + v^3\\ &= u^3 + v^3 + 3uv(u+v).\end{aligned}$$

b. Quelle valeur suffit-il de donner au produit uv pour que **(1)** s'écrive $u^3 + v^3 = 14$?

Que vaut dans ce cas le produit u^3v^3 ?

2 On pose $U = u^3$ et $V = v^3$.

a. Démontrer que U et V sont les solutions de l'équation du second degré **(2)** : $X^2 - 14X + 1 = 0$.

b. Résoudre dans $\mathbb{R}$ l'équation **(2)**.

3 a. En déduire que $\sqrt[3]{7 + 4\sqrt{3}} + \sqrt[3]{7 - 4\sqrt{3}}$ est une solution de l'équation **(1)** dans $\mathbb{R}$.

b. Vérifier, en étudiant les variations de la fonction $x \longmapsto x^3 - 3x - 14$, que l'équation **(1)** n'a qu'une seule solution dans $\mathbb{R}$.

Partie B. Voici le texte de la méthode de résolution trouvée par Tartaglia et transmise à Cardan sous le sceau du secret, qui la publiera dans *Ars Magna*, en 1545 :

« *Quand un cube égale des choses et un nombre donné. Trouve deux nombres dont la somme est le nombre donné et dont le produit est toujours le tiers cubé des choses. Alors, ta chose principale sera la somme des racines cubiques des deux nombres.* »

1 Quel est le sens du mot « choses » dans le texte de Tartaglia ?

Pour info Les algébristes arabes désignaient « l'inconnue » dans une équation par le mot « cheï » qui signifie la « chose ».

Quel est la signification de l'expression « chose principale » ?

Que représente dans l'équation **(1)** de la partie **A** « *le tiers cubé des choses* » ?

2 Vérifier que la solution trouvée pour l'équation (1) est bien conforme au texte de Tartaglia.

3 Reprendre la méthode pour résoudre l'équation :

$$x^3 + 3x = 36.$$

On trouve $x = \sqrt[3]{18 + 5\sqrt{13}} + \sqrt[3]{18 - 5\sqrt{13}}$. Quelle valeur simple se « cache » derrière cette formule ?

96 L'équation du 3e degré (2de partie) : « l'apparition » des nombres complexes

Dans la seconde moitié du XVIe, le mathématicien italien Raphaël Bombelli, qui connaît la méthode de Jérôme Cardan, est confronté à un paradoxe qu'il résout en présentant, en 1572, la résolution de l'équation **(3)** :

$$x^3 = 15x + 4.$$

1 On pose $x = u + v$. Que devient l'équation **(3)** ? Quelle valeur suffit-il de donner au produit uv pour que **(3)** s'écrive $u^3 + v^3 = 4$? Que vaut dans ce cas le produit u^3v^3 ?

2 On pose $U = u^3$ et $V = v^3$.

a. Vérifier que U et V, s'ils existent, sont solutions de l'équation : $(X - 2)^2 + 121 = 0$.

b. Cette équation a-t-elle des solutions dans $\mathbb{R}$?

c. Vérifier que 4 est pourtant une solution de **(3)** et trouver les deux autres.

Aide On pourra établir que :

$$x^3 - 15x - 4 = (x - 4)(x^2 + ax + b).$$

Devant ce paradoxe, où la méthode de Cardan ne donne rien alors que l'équation comporte des solutions « réelles », Bombelli décide de faire comme si « -121 » était le carré d'un nombre imaginaire qui s'écrirait $11\sqrt{-1}$, appelant $\sqrt{-1}$ « piu di meno », nombre que l'on écrit aujourd'hui « i », donc avec $i^2 = -1$. Au moyen de ce stratagème, il retrouve la solution 4 de l'équation **(3)**.

3 a. Résoudre dans $\mathbb{C}$ l'équation $(X - 2)^2 + 121 = 0$.

b. Calculer $(2 + i)(2 - i)$, $(2 + i)^3$ et $(2 - i)^3$.

Quelle solution de l'équation **(3)** obtient-on en extrapolant la méthode de Cardan ?

Raphaël Bombelli (1526-1572).

Avec cette invention, Raphaël Bombelli ouvrait la voie à la résolution dans $\mathbb{R}$ de toutes les équations du troisième degré, puisque le nombre « i » disparaissait à la fin dans la somme $u+v$, ce qui permettait de ne pas « avouer » son existence : difficile à admettre en effet que le carré d'un nombre puisse valoir -1.

C'est le mathématicien suisse Jean-Robert Argand (1768-1822) qui proposera, en 1806, la représentation géométrique des nombres complexes telle qu'on la connaît actuellement, donnant ainsi « **réalité** » à un ensemble de nombres qui avait au départ suscité beaucoup de méfiance.

Pistes pour l'accompagnement personnalisé

Revoir les outils de base

97 Factoriser dans $\mathbb{R}$

Écrire, lorsque c'est possible, $P(x)$ sous la forme d'un produit de facteurs du premier degré (c'est-à-dire de la forme $ax + b$ avec a et b réels et $a \neq 0$).

1 $P(x) = (x+1)^2 - 16$.

2 $P(x) = x^2 - 5x - 14$.

3 $P(x) = 2x^2 + x + 1$.

4 $P(x) = -2x^3 + 9x^2 - 9x$.

98 Géométrie et trigonométrie

Dans un repère orthonormé direct (O, I, J) d'unité 2 cm, on donne $A(\sqrt{3}\,;1)$ et on note B le point d'intersection de la demi-droite $[OA)$ avec le cercle de centre O et de rayon 1.

1 Calculer la distance OA, puis placer le point A.

2 Justifier l'égalité : $\overrightarrow{OB} = \frac{1}{2}\overrightarrow{OA}$, puis donner les coordonnées du point B.

3 En déduire la mesure principale de l'angle orienté $(\overrightarrow{OI}, \overrightarrow{OA})$.

Les savoir-faire du chapitre

Si nécessaire, le plan complexe est muni d'un repère orthonormé direct $(O, \vec{u}, \vec{v})$.

99 Calculer dans $\mathbb{C}$

Déterminer la forme algébrique des nombres complexes suivants :

a. $z_1 = (3+\mathrm{i})^2$; **b.** $z_2 = (2-3\mathrm{i})\overline{z_1}$;

c. $z_3 = \mathrm{i}z_2 - z_1$; **d.** $z_4 = \dfrac{13+2\mathrm{i}}{5-\mathrm{i}}$.

100 Le second degré dans $\mathbb{C}$

Résoudre dans $\mathbb{C}$ les équations suivantes :

a. $z^2 + 121 = 0$. ; **b.** $z^2 - 4z + 53 = 0$;

c. $3z^2 - 5z + 4 = 0$; **d.** $z^4 + 5z^2 - 36 = 0$.

Méthode

Lorsque le discriminant est positif ou nul, on résout comme dans $\mathbb{R}$; lorsqu'il est négatif, l'équation dans $\mathbb{C}$ deux solutions complexes conjuguées :

$$\frac{-b - \mathrm{i}\sqrt{-\Delta}}{2a} \text{ et } \frac{-b + \mathrm{i}\sqrt{-\Delta}}{2a}.$$

101 Interpréter géométriquement un module et un argument

Dans le plan complexe muni d'un repère orthonormé direct $(O, \vec{u}, \vec{v})$, déterminer, dans chacun des cas suivants, l'ensemble des points $M(z)$:

a. $|z - \mathrm{i}| = 3$; **b.** $|z - 1 - 2\mathrm{i}| = |z + 2 - \mathrm{i}|$;

c. $\arg(z) = \frac{\pi}{3}\ (2\pi)$; **d.** $\arg(z) = -\frac{\pi}{4}\ (\pi)$.

Méthode

On interprète les modules en termes de distances et les arguments en termes d'angles **orientés**.
On n'oublie pas que $\arg(z)$ n'est pas défini si $z = 0$.

102 Démontrer avec les nombres complexes

Les points A, B, C et D du plan complexe ont pour affixes respectives a, b, c et d.

1 Calculer les affixes des points I, J, K et L milieux respectifs des segments $[AB]$, $[BC]$, $[CD]$ et $[DA]$.

2 Montrer que $IJKL$ est un parallélogramme :
a. en utilisant des affixes de vecteurs ;
b. en utilisant des affixes de milieux.

Méthode

Le vecteur $\overrightarrow{AB}$ a pour affixe $z_B - z_A$. Le milieu de $[AB]$ a pour affixe $\frac{z_A + z_B}{2}$.

103 Utiliser la notation exponentielle

Soit $z_1 = \mathrm{e}^{\mathrm{i}\frac{\pi}{12}}$ et $z_2 = \mathrm{e}^{\mathrm{i}\frac{\pi}{3}}$.

1 Écrire le quotient $\frac{z_1}{z_2}$ sous forme exponentielle, puis sous forme algébrique.

2 En notant $a = \cos\frac{\pi}{12}$ et $b = \sin\frac{\pi}{12}$ montrer que :

$$\frac{z_1}{z_2} = \frac{a + b\sqrt{3}}{2} + \frac{b - a\sqrt{3}}{2}\mathrm{i}.$$

3 En déduire, en résolvant un système, les valeurs exactes de $\cos\frac{\pi}{12}$ et $\sin\frac{\pi}{12}$.

Méthode

L'égalité $\frac{\mathrm{e}^{\mathrm{i}a}}{\mathrm{e}^{\mathrm{i}b}} = \mathrm{e}^{\mathrm{i}(a-b)}$ est efficace pour calculer un quotient. On passe ensuite à la forme algébrique en utilisant $\mathrm{e}^{\mathrm{i}\alpha} = \cos\alpha + \mathrm{i}\sin\alpha$, à condition que α soit une valeur particulière dont on connaît le cosinus et le sinus.

Pistes pour l'accompagnement personnalisé

Approfondissement

104 Calculer des valeurs exactes

1 Soit $z = x + iy$, avec x et y réels, un nombre complexe de module 1. On note X la partie réelle du nombre complexe z^2. Montrer que $x^2 = \frac{1+X}{2}$ et $y^2 = \frac{1-X}{2}$.

2 *Application :* déterminer les valeurs exactes de $\cos\frac{\pi}{8}$ et $\sin\frac{\pi}{8}$.

105 **1 Prolongement du cours**

On considère trois nombres complexes non nuls z_1, z_2 et z_3. Montrer, en utilisant leurs écritures exponentielles, que :

$$\arg(z_1 z_2 z_3) = \arg(z_1) + \arg(z_2) + \arg(z_3)\ (2\pi).$$

2 Application : la figure « aux huit carrés »

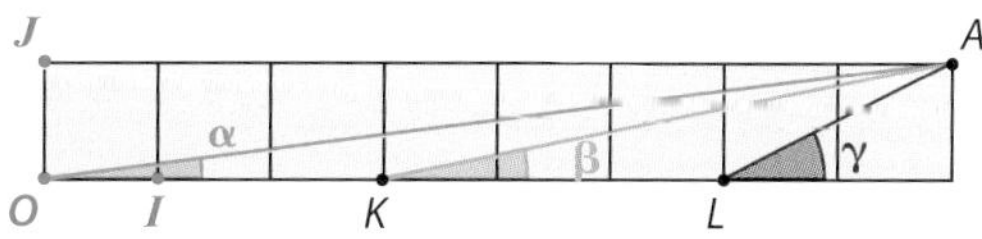

Le but est de prouver que $\alpha + \beta + \gamma = \frac{\pi}{4}$.

On se place dans le repère orthonormé direct $(O, \vec{u}, \vec{v})$ tel que $\vec{u} = \overrightarrow{OI}$ et $\vec{v} = \overrightarrow{OJ}$.

a. Reproduire la figure et placer les points B et C sur $[JA]$ tels que β et γ soient des mesures respectives de $(\vec{u}, \overrightarrow{OB})$ et $(\vec{u}, \overrightarrow{OC})$.

b. Préciser les affixes z_A, z_B et z_C des points A, B et C sous forme algébrique.

c. Montrer que $z_A \times z_B \times z_C = 65(1 + i)$.

d. Conclure en utilisant le résultat de la question **1**.

106 **1 a.** Résoudre dans $\mathbb{C}$ l'équation :

$$z^2 - 2\sqrt{3}z + 4 = 0.$$

b. On pose $a = \sqrt{3} + i$ et $b = \overline{a}$. Écrire a et b sous forme exponentielle et placer les points A et B d'affixes respectives a et b. L'unité graphique est 2 cm.

2 a. Soit A' le point tel que le triangle OAA' soit équilatéral direct et a, son affixe. Déterminer une forme exponentielle de a', puis sa forme algébrique et placer A' sur la figure.

b. Déterminer l'affixe b' du point B' défini par l'égalité :

$$\overrightarrow{OB'} = -\frac{3}{2}\overrightarrow{OB}.$$

3 Soit C le centre du cercle circonscrit au triangle $OA'B'$ et R le rayon de ce cercle ; on note c l'affixe du point C.

a. Justifier les égalités suivantes :

$$c\overline{c} = R^2, \quad (c - 2i)(\overline{c} + 2i) = R^2$$

$$\left(c + \frac{3\sqrt{3}}{2} - \frac{3}{2}i\right)\left(\overline{c} + \frac{3\sqrt{3}}{2} + \frac{3}{2}i\right) = R^2.$$

b. En déduire que $c - \overline{c} = 2i$, puis que $c + \overline{c} = -\frac{4\sqrt{3}}{3}$.

c. Déterminer alors l'affixe du point C et la valeur de R.

107 On considère les points A et B d'affixes respectives :

$$z_A = 1 + i \quad \text{et} \quad z_B = -\frac{1}{2} + \frac{1}{2}i.$$

$(\mathscr{C})$ désigne le cercle de centre O et de rayon 1.

1 Donner une forme trigonométrique de z_A et z_B.

2 Dans la suite de l'exercice, M désigne un point de $(\mathscr{C})$ d'affixe $e^{i\alpha}$, $\alpha \in [0\,;2\pi]$.

On considère l'application f qui, à tout point M de $(\mathscr{C})$, associe le nombre réel $f(M) = MA \times MB$.

a. Démontrer, en utilisant les formes exponentielles, que pour tous complexes non nuls a et b, $|a \times b| = |a| \times |b|$.

b. Montrer, pour tout $\alpha \in \mathbb{R}$, l'égalité suivante :

$$e^{i(2\alpha)} - 1 = e^{i\alpha} \times 2i\sin\alpha.$$

c. Montrer que :

$$f(M) = \left|e^{i(2\alpha)} - 1 - \left(\frac{1}{2} + \frac{3}{2}i\right)e^{i\alpha}\right|,$$

puis que : $f(M) = \sqrt{\frac{1}{4} + \left(-\frac{3}{2} + 2\sin\alpha\right)^2}$.

3 a. En utilisant le **2 c.**, montrer qu'il existe deux points M de $(\mathscr{C})$, dont on donnera les affixes, pour lesquels $f(M)$ est minimal.

b. *Question ouverte* : existe-t-il un ou plusieurs points M sur $(\mathscr{C})$ tels que $f(M)$ soit maximal ?

Vers le Supérieur

108 **1** On considère deux nombres complexes non nuls z_1 et z_2. Montrer, en utilisant leurs écritures exponentielles, que : $|z_1 \times z_2| = |z_1| \times |z_2|$.

2 Les entiers de GAUSS

On appelle **entier de Gauss** tout nombre complexe dont les parties réelle et imaginaire sont des entiers relatifs et on note $\mathbb{Z}[i]$ l'ensemble de tous ces nombres complexes.

a. Montrer que la somme de deux entiers de Gauss est un entier de Gauss : on dit alors que $\mathbb{Z}[i]$ est stable pour l'addition des nombres complexes.

b. Montrer que $\mathbb{Z}[i]$ est stable pour la multiplication des nombres complexes.

c. Montrer, en donnant un contre-exemple, que $\mathbb{Z}[i]$ n'est pas stable pour la division.

3 Les éléments inversibles de $\mathbb{Z}[i]$

Soit $z = a + ib$ avec $a \in \mathbb{Z}$ et $b \in \mathbb{Z}$ un entier de Gauss ; on dit que z est inversible dans $\mathbb{Z}[i]$ s'il existe $z' \in \mathbb{Z}[i]$ tel que $z \times z' = 1$.

a. Montrer, en utilisant la question **1**, que si z est inversible dans $\mathbb{Z}[i]$, alors $\frac{1}{a^2 + b^2}$ est un entier.

b. En déduire que si z est inversible dans $\mathbb{Z}[i]$, alors $a^2 + b^2 = 1$.

c. En déduire les quatre éléments inversibles de $\mathbb{Z}[i]$.

Droites et plans de l'espace –

Partir d'un bon pied

Voir corrigés en fin de manuel

A Positions relatives dans l'espace

QCM Pour chaque question, donner **toutes** les bonnes réponses.

Dans l'espace, on considère le cube $ABCDEFGH$ ci-contre. Le point I est le milieu du segment $[AB]$.

1 Les droites (EF) et (CD) sont :	**a.** parallèles	**b.** sécantes	**c.** coplanaires
2 Les droites (CD) et (FB) sont :	**a.** sécantes	**b.** parallèles	**c.** non coplanaires
3 Les plans (DAI) et (EFG) sont :	**a.** parallèles	**b.** sécants	**c.** confondus
4 Les plans (EHC) et (FGC) sont sécants selon :	**a.** le point C	**b.** le segment $[BC]$	**c.** la droite (BC)
5 La droite (FI) et le plan (AED) sont :	**a.** parallèles	**b.** sécants selon un point	**c.** sécants selon une droite

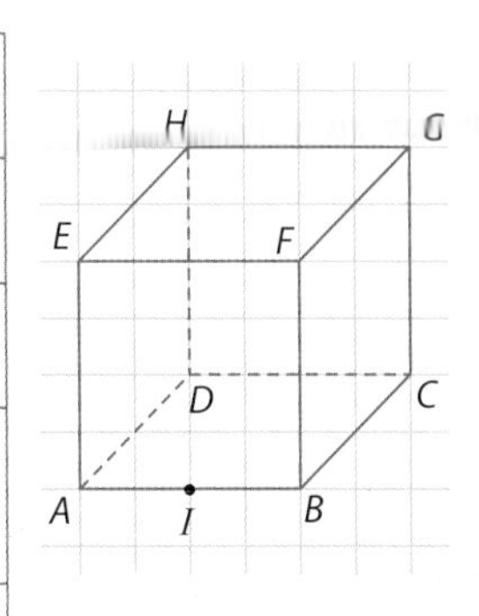

B Calculs vectoriels

Vrai ou faux ? Dans le plan, on considère le quadrillage régulier ci-contre. Dire si les affirmations suivantes sont vraies ou fausses.

1 $\overrightarrow{AK} + \overrightarrow{JR} = \overrightarrow{AS}$

2 $\overrightarrow{EK} + \overrightarrow{PH} = \overrightarrow{EH}$

3 $\overrightarrow{HN} - \overrightarrow{JQ} = -\frac{1}{3}\overrightarrow{DA}$

4 $\overrightarrow{VK} - \overrightarrow{AB} + \overrightarrow{BI} = \overrightarrow{ZS}$

5 $2\overrightarrow{GL} + 3\overrightarrow{AE} = 5\overrightarrow{AF}$

6 $4\overrightarrow{MI} - 3\overrightarrow{BC} = \overrightarrow{ZE}$

7 $\frac{1}{2}\overrightarrow{IS} + \frac{3}{4}\overrightarrow{AQ} = \overrightarrow{GP}$

8 $\frac{2}{3}\overrightarrow{AD} + \frac{3}{2}\overrightarrow{EM} = \overrightarrow{FP}$

9 $\frac{1}{3}\overrightarrow{PA} - 3\overrightarrow{OS} = \overrightarrow{SF}$

C Étudier des configurations dans le plan à l'aide de coordonnées

Dans un repère $(O, \vec{i}, \vec{j})$ du plan, on considère les points : $A(-5\,;-2)$, $B(-3\,;1)$, $C(3\,;-2)$, $D(1\,;-5)$, $E(1\,;1)$ et $F(-7\,;-1)$.

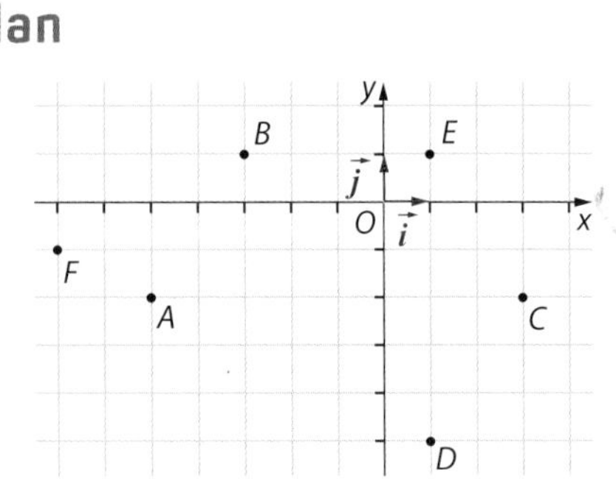

1 Quelle est la nature du quadrilatère $ABCD$?

Démontrer le résultat de deux façons différentes.

2 Les droites (BD) et (CE) sont-elles parallèles ?

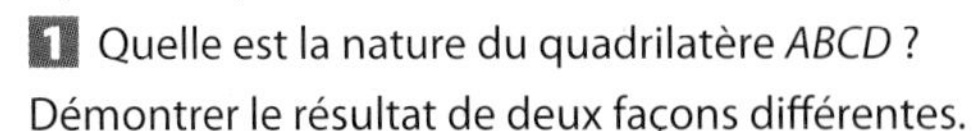

3 Les points A, D et F sont-ils alignés ?

4 Quelle est la nature du quadrilatère AEBF ?

CHAPITRE 8

Vecteurs

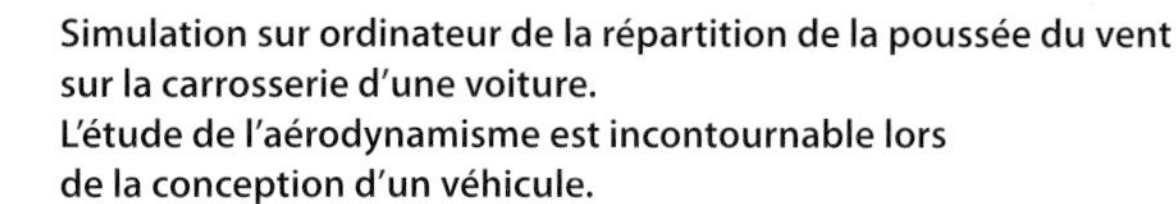

Simulation sur ordinateur de la répartition de la poussée du vent sur la carrosserie d'une voiture.
L'étude de l'aérodynamisme est incontournable lors de la conception d'un véhicule.

Le train Shinkazen à Kyoto au Japon.

Des maths partout !

Décomposer un vecteur selon des directions privilégiées de l'espace est couramment utilisé en physique, en particulier lors de l'étude de mouvements en mécanique.
En mécanique des fluides, on étudie le comportement des forces internes aux fluides (liquide, gaz). Cette étude s'appuie pour les fluides en mouvement, sur les « équations de Navier Stockes », des noms de deux physiciens du xixe siècle. Ces équations mêlent les notions de vecteurs et de dérivées. L'utilisation de coordonnées devient alors un outil rapide et efficace.
La notion de « degré de liberté » pour un objet dans l'espace va pouvoir être modélisée par des systèmes d'équations ou des représentations paramétriques.

Découvrir

Activité 1 Positions relatives de droites

On considère le tétraèdre $ABCD$, avec le milieu M du segment $[AC]$, le point N du segment $[BC]$ tel que $BN = \frac{1}{3}BC$ et le point L du segment $[BD]$ tel que $BL = \frac{2}{3}BD$.

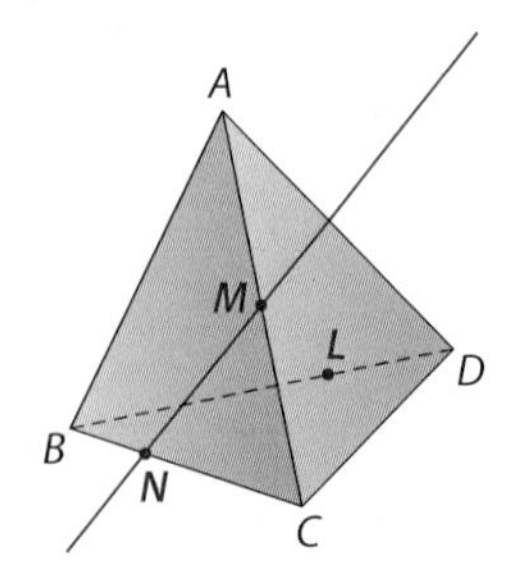

1 La droite (MN) est-elle sécante à (AD) ? à (BD) ? à (AB) ?

2 Soit J le point d'intersection des droites (AB) et (MN).
Justifier que la droite (JL) coupe (AD) en un point P.

3 Tracer les droites (MP), (NL) et (CD). Que constate-t-on ?
Justifier cette propriété.

4 Que représente le polygone $MNLP$ pour le tétraèdre ?

5 On modifie la position du point L sur $[BD]$ en prenant $BL = \frac{1}{3}BD$.
Déduire de ce qui précède que les droites (MP) et (CD) sont nécessairement parallèles.

Activité 2 Construire des sommes vectorielles

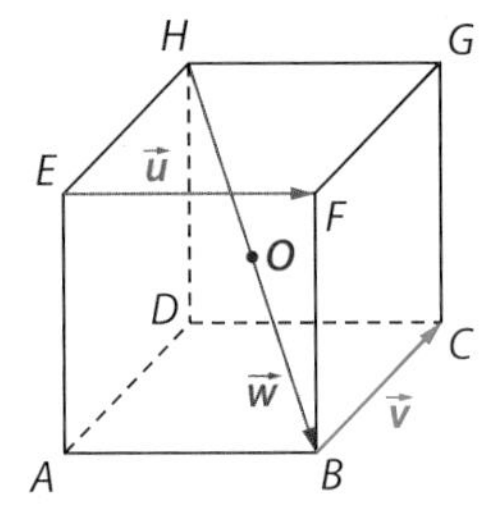

On considère le cube $ABCDEFGH$. On pose $\vec{u} = \overrightarrow{EF}$, $\vec{v} = \overrightarrow{BC}$ et $\vec{w} = \overrightarrow{HB}$.

1 Justifier que $\vec{v} = \overrightarrow{FG}$ et déterminer un vecteur représentant la somme $\vec{u} + \vec{v}$.
Est-il vrai que $\vec{u} + \vec{v} = \overrightarrow{AC}$?

2 En trouvant dans chaque cas des représentants des vecteurs dont les extrémités sont situées dans un même plan, déterminer et construire les sommes vectorielles : $\vec{v} + \vec{w}$, $\vec{u} - \vec{w}$ et $\vec{v} + \vec{w} - \vec{u}$.

3 Soit O le centre du cube, I et J les centres respectifs des faces $ABFE$ et $DCGH$.
Dans chaque cas, déterminer le point M vérifiant l'égalité proposée :
$\overrightarrow{HM} = 2\,\overrightarrow{OB}$; $\overrightarrow{OM} = -\frac{1}{2}\vec{v}$; $\overrightarrow{JM} = \frac{1}{2}\vec{w} - \frac{1}{2}\vec{v}$.

Activité 3 Décomposer un vecteur

On considère le cube $ABCDEFGH$ de centre O.

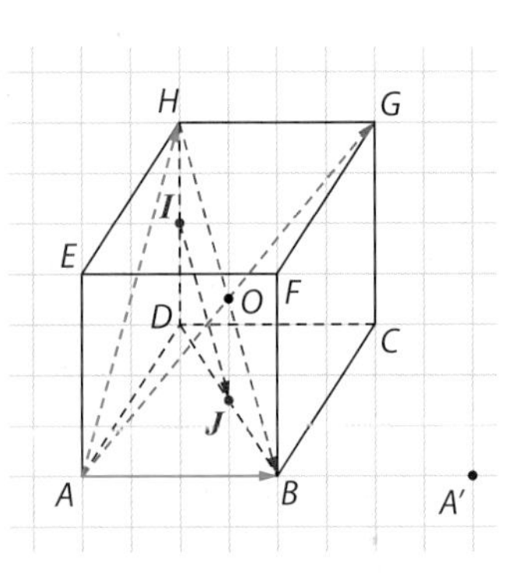

1 **a.** Justifier que les points $ABGH$ sont coplanaires. On considère les vecteurs $\overrightarrow{AB}$ et $\overrightarrow{AH}$ du plan (ABG).
b. Peut-on exprimer le vecteur $\overrightarrow{AG}$ en fonction des vecteurs $\overrightarrow{AB}$ et $\overrightarrow{AH}$?
Dans l'affirmative, donner cette relation.
c. Même question avec les vecteurs $\overrightarrow{HA'}$ et $\overrightarrow{OA'}$, où A' est le symétrique du point A par rapport à B.

2 Soient I et J les milieux respectifs des segments $[HD]$ et $[DB]$.
a. Justifier l'égalité $\overrightarrow{IJ} = \frac{1}{2}\overrightarrow{AB} - \frac{1}{2}\overrightarrow{AH}$.
b. Le vecteur $\overrightarrow{IJ}$ est-il un vecteur du plan $(ABGH)$?
Confirmer la réponse en nommant un représentant du vecteur $\overrightarrow{IJ}$ avec des points du plan $(ABGH)$.

3 **a.** Est-il possible de décomposer le vecteur $\overrightarrow{AE}$ en fonction des vecteurs $\overrightarrow{AB}$ et $\overrightarrow{AH}$? Justifier la réponse.
b. Déterminer trois réels x, y et z tels que $\overrightarrow{AC} = x\,\overrightarrow{AB} + y\,\overrightarrow{AH} + z\,\overrightarrow{AE}$.
On dit que l'on a obtenu une décomposition du vecteur $\overrightarrow{AC}$ en fonction des vecteurs $\overrightarrow{AB}$, $\overrightarrow{AH}$ et $\overrightarrow{AE}$.
c. Justifier, en utilisant la réponse au **3** **a.**, que cette décomposition est unique.

Activité 4 Lire des coordonnées

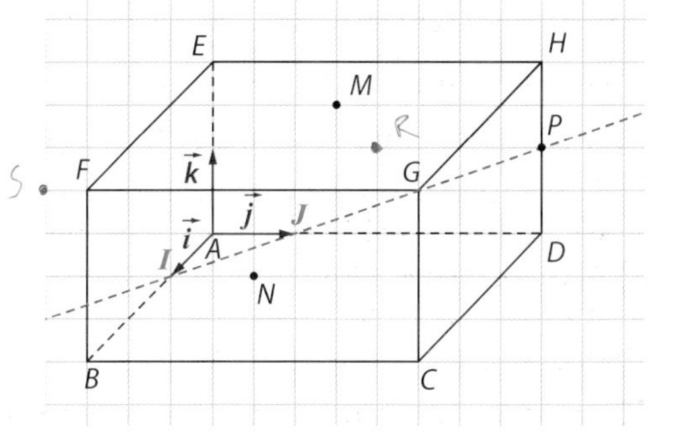

Sur la figure ci-contre, *ABCDEFGH* est un pavé droit tel que : $AB = 3$; $AD = 4$ et $AE = 2$.

On pose :

- $\vec{i} = \frac{1}{3}\overrightarrow{AB} = \overrightarrow{AI}$;
- $\vec{j} = \frac{1}{4}\overrightarrow{AD} = \overrightarrow{AJ}$;
- $\vec{k} = \frac{1}{2}\overrightarrow{AE}$.

$(A, \vec{i}, \vec{j}, \vec{k})$ est alors un **repère (orthonormé) de l'espace**.

Comme $\overrightarrow{AG} = 3\vec{i} + 4\vec{j} + 2\vec{k}$, **on dit que le point *G* a pour coordonnées $(3 ; 4 ; 2)$**.

1 Lire les coordonnées des sommets du pavé droit.

2 Lire les coordonnées du point *M* dans le cas où *M* appartient à :
a. la face *EFGH* ;
b. la face *ADHE*.

3 Lire les coordonnées du point *N* dans le cas où *N* appartient à :
a. la face *BCGF* ;
b. la face *ABCD*.

4 Lire les coordonnées du point *P* dans le cas où *P* appartient à :
a. la face *ADHE* ;
b. la droite (IJ).
Vérifier en comparant les coordonnées des vecteurs $\overrightarrow{IJ}$ et $\overrightarrow{IP}$.

5 Reproduire la figure, et placer les points suivants : $R(2 ; 3 ; 2)$ et $S\left(3 ; -\frac{1}{2} ; 2\right)$.

Activité 5 Un problème de section

Dans l'espace muni d'un repère, on considère le pavé droit *ABCDEFGH*, tel que :

$$A(2 ; -3 ; -2) ;\ B(2 ; 3 ; -2) ;\ C(-1 ; 3 ; -2) ;$$
$$D(-1 ; -3 ; -2) ;\ E(2 ; -3 ; 2) ;\ F(2 ; 3 ; 2) ;$$
$$G(-1 ; 3 ; 2) ;\ H(-1 ; -3 ; 2).$$

Les points *M*, *N* et *P* appartiennent aux segments $[AB]$, $[EH]$ et $[GH]$ respectivement.

Le but de l'exercice est de visualiser la section du pavé droit par le plan (MNP) suivant certaines positions de *M*, *N* et *P*.

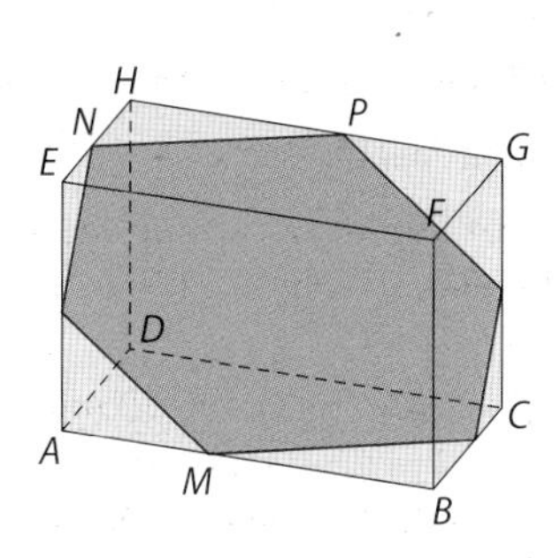

1 À l'aide du logiciel *Geospace* :

- Créer les points de la figure.

Pour *M*, *N* et *P*, utiliser Créer, Point, Point libre, Sur un segment.

- Créer le pavé droit : Créer, Solide, Polyèdre convexe, Défini par ses sommets.
- Créer la section du pavé par le plan (MNP) :

Créer, Ligne, Polygone convexe, Section d'un polyèdre par un plan.

2 Visualiser la section du pavé droit par le plan (MNP).
Obtient-on toujours un hexagone, quelles que soient les positions des points *M*, *N* et *P* ?
Peut-on obtenir un pentagone ? un quadrilatère ? un triangle ?

3 Se placer dans le cas où la section est un hexagone. Que peut-on dire des côtés opposés de l'hexagone ? Expliquer.

Cours

1 Positions relatives de droites et de plans

a Positions relatives de deux droites

Deux droites de l'espace sont soit coplanaires, soit non coplanaires.

Non coplanaires	Coplanaires	
Aucun plan ne les contient toutes les deux.	Elles sont sécantes ou parallèles.	
Leur intersection est vide.	Elles ont un seul point commun.	Elles sont disjointes (ou confondues).

Exemple

Dans le cube *ABCDEFGH* :

- les droites (**AB**) et (**FG**) sont non coplanaires ;
- les droites (**AB**) et (**HG**) sont parallèles disjointes ;
- les droites (**AG**) et (**BH**) sont sécantes en *O* dans le plan (**ABGH**).

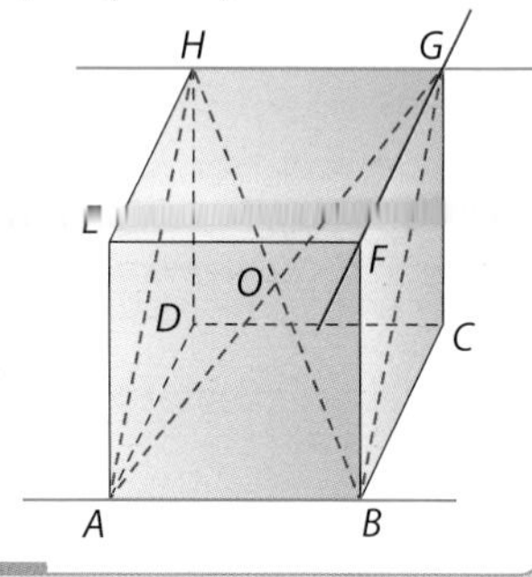

b Positions relatives de deux plans

Deux plans $\mathcal{P}_1$ et $\mathcal{P}_2$ de l'espace sont soit sécants, soit parallèles.

Sécants	Parallèles
Leur intersection est une **droite.**	Il existe deux droites sécantes de $\mathcal{P}_1$ et deux droites sécantes de $\mathcal{P}_2$ parallèles deux à deux.

Propriété d'incidence Lorsque deux plans sont parallèles, tout plan coupant l'un coupe l'autre et les droites d'intersection sont parallèles.

Exemple

- Les plans (**AEF**) et (**CGF**) sont sécants suivant la droite (**FB**).
- Les plans (**ADHE**) et (**BCGF**) sont parallèles disjoints.

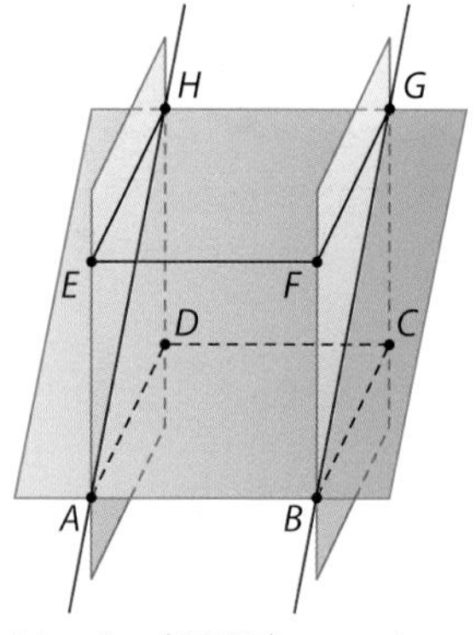

- Le plan (**ABGH**) coupe les plans parallèles (**ADHE**) et (**BCGF**) suivant deux droites parallèles (**AH**) et (**BG**).
- La droite (**FG**) est parallèle (disjointe) au plan (**ADHE**) et parallèle aussi au plan (**EFGH**) puisqu'elle est incluse dedans.

Le théorème « du toit », utile pour déterminer des sections planes, est exposé page 270.

c Positions relatives d'une droite et d'un plan

Une droite et un plan de l'espace sont soit sécants, soit parallèles.

Sécants	Parallèles
Leur intersection est un **point** unique.	$\mathcal{D}_1$ et $\mathcal{P}$ disjoints ou $\mathcal{D}_2$ incluse dans $\mathcal{P}$.

Propriété Une droite $\mathcal{D}_1$ est parallèle à un plan $\mathcal{P}$ si, et seulement si, il existe une droite $\mathcal{D}_2$ parallèle à $\mathcal{D}_1$ et incluse dans le plan $\mathcal{P}$.

Construire une section plane d'une figure de l'espace

Exercice corrigé

Énoncé On considère une pyramide *SABCD* dont la base *ABCD* est un parallélogramme.
On définit les points I et J par $\overrightarrow{SI} = \frac{2}{3}\overrightarrow{SA}$, $\overrightarrow{SJ} = \frac{4}{5}\overrightarrow{SB}$ et le point K milieu du segment $[DC]$.

1 Démontrer que la section de cette pyramide par le plan $\mathcal{P}$ parallèle au plan $(ABCD)$ et passant par I est un parallélogramme $IEFG$.

2 Déterminer la section de la pyramide par le plan (IJK).

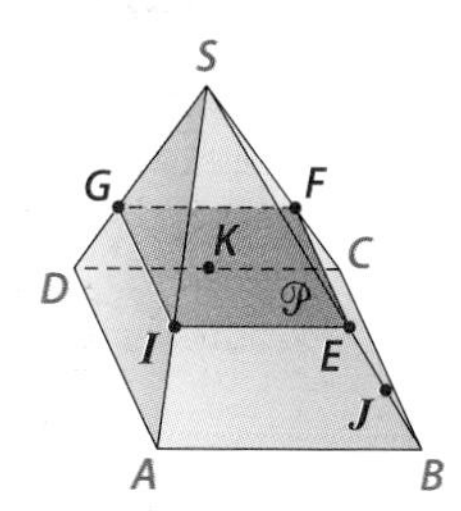

Solution

1 Le plan $(\boldsymbol{SAB})$ coupe les plans parallèles $\mathcal{P}$ et $(\boldsymbol{ABCD})$ suivant deux droites parallèles $(\boldsymbol{IE})$ et $(\boldsymbol{AB})$. **1▸**
De même, le plan $(\boldsymbol{SDC})$ coupe les plans parallèles $\mathcal{P}$ et $(\boldsymbol{ABCD})$ suivant deux droites parallèles $(\boldsymbol{FG})$ et $(\boldsymbol{DC})$.
Or $(\boldsymbol{AB})$ et $(\boldsymbol{DC})$ sont parallèles, donc $(\boldsymbol{IE})$ et $(\boldsymbol{FG})$ sont aussi parallèles ; on obtient de manière analogue le parallélisme des droites $(\boldsymbol{EF})$ et $(\boldsymbol{GI})$.
Par suite, dans le plan $\mathcal{P}$, le quadrilatère *IEFG* ayant ses côtés opposés deux à deux parallèles et les points *H, I, E, F* et *G* n'étant pas alignés, c'est un parallélogramme.

2 La droite $(\boldsymbol{IJ})$ incluse dans le plan $(\boldsymbol{SAB})$ coupe la droite $(\boldsymbol{AB})$ en H, qui est ainsi un point des plans $(\boldsymbol{IJK})$ et $(\boldsymbol{ABC})$. **2▸**
La droite $(\boldsymbol{HK})$ incluse dans le plan $(\boldsymbol{ABC})$ est donc une droite du plan $(\boldsymbol{IJK})$: elle coupe le segment $[\boldsymbol{BC}]$ en L : le segment $[\boldsymbol{JL}]$ est donc la trace du plan $(\boldsymbol{IJK})$ sur la face *SBC*, et le segment $[\boldsymbol{LK}]$ la trace sur la face *ABCD*.
La droite $(\boldsymbol{HK})$ coupe aussi la droite $(\boldsymbol{AD})$ en un point T qui appartient donc au plan $(\boldsymbol{IJK})$ et au plan $(\boldsymbol{ADS})$. La droite $(\boldsymbol{IT})$ est donc incluse dans ces deux plans et elle coupe l'arête $[\boldsymbol{SD}]$ en M : le segment $[\boldsymbol{MI}]$ est la trace du plan $(\boldsymbol{IJK})$ sur la face *ADS* et $[\boldsymbol{MK}]$ celle sur *SDC*.
En définitive, le plan $(\boldsymbol{IJK})$ coupe la pyramide suivant le polygone ***IJLKM***.

Bon à savoir

1▸ Lorsque deux plans sont parallèles, on sait qu'ils sont coupés par un même plan selon deux droites parallèles.

2▸ On cherche à trouver de proche en proche des points du plan de section sur chaque arête de la pyramide, en utilisant **deux droites coplanaires** (ici toujours sécantes) dont l'une est incluse dans le plan de section et l'autre porte une arête d'une face.

Exercices d'application

1 On considère le cube *ABCDEFGH*.

1 Démontrer que le triangle *EGB* est équilatéral.

2 Soit K le centre de gravité du triangle *EGB* et M un point quelconque du segment $[FK]$. Démontrer que la section du cube par le plan passant par M et parallèle au plan (EGB) est un triangle équilatéral.

2 *ABCD* est un tétraèdre et I est le milieu de $[BC]$. On considère les points J, K et L milieux respectifs des segments $[AI]$, $[DI]$ et $[AD]$.

1 Démontrer que les droites (JK) et (AD) sont parallèles.

2 **a.** Déterminer, en justifiant sa construction, la section du tétraèdre par le plan (JKL).

b. Déterminer de même la section du tétraèdre par le plan (JKG), où G est le point de $[CD]$ tel que : $CG = \frac{2}{3}CD$.

3 On considère une pyramide *SABCD* de base *ABCD*. Les points *T, U* et *V* sont les centres de gravité respectifs des faces *SAB, SBC* et *SCD*. Déterminer la section de la pyramide par le plan (TUV).
Comparer avec le résultat de l'exercice corrigé ci-dessus.

Aide Établir que (TU) et (AC) sont parallèles.

Voir exercices 21 à 34

2 Caractérisations vectorielles

a Vecteurs de l'espace : définition et opérations

On étend à l'espace la notion de vecteur définie dans le plan, ainsi que les opérations associées : multiplication par un réel, somme de deux vecteurs.

Rappel

Deux vecteurs $\overrightarrow{AB}$ et $\overrightarrow{CD}$ sont égaux si, et seulement si, *ABDC* est un parallélogramme.

Définition 1 — **Multiplication par un réel**

Soit λ un réel et un vecteur non nul $\vec{u} = \overrightarrow{AB}$.

- On définit le vecteur $\lambda\vec{u}$ par $\lambda\vec{u} = \overrightarrow{AC}$, où C est le point d'abscisse λ dans le repère (A, B) de la droite (AB).
- De plus, pour tout réel λ, on pose $\lambda\vec{0} = \vec{0}$.

RAPPEL : On dit que les vecteurs $\vec{u}$ et $\lambda\vec{u}$ sont colinéaires.

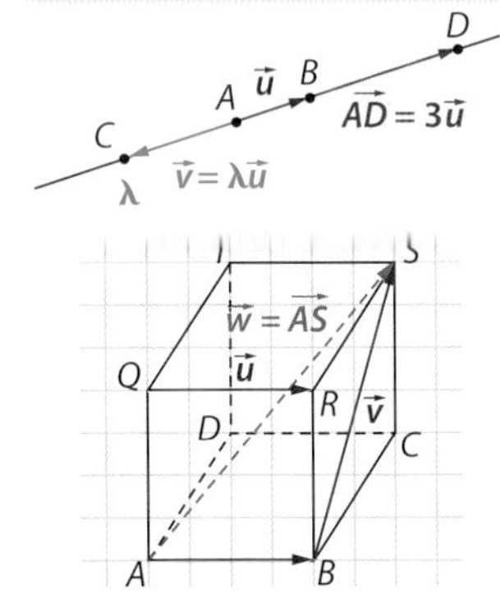

Définition 2 — **Somme de deux vecteurs**

Pour tous vecteurs $\vec{u}$ et $\vec{v}$ de l'espace, on définit la somme $\vec{u} + \vec{v}$ comme la somme vectorielle de leurs représentants respectifs $\overrightarrow{AB}$ et $\overrightarrow{BS}$ dans un même plan.

On a donc : $\vec{u} + \vec{v} = \overrightarrow{AB} + \overrightarrow{BS} = \overrightarrow{AS}$.

Ces définitions ne dépendent pas des représentants choisis pour les vecteurs.

b Caractérisations vectorielles d'une droite, d'un plan

Propriété 1 — **Caractérisation d'une droite**

Soit A un point de l'espace et $\vec{u}$ un vecteur non nul. L'ensemble des points M de l'espace tels que $\overrightarrow{AM} = x\vec{u}$, $x \in \mathbb{R}$ est **la droite (AB), où $\overrightarrow{AB} = \vec{u}$.**

On dit que $\vec{u}$ **est un vecteur directeur** de la droite (AB).

Propriété 2 — **Caractérisation d'un plan**

Soit A un point de l'espace, $\vec{u}$ et $\vec{v}$ deux vecteurs **non colinéaires** de l'espace. L'ensemble des points M de l'espace tels que : $\overrightarrow{AM} = x\vec{u} + y\vec{v}$, où $x \in \mathbb{R}$ et $y \in \mathbb{R}$, est **le plan (ABC), où $\overrightarrow{AB} = \vec{u}$ et $\overrightarrow{AC} = \vec{v}$.**

Commentaire

On dit alors que $\vec{u}$ **et** $\vec{v}$ **dirigent le plan** (ABC), qui admet pour repère $(A, \vec{u}, \vec{v})$.

DÉMONSTRATION

$\vec{u}$ et $\vec{v}$ étant non colinéaires, les droites (AB) et (AC) sont sécantes et définissent bien le plan (ABC).

Soit M un point vérifiant $\overrightarrow{AM} = x\vec{u} + y\vec{v} = x\overrightarrow{AB} + y\overrightarrow{AC}$.

On considère le point N du plan (ABC) qui admet pour coordonnées $(x\,;y)$ dans le repère (A, B, C) ; alors : $\overrightarrow{AN} = x\overrightarrow{AB} + y\overrightarrow{AC}$. Ainsi, $\overrightarrow{AM} = \overrightarrow{AN}$, donc M et N sont confondus et $N \in (ABC)$.

Réciproquement, tout point M du plan (ABC) admet dans le repère (A, B, C) des coordonnées $(x\,;y)$ telles que : $\overrightarrow{AM} = x\overrightarrow{AB} + y\overrightarrow{AC} = x\vec{u} + y\vec{v}$.

Conséquences

❶ Deux droites sont parallèles si, et seulement si, leurs vecteurs directeurs sont colinéaires.

❷ Deux plans ayant même couple de vecteurs directeurs sont parallèles.

❸ Une droite $\mathscr{D}$ et un plan $\mathscr{P}$ sont parallèles si, et seulement si, un vecteur directeur de $\mathscr{D}$ est un vecteur du plan $\mathscr{P}$.

Voir la **démonstration** à l'exercice 96, page 284.

Démontrer un alignement, l'appartenance à un plan

Exercice corrigé

Énoncé On considère un pavé droit $ABCDEFGH$.

1 Construire les points K et L définis par :

$$\overrightarrow{AK} = \frac{2}{3}\overrightarrow{AG} \quad \text{et} \quad \overrightarrow{AL} = \overrightarrow{AB} + \frac{1}{2}\overrightarrow{AH}.$$

2 En exprimant les vecteurs $\overrightarrow{HK}$ et $\overrightarrow{HL}$ en fonction de $\overrightarrow{AB}$ et $\overrightarrow{AH}$, démontrer que les points H, K et L sont alignés.

3 Soient I et J les symétriques respectifs de A par rapport à E et C.

a. Démontrer que les droites (EC) et (GI) sont parallèles.

b. Justifier que $\overrightarrow{AG} = \frac{1}{2}\overrightarrow{AI} + \frac{1}{2}\overrightarrow{AJ}$.

c. Le point K appartient-il au plan (AIJ) ?

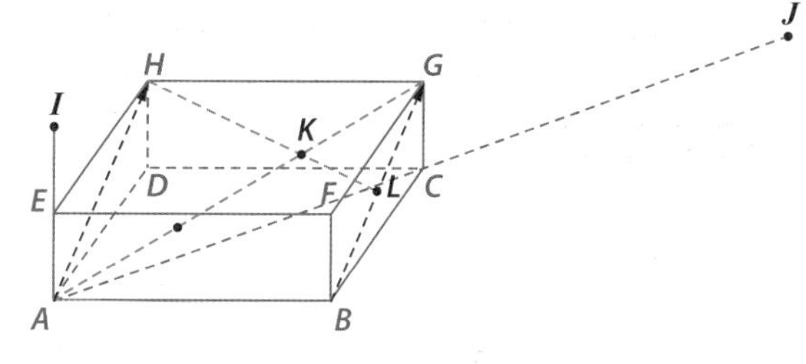

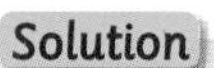

Solution

1 K est sur le segment $[AG]$ au « deux tiers » en partant de A.

Comme $\overrightarrow{AH} = \overrightarrow{BG}$, on obtient $\overrightarrow{BL} = \frac{1}{2}\overrightarrow{BG}$ et, par suite, L est le milieu de $[BG]$. **1▸**

2 $\overrightarrow{HK} = \overrightarrow{HA} + \overrightarrow{AK} = -\overrightarrow{AH} + \frac{2}{3}(\overrightarrow{AB} + \overrightarrow{BG})$, **2▸**

soit $\overrightarrow{HK} = -\overrightarrow{AH} + \frac{2}{3}\overrightarrow{AB} + \frac{2}{3}\overrightarrow{AH}$, d'où $\overrightarrow{HK} = \frac{2}{3}\overrightarrow{AB} - \frac{1}{3}\overrightarrow{AH}$.

D'autre part $\overrightarrow{HL} = \overrightarrow{HG} + \overrightarrow{GL} = \overrightarrow{AB} + \frac{1}{2}\overrightarrow{GB} = \overrightarrow{AB} - \frac{1}{2}\overrightarrow{AH}$.

On constate que $\overrightarrow{HL} = \frac{3}{2}\overrightarrow{HK}$. Le point K appartient donc à la droite (HL). **3▸**

3 a. Comme $\overrightarrow{EI} = \overrightarrow{AE} = \overrightarrow{CG}$, $EIGC$ est un parallélogramme et on a l'égalité $\overrightarrow{CE} = \overrightarrow{GI}$, ce qui prouve le parallélisme des droites (CE) et (GI).

b. $\overrightarrow{AG} = \overrightarrow{AE} + \overrightarrow{EG} = \overrightarrow{AE} + \overrightarrow{AC} = \frac{1}{2}\overrightarrow{AI} + \frac{1}{2}\overrightarrow{AJ}$. **2▸**

c. On peut donc écrire $\overrightarrow{AK} = \frac{2}{3}\overrightarrow{AG} = \frac{1}{3}\overrightarrow{AI} + \frac{1}{3}\overrightarrow{AJ}$ d'après **b.**

K est donc un point du plan (AIJ) : **4▸** c'est le point de coordonnées $\left(\frac{1}{3}\,;\,\frac{1}{3}\right)$ dans le repère (A, I, J) de ce plan.

Bon à savoir

1▸ Pour construire une somme de vecteurs, on les construit « bout à bout » en prenant des représentants dont l'extrémité de l'un est l'origine de l'autre.

2▸ La relation de Chasles permet d'introduire les vecteurs désirés dans les sommes.

3▸ La colinéarité de deux vecteurs $\overrightarrow{AB}$ et $\overrightarrow{AC}$ prouve dans l'espace comme dans le plan l'alignement des points A, B et C. On pouvait aussi utiliser la caractérisation vectorielle d'une droite.

4▸ On utilise la caractérisation vectorielle d'un plan pour établir l'appartenance de K au plan (AIJ).

Exercices d'application

4 On considère le tétraèdre $ABCD$.

1 Construire les points G et E définis par :

$$\overrightarrow{AF} = \frac{3}{2}\overrightarrow{AB} \quad \text{et} \quad \overrightarrow{CE} = \frac{1}{2}\overrightarrow{AC}.$$

2 Démontrer que les droites (BC) et (FE) sont parallèles.

3 Soit G le point défini par $\overrightarrow{EG} = \frac{3}{2}\overrightarrow{CD}$.

a. Que peut-on dire des plans (BCD) et (EFG) ?

b. Justifier que G appartient à la droite (AD).

c. Démontrer que les droites (BD) et (GF) sont parallèles.

5 Identifier I, J, K, L, M et N définis par les relations vectorielles suivantes sur la figure ci-contre où $ABCDEFGH$ est un cube.

$\overrightarrow{AI} = \overrightarrow{AB} + \overrightarrow{AE}$; $\overrightarrow{EJ} = \overrightarrow{AB} + \overrightarrow{ED}$;

$\overrightarrow{AK} = \frac{1}{2}\overrightarrow{FG} - \overrightarrow{FB}$;

$\overrightarrow{GL} = \overrightarrow{GE} + \frac{1}{2}\overrightarrow{EC}$;

$\overrightarrow{AM} = \overrightarrow{AB} + \frac{1}{2}\overrightarrow{AE} + \frac{1}{2}\overrightarrow{AD}$;

$\overrightarrow{BN} = \frac{1}{2}\overrightarrow{BO} + \frac{3}{4}\overrightarrow{BR}$.

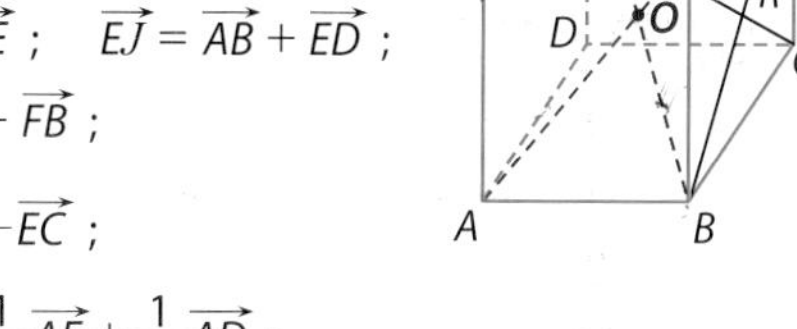

Voir exercices 35 à 45

C Décomposition de vecteurs

i. Vecteurs coplanaires

Définition On dit que trois vecteurs $\vec{u}$, $\vec{v}$ et $\vec{w}$ de l'espace sont **coplanaires** lorsqu'il existe **quatre points A, B, C et D appartenant à un même plan** et tels que : $\vec{u} = \overrightarrow{AB}$, $\vec{v} = \overrightarrow{AC}$ et $\vec{w} = \overrightarrow{AD}$.

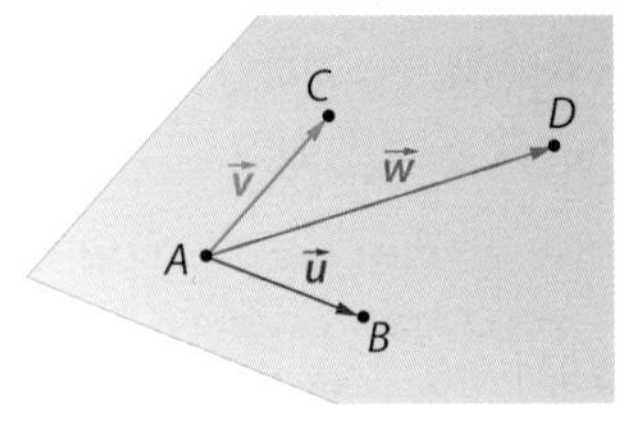

Propriété 1 Soient $\vec{u}$, $\vec{v}$ et $\vec{w}$ trois vecteurs de l'espace, tels que **$\vec{u}$ et $\vec{v}$ ne sont pas colinéaires.**
Les vecteurs **$\vec{u}$, $\vec{v}$ et $\vec{w}$ sont coplanaires** si, et seulement si, il existe deux réels x et y tels que : $\vec{w} = x\vec{u} + y\vec{v}$.

Remarque Si trois vecteurs sont **non coplanaires**, aucun des trois ne peut se décomposer en fonction des deux autres.

DÉMONSTRATION

Soient A, B, C et D des points tels que $\vec{u} = \overrightarrow{AB}$, $\vec{v} = \overrightarrow{AC}$ et $\vec{w} = \overrightarrow{AD}$.
$\vec{u}$ et $\vec{v}$ étant non colinéaires, les points A, B et C définissent un plan dont $(A, \vec{u}, \vec{v})$ est un repère.
Par définition : $\vec{u}$, $\vec{v}$ et $\vec{w}$ sont coplanaires $\Leftrightarrow D \in (ABC)$. D'après la caractérisation vectorielle d'un plan, $D \in (ABC)$ équivaut à : il existe un couple de réels $(x\,;y)$ tels que $\overrightarrow{AD} = x\vec{u} + y\vec{v}$.
Ainsi : $\vec{u}$, $\vec{v}$ et $\vec{w}$ sont coplanaires $\Leftrightarrow \vec{w} = x\vec{u} + y\vec{v}$, avec x et y réels.

ii. Vecteurs non coplanaires

Propriété 2 Soient $\vec{u}$, $\vec{v}$ et $\vec{w}$ **trois vecteurs non coplanaires** de l'espace, alors pour tout vecteur $\vec{t}$ de l'espace, il existe un unique triplet $(x\,;y\,;z)$ de réels tels que : $\vec{t} = x\vec{u} + y\vec{v} + z\vec{w}$.

Vocabulaire On dit que l'on a décomposé le vecteur $\vec{t}$ en fonction des vecteurs $\vec{u}$, $\vec{v}$ et $\vec{w}$.

DÉMONSTRATION

- **Existence :** Soient A, B, C, D et M des points tels que $\vec{u} = \overrightarrow{AB}$, $\vec{v} = \overrightarrow{AC}$, $\vec{w} = \overrightarrow{AD}$ et $\vec{t} = \overrightarrow{AM}$.
$\vec{u}$ et $\vec{v}$ sont non colinéaires, sinon $\vec{u}$, $\vec{v}$, $\vec{w}$ seraient coplanaires ; ainsi A, B et C définissent un plan dont $(A, \vec{u}, \vec{v})$ est un repère.
La parallèle à la droite (AD) passant par M, dirigée par $\vec{w}$, qui n'est pas un vecteur du plan (ABC), puisque $\vec{u}$, $\vec{v}$ et $\vec{w}$ sont non coplanaires, est sécante à ce plan en un point H.
$\overrightarrow{HM}$ et $\vec{w}$ sont colinéaires, donc $\overrightarrow{HM} = z\vec{w}$, où z est un réel, et H appartient au plan (ABC), donc $\overrightarrow{AH} = x\vec{u} + y\vec{v}$ avec x, y réels.
Comme $\vec{t} = \overrightarrow{AM} = \overrightarrow{AH} + \overrightarrow{HM}$, on obtient en définitive l'existence d'un triplet de réels $(x\,;y\,;z)$ tel que : $\vec{t} = x\vec{u} + y\vec{v} + z\vec{w}$.

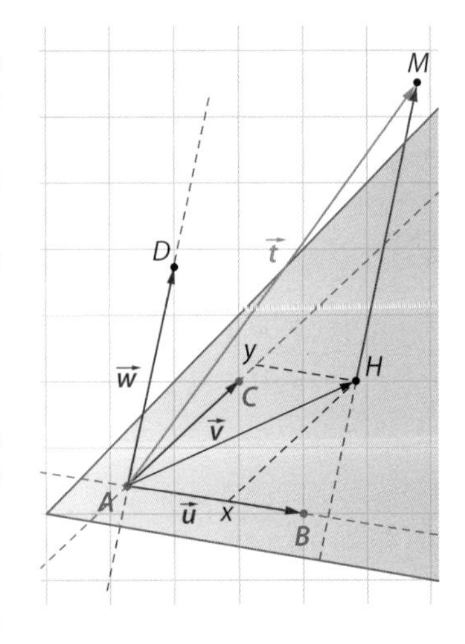

- **Unicité :** On suppose que l'on a deux écritures :
$$\vec{t} = x\vec{u} + y\vec{v} + z\vec{w} = x'\vec{u} + y'\vec{v} + z'\vec{w}.$$
Alors $(x - x')\vec{u} + (y - y')\vec{v} + (z - z')\vec{w} = \vec{0}$. Supposons que l'une des trois différences n'est pas nulle, par exemple $(z - z') \neq 0$, on peut écrire après division par $(z - z')$:
$$\vec{w} = \frac{x' - x}{z - z'}\vec{u} + \frac{y' - y}{z - z'}\vec{v}.$$
Les vecteurs $\vec{u}$, $\vec{v}$, $\vec{w}$ seraient alors coplanaires : c'est exclu. Par suite, $z = z'$ et de manière analogue $x = x'$ et $y = y'$. D'où l'unicité de la décomposition.

Savoir faire

Démontrer que des vecteurs sont coplanaires et choisir une décomposition adaptée

Exercice corrigé

Énoncé On considère le pavé droit $ABCDEFGH$. J et K sont les milieux respectifs des segments $[DB]$ et $[AH]$.

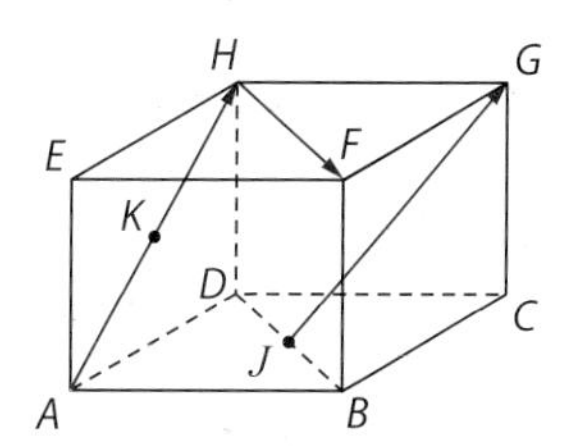

1 Démontrer que les vecteurs $\overrightarrow{AH}$, $\overrightarrow{HF}$ et $\overrightarrow{JG}$ sont coplanaires.

2 En déduire qu'il existe une droite unique incluse dans le plan (AHF) qui soit parallèle à la droite (JG) et passe par K.

3 Déterminer le point d'intersection L de cette droite avec le segment $[HF]$.

Solution

1 On exprime le vecteur $\overrightarrow{JG}$ en fonction de vecteurs colinéaires à $\overrightarrow{AH}$ et $\overrightarrow{HF}$.

En effet : $\overrightarrow{JG} = \overrightarrow{JB} + \overrightarrow{BG} = \frac{1}{2}\overrightarrow{DB} + \overrightarrow{AH} = \frac{1}{2}\overrightarrow{HF} + \overrightarrow{AH}$. **1▸**

Le vecteur $\overrightarrow{JG}$ s'exprime en fonction des deux autres vecteurs : **les trois vecteurs $\overrightarrow{AH}$, $\overrightarrow{HF}$ et $\overrightarrow{JG}$ sont coplanaires** ; les vecteurs $\overrightarrow{AH}$ et $\overrightarrow{HF}$ dirigeant le plan (AHF), on dira alors que $\overrightarrow{JG}$ est « un vecteur du plan (AHF) ».

2 Le vecteur $\overrightarrow{JG}$ est un vecteur du plan (AHF). La droite passant par K et de vecteur directeur $\overrightarrow{JG}$ est donc incluse dans le plan (AHF) et parallèle à la droite (JG). **2▸**

3 Le vecteur $\overrightarrow{JG}$ n'étant pas colinéaire au vecteur $\overrightarrow{HF}$, la parallèle à la droite (JG) et la droite (HF), qui sont coplanaires, sont alors sécantes en un point L.

On a, d'une part, $\overrightarrow{KL} = \overrightarrow{KH} + \overrightarrow{HL} = -\frac{1}{2}\overrightarrow{HA} + x\overrightarrow{HF}$, où $x \in \mathbb{R}$. **3▸**

Et, d'autre part, comme (KL) et (JG) sont parallèles, il existe un réel λ tel que :

$$\overrightarrow{KL} = \lambda\,\overrightarrow{JG} = \lambda\left(\overrightarrow{AH} + \frac{1}{2}\overrightarrow{HF}\right) = -\lambda\,\overrightarrow{HA} + \frac{\lambda}{2}\overrightarrow{HF}.$$

Or, la décomposition du vecteur $\overrightarrow{KL}$ dans le repère $(H, \overrightarrow{HA}, \overrightarrow{HF})$ du plan (AHF) est unique et par suite on obtient : **4▸**

$\begin{cases} -\lambda = -\frac{1}{2} \\ x = \frac{\lambda}{2} \end{cases} \Leftrightarrow \begin{cases} \lambda = \frac{1}{2} \\ x = \frac{1}{4} \end{cases}$, donc $\overrightarrow{HL} = \frac{1}{4}\overrightarrow{HF}$, ce qui permet de placer le point L qui est bien situé sur le segment $[HF]$.

Bon à savoir

1▸ Pour établir que trois vecteurs sont coplanaires il suffit d'exprimer l'un d'entre eux en fonction des deux autres qui *a priori* sont **non colinéaires**, sinon le résultat est déjà acquis.

2▸ Si $\vec{u}$ est un vecteur non nul d'un plan, toute droite dirigée par $\vec{u}$ et passant par un point de ce plan est incluse dans le plan.

3▸ On utilise pour $\overrightarrow{KL}$ une décomposition adaptée au problème, c'est-à-dire qui utilise deux vecteurs directeurs du plan qui ont déjà servi à décomposer $\overrightarrow{JG}$.

4▸ L'unicité de la décomposition dans un repère du plan permet d'identifier les composantes du vecteur.

Exercices d'application

6 $ABCDEF$ est un prisme droit.
Les vecteurs $\overrightarrow{AB} + \overrightarrow{AD}$, $\overrightarrow{AC} + \overrightarrow{AD}$ et $\overrightarrow{BC}$ sont-ils coplanaires ?

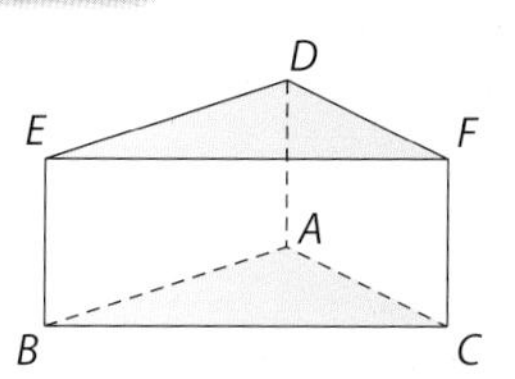

7 Avec la figure de l'exercice **6**, on considère les milieux respectifs K et L des segments $[EF]$ et $[ED]$.

1 Justifier que les vecteurs $\overrightarrow{AB}$, $\overrightarrow{DF}$ et $\overrightarrow{AK}$ sont non coplanaires.

2 En est-il de même des vecteurs $\overrightarrow{AC}$, $\overrightarrow{AL}$ et $\overrightarrow{AK}$?

8 $ABCDEFGH$ est un pavé droit. I désigne le milieu du segment $[AB]$, J est tel que :

$$\overrightarrow{HJ} = \frac{3}{4}\overrightarrow{AB}$$

et O est le centre de la face $BCGF$.

1 Justifier que les vecteurs $\overrightarrow{AB}$, $\overrightarrow{AD}$ et $\overrightarrow{AE}$ sont non coplanaires.

2 Démontrer que les droites (IH) et (JO) sont parallèles en utilisant une décomposition sur les vecteurs $\overrightarrow{AB}$, $\overrightarrow{AD}$ et $\overrightarrow{AE}$.

Voir exercices 51 à 56

3 Repères de l'espace

a Coordonnées d'un point, d'un vecteur

Théorème et définition Soit O un point de l'espace et $\vec{i}$, $\vec{j}$ et $\vec{k}$ trois vecteurs non coplanaires de l'espace. Pour tout point M de l'espace, il existe un unique triplet $(x\,;y\,;z)$ de réels tel que : $\overrightarrow{OM} = x\vec{i} + y\vec{j} + z\vec{k}$.

$(x\,;y\,;z)$ est le triplet **des coordonnées du point M dans le repère $(O, \vec{i}, \vec{j}, \vec{k})$.**

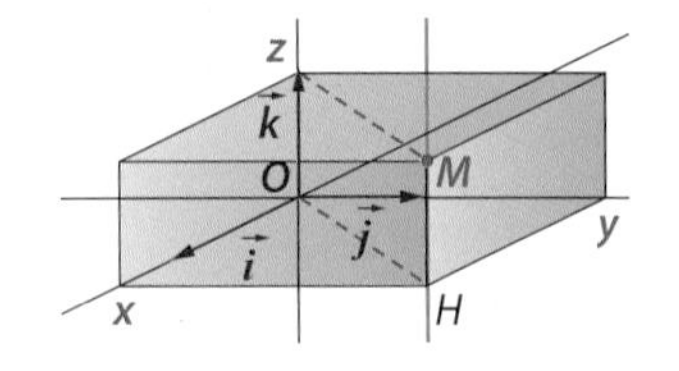

Note x est l'**abscisse** de M, y est l'**ordonnée** de M et z est la **cote** de M.

DÉMONSTRATION

L'existence et l'unicité du triplet de réels $(x\,;y\,;z)$ pour le vecteur $\overrightarrow{OM}$ sont assurées par la propriété 2, page 264, puisque $\vec{i}$, $\vec{j}$ et $\vec{k}$ sont trois vecteurs non coplanaires de l'espace.

Formulaire L'espace est muni d'un repère $(O, \vec{i}, \vec{j}, \vec{k})$.

- Pour deux points $A(x_A\,;y_A\,;z_A)$ et $B(x_B\,;y_B\,;z_B)$ on a : $\overrightarrow{AB}\begin{pmatrix} x_B - x_A \\ y_B - y_A \\ z_B - z_A \end{pmatrix}$.
- Coordonnées de K, milieu de $[AB]$: $\left(\dfrac{x_A + x_B}{2}\,;\dfrac{y_A + y_B}{2}\,;\dfrac{z_A + z_B}{2}\right)$.
- Coordonnées de G, centre de gravité du triangle ABC :
$\left(\dfrac{x_A + x_B + x_C}{3}\,;\dfrac{y_A + y_B + y_C}{3}\,;\dfrac{z_A + z_B + z_C}{3}\right)$.
- Si $\vec{u}\begin{pmatrix} x \\ y \\ z \end{pmatrix}$ et $\vec{v}\begin{pmatrix} x' \\ y' \\ z' \end{pmatrix}$, alors $\vec{u} + \vec{v}\begin{pmatrix} x + x' \\ y + y' \\ z + z' \end{pmatrix}$ et, pour tout réel λ, $\lambda\vec{u}\begin{pmatrix} \lambda x \\ \lambda y \\ \lambda z \end{pmatrix}$.

Retenir
On fait la moyenne des coordonnées :
- de A et B pour leur milieu ;
- de A, B et C pour le centre de gravité G.

b Représentation paramétrique d'une droite

Propriété L'espace est muni d'un repère $(O, \vec{i}, \vec{j}, \vec{k})$.

Soit $\mathcal{D}$ une droite passant par un point $A(x_A\,;y_A\,;z_A)$ et **dirigée** par le vecteur $\vec{u}\begin{pmatrix} a \\ b \\ c \end{pmatrix}$ et soit M un point de l'espace de coordonnées $(x\,;y\,;z)$.

On a l'équivalence : $M \in \mathcal{D} \Leftrightarrow$ il existe un réel t tel que : $\begin{cases} x = x_A + at \\ y = y_A + bt \\ z = z_A + ct \end{cases}$.

Ce système s'appelle une « représentation paramétrique » de la droite $\mathcal{D}$.

Remarque
Le « paramètre » est le réel t.

DÉMONSTRATION

$M \in \mathcal{D} \Leftrightarrow \vec{u}$ et $\overrightarrow{AM}$ sont colinéaires

$\Leftrightarrow$ il existe un réel t tel que $\overrightarrow{AM} = t\vec{u}$.

Or, $\overrightarrow{AM} = t\vec{u} \Leftrightarrow \begin{pmatrix} x - x_A \\ y - y_A \\ z - z_A \end{pmatrix} = t\begin{pmatrix} a \\ b \\ c \end{pmatrix} \Leftrightarrow \begin{cases} x - x_A = at \\ y - y_A = bt \\ z - z_A = ct \end{cases} \Leftrightarrow \begin{cases} x = x_A + at \\ y = y_A + bt \\ z = z_A + ct \end{cases}$.

REMARQUE : Une représentation paramétrique de la droite est **une condition sur les coordonnées d'un point permettant d'affirmer qu'il appartient à cette droite, ou qu'il n'y appartient pas.**

Exemple
$\begin{cases} x = -2 + t \\ y = 4 \\ z = 1 - 3t \end{cases}$, $t \in \mathbb{R}$ est une représentation paramétrique de la droite Δ passant par $A(-2\,;4\,;1)$ de vecteur directeur $\vec{u}\begin{pmatrix} 1 \\ 0 \\ -3 \end{pmatrix}$;
Le point $E(-3\,;4\,;4)$ appartient à Δ : la valeur $t = -1$ permet d'obtenir les coordonnées de E.

Utiliser un repère pour prouver des alignements

Exercice corrigé

Énoncé On considère un tétraèdre $ABCD$. Soit E le milieu du segment $[AC]$ et G le centre de gravité du triangle BCD.

1 Construire le point K défini par $\overrightarrow{AB}+\overrightarrow{AD}=\overrightarrow{AK}$.

2 Démontrer que les points E, G et K sont alignés.

3 La parallèle Δ à la droite (EG) passant par A passe-t-elle par le symétrique de C par rapport à G ?

Solution

1 Le point K est le quatrième sommet du parallélogramme $BADK$.

2 Les quatre points A, B, C, D n'étant pas coplanaires on dispose du repère de l'espace $(A, \overrightarrow{AB}, \overrightarrow{AC}, \overrightarrow{AD})$. **2▸** Le point C a pour coordonnées $(0\,;1\,;0)$, donc le milieu E de $[AC]$ a pour coordonnées $\left(0\,;\dfrac{1}{2}\,;0\right)$.

Le point G, centre de gravité de BCD, a pour coordonnées $\left(\dfrac{1}{3}\,;\dfrac{1}{3}\,;\dfrac{1}{3}\right)$.

Enfin l'égalité $\overrightarrow{AK}=\overrightarrow{AB}+\overrightarrow{AD}$ donne $K(1\,;0\,;1)$.

On obtient donc les coordonnées des vecteurs $\overrightarrow{KE}$ et $\overrightarrow{KG}$: $\overrightarrow{KE}\begin{pmatrix}-1\\ \frac{1}{2}\\ -1\end{pmatrix}$ et $\overrightarrow{KG}\begin{pmatrix}-\frac{2}{3}\\ \frac{1}{3}\\ -\frac{2}{3}\end{pmatrix}$,

ce qui montre que $\overrightarrow{KG}=\dfrac{2}{3}\overrightarrow{KE}$ **3▸**. Les points E, G et K sont donc alignés.

3 La droite Δ, parallèle à (EG), est dirigée par le vecteur $\overrightarrow{KE}$, par exemple.

Une représentation paramétrique de Δ est donc $\begin{cases} x=-t\\ y=\dfrac{1}{2}t,\ t\in\mathbb{R}.\\ z=-t\end{cases}$

Or, les coordonnées du symétrique C' de C par rapport à G vérifient :

$$\frac{x+0}{2}=\frac{1}{3},\quad \frac{y+1}{2}=\frac{1}{3},\quad \frac{z+0}{2}=\frac{1}{3},\quad \text{soit}\quad C'\left(\frac{2}{3}\,;-\frac{1}{3}\,;\frac{2}{3}\right).$$

On constate que C' est le point de paramètre $t=-\dfrac{2}{3}$ dans la représentation paramétrique de la droite Δ : ainsi, la droite Δ passe bien par le point C'. **3▸**

Bon à savoir

1▸ On réalise une figure :

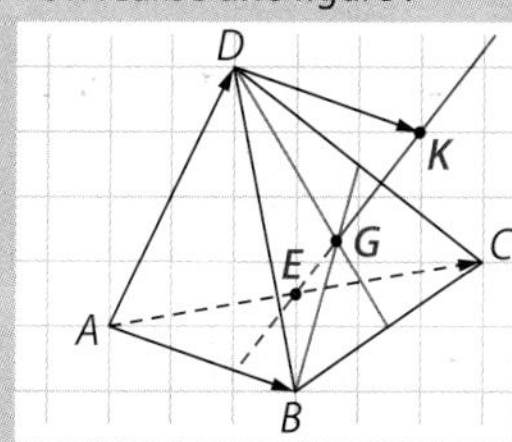

2▸ On crée un repère adapté à la figure, dans lequel le calcul des coordonnées des points ou des vecteurs figurant dans l'énoncé sera aisé : **les trois vecteurs de base doivent être non coplanaires.**

3▸ Un alignement se prouve par la colinéarité de deux vecteurs, ou l'appartenance à une droite dont on connaît une représentation paramétrique dans un repère.

Exercices d'application

9 En reprenant l'exercice corrigé ci-dessus, déterminer une représentation paramétrique de la droite (GE) dans le repère $(A, \overrightarrow{AB}, \overrightarrow{AC}, \overrightarrow{AD})$, et retrouver l'alignement de K, E et G.

Le point $F\left(\dfrac{2}{3}\,;0\,;0\right)$ appartient-il à la droite (GE) ?

10 Dans le repère $(O, \vec{i}, \vec{j}, \vec{k})$ de l'espace, on donne les points $A(1\,;2\,;-1)$ et $B(2\,;4\,;-4)$.

1 Déterminer une représentation paramétrique de la droite (AB).

2 **a.** Démontrer que la droite (AB) et l'axe $(O, \vec{k})$ sont sécants. Préciser les coordonnées du point commun K.

b. Déterminer des représentations paramétriques du segment $[AB]$ et de la demi-droite $[BK)$.

11 $ABCDEFGH$ est un cube. Le point K est le milieu du segment $[BC]$.

En se plaçant dans le repère $(A, \overrightarrow{AB}, \overrightarrow{AD}, \overrightarrow{AE})$, montrer que les vecteurs $\overrightarrow{EB}$, $\overrightarrow{AK}$ et $\overrightarrow{AG}$ sont coplanaires.

12 Dans un tétraèdre $ABCD$, on considère le milieu I de l'arête $[AB]$, le milieu J de l'arête $[CD]$, le centre de gravité K du triangle BCD.

Démontrer que les segments $[AK]$ et $[IJ]$ se coupent en M, milieu de $[IJ]$.

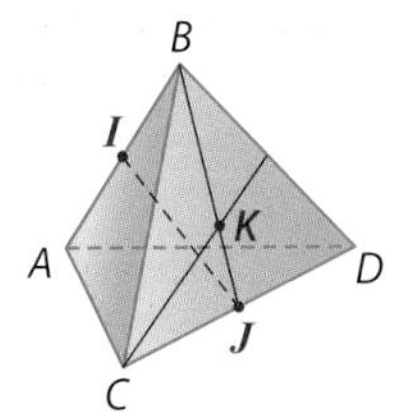

Voir exercices 63 à 78

Mener une recherche et rédiger

13  Déterminer un lieu géométrique

L'espace est muni d'un repère orthonormé $\left(O, \vec{i}, \vec{j}, \vec{k}\right)$.

On considère les points $A(3\,;0\,;2)$, $B(-1\,;2\,;-2)$ et $C(1\,;1\,;1)$, et le vecteur $\vec{u}\begin{pmatrix}-1\\2\\3\end{pmatrix}$.

Pour tout point M de la droite $\mathscr{D}$ passant par le point C et de vecteur directeur $\vec{u}$, on note G le centre de gravité du triangle ABM.
Quel est le lieu du point G lorsque le point M décrit la droite $\mathscr{D}$?

Mener une recherche étape par étape

❶ Modéliser la situation et conjecturer

1 On commence par construire la figure en utilisant un logiciel de géométrie dynamique dans l'espace, par exemple *Geospace*.
On fait afficher la trace du point G.

```
A point de coordonnées (3,0,2) dans le repère Rxyz
B point de coordonnées (-1,2,-2) dans le repère Rxyz
C point de coordonnées (1,1,1) dans le repère Rxyz
vec(u) (-1,2,3) (repère Rxyz)
D droite passant par C et de vecteur directeur vec(u)
M point libre sur la droite D
  Objet libre M, paramètre: 2.03271562263
T polygone convexe de sommets ABM
G centre de gravité du triangle ABM
Sélection pour trace: G
```

2 Conjecturer le lieu géométrique du point G.
Préciser un point particulier et un vecteur directeur.

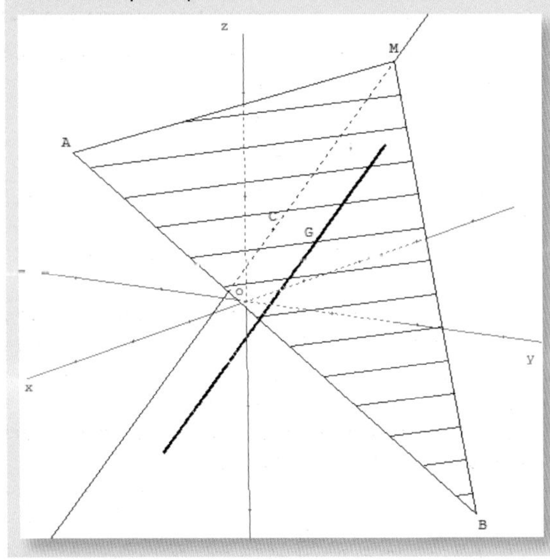

❷ Élaborer une démarche

Les coordonnées du point G peuvent s'exprimer en fonction de celles du point M. Il s'agit donc tout d'abord d'exprimer celles-ci.

1 Justifier que le point $M(x\,;y\,;z)$ appartient à la droite $\mathscr{D}$ si, et seulement si, il existe un réel k tel que :

$$\begin{cases} x = 1 - k \\ y = 1 + 2k \\ z = 1 + 3k \end{cases}.$$

2 Soit un réel k et le point M de coordonnées $(1-k\,;1+2k\,;1+3k)$.

a. Déterminer, en fonction de k, les coordonnées du point G, centre de gravité du triangle ABM.

b. Analyser la forme des coordonnées de G pour trouver quel est l'ensemble décrit par le point G lorsque k décrit $\mathbb{R}$.

1	A:=[3,0,2]
	$[3,\ 0,\ 2]$
2	B:=[-1,2,-4]
	$[-1,\ 2,\ -4]$
3	M:=[1-k,1+2*k,1+3*k]
	$[1-k,\ 1+2\cdot k,\ 1+3\cdot k]$
4	G:=(A+B+M)/3
	$\left[\frac{-k+3}{3},\ \frac{2\cdot k+3}{3},\ \frac{3\cdot k-1}{3}\right]$

❸ Rédiger une solution

À l'aide des deux parties précédentes, rédiger une solution du problème posé.

14 Utiliser une décomposition

ABCDEFGH est un cube. On considère les points I, J, K, M et P définis par :

$$\overrightarrow{HM} = \frac{1}{3}\overrightarrow{HE} \text{ et } \overrightarrow{CP} = \frac{1}{3}\overrightarrow{CA} \text{ ;}$$

I et K sont les milieux respectifs de segments $[AE]$ et $[MP]$, et J est le centre de la face $DCGH$.

1 En utilisant une décomposition de vecteurs adaptée, démontrer que les points I, J et K sont alignés.

2 Proposer un repère de l'espace qui aurait permis de démontrer le résultat du **1**.

3 Soit t un réel de l'intervalle $[0\,;1]$. On définit les points N et Q par :

$$\overrightarrow{HN} = t\,\overrightarrow{HE} \text{ et } \overrightarrow{CQ} = t\,\overrightarrow{CA}.$$

a. Que décrivent les points N et Q lorsque t décrit l'intervalle $[0\,;1]$?

b. En utilisant le repère proposé au **2**, déterminer le lieu $(\mathscr{L})$ des milieux du segment $[NQ]$, lorsque t décrit l'intervalle $[0\,;1]$.

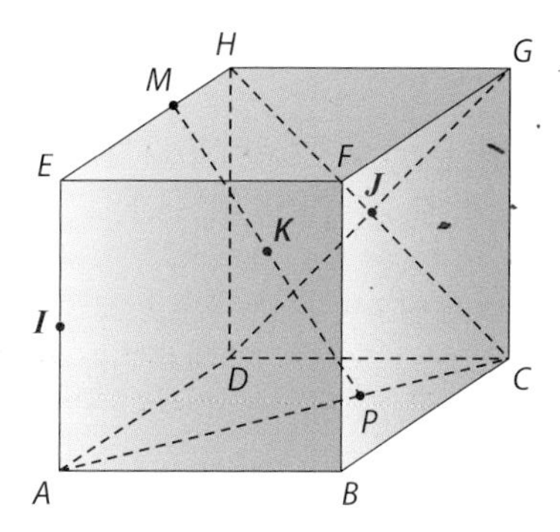

4 Soit S, le centre de gravité du triangle GNQ.

a. Déterminer les coordonnées du point S en fonction de t dans le repère utilisé précédemment.

b. En déduire une représentation paramétrique, du lieu $(\mathscr{L}')$ des points S, lorsque t décrit l'intervalle $[0\,;1]$.

c. Déterminer les positions relatives des ensembles $(\mathscr{L})$ et $(\mathscr{L}')$.

15 Étude de positions relatives

L'espace est muni d'un repère orthonormé $(O, \vec{i}, \vec{j}, \vec{k})$. On considère le plan $\mathscr{P}$ passant par le point $A(1\,;1\,;-2)$ et dirigé par les vecteurs $\vec{u}\begin{pmatrix}1\\2\\0\end{pmatrix}$ et $\vec{v}\begin{pmatrix}0\\1\\1\end{pmatrix}$.

On désigne par $\mathscr{D}$ la droite passant par le point $B(1\,;0\,;2)$ de vecteur directeur $\vec{d}\begin{pmatrix}1\\-1\\2\end{pmatrix}$.

Le but de ce TP est d'étudier la position relative de $\mathscr{D}$ et $\mathscr{P}$, puis celle de $\mathscr{P}$ avec un plan contenant $\mathscr{D}$.

1 Soit M un point de l'espace de coordonnées $(x\,;y\,;z)$. Justifier que :

M appartient à $\mathscr{P}$ $\Leftrightarrow$ il existe deux réels t et s tels que :

$$\begin{cases} x = 1 + t \\ y = 1 + 2t + s \\ z = -2 + s \end{cases}.$$

Vocabulaire On dit que l'on a écrit une **représentation paramétrique du plan $\mathscr{P}$**.

2 Déterminer une représentation paramétrique de la droite $\mathscr{D}$. On utilisera la lettre k pour nommer le paramètre.

3 **a.** Écrire le système d'équations vérifié par les coordonnées d'un point commun à $\mathscr{D}$ et $\mathscr{P}$.

b. Interpréter le résultat obtenu par la résolution ci-dessous de ce système avec le logiciel *Xcas*.

```
1 resoudre([1+t=1+k,1+2t+s=-k,-2+s=2+2k],[t,s,k])
                    [-1, 2, -1]
```

4 On considère la droite Δ de représentation paramétrique :

$$\begin{cases} x = 1 + m \\ y = \quad m \\ z = 2 - m \end{cases}, m \in \mathbb{R}.$$

a. Indiquer un point et un vecteur directeur $\vec{w}$ de Δ. En déduire que $\mathscr{D}$ et Δ sont sécantes.

b. Démontrer que les vecteurs $\vec{u}$, $\vec{v}$ et $\vec{w}$ sont coplanaires.

c. En déduire la nature de l'intersection du plan $\mathscr{P}$ et du plan $\mathscr{P}'$ contenant les droites $\mathscr{D}$ et Δ, en raisonnant de manière géométrique, sans calcul. Donner une représentation paramétrique de cette intersection.

Vérifier le résultat en interprétant la résolution du système ci-dessous faite par le logiciel *Xcas*.

```
2 resoudre([1+t=1+k+m,1+2t+s=-k+m,-2+s=2+2k-m],[t,s,k,m])
                    [t, -t+1, -1, t+1]
```

Travail personnel : exercices résolus

16 BAC Section d'un tétraèdre en utilisant le théorème « du toit »

Partie A – ROC

On rappelle les propriétés ci-dessous :

❶ Soit $\mathcal{P}$ un plan, A un point de $\mathcal{P}$, $\vec{u}$ et $\vec{v}$ deux vecteurs non colinéaires de $\mathcal{P}$. Le plan $\mathcal{P}$ est l'ensemble des points M de l'espace tels que :

$$\overrightarrow{AM} = x\vec{u} + y\vec{v}, \quad x \in \mathbb{R}.$$

❷ Si deux plans sont sécants, alors leur intersection est une droite.

Démontrer la propriété suivante : Si deux plans $\mathcal{P}_1$ et $\mathcal{P}_2$ contenant deux droites parallèles (d_1) et (d_2) sont sécants, alors leur intersection est une parallèle commune à (d_1) et (d_2).

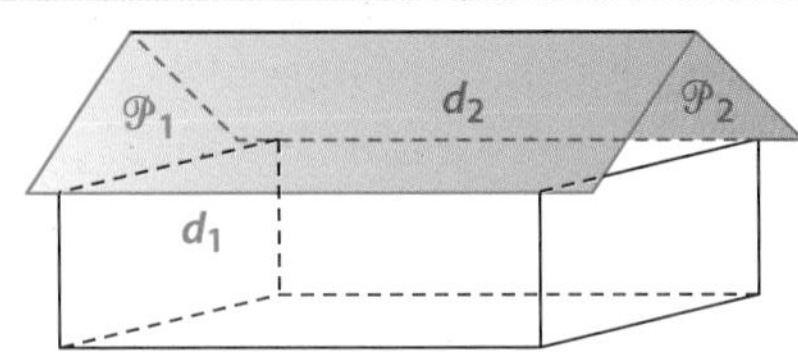

Le faîte du toit est parallèle au bord soutenu par les murs.

Partie B – Application

On considère un tétraèdre $ABCD$, et les milieux I, J et K des segments $[AB]$, $[AC]$ et $[CD]$. Déterminer la section du tétraèdre par le plan (IJK) et préciser sa nature.

Solution

Partie A Soit $\vec{w}$ un vecteur directeur des droites (d_1) et (d_2).

D'après la propriété ❷, l'intersection de $\mathcal{P}_1$ et $\mathcal{P}_2$ est une droite (d).

Soit A un point de (d) : c'est aussi un point des plans $\mathcal{P}_1$ et $\mathcal{P}_2$.

Le plan $\mathcal{P}_1$ est l'ensemble des points M de l'espace tels que :

$\overrightarrow{AM} = x\vec{u} + y\vec{w}$, où $\vec{u}$ est un vecteur de $\mathcal{P}_1$ non colinéaire à $\vec{w}$.

Le plan $\mathcal{P}_2$ est l'ensemble des points M de l'espace tels que :

$\overrightarrow{AM} = x'\vec{v} + y'\vec{w}$, où $\vec{v}$ est un vecteur de $\mathcal{P}_2$ non colinéaire à $\vec{w}$.

Soit M un point de (d) : l'appartenance de M à $\mathcal{P}_1$ et à $\mathcal{P}_2$ assure l'existence de quatre réels x, y, x', y' tels que : $\overrightarrow{AM} = x\vec{u} + y\vec{w} = x'\vec{v} + y'\vec{w}$.

Si $x \neq 0$, on a : $\vec{u} = \dfrac{x'}{x}\vec{v} + \dfrac{y'-y}{x}\vec{w}$, et, par suite, $\vec{u}$ est un vecteur du plan $\mathcal{P}_2$.

$\mathcal{P}_2$ possèdent alors deux vecteurs non colinéaires $\vec{u}$ et $\vec{w}$ du plan $\mathcal{P}_1$: $\mathcal{P}_1$ et $\mathcal{P}_2$ sont donc parallèles. Or, c'est faux, ils sont sécants par hypothèse.

Donc $x = 0$, par conséquent $\overrightarrow{AM} = y\vec{w}$, ce qui prouve que la droite (d) est dirigée par le vecteur $\vec{w}$, et par suite, parallèle à (d_1) et à (d_2).

Partie B – Application

La droite (IJ), droite des milieux dans le triangle ABC, est parallèle à la droite (BC). Les plans (BCD) et (IJK) contiennent donc deux droites parallèles à (BC) et sont sécants puisque le point K leur est commun : leur intersection est donc une droite parallèle à (BC) et à (IJ). Ainsi, la trace du plan (IJK) sur la face BCD est la parallèle à (BC) passant par K. Elle coupe le segment $[BD]$ en son milieu L.

La section du tétraèdre $ABCD$ par le plan (IJK) est donc le parallélogramme $IJKL$, puisque $\overrightarrow{IJ} = \dfrac{1}{2}\overrightarrow{BC} = \overrightarrow{LK}$.

Stratégies

1 On caractérise les plans et les droites grâce à une relation vectorielle faisant intervenir leurs vecteurs directeurs.

2 Tout couple de deux vecteurs non colinéaires d'un plan est un couple de vecteurs directeurs de ce plan, et le premier vecteur peut être choisi arbitrairement : ici on prend un vecteur commun à $\mathcal{P}_1$ et $\mathcal{P}_2$: $\vec{w}$.

3 Deux plans sont parallèles si, et seulement si, deux vecteurs non colinéaires de l'un dirigent l'autre.

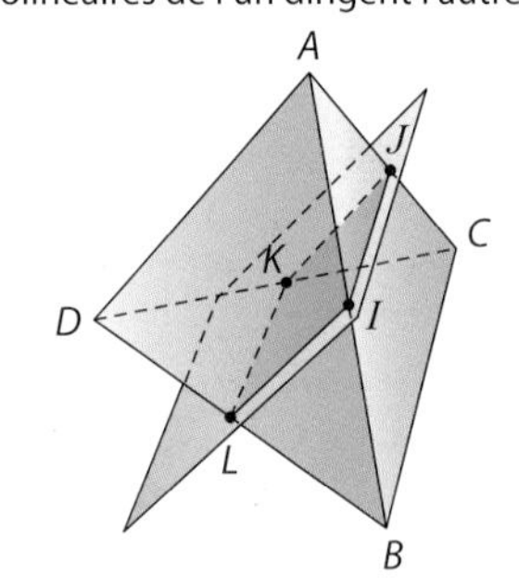

17 BAC Alignement et droites concourantes dans un tétraèdre

On considère le tétraèdre $ABCD$, les milieux B' et C' des segments $[CD]$, $[AB]$, le milieu G du segment $[B'C']$ et le centre de gravité F du triangle BCD.

1 Démontrer que les points A, G et F sont alignés.

2 Démontrer que les trois segments joignant les milieux de deux arêtes opposées du tétraèdre sont concourants en G.

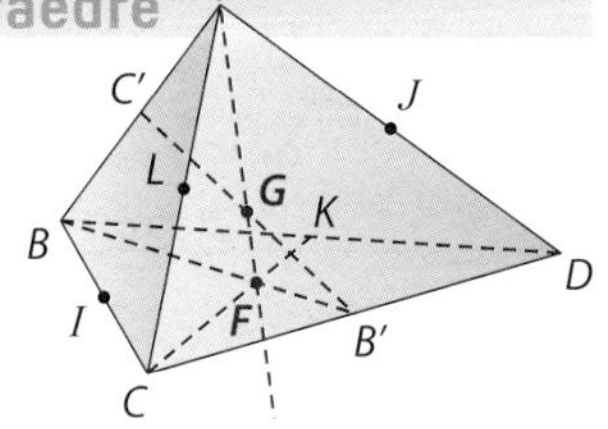

Solution

1 Dans le repère $(A, \overrightarrow{AB}, \overrightarrow{AC}, \overrightarrow{AD})$, les points B, C et D ont pour coordonnées respectives $(1;0;0)$, $(0;1;0)$, $(0;0;1)$. Puis, en utilisant les coordonnées du milieu, on a : $B'\left(0;\frac{1}{2};\frac{1}{2}\right)$, $C'\left(\frac{1}{2};0;0\right)$ et $G\left(\frac{1}{4};\frac{1}{4};\frac{1}{4}\right)$.

Le centre de gravité du triangle BCD a pour coordonnées les moyennes des coordonnées des trois points B, C, D, soit $F\left(\frac{1}{3};\frac{1}{3};\frac{1}{3}\right)$.

On obtient alors $4\overrightarrow{AG} = 3\overrightarrow{AF}$, tous deux égaux au vecteur $\vec{u}\begin{pmatrix}1\\1\\1\end{pmatrix}$, ce qui prouve l'alignement des points A, G et F.

2 Les milieux I et J des segments $[BC]$ et $[AD]$ ont pour coordonnées respectives $\left(\frac{1}{2};\frac{1}{2};0\right)$ et $\left(0;0;\frac{1}{2}\right)$, ce qui donne pour le milieu du segment $[IJ]$, les coordonnées $\left(\frac{1}{4};\frac{1}{4};\frac{1}{4}\right)$ du point G. De même, les milieux K et L de $[BD]$ et $[AC]$ ont pour coordonnées $\left(\frac{1}{2};0;\frac{1}{2}\right)$ et $\left(0;\frac{1}{2};0\right)$, ce qui donne aussi G comme milieu de $[KL]$. Les segments $[B'C']$, $[IJ]$ et $[KL]$ concourent donc en G.

Stratégies

1 L'alignement des points A, G et F équivaut à la colinéarité des vecteurs $\overrightarrow{AG}$ et $\overrightarrow{AF}$.

On choisit un repère de l'espace qui permettra de ramener les questions de colinéarité à des calculs sur les coordonnées : le choix du point A s'impose pour l'origine et on choisit le repère $(A, \overrightarrow{AB}, \overrightarrow{AC}, \overrightarrow{AD})$.

2 Il suffit de calculer les coordonnées d'un point pour l'identifier à un point connu.

18 BAC Représentations paramétriques pour l'étude des positions relatives

Dans le repère de l'espace $(O, \vec{i}, \vec{j}, \vec{k})$, on donne les points $A(-4;4;2)$ et $B(-3;6;3)$, et la droite Δ de représentation paramétrique :

$$\begin{cases} x = 1 - s \\ y = 2 + 2s, \quad s \in \mathbb{R}. \\ z = 1 + s \end{cases}$$

1 Déterminer une représentation paramétrique de la droite (AB).

2 Démontrer que les droites (AB) et Δ sont coplanaires. Préciser leurs positions relatives.

Solution

1 Un vecteur directeur de la droite (AB) est $\overrightarrow{AB}\begin{pmatrix}1\\2\\1\end{pmatrix}$.

On obtient donc la représentation paramétrique suivante de (AB) :
$$\begin{cases} x = -4 + t \\ y = 4 + 2t, \quad t \in \mathbb{R}. \\ z = 2 + t \end{cases}$$

2 On lit directement sur la représentation de Δ, un vecteur directeur de cette droite, $\vec{u}\begin{pmatrix}-1\\2\\1\end{pmatrix}$ qui est non colinéaire à $\overrightarrow{AB}$: les deux droites ne sont donc pas parallèles. Il faut examiner si elles sont sécantes.

Un point M appartient à leur intersection si, et seulement si, ses coordonnées vérifient les équations de (AB) et de Δ, ce qui équivaut à :
il existe s et t tels que :

$$\begin{cases} 1 - s = -4 + t \\ 2 + 2s = 4 + 2t \\ 1 + s = 2 + t \end{cases} \Leftrightarrow \begin{cases} 5 - s = t \\ 1 + s = 2 + t \\ 1 + s = 2 + t \end{cases} \Leftrightarrow \begin{cases} 5 - s = t \\ 1 + s = 2 + 5 - s \\ 0 = 0 \end{cases}$$

$$\Leftrightarrow \begin{cases} t = 5 - s \\ 2s = 6 \end{cases} \Leftrightarrow \begin{cases} \mathbf{t = 2} \\ \mathbf{s = 3} \end{cases}. \text{ On obtient : } \begin{cases} x = 1 - \mathbf{3} = -4 + \mathbf{2} = -2 \\ y = 2 + 2\times\mathbf{3} = 4 + 2\times\mathbf{2} = 8. \\ z = 1 + \mathbf{3} = 2 + \mathbf{2} = 4 \end{cases}$$

Les droites (AB) et Δ sont sécantes au point $C(-2;8;4)$, et donc coplanaires.

Stratégies

1 La connaissance d'un point et d'un vecteur directeur permet d'écrire directement la représentation paramétrique de la droite.

Inversement, on lit les coordonnées d'un vecteur directeur sur les équations : ce sont les coefficients du paramètre.

2 On utilise la classification des droites dans l'espace :
– soit elles sont parallèles et dans ce cas coplanaires ;
– soit elles sont sécantes et dans ce cas encore coplanaires ;
– soit elles sont non coplanaires (et sont sans point commun).

Travail personnel : faire le point

Savoir...	Comment faire ?
Démontrer le parallélisme.	**De deux droites :** – établir que leurs vecteurs directeurs sont colinéaires ; – penser à utiliser des plans parallèles ou le théorème du toit. **De deux plans :** montrer, selon les cas, que : – un couple de vecteurs non colinéaires de l'un dirige aussi l'autre ; – deux droites sécantes de l'un sont parallèles à deux droites sécantes de l'autre. **D'une droite $\mathscr{D}$ et d'un plan $\mathscr{P}$:** montrer qu'un vecteur directeur $\vec{w}$ de $\mathscr{D}$ est un vecteur du plan $\mathscr{P}$.
Déterminer une intersection.	**Entre deux droites :** dans un repère, on montre que le système formé par leurs représentations paramétriques a une unique solution. Les valeurs des paramètres trouvés permettent d'obtenir les coordonnées du point d'intersection. **Entre deux plans $\mathscr{P}_1$ et $\mathscr{P}_2$:** – $\mathscr{P}_1$ et $\mathscr{P}_2$ sont sécants suivant une droite : dès que l'on connaît deux points communs, on connaît la droite d'intersection ; – on peut utiliser des propriétés de parallélisme : théorème du toit, ou que deux plans parallèles sont coupés par un troisième plan selon deux droites parallèles.
Calculer des coordonnées dans un repère de l'espace.	**Vecteur** $\overrightarrow{AB}\begin{pmatrix} x_B - x_A \\ y_B - y_A \\ z_B - z_A \end{pmatrix}$. **Milieu du segment** $[AB]$: $\left(\frac{x_A + x_B}{2} ; \frac{y_A + y_B}{2} ; \frac{z_A + z_B}{2}\right)$. **Centre de gravité du triangle** ABC $\left(\frac{x_A + x_B + x_C}{3} ; \frac{y_A + y_B + y_C}{3} ; \frac{z_A + z_B + z_C}{3}\right)$.
Démontrer un alignement ou un parallélisme.	Traduire le problème en termes de colinéarité entre deux vecteurs $\vec{u}$ et $\vec{v}$; puis établir l'existence d'un réel λ tel que $\vec{u} = \lambda\vec{v}$ en utilisant : – une décomposition pertinente (penser à la relation de Chasles) ; – ou les coordonnées dans un repère de l'espace.
Établir que trois vecteurs $\vec{u}$, $\vec{v}$ et $\vec{w}$ sont coplanaires.	Démontrer l'existence deux réels x et y tels que $\vec{w} = x\vec{u} + y\vec{v}$ en utilisant : – une décomposition pertinente ; – ou les coordonnées dans un repère de l'espace. Résoudre pour cela le système d'inconnues x et y obtenu à partir des coordonnées de $\vec{u}$, $\vec{v}$ et $\vec{w}$.
Démontrer qu'un point M appartient à un plan $\mathscr{P}$.	Démontrer que M appartient à une droite du plan $\mathscr{P}$. Prouver que les vecteurs $\overrightarrow{AM}$, $\vec{u}$ et $\vec{v}$ sont coplanaires, où $(A, \vec{u}, \vec{v})$ est un repère du plan $\mathscr{P}$.
Déterminer une représentation paramétrique d'une droite $\mathscr{D}$.	On détermine les coordonnées $(\boldsymbol{x_A} ; \boldsymbol{y_A} ; \boldsymbol{z_A})$ d'un point A de $\mathscr{D}$ et celles $\begin{pmatrix} \boldsymbol{a} \\ \boldsymbol{b} \\ \boldsymbol{c} \end{pmatrix}$ d'un vecteur directeur de $\mathscr{D}$, et on obtient la représentation : $\begin{cases} x = \boldsymbol{x_A} + \boldsymbol{a}t \\ y = \boldsymbol{y_A} + \boldsymbol{b}t, t \in \mathbb{R}. \\ z = \boldsymbol{z_A} + \boldsymbol{c}t \end{cases}$

Travail personnel : faire le point

QCM

Voir corrigés en fin de manuel

19 **A.** Dans chacun des cas suivants, indiquer **la (ou les)** bonne(s) réponse(s).
On considère le cube $ABCDEFGH$ et les milieux I et J des arêtes $[EH]$ et $[BF]$.
On note $\mathcal{P}$ le plan (BIG) et K le point d'intersection de $\mathcal{P}$ avec la droite (AE).

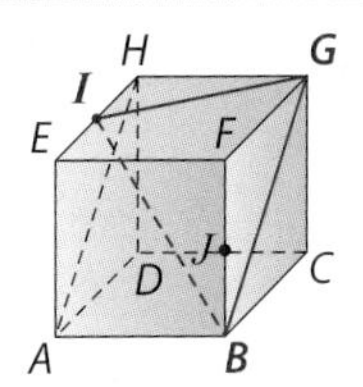

1 Les plans (GHI) et (EFC) sont :	**a.** sécants	**b.** parallèles	**c.** parallèles à la droite (AB)
2 Les droites (IB) et (HJ) sont :	**a.** parallèles et disjointes	**b.** sécantes	**c.** non coplanaires
3 Le point K :	**a.** n'appartient pas au segment $[AE]$	**b.** est le milieu du segment $[AE]$	**c.** est confondu avec le point E
4 $\overrightarrow{AC}-\frac{1}{2}\overrightarrow{AD}$ est égal à :	**a.** $\frac{1}{2}\overrightarrow{DC}$	**b.** $\overrightarrow{IG}$	**c.** $\overrightarrow{BG}$
5 Les vecteurs $\overrightarrow{BG}$, $\overrightarrow{IH}$ et $\overrightarrow{AC}$ sont :	**a.** coplanaires	**b.** colinéaires	**c.** non coplanaires
6 Le milieu du segment $[KG]$ est :	**a.** un point de $\mathcal{P}$	**b.** le milieu de $[IB]$	**c.** le milieu de $[HJ]$

B. Dans chacun des cas suivants, indiquer **la (ou les)** bonne(s) réponse(s).
L'espace est muni d'un repère $(O, \vec{i}, \vec{j}, \vec{k})$. Soit $\mathcal{D}$ et $\mathcal{D}'$ les droites de représentations paramétriques respectives :

$$\mathcal{D} : \begin{cases} x = 1 - t \\ y = -1 + t \\ z = -2 + 2t \end{cases}, \ t \in \mathbb{R} ; \qquad \mathcal{D}' : \begin{cases} x = -6 + 2s \\ y = s \\ z = 7 - \frac{3}{2}s \end{cases}, \ s \in \mathbb{R}.$$

1 $\mathcal{D}$ passe par le point de coordonnées :	**a.** $(-1;1;2)$	**b.** $(1;-1;-2)$	**c.** $(3;-3;-6)$
2 $\mathcal{D}$ a un vecteur directeur de coordonnées :	**a.** $\begin{pmatrix}-1\\1\\2\end{pmatrix}$	**b.** $\begin{pmatrix}1\\-1\\-2\end{pmatrix}$	**c.** $\begin{pmatrix}5\\-5\\10\end{pmatrix}$
3 Les droites $\mathcal{D}$ et $\mathcal{D}'$ sont :	**a.** non coplanaires	**b.** non parallèles	**c.** sécantes
4 Le point $M(2;4;1)$ est :	**a.** un point de $\mathcal{D}$	**b.** un point de $\mathcal{D}'$	**c.** le seul point de $\mathcal{D}'$ de cote 1

Vrai ou faux ?

Voir corrigés en fin de manuel

20 Pour chacune des affirmations suivantes, répondre par vrai ou faux.
L'espace est muni d'un repère $(O, \vec{i}, \vec{j}, \vec{k})$.
On donne les points $A(2;1;3)$, $B(1;1;5)$ et les vecteurs $\vec{v} = -\vec{i} + \vec{j} + 3\vec{k}$ et $\vec{w} = \vec{i} + 2\vec{j}$.

1 Les vecteurs $\overrightarrow{AB}$, $\vec{v}$ et $\vec{w}$ sont coplanaires.

2 La droite (AB) est parallèle au plan (xOz).

3 La droite (AB) est parallèle à l'axe des ordonnées.

4 La droite Δ, passant par le point $C(3;-1;2)$ et dirigée par $\vec{v}$, et la droite (AB) sont coplanaires.

→ Les exercices portant un numéro jaune sont corrigés à la fin du manuel.

1 Positions relatives de droites et plans

21 Vrai ou faux ?

Préciser si les affirmations suivantes sont vraies ou fausses.

1 Dans l'espace, deux droites non parallèles sont sécantes.

2 Dans l'espace, deux droites sécantes sont coplanaires.

3 Si deux plans sont parallèles, alors toute droite de l'un est parallèle à toute droite de l'autre.

4 Si deux plans sont sécants, alors toute droite de l'un est parallèle à toute droite de l'autre.

5 Si une droite et un plan sont sécants, toute parallèle à la droite est sécante au plan.

22 QCM

SABDC est une pyramide à base carrée *ABDC*, dont le centre de la base est le point *O*.

Pour chaque question, donner **la** bonne réponse.

1 Les plans (SAD) et (SBC) sont sécants selon :

a. le point *S*. **b.** le segment $[SO]$. **c.** la droite (SO).

2 Les plans (SOC) et (SBD) sont sécants selon :

a. le point *S*. **b.** la droite (SB). **c.** la droite (BC).

3 Les plans (SAB) et (SDC) sont sécants selon :

a. le point *S*. **b.** le plan (ABC).

c. une droite passant par *S*.

Positions relatives dans l'espace

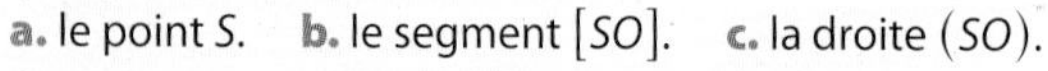

23

On considère un cube *ABCDEFGH*. Les points *I*, *J* et *K* sont respectivement les milieux des segments $[BF]$, $[EH]$ et $[HD]$. Dans chaque cas, donner la position relative des droites ou plans considérés :

a. les droites (DG) et (EA) ;

b. les droites (JK) et (FC) ;

c. le plan (EFC) et la droite (JK) ;

d. les plans (EKG) et (AIC) ;

e. le plan (BCK) et la droite (EI) ;

f. les plans (GHK) et (AIC) ;

g. le plan (AIC) et la droite (FG) ;

h. les droites (FK) et (BD).

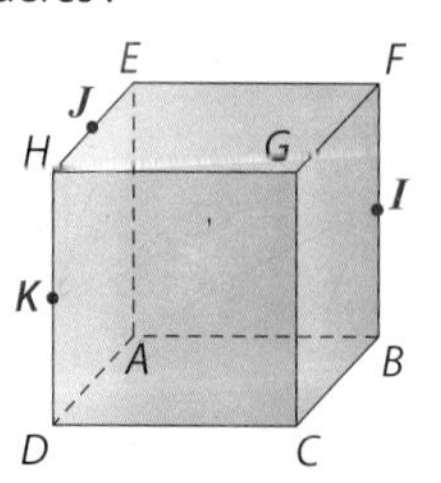

Conseil Pour bien voir un plan défini par trois points dans l'espace, il est souvent utile d'en voir quatre. Par exemple, le plan (EFC) est le plan $(EFCD)$.

24

Dans le tétraèdre *ABCD* ci-contre, *I* est le milieu de $[AC]$, *J* est un point de $[AD]$ et *K* est le milieu de $[BD]$. Dans chaque cas, donner la position relative des droites ou plans considérés.

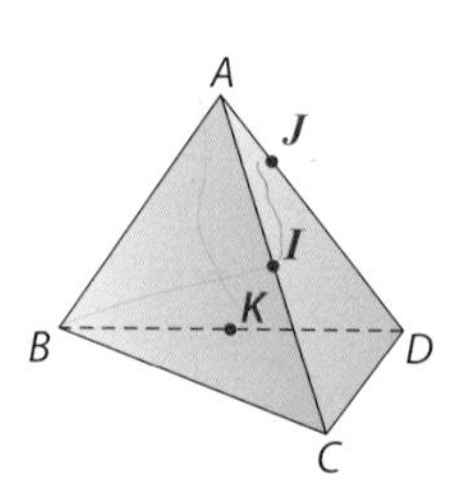

a. les droites (IJ) et (AB) ;

b. les droites (IK) et (AB) ;

c. le plan (BIJ) et la droite (AK) ;

d. les plans (BIJ) et (AKD) ;

e. le plan (BIK) et la droite (CD) ;

f. les plans (BIJ) et (AKC).

25

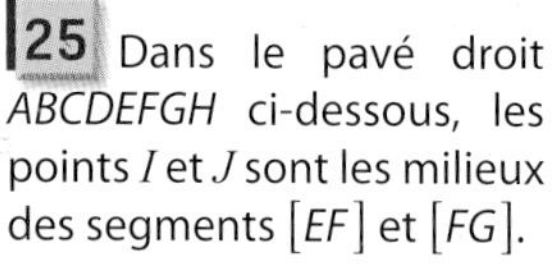

Dans le pavé droit *ABCDEFGH* ci-dessous, les points *I* et *J* sont les milieux des segments $[EF]$ et $[FG]$.

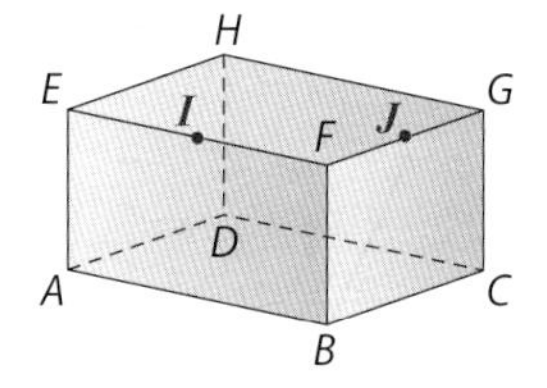

1 Démontrer que les droites (IJ) et (AC) sont parallèles.

2 Déterminer l'intersection des plans (BIJ) et (ABC).

26

On considère un tétraèdre *ABCD*. *I* est le milieu du segment $[AB]$, *J* et *K* sont les centres de gravité respectifs des triangles *ABD* et *ABC*.

1 Démontrer que les points *C*, *D*, *I*, *J* et *K* sont coplanaires.

2 Quelle est la nature du quadrilatère *CKJD* ?

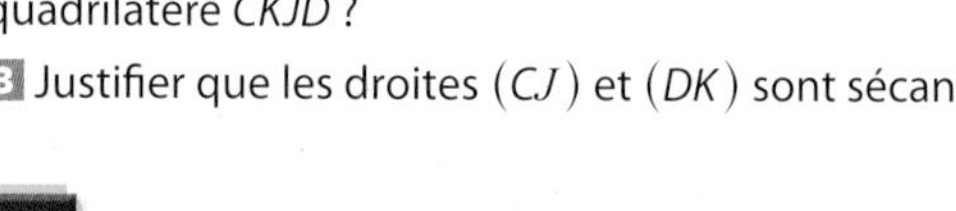

3 Justifier que les droites (CJ) et (DK) sont sécantes.

27

Dans un tétraèdre *ABCD*, *I* est le milieu de $[AB]$, *J* est le milieu de $[AC]$ et *K* appartient au segment $[AD]$ tel que :

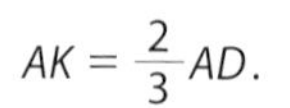

$$AK = \frac{2}{3}AD.$$

Les droites (CI) et (BJ) se coupent au point *G*.

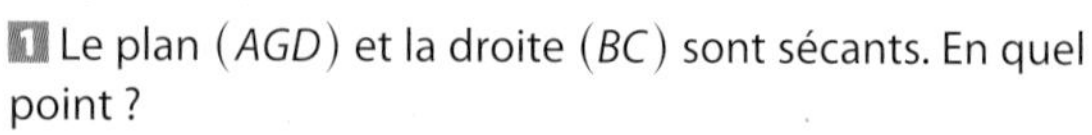

1 Le plan (AGD) et la droite (BC) sont sécants. En quel point ?

2 Déterminer l'intersection des plans (AGD) et (BCD).

3 Étudier la position relative de la droite (GK) et du plan (BCD).

28 *ABCDEFGH* est un pavé droit.

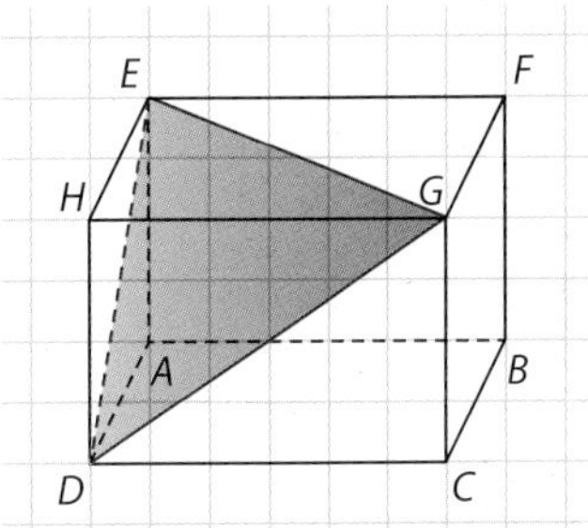

1 Déterminer l'intersection des plans (EDG) et (ABC).

2 En déduire l'intersection de la droite (BC) et du plan (EDG).

Constructions de sections

29 On considère un cube *ABCDEFGH*. Les points I, J et K sont respectivement les milieux de $[EF]$, $[EH]$ et $[HD]$.

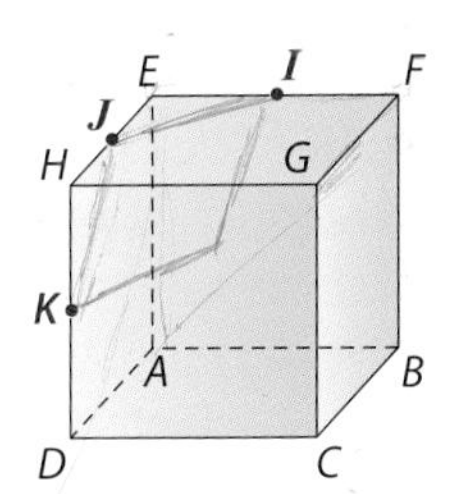

1 Préciser les intersections du plan (IJK) avec les plans (EFG) et (AED).

2 Les droites (JK) et (AE) sont sécantes en un point L. Justifier que les plans (IJK) et (AEB) sont sécants selon la droite (IL).

3 Montrer que les plans (IJK) et (CDG) sont sécants selon une droite parallèle à la droite (IL).

4 Terminer la construction de la section du cube par le plan (IJK).

30 Sur la figure ci-dessous, E est un point du segment $[AD]$ distinct du milieu de $[AD]$, F et G sont les milieux respectifs des segments $[AC]$ et $[BD]$.

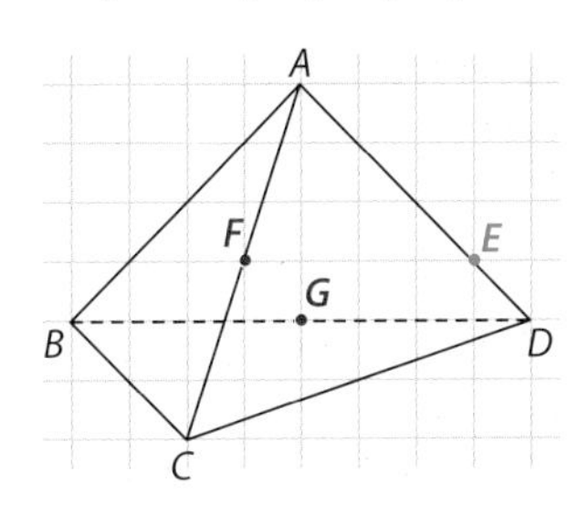

1 Reproduire la figure sur un quadrillage.

2 **a.** Justifier que les droites (EF) et (CD) sont sécantes en un point I. Le construire.

b. En déduire l'intersection des plans (EFG) et (BCD).

3 On note J le point d'intersection des droites (BC) et (GI).

Déterminer l'intersection des plans (EFG) et (ABC).

4 En déduire la section du tétraèdre par le plan (EFG).

31 Déterminer dans chaque cas, la section du cube *ABCDEFGH* par le plan (IJK).

a.

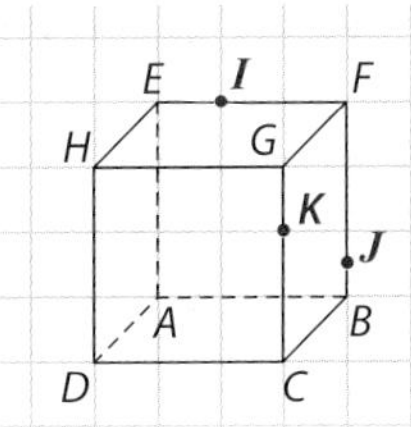

b.

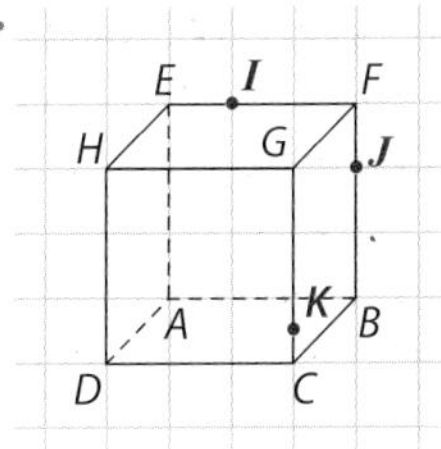

32 Déterminer dans chaque cas, la section du cube *ABCDEFGH* par le plan (IJK).

a.

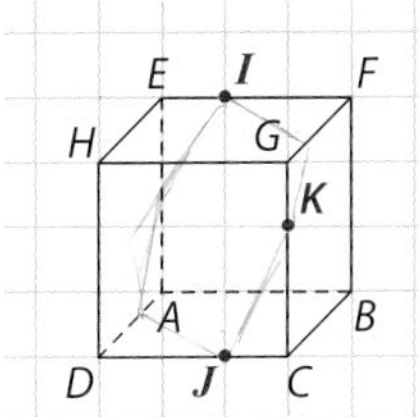

b.

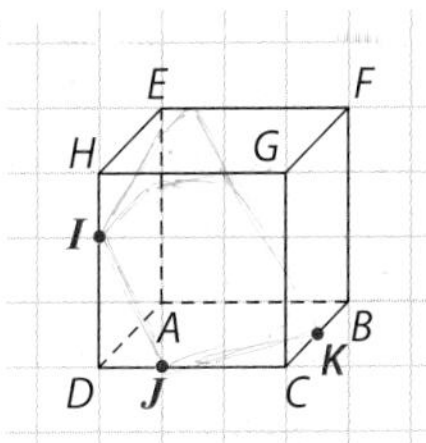

33 Sur la figure ci-dessous, les points E, F et G appartiennent respectivement aux segments $[SA]$, $[SB]$ et $[SD]$.

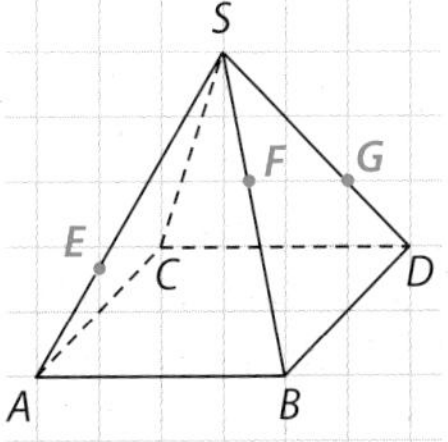

1 Reproduire la figure.

2 Construire l'intersection des plans (EFG) et (ABC).

3 En déduire la section de la pyramide *SABDC* par le plan (EFG).

34 On considère la pyramide *SABDC* de l'exercice précédent, avec les points E et F milieux respectifs de $[SA]$ et $[SB]$, et G sur le segment $[SD]$ tel que $SG = \frac{2}{3}SD$.

Déterminer la section de la pyramide *SABDC* par le plan (EFG).

Exercices d'application

2 Vecteurs de l'espace et caractérisations vectorielles

35 Vrai ou faux ?

On considère un pavé droit $ABCDEFGH$. I et J sont les milieux respectifs des segments $[EF]$ et $[FG]$.

Préciser si les affirmations suivantes sont vraies ou fausses.

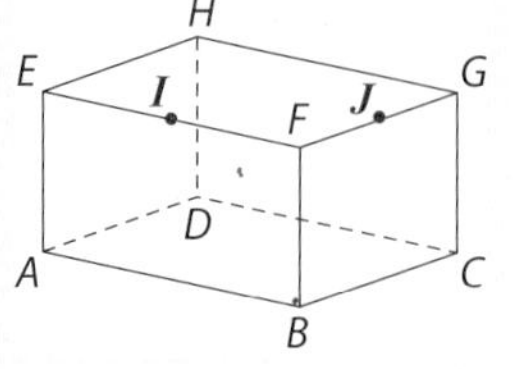

1 $\overrightarrow{IJ} = \frac{1}{2}\overrightarrow{AC}$.

2 $\overrightarrow{AH} + \overrightarrow{AB} = \overrightarrow{HB}$.

3 Les vecteurs $\overrightarrow{EF} + \overrightarrow{BC}$ et $\overrightarrow{IJ}$ sont colinéaires.

4 Les vecteurs $\overrightarrow{FG}$, $\overrightarrow{AB}$ et $\overrightarrow{JG}$ sont coplanaires.

36 Vrai ou faux ?

$SABCD$ est une pyramide de sommet S.

Répondre par vrai ou faux aux affirmations ci-dessous.

1 La droite passant par S et de vecteur directeur $-2\,\overrightarrow{AB}$ est parallèle à la droite (CD).

2 La droite passant par S et de vecteur directeur $\overrightarrow{BD}$ est parallèle au plan (ABC).

3 $\overrightarrow{SB}$ est un vecteur directeur de la droite d'intersection des plans (SAB) et (SBD).

4 Le plan (SAC) est dirigé par les vecteurs $\overrightarrow{AB} + \overrightarrow{AD}$ et $\overrightarrow{SA}$.

Vecteurs de l'espace

37 La figure ci-dessous est composée de trois cubes identiques accolés.

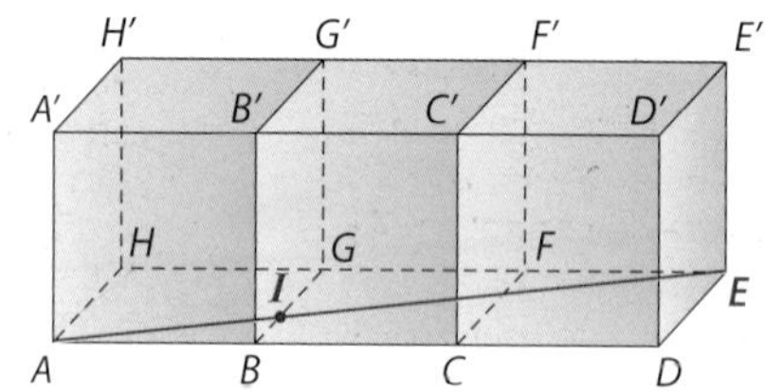

1 Écrire sous forme d'un vecteur unique les sommes :

$\overrightarrow{AG} + \overrightarrow{FE}$; $\overrightarrow{AG'} + \overrightarrow{C'D}$; $\overrightarrow{BH'} + \overrightarrow{F'E}$;

$2\,\overrightarrow{BC} + \overrightarrow{CH}$; $-3\,\overrightarrow{FG} + \overrightarrow{DF'}$; $\frac{1}{2}\overrightarrow{CA} - \overrightarrow{BB'}$.

2 Démontrer que $\overrightarrow{AI} = \frac{1}{3}\overrightarrow{AE}$.

3 Soit J le point d'intersection de la droite (AE') et du plan $(BB'G')$. Démontrer que $\overrightarrow{AJ} = \frac{1}{3}\overrightarrow{AE'}$.

38 On considère un tétraèdre $ABCD$. Le point I est le milieu du segment $[AD]$.

1 Construire les points E et F tels que :

$$\overrightarrow{AB} = \overrightarrow{ED} \quad \text{et} \quad \overrightarrow{CF} = \overrightarrow{BC}.$$

2 a. Exprimer $\overrightarrow{CI}$ en fonction des vecteurs $\overrightarrow{CA}$ et $\overrightarrow{CD}$.

b. En utilisant la relation de Chasles, montrer que :

$$\overrightarrow{EF} = \overrightarrow{AC} + \overrightarrow{DC}.$$

3 En déduire que les droites (CI) et (EF) sont parallèles.

39 Soit un cube $ABCDEFGH$.

1 Identifier les points I, J et K définis par :

$\overrightarrow{AI} = \overrightarrow{AD} + \overrightarrow{AE}$;

$\overrightarrow{HJ} = \overrightarrow{AB} + \overrightarrow{HA}$

et $\overrightarrow{AK} = \overrightarrow{AG} - \overrightarrow{DH}$.

2 Construire les points M et N tels que :

$$\overrightarrow{BM} = -\vec{u} + \frac{1}{2}\vec{v} + \frac{1}{2}\vec{w} \quad \text{et} \quad \overrightarrow{CN} = -\frac{1}{2}\vec{u} + \vec{v} + \vec{w}.$$

3 Soit x un nombre réel et P le point défini par :

$$\overrightarrow{CP} = \overrightarrow{CN} + x\vec{u}.$$

Déterminer x pour que les vecteurs $\overrightarrow{BM}$ et $\overrightarrow{CP}$ soient colinéaires.

40 $ABCDEFGH$ est un pavé droit. Les points I et J sont les milieux respectifs des segments $[EF]$ et $[FG]$. Les points O et O' sont les centres respectifs des faces $BCGF$ et $ADHE$.

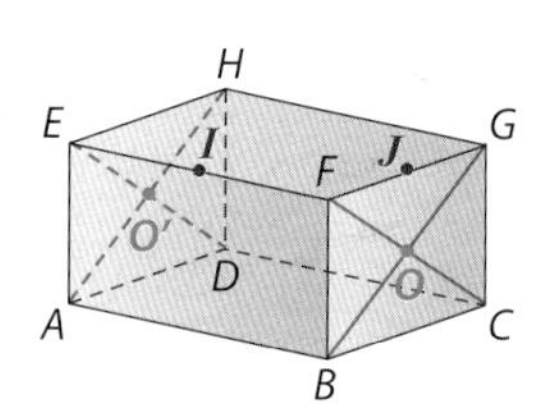

1 Identifier les points M, N et P définis par :

$\overrightarrow{AM} = \overrightarrow{EF} + \frac{1}{2}\overrightarrow{BG}$; $\overrightarrow{AN} = \frac{1}{2}\overrightarrow{AE} + \frac{1}{2}\overrightarrow{AD}$;

$\overrightarrow{HP} = \overrightarrow{EF} + \overrightarrow{GC} + \overrightarrow{DA}$.

2 Construire le point K tel que $\overrightarrow{DK} = \frac{2}{3}\overrightarrow{DF}$.

3 Démontrer que les points C, K et I sont alignés.

41 On considère un tétraèdre $ABCD$.

1 Construire les points I et J définis par :

$$\overrightarrow{BI} = \frac{1}{3}\overrightarrow{BA} \quad \text{et} \quad \overrightarrow{CJ} = 2\,\overrightarrow{BC}.$$

2 Démontrer que les droites (IC) et (AJ) sont parallèles.

42 *ABCD* est un tétraèdre.
I, *J* et *K* sont les milieux respectifs des segments $[BC]$, $[BD]$ et $[CD]$.
B', *C'* et *D'* sont les centres de gravité respectifs des triangles *ACD*, *ABD* et *ABC*.

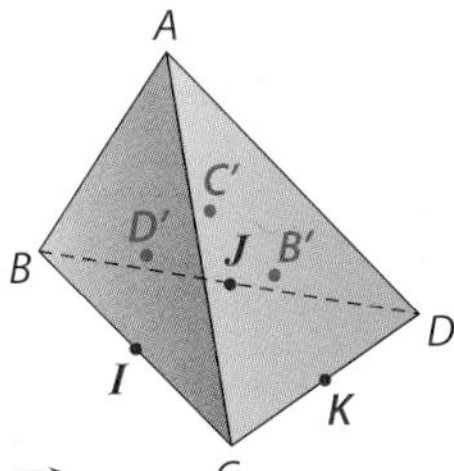

1 Exprimer $\overrightarrow{B'D'}$ en fonction de $\overrightarrow{IK}$.
En déduire que les droites $(B'D')$ et (BD) sont parallèles.

2 Démontrer de même que les droites $(B'C')$ et (BC) sont parallèles.

3 Déterminer la position relative des plans (BCD) et $(B'C'D')$.

43 Soit *ABCD* un tétraèdre, *E* le milieu du segment $[AB]$ et *J* celui de $[CD]$. Le point *G* est le centre de gravité du triangle *ECD*. La droite (AG) coupe le plan (BCD) en *F*.

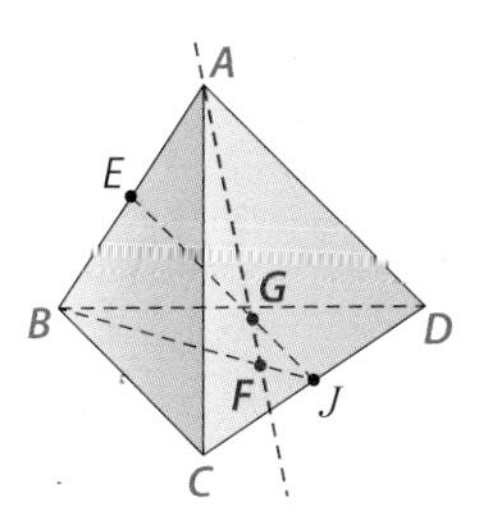

1 Déterminer les coordonnées du point *F* dans le repère $(B\,;\overrightarrow{BC}\,;\overrightarrow{BD})$ du plan (BCD).

2 Vérifier que les points *B*, *F* et *J* sont alignés.

44 Soit *ABCD* un tétraèdre et *I* le point défini par : $\overrightarrow{AI} = \frac{1}{3}\overrightarrow{AB}$. *J* et *K* sont les milieux respectifs des segments $[CD]$ et $[IJ]$. La droite (AK) coupe le plan (BCD) en *L*.

1 Déterminer les coordonnées du point *L* dans le repère $(B, \overrightarrow{BC}, \overrightarrow{BD})$ du plan (BCD).

2 Vérifier que les points *B*, *L* et *J* sont alignés.

45 *ABCDEFGH* est un pavé droit. Identifier :

a. la droite passant par *A* dirigée par $\overrightarrow{EG}$;
b. la droite passant par *H* dirigée par $\overrightarrow{EF} + \overrightarrow{GC}$;
c. le plan passant par *B* et dirigé par $\overrightarrow{DC}$ et $\overrightarrow{AD}$;
d. le plan passant par *D* et dirigé par $\overrightarrow{DC}$ et $\overrightarrow{CF}$;
e. le plan passant par *E* et dirigé par $\overrightarrow{AC}$ et $\overrightarrow{BF}$.

46 *ABCD* est un tétraèdre.
Soit $\mathscr{D}_1$ la droite passant par le point *A* et de vecteur directeur $\overrightarrow{AC} + \overrightarrow{AD}$, et $\mathscr{D}_2$ la droite passant par le point *B* et de vecteur directeur $\overrightarrow{BC} + \overrightarrow{BD}$.

1 Réaliser une figure.

2 Justifier que les droites $\mathscr{D}_1$ et $\mathscr{D}_2$ sont sécantes. Préciser leur point d'intersection.

Caractérisations vectorielles

47 *ABCDEFGH* est un pavé droit. Les points *I*, *J*, *K* et *L* sont les milieux respectifs des segments $[GH]$, $[FG]$, $[CD]$ et $[AB]$.

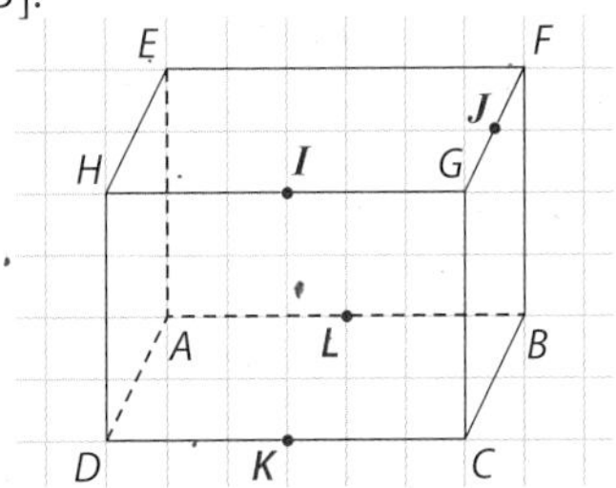

Pour chacun des plans suivants, proposer deux couples différents de vecteurs directeurs :

a. plan (ABC) ; **b.** plan (IFB) ;
c. plan (IJK) ; **d.** plan (EIA) ;
e. plan (AGH) ; **f.** plan (DLI).

48 On reprend la figure de l'exercice **47**. Dans chaque cas, proposer un vecteur directeur de la droite d'intersection des deux plans considérés ci-dessous :

a. (EFH) et (ABG) ; **b.** (BLK) et (CFG) ;
c. (EHL) et (FGK) ; **d.** (EJA) et (BDH).

49 Soit *SABCD* une pyramide à base carrée *ABCD*.
La droite passant par le point *D* et de vecteur directeur $\overrightarrow{DC} + \overrightarrow{DS}$, et la droite passant par le point *A* et de vecteur directeur $\overrightarrow{AB} + \overrightarrow{AS}$ sont-elles sécantes ?

Conseil On pourra introduire les milieux *J* et *K* des segments $[SC]$ et $[SB]$.

50 *SABDC* est une pyramide de base carrée *ABDC*. Les points *I*, *J* et *K* sont les milieux respectifs des segments $[SA]$, $[SB]$ et $[BD]$.
Identifier les ensembles de points suivants :

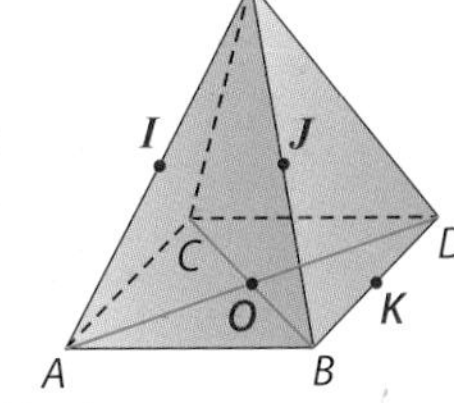

a. $\mathscr{E}_1$ est l'ensemble des points *M* tels que :
$$\overrightarrow{AM} = t\,\overrightarrow{IJ},\ t \in \mathbb{R}\ ;$$
b. $\mathscr{E}_2$ est l'ensemble des points *M* tels que :
$$\overrightarrow{JM} = u\,\overrightarrow{SD},\ u \in \mathbb{R}\ ;$$
c. $\mathscr{E}_3$ est l'ensemble des points *M* tels que :
$$\overrightarrow{BM} = k\,\overrightarrow{SA},\ k \in \mathbb{R}\ ;$$
d. $\mathscr{E}_4$ est l'ensemble des points *M* tels que :
$$\overrightarrow{OM} = x\,\overrightarrow{SB} + y\,\overrightarrow{SC},\ x \in \mathbb{R} \text{ et } y \in \mathbb{R}.$$

Exercices d'application

Vecteurs coplanaires

51 $ABCD$ est un tétraèdre. Les points I, J et K sont les milieux respectifs des segments $[AD]$, $[AB]$ et $[BD]$.
Dans chaque cas, dire si les vecteurs considérés sont coplanaires.

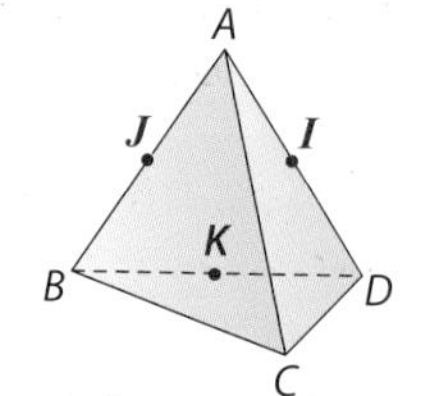

a. $\overrightarrow{AB}$, $\overrightarrow{BD}$ et $\overrightarrow{JK}$; **b.** $\overrightarrow{AK}$, $\overrightarrow{AC}$ et $\overrightarrow{BC}$;
c. $\overrightarrow{BC}$, $\overrightarrow{IJ}$ et $\overrightarrow{CK}$; **d.** $\overrightarrow{CI}$, $\overrightarrow{CJ}$ et $\overrightarrow{BD}$.

Rappel Pour montrer que trois vecteurs non nuls sont coplanaires, on exprime l'un en fonction des deux autres.

52 $ABCD$ est un tétraèdre. I et K sont les milieux respectifs des segments $[AB]$ et $[CD]$.
Les points J et L sont définis par :

$$\overrightarrow{BJ} = \frac{1}{4}\overrightarrow{BC} \quad \text{et} \quad \overrightarrow{AL} = \frac{1}{4}\overrightarrow{AD}.$$

1 Les points I, J, K et L sont-ils coplanaires ?

2 Préciser la section du tétraèdre par le plan (IJK).

Pour les exercices 53 à 55 :
$ABCDEFGH$ est un pavé droit. Les points I, J, K et L sont les milieux respectifs des segments $[GH]$, $[FG]$, $[DH]$ et $[AB]$.
Dans chaque cas, dire si les vecteurs considérés sont coplanaires.

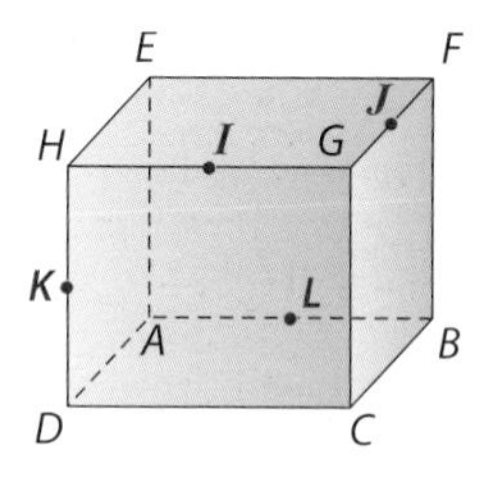

53 **a.** $\overrightarrow{AD}$, $\overrightarrow{AE}$ et $\overrightarrow{IL}$; **b.** $\overrightarrow{AB}$, $\overrightarrow{AC}$ et $\overrightarrow{IL}$.

54 **a.** $\overrightarrow{AH}$, $\overrightarrow{EF}$ et $\overrightarrow{BD}$; **b.** $\overrightarrow{IJ}$, $\overrightarrow{FD}$ et $\overrightarrow{DH}$.

55 **a.** $\overrightarrow{BC}$, $\overrightarrow{AI}$ et $\overrightarrow{FL}$; **b.** $\overrightarrow{AC}$, $\overrightarrow{HF}$ et $\overrightarrow{BG}$.

56 $ABCD$ est un tétraèdre. Les points I et J sont les milieux respectifs des segments $[AB]$ et $[AC]$.
Les points E et F sont définis par :

$$\overrightarrow{CE} = \frac{1}{2}\overrightarrow{BC} \quad \text{et} \quad \overrightarrow{AF} = \overrightarrow{DE}.$$

Démontrer que les points D, I, J et F sont coplanaires.

3 Repérage

57 **Vrai ou faux ?**
Dans l'espace muni d'un repère $(O, \vec{i}, \vec{j}, \vec{k})$.
Dire si les affirmations suivantes sont vraies ou fausses.

1 Les points $A(-1;1;3)$, $B(2;1;0)$ et $C(4;-1;5)$ sont alignés.

2 On considère les points $M(2;0;3)$, $N(-1;3;4)$, $P(4;1;2)$ et $Q(-2;-1;0)$.
Les droites (MN) et (PQ) sont parallèles.

3 On considère les points $I(3;4;-1)$, $J(1;2;4)$, $K(-2;3;5)$ et $L(14;3;-9)$.
Les points I, J, K et L sont coplanaires.

58 **Vrai ou faux ?**
L'espace est rapporté à un repère $(O, \vec{i}, \vec{j}, \vec{k})$.
Dire si les affirmations suivantes sont vraies ou fausses.

1 Les droites $\mathscr{D}$ et Δ définies respectivement par :

$$\begin{cases} x = 2 - 3t \\ y = 1 + t \\ z = -3 + 2t \end{cases} (t \in \mathbb{R}) \quad \text{et} \quad \begin{cases} x = 7 + 2u \\ y = 2 + 2u \\ z = -6 - u \end{cases} (u \in \mathbb{R})$$

sont sécantes.

2 La droite passant par le point $A(2;3;4)$ et de vecteur directeur $\vec{u}\begin{pmatrix}1\\2\\3\end{pmatrix}$ a pour représentation paramétrique :

$$\begin{cases} x = t + 1 \\ y = 2t + 1 \\ z = 3t + 1 \end{cases} (t \in \mathbb{R}).$$

3 Le point $B(1;3;-1)$ appartient à la droite $\mathscr{D}$, dont une représentation paramétrique est :

$$\begin{cases} x = 2 - t \\ y = -3 + 6t \\ z = -1 + 2t \end{cases} (t \in \mathbb{R}).$$

4 La droite d, définie par : $\begin{cases} x = 2 - t \\ y = 1 \\ z = 5 - 3t \end{cases} (t \in \mathbb{R})$, est parallèle à l'axe $(O, \vec{j})$.

5 La droite d définie au **4** et la droite d' passant par O et dirigée par $\vec{u}' = \vec{i} - \vec{j} + 2\vec{k}$ sont sécantes.

Repères de l'espace

59 On considère un cube $ABCDEFGH$. Dire si les affirmations suivantes sont vraies ou fausses.

1 $(A, \overrightarrow{AD}, \overrightarrow{AB}, \overrightarrow{AE})$ est un repère de l'espace.

2 $(A, \overrightarrow{AC}, \overrightarrow{AB}, \overrightarrow{AD})$ est un repère de l'espace.

3 $(B, \overrightarrow{BD}, \overrightarrow{BA}, \overrightarrow{BH})$ est un repère de l'espace.

4 $(E, \overrightarrow{ED}, \overrightarrow{EB}, \overrightarrow{EC})$ est un repère de l'espace.

60 L'espace est muni du repère $(O, \vec{u}, \vec{v}, \vec{w})$ ci-dessous.

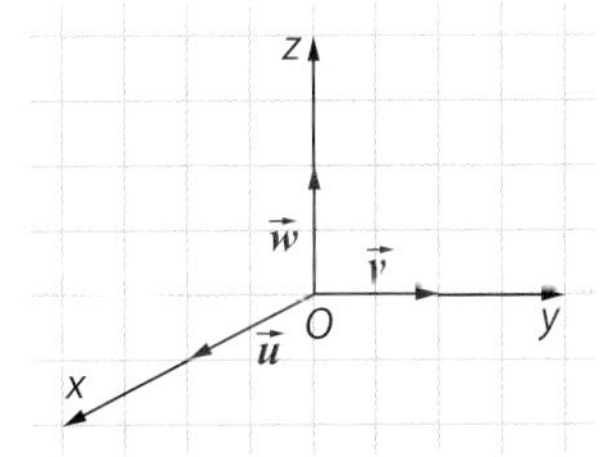

1 Après avoir reproduit la figure, placer les points :

$A(2;1;2)$; $B(1;3;-1)$ et $C(1{,}5;5;-2)$.

2 Calculer les coordonnées des vecteurs $\overrightarrow{AB}$ et $\overrightarrow{BC}$.

3 Les points A, B et C sont-ils alignés ?

61 On considère un cube $ABCDEFGH$ de centre O.

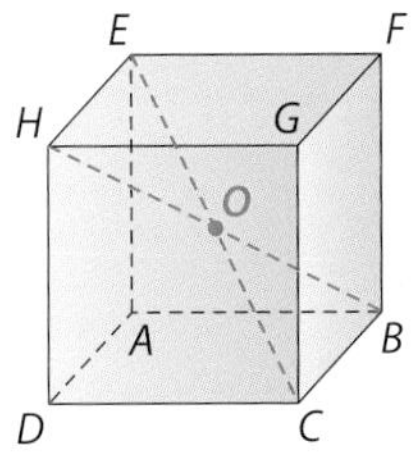

Donner les coordonnées des points de la figure :

a. dans le repère $(A, \overrightarrow{AD}, \overrightarrow{AB}, \overrightarrow{AE})$.

b. dans le repère $(A, \overrightarrow{AD}, \overrightarrow{AC}, \overrightarrow{AE})$.

c. dans le repère $(O, \overrightarrow{OH}, \overrightarrow{OC}, \overrightarrow{AF})$.

Conseil On pourra faire apparaître les milieux des segments $[HC]$ et $[AF]$.

62 Soient $ABCD$ un tétraèdre et I, J, K, L les milieux respectifs des segments $[AB]$, $[AC]$, $[AD]$ et $[BD]$.

1 Déterminer les coordonnées des points I, J et K dans le repère $(A, \overrightarrow{AB}, \overrightarrow{AC}, \overrightarrow{AD})$.

2 Déterminer les coordonnées des points A, B, C et D dans le repère $(I, \overrightarrow{IJ}, \overrightarrow{IK}, \overrightarrow{IL})$.

Calculs sur les coordonnées

Dans les exercices 63 à 72, on se place dans un repère de l'espace.

63 Dans un repère de l'espace, on considère les points $A(-1;2;4)$, $B(-3;3;-1)$, $C(-4;0;-9)$ et $D(0;-2;1)$.

1 Calculer les coordonnées des vecteurs $\overrightarrow{AB}$ et $\overrightarrow{CD}$.

2 Quelle est la nature du quadrilatère $ABCD$?

64 Soient les points $M(2;-4;1)$, $N(0;3;5)$ et $P(-1;2;0)$. Calculer les coordonnées des vecteurs :

$\overrightarrow{MN}$, $\overrightarrow{NP}$, $2\overrightarrow{MN}+3\overrightarrow{NP}$ et $-3\overrightarrow{MP}+4\overrightarrow{PN}$.

65 Soient les points $A(1;2;4)$, $B(-2;3;6)$, $C(-3;-2;2)$ et $D(-6;-1;4)$. Démontrer que ces points sont les sommets d'un parallélogramme.

66 On considère les points $A(3;2;-1)$, $B(1;1;1)$ et $C(-1;4;3)$.

1 Déterminer les coordonnées du milieu du segment $[AC]$.

2 Déterminer de deux façons différentes les coordonnées du point D tel que $ABCD$ soit un parallélogramme.

3 Déterminer les coordonnées du point E tel que $ABDE$ soit un parallélogramme.

67 On considère les points $A(2;-5;1)$, $B(-1;2,4)$, $C(3;4;-1)$ et $D(-2;3;2)$.
Soient I et J les milieux respectifs des segments $[BD]$ et $[AC]$, et G le centre de gravité du triangle ABC.
Soit le point K défini par $\overrightarrow{DK}=\frac{3}{4}\overrightarrow{DG}$.

1 Déterminer les coordonnées des points I, J, G et K.

2 Justifier que le point K appartient au segment $[IJ]$. On précisera sa position sur ce segment.

Montrer la colinéarité de deux vecteurs

68 Dans chaque cas, dire si les vecteurs $\vec{u}$ et $\vec{v}$ sont colinéaires. Si oui, préciser la valeur de k tel que $\vec{v}=k\vec{u}$.

a. $\vec{u}\begin{pmatrix}2\\-3\\7\end{pmatrix}$ et $\vec{v}\begin{pmatrix}-\frac{1}{3}\\\frac{1}{2}\\\frac{7}{6}\end{pmatrix}$;

b. $\vec{u}\begin{pmatrix}\sqrt{2}-1\\\sqrt{2}+1\\2\sqrt{2}\end{pmatrix}$ et $\vec{v}\begin{pmatrix}1\\3+2\sqrt{2}\\4+2\sqrt{2}\end{pmatrix}$.

69 Les points A, B et C sont-ils alignés ?
a. $A(2\,;-3\,;1)$, $B(0\,;1\,;2)$ et $C(-4\,;9\,;4)$.
b. $A(3\,;10\,;-1)$, $B(117\,;49\,;-76)$ et $C(-35\,;-3\,;24)$.

70 Soient les points $A(0\,;1\,;3)$, $B(-3\,;0\,;-1)$ et $C(-2\,;-3\,;-3)$.
I est le milieu du segment $[AC]$.
G est le centre de gravité du triangle ABC, K est le point défini par : $\overrightarrow{BK} = 4\,\overrightarrow{BI}$.
Démontrer que les points B, G et K sont alignés.

71 Les droites (AB) et (CD) sont-elles parallèles ?
a. $A(-4\,;1\,;5)$, $B(2\,;3\,;-1)$, $C(5\,;7\,;3)$ et $D(2\,;6\,;6)$;
b. $A(6\,;4\,;1)$, $B(0\,;1\,;3)$, $C(-2\,;3\,;4)$ et $D(-4\,;6\,;5)$

72 $ABCDEFGH$ est un cube. J est le centre de la face $CDHG$. Les points P et Q sont définis par :
- $\overrightarrow{EP} = \frac{1}{3}\overrightarrow{EH}$;
- $\overrightarrow{AQ} = \frac{1}{3}\overrightarrow{AC}$.

I est le milieu de $[AE]$ et K est le milieu de $[PQ]$.
En utilisant un repère, démontrer que les points I, J et K sont alignés.

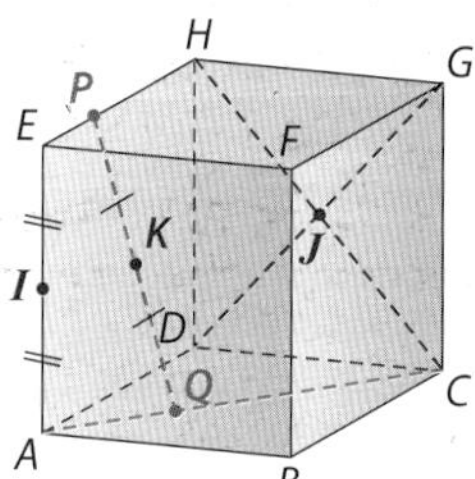

Montrer la coplanarité de vecteurs ou de points

Dans les exercices 73 à 87, on se place dans un repère de l'espace.

73 On considère les points $A(1\,;2\,;4)$, $B(-2\,;3\,;6)$, $C(-3\,;-2\,;2)$ et $D(-10\,;3\,;9)$.

1 Calculer les coordonnées des vecteurs $\overrightarrow{AB}$, $\overrightarrow{AC}$ et $\overrightarrow{AD}$.

2 Justifier que les points A, B, C et D sont coplanaires si, et seulement si, il existe deux réels a et b tels que :

$$\begin{cases} -3a - 4b = -11 \\ a - 4b = 1 \\ 2a - 2b = 5. \end{cases}$$

3 Les points A, B, C et D sont-ils coplanaires ?

74 Soient les vecteurs $\vec{u}\begin{pmatrix}4\\2\\-3\end{pmatrix}$, $\vec{v}\begin{pmatrix}1\\-3\\4\end{pmatrix}$ et $\vec{w}\begin{pmatrix}5\\13\\-18\end{pmatrix}$.

1 Justifier que les vecteurs $\vec{u}$, $\vec{v}$ et $\vec{w}$ sont coplanaires si, et seulement si, il existe deux réels a et b tels que :

$$\begin{cases} 4a + b = 5 \\ 2a - 3b = 13 \\ -3a + 4b = -18 \end{cases}.$$

2 On a résolu le système précédent à l'aide du logiciel Xcas :

```
1 resoudre([4a+b=5,2a-3b=13,-3a+4b=-18],[a,b])
                    [2, -3]
```

Après avoir interprété et justifié le résultat obtenu, dire si les vecteurs $\vec{u}$, $\vec{v}$ et $\vec{w}$ sont coplanaires.

75 Les points A, B, C et D sont-ils coplanaires ?
a. $A(-2\,;1\,;5)$, $B(2\,;3\,;-1)$, $C(1\,;-1\,;3)$ et $D(-6\,;6\,;6)$.
b. $A(4\,;1\,;0)$, $B(-3\,;2\,;-1)$, $C(-1\,;1\,;3)$ et $D\left(8\,;\frac{3}{2}\,;-5\right)$.

76 On considère les points $A(-1\,;0\,;1)$, $B(1\,;4\,;-1)$ et $C(3\,;-4\,;-3)$.

1 Justifier que les points A, B et C définissent un plan.

2 Démontrer que le point O, origine du repère, appartient au plan (ABC).

77 Soit le plan $\mathscr{P}$ passant par le point $A(-1\,;2\,;3)$ et de vecteurs directeurs $\vec{u}\begin{pmatrix}3\\0\\4\end{pmatrix}$ et $\vec{v}\begin{pmatrix}-1\\2\\3\end{pmatrix}$. Démontrer que le point $B(2\,;8\,;20)$ appartient au plan $\mathscr{P}$.

78 $ABCD$ est un tétraèdre.
I est le milieu du segment $[AB]$.
Les points J, K et L sont définis par :

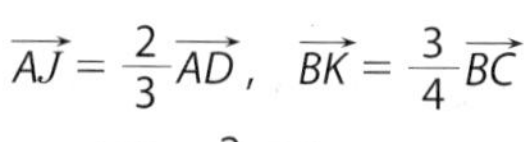

$\overrightarrow{AJ} = \frac{2}{3}\overrightarrow{AD}$, $\overrightarrow{BK} = \frac{3}{4}\overrightarrow{BC}$

et $\overrightarrow{CL} = \frac{2}{5}\overrightarrow{CD}$.

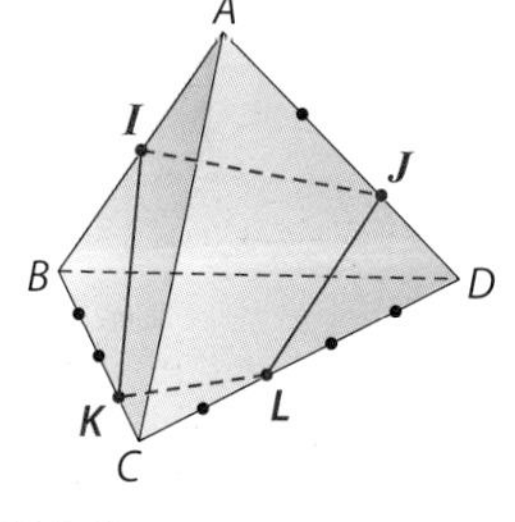

En utilisant le repère $(B, \overrightarrow{BC}, \overrightarrow{BD}, \overrightarrow{BA})$, dire si les points I, J, K et L sont coplanaires.

Représentations paramétriques

79 Dans chaque cas, donner une représentation paramétrique de la droite passant par le point A et de vecteur directeur $\vec{u}$.

a. $A(4\,;-1\,;0)$ et $\vec{u}\begin{pmatrix}2\\3\\1\end{pmatrix}$; **b.** $A(3\,;2\,;1)$ et $\vec{u}\begin{pmatrix}-1\\2\\4\end{pmatrix}$.

80 Pour chaque droite, donner un vecteur directeur, et deux points de la droite.

a. $\mathcal{D}_1 : \begin{cases} x = 1 + t \\ y = 2 \\ z = 3t \end{cases}, t \in \mathbb{R}$;

b. $\mathcal{D}_2 : \begin{cases} x = 2u - 1 \\ y = -u + 1, u \in \mathbb{R}. \\ z = 3u + 4 \end{cases}$

81 Soit la droite $\mathcal{D}$ de représentation paramétrique :

$$\begin{cases} x = 1 + 2t \\ y = -1 + t, t \in \mathbb{R}. \\ z = 2 + 3t \end{cases}$$

1 Parmi les points suivants, dire lesquels appartiennent à la droite $\mathcal{D}$:

$A(3\,;0\,;5)$; $B(0\,;-1{,}5\,;0{,}5)$; $C(1\,;0\,;2)$.

2 Déterminer une représentation paramétrique de la parallèle à $\mathcal{D}$ passant par le point $D(3\,;1\,;-1)$.

82 On considère les points $A(2\,;1\,;0)$, $B(3\,;1\,;3)$, $C(5\,;0\,;0)$.

1 a. Montrer que les points A, B et C définissent un plan.
b. Justifier qu'un point $M(x\,;y\,;z)$ appartient au plan (ABC) si, et seulement si :

il existe deux réels t et u tels que $\begin{cases} x = 2 + t + 3u \\ y = 1 \qquad\quad - u. \\ z = \qquad 3t \end{cases}$

2 Parmi les points suivants, lesquels appartiennent au plan (ABC) ?

$D(1\,;2\,;6)$; $E(7\,;0\,;6)$; $F(1\,;2\,;3)$; $G(6\,;0\,;3)$.

83 $ABCD$ est un tétraèdre. E est le milieu de $[AC]$ et G le centre de gravité du triangle BCD. K vérifie :

$$\overrightarrow{AK} = \overrightarrow{AB} + \overrightarrow{AD}.$$

1 Déterminer une représentation paramétrique de la droite (GE) dans le repère $(A, \overrightarrow{AB}, \overrightarrow{AC}, \overrightarrow{AD})$, et prouver l'alignement des points K, E et G.

2 Le point $F\left(\frac{2}{3}\,;0\,;0\right)$ appartient-il à la droite (GE) ?

Positions relatives

84 Soient les droites $\mathcal{D}_1$ et $\mathcal{D}_2$ de représentations paramétriques respectives :

$$\begin{cases} x = -1 + 2t \\ y = 1 - t \\ z = 3 + 4t \end{cases}, t \in \mathbb{R} \quad \text{et} \quad \begin{cases} x = 3 - u \\ y = -4 + 2u, u \in \mathbb{R}. \\ z = 9 - u \end{cases}$$

1 Justifier que les droites $\mathcal{D}_1$ et $\mathcal{D}_2$ ne sont pas parallèles.

2 On a effectué la recherche suivante à l'aide du logiciel Xcas :

```
1 resoudre([-1+2t=3-u,1-t=-4+2u,3+4t=9-u],[t,u])
                    [1, 2]
```

a. En admettant le résultat obtenu, peut-on affirmer que les droites $\mathcal{D}_1$ et $\mathcal{D}_2$ sont sécantes ? Si oui, en quel point ?
b. Démontrer le résultat obtenu par le logiciel, et déterminer la position relative des droites $\mathcal{D}_1$ et $\mathcal{D}_2$.

85 Soit les points $A(2\,;0\,;3)$ et $B(-1\,;2\,;0)$, et la droite $\mathcal{D}$ de représentation paramétrique :

$$\begin{cases} x = 4 + 2u \\ y = 1 - u \\ z = -2 + u \end{cases}, u \in \mathbb{R}.$$

Démontrer que les droites (AB) et $\mathcal{D}$ sont coplanaires. (On précisera si elles sont sécantes ou parallèles.)

86 Étudier la position relative des droites $\mathcal{D}$ et (d).

1 $\mathcal{D}\begin{cases} x = 5 + t \\ y = 1 - t \\ z = -3 + t \end{cases} (t \in \mathbb{R})$ et $(d)\begin{cases} x = 3 + 2u \\ y = 2 + u \\ z = -6 + 5u \end{cases} (u \in \mathbb{R})$.

2 $\mathcal{D}\begin{cases} x = 1 - t \\ y = 2 + 3t \\ z = t \end{cases} (t \in \mathbb{R})$ et $(d)\begin{cases} x = 2u \\ y = 5 - 6u \\ z = 1 - 2u \end{cases} (u \in \mathbb{R})$.

3 $\mathcal{D}\begin{cases} x = -1 + 2t \\ y = 4 - t \\ z = 3 + t \end{cases} (t \in \mathbb{R})$ et $(d)\begin{cases} x = 3 - u \\ y = 1 + 2u \\ z = 5 + 2u \end{cases} (u \in \mathbb{R})$.

87 On considère les points $A(1\,;0\,;4)$, $B(2\,;3\,;0)$, $C(-1\,;2\,;0)$, $D(10\,;2\,;3)$ et $E(15\,;5\,;1)$.

1 Justifier que les points A, B et C définissent un plan.

2 Démontrer que la droite (DE) est parallèle au plan (ABC).

Indication Montrer que les vecteurs $\overrightarrow{DE}$, $\overrightarrow{AB}$ et $\overrightarrow{AC}$ sont coplanaires.

Prépa Bac

Exercices guidés

88 Étudier des positions relatives dans un repère

QCM L'espace est muni d'un repère $\left(O, \vec{i}, \vec{j}, \vec{k}\right)$.

On considère les points $A(1;-1;2)$, $B(0;0;-1)$, $C(5;3;-1)$, et la droite $\mathcal{D}$ de représentation paramétrique :

$$\begin{cases} x = 1 + t \\ y = -2 - t, (t \in \mathbb{R}). \\ z = 4 + 2t \end{cases}$$

Pour chaque affirmation, dire si elle est vraie ou fausse.

1 Le point C appartient à la droite $\mathcal{D}$.

2 Le vecteur $\vec{v}\begin{pmatrix} 1 \\ -2 \\ 4 \end{pmatrix}$ dirige la droite $\mathcal{D}$.

3 Les droites (AB) et $\mathcal{D}$ ne sont pas coplanaires.

4 La droite $\mathcal{D}$ et le plan (ABC) sont sécants en un point.

Pistes de résolution

1 Le point C appartient à la droite $\mathcal{D}$ si, et seulement si, il existe une valeur de t pour laquelle ses coordonnées vérifient les équations de la représentation paramétrique de $\mathcal{D}$.

2 La lecture de la représentation paramétrique de $\mathcal{D}$ permet d'obtenir un vecteur $\vec{u}$ dirigeant $\mathcal{D}$.
Le vecteur $\vec{v}$ dirige aussi $\mathcal{D}$ si, et seulement si, les vecteurs $\vec{u}$ et $\vec{v}$ sont colinéaires.

3 Les droites (AB) et $\mathcal{D}$ sont non coplanaires si, et seulement si, elles sont non parallèles et non sécantes.

- Pour savoir si (AB) et $\mathcal{D}$ sont parallèles, on étudie la colinéarité éventuelle des vecteurs $\overrightarrow{AB}$ et $\vec{u}$.
- Pour savoir si (AB) et $\mathcal{D}$ sont sécantes, on recherche le point d'intersection éventuel, en utilisant des représentations paramétriques des deux droites.

4 La droite $\mathcal{D}$ et le plan (ABC) sont sécants en un point si, et seulement si, les vecteurs $\overrightarrow{AB}$, $\overrightarrow{AC}$ et $\vec{u}$ sont non coplanaires. On peut alors rechercher s'il existe deux réels α et β tels que $\vec{u} = \alpha\overrightarrow{AB} + \beta\overrightarrow{AC}$.

89 Étudier un problème de coplanarité

$ABCDEFGH$ est un cube.

Les points P et Q sont définis par :

$$\overrightarrow{CP} = \frac{2}{3}\overrightarrow{CD}$$

et $\overrightarrow{DQ} = \frac{1}{4}\overrightarrow{DF}$.

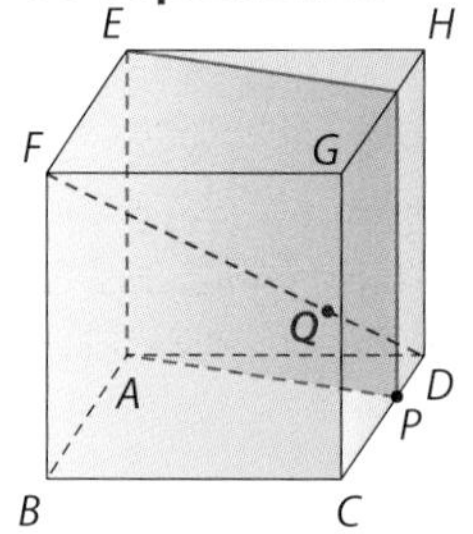

L'objectif est de montrer que les points *A, E, P* et *Q* sont coplanaires par deux méthodes.

A. Première méthode : en décomposant

a. Justifier que :

$$\overrightarrow{DQ} = \frac{1}{4}\overrightarrow{DA} + \frac{1}{4}\overrightarrow{AF} \quad \text{et} \quad \overrightarrow{DA} = \overrightarrow{PA} - \frac{1}{3}\overrightarrow{CD}.$$

En déduire que :

$$\overrightarrow{PQ} = \overrightarrow{PD} + \overrightarrow{DQ} = \frac{1}{4}\overrightarrow{PA} + \frac{1}{4}\overrightarrow{CD} + \frac{1}{4}\overrightarrow{AF}.$$

b. Montrer que les vecteurs $\overrightarrow{AE}$ et $\frac{1}{4}\overrightarrow{CD} + \frac{1}{4}\overrightarrow{AF}$ sont colinéaires.

c. En déduire que les points P, Q et E sont alignés.

d. Conclure.

B. Seconde méthode : en utilisant un repère

On considère le repère $\left(A, \overrightarrow{AB}, \overrightarrow{AD}, \overrightarrow{AE}\right)$.

a. Donner les coordonnées des vecteurs $\overrightarrow{AQ}$, $\overrightarrow{AP}$ et $\overrightarrow{AE}$.

b. Déterminer deux réels α et β tels que :

$$\overrightarrow{AQ} = \alpha\overrightarrow{AP} + \beta\overrightarrow{AE}.$$

c. Conclure.

Pistes de résolution

A. a. Il s'agit d'utiliser la relation de Chasles et les définitions des points P et Q.

b. On simplifie $\frac{1}{4}\overrightarrow{CD} + \frac{1}{4}\overrightarrow{AF}$ par la relation de Chasles, par exemple, en utilisant que $\overrightarrow{CD} = \overrightarrow{FE}$.

c. Les questions précédentes permettent d'obtenir une relation de la forme $\overrightarrow{PQ} = k\overrightarrow{PE}$.

B. a. On lit les coordonnées des points P et Q, donc les coordonnées des vecteurs $\overrightarrow{AQ}$, $\overrightarrow{AP}$, puisque A est l'origine du repère.

b. On résout un système de trois équations où les inconnues sont deux réels α et β.

c. Il faut démontrer que les points A, E, P et Q sont coplanaires, c'est-à-dire que les vecteurs $\overrightarrow{AQ}$, $\overrightarrow{AP}$ et $\overrightarrow{AE}$ sont coplanaires.

90 Utiliser des coordonnées pour étudier une configuration

ABCD est un tétraèdre.

Les points I, I', J, J', K et K' sont définis par :
$\overrightarrow{AI} = \overrightarrow{II'} = \overrightarrow{I'B}$;
$\overrightarrow{AJ} = \overrightarrow{JJ'} = \overrightarrow{J'C}$;
et $\overrightarrow{AK} = \overrightarrow{KK'} = \overrightarrow{K'D}$.

E est le point d'intersection des droites (CI) et (BJ'), F celui de (DJ) et (CK'), et G celui de (BK) et (DI').

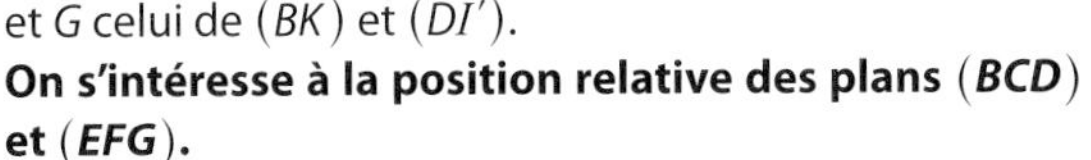

On s'intéresse à la position relative des plans (*BCD*) et (*EFG*).

On munit l'espace du repère $(B, \overrightarrow{BC}, \overrightarrow{BD}, \overrightarrow{BA})$.

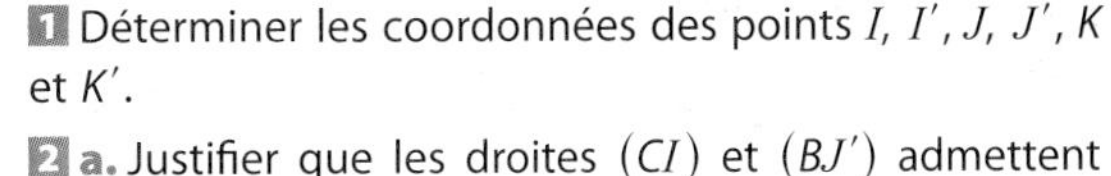

1 Déterminer les coordonnées des points I, I', J, J', K et K'.

2 **a.** Justifier que les droites (CI) et (BJ') admettent respectivement pour représentations paramétriques :

$$\begin{cases} x = 1 - t \\ y = 0 \\ z = \dfrac{2t}{3} \end{cases} (t \in \mathbb{R}) \quad \text{et} \quad \begin{cases} x = u \\ y = 0 \\ z = \dfrac{u}{3} \end{cases} (u \in \mathbb{R}).$$

b. En déduire les coordonnées du point E.

3 Déterminer les coordonnées du point G.

4 On admet que le point F a pour coordonnées $\left(\frac{1}{7} ; \frac{4}{7} ; \frac{2}{7}\right)$.

Déterminer la position relative des plans (BCD) et (EFG).

Pistes de résolution

1 Par définition, les points I et I' sont situés aux 1/3 et 2/3 en partant du point A sur le segment $[AB]$. On en déduit leurs coordonnées.
Procéder de même pour les points J, J', K et K', en utilisant les coordonnées des points A, C et D.

2 **a.** La droite (CI) est la droite passant par le point C et de vecteur directeur $\overrightarrow{CI}$.

b. E est le point d'intersection des droites précédentes. On résout le système formé par les équations des deux représentations paramétriques.

3 Obtenir des équations paramétriques des droites (DI') et (BK) et procéder comme à la question **2**.

4 Étudier la coplanarité éventuelle des vecteurs $\overrightarrow{BC}$, $\overrightarrow{BD}$, $\overrightarrow{EF}$ et $\overrightarrow{EG}$.

Exercices d'entraînement

91 LOGIQUE Vrai ou faux ?

On considère trois plans distincts $\mathcal{P}_1$, $\mathcal{P}_2$ et $\mathcal{P}_3$, et une droite $\mathcal{D}$ de l'espace.

Dire si les affirmations suivantes sont vraies ou fausses. Justifier.

1 Si $\mathcal{P}_1$ et $\mathcal{P}_2$ sont sécants et si $\mathcal{P}_2$ et $\mathcal{P}_3$ sont sécants, alors $\mathcal{P}_1$ et $\mathcal{P}_3$ sont sécants.

2 Si $\mathcal{P}_1$ et $\mathcal{P}_2$ sont sécants et si $\mathcal{P}_1$ et $\mathcal{P}_3$ sont parallèles, alors $\mathcal{P}_2$ et $\mathcal{P}_3$ sont sécants.

3 Si $\mathcal{D}$ et $\mathcal{P}_1$ sont sécants et si $\mathcal{P}_1$ et $\mathcal{P}_2$ sont parallèles, alors $\mathcal{D}$ et $\mathcal{P}_2$ sont sécants.

92

ABCD est un tétraèdre.

I et J sont les milieux respectifs des segments $[AB]$ et $[CD]$.

Les points E et F sont tels que les quadrilatères *IACE* et *IBDF* sont des parallélogrammes.

Le but est de démontrer de deux façons différentes que le point J est le milieu du segment $[EF]$.

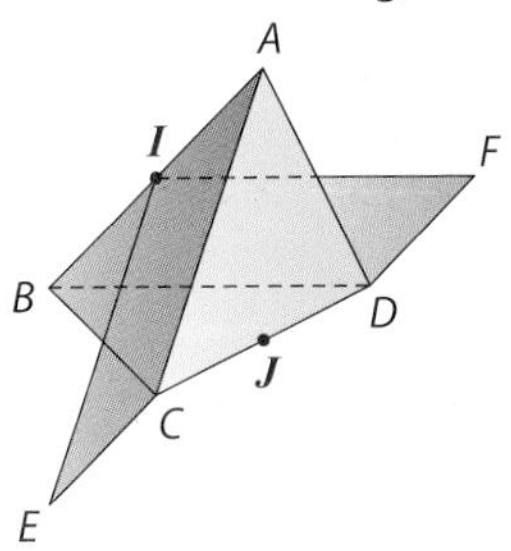

1 **Première méthode**

On considère le repère $(B, \overrightarrow{BC}, \overrightarrow{BD}, \overrightarrow{BA})$.

a. Déterminer les coordonnées des points I, J, E et F.

b. Conclure.

2 **Seconde méthode**

a. En utilisant la relation de Chasles, montrer que $\overrightarrow{EJ} = \overrightarrow{JF}$.

b. Conclure.

Prépa Bac

93 ⏱30 $ABCDEFGH$ est un pavé droit.
Pour tout réel t, on définit les points M et N par :
$\overrightarrow{HM} = t\overrightarrow{HE}$ et $\overrightarrow{GN} = t\overrightarrow{GC}$.

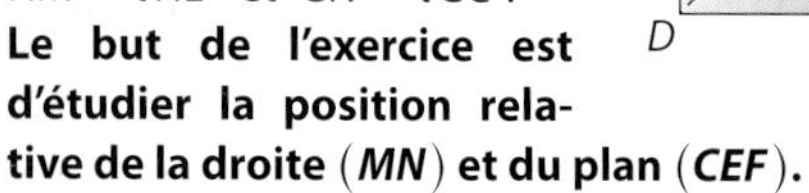

Le but de l'exercice est d'étudier la position relative de la droite (MN) et du plan (CEF).

1 Justifier que le problème revient à étudier la coplanarité éventuelle des vecteurs $\overrightarrow{MN}$, $\overrightarrow{CF}$ et $\overrightarrow{EF}$.
Dans la suite, on munit l'espace du repère $(A, \overrightarrow{AD}, \overrightarrow{AB}, \overrightarrow{AE})$.

2 Déterminer les coordonnées des vecteurs $\overrightarrow{MN}$, $\overrightarrow{CF}$ et $\overrightarrow{EF}$.

3 Les vecteurs $\overrightarrow{MN}$, $\overrightarrow{CF}$ et $\overrightarrow{EF}$ sont-ils coplanaires ?

4 Conclure.

94 ⏱30 $ABCD$ est un tétraèdre.
G est le centre de gravité du triangle BCD.
J est le milieu du segment $[AC]$.
Les points I et K sont définis par :

$$\overrightarrow{AI} = \frac{1}{4}\overrightarrow{AB} \quad \text{et} \quad \overrightarrow{AK} = \frac{2}{3}\overrightarrow{AD}.$$

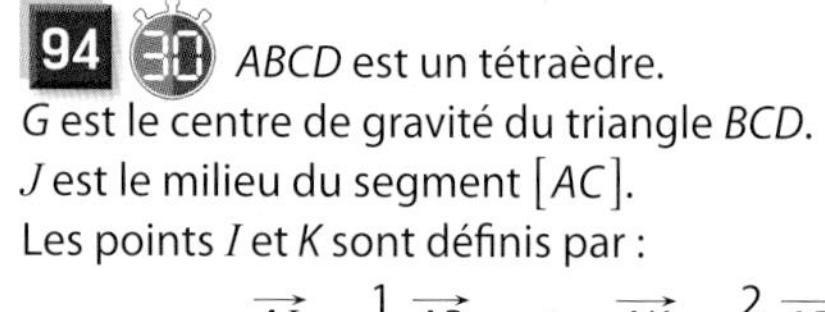

La droite (AG) coupe le plan (IJK) au point L.
On s'intéresse à la position de L sur le segment $[AG]$.
On pose $\overrightarrow{AL} = k\overrightarrow{AG}$, où k est un réel de $[0\,;1]$.

1 Justifier que $(A, \overrightarrow{AB}, \overrightarrow{AC}, \overrightarrow{AD})$ est un repère de l'espace.

2 Déterminer les coordonnées des points I, J, K et G.
En déduire les coordonnées des vecteurs $\overrightarrow{IJ}$, $\overrightarrow{IK}$, puis celles du vecteur $\overrightarrow{IL}$ en fonction du réel k.

3 En utilisant le fait que les vecteurs $\overrightarrow{IJ}$, $\overrightarrow{IK}$ et $\overrightarrow{IL}$ sont coplanaires, obtenir une équation vérifiée par le réel k.

4 Conclure.

95 ⏱45 Soit $ABCD$ un tétraèdre.
I, J et K sont les milieux respectifs des segments $[BC]$, $[CD]$ et $[BD]$.
D', B' et C' sont les symétriques respectifs du point A par rapport aux points I, J et K.

1 Justifier que $(A, \overrightarrow{AB}, \overrightarrow{AC}, \overrightarrow{AD})$ est un repère de l'espace. **Dans la suite,** on munit l'espace de ce repère.

2 Donner les coordonnées des points de la figure.

3 **a.** Montrer que la droite (BB') admet pour représentation paramétrique :

$$\begin{cases} x = 1 - t \\ y = t \\ z = t \end{cases}, t \in \mathbb{R}.$$

b. Déterminer une représentation paramétrique des droites (CC') et (DD').

4 **a.** On a réalisé la recherche suivante à l'aide du logiciel *Xcas* :

```
1 resoudre([1-t=u,t=1-u,t=u],[t,u])
  [1/2, 1/2]
```

En utilisant le résultat, déterminer les coordonnées du point d'intersection des droites (BB') et (CC').
b. Montrer que les droites (BB'), (CC') et (DD') sont concourantes en un point G, dont on précisera les coordonnées.

96 Démonstration de cours : parallélisme et directions

➔ Voir le cours, page 262.

1 Deux droites sont parallèles si, et seulement si, elles sont situées dans un même plan et dans ce plan, sont parallèles.
Justifier qu'alors, elles ont même vecteur directeur.
Examiner la réciproque.

2 On rappelle la définition du parallélisme d'une droite et d'un plan : une droite $\mathscr{D}$ et un plan $\mathscr{P}$ sont parallèles lorsqu'il existe une droite $\mathscr{D}'$ de $\mathscr{P}$ telle que $\mathscr{D}$ et $\mathscr{D}'$ sont parallèles.
Démontrer que $\mathscr{D}$ et $\mathscr{P}$ sont parallèles, si et seulement si, un vecteur directeur de $\mathscr{D}$ est un vecteur du plan $\mathscr{P}$.

Aide On utilisera la caractérisation vectorielle d'un plan.

3 On rappelle que deux plans sont strictement parallèles lorsqu'ils n'ont aucun point en commun.
a. Montrer que si une droite et un plan n'ont aucun point en commun, la droite est parallèle au plan.
b. Démontrer que deux plans sont parallèles, si et seulement si, ils ont même couple de vecteurs directeurs.

97 $ABCDEFGH$ est un parallélépipède et O est le milieu de la diagonale $[CE]$.
On munit l'espace du repère $(F, \overrightarrow{FB}, \overrightarrow{FG}, \overrightarrow{FE})$.

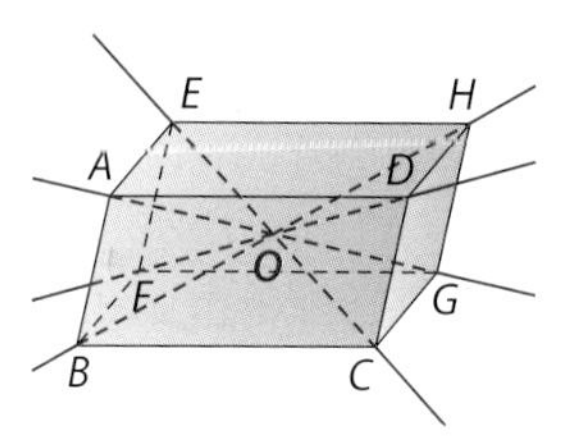

1 Donner les coordonnées des points de la figure.

2 Démontrer que les segments $[AG]$, $[BH]$, $[CE]$ et $[DF]$ sont concourants au point O. Préciser la position du point O sur chacun de ces segments.

3 Démontrer que le point O est aussi le milieu des segments joignant les centres de deux faces opposées.

98 Dans un repère $(O, \vec{i}, \vec{j}, \vec{k})$ de l'espace, on considère les vecteurs $\vec{u}\begin{pmatrix}1\\3\\2\end{pmatrix}$, $\vec{v}\begin{pmatrix}-2\\1\\-1\end{pmatrix}$ et $\vec{w}\begin{pmatrix}a\\b\\c\end{pmatrix}$, où a, b et c sont des réels.

L'objectif est de déterminer une condition sur les réels a, b et c pour que les vecteurs $\vec{u}$, $\vec{v}$ et $\vec{w}$ soient coplanaires.

1 a. Vérifier que les vecteurs $\vec{u}$ et $\vec{v}$ ne sont pas colinéaires.

b. Justifier que la coplanarité des vecteurs $\vec{u}$, $\vec{v}$ et $\vec{w}$ équivaut à l'existence de deux réels x et y tels que :

$$\vec{w} = x\vec{u} + y\vec{v}.$$

2 À l'aide du logiciel *Xcas*, on a réalisé la recherche suivante :

```
1 u:=[1,3,2]; v:=[-2,1,-1] ; w:=[a,b,c]
  ([1, 3, 2], [-2, 1, -1], [a, b, c])
2 resoudre(w=x*u+y*v,[c,x,y])
  [(5·a+3·b)/7, (a+2·b)/7, (-3·a+b)/7]
```

On utilisera les résultats obtenus sans les justifier.

a. Justifier que les vecteurs $\vec{u}$, $\vec{v}$ et $\vec{w}$ sont coplanaires si, et seulement si :

$$5a + 3b - 7c = 0.$$

b. Dans le cas où les vecteurs $\vec{u}$, $\vec{v}$ et $\vec{w}$ sont coplanaires, exprimer le vecteur $\vec{w}$ en fonction des vecteurs $\vec{u}$ et $\vec{v}$ et des réels a et b.

3 Application Parmi les vecteurs suivants, dire lesquels sont coplanaires avec les vecteurs $\vec{u}$ et $\vec{v}$, et donner dans ce cas une relation de la forme de celle obtenue à la question **2 b.**

$$\vec{w_1}\begin{pmatrix}8\\3\\7\end{pmatrix};\ \vec{w_2}\begin{pmatrix}-5\\13\\2\end{pmatrix}\ \text{et}\ \vec{w_3}\begin{pmatrix}4\\5\\-2\end{pmatrix}.$$

99 *ABCDEFGH* est un cube. Pour tout point I de la droite (AB) et tout point J de la droite (CG), on note M le centre de gravité du triangle EIJ.

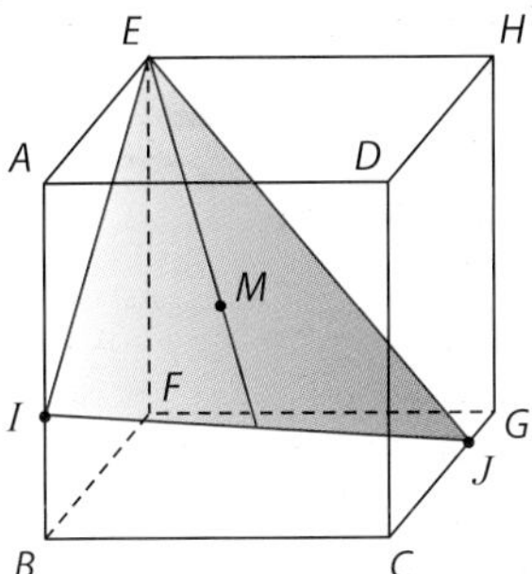

On souhaite déterminer le lieu du point M lorsque les points I et J décrivent respectivement les droites (AB) et (CG).

On note $\mathscr{E}$ cet ensemble de point.

On se place dans le repère $(B, \overrightarrow{BC}, \overrightarrow{BH}, \overrightarrow{BA})$ de l'espace.

1 Déterminer les coordonnées du centre de gravité M_0 du triangle BEC.

2 Soit un point I sur la droite (AB) et un point J sur la droite (CG).

a. Justifier qu'il existe deux réels t et u tels que :

$$\overrightarrow{BI} = t\overrightarrow{BA} \text{ et } \overrightarrow{CJ} = u\overrightarrow{CG}.$$

b. En déduire les coordonnées des points I et J en fonction de t et u.

Vérifier que les coordonnées du point M sont :

$$\left(\frac{1}{3}; \frac{u+1}{3}; \frac{t+1}{3}\right).$$

c. Montrer que :

$$\overrightarrow{M_0M} = \frac{u}{3}\overrightarrow{BF} + \frac{t}{3}\overrightarrow{BA}.$$

d. En déduire que le point M appartient au plan $\mathscr{P}$ passant par le point M_0 et dirigé par les vecteurs $\overrightarrow{BF}$ et $\overrightarrow{BA}$.

3 Démontrer que pour tout point N du plan $\mathscr{P}$, il existe un point I de la droite (AB) et un point J de la droite (CG) tel que N soit le centre de gravité du triangle EIJ.

4 Conclure.

100 Diagonale dans un parallélépipède

ABCDEFGH est un parallélépipède.

O_1 et O_2 sont les centres respectifs des faces *ABCD* et *EFGH*.

G_1 et G_2 sont les centres de gravité respectifs des triangles *BDE* et *CFH*.

Il s'agit de démontrer que les points G_1 et G_2 appartiennent à la diagonale $[AG]$ et de préciser leurs positions sur cette diagonale.

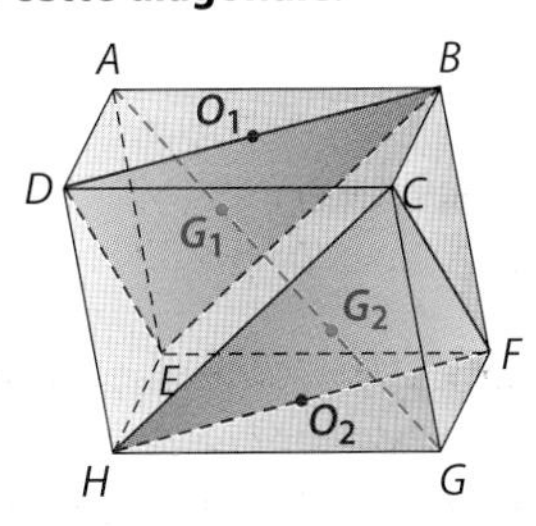

On se place dans le repère $(E, \overrightarrow{EH}, \overrightarrow{EF}, \overrightarrow{EA})$.

1 Déterminer les coordonnées des points O_1 et O_2, puis des points G_1 et G_2.

2 Démontrer que les points A, G_1, G_2 et G sont alignés.

3 Préciser la position des points G_1 et G_2 sur la diagonale $[AG]$.

Problèmes

101 *ABCDEFGH* est un pavé droit.
I est le centre du rectangle *EFGH*.

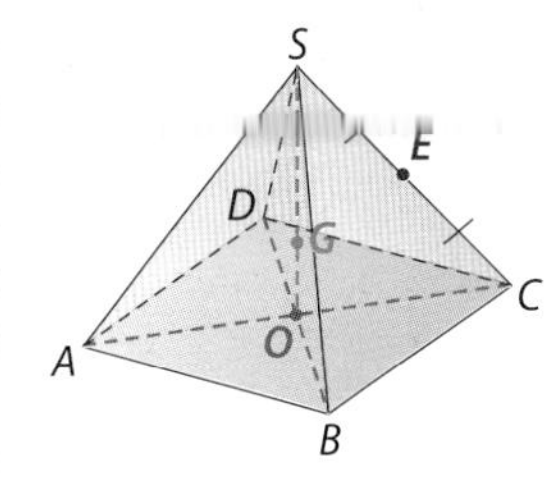

1 Déterminer l'intersection des plans (CFH) et (AEG).

2 Soit J le point d'intersection de la droite (AE) et du plan (CFH).
Justifier que les points C, I et J sont alignés.

3 Montrer que le point E est le milieu du segment $[AJ]$.

102 *SABCD* est une pyramide, de base carrée *ABCD*, dont le centre est O.
Le point G est le centre de gravité du triangle *SBD* et E est le milieu du segment $[SC]$.
Démontrer que les points A, G et E sont alignés.

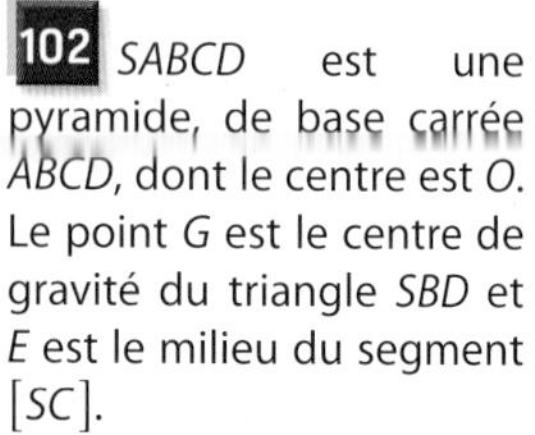

103 « Degré de liberté »

On se donne un repère $(O, \vec{i}, \vec{j}, \vec{k})$ de l'espace.

1 Exemples et représentations

On dit que l'ensemble E_1 des points $M(t\,;1-t\,;2t)$ avec $t \in \mathbb{R}$ présente **un** degré de liberté : les coordonnées sont définies grâce au seul paramètre « t ».
L'ensemble E_2 des points $M(x\,;y\,;2x-y+1)$ avec x, y réels présente **deux** degrés de liberté : les coordonnées sont définies grâce aux deux paramètres « x et y ».

a. Écrire une représentation paramétrique de l'ensemble E_1 et en déduire sa nature.
b. Déterminer la nature de l'ensemble E_2.
c. Combien de vecteurs non nuls sont nécessaires pour exprimer tous les vecteurs « joignant » deux points de l'ensemble E_1 ? de l'ensemble E_2 ?
d. Indiquer un ensemble présentant trois degrés de liberté.

2 Déterminer les degrés de liberté de chacun des ensembles suivants après en avoir donné une représentation paramétrique :

$E_3 = \{M(1-t\,;2+t-2u\,;u+3) \mid t \in \mathbb{R}, u \in \mathbb{R}\}$

$$M \in E_4 \Leftrightarrow \begin{cases} x-y+3z=0 \\ 2y+z-1=0 \end{cases}$$

$$M \in E_5 \Leftrightarrow \begin{cases} x-y+3z=0 \\ 2y+z-1=0 \\ x+y+4z-1=0 \end{cases}$$

$$M \in E_6 \Leftrightarrow \begin{cases} x-y+3z=0 \\ x=1-t \\ y=2+t \\ z=-3 \end{cases}$$

3 Y-a-t-il une relation entre le nombre d'équations et le nombre d'inconnues servant à définir l'ensemble et son degré de liberté ?

104 Recherche de lieux

On considère les droites $\mathscr{D}$ et $\mathscr{D}'$ de représentations paramétriques respectives :

$$\begin{cases} x=2+t \\ y=3-2t,\ t \in \mathbb{R} \\ z=5-t \end{cases} \qquad \begin{cases} x=4-3t' \\ y=5-8t',\ t' \in \mathbb{R}, \\ z=7-t' \end{cases}$$

On considère un point M de la droite $\mathscr{D}$ et un point M' de la droite $\mathscr{D}'$.
Quel est le lieu du milieu du segment $[MM']$ lorsque les points M et M' décrivent respectivement les droites $\mathscr{D}$ et $\mathscr{D}'$.

105 On considère un plan $\mathscr{P}$ et trois points non alignés A, B et C n'appartenant pas à $\mathscr{P}$.

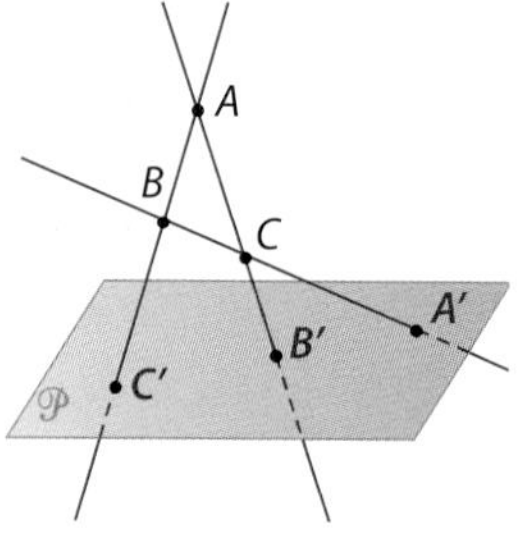

On suppose que les droites (AB), (BC) et (AC) coupent le plan $\mathscr{P}$ en respectivement C', A' et B'.
Montrer que les points A', B' et C' sont alignés.

106 *ABCDEFGH* est un cube, I et J sont les milieux respectifs des segments $[EH]$ et $[BF]$.
On note M le milieu du segment $[HJ]$.
On munit l'espace du repère $(A, \overrightarrow{AB}, \overrightarrow{AD}, \overrightarrow{AE})$.

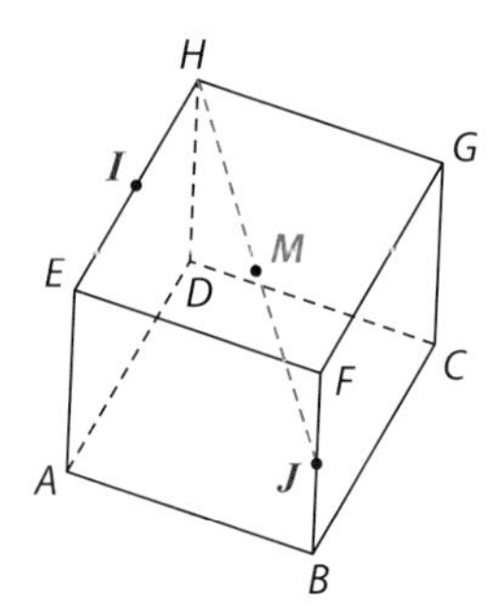

1 Donner les coordonnées des points B, G, I et M.

2 Démontrer que le point M appartient au plan (BGI).

3 Préciser la position relative de la droite (HJ) et du plan (BGI).

107 Soit un cube $ABCDEFGH$.

On désigne par I le point défini par $\overrightarrow{HI} = \overrightarrow{DH}$, O le centre de la face $EFGH$ et M un point de la droite (BC).
La droite (IM) coupe le plan (EFG) en N.

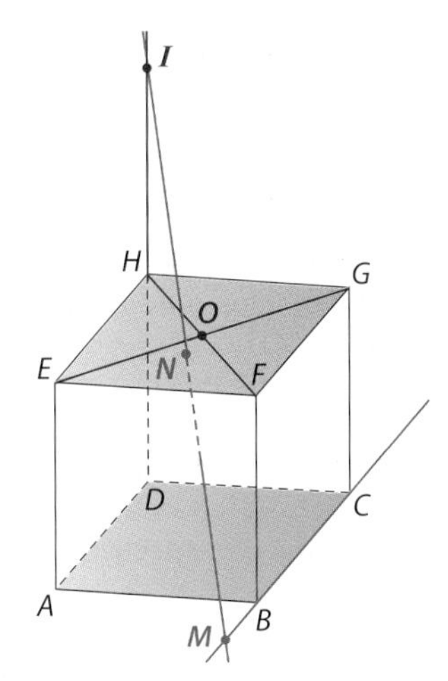

1 Démontrer que la droite (NO) est parallèle à la droite (BC).

2 En déduire l'ensemble des points N lorsque M décrit la droite (BC).

108 $ABCD$ et $A'B'C'D'$ sont deux parallélogrammes dans l'espace.
I, J, K et L sont les milieux respectifs des segments $[AA']$, $[BB']$, $[CC']$ et $[DD']$.

1 **a.** Déterminer la nature du quadrilatère $IJKL$.
b. En déduire que les points I, J, K et L sont coplanaires.

2 On note O, O' et O'' les centres respectifs des quadrilatères $ABCD$, $A'B'C'D'$ et $IJKL$.
Démontrer que les points O, O' et O'' sont alignés.

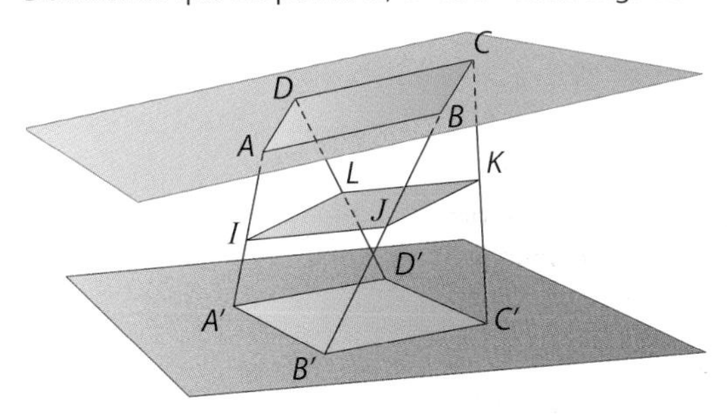

109 Un lieu géométrique

Dans un repère de l'espace, on considère les points $A(0\,;0\,;3)$, $B(3\,;0\,;3)$, $C(0\,;4\,;3)$, $D(0\,;0\,;0)$, $E(3\,;0\,;0)$ et $F(0\,;4\,;0)$.
Soit un point M de la droite (BD).
On pose $\overrightarrow{BM} = a\overrightarrow{BD}$, où $a \in \mathbb{R}$.
On définit les points N et P par :

$$\overrightarrow{FN} = a\overrightarrow{FB} \quad \text{et} \quad \overrightarrow{NP} = \overrightarrow{EM}.$$

On s'intéresse au lieu du point P lorsque le point M décrit la droite (BD).

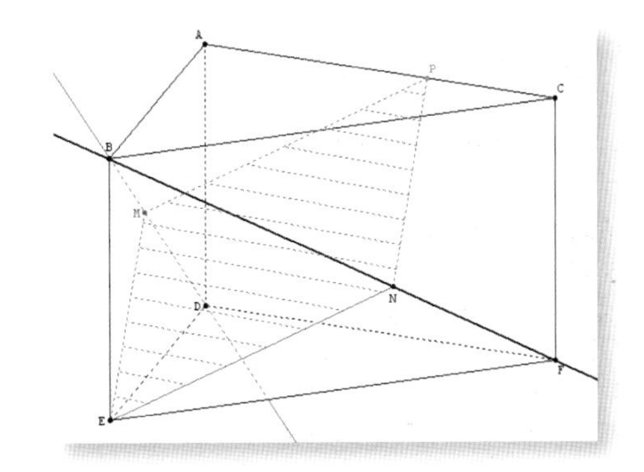

1 Conjecture à l'aide du logiciel *Geospace*.
a. Réaliser la figure.
b. Conjecturer le lieu du point P lorsque M décrit la droite (BD).

Indications
- pour créer le réel a : Créer , Numérique , Calcul géométrique , Abscisse d'un point sur une droite
- pour construire le point N : Créer , Point , Point repéré / Sur une droite
- pour construire le point P : Créer , Point image par , Translation (point-image)

2 **a.** Exprimer les coordonnées des points M et N en fonction de a.
b. En déduire que le point P a pour coordonnées $(0\,;4-4a\,;3)$.

3 Démontrer la conjecture émise à la question **1 b.**

4 En déduire que le milieu du segment $[MN]$ décrit une droite du plan (EAC).

Prendre des initiatives

110 Un cube d'arête 8 cm est traversé par deux aiguilles suivant les droites (II') et (JJ').
I et J sont situés sur la face $EFGH$.
I est à 1 cm de (EH) et (EF).
J est à 4 cm de (HG) et (FG).
J' est un point de la face $ABFE$ situé à 1 cm de (AB) et à 4 cm de (BF).
I' est un point de la face $BCGF$ situé à 1 cm de (BC) et à 5 cm de (CG).
Les deux aiguilles se touchent-elles ?

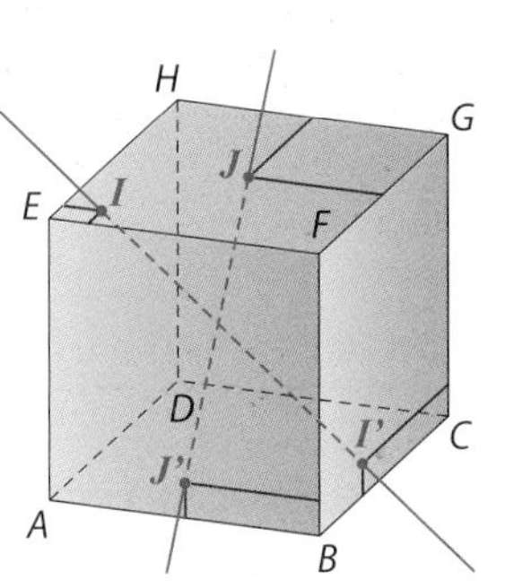

Pistes pour l'accompagnement personnalisé

Revoir les outils de base

111 Partie A – Relations vectorielles

Les points I, J, K, L, M et N sont les centres des faces d'un cube $ABCDEFGH$.

$IJKLMN$ est un octaèdre, polyèdre à 8 faces et 6 sommets.

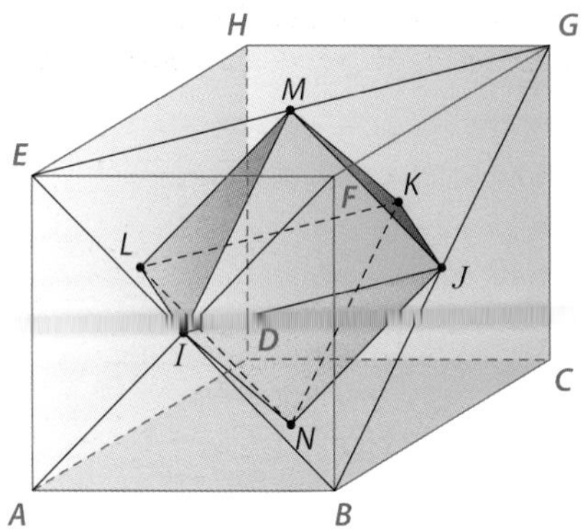

1 En se plaçant dans des plans adaptés, justifier les relations vectorielles suivantes :

a. $\overrightarrow{EG} = 2\overrightarrow{IJ}$; **b.** $\overrightarrow{KJ} = \overrightarrow{LI}$; **c.** $\overrightarrow{ML} = -\frac{1}{2}\overrightarrow{AF}$;

d. $\overrightarrow{LJ} = \overrightarrow{AB}$; **e.** $\overrightarrow{ML} + \overrightarrow{MI} = \overrightarrow{MA}$.

2 En utilisant des relations établies à la question **1** et des égalités de longueur, démontrer que $IJKL$ est un carré. Quelle est la nature de $MLNJ$?

Partie B – Positions relatives

Dans chacun des cas suivants, donner la position relative des droites ou des plans proposés et préciser les éléments caractéristiques de leur intersection quand elle est non vide :

a. les droites (IJ) et (EG) ; **b.** les droites (IK) et (LJ) ;
c. les droites (IJ) et (FB) ; **d.** les plans (IJK) et (ABC) ;
e. les plans (LMK) et (EFG) ;
f. les plans (MLI) et (KJN) ;
g. le plan (MLI) et la droite (AC) ;
h. le plan (DHF) et la droite (MN).

112 Colinéarité

$ABCD$ est un tétraèdre et K est le milieu du segment $[CD]$.

1 Dans chaque cas, déterminer l'ensemble des points M vérifiant la condition indiquée :

a. $\overrightarrow{BM}$ et $\overrightarrow{MC}$ sont colinéaires ;
b. $\overrightarrow{DM} = \overrightarrow{MC}$;
c. $\overrightarrow{AM}$ et $\overrightarrow{MB} - \overrightarrow{MC}$ sont colinéaires ;
d. $\overrightarrow{AM}$ et $(\overrightarrow{BD} + \overrightarrow{BC})$ sont colinéaires.

2 Préciser dans chaque cas la position relative de l'ensemble trouvé avec le plan (BCD).

Les savoir-faire du chapitre

113 Sections d'un tétraèdre

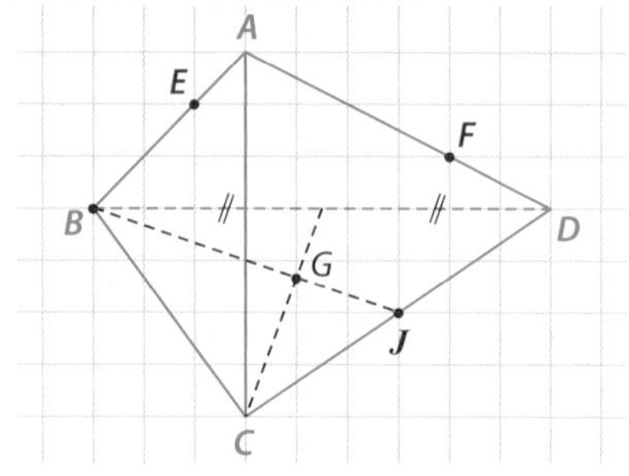

1 Recopier la figure en utilisant le quadrillage et déterminer la section du tétraèdre $ABCD$ par le plan (EFJ).

2 Même question avec le plan de section (EFG).

3 Soit H le point d'intersection du plan (EFG) avec la droite (CD), démontrer que les droites (FH), (EG) et (AJ) sont parallèles.

Indication $\overrightarrow{BE} = \frac{2}{3}\overrightarrow{BA}$ et $\overrightarrow{BG} = \frac{2}{3}\overrightarrow{BJ}$.

Méthode

On cherche à trouver de proche en proche des points du plan de section sur chaque arête du tétraèdre, en utilisant **deux droites coplanaires** (que l'on espère sécantes), dont l'une est incluse dans le plan de section et l'autre porte l'arête d'une face.

114 Alignement-coplanarité

$ABCDFGHE$ est un cube de centre O. I est le centre de gravité du triangle DHE et J celui du triangle ABG.

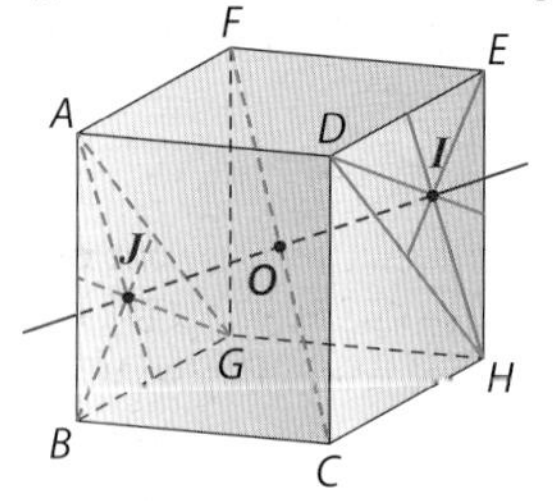

1 Démontrer que les points I, O et J sont alignés.

2 **a.** Les points A, J, O et C sont-ils coplanaires ?
b. On considère le point K, milieu de $[OH]$. Les points A, J, I, K sont-ils coplanaires ?

Aide Rechercher des relations de colinéarité en décomposant si nécessaire les vecteurs ou choisir un repère de l'espace adapté à la situation.

115 Représentations paramétriques de droites

QCM On se place dans un repère (O, I, J, K) de l'espace. Déterminer toutes les bonnes réponses.

1 Soient $A(1;1;-1)$ et $B(2;-1;1)$; la droite (AB) a pour représentation paramétrique, avec $t \in \mathbb{R}$:

a. $\begin{cases} x = 1 + 2t \\ y = 1 - t \\ z = -1 - t \end{cases}$. **b.** $\begin{cases} x = 2 + t \\ y = -1 - 2t \\ z = 1 + 2t \end{cases}$. **c.** $\begin{cases} x = 4 + 3t \\ y = 7 + 6t \\ z = -1 \end{cases}$.

2 La droite $\mathscr{D}$ de représentation paramétrique

$$\begin{cases} x = 2 - t \\ y = 6 - 2t,\ t \in \mathbb{R}, \\ z = -2 + t \end{cases}$$

a. est sécante avec l'axe (OK) ;
b. coupe le plan (OIK) en $L(-1;0;1)$;
c. passe par le point $C(1;4;-1)$;
d. est sécante avec l'axe (OJ).

3 La droite $\mathscr{D}$ définie à la question **2**, a pour vecteur directeur :

a. $\vec{u}\begin{pmatrix} 2 \\ 6 \\ -2 \end{pmatrix}$; **b.** $\vec{u}\begin{pmatrix} 1 \\ 2 \\ -1 \end{pmatrix}$; **c.** $\vec{u}\begin{pmatrix} -3 \\ -6 \\ 3 \end{pmatrix}$.

4 La droite $\mathscr{D}$ définie à la question **2**, et la droite $\mathscr{D}'$ de représentation paramétrique $\begin{cases} x = 1 + 2t' \\ y = -2 + 7t',\ t' \in \mathbb{R}, \\ z = 1 - 3t' \end{cases}$ sont :

a. non coplanaires ;
b. strictement parallèles ;
c. coplanaires et non parallèles.

Approfondissement

116 Recherche de lieux

Soit $ABCD$ un tétraèdre. R et S sont deux points quelconques des segments $[AB]$ et $[CD]$. On se propose de trouver l'ensemble $\mathscr{E}$ des milieux M du segment $[RS]$ lorsque R et S décrivent les segments $[AB]$ et $[CD]$.

1 Justifier que les milieux I et J des arêtes $[AD]$ et $[BC]$, ainsi que le milieu G du segment $[IJ]$, appartiennent à $\mathscr{E}$.

2 En se plaçant dans le repère $(A, \overrightarrow{AB}, \overrightarrow{AC}, \overrightarrow{AD})$ et en posant $\overrightarrow{AR} = a\overrightarrow{AB}$, $\overrightarrow{DS} = b\overrightarrow{DC}$, déterminer les coordonnées des points R, S et M.

3 Montrer que l'on peut écrire $\overrightarrow{IM} = a\vec{u} + b\vec{v}$, où $\vec{u}$ et $\vec{v}$ sont des vecteurs que l'on identifiera par leurs coordonnées.

Préciser les intervalles dans lesquels varient a et b. Conclure sur la nature de l'ensemble $\mathscr{E}$ et représenter sa trace sur le tétraèdre $ABCD$.

117 Construire une ombre

Le cube $MNOPQRST$ repose au sol sur la face $MQTP$.
Les rayons en provenance du Soleil sont supposés parallèles. Construire l'ombre du cube sur le sol sachant que le « bâton » $[AB]$ a pour ombre $[AB']$.
On justifiera le tracé par des théorèmes d'incidence précis.

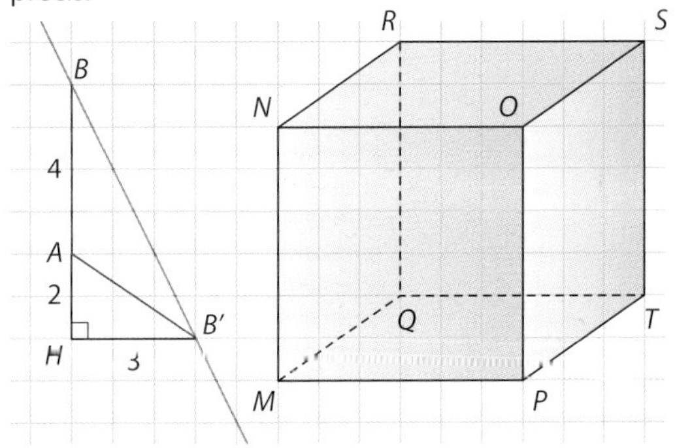

118 Déterminer la section du cube $ABCDEFGH$ par le plan (IJK).

Aide On pourra chercher l'intersection de la droite (IJ) avec le plan $(ADHE)$ en construisant l'intersection des plans (IBJ) et (ADH).

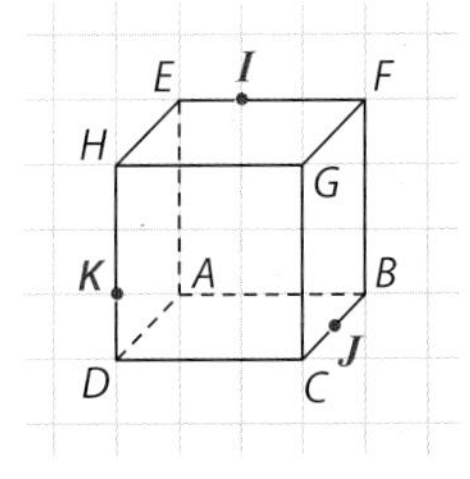

119

1 On donne dans un repère de l'espace les vecteurs $\vec{u}\begin{pmatrix} -2 \\ 1 \\ 3 \end{pmatrix}$, $\vec{v}\begin{pmatrix} 1 \\ -1 \\ 0 \end{pmatrix}$ et $\vec{w}\begin{pmatrix} 2 \\ 0 \\ 3 \end{pmatrix}$.

Ces vecteurs forment-ils une famille libre ou liée?

Info On dit qu'une famille de vecteurs de l'espace est « **liée** » lorsqu'il est possible d'exprimer l'un d'entre eux comme somme de vecteurs colinéaires aux autres.
A contrario, on dit que la famille est « **libre** ».

2 Même question avec les vecteurs :

$$\vec{u}\begin{pmatrix} 5 \\ -1 \\ 4 \end{pmatrix}, \vec{v}\begin{pmatrix} 2 \\ 1 \\ 1 \end{pmatrix} \text{ et } \vec{w}\begin{pmatrix} -1 \\ 3 \\ -2 \end{pmatrix}.$$

3 **a.** Comment peut-on appeler trois vecteurs formant une famille liée dans l'espace ?
b. Démontrer que quatre vecteurs quelconques de l'espace forment une famille liée.

Produit scalaire

Partir d'un bon pied

Voir corrigés en fin de manuel

A Droites de l'espace

QCM Déterminer **la (ou les)** bonne(s) réponse(s).

Dans un repère $(O, \vec{i}, \vec{j}, \vec{k})$ on considère les points $A(2\,;3\,;-3)$, $B(2\,;0\,;-3)$ et $C(0\,;6\,;0)$.

1 Le point G tel que $\overrightarrow{GA} + 3\overrightarrow{GC} = \vec{0}$ a pour coordonnées :	**a.** $\left(-\frac{1}{2}\,;5\,;\frac{3}{4}\right)$	**b.** $\left(\frac{1}{2}\,;\frac{21}{4}\,;-\frac{3}{4}\right)$	**c.** $(0{,}5\,;1\,;1{,}5)$
2 Si d est la droite de représentation paramétrique $\begin{cases} x = 2 - t \\ y = 3t \\ z = -3 \end{cases}$, $t \in \mathbb{R}$, alors :	**a.** $d = (AB)$	**b.** $d = (BC)$	**c.** $d \neq (AB)$ et $d \neq (BC)$ et $d \neq (CA)$
3 Les droites de représentations paramétriques respectives : $\begin{cases} x = 2 + t \\ y = 1 - t \\ z = 1 + t \end{cases}$ et $\begin{cases} x = -t' \\ y = -2 - 1{,}5t' \\ z = 3 + t' \end{cases}$ avec $t \in \mathbb{R}$ et $t' \in \mathbb{R}$ admettent comme point commun :	**a.** $I(3\,;0\,;2)$	**b.** $J(2\,;1\,;1)$	**c.** $K(0\,;2\,;-3)$
4 La droite (AC) passe par le point :	**a.** B	**b.** $D(4\,;0\,;-6)$	**c.** $E\left(1\,;\frac{9}{2}\,;-\frac{3}{2}\right)$

B Calculer des produits scalaires

Calculer le produit scalaire $\overrightarrow{AB} \cdot \overrightarrow{AC}$ dans les cas suivants :

a

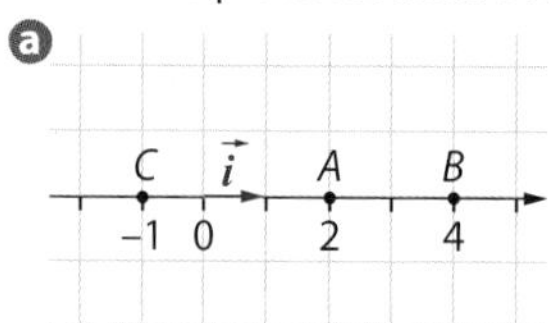

b

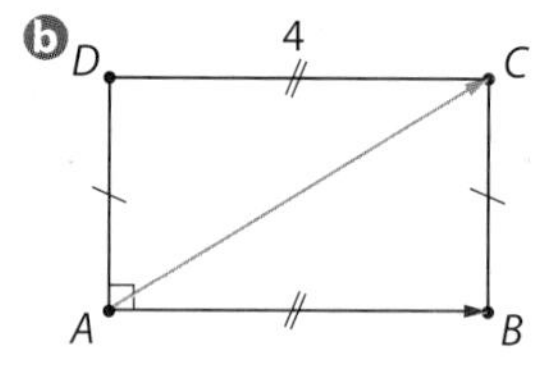

c

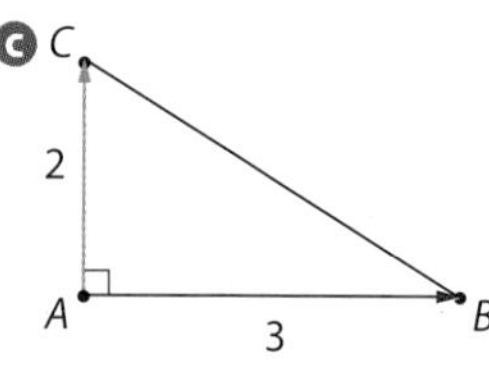

d

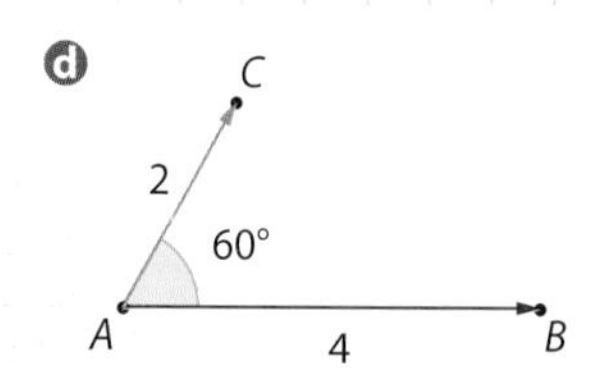

e

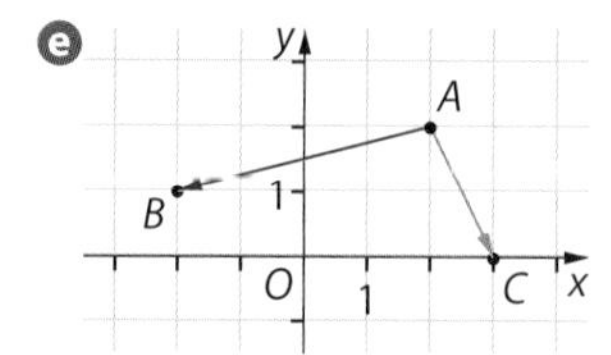

f

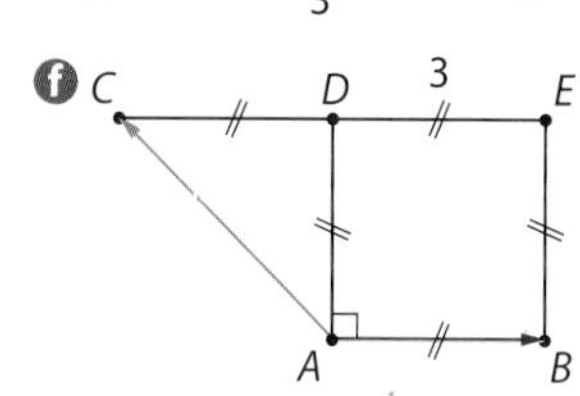

C Calculer un angle dans le plan

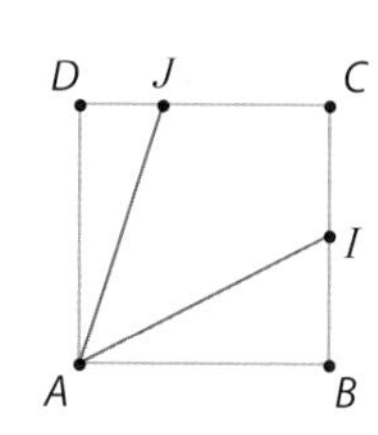

$ABCD$ est un carré. I est le milieu de $[BC]$ et J est tel que $\overrightarrow{DJ} = \frac{1}{3}\overrightarrow{DC}$.
Exprimer le produit scalaire $\overrightarrow{AI} \cdot \overrightarrow{AJ}$ de deux façons et en déduire le cosinus de l'angle $\widehat{IAJ}$, puis sa mesure en radians.

de l'espace

CHAPITRE 9

La géométrie dans l'espace est abondamment utilisée en architecture. La construction du Parlement européen à Strasbourg allie à la fois la fonctionnalité et l'esthétique. Il comprend notamment une cour elliptique et un hémicycle de 750 places.

Des maths partout !

Le produit scalaire de l'espace permet :
- de mesurer des grandeurs (longueur d'arêtes de solides, d'angles…) ;
- de préciser des éléments d'architecture ;
- de mathématiser des cristaux.

Son utilisation est très fréquente dans le monde de l'industrie de l'image (3D, numérisation d'images…).

Au fil du temps — UNE HISTOIRE RÉCENTE

Après la géométrie classique, puis l'algébrisation de la géométrie par René Descartes, les mathématiciens du XIXe siècle mettent en place la géométrie vectorielle.
Ils travaillent sur le concept de produit linéaire de deux vecteurs introduit par **Josiah Willard Gibbs** (1839-1903), physico-chimiste américain, et **Herman Günther Grassmann** (1809-1877), mathématicien et physicien allemand. Le produit linéaire de deux vecteurs fut baptisé produit scalaire par **William Rowan Hamilton** (1805-1865) en 1853.

Le mathématicien allemand **David Hilbert** (1862-1943) étend cette notion à des espaces très variés (espace des suites numériques, des fonctions continues sur $\mathbb{R}$).

David Hilbert (1862-1943).

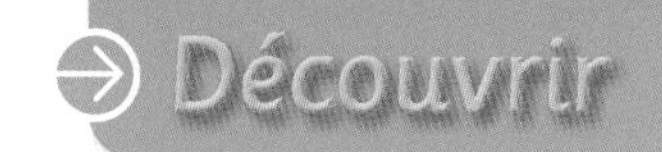

Activité 1 Produit scalaire dans le plan .... dans l'espace

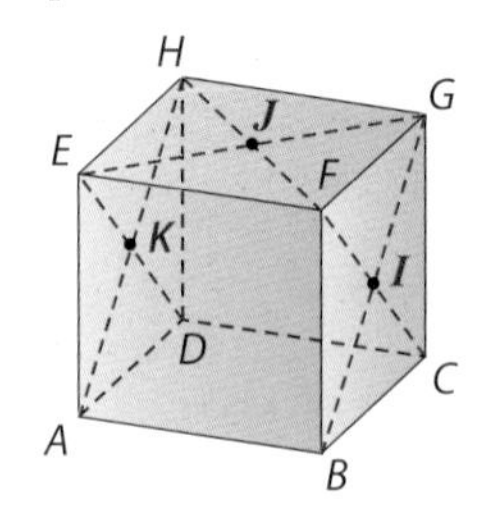

On a dessiné ci-contre un cube d'arête 4. En se plaçant pour chaque cas dans un plan que l'on précisera, calculer les produits scalaires suivants.

a. $\overrightarrow{AB} \cdot \overrightarrow{DC}$; **b.** $\overrightarrow{BI} \cdot \overrightarrow{BC}$; **c.** $\overrightarrow{HD} \cdot \overrightarrow{CB}$;
d. $\overrightarrow{EK} \cdot \overrightarrow{KH}$; **e.** $\overrightarrow{EG} \cdot \overrightarrow{BC}$; **f.** $\overrightarrow{GE} \cdot \overrightarrow{GB}$.

Rappel **Théorème de projection dans le plan :**
On a $\overrightarrow{AB} \cdot \overrightarrow{AC} = \overrightarrow{AB} \cdot \overrightarrow{AK}$ où K est le projeté orthogonal du point C sur la droite (AB).

Activité 2 Droite perpendiculaire à un plan

On considère une droite d qui coupe le plan $\mathcal{P}$ en O. On suppose que d est perpendiculaire à deux droites d_1 et d_2 du plan $\mathcal{P}$, sécantes en O.
Soit Δ une droite de $\mathcal{P}$ passant par O et M un point de cette droite. On construit un parallélogramme $OBMC$ où B est un point de d_1 et C un point de d_2.
On appelle enfin I le centre de ce parallélogramme.

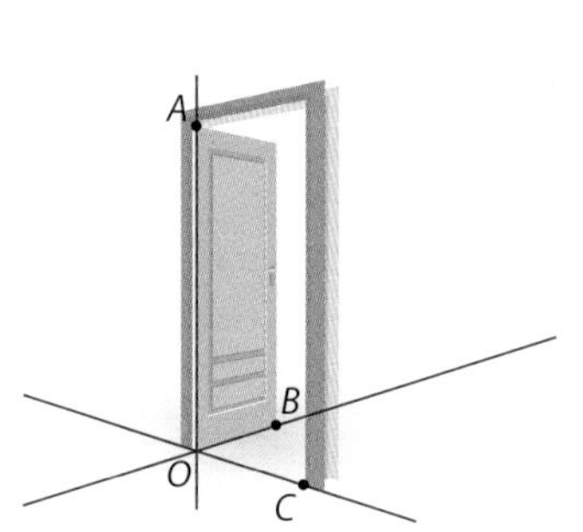

1 Si A est un point de d distinct de O, montrer que :

$$AB^2 + AC^2 = 2AI^2 + \frac{BC^2}{2}.$$

2 De même, exprimer $OB^2 + OC^2$ dans le triangle BOC.

3 Démontrer que le triangle IOA est rectangle en O.
(On pourra utiliser des expressions de AB^2 et AC^2 obtenues dans OAB et OAC.)

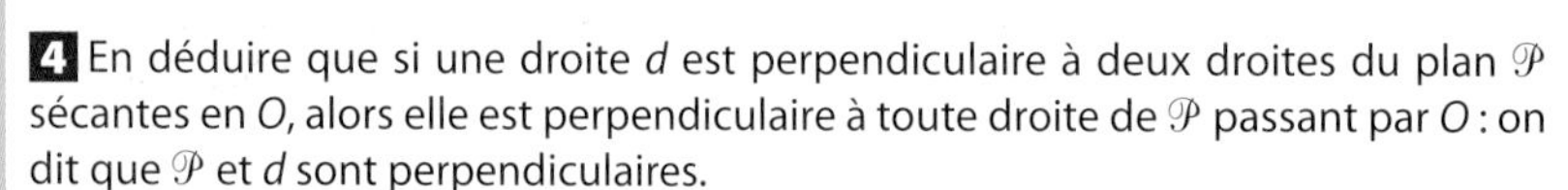

4 En déduire que si une droite d est perpendiculaire à deux droites du plan $\mathcal{P}$ sécantes en O, alors elle est perpendiculaire à toute droite de $\mathcal{P}$ passant par O : on dit que $\mathcal{P}$ et d sont perpendiculaires.
Ce théorème est souvent appelé théorème de la « porte ». Expliquer cette appelation.

5 Démontrer que toute droite parallèle à d est **perpendiculaire** à $\mathcal{P}$.

Indication On pourra considérer la parallèle à d passant par B, construire le point N tel que $\overrightarrow{BN} = \overrightarrow{OA}$, puis en comparant NM et AC déterminer la nature du triangle NBM.

Activité 3 Plan médiateur

On considère deux points A et B distincts et le milieu I de $[AB]$.
On appelle $\mathcal{P}$ l'ensemble des points de l'espace équidistants de A et de B et $\mathcal{P}'$ le plan perpendiculaire à la droite (AB) en I.

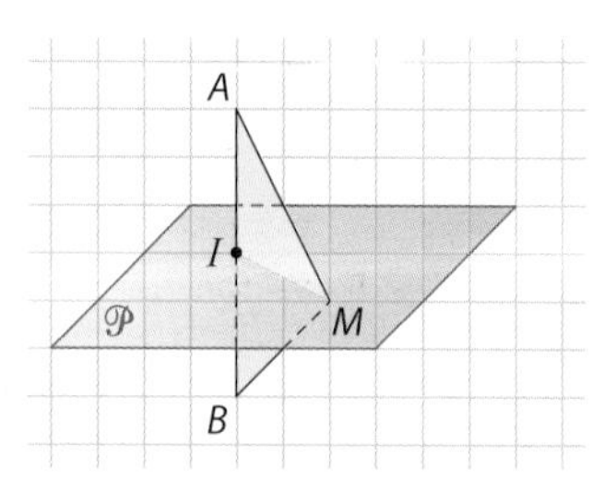

1 Soit M un point de $\mathcal{P}$. Démontrer que M appartient à $\mathcal{P}'$ en utilisant le triangle AMB. Quelle conclusion peut-on en tirer ?

2 Soit N un point de $\mathcal{P}'$.
Que peut-on dire de la droite (IN) ? Quelle conclusion peut-on en tirer ?

Commentaire L'ensemble des points de l'espace équidistants de deux points A et B distincts est un plan perpendiculaire à la droite (AB) en I milieu de $[AB]$.
On l'appelle **le plan médiateur du segment $[AB]$**.

3 Application

Dans le cube ci-contre, I et J sont les milieux des segments $[BD]$ et $[GD]$.
K est l'intersection des droites (BJ) et (GI).

a. Démontrer que BDG est un triangle équilatéral.

b. Démontrer que les points E, C et K appartiennent aux plans médiateurs des segments $[BG]$ et $[DG]$.

c. En déduire que les points E, C et K sont alignés et que la droite (EC) est perpendiculaire au plan (BDG).

Aide On pourra utiliser le résultat établi à l'activité 2 question **5**.

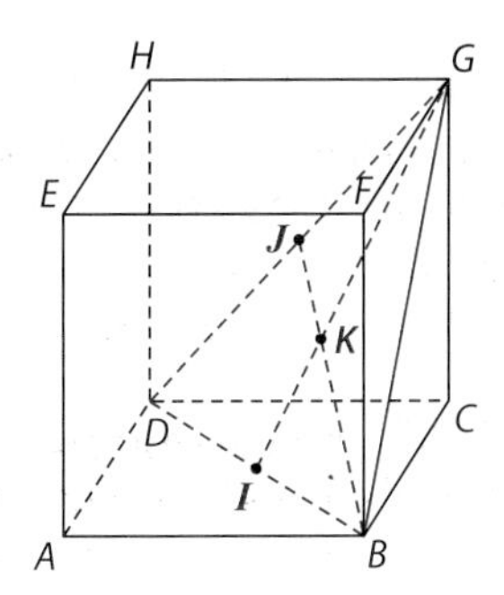

Activité 4 Art et géométrie de l'espace

On admet que ce polyèdre est un cube que l'on a tronqué sur deux sommets opposés par des plans passant par les milieux des arêtes.

L'objectif est de calculer l'angle entre les faces *ABC* et *DCB* mesuré dans un plan perpendiculaire à leur intersection.

1 Soit I le milieu du segment $[BC]$. Démontrer que le plan (AID) est le plan médiateur du segment $[BC]$.

2 En déduire l'angle à mesurer entre les faces ABC et DCB.

3 Les arêtes du cube ont pour longueur 1. Calculer les longueurs AB, AI, ID et AD.

4 En appliquant le théorème d'Al Kashi au triangle AID, déterminer une mesure l'angle $\widehat{AID}$. Conclure.

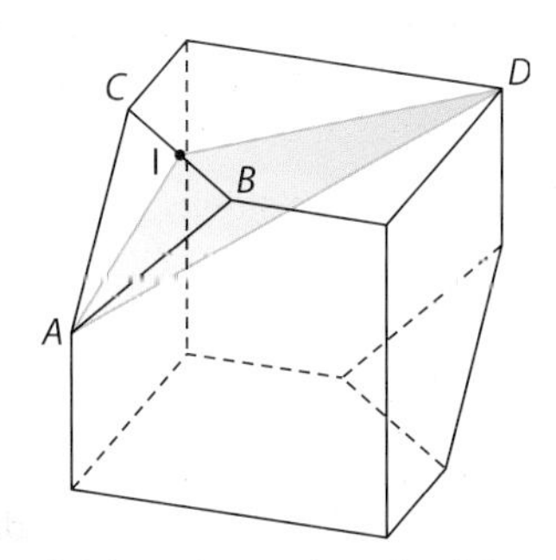

Polyèdre qui apparaît sur le célèbre tableau ci-contre.

Mélancholia, d'Albrech Dûrer (1471-1528), peintre allemand de la Renaissance.

Activité 5 Ensemble de points de l'espace caractérisé par un produit scalaire nul

1 On considère le plan médiateur Π d'un segment $[AB]$ de milieu I : Π est l'ensemble des points de l'espace équidistants de A et de B. Démontrer que Π est l'ensemble des points M de l'espace qui vérifient $\overrightarrow{IM} \cdot \overrightarrow{AB} = 0$. (On pourra transformer l'écriture $\overrightarrow{MA}^2 - \overrightarrow{MB}^2 = 0$.)

2 On considère le plan $\mathcal{P}$ passant par A et perpendiculaire à (AB) et pour tout point M de l'espace on appelle H l'intersection de $\mathcal{P}$ avec la parallèle à (AB) passant par M.

a. Établir que : $\overrightarrow{AM} \cdot \overrightarrow{AB} = 0 \Leftrightarrow \overrightarrow{HM} \cdot \overrightarrow{AB} = 0 \Leftrightarrow M = H$.

b. Quelle conséquence en tire-t-on pour un point M de l'espace vérifiant $\overrightarrow{AM} \cdot \overrightarrow{AB} = 0$?

En déduire une nouvelle façon de **caractériser** le plan $\mathcal{P}$.

3 Application

Dans un repère orthonormé $(O, \vec{i}, \vec{j}, \vec{k})$ on donne les points $A(1\,;0\,;-4)$ et $B(-1\,;2\,;0)$.

Déterminer des équations cartésiennes des plans Π et $\mathcal{P}$ précédemment définis.

1 Produit scalaire dans l'espace

a Repères orthonormés de l'espace

Définition Un repère (O, I, J, K) de l'espace est **orthonormé** lorsque les droites (OI), (OJ) et (OK) sont **deux à deux perpendiculaires** et qu'on a les égalités de distances : $\boldsymbol{OI = OJ = OK = 1}$.

REMARQUE : Lorsque le repère (O, I, J, K) de l'espace est orthonormé, chaque axe est perpendiculaire à toute droite passant par le point O et contenue dans le plan défini par les deux autres axes.
Ainsi la droite (OI) est perpendiculaire à toute droite du plan (OJK) passant par O.

Illustration Un cube dont l'arête mesure une unité de longueur fournit un modèle de **repère orthonormé** de l'espace.
On note le repère (O, I, J, K) ou $(O, \overrightarrow{OI}, \overrightarrow{OJ}, \overrightarrow{OK})$.

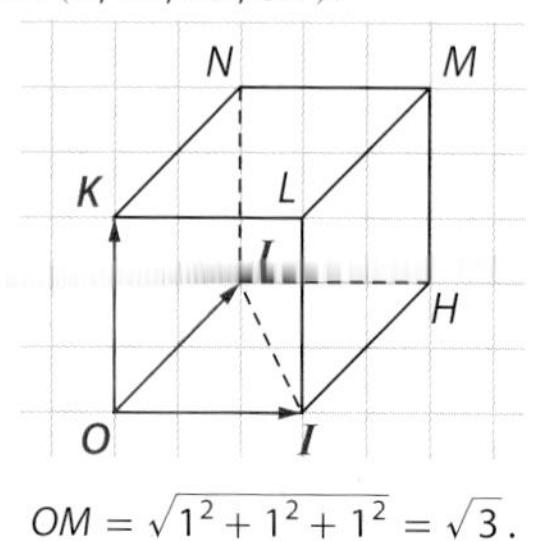

$OM = \sqrt{1^2 + 1^2 + 1^2} = \sqrt{3}$.

Propriété Soit (O, I, J, K) un repère orthonormé de l'espace et M un point de coordonnées $(x\,;\,y\,;\,z)$ dans ce repère.
La longueur OM et la norme du vecteur $\overrightarrow{OM}$ vérifient :

$$\boldsymbol{OM = \| \overrightarrow{OM} \| = \sqrt{x^2 + y^2 + z^2}}.$$

Voir la **démonstration** à l'exercice 21, page 306.

b Définition du produit scalaire dans l'espace

Définition Soient $\vec{u}$ et $\vec{v}$ deux vecteurs de l'espace et A, B, C trois points tels que $\vec{u} = \overrightarrow{AB}$ et $\vec{v} = \overrightarrow{AC}$. Les points A, B et C appartiennent à un plan $\mathcal{P}$ et le produit scalaire $\vec{u} \cdot \vec{v}$ dans l'espace est par définition égal au produit scalaire des vecteurs $\overrightarrow{AB}$ et $\overrightarrow{AC}$ calculé dans le plan $\mathcal{P}$.

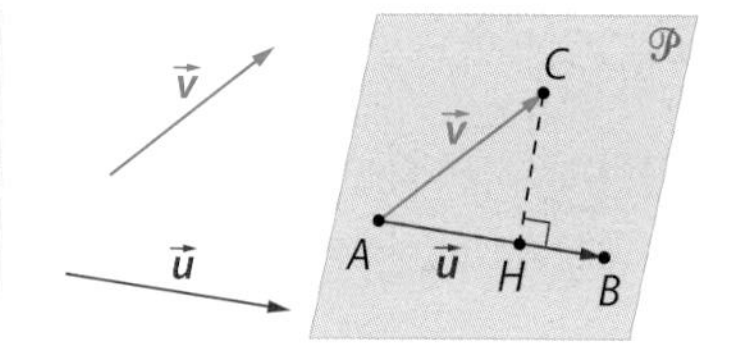

REMARQUES

- Le produit scalaire **ne dépend que des vecteurs $\vec{u}$ et $\vec{v}$**, et non du choix de leurs représentants ou du plan $\mathcal{P}$, car ce produit scalaire peut s'exprimer au moyen des normes de $\vec{u}$ et $\vec{v}$ seulement :

$$\vec{u} \cdot \vec{v} = \frac{1}{2}\left(\| \vec{u} \|^2 + \| \vec{v} \|^2 - \| \vec{u} - \vec{v} \|^2\right).$$

- Pour calculer un produit scalaire, on choisit deux représentants des vecteurs situés dans un même plan. Outre la formule des normes, on dispose alors des autres méthodes vues en classe de Première S pour effectuer ce calcul :
  - $\overrightarrow{AB} \cdot \overrightarrow{AC} = AB \times AC \times \cos \widehat{BAC}$;
  - $\overrightarrow{AB} \cdot \overrightarrow{AC} = \overrightarrow{AB} \cdot \overrightarrow{AH}$ où H est le projeté orthogonal de C sur la droite (AB).

Exemple Soit le tétraèdre régulier $ABCD$ de côté 1.

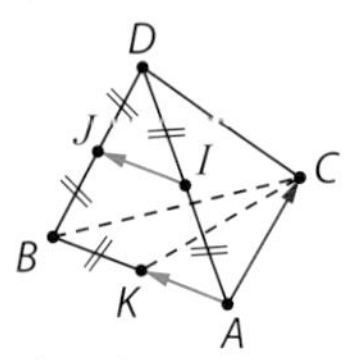

On a $\overrightarrow{IJ} \cdot \overrightarrow{AC} = \overrightarrow{AK} \cdot \overrightarrow{AC}$ et comme ABC est équilatéral, le point C se projette orthogonalement sur $[AB]$ en son milieu K :
$\overrightarrow{IJ} \cdot \overrightarrow{AC} = \overrightarrow{AK} \cdot \overrightarrow{AK} = \overrightarrow{AK}^2 = \frac{1}{4}$.

Définition et propriété Le **carré scalaire** d'un vecteur $\vec{u}$ de l'espace est le réel noté $\vec{u}^2$ vérifiant $\vec{u}^2 = \vec{u} \cdot \vec{u}$.
On a, comme dans le plan : $\boldsymbol{\vec{u}^2 = \| \vec{u} \|^2}$ et par suite $\boldsymbol{\| \vec{u} \| = \sqrt{\vec{u}^2}}$.

PREUVE

$$\vec{u}^2 = \vec{u} \cdot \vec{u} = \frac{1}{2}\left(\| \vec{u} \|^2 + \| \vec{u} \|^2 - \| \vec{u} - \vec{u} \|^2\right) = \frac{1}{2}\left(\| \vec{u} \|^2 + \| \vec{u} \|^2\right) = \| \vec{u} \|^2.$$

Calculer des produits scalaires dans l'espace

Exercice corrigé

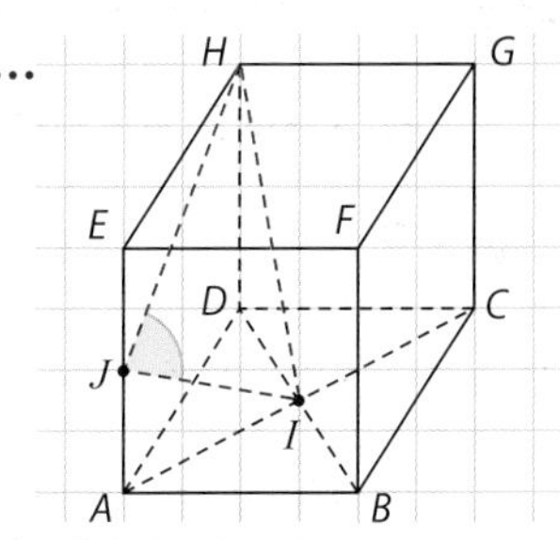

Énoncé On considère un cube $ABCDEFGH$ d'arête a.

I est le centre de la face $ABCD$ et J le milieu du segment $[AE]$.

1 Calculer les produits scalaires $\overrightarrow{AC} \cdot \overrightarrow{EH}$, $\overrightarrow{FI} \cdot \overrightarrow{DB}$.

2 Déterminer les longueurs des côtés du triangle IJH.
En déduire, à 0,1° près, la mesure de l'angle géométrique $\widehat{IJH}$.

Solution

1 $\overrightarrow{AC} \cdot \overrightarrow{EH} = \overrightarrow{AC} \cdot \overrightarrow{AD} = \overrightarrow{AD} \cdot \overrightarrow{AD}$ en projetant orthogonalement le point C sur la droite (AD) dans le plan (ADC). **1▸** Par suite, $\overrightarrow{AC} \cdot \overrightarrow{EH} = AD^2 = a^2$.
Dans le plan (BDF) : $\overrightarrow{FI} \cdot \overrightarrow{DB} = \overrightarrow{BI} \cdot \overrightarrow{DB}$ puisque la droite (FB) est perpendiculaire à la droite (DB), et donc que F se projette en B sur la droite (DB). **2▸**
Or $\overrightarrow{BI}$ et $\overrightarrow{DB}$ sont colinéaires de sens contraires, donc : **3▸**
$\overrightarrow{FI} \cdot \overrightarrow{DB} = -IB \times DB = -\frac{1}{2} \times DB^2 = -\frac{1}{2}(a\sqrt{2})^2 = -a^2$ $(DB = a\sqrt{2})$. **4▸**

2 Les triangles JAI, HDI, et HEJ sont rectangles respectivement en A, D et E.
On obtient donc les longueurs cherchées par le théorème de Pythagore :
$JI^2 = \frac{a^2}{4} + \frac{a^2}{2} = \frac{3a^2}{4}$, d'où $JI = \frac{a\sqrt{3}}{2}$, de plus $HI^2 = a^2 + \frac{a^2}{2}$,
d'où $HI = a\sqrt{\frac{3}{2}}$. Enfin $JH^2 = a^2 + \frac{a^2}{4} = \frac{5a^2}{4}$ et $JH = \frac{a\sqrt{5}}{2}$.
On utilise alors la formule des normes pour exprimer $\overrightarrow{JI} \cdot \overrightarrow{JH}$: **5▸**
$2\overrightarrow{JI} \cdot \overrightarrow{JH} = JI^2 + JH^2 - HI^2$.
$\overrightarrow{JI} \cdot \overrightarrow{JH} = JI \cdot JH \times \cos\widehat{IJH}$, d'où $\cos\widehat{IJH} = \frac{JI^2 + JH^2 - HI^2}{2 \times JI \times JH}$.

Soit $\cos\widehat{IJH} = \dfrac{\frac{3a^2}{4} + \frac{5a^2}{4} - \frac{3a^2}{2}}{2 \times \frac{a\sqrt{3}}{2} \times \frac{a\sqrt{5}}{2}} = \dfrac{\frac{1}{2}a^2}{\frac{a^2\sqrt{15}}{2}} = \dfrac{1}{\sqrt{15}}$.

On obtient alors $\widehat{IJH} = \cos^{-1}\left(\frac{1}{\sqrt{15}}\right) \approx 75°$.

Bon à savoir

1▸ On se ramène au produit scalaire de deux vecteurs d'un même plan et on observe la possibilité de projeter un vecteur sur la droite portant l'autre.

2▸ Dans un cube, toute arête perçant une face en un point est perpendiculaire à toute droite de cette face passant par ce point.

3▸ Lorsque les vecteurs sont colinéaires, leur produit scalaire est égal :
– au produit des longueurs si les deux vecteurs ont même sens ;
– à l'opposé du produit des longueurs si les vecteurs ont des sens contraires.

4▸ On doit savoir que la diagonale d'un carré de côté a mesure $a\sqrt{2}$.

5▸ La formule des normes utilisée ici est équivalente à la formule d'Al Kashi appliquée dans le triangle HJI :
$a^2 = b^2 + c^2 - 2bc\cos\widehat{A}$.

Exercices d'application

1 On reprend la figure de l'exercice corrigé.

1 Calculer les produits scalaires suivants :
a. $\overrightarrow{AF} \cdot \overrightarrow{GB}$; **b.** $\overrightarrow{GI} \cdot \overrightarrow{DB}$; **c.** $\overrightarrow{AF} \cdot \overrightarrow{CB}$; **d.** $\overrightarrow{HJ} \cdot \overrightarrow{JB}$.

2 Déterminer une mesure de l'angle $\widehat{HJB}$ à 0,1° près.

2 Dans le repère orthonormé (O, I, J, K) on donne le point $A(-1\,;2\,;0)$.

1 Rappeler la définition de la sphère (S) de centre A de rayon 3.

2 Démontrer qu'une équation de (S) est :
$$x^2 + y^2 + z^2 + 2x - 4y - 4 = 0.$$

3 Déterminer les points communs à (S) et à la droite passant par A et de vecteur directeur $\vec{u}\left(-1\,; \frac{1}{2}\,; 1\right)$.

3 $ABCD$ est un tétraèdre régulier d'arête a. Les points J et K sont les milieux respectifs des segments $[BC]$ et $[DA]$.

1 Calculer les produits scalaires suivants :
a. $\overrightarrow{AB} \cdot \overrightarrow{AC}$; **b.** $\overrightarrow{BA} \cdot \overrightarrow{AJ}$;
c. $\overrightarrow{JA} \cdot \overrightarrow{JD}$; **d.** $\overrightarrow{JK} \cdot \overrightarrow{AD}$.

2 **a.** Calculer JK^2.
b. En déduire la valeur du produit scalaire $\overrightarrow{JK} \cdot \overrightarrow{BD}$.

Coup de pouce On pourra utiliser le milieu L du segment $[CD]$ et l'égalité $2\overrightarrow{JL} = \overrightarrow{BD}$.

Voir exercices 19 à 30

2 Propriétés du produit scalaire

a Expression dans un repère orthonormé

Propriété

Dans un repère **orthonormé** de l'espace, soit $\vec{u}\begin{pmatrix}x\\y\\z\end{pmatrix}$ et $\vec{v}\begin{pmatrix}x'\\y'\\z'\end{pmatrix}$ deux vecteurs, alors : $\boldsymbol{\vec{u}\cdot\vec{v}=xx'+yy'+zz'}$.

DÉMONSTRATION

On sait que $2\vec{u}\cdot\vec{v}=\|\vec{u}\|^2+\|\vec{v}\|^2-\|\vec{u}-\vec{v}\|^2$. D'autre part dans un repère orthonormé l'expression de la norme d'un vecteur donne :

$\|\vec{u}\|^2=x^2+y^2+z^2$, $\|\vec{v}\|^2=x'^2+y'^2+z'^2$

et enfin $\|\vec{u}-\vec{v}\|^2=(x-x')^2+(y-y')^2+(z-z')^2$.

Soit $\|\vec{u}-\vec{v}\|^2=x^2-2xx'+x'^2+y^2-2yy'+y'^2+z^2-2zz'+z'^2$.

Par différence, on obtient :

$\|\vec{u}\|^2+\|\vec{v}\|^2-\|\vec{u}-\vec{v}\|^2=2xx'+2yy'+2zz'=2(xx'+yy'+zz')$;

d'où l'égalité : $\vec{u}\cdot\vec{v}=xx'+yy'+zz'$.

Exemple

Dans un repère orthonormé de l'espace, si :

$\vec{u}\begin{pmatrix}-1\\2\\3\end{pmatrix}$ et $\vec{v}\begin{pmatrix}3\\2\\-1\end{pmatrix}$,

on obtient :

$\vec{u}\cdot\vec{v}=-3+4-3=-2$.

Remarques

- Si $\vec{v}=\vec{u}$ la formule donne : $\vec{u}\cdot\vec{u}=x^2+y^2+z^2$. On retrouve l'expression de la norme établie au paragraphe 1 : $\|\vec{u}\|^2=x^2+y^2+z^2$.
- La formule est fausse si le repère n'est pas orthonormé.

b Propriétés algébriques

Propriétés Pour tous vecteurs $\vec{u}$, $\vec{v}$ et $\vec{w}$ du plan, pour tout réel k on a les relations suivantes :

❶ $\vec{u}\cdot\vec{v}=\vec{v}\cdot\vec{u}$

❷ $\vec{u}\cdot(\vec{v}+\vec{w})=\vec{u}\cdot\vec{v}+\vec{u}\cdot\vec{w}$

❸ $\vec{u}\cdot(k\vec{v})=(k\vec{u})\cdot\vec{v}=k(\vec{u}\cdot\vec{v})$

❹ $(\vec{u}-\vec{v})\cdot(\vec{u}+\vec{v})=\vec{u}^2-\vec{v}^2$

❺ $(\vec{u}+\vec{v})^2=\vec{u}^2+2\vec{u}\cdot\vec{v}+\vec{v}^2$

❻ $(\vec{u}-\vec{v})^2=\vec{u}^2-2\vec{u}\cdot\vec{v}+\vec{v}^2$

PISTE DE DÉMONSTRATION

Les preuves de ❶, ❷, ❸ s'obtiennent aisément en utilisant **l'expression du produit scalaire dans un repère orthonormé**.

Pour ❷ par exemple si $\vec{u}\begin{pmatrix}x\\y\\z\end{pmatrix}$, $\vec{v}\begin{pmatrix}x'\\y'\\z'\end{pmatrix}$ et $\vec{w}\begin{pmatrix}x''\\y''\\z''\end{pmatrix}$, alors $\vec{v}+\vec{w}\begin{pmatrix}x'+x''\\y'+y''\\z'+z''\end{pmatrix}$;

par suite :

$$\vec{u}\cdot(\vec{v}+\vec{w})=x(x'+x'')+y(y'+y'')+z(z'+z'')$$
$$=(xx'+yy'+zz')+(xx''+yy''+zz'')=\vec{u}\cdot\vec{v}+\vec{u}\cdot\vec{w}.$$

Pour les identités ❺ et ❻ il suffit de développer en distribuant : on utilise les propriétés ❷ et ❸ puis ❶, comme pour établir l'identité ❹ : $(\vec{u}-\vec{v})\cdot(\vec{u}+\vec{v})=\vec{u}\cdot\vec{u}+\vec{u}\cdot\vec{v}-\vec{v}\cdot\vec{u}-\vec{v}\cdot\vec{v}=\vec{u}^2-\vec{v}^2$ puisque $\vec{u}\cdot\vec{v}=\vec{v}\cdot\vec{u}$.

Remarques

- La relation ❶ traduit la symétrie du produit scalaire.
- Les relations ❷ et ❸ traduisent la « linéarité » du produit scalaire par rapport à chacun des deux vecteurs.

c Vecteurs orthogonaux

Propriété Soient $\vec{u}=\overrightarrow{AB}$ et $\vec{v}=\overrightarrow{AC}$ deux vecteurs de l'espace, le produit scalaire $\boldsymbol{\vec{u}\cdot\vec{v}}$ **est nul** si, et seulement si : $\boldsymbol{\vec{u}=\vec{0}}$ ou $\boldsymbol{\vec{v}=\vec{0}}$ ou $\boldsymbol{\widehat{BAC}=\frac{\pi}{2}}$.

Définition Deux **vecteurs sont orthogonaux** lorsque leur **produit scalaire est nul**.

Deux droites $\mathfrak{D}$ **et** Δ **sont orthogonales** lorsque leurs vecteurs directeurs respectifs sont orthogonaux. On note alors $\mathfrak{D}\perp\Delta$.

Exemple

Dans le cube $ABB'A'C'D'DC$:

- $\vec{u}=\overrightarrow{A'B'}$ et $\vec{v}=\overrightarrow{AC}$ sont orthogonaux.
- Les droites (AB) et $(B'D)$ sont orthogonales, car : $\overrightarrow{AB}\cdot\overrightarrow{B'D}=\overrightarrow{AB}\cdot\overrightarrow{AC'}=0$.

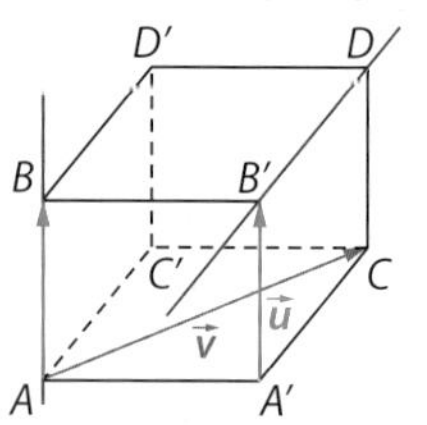

➔ Voir la **démonstration** de la propriété à l'exercice 44, page 309.

Utiliser les propriétés du produit scalaire

Exercice corrigé

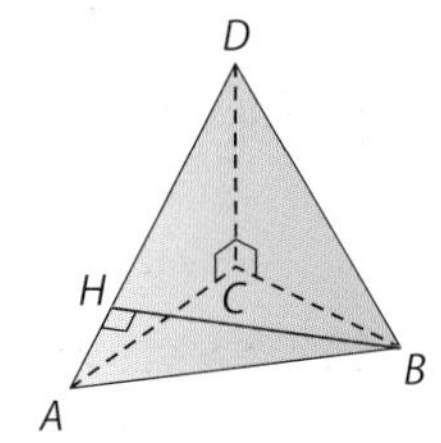

Énoncé On considère un tétraèdre $ABCD$, dans lequel la face ABC est un triangle équilatéral de côté 1, et les faces ACD et BCD sont des triangles isocèles rectangles en C.

1 Calculer les produits scalaires $\overrightarrow{AD}\cdot\overrightarrow{CB}$, puis $\overrightarrow{AD}\cdot\overrightarrow{AB}$.

2 Soit H le pied de la hauteur issue de B dans le triangle ABD. En exprimant d'une autre façon le produit scalaire $\overrightarrow{AD}\cdot\overrightarrow{AB}$, déterminer la position de H sur le segment $[AD]$.

3 Calculer une valeur approchée de l'angle géométrique $\widehat{HCB}$.

Solution

1 $\overrightarrow{AD}\cdot\overrightarrow{CB}=(\overrightarrow{AC}+\overrightarrow{CD})\cdot\overrightarrow{CB}=\overrightarrow{AC}\cdot\overrightarrow{CB}+\overrightarrow{CD}\cdot\overrightarrow{CB}$ **1▸**

Or $\overrightarrow{CD}\cdot\overrightarrow{CB}=0$, d'où : $\overrightarrow{AD}\cdot\overrightarrow{CB}=AC\times CB\times\cos\frac{2\pi}{3}=-\frac{1}{2}$.

$\overrightarrow{AD}\cdot\overrightarrow{AB}=\overrightarrow{AD}\cdot(\overrightarrow{AC}+\overrightarrow{CB})=\overrightarrow{AD}\cdot\overrightarrow{AC}+\overrightarrow{AD}\cdot\overrightarrow{CB}=\overrightarrow{AC}^2-\frac{1}{2}=\frac{1}{2}$.

2 Dans le plan (ABD) en projetant orthogonalement le point B sur (AD), on obtient : $\overrightarrow{AD}\cdot\overrightarrow{AB}=\overrightarrow{AD}\cdot\overrightarrow{AH}=AD\times AH=\sqrt{2}AH$, **2▸** car AD est l'hypoténuse du triangle rectangle isocèle ACD de côté 1.

Par suite $\sqrt{2}AH=\frac{1}{2}$, soit $AH=\frac{1}{2\sqrt{2}}=\frac{\sqrt{2}}{4}=\frac{1}{4}AD$. On obtient $\overrightarrow{AH}=\frac{1}{4}\overrightarrow{AD}$.

3 On calcule de deux façons le produit scalaire $\overrightarrow{CH}\cdot\overrightarrow{CB}$: **1▸**

$\overrightarrow{CH}\cdot\overrightarrow{CB}=(\overrightarrow{CD}+\overrightarrow{DH})\cdot\overrightarrow{CB}=\overrightarrow{CD}\cdot\overrightarrow{CB}+\overrightarrow{DH}\cdot\overrightarrow{CB}=0-\frac{3}{4}\overrightarrow{AD}\cdot\overrightarrow{CB}=\frac{3}{8}$.

$\overrightarrow{CH}\cdot\overrightarrow{CB}=CH\times CB\times\cos\widehat{HCB}=CH\times\cos\widehat{HCB}$. **3▸**

D'autre part $CH^2=DC^2+DH^2-2DC\times DH\times\cos\widehat{CDH}$ **4▸** et avec $\widehat{CDH}=\frac{\pi}{4}$:

$$CH^2=1+\frac{9}{16}\times2-2\times\frac{3}{4}\sqrt{2}\times\frac{\sqrt{2}}{2}=1+\frac{9}{8}-\frac{3}{2}=\frac{5}{8}.$$

En définitive $\cos\widehat{HCB}=\dfrac{\overrightarrow{CH}\cdot\overrightarrow{CB}}{CH}=\dfrac{\frac{3}{8}}{\sqrt{\frac{5}{8}}}=\dfrac{3\sqrt{10}}{20}$ et $\widehat{HCB}\approx 61{,}7°$.

Bon à savoir

1▸ Pour calculer le produit scalaire de deux vecteurs dont les représentants ne sont pas dans le même plan, il est pratique de **décomposer l'un des vecteurs par la relation de Chasles**, puis d'utiliser la linéarité, en prenant des configurations planes « agréables » : vecteurs orthogonaux, colinéaires…

2▸ On doit savoir que la diagonale d'un carré de côté 1 (hypoténuse du triangle rectangle isocèle ici) est $\sqrt{2}$.

3▸ On utilise la définition du produit scalaire au moyen des longueurs et d'un angle.

4▸ Pour calculer des longueurs dans un triangle, on dispose du théorème d'Al Kashi.

Exercices d'application

4 Dans un repère orthonormé (O, I, J, K) on donne les points : $A(-1;1;2)$; $B(0;1;0)$ et $C(2;0;3)$.

1 Calculer les produits scalaires :

$\overrightarrow{AB}\cdot\overrightarrow{AC}$; $\overrightarrow{BC}\cdot\overrightarrow{BA}$ et $\overrightarrow{CA}\cdot\overrightarrow{CB}$

2 Déterminer une valeur approchée, à 0,1° près, des mesures en degré, des angles géométriques : $\widehat{CAB}$, $\widehat{ABC}$ et $\widehat{BCA}$.

5 On considère un tétraèdre régulier $ABCD$, I et J les milieux respectifs des arêtes $[AB]$ et $[CD]$, et G le milieu du segment $[IJ]$.

1 Calculer le produit scalaire $\overrightarrow{GA}\cdot\overrightarrow{GC}$.

2 En déduire à 0,1° près, la mesure de l'angle $\widehat{AGC}$.

6 On considère un cube $ABCDEFGH$ d'arête 1. I est le centre de la face $ABCD$ et J le milieu du segment $[AE]$.

En utilisant le repère orthonormé $(A, \overrightarrow{AB}, \overrightarrow{AD}, \overrightarrow{AE})$ et en exprimant de deux façons le produit scalaire $\overrightarrow{JI}\cdot\overrightarrow{JH}$, retrouver le résultat de la page 295 pour la mesure de l'angle géométrique $\widehat{IJK}$ à 0,1° près.

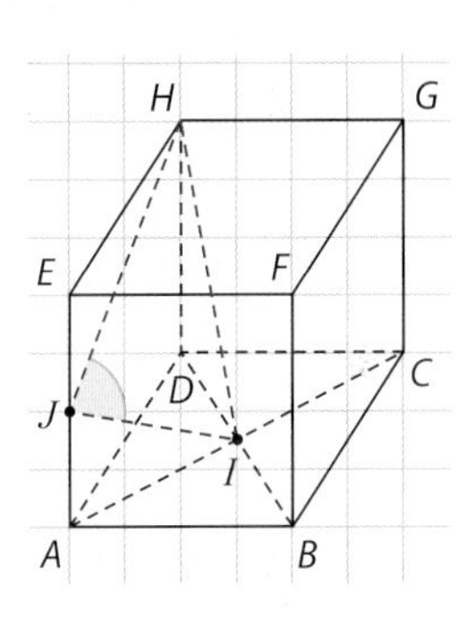

Voir exercices 34 à 43

3 Orthogonalité dans l'espace

a Orthogonalité entre une droite et un plan

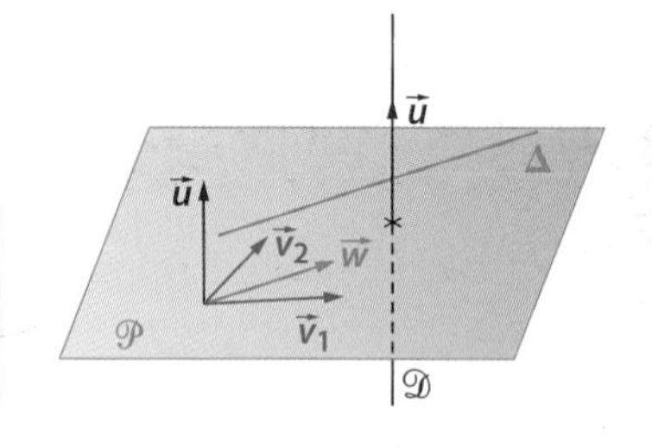

Théorème et définition Si une droite $\mathcal{D}$ est orthogonale à deux droites sécantes d'un plan $\mathcal{P}$, alors $\mathcal{D}$ est orthogonale à toute droite du plan $\mathcal{P}$.

On dit que **la droite $\mathcal{D}$ est orthogonale au plan $\mathcal{P}$**.

DÉMONSTRATION

Soient d_1 et d_2 deux droites sécantes de $\mathcal{P}$, de vecteurs directeurs $\vec{v_1}$ et $\vec{v_2}$, orthogonales par hypothèse à la droite $\mathcal{D}$, dirigée par le vecteur $\vec{u}$. On a donc : $\vec{u} \cdot \vec{v_1} = 0 = \vec{u} \cdot \vec{v_2}$.
Toute droite Δ du plan $\mathcal{P}$, est dirigée par un vecteur $\vec{w}$ du plan $\mathcal{P}$, pour lequel il existe deux réels a et b tels que $\vec{w} = a\vec{v_1} + b\vec{v_2}$ et par suite $\vec{u} \cdot \vec{w} = a\vec{u} \cdot \vec{v_1} + b\vec{u} \cdot \vec{v_2} = 0$, ce qui prouve que les droites $\mathcal{D}$ et Δ sont orthogonales.

Remarques
- Ce théorème généralise la propriété établie à l'activité 2 pour des droites perpendiculaires.
- Tout plan admet au moins une droite qui lui est orthogonale.

CONSÉQUENCE PRATIQUE : Pour montrer qu'une droite $\mathcal{D}$ est orthogonale à un plan $\mathcal{P}$, il suffit d'établir qu'un vecteur directeur de la droite $\mathcal{D}$ est orthogonal à un couple de vecteurs directeurs du plan $\mathcal{P}$.

b Vecteur normal à un plan – équation cartésienne

Définition Soit $\mathcal{P}$ un plan, on appelle **vecteur normal à $\mathcal{P}$**, tout vecteur directeur $\vec{n}$ d'une droite orthogonale au plan $\mathcal{P}$.

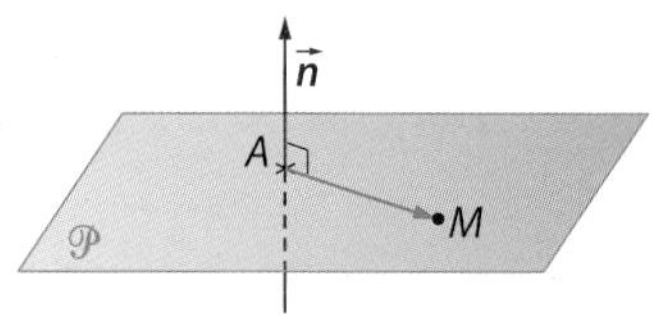
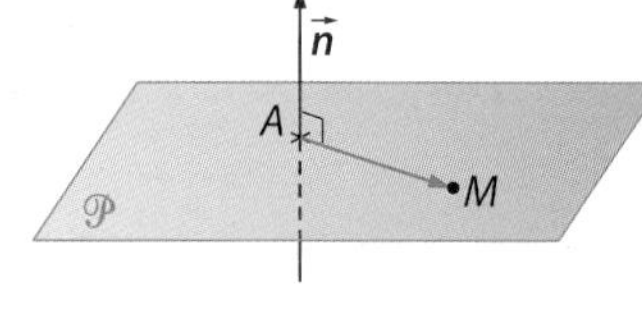

Théorème 1 Soit $\mathcal{P}$ un plan de vecteur normal $\vec{n}$, et A un point de $\mathcal{P}$.
Le plan $\mathcal{P}$ est l'ensemble des points M de l'espace vérifiant : $\boldsymbol{\overrightarrow{AM} \cdot \vec{n} = 0}$, et dans tout repère orthonormé de l'espace, le plan $\mathcal{P}$ a une équation cartésienne de la forme : $\boldsymbol{ax + by + cz + d = 0}$, où a, b et c sont les coordonnées de $\vec{n}$ dans ce repère.

DÉMONSTRATION

- L'équivalence : $M \in \mathcal{P} \Leftrightarrow \overrightarrow{AM} \cdot \vec{n} = 0$ a été établie à l'activité 5.
- On se donne $A(x_A\,;y_A\,;z_A)$, $M(x\,;y\,;z)$ et le vecteur $\vec{n}\begin{pmatrix} a \\ b \\ c \end{pmatrix}$ dans un repère orthonormé.

$M \in \mathcal{P} \Leftrightarrow \overrightarrow{AM} \cdot \vec{n} = 0 \Leftrightarrow \boldsymbol{a}(x - x_A) + \boldsymbol{b}(y - y_A) + \boldsymbol{c}(z - z_A) = 0$

$\Leftrightarrow \boldsymbol{a}x + \boldsymbol{b}y + \boldsymbol{c}z + d = 0$ en ayant posé $d = -ax_A - by_A - cz_A$.

Remarques
- Tout vecteur orthogonal à $\vec{n}$ est un vecteur du plan $\mathcal{P}$.
- Une autre preuve est proposée à l'exercice 51, page 310.

Théorème 2 L'ensemble (E) des points M de l'espace dont les coordonnées $(x\,;y\,;z)$ vérifient l'équation $\boldsymbol{ax + by + cz + d = 0}$ où $\boldsymbol{a}$, $\boldsymbol{b}$ et $\boldsymbol{c}$ sont trois réels non tous nuls est un plan de vecteur normal $\boldsymbol{\vec{n}}\begin{pmatrix} a \\ b \\ c \end{pmatrix}$.

Exemple
Dans un repère orthonormé on donne le point $A(2\,;-1\,;0)$ et le vecteur $\vec{n}\begin{pmatrix} -1 \\ 2 \\ 3 \end{pmatrix}$. Le plan $\mathcal{P}$ passant par A et de vecteur normal $\vec{n}$ a pour équation :
$\boldsymbol{-1}(x-2) + \boldsymbol{2}(y+1) + \boldsymbol{3}z = 0$
soit : $-x + \boldsymbol{2}y + \boldsymbol{3}z + 4 = 0$.

PISTE DE DÉMONSTRATION

On suppose par exemple que $a \neq 0$; dans ce cas, le point de coordonnées $\left(-\dfrac{d}{a}\,;0\,;0\right)$ appartient à E, qui est donc non vide.
Si $A(x_A\,;y_A\,;z_A) \in$ E, alors on prouve que $d = -ax_A - by_A - cz_A$.
On démontre alors : $M(x\,;y\,;z) \in$ E $\Leftrightarrow \overrightarrow{AM} \cdot \vec{n} = 0$.
On conclut : (E) est le plan passant par A, de vecteur normal $\vec{n}$.

Remarque
Le théorème 2 est une réciproque du théorème 1.

Déterminer des équations de plans, déterminer une intersection de plans

Exercice corrigé

Énoncé L'espace est muni d'un repère orthonormé $(O, \vec{i}, \vec{j}, \vec{k})$. Soit $\mathcal{P}$ le plan d'équation :

$$2x - 3y + z - 6 = 0.$$

1 Montrer que le plan $\mathcal{P}$ coupe les axes Ox, Oy et Oz respectivement en : $A(3\,;0\,;0)$, $B(0\,;-2\,;0)$ et $C(0\,;0\,;6)$.

2 On considère le point D de coordonnées $(5\,;-3\,;1)$.

a. Démontrer que le vecteur $\overrightarrow{AD}$ est normal au plan $\mathcal{P}$.

b. Déterminer une équation cartésienne du plan $\mathcal{Q}$ passant par le point D et parallèle au plan $\mathcal{P}$.

3 Soit $\mathcal{R}$ le plan d'équation :

$$x + y + z - 3 = 0.$$

a. Démontrer que les points A et D appartiennent au plan $\mathcal{R}$.

b. Déterminer un vecteur $\vec{n}$ normal au plan $\mathcal{R}$ et prouver que $\vec{n}$ est un vecteur du plan $\mathcal{P}$.

c. Déterminer l'intersection des plans $\mathcal{P}$ et $\mathcal{R}$.

Solution

1 L'axe (Ox) est défini par $\begin{cases} y = 0 \\ z = 0 \end{cases}$ donc **1▸** A admet des coordonnées de la forme $(x\,;\mathbf{0}\,;\mathbf{0})$, comme $A \in \mathcal{P} : 2x - 3\times 0 + 0 - 6 = 0$, donc $x = 3$; soit $A(3\,;0\,;0)$.
On obtient de même $B(0\,;-2\,;0)$ et $C(0\,;0\,;6)$.

2 a. On a $\overrightarrow{AD}\begin{pmatrix} 2 \\ -3 \\ 1 \end{pmatrix}$. Le vecteur $\overrightarrow{AD}$ est donc orthogonal au plan $\mathcal{P}$ **2▸**.

b. Le plan $\mathcal{Q}$ passe par D et a pour vecteur normal $\overrightarrow{AD}$, donc **3▸** :
$M(x\,;y\,;z) \in \mathcal{Q} \Leftrightarrow \overrightarrow{DM} \cdot \overrightarrow{AD} = 0 \Leftrightarrow (x-5)\times 2 + (y+3)\times(-3) + (z-1)\times 1 = 0.$
Le plan $\mathcal{Q}$ a pour équation $2x - 3y + z - 20 = 0$.

3 a. Les coordonnées des points A et D vérifient l'équation du plan $\mathcal{R}$, puisque :

$$3 + 0 + 0 - 3 = 0 \text{ et } 5 - 3 + 1 - 3 = 6 - 6 = 0.$$

b. Le vecteur $\vec{n}\begin{pmatrix} 1 \\ 1 \\ 1 \end{pmatrix}$ est normal au plan $\mathcal{R}$. De plus $\vec{n} \cdot \overrightarrow{AD} = 2 - 3 + 1 = 0$.

$\vec{n}$ étant orthogonal à un vecteur normal à $\mathcal{P}$ est un vecteur du plan $\mathcal{P}$. Les **plans** $\mathcal{P}$ et $\mathcal{Q}$, qui ont leurs vecteurs normaux $\vec{n}$ et $\overrightarrow{AD}$ orthogonaux, sont dits **perpendiculaires** (voir l'exercice corrigé 13, page 302).

c. D'après la question précédente les plans $\mathcal{P}$ et $\mathcal{R}$ sont sécants suivant une droite Δ qui passe par A **4▸**.

$$M(x\,;y\,;z) \in \mathcal{P} \cap \mathcal{R} \overset{1▸}{\Leftrightarrow} \begin{cases} 2x - 3y + z - 6 = 0 \\ x + y + z - 3 = 0 \end{cases} \Leftrightarrow \begin{cases} x = 3 + 4y \\ y = y \\ z = -5y \end{cases}$$

La droite Δ admet pour vecteur directeur $\vec{u}(4\,;1\,;-5)$.

Bon à savoir

1▸ Les coordonnées d'un point d'intersection de deux ensembles vérifient les équations de ces ensembles.

2▸ On lit sur une équation cartésienne d'un plan, les coordonnées d'un vecteur normal à ce plan.

3▸ M appartient au plan passant par A et de vecteur normal $\vec{n}$ si, et seulement si, $\overrightarrow{AM} \cdot \vec{n} = 0$.

4▸ On vérifie que les vecteurs normaux des deux plans ne sont pas colinéaires et dans ce cas les plans sont sécants suivant une droite dont on détermine les éléments caractéristiques : un point et un vecteur directeur.

Exercices d'application

7 $ABCDEFGH$ est un cube de côté 1. On se place dans le repère orthonormé $(A, \overrightarrow{AB}, \overrightarrow{AD}, \overrightarrow{AE})$.

a. Démontrer que la droite (DF) est perpendiculaire au plan (BEG).

b. Déterminer une équation du plan (BEG).

c. Déterminer l'intersection avec le plan (ABC) du plan passant par F et parallèle au plan (BEG).

8 Dans le repère orthonormé $(O, \vec{i}, \vec{j}, \vec{k})$, on considère les points $A(1;1;3)$, $B(-3\,;1;1)$ et $C(-1\,;0\,;1)$.

a. Démontrer que les points A, B, C déterminent un unique plan.

b. Démontrer que $\vec{n}(1;2\,;-2)$ est un vecteur normal au plan (ABC) et en déduire une équation de (ABC).

Voir exercices 50 à 79

Mener une recherche et rédiger

9  Angle maximum

D'après IREM de Toulouse.
On considère un cube $ABCDEFGH$ d'arête 1. Soit M un point de la grande diagonale $[BH]$.

Où placer le point M pour que l'angle $\widehat{AMC}$ soit maximum ?

Pour aller plus loin
Lorsque N décrit le segment $[HF]$, l'angle $\widehat{ANC}$ passe-t-il par un maximum ou un minimum ?
Donner pour cet extremum la valeur exacte de son cosinus.

Mener une recherche étape par étape

1 Choisir un cadre et conjecturer

1 Cadre analytique
M étant sur le segment $[BH]$, il existe un réel $t \in [0\,;1]$ tel que $\overrightarrow{BM} = t\,\overrightarrow{BH}$.

a. En utilisant Géospace, construire un cube $ABCDEFGH$ appelé c_1, la variable $t \in [0\,;1]$ et le point M tel que $\overrightarrow{BM} = t\,\overrightarrow{BH}$.

b. Afficher la valeur de l'angle $\widehat{AMC}$ et en faisant varier t, conjecturer la valeur qui rend cet angle maximum.

2 Cadre géométrique
a. Construire le plan $\mathcal{P}$ passant par M et orthogonal à (BH) et son intersection p_1 avec le cube c_1.

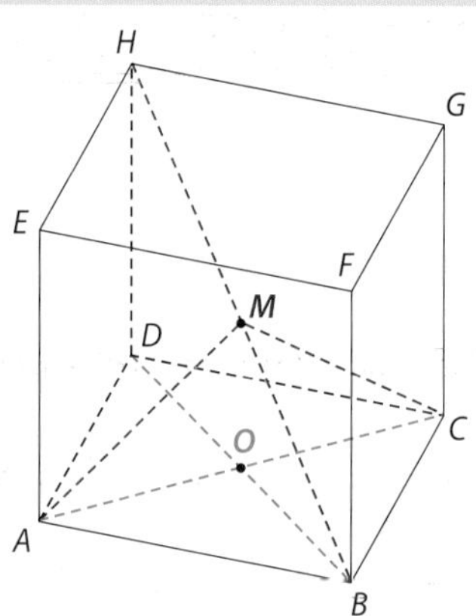

b. En faisant varier le point M sur $[BH]$, quelle position semble occuper $\mathcal{P}$ lorsque l'angle $\widehat{AMC}$ est maximal ?

2 Élaborer une démarche

1 Cadre analytique
On considère le repère orthonormé $(B, \overrightarrow{BA}, \overrightarrow{BC}, \overrightarrow{BF})$.

a. Déterminer les coordonnées des points A et C et vérifier que M a pour coordonnées $(t\,;t\,;t)$, où $t \in [0\,;1]$.

b. En exprimant le produit scalaire $\overrightarrow{MA} \cdot \overrightarrow{MC}$ de deux façons différentes démontrer que :

$$\cos\widehat{AMC} = \frac{3t^2-2t}{3t^2-2t+1} = 1 - \frac{1}{3t^2-2t+1} = f(t).$$

c. Étudier les variations de f sur $[0\,;1]$ et conclure.

2 Cadre géométrique
a. Montrer que l'angle $\widehat{AMC}$ est maximum si, et seulement si, le sinus de l'angle $\widehat{AMO}$ est maximum ; c'est-à-dire si, et seulement si, AM est minimum ; ou encore si, et seulement si, (AM) est perpendiculaire à (BH).

b. Dans le cas où l'angle $\widehat{AMC}$ est maximal, justifier la figure ci-contre.

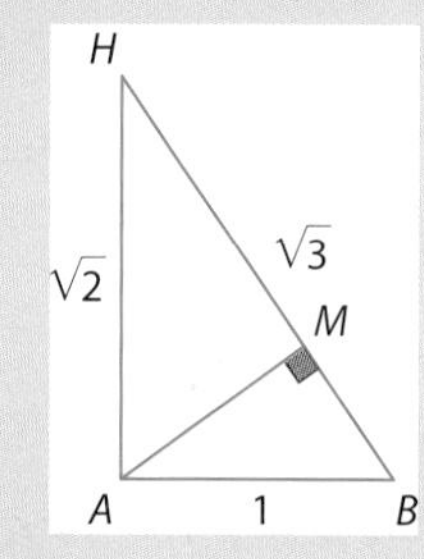

c. Conclure.

3 Rédiger

À l'aide des deux parties précédentes, rédiger une solution du problème posé.

Pour aller plus loin : On utilise les mêmes outils qu'au **1**. Après avoir posé $\overrightarrow{FN} = s\,\overrightarrow{FH}$, $s \in [0\,;1]$ on obtiendra que : $\cos\widehat{ANC} = 1 - \dfrac{1}{2s^2-2s+2}$.

L'écran de calculatrice permet de conjecturer les réponses.

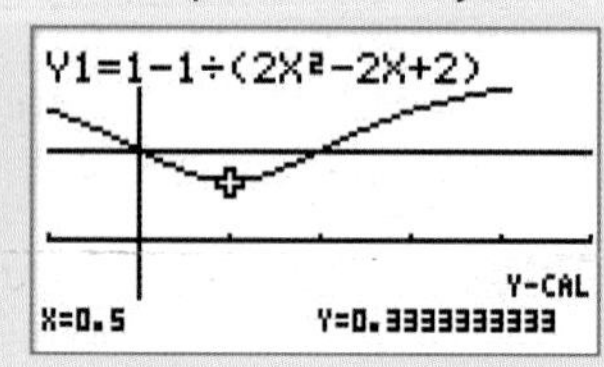

10 Distance d'un point à une droite

Dans un repère orthonormé on considère le point $A(-1;2;3)$, $B(3;2;1)$ et le vecteur $\vec{u}(-2;3;1)$.
Soit Δ la droite passant par B et de vecteur directeur $\vec{u}$.

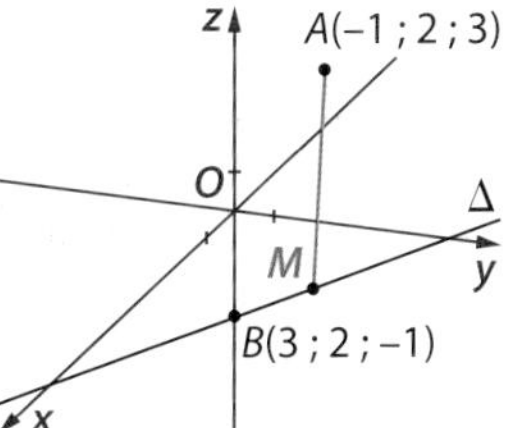

Partie A

1 Placer les éléments précédents à l'aide de *Geospace*, ainsi qu'un point M sur la droite Δ.

2 Faire apparaître la distance AM comme rayon du cercle de centre A de rayon AM dans le plan contenant A et Δ.

3 Faire apparaître la distance a de A à Δ, puis déplacer le point M sur Δ et préciser sa position lorsque $AM = a$.

Partie B – Méthode 1

1 Déterminer une équation cartésienne du plan $\mathcal{P}$ passant par A et orthogonal à Δ.

2 Déterminer un système d'équations paramétriques de la droite Δ.

3 Déterminer les coordonnées du point H intersection de Δ et $\mathcal{P}$ et en déduire la distance de A à Δ.

Partie C – Méthode 2

1 Soit t le paramètre d'un point M de Δ, pour une représentation paramétrique de Δ. Exprimer en fonction de t le nombre : $f(t) = AM^2$.

2 Déterminer le minimum de f sur $\mathbb{R}$ et en déduire la distance de A à Δ.

11 Calculs de distances, aires volumes

ABCDEFGH est un cube d'arête 1, a est un réel strictement positif. On définit les points M et K par les relations :

$$\overrightarrow{AM} = \frac{1}{a}\overrightarrow{AE}$$

et $a^2\overrightarrow{KM} + \overrightarrow{KB} + \overrightarrow{KD} = \vec{0}$.

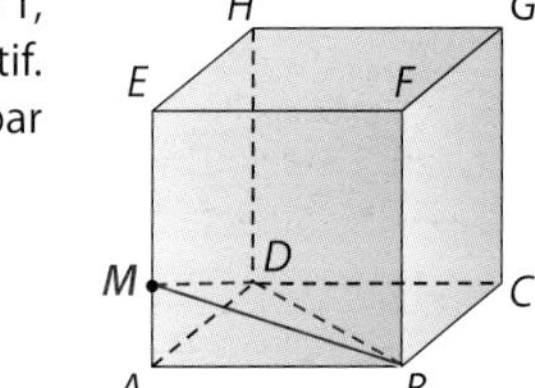

1 On souhaite démontrer que K est l'orthocentre du triangle BDM.

a. Exprimer $\overrightarrow{BK}$ en fonction de $\overrightarrow{BM}$ et $\overrightarrow{BD}$, puis calculer le produit scalaire $\overrightarrow{BK} \cdot \overrightarrow{MD}$.

b. Démontrer que $\overrightarrow{DK} \cdot \overrightarrow{MB} = 0$.

c. Conclure.

2 On souhaite calculer la longueur AK dans le cas où l'aire du triangle BDM est égale à 1.

a. Démontrer que l'aire du triangle BDM est égale à $\dfrac{\sqrt{a^2+2}}{2a}$.

b. Déterminer la valeur de a telle que l'aire de BDM soit égale à une unité d'aire.

c. En déduire, pour cette valeur, la longueur AK.

12  Distance d'un point à une droite. Cas particulier

Dans un repère orthonormé, on considère les plans $\mathcal{P}$ et $\mathcal{R}$ d'équations respectives :

$$2x - 3y - 2z + 4 = 0 \quad \text{et} \quad x + 2y - 2z - 5 = 0.$$

1 a. Déterminer deux vecteurs $\vec{n}$ et $\vec{m}$ respectivement normaux à $\mathcal{P}$ et $\mathcal{R}$ et justifier que l'intersection des plans $\mathcal{P}$ et $\mathcal{R}$ est une droite, que l'on nomme Δ.

b. Interpréter le résultat obtenu par la résolution ci-contre du système avec le logiciel *Xcas* :

```
2 linsolve([ 2x-3y-2z+4=0,x+2y-2z-5=0],[x,y,z])
```

$$\left[\left(\frac{10}{7}\right)\cdot z+1 \quad \left(\frac{2}{7}\right)\cdot z+2 \quad z\right]$$

c. Justifier que la droite Δ est dirigée par le vecteur $\vec{u}\begin{pmatrix}10\\2\\7\end{pmatrix}$.

On se propose de déterminer la distance δ du point O à la droite Δ.

2 Démontrer que les vecteurs $\vec{u}$, $\vec{n}$ et $\vec{m}$ sont deux à deux orthogonaux.

3 En déduire que le point H de la droite Δ tel que $OH = \delta$ vérifie la propriété suivante :
il existe deux réels a et b tels que :

$$\overrightarrow{OH} = a\vec{n} + b\vec{m} \quad \text{et} \quad OH^2 = a^2\vec{n}^2 + b^2\vec{m}^2.$$

4 En déduire la valeur de δ après avoir interprété puis utilisé le résultat ci-dessous obtenu avec le logiciel *Xcas*.

```
3 resoudre([10/7*z+1=2a+b,2/7*z+2=-3a+2b,z=-2a-2b],[z,a,b])
```

$$\left[\frac{-98}{153} \quad \frac{-4}{17} \quad \frac{5}{9}\right]$$

Travail personnel : exercices résolus

13 Plans perpendiculaires

Énoncé L'espace est rapporté au repère orthonormé $(O, \vec{i}, \vec{j}, \vec{k})$. On considère les plans $\mathscr{P}_1$ et $\mathscr{P}_2$ d'équations respectives :

$$x + 2y - z - 3 = 0 \quad \text{et} \quad y + 2z = 0.$$

1 a. Déterminer un vecteur $\overrightarrow{n_1}$ normal à $\mathscr{P}_1$ puis un vecteur $\overrightarrow{n_2}$ normal à $\mathscr{P}_2$ et calculer $\overrightarrow{n_1} \cdot \overrightarrow{n_2}$.

b. En déduire que $\mathscr{P}_1$ et $\mathscr{P}_2$ sont sécants suivant une droite Δ dont on donnera un point A et la direction.

2 Soit d la droite passant par A et de vecteur directeur $\overrightarrow{n_2}$. Montrer qu'elle est incluse dans $\mathscr{P}_1$ et est orthogonale à $\mathscr{P}_2$.

Définition. Deux plans sont perpendiculaires lorsqu'une droite de l'un est orthogonale à l'autre.

3 Démontrer que si deux plans $\mathscr{P}$ et $\mathscr{Q}$ ont des vecteurs normaux $\vec{n}$ et $\vec{m}$ orthogonaux, ils sont perpendiculaires.

Solution

1 a. $\mathscr{P}_1$ a pour équation $\mathbf{1}x + \mathbf{2}y - \mathbf{1}z - 3 = 0$. Il a pour vecteur normal $\overrightarrow{n_1}\begin{pmatrix} \mathbf{1} \\ \mathbf{2} \\ \mathbf{-1} \end{pmatrix}$

De même $\mathscr{P}_2$ a pour vecteur normal $\overrightarrow{n_2}\begin{pmatrix} 0 \\ 1 \\ 2 \end{pmatrix}$.

Enfin $\overrightarrow{n_1} \cdot \overrightarrow{n_2} = 2 - 2 = 0$.

b. Le produit scalaire des vecteurs $\overrightarrow{n_1}$ et $\overrightarrow{n_2}$ étant nul, $\overrightarrow{n_1}$ et $\overrightarrow{n_2}$ ne sont pas colinéaires. $\mathscr{P}_1$ et $\mathscr{P}_2$ sont donc sécants suivant une droite Δ dont les points $M(x\,;y\,;z)$ vérifient :

$$\begin{cases} x + 2y - z - 3 = 0 \\ y + 2z = 0 \end{cases} \Leftrightarrow \begin{cases} x = -2(-2z) + z + 3 \\ y = -2z \end{cases} \Leftrightarrow \begin{cases} x = 3 + 5t \\ y = -2t \\ z = t \end{cases}, t \in \mathbb{R}.$$

Les plans $\mathscr{P}_1$ et $\mathscr{P}_2$ se coupent suivant une droite Δ passant par $A(3\,;0\,;0)$ et de vecteur directeur $\vec{u}\begin{pmatrix} 5 \\ -2 \\ 1 \end{pmatrix}$.

2 ▸ Le vecteur $\overrightarrow{n_2}$, directeur de d, est orthogonal à $\mathscr{P}_2$ donc d est perpendiculaire à $\mathscr{P}_2$, en A.

▸ La droite d a pour représentation paramétrique $\begin{cases} x = 3 + 5t \\ y = -2t \\ z = t \end{cases}, t \in \mathbb{R}$ et on a

$\mathbf{1}(3 + 5t) + \mathbf{2}(-2t) - \mathbf{1}(t) - 3 = 3 + 5t - 5t - 3 = 0$, donc tout point de d appartient à $\mathscr{P}_1$.

3 Si les vecteurs $\vec{n}$ et $\vec{m}$ sont orthogonaux, ils sont non colinéaires, donc $\mathscr{P}$ et $\mathscr{Q}$ sont sécants selon une droite. Soit A un point de l'intersection de ces deux plans. Soit d la droite passant par A et de vecteur directeur $\vec{n}$.

Pour tout point N de d il existe $k \in \mathbb{R}$ tel que $\overrightarrow{AN} = k\vec{n}$

▸ $\overrightarrow{AN}$ est colinéaire à $\vec{n}$, donc d est perpendiculaire à $\mathscr{P}$.

▸ $\mathscr{Q}$ est l'ensemble des points M de l'espace tels que $\overrightarrow{AM} \cdot \vec{m} = 0$; or : $\overrightarrow{AN} \cdot \vec{m} = (k\vec{n}) \cdot \vec{m} = k \times \vec{n} \cdot \vec{m} = 0$, et donc le point N appartient à $\mathscr{Q}$. Ainsi la droite d est incluse dans $\mathscr{Q}$.

La droite d est une droite de $\mathscr{Q}$, orthogonale à $\mathscr{P}$: les deux plans sont donc perpendiculaires. Il est aisé de voir par symétrie que la droite d' passant par A et dirigée par $\vec{m}$ est incluse dans $\mathscr{P}$ et orthogonale à $\mathscr{Q}$.

Stratégies

1 a. L'équation cartésienne d'un plan fournit un vecteur normal à ce plan.

b. Si deux plans ont des vecteurs normaux non colinéaires, ils sont sécants suivant une droite. On obtient une représentation paramétrique de cette droite en exprimant deux des coordonnées (ici x et y) en fonction de la troisième (z) qui joue le rôle de paramètre.

2 ▸ Si $\vec{n}$ est un vecteur normal à un plan, toute droite qu'il dirige est perpendiculaire à ce plan.

▸ Si on connaît une représentation paramétrique d'une droite, il est facile de vérifier si elle est incluse dans un plan ou non.

3 En plus des remarques précédentes, ne pas oublier que l'ensemble des points M tel que $\overrightarrow{AM} \cdot \vec{m} = 0$ est le plan qui passe par A et a pour vecteur normal $\vec{m}$.

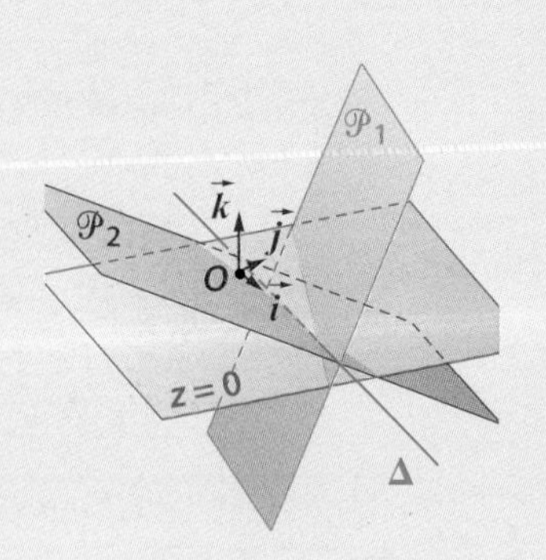

14 BAC Vecteurs orthogonaux

Énoncé $ABCDEFGH$ est un cube de côté a.

1 a. Les vecteurs $\overrightarrow{AF}$ et $\overrightarrow{CE}$ sont-ils orthogonaux ?

b. Démontrer que les vecteurs $\overrightarrow{AF}$ et $\overrightarrow{BC}$ sont orthogonaux.

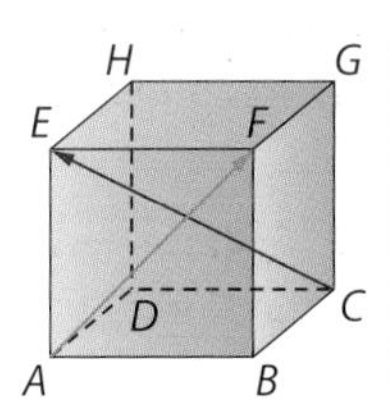

2 ROC On rappelle la propriété suivante : « si $\vec{u}$ et $\vec{v}$ sont deux vecteurs non colinéaires d'un plan $\mathcal{P}$, alors tout vecteur $\vec{w}$ de $\mathcal{P}$ s'écrit $\vec{w} = x\vec{u} + y\vec{v}$ où x et y sont deux réels. »

Démontrer que la droite (AF) est orthogonale à toute droite du plan (BCE).

Solution

1 a. On considère le repère orthonormé $(A, \vec{i}, \vec{j}, \vec{k})$ tel que $\overrightarrow{AB} = a\vec{i}$, $\overrightarrow{AD} = a\vec{j}$ et $\overrightarrow{AE} = a\vec{k}$.

Ainsi on a : $F(a\,;0\,;a)$, $C(a\,;a\,;0)$ et $E(0\,;0\,;a)$; donc $\overrightarrow{AF}\begin{pmatrix}a\\0\\a\end{pmatrix}$ et $\overrightarrow{CE}\begin{pmatrix}-a\\-a\\a\end{pmatrix}$;

d'où $\overrightarrow{AF} \cdot \overrightarrow{CE} = a\times(-a) + 0\times(-a) + a\times a = 0$.

Le produit scalaire de $\overrightarrow{AF}$ et $\overrightarrow{CE}$ étant nul, ces vecteurs sont orthogonaux.

b. Comme $\overrightarrow{BC}\begin{pmatrix}0\\a\\0\end{pmatrix}$, on a $\overrightarrow{AF} \cdot \overrightarrow{BC} = 0$: $\overrightarrow{AF}$ et $\overrightarrow{BC}$ sont orthogonaux.

2 Soit Δ une droite du plan (BCE) dirigée par un vecteur $\vec{w}$. Comme les vecteurs $\overrightarrow{CE}\begin{pmatrix}a\\-a\\a\end{pmatrix}$ et $\overrightarrow{BC}\begin{pmatrix}0\\a\\0\end{pmatrix}$ sont deux vecteurs du plan (BCE) non colinéaires, leurs coordonnées n'étant manifestement pas proportionnelles, il existe deux réels x et y tels que $\vec{w} = x\overrightarrow{CE} + y\overrightarrow{BC}$. D'où $\overrightarrow{AF} \cdot \vec{w} = x\overrightarrow{AF} \cdot \overrightarrow{CE} + y\overrightarrow{AF} \cdot \overrightarrow{BC} = 0$. Ainsi (AF) est orthogonale à Δ.

Stratégies

1 Vu la situation des vecteurs le cadre analytique s'impose.

2 L'orthogonalité de deux droites équivaut à l'orthogonalité de leurs vecteurs directeurs.
On utilise la décomposition d'un des vecteurs pour se ramener par linéarité à des produits scalaires connus.

15 Distance d'un point à un plan

Énoncé L'espace est rapporté au repère orthonormé $(O, \vec{i}, \vec{j}, \vec{k})$. On considère A le point de coordonnées $(-7\,;0\,;4)$ et le plan $\mathcal{P}$ d'équation $x + 2y - z - 1 = 0$.
On veut calculer la distance d du point A au plan $\mathcal{P}$, c'est-à-dire la plus petite des longueurs AM, lorsque M décrit le plan $\mathcal{P}$. Soit H le point d'intersection de $\mathcal{P}$ et de la droite Δ passant par A et perpendiculaire à $\mathcal{P}$: H est appelé **projeté orthogonal** de A sur $\mathcal{P}$ et on a : $d = AH$.

1 Déterminer une représentation paramétrique de la droite Δ.

2 Déterminer les coordonnées du point H intersection de Δ et de $\mathcal{P}$.

3 En déduire la distance de A à $\mathcal{P}$.

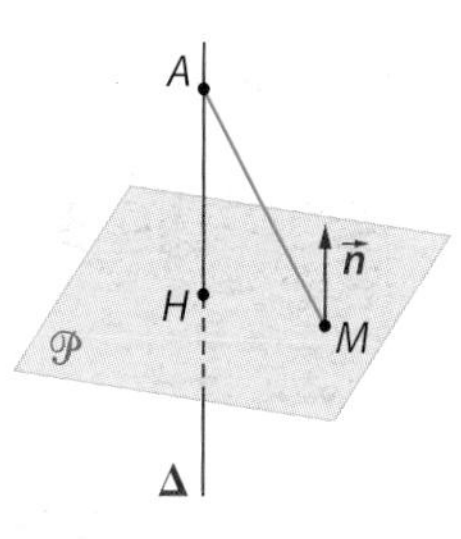

Solution

1 On choisit $\vec{n}\begin{pmatrix}1\\2\\-1\end{pmatrix}$ comme vecteur normal à $\mathcal{P}$: $\vec{n}$ dirige donc la droite Δ.

La droite Δ a pour représentation paramétrique $\begin{cases} x = -7 + t \\ y = 2t \\ z = 4 - t \end{cases}$, $t \in \mathbb{R}$.

2 Le point H appartient à $\mathcal{P}$ donc le paramètre t associé à H vérifie :
$0(-7 + t) + 2\times 2t - (4 - t) - 1 = 0$, d'où $t = 2$ et donc $H(-5\,;4\,;2)$.

3 On a : $\overrightarrow{AH}\begin{pmatrix}2\\4\\-2\end{pmatrix}$ donc $AH = \sqrt{4 + 16 + 4} = \sqrt{24} = 2\sqrt{6}$.

Remarque : Avec $t = 2$, on sait que $\overrightarrow{AH} = 2\vec{n}$, donc $AH = 2\|\vec{n}\| = 2\sqrt{6}$.

Stratégies

1 La droite Δ est dirigée par le vecteur $\vec{n}$ et passe par A.

2 Pour déterminer l'intersection du plan $\mathcal{P}$ avec la droite Δ on remplace x, y et z dans l'équation du plan, par leur expression en fonction du paramètre t.

Travail personnel : faire le point

Savoir...	Comment faire ?
Calculer le produit scalaire $\overrightarrow{AB} \cdot \overrightarrow{AC}$.	▸ Dans un repère orthonormé, on calcule les coordonnées des vecteurs $\overrightarrow{AB}\begin{pmatrix} x \\ y \\ z \end{pmatrix}$ et $\overrightarrow{AC}\begin{pmatrix} x' \\ y' \\ z' \end{pmatrix}$, puis on utilise $\overrightarrow{AB} \cdot \overrightarrow{AC} = xx' + yy' + zz'$. ▸ En l'absence de repère orthonormé évident, si on connaît : – les trois longueurs AB, BC et CA : $\overrightarrow{AB} \cdot \overrightarrow{AC} = \frac{1}{2}(AB^2 + AC^2 - BC^2)$; – deux longueurs et un angle : $\overrightarrow{AB} \cdot \overrightarrow{AC} = AB \times AC \times \cos\widehat{BAC}$; – le projeté orthogonal H de C sur (AB) : $\overrightarrow{AB} \cdot \overrightarrow{AC} = \overrightarrow{AB} \cdot \overrightarrow{AH}$. ▸ On peut aussi décomposer l'un des deux vecteurs pour faire apparaître par linéarité des produits scalaires connus.
Calculer des angles.	On utilise les formules précédentes en « isolant » le cosinus de l'angle cherché : ▸ avec la définition du produit scalaire : $\cos\widehat{BAC} = \dfrac{\overrightarrow{AB} \cdot \overrightarrow{AC}}{AB \times AC}$; ▸ avec le théorème d'Al-Kashi : $a^2 = b^2 + c^2 - 2bc\cos\hat{A}$.
Calculer des distances.	▸ Suivant les données, on peut utiliser les formules citées plus haut. ▸ Dans un repère orthonormé : **si $\overrightarrow{AB} = \vec{u}\begin{pmatrix} x \\ y \\ z \end{pmatrix}$, alors $AB = \lVert \vec{u} \rVert = \sqrt{\vec{u}^2} = \sqrt{x^2 + y^2 + z^2}$.**
Démontrer l'orthogonalité de deux droites $\mathscr{D}$ et $\mathscr{D}'$.	▸ On détermine deux vecteurs directeurs $\vec{u}$ et $\vec{u'}$ des droites $\mathscr{D}$ et $\mathscr{D}'$, puis on prouve que leur produit scalaire est nul : $\vec{u} \cdot \vec{u'} = 0$. ▸ On prouve que la droite $\mathscr{D}$ est orthogonale à un plan qui contient $\mathscr{D}'$.
Déterminer si un vecteur $\vec{u}$ est normal à un plan $\mathscr{P}$.	▸ On prouve que le vecteur $\vec{u}$ est orthogonal à **deux vecteurs non colinéaires** du plan $\mathscr{P}$. ▸ Si on connaît une équation cartésienne, dans un repère orthonormé, du plan $\mathscr{P}$: $ax + by + cz + d = 0$, on examine si le vecteur $\vec{u}$ est colinéaire au vecteur $\vec{n}\begin{pmatrix} a \\ b \\ c \end{pmatrix}$.
Déterminer une équation cartésienne d'un plan $\mathscr{P}$ passant par un point A dans un repère orthonormé.	▸ On détermine un vecteur $\vec{n}\begin{pmatrix} a \\ b \\ c \end{pmatrix}$ normal à $\mathscr{P}$. Une équation cartésienne de $\mathscr{P}$ est alors : $ax + by + cz + d = 0$ et on trouve d en écrivant que les coordonnées du point A la vérifient. ▸ On peut aussi écrire : $M(x\,;y\,;z) \in \mathscr{P} \Leftrightarrow \overrightarrow{AM} \cdot \vec{n} = 0$.
Étudier la position relative de deux plans.	On détermine **un vecteur normal pour chacun des deux plans** : ▸ Si ces deux vecteurs sont colinéaires les deux plans sont **parallèles**. ▸ Sinon les plans sont **sécants** suivant une droite. ▸ Si les deux vecteurs normaux sont orthogonaux les deux plans sont **perpendiculaires**.

Travail personnel : faire le point

QCM

Voir corrigés en fin de manuel

16 Dans chacun des cas suivants, indiquer **la (ou les)** bonne(s) réponse(s).
On considère le cube $ABCDEFGH$ d'arête de longueur 1 et les milieux I et J des arêtes $[EH]$ et $[EF]$.
$\mathscr{P}$ désigne le plan (BIG).

1 La longueur BI vaut :	**a.** $\sqrt{\frac{5}{2}}$	**b.** $\frac{5}{2}$	**c.** $\frac{3}{2}$
2 $\overrightarrow{BG} \cdot \overrightarrow{EJ}$ est égal à :	**a.** $-\frac{1}{2}$	**b.** 0	**c.** $\overrightarrow{BG} \cdot \overrightarrow{BA}$
3 $\overrightarrow{DJ} \cdot \overrightarrow{BG}$ est égal à :	**a.** $\overrightarrow{CF} \cdot \overrightarrow{BG}$	**b.** -1	**c.** 0
4 $\overrightarrow{GI} \cdot \overrightarrow{EJ}$ est égal à :	**a.** $-\frac{1}{2}$	**b.** 0	**c.** $\frac{\sqrt{5}}{4}$
5 $\widehat{GBI}$ a pour mesure en degré :	**a.** 45°	**b.** 60°	**c.** 71° à 1° près
6 Un vecteur normal au plan (BIG) est :	**a.** $\overrightarrow{FD}$	**b.** $\overrightarrow{EJ}$	**c.** $\overrightarrow{DJ}$

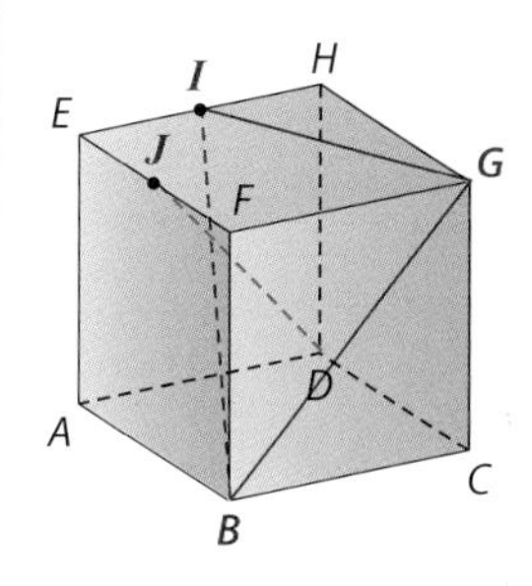

17 Dans chacun des cas suivants, indiquer **la (ou les)** bonne(s) réponse(s).
L'espace est muni d'un repère orthonormé $(O, \vec{i}, \vec{j}, \vec{k})$.

1 On considère les points $A(1;2;0)$, $B(1;1;1)$ $C(-2;1;1)$. Un vecteur normal à (ABC) a pour coordonnées :	**a.** $\begin{pmatrix}2\\2\\2\end{pmatrix}$	**b.** $\begin{pmatrix}0\\2\\2\end{pmatrix}$	**c.** $\begin{pmatrix}2\\0\\2\end{pmatrix}$
2 Le plan passant par l'origine et de vecteur normal $\vec{n}(1;1;1)$ a pour équation :	**a.** $x+y+z=1$	**b.** $x+y+z=0$	**c.** $x+y+z=3$
3 La droite passant par $A(1;0;1)$ et de vecteur directeur $\vec{u}=2\vec{i}+\vec{j}+3\vec{k}$ est contenue dans le plan d'équation :	**a.** $x+y+z=0$	**b.** $2x-y-z-1=0$	**c.** $x+3y+z-2=0$
4 La droite (OA) avec $A(-2;4;-2)$ et le plan $\mathscr{P}$ d'équation $x-2y+z+3=0$ sont :	**a.** sécants	**b.** parallèles	**c.** orthogonaux
5 Les plans d'équations respectives $3x-y+2z-1=0$ et $x+5y+z-2=0$ sont :	**a.** sécants	**b.** parallèles	**c.** perpendiculaires

Vrai ou faux ?

Voir corrigés en fin de manuel

18 Pour chacune des affirmations, répondre par vrai ou par faux.

1 Si deux droites de l'espace sont perpendiculaires à une même troisième, elles sont parallèles entre elles.

2 La droite d passant par $A(1;-1;2)$ et de vecteur directeur $\vec{u}(2;-1;-1)$ est orthogonale au plan $\mathscr{P}$ d'équation $x+y+z-2=0$.

3 $\vec{u}(-2;0;1)$ est un vecteur directeur de la droite d'intersection des plans $\mathscr{P}$ et $\mathscr{P}'$ d'équations respectives $x-y+2z-1=0$ et $-2x+4y-4z-4=0$.

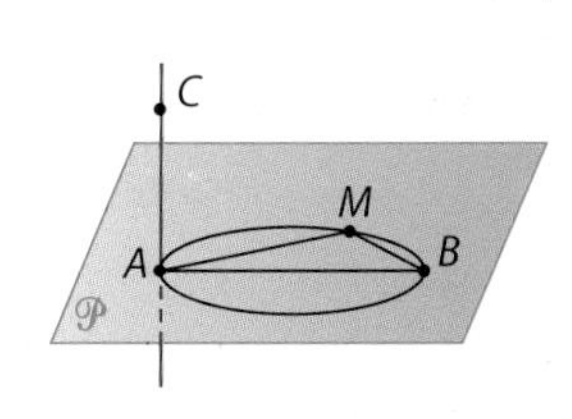

4 On se donne un plan $\mathscr{P}$, un point C de l'espace, non situé dans $\mathscr{P}$, le projeté orthogonal A de C sur le plan $\mathscr{P}$ et un point M du cercle de diamètre $[AB]$ dans le plan $\mathscr{P}$. Alors : « La droite (CM) est orthogonale à la droite (MB). »

Exercices d'application

→ Les exercices portant un numéro jaune sont corrigés à la fin du manuel.

1 Produit scalaire dans l'espace

19 Vrai ou faux ?

Répondre par vrai ou par faux aux affirmations suivantes. $ABCDEFGH$ est un cube et $AB = 1$. Les points I et J sont les milieux respectifs de $[AB]$ et $[CG]$.

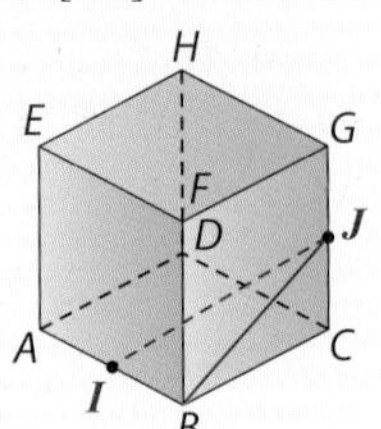

1 $\overrightarrow{AC} \cdot \overrightarrow{AI} = \frac{1}{2}$.

2 $\overrightarrow{AC} \cdot \overrightarrow{AI} = \overrightarrow{AI} \cdot \overrightarrow{AB}$.

3 $\overrightarrow{IB} \cdot \overrightarrow{IJ} = \overrightarrow{IB} \cdot \overrightarrow{IC} = \overrightarrow{IB}^2$.

4 $\overrightarrow{AB} \cdot \overrightarrow{IJ} = AB \times IC \cos \frac{\pi}{3}$.

5 $\overrightarrow{AF} \cdot \overrightarrow{HC} = 0$.

20 QCM

Dans un repère orthonormé (O, I, J, K), on donne les points $A(-1 ; 2 ; 1)$, $B(1 ; 1 ; 2)$ et $C(2 ; -1 ; 1)$.

1 Les points A, B et C :
a. sont alignés.
b. appartiennent à une même sphère de centre O.
c. appartiennent à un même cercle de centre O.

2 Le triangle ABC est :
a. isocèle en A. **b.** isocèle en B.
c. rectangle en B.

3 Le produit scalaire $\overrightarrow{AB} \cdot \overrightarrow{AC}$ vaut :
a. 3. **b.** 9. **c.** $\frac{1}{2}\overrightarrow{AC}^2$.

4 L'angle géométrique vaut :
a. $\widehat{ABC}$. **b.** $\frac{\pi}{3}$. **c.** $\frac{2\pi}{3}$.

Repères orthonormés – Normes

21

Dans un repère orthonormé (O, I, J, K), on considère le point $M(x ; y ; z)$. En utilisant la parallèle à la droite (OK) passant par M et le triangle rectangle OMH, établir la formule de la norme : $OM = \|\overrightarrow{OM}\| = \sqrt{x^2 + y^2 + z^2}$.

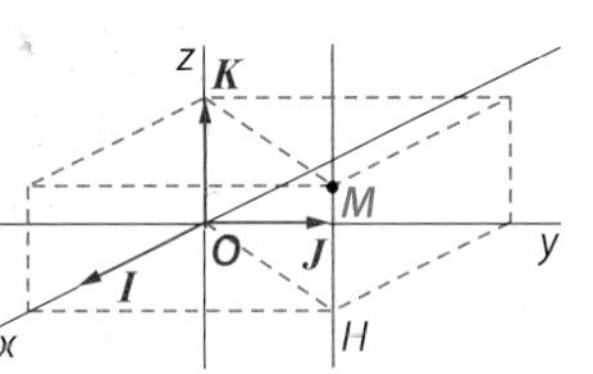

➔ Voir la propriété du cours, page 294.

22

On a représenté ci-contre le cube $OADBCFGE$ dans le repère orthonormé $(O, \vec{i}, \vec{j}, \vec{k})$, I désigne le centre du carré $DBEG$, L et K les points définis par :

$$\overrightarrow{CL} = \frac{5}{8}\overrightarrow{CE} \quad \text{et} \quad \overrightarrow{AK} = \frac{1}{4}\overrightarrow{AF}.$$

1 Donner les coordonnées des points A, E, I, K et L.

2 Calculer la norme du vecteur $\overrightarrow{AE}$.
Déterminer les coordonnées du vecteur unitaire $\vec{e}$, colinéaire à $\overrightarrow{AE}$ et de même sens.

3 Montrer que le triangle KIL est rectangle.

4 **a.** Déterminer une équation de la sphère S de centre $\Omega(2 ; 2 ; 2)$ qui passe par O.
b. Vérifier que le cube $OADBCFGE$ est inscrit dans la sphère S.

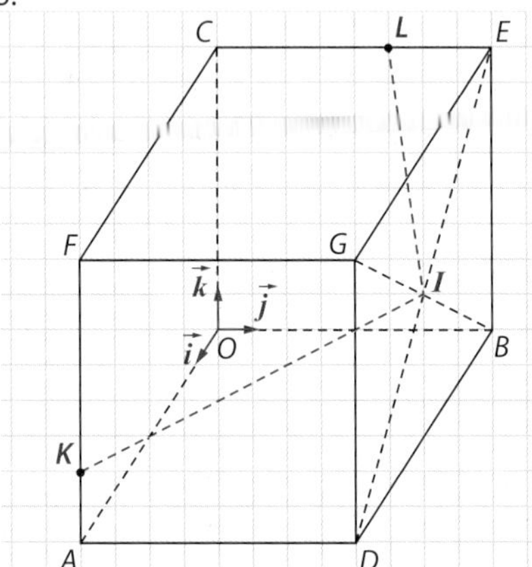

23

Dans un repère orthonormé $(O, \vec{i}, \vec{j}, \vec{k})$ on donne les points $A(-1 ; 2 ; 2)$, $B(1 ; 2 ; 2)$ et $C(1 ; -2 ; 2)$.

1 Démontrer que les trois points A, B et C appartiennent à une sphère (S) de centre $D(0 ; 0 ; 4)$, dont on précisera le rayon.

2 Déterminer une équation cartésienne de (S).

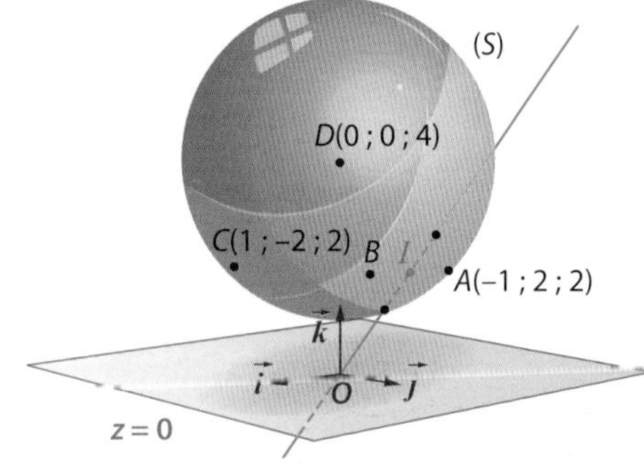

3 **a.** (S) est-elle la seule sphère passant par ces trois points ? On pourra raisonner avec les plans médiateurs des segments $[AB]$ et $[BC]$.
b. Vérifier que $OA = OB = OC$.

4 **a.** Déterminer une représentation paramétrique de la droite (OI) où I désigne le milieu du segment $[AB]$.
b. Déterminer les points communs à la droite (OI) et la sphère (S).

Calculer un produit scalaire dans l'espace

24 La figure ci-contre est un cube tel que $AB = 4$.

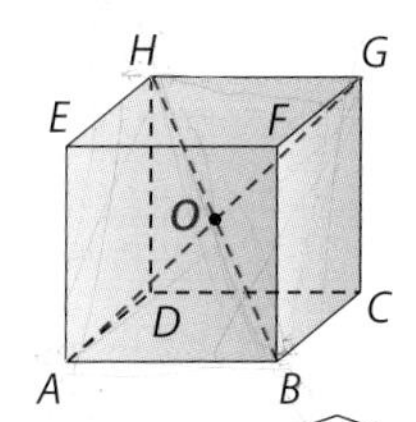

1 Après avoir précisé et justifié la nature du quadrilatère $ABGH$, calculer les produits scalaires :

$$\overrightarrow{HB} \cdot \overrightarrow{GB} \quad \text{et} \quad \overrightarrow{HB} \cdot \overrightarrow{BA}.$$

2 Calculer AO et en déduire une mesure de l'angle $\widehat{AOB}$.

25 La figure ci-contre est un cube tel que $AB = 3$.

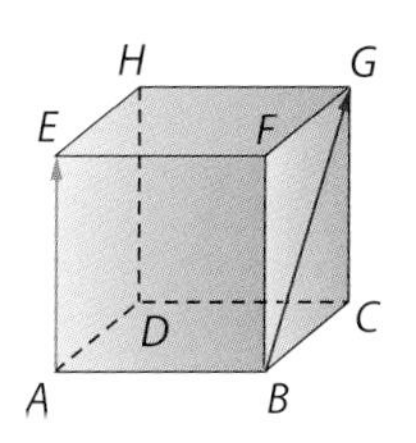

1 Déterminer de trois façons différentes le produit scalaire $\overrightarrow{AE} \cdot \overrightarrow{BG}$.

2 Déterminer de deux façons différentes le produit scalaire $\overrightarrow{AD} \cdot \overrightarrow{HB}$.

26 $SABCD$ est une pyramide à base carrée de sommet S dont toutes les arêtes ont la même longueur a.

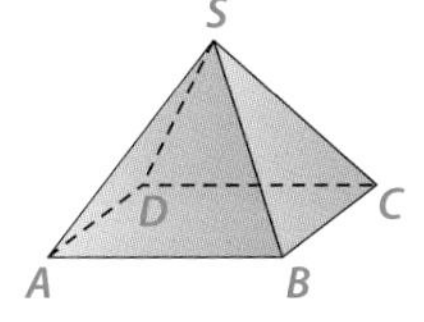

1 Calculer en fonction de a les produits scalaires :

a. $\overrightarrow{SA} \cdot \overrightarrow{SB}$; **b.** $\overrightarrow{SA} \cdot \overrightarrow{SC}$; **c.** $\overrightarrow{SA} \cdot \overrightarrow{AC}$; **d.** $\overrightarrow{SC} \cdot \overrightarrow{AB}$.

2 **a.** En déduire la nature du triangle SAC.

b. Justifier que le plan (SAC) est le plan médiateur du segment $[BD]$.

Aide Voir les activités 2 et 3.

c. En déduire la valeur de $\overrightarrow{SC} \cdot \overrightarrow{DB}$.

27 Soit $ABCD$ un tétraèdre régulier et I le milieu du segment $[BC]$. Déterminer une valeur approchée en degré de la mesure de l'angle $\widehat{AID}$.

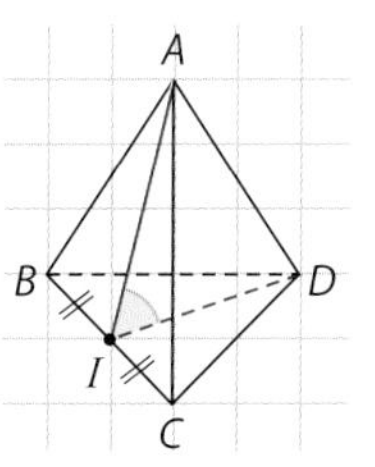

28 $ABCDEFGH$ est un cube.

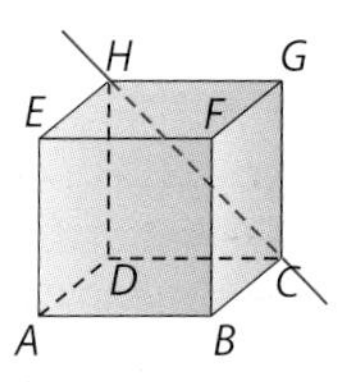

1 **a.** Déterminer le plan médiateur du segment $[HC]$.

b. En déduire le projeté orthogonal de A sur la droite (HC), c'est-à-dire l'intersection de la droite (HC) avec le **plan perpendiculaire** à (HC) passant par A.

2 On appelle K le milieu du segment $[DG]$ et on prend $AB = 1$. Déterminer les produits scalaires suivants :

$$\overrightarrow{AK} \cdot \overrightarrow{HC} \ ; \quad \overrightarrow{AK} \cdot \overrightarrow{AH} \ ; \quad \overrightarrow{FK} \cdot \overrightarrow{DK}.$$

29 On appelle nombre d'or le nombre réel :

$$\Phi = \frac{1 + \sqrt{5}}{2}.$$

1 Vérifier que : $\Phi^2 = \Phi + 1$.

2 On se place dans un repère orthonormé de l'espace $(O, \vec{i}, \vec{j}, \vec{k})$ où l'on considère les points de coordonnées :
$A(0\,;\phi\,;1)$, $B(\phi\,;1\,;0)$, $C(0\,;\phi\,;-1)$, $D(-\phi\,;1\,;0)$, $E(-1\,;0\,;\phi)$, $F(1\,;0\,;\phi)$, $G(\phi\,;-1\,;0)$, $H(0\,;-\phi\,;1)$, $I(-\phi\,;-1\,;0)$, $J(-1\,;0\,;-\phi)$, $K(1\,;0\,;-\phi)$, $L(0\,;-\phi\,;-1)$.

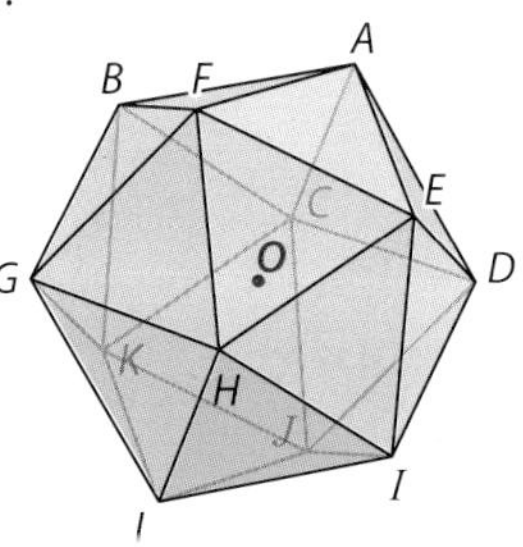

a. Démontrer que tous ces points sont sur une sphère de centre O dont on précisera le rayon. On appellera ce nombre le rayon de l'icosaèdre.

b. Quelle est la nature du triangle ABC ? (Le prouver.)

c. Citer d'autres triangles de même nature.

3 Donner les longueurs des arêtes de l'icosaèdre.

4 Les longueurs sont-elles proportionnelles au rayon ? Justifier.

Pour info L'icosaèdre est composé de 20 faces qui sont des triangles équilatéraux. Il a 12 sommets et 30 arêtes. 5 arêtes partent de chacun de ses sommets. Chez les Grecs, il était le symbole de l'eau.

Pyrite de forme icosaédrique.

30 $ABCDEFGH$ et $BIJCFKLG$ sont deux cubes accolés d'arête l'unité de longueur.
En considérant un repère orthonormé du plan $(AILH)$ calculer $\overrightarrow{AG} \cdot \overrightarrow{HI}$.
Qu'en déduit-on ?

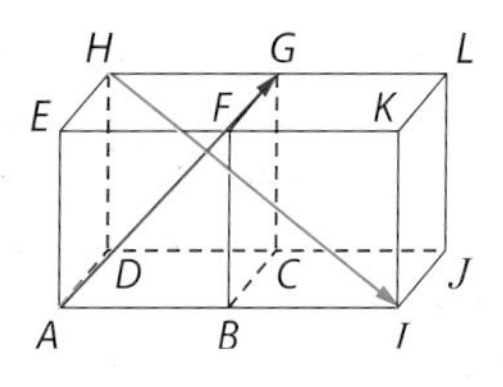

Note On peut traiter cet exercice dès que l'on connaît la propriété de linéarité du produit scalaire avec une décomposition adaptée.

2 Propriétés du produit scalaire

31 Vrai ou faux ?

On considère les points A, B, C et S de coordonnées respectives : $A(-1;0;1)$, $B(1;4;-1)$, $C(3;-4;-3)$ et $S(4;0;4)$.

1 a. Le triangle ABC est rectangle en A.
b. Le triangle ABC est isocèle en A.

2 a. $\overrightarrow{SO}$ est orthogonal à $\overrightarrow{AB}$.
b. $\overrightarrow{SO} \cdot \overrightarrow{AC} = -3$.

32 Vrai ou faux ?

On considère un triangle rectangle en B tel que $\widehat{BAC} = 30°$. Un point D se projette orthogonalement en A sur le plan (ABC) et on a $AD = AC = a$. Alors :

1 $\overrightarrow{AB} \cdot \overrightarrow{AC} = \dfrac{a^2}{4}$. **2** $\overrightarrow{BC} \cdot \overrightarrow{CD} = \overrightarrow{BC} \cdot \overrightarrow{CA}$.

3 $\overrightarrow{CB} \cdot \overrightarrow{CA} = \dfrac{a^2}{4}$. **4** $\overrightarrow{BC} \cdot \overrightarrow{CD} = \dfrac{a^2}{4}$.

33 QCM

$ABCD$ est un tétraèdre régulier d'arête a. I et J sont les milieux respectifs des côtés $[BC]$ et $[AD]$.

1 $\overrightarrow{AI} \cdot \overrightarrow{AD}$ est égal à :
a. $\dfrac{\sqrt{3}}{2}a^2$. **b.** $\dfrac{1}{2}a^2$. **c.** $\overrightarrow{AJ} \cdot \overrightarrow{AD}$.

2 $\overrightarrow{AI} \cdot \overrightarrow{CD}$ est égal à :
a. 0. **b.** $\overrightarrow{AC} \cdot \overrightarrow{CA}$. **c.** $-\dfrac{1}{4}a^2$.

3 $\overrightarrow{AI} \cdot \overrightarrow{CJ}$ est égal à :
a. $-\dfrac{1}{4}a^2$. **b.** $-\dfrac{1}{2}a^2$. **c.** $\overrightarrow{AB} \cdot \overrightarrow{BC}$.

4 $\overrightarrow{IJ}^2$ est égal à :
a. $\dfrac{1}{2}a^2$. **b.** a^2. **c.** $(\overrightarrow{AJ} - \overrightarrow{AI}) \cdot (\overrightarrow{CJ} - \overrightarrow{CI})$.

Expression en repère orthonormé

Dans les exercices 34 à 38, l'espace est rapporté à un repère orthonormé $(O, \vec{i}, \vec{j}, \vec{k})$.

34

Calculer le produit scalaire $\vec{u} \cdot \vec{v}$ dans les cas suivants.

1 $\vec{u}(-2;3;5)$ et $\vec{v}(3;-4;2)$.

2 $\vec{u} = 2\vec{i} - \vec{j} - \vec{k}$ et $\vec{v} = -2\vec{j} + 3\vec{k}$.

3 $\vec{u}(2;-2;3)$ et $\vec{v} = \vec{i} - 2\vec{k}$.

35

On considère les points $A(1;1;\sqrt{2})$, $B(\sqrt{2};-\sqrt{2};0)$ et $C(-1;-1;-\sqrt{2})$.

1 Démontrer que le triangle ABC est isocèle rectangle.

2 Calculer l'angle $\widehat{BCA}$ à 0,1°.

36

On considère deux réels α et β quelconques et le vecteur $\vec{u}(\cos\alpha\cos\beta ; \cos\alpha\sin\beta ; \sin\alpha)$.
Démontrer que $\vec{u}$ est un vecteur de norme 1.

37

On donne les points suivants par leurs coordonnées ; $A(1;3;-1)$, $B(2;1;4)$, $C(5;0;3)$ et $D(4;2;-2)$.

1 a. Montrer que le quadrilatère $ABCD$ est un parallélogramme.
b. Calculer le produit scalaire $\overrightarrow{AB} \cdot \overrightarrow{BC}$.
Que peut-on en déduire sur la nature du parallélogramme $ABCD$?

2 Calculer les coordonnées du milieu I de $[AC]$.

3 On considère la pyramide $SABCD$ de sommet le point $S(6{,}5 ; 9{,}5 ; 3{,}5)$.
a. Montrer que le vecteur $\overrightarrow{IS}$ est orthogonal à chacun des deux vecteurs $\overrightarrow{AB}$ et $\overrightarrow{BC}$.
b. Calculer la valeur exacte du volume de la pyramide $SABCD$ dont $[IS]$ est une hauteur.

4 Détermination d'une mesure en degrés de $\widehat{SAB}$
a. Calculer le produit scalaire $\overrightarrow{AS} \cdot \overrightarrow{AB}$.
b. Donner les valeurs exactes des distances AS et AB.
c. Conclure pour la mesure de l'angle $\widehat{SAB}$.

38

On considère les points $A(2;1;3)$, $B(-1;2;4)$, $C(3;-1;8)$ et $D(0;0;9)$.

1 Démontrer que les quatre points A, B, C et D sont coplanaires.

2 Quelle est la nature du quadrilatère $ABCD$?

Propriétés algébriques

39

Calculer les produits scalaires suivants en utilisant des décompositions adaptées.
$ABCDEFGH$ est un cube et $AB = 2$.
Les points I et J sont les milieux respectifs de $[AB]$ et $[CG]$.

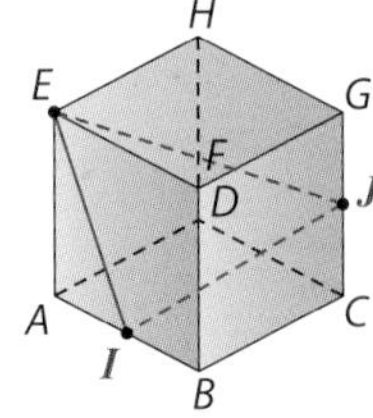

1 $\overrightarrow{EC} \cdot \overrightarrow{HG}$. **2** $\overrightarrow{EJ} \cdot \overrightarrow{HG}$.

3 $\overrightarrow{EI} \cdot \overrightarrow{BH}$. **4** $\overrightarrow{AB} \cdot \overrightarrow{IJ}$.

5 $\overrightarrow{EJ} \cdot \overrightarrow{JI}$. **6** $\overrightarrow{AC} \cdot \overrightarrow{IJ}$.

40 Soit $ABCDEFGH$ un parallélépipède rectangle vérifiant : $AB = AE = 2$ et $AD = 4$.
Soient I le centre du rectangle $ABFE$ et J le milieu du segment $[EH]$.

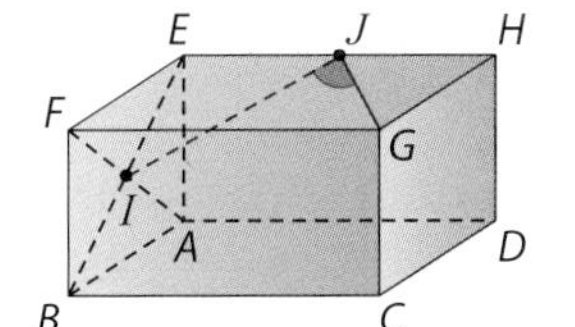

1 Calculer les produits scalaires suivants :
$\overrightarrow{BC} \cdot \overrightarrow{IH}$, $\overrightarrow{BJ} \cdot \overrightarrow{FA}$, $\overrightarrow{JI} \cdot \overrightarrow{JG}$.

2 Déterminer à 0,1 près, la mesure en degrés de l'angle $\widehat{IJG}$.

Vecteurs orthogonaux

41 L'espace est rapporté au repère $\left(O, \vec{i}, \vec{j}, \vec{k}\right)$ orthonormé. Déterminer le réel a pour que les vecteurs $\vec{u}$ et $\vec{v}$ soient orthogonaux dans les cas suivants :

1 $\vec{u}(-2\,;a\,;5)$ et $\vec{v}(1\,;1\,;a)$.

2 $\vec{u} = a\vec{i} - \vec{j} + a\vec{k}$ et $\vec{v} = \vec{j} + a\vec{k}$.

3 $\vec{u}(a\,;-2a\,;a)$ et $\vec{v} = \vec{i} - 2a\vec{k}$.

42 Soient $ABCDA'B'C'D'$ un cube d'arête 1, M un point de la droite (DA') et N un point de la droite (AC).
On pose :
$\overrightarrow{DM} = a\overrightarrow{DA'}$ et $\overrightarrow{AN} = b\overrightarrow{AC}$.

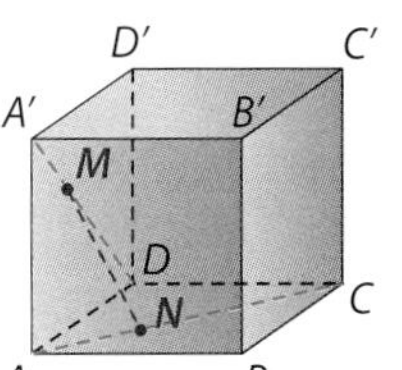

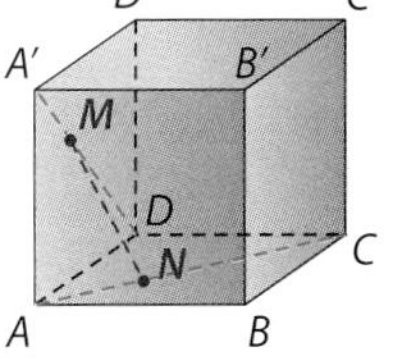

Déterminer a et b pour que la droite (MN) soit perpendiculaire aux droites (AC) et (DA'), en utilisant :
a. la relation de Chasles et des produits scalaires remarquables ;
b. le repère $\left(A, \overrightarrow{AB}, \overrightarrow{AD}, \overrightarrow{AA'}\right)$ dont on précisera la nature.

43 L'espace est rapporté au repère $\left(O, \vec{i}, \vec{j}, \vec{k}\right)$ orthonormé. On considère les vecteurs $\vec{u} = 2\vec{i} + \vec{j}$ et $\vec{v} = -\vec{i} + \vec{k}$. Trouver parmi les vecteurs suivants ceux qui sont orthogonaux à la fois à $\vec{u}$ et à $\vec{v}$.

1 $\overrightarrow{w_1}(1\,;-2\,;5)$. **2** $\overrightarrow{w_2}(3\,;-2\,;3)$.

3 $\overrightarrow{w_3} = 2\vec{i} - 4\vec{j} + 2\vec{k}$. **4** $\overrightarrow{w_4} = \vec{j} + \vec{k}$.

5 $\overrightarrow{w_5}(-1\,;2\,;-1)$. **6** $\overrightarrow{w_6} = \vec{k}$.

44 **Démonstration du cours**

➔ Voir la propriété du cours, paragraphe c., page 296.
Soient $\vec{u} = \overrightarrow{AB}$ et $\vec{v} = \overrightarrow{AC}$ deux vecteurs de l'espace. En écrivant que $\vec{u} \cdot \vec{v} - \|\vec{u}\| \times \|\vec{v}\| \times \cos\widehat{BAC}$, démontrer que le produit scalaire $\vec{u} \cdot \vec{v}$ est nul si, et seulement si :
$\vec{u} = \vec{0}$ ou $\vec{v} = \vec{0}$ ou $\widehat{BAC} = \dfrac{\pi}{2}$.

45 Dans le repère orthonormé $\left(O, \vec{i}, \vec{j}, \vec{k}\right)$ on donne les droites Δ et Δ' de représentations paramétriques :

$$\begin{cases} x = -1 + t \\ y = 1 + t \\ z = -7 + 3t \end{cases}, t \in \mathbb{R} \quad \text{et} \quad \begin{cases} x = 5 - 3t' \\ y = 1 - 3t', t' \in \mathbb{R}. \\ z = 2t' \end{cases}$$

Démontrer que les droites Δ et Δ' sont orthogonales.
Sont-elles perpendiculaires ?

3 Orthogonalité dans l'espace

46 **QCM**
Soit $ABCDEFGH$ un cube de côté 1.
On choisit le repère orthonormé $\left(A, \overrightarrow{AB}, \overrightarrow{AD}, \overrightarrow{AE}\right)$.

1 $y - z = 0$ est une équation cartésienne du plan :
a. (AHG). **b.** (AGC). **c.** (ABG).

2 Le plan d'équation $x + y + z = 1$ est le plan :
a. (EAC). **b.** (EBD). **c.** (BDG).

3 La droite de représentation paramétrique $x = 1 - t$; $y = 1$; $z = t$ $(t \in \mathbb{R})$ est contenue dans le plan :
a. (BCH). **b.** (BCD). **c.** (CDH).

47 **Vrai ou faux ?**
On considère les points A, B, C et S de coordonnées respectives : $A(-1\,;0\,;1)$, $B(1\,;4\,;-1)$, $C(3\,;-4\,;-3)$ et $S(4\,;0\,;4)$.

1 **a.** $x + z = 0$ est une équation du plan (ABC).
b. Le vecteur $\vec{n}(2\,;0\,;2)$ est normal au plan (ABC).
c. Le vecteur $\vec{j}$ est normal au plan (ABC).

2 **a.** Les plans (ABC) et (CSB) se coupent suivant une droite qui a pour vecteur directeur : $\vec{u}(1\,;-4\,;-1)$.
b. L'ensemble des points de coordonnées $(6 - 5t\,;0\,;-2 + 3t)$ avec t réel est une droite qui porte une arête du tétraèdre $SABC$.

Exercices d'application

48 **QCM** L'espace est rapporté à un repère orthonormé $(O, \vec{i}, \vec{j}, \vec{k})$.

1 Soient A et B deux points distincts de l'espace.
L'ensemble des points M de l'espace tels que $\|\overrightarrow{MA}\| = \|\overrightarrow{MB}\|$ est :
a. l'ensemble vide.
b. un plan.
c. une sphère.

2 Les droites de représentations paramétriques respectives :

$$\begin{cases} x = 1 \\ y = 1 + 2t, t \in \mathbb{R}, \\ z = 1 + t \end{cases}$$

$$\text{et} \begin{cases} x = 3 - t' \\ y = 7 - 4t', t' \in \mathbb{R} \\ z = 2 - t' \end{cases}$$

sont :
a. parallèles.
b. sécantes.
c. non coplanaires.

3 La droite de représentation paramétrique
$$\begin{cases} x = -4t' \\ y = 1 + 3t', t' \in \mathbb{R} \\ z = 2 + 2t' \end{cases}$$
et le plan d'équation $x - 2y + 5z - 1 = 0$ sont :
a. orthogonaux.
b. parallèles.
c. ni orthogonaux ni parallèles.

4 L'ensemble des points $M(x\,;y\,;z)$ tels que :
$$x - y + 2z - 1 = 0 \quad \text{et} \quad -2x + 4y - 4z + 1 = 0$$
est :
a. l'ensemble vide.
b. une droite.
c. un plan.

Orthogonalité entre une droite et un plan

49 On considère un cube $ABCDEFGH$ de côté 1, avec E au-dessus de A.
On note I le milieu de $[BC]$, J celui de $[EH]$ et Ω le centre de la face $CDHG$.

1 Montrer que les points A, I, G et J sont coplanaires.

2 Montrer que $\overrightarrow{IJ} = \overrightarrow{CH}$ et en déduire que $\overrightarrow{F\Omega} \cdot \overrightarrow{IJ} = 0$.

3 Montrer que la droite $(F\Omega)$ est orthogonale au plan $(AIGJ)$.

50 Dans l'espace rapporté à un repère orthonormé $(O, \vec{i}, \vec{j}, \vec{k})$ on considère les points :

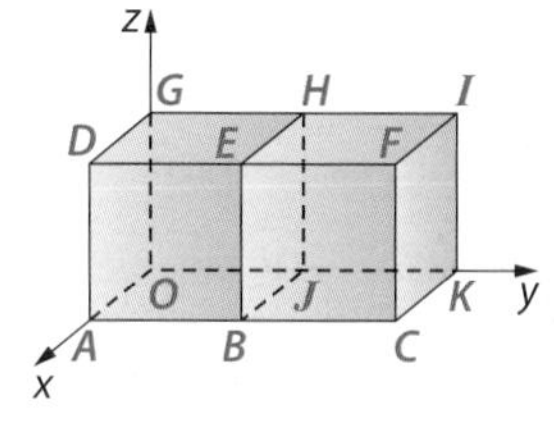

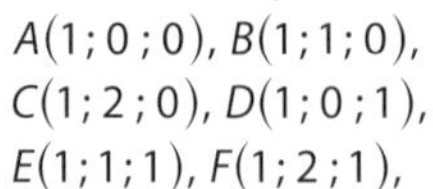

$A(1\,;0\,;0)$, $B(1\,;1\,;0)$, $C(1\,;2\,;0)$, $D(1\,;0\,;1)$, $E(1\,;1\,;1)$, $F(1\,;2\,;1)$, $G(0\,;0\,;1)$, $H(0\,;1\,;1)$, $I(0\,;2\,;1)$, $J(0\,;1\,;0)$ et $K(0\,;2\,;0)$.
Choisir la bonne réponse :

1 Le triangle GBI est :
a. isocèle. **b.** équilatéral.
c. rectangle.

2 Le produit scalaire $\overrightarrow{AH} \cdot \overrightarrow{FC}$ est égal à :
a. 1. **b.** -1. **c.** 2.

3 Les points B, C, I, H :
a. sont non coplanaires. **b.** forment un rectangle.
c. forment un carré.

4 Une représentation paramétrique de la droite (KE) est :

a. $\begin{cases} x = t \\ y = 2 + t, t \in \mathbb{R}. \\ z = t \end{cases}$ **b.** $\begin{cases} x = 3 + 4t \\ y = t \quad , t \in \mathbb{R}. \\ z = 4t \end{cases}$

c. $\begin{cases} x = 1 - t \\ y = 1 + t, t \in \mathbb{R}. \\ z = 1 - t \end{cases}$

5 Une équation cartésienne du plan (GBK) est :
a. $2x + 2y - z - 2 = 0$. **b.** $x + y - 3 = 0$.
c. $x + y + 2z = 2$.

51 **Démonstration du cours**

Voir les théorèmes du cours, page 298.

Le but de cet exercice est de démontrer que l'ensemble des points M de l'espace tel que $\overrightarrow{AM} \cdot \vec{n} = 0$ est le plan perpendiculaire en A à la droite passant par A et de vecteur directeur $\vec{n}$.

L'espace est rapporté à un repère orthonormé $(O, \vec{i}, \vec{j}, \vec{k})$.
On considère le vecteur $\vec{n}\begin{pmatrix} a \\ b \\ c \end{pmatrix}$, avec $a \neq 0$.

1 Démontrer que les vecteurs $\vec{v_1}\begin{pmatrix} -c \\ 0 \\ a \end{pmatrix}$ et $\vec{v_2}\begin{pmatrix} -b \\ a \\ 0 \end{pmatrix}$ sont orthogonaux à $\vec{n}$.

2 Vérifier que $\vec{v_1}$ et $\vec{v_2}$ ne sont pas coplanaires avec $\vec{n}$.

3 Soit $\mathcal{P}$ le plan de repère $(A\,;\vec{v_1}, \vec{v_2})$, et M un point de l'espace.
a. Justifier l'existence de trois réels α, β et γ tels que :
$$\overrightarrow{AM} = \alpha\vec{v_1} + \beta\vec{v_2} + \gamma\vec{n}.$$
b. Démontrer que $\overrightarrow{AM} \cdot \vec{n} = 0 \Leftrightarrow \gamma = 0$. Conclure.

52 LOGIQUE Montrer que si un plan $\mathcal{P}$ est parallèle à une droite d et orthogonal à une droite d', alors les droites d et d' sont orthogonales.

53 On considère un cube $ABCDEFGH$, d'arête de longueur a (a réel strictement positif).
Soit I le point d'intersection de la droite (EC) et du plan (AFH).

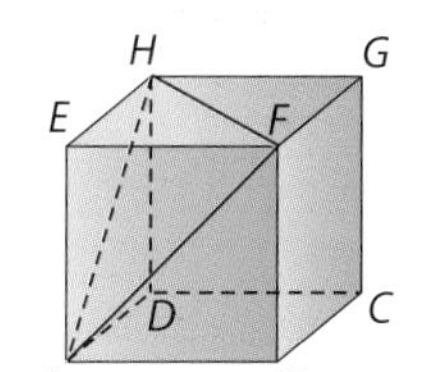

1 Calculer, en fonction de a, les produits scalaires suivants :
$\overrightarrow{EA} \cdot \overrightarrow{AF}$; $\overrightarrow{AB} \cdot \overrightarrow{AF}$; $\overrightarrow{BC} \cdot \overrightarrow{AF}$.

2 En déduire que les vecteurs $\overrightarrow{EC}$ et $\overrightarrow{AF}$ sont orthogonaux. On admettra de même que les vecteurs $\overrightarrow{EC}$ et $\overrightarrow{AH}$ sont orthogonaux.

3 En déduire que le point I est le projeté orthogonal de E sur le plan (AFH).

4 **a.** Justifier les résultats suivants : les droites (AF) et (EH) sont orthogonales, ainsi que les droites (AF) et (EI).
b. En déduire que la droite (AF) est orthogonale à la droite (HI).
c. Établir de même que la droite (AH) est orthogonale à la droite (FI).

5 Que représente le point I pour le triangle AFH ?

54 Dans le cube $ABCDEFGH$, où P est le milieu du segment $[HF]$, quelles sont les positions relatives des droites (AP) et (HF) ?
Et des droites (AP) et (EC) ?

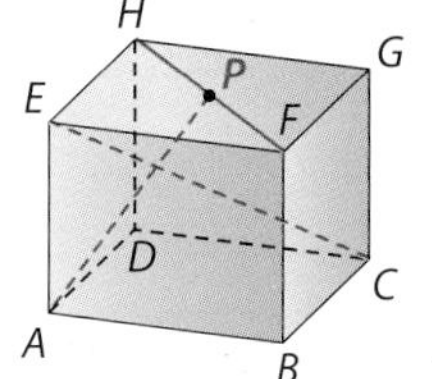

Vecteur normal – équation cartésienne

Pour les exercices 55 à 79, l'espace est rapporté à un repère orthonormé $(O, \vec{i}, \vec{j}, \vec{k})$.

Pour les exercices 55 à 59, donner les éléments manquants de la liste suivante pour chaque plan $\mathcal{P}$:
- un point ;
- un vecteur normal ;
- deux vecteurs non colinéaires ;
- une équation cartésienne.

55 $\mathcal{P}$ passe par le point $B(2\,;4\,;1)$ et a pour vecteur normal : $\vec{n}(-1;-1;5)$.

56 $\mathcal{P}$ a pour équation cartésienne :
$$\frac{1}{2}x + \frac{1}{4}y - z = 0.$$

57 $\mathcal{P}$ passe par les points $A(1;-1;-1)$, $B(0\,;1;1)$, $C(-1;2\,;0)$.

58 $\mathcal{P}$ a pour équation cartésienne : $y = -1$.

59 $\mathcal{P}$ passe par le point $A(1;-2\,;3)$ et $\vec{i}$ et $\vec{j} - 2\vec{k}$ sont deux vecteurs de $\mathcal{P}$.

60 Déterminer, dans chaque cas, une équation cartésienne du plan $\mathcal{P}$ contenant le point A dont $\vec{n}$ est un vecteur normal.

1 $A(-1;2\,;0)$ et $\vec{n}(1;1,-1)$;

2 $A(0\,;0\,;-1)$ et $\vec{n}(1;0\,;0)$.

61 Soient le point $A(1;2\,;3)$ et le vecteur $\vec{u}(1;2\,;-1)$. Déterminer une équation cartésienne de l'ensemble des points $M(x\,;y\,;z)$ vérifiant : $\vec{u} \cdot \overrightarrow{AM} = 2$.
Quelle est la nature de cet ensemble ?

62 On considère les points $A(0\,;1;1)$, $B(1;0\,;0)$, $C(-1;2\,;1)$ et $D(0\,;1;2)$.

1 Démontrer que les points A, B, C et D sont coplanaires.

2 Déterminer une équation cartésienne du plan (BCD).

63 On donne les points $A(1;0\,;-1)$, $B(2\,;2\,;3)$ et $C(3\,;1;-2)$.

1 Justifier que les points A, B et C définissent un plan.

2 **a.** Interpréter le résultat obtenu dans la résolution du système ci-dessous avec le logiciel *Xcas* :

```
1 resoudre([a-c+d=0,2a+2b+3c+d=0,3a+b-2c+d=0],[a,b,c])
  [-2·d  3·d  -d]
```

b. Démontrer que le vecteur $\vec{n}\begin{pmatrix}2\\-3\\1\end{pmatrix}$ est normal au plan (ABC) et déterminer une équation du plan (ABC).

Intersection de droites et de plans

64 On considère le plan $\mathcal{P}$ d'équation :
$$2x - 2y + z - 2 = 0$$
et les points $A(1;1;5)$ et $B(-1;-3\,;4)$. Déterminer le point d'intersection du plan $\mathcal{P}$ et de la droite (AB).

65 Soit le plan $\mathcal{P}$ d'équation $2x + y - z + 1 = 0$ et le plan $\mathcal{Q}$ d'équation $-x + 3y - 2z + 4 = 0$

1 Démontrer que ces deux plans sont sécants.

2 Déterminer un vecteur directeur et un point de la droite d'intersection $\mathcal{D}$ des plans $\mathcal{P}$ et $\mathcal{Q}$.

Exercices d'application

66 Soit le plan $\mathscr{P}$ d'équation $x + y - z = 0$ et le plan $\mathscr{Q}$ d'équation $2x - y - z - 1 = 0$.
Déterminer un vecteur directeur de la droite d'intersection $\mathscr{D}$ des plans $\mathscr{P}$ et $\mathscr{Q}$.

67 **1** Déterminer une représentation paramétrique de la droite d'intersection $\mathscr{D}$ des plans $\mathscr{P}$ et $\mathscr{P}'$ d'équations cartésiennes respectives :

$$x + y + z = 0 \quad \text{et} \quad x - y + z - 4 = 0.$$

2 Déterminer une équation cartésienne du plan $\mathscr{Q}$ passant par le point $A(1;1;2)$ et perpendiculaire à $\mathscr{D}$.

68 Soit $\mathscr{D}$ la droite de représentation paramétrique :

$$\begin{cases} x = -1 + 2t \\ y = 2 \ [\text{illegible}] \ t \quad , t \in \mathbb{R} \\ z = -2t \end{cases}$$

et A le point de coordonnées $(1;4;10)$.

1 Déterminer une équation cartésienne du plan perpendiculaire à $\mathscr{D}$ et passant par A.

2 Calculer la distance du point A à la droite $\mathscr{D}$.

3 Retrouver ce résultat en déterminant le minimum, sur $\mathbb{R}$, de la fonction $f : t \longmapsto AM$ où M est le point de paramètre t sur la droite $\mathscr{D}$.

69 On appelle $\mathscr{P}$ le plan d'équation $2x - y + 5 = 0$ et $\mathscr{P}'$ le plan d'équation $3x + y - z = 0$.

1 Montrer que $\mathscr{P}$ et $\mathscr{P}'$ sont sécants suivant une droite $\mathscr{D}$ dont une représentation paramétrique est :

$$\begin{cases} x = t \\ y = 2t + 5, t \in \mathbb{R}. \\ z = 5t + 5 \end{cases}$$

2 Répondre par vrai ou faux aux affirmations suivantes et justifier votre réponse.

Affirmation 1 : $\mathscr{D}$ est parallèle au plan $\mathscr{R}$ d'équation $-5x + 5y - z = 0$.

Affirmation 2 : $\mathscr{D}$ et $\mathscr{D}'$ sont coplanaires, si $\mathscr{D}'$ est la droite de représentation paramétrique :

$$\begin{cases} x = -3m \\ y = 1 + m \quad , m \in \mathbb{R}. \\ z = 2 + 2m \end{cases}$$

70 Les points A, B, C et D ont pour coordonnées respectives $(1;0;2)$, $(3;2;4)$, $(1;4;2)$ et $(5;2;4)$.
On considère les points I, J et K définis par :
– I milieu du segment $[AB]$ et K milieu du segment $[CD]$;
– J tel que $\overrightarrow{BJ} = \dfrac{1}{4}\overrightarrow{BC}$.

1 Déterminer les coordonnées respectives de I, J et K puis vérifier que ces points ne sont pas alignés.

2 Vérifier que $\vec{n}\begin{pmatrix} 8 \\ 9 \\ 5 \end{pmatrix}$ est normal au plan (IJK) et en déduire une équation cartésienne de ce plan.

3 Déterminer une représentation paramétrique de la droite (AD), puis établir que (IJK) et (AD) sont sécants en un point L tel que $\overrightarrow{AL} = \dfrac{1}{4}\overrightarrow{AD}$.

71 Soit (P) le plan d'équation $x + y - 2z + 3 = 0$.
On considère le point $A(2;-3;1)$ et les vecteurs $\vec{u}\begin{pmatrix} 1 \\ 1 \\ 1 \end{pmatrix}$ et $\vec{v}\begin{pmatrix} 3 \\ -3 \\ 0 \end{pmatrix}$.
Démontrer que $(A ; \vec{u}, \vec{v})$ est un repère orthogonal du plan (P).

72 Soit le plan $\mathscr{P}$ d'équation : $2x + y - 2z + 5 = 0$.

1 Déterminer un vecteur $\vec{n}$ normal au plan $\mathscr{P}$.

2 Démontrer que $\vec{u}\begin{pmatrix} 1 \\ 0 \\ 1 \end{pmatrix}$ est un vecteur du plan $\mathscr{P}$.

3 Déterminer une base orthonormée $(\vec{U}, \vec{V}, \vec{W})$, telle que $\vec{U}$ et $\vec{V}$ soient respectivement colinéaires à $\vec{n}$ et à $\vec{u}$.

73 **Plan tangent à une sphère**

On considère l'ensemble (E) d'équation :

$$x^2 + y^2 + z^2 - 4x + 6z = 0.$$

1 Démontrer que (E) est une sphère dont on donnera les coordonnées du centre Ω et le rayon.

2 Démontrer que la sphère (E) et la droite Δ passant par $A(3;1;2)$ et de vecteur directeur $\vec{u}\begin{pmatrix} 1 \\ -2 \\ 3 \end{pmatrix}$ ont un seul point commun, que l'on nomme B.

3 En raisonnant dans le plan $(AB\Omega)$, en déduire que les droites (ΩB) et Δ sont perpendiculaires.

4 Déterminer l'intersection de (E) avec la droite Δ' de représentation paramétrique : $\begin{cases} x = 2 \\ y = 3 - 2t' \quad , t' \in \mathbb{R}. \\ z = -1 + 3t' \end{cases}$

5 **a.** Démontrer que la droite (ΩB) est perpendiculaire au plan $\mathscr{P}$ défini par les deux droites Δ et Δ'.
b. En déduire que pour tout point M, distinct de B, du plan $\mathscr{P}$, on a $\Omega M > \sqrt{13}$.

Coup de pouce Considérer le triangle rectangle ΩBM.

c. Qu'en conclut-on pour le plan $\mathscr{P}$ et la sphère (E) ?

74 Dans l'espace rapporté au repère orthonormé $(O, \vec{i}, \vec{j}, \vec{k})$, on donne les points :

$$A(1;-1;4), \quad B(7;-1;-2) \quad \text{et} \quad C(1;5;-2).$$

1 a. Démontrer que le triangle ABC est équilatéral.
b. Déterminer une équation du plan (ABC).

2 Soit $\mathcal{D}$ la droite de représentation paramétrique :

$$\begin{cases} x = -2t \\ y = -2t - 2, t \in \mathbb{R} \\ z = -2t - 3 \end{cases}$$

a. Montrer que $\mathcal{D}$ est perpendiculaire au plan (ABC).
b. Montrer que $\mathcal{D}$ coupe le plan (ABC) en un point G de coordonnées $(3;1;0)$ centre de gravité de ABC.

3 Soit S la sphère de centre G passant par A. Déterminer les coordonnées des points communs à S et $\mathcal{D}$.

Plans perpendiculaires

75 Vrai ou faux ?

Préciser si les affirmations suivantes sont vraies ou fausses.

1 Deux plans perpendiculaires à un même troisième sont parallèles.

2 Si deux plans sont perpendiculaires, toute droite de l'un est orthogonale à toute droite de l'autre.

3 Si deux plans sécants sont perpendiculaires à un troisième, la droite d'intersection est orthogonale à ce troisième plan.

76 Vrai ou faux ?

Les propositions suivantes sont-elles vraies ou fausses ?

1 La droite passant par $A(2;-2;0)$ et de vecteur directeur $\vec{u}\begin{pmatrix} 5 \\ -3 \\ -2 \end{pmatrix}$ est parallèle au plan d'équation :

$$x + y + z + 1 = 0.$$

2 L'ensemble des points M de l'espace dont les coordonnées $(x;y;z)$ vérifient l'équation $y = x + 2$ est une droite.

3 Les plans (P) et (Q) d'équations respectives :

$$x - y + z = 5 \quad \text{et} \quad 4x + 3y - z - 2 = 0$$

sont perpendiculaires.

4 Le plan (P) d'équation $3x - y - z + 1 = 0$ passe par $A(0;1;0)$ et est dirigé par $\vec{u_1}\begin{pmatrix} 1 \\ 3 \\ 0 \end{pmatrix}$ et $\vec{u_2}\begin{pmatrix} 0 \\ -1 \\ 1 \end{pmatrix}$.

77 Vrai ou faux ?

Soit m un réel. Dans l'espace rapporté à un repère orthonormé $(O, \vec{i}, \vec{j}, \vec{k})$, on considère les plans (P) et (Q) d'équations cartésiennes :

$(P) : x - y + 2z + 3 = 0,$

$(Q) : x + my + 2z + 1 = 0.$

Alors :

1 Pour que (P) et (Q) soient sécants il faut que $m \neq 1$.

2 Si $m = -1$, alors (P) et (Q) sont parallèles.

3 Si $m = -1$, alors la droite de vecteur directeur $\vec{u}\begin{pmatrix} 1 \\ -1 \\ 2 \end{pmatrix}$ et passant par le point $I(3;0;3)$ est perpendiculaire à (Q).

4 Si $m = 5$, alors (P) et (Q) sont perpendiculaires.

5 Si $m = 5$, alors l'intersection de (P) et (Q) est une droite de vecteur directeur $\vec{v}\begin{pmatrix} -2 \\ 0 \\ 1 \end{pmatrix}$.

78 **1** Déterminer une équation du plan $\mathcal{P}$ passant par le point $A(1;0;1)$ et de vecteur normal $\vec{n}\begin{pmatrix} -1 \\ 1 \\ 1 \end{pmatrix}$.

2 Soit $\mathcal{P}'$ le plan d'équation $x + 2y - z + 1 = 0$ et M le point de coordonnées $(0;1;1)$.
a. Sachant que deux plans sont perpendiculaires si un vecteur normal à l'un est orthogonal à un vecteur normal à l'autre, démontrer que les plans $\mathcal{P}$ et $\mathcal{P}'$ sont perpendiculaires.
b. Calculer la distance d du point M au plan $\mathcal{P}$ (voir l'exercice résolu 15). On admet que la distance de M à $\mathcal{P}'$ est :

$$d' = \frac{2\sqrt{3}}{3}.$$

3 a. Donner une représentation paramétrique de la droite $\mathcal{D}$ intersection des plans $\mathcal{P}$ et $\mathcal{P}'$.
b. Déterminer les coordonnées du point H de $\mathcal{D}$ tel que la droite (MH) soit perpendiculaire à la droite $\mathcal{D}$.
c. Vérifier que $MH^2 = d^2 + d'^2$. Expliquer ce résultat.

79 On considère les plans (P) et (Q) d'équations respectives :

$$2x - 4y + 3z + 5 = 0 \quad \text{et} \quad x - 2y + 3z - 2 = 0.$$

1 Vérifier que (P) et (Q) ne sont pas parallèles.

2 Déterminer un système d'équations paramétriques de leur intersection $\mathcal{D}$.

3 Former une équation cartésienne du plan (R) passant par $A(2;-2;0)$ et perpendiculaire à (P) et à (Q).

Prépa Bac

Exercices guidés

80 Vrai ou faux ?

Dans l'espace rapporté au repère orthonormé $(O, \vec{i}, \vec{j}, \vec{k})$, on donne les points $A(0\,;0\,;2)$, $B(0\,;4\,;0)$ et $C(2\,;0\,;0)$. On désigne par I le milieu du segment $[BC]$, et par H le projeté orthogonal du point O sur le plan (ABC). Répondre par vrai ou par faux.

1 L'ensemble des points M de l'espace tels que $\overrightarrow{AM} \cdot \overrightarrow{BC} = 0$ est le plan (AIO).

2 L'ensemble des points M de l'espace tels que : $\|\overrightarrow{MB} + \overrightarrow{MC}\| = \|\overrightarrow{MB} - \overrightarrow{MC}\|$ est la sphère de diamètre $[BC]$.

3 Le volume du tétraèdre $OABC$ est égal à 4.

4 Le plan (ABC) a pour équation cartésienne $2x + y + 2z = 4$ et le point H a pour coordonnées $\left(\frac{8}{9}\,;\frac{4}{9}\,;\frac{8}{9}\right)$.

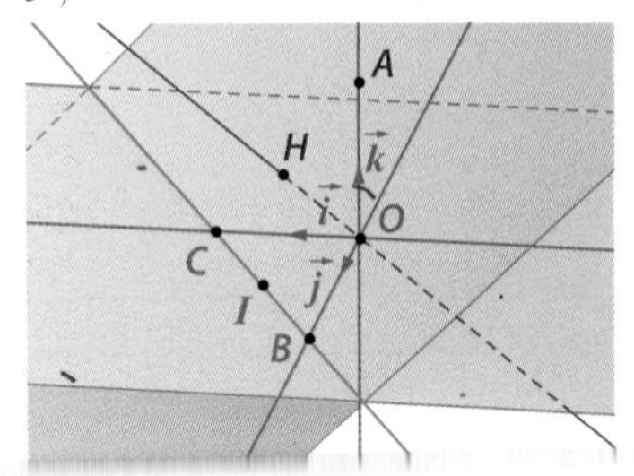

Pistes de résolution

1 Déterminer les coordonnées du point I. Calculer le produit scalaire $\overrightarrow{AI} \cdot \overrightarrow{BC}$ et conclure.

2 Vérifier que $\overrightarrow{MB} + \overrightarrow{MC} = 2\overrightarrow{MI}$ et $\overrightarrow{MB} - \overrightarrow{MC} = \overrightarrow{CB}$. puis conclure.

3 On rappelle qu'un tétraèdre a un volume égal au tiers du produit de l'aire d'une base par la hauteur relative. Vérifier que la droite (OA) est perpendiculaire au plan (OBC).

4 Vérifier que :
- les coordonnées des points A, B et C vérifient l'équation $2x + y + 2z = 4$;
- les coordonnées de H vérifient l'équation du plan.

Le vecteur $\overrightarrow{OH}$ est-il colinéaire à un vecteur normal au plan (ABC) ?

81 Utiliser des équations de plans et de droites

L'espace est rapporté au repère orthonormé $(O, \vec{i}, \vec{j}, \vec{k})$.
On considère les plans P et Q d'équations respectives :

$$x + y + z = 0 \quad \text{et} \quad 2x + 3y + z - 4 = 0.$$

1 Montrer que l'intersection des plans P et Q est la droite D dont une représentation paramétrique est :

$$\begin{cases} x = -4 - 2t \\ y = 4 + t \\ z = t \end{cases} \quad \text{où } t \text{ est un nombre réel.}$$

2 Soit λ un nombre réel. On considère le plan P_λ d'équation : $(1 - \lambda)(x + y + z) + \lambda(2x + 3y + z - 4) = 0$.

a. Vérifier que le vecteur $\vec{n}(1 + \lambda\,;1 + 2\lambda\,;1)$ est un vecteur normal au plan P_λ.

b. Donner une valeur du nombre réel λ pour laquelle les plans P et P_λ sont confondus.

c. Existe-t-il un nombre réel λ pour lequel les plans P et P_λ sont perpendiculaires ?

3 Déterminer une représentation paramétrique de la droite D', intersection des plans P et P_{-1}.
Montrer que les droites D et D' sont confondues.

Question ouverte

4 ***Dans cette question, toute trace de recherche, même incomplète, ou d'initiative même non fructueuse, sera prise en compte dans l'évaluation.***
On considère le point $A(1;1;1)$.
Déterminer la distance du point A à la droite D, c'est-à-dire la distance entre le point A et son projeté orthogonal sur la droite D.

Pistes de résolution

1 Les coordonnées des points de D vérifient les équations des plans P et Q. Exprimer x et y en fonction de z.

2 a. Mettre l'équation de P_λ sous la forme $ax + by + cz + d = 0$.
b. et **c.** Il faut déterminer λ pour que les vecteurs normaux à P et P_λ soient colinéaires, ou orthogonaux.

3 Vérifier que la droite D est contenue dans les plans P_λ, pour toutes les valeurs de λ.

4 La droite D est l'intersection des plans P et P_{-1} qui sont perpendiculaires. Pour obtenir la distance de A à D, il suffit de calculer la distance de A à P et la distance de A à P_{-1}. Faire un schéma.

82 Étude d'une propriété du cube

On considère le cube $ABCDIJKL$ dessiné ci-contre et on munit l'espace du repère $(A, \overrightarrow{AB}, \overrightarrow{AD}, \overrightarrow{AI})$.

1 Soit G le centre de gravité du triangle IBK. Calculer les coordonnées de G.

2 Donner un système d'équations paramétriques de la droite (JD) et vérifier que G appartient à cette droite.

3 Établir que $\overrightarrow{JD}$ est orthogonal aux vecteurs $\overrightarrow{BK}$ et $\overrightarrow{BI}$. En déduire une équation cartésienne du plan (BIK).

4 Retrouver le résultat en utilisant une équation cartésienne $ax + by + cz + d = 0$ du plan (BIK).

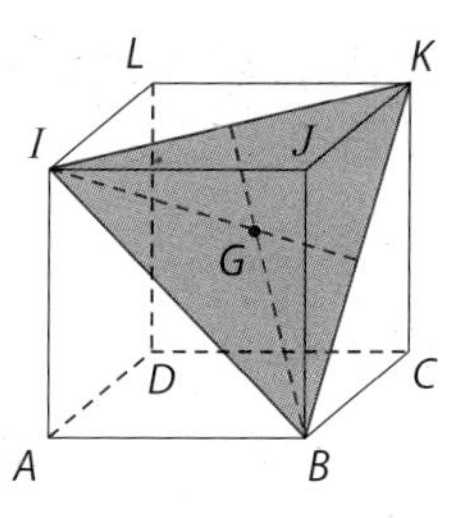

Pistes de résolution

1 Les coordonnées du centre de gravité sont les moyennes de celles des trois points I, B et K.

2 La droite (JD) passe par D et a pour vecteur directeur $\overrightarrow{JD}\begin{pmatrix}-1\\1\\-1\end{pmatrix}$.

3 Calculer les produits scalaires $\overrightarrow{JD}\cdot\overrightarrow{BK}$ et $\overrightarrow{JD}\cdot\overrightarrow{BI}$ après avoir déterminé leurs coordonnées puis conclure que $\overrightarrow{JD}$ est un vecteur normal au plan (BIK). Cela permet de déterminer une équation cartésienne du plan (BIK).

83 Les trois perpendiculaires

Dans l'espace rapporté au repère orthonormé $(O, \vec{i}, \vec{j}, \vec{k})$, on donne les points $A(4\,;-2\,;3)$, $B(1\,;-6\,;4)$ et $C(-1\,;0\,;-4)$.

1 **a.** Démontrer que les points A, B et C ne sont pas alignés.

b. Démontrer que le vecteur $\vec{n}\begin{pmatrix}1\\-1\\-1\end{pmatrix}$ est un vecteur normal au plan (ABC).

c. Déterminer une équation du plan (ABC).

2 **a.** Déterminer une représentation paramétrique de la droite d passant par le point O et orthogonale au plan (ABC).

b. Déterminer les coordonnées du point O', projeté orthogonal du point O sur le plan (ABC).

3 On désigne par H le projeté orthogonal du point O sur la droite (BC). Soit t le réel tel que $\overrightarrow{BH} = t\,\overrightarrow{BC}$.

a. Démontrer que $t = \dfrac{\overrightarrow{BO}\cdot\overrightarrow{BC}}{\|\overrightarrow{BC}\|^2}$.

b. En déduire le réel t et les coordonnées du point H.

c. Justifier que les droites $(O'H)$ et (BC) sont perpendiculaires.

4 Démontrer que la sphère de centre O et de rayon OH coupe le plan (ABC) suivant un cercle Γ. Ce cercle est-il tangent à la droite (BC) ? *(On ne demande pas de calculer le rayon du cercle Γ.)*

Pistes de résolution

1 **a.** Il suffit d'établir que les vecteurs $\overrightarrow{AB}$ et $\overrightarrow{AC}$ par exemple ne sont pas colinéaires ; montrer une contradiction en supposant la proportionnalité de leurs coordonnées.

b. Un vecteur est normal à un plan dès qu'il est orthogonal à **deux** vecteurs non colinéaires de ce plan.

c. Pour une équation du plan (ABC), on peut utiliser :

$$M \in (ABC) \Leftrightarrow \overrightarrow{AM}\cdot\vec{n} = 0.$$

On vérifie l'exactitude des calculs en testant les coordonnées des points B et C dans l'équation trouvée.

2 **a.** Toute droite orthogonale au plan (ABC) est dirigée par un vecteur normal à (ABC).

b. Les coordonnées du point O' vérifient à la fois l'équation du plan (ABC) et les équations paramétriques de la droite d.

3 **a.** Penser à décomposer le vecteur $\overrightarrow{BO}$ lors du calcul du produit scalaire $\overrightarrow{BO}\cdot\overrightarrow{BC}$ pour faire intervenir des produits scalaires connus et le vecteur $\overrightarrow{BH}$ qui peut se remplacer par $t\,\overrightarrow{BC}$.

b. Le contexte des coordonnées permet d'exprimer d'une autre façon les produits scalaires $\overrightarrow{BO}\cdot\overrightarrow{BC}$ et $\overrightarrow{BC}^2$ et donc de trouver le réel t.

c. On a le choix ici des preuves : soit les coordonnées pour exprimer un produit scalaire adapté au problème, soit réfléchir à la position relative de la droite (BC) et du plan $(OO'H)$.

4 On peut conjecturer que le centre du cercle Γ est le point O'.

Il suffit donc de montrer que la longueur $O'M$ pour tous les points M communs au plan (ABC) et à la sphère est une constante : faire une figure et utiliser les triangles $OO'M$, rectangles en O'.

La question **3** **c.** permet de répondre à la dernière interrogation du problème.

Exercices d'entraînement

84 QCM

Déterminer, dans chaque cas, **la (ou les)** bonne(s) réponse(s).

L'espace est rapporté au repère orthonormé $(O, \vec{i}, \vec{j}, \vec{k})$.

On considère le plan $\mathcal{P}$ d'équation cartésienne $x + 2y - 3z - 1 = 0$ et la droite (d) de représentation paramétrique :

$$\begin{cases} x = 1 + 2t \\ y = 2 - t \\ z = -3 - t \end{cases}, \ t \in \mathbb{R}.$$

1 Les coordonnées suivantes sont celles d'un point de (d) :

a. $(-1;3;2)$; **b.** $(2;-1;-1)$;
c. $(3;1;-4)$; **d.** $(1;2;-3)$.

2 Les coordonnées suivantes sont celles d'un vecteur directeur de (d).

a. $\begin{pmatrix} -6 \\ 3 \\ 3 \end{pmatrix}$; **b.** $\begin{pmatrix} 1 \\ 2 \\ -3 \end{pmatrix}$; **c.** $\begin{pmatrix} 3 \\ 1 \\ -4 \end{pmatrix}$; **d.** $\begin{pmatrix} -2 \\ 1 \\ 1 \end{pmatrix}$.

3 La droite (d) est :

a. incluse dans $\mathcal{P}$;
b. strictement parallèle à $\mathcal{P}$;
c. sécante à $\mathcal{P}$;
d. orthogonale à $\mathcal{P}$.

4 Les coordonnées suivantes sont celles d'un point de $\mathcal{P}$:

a. $(1;3;-2)$; **b.** $(1;3;2)$;
c. $(4;0;1)$; **d.** $(1;3;-1)$.

5 L'équation suivante est l'équation d'un plan perpendiculaire à $\mathcal{P}$:

a. $x - 2y - 3z + 1 = 0$; **b.** $4x - 5y - 2z + 3 = 0$;
c. $2x + y - 4 = 0$; **d.** $-3x + 2y - z + 1 = 0$.

85

Les points A, B et C ont pour coordonnées respectives : $A(3;-2;2)$; $B(6;1;5)$; $C(6;-2;-1)$.

Partie A

1 Montrer que le triangle ABC est un triangle rectangle.

2 Soit $\mathcal{P}$ le plan d'équation cartésienne :

$$x + y + z - 3 = 0.$$

Montrer que $\mathcal{P}$ est orthogonal à la droite (AB) et passe par le point A.

3 Soit $\mathcal{P}'$ le plan orthogonal à la droite (AC) et passant par le point A.

Déterminer une équation cartésienne de $\mathcal{P}'$.

4 Déterminer une représentation paramétrique de la droite Δ, droite d'intersection des plans $\mathcal{P}$ et $\mathcal{P}'$.

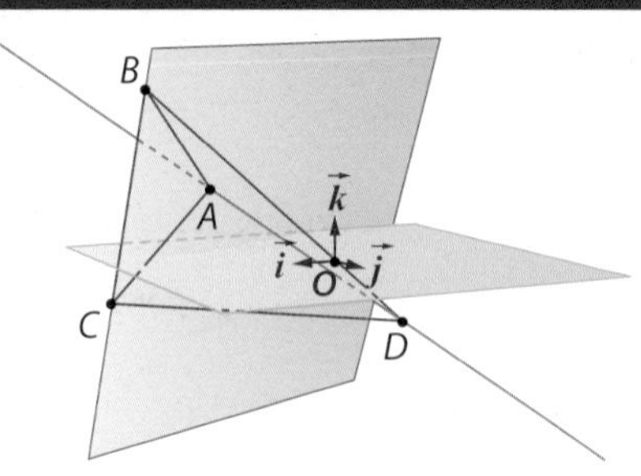

Partie B

1 Soit D le point de coordonnées $(0;4;-1)$.

Montrer que la droite (AD) est perpendiculaire au plan (ABC).

2 Calculer le volume du tétraèdre $ABDC$.

3 Montrer que l'angle géométrique $\widehat{BDC}$ a pour mesure $\frac{\pi}{4}$ radian.

4 **a.** Calculer l'aire du triangle BDC.

b. En déduire la distance du point A au plan (BDC).

86 Distance d'un point à un plan

Dans un repère orthonormé de l'espace $(O, \vec{i}, \vec{j}, \vec{k})$, on considère le plan $\mathcal{P}$ d'équation $ax + by + cz + d = 0$ et le point A de coordonnées $(x_0 ; y_0 ; z_0)$.

On appelle H le point d'intersection de $\mathcal{P}$ et de la droite Δ passant par A et perpendiculaire à $\mathcal{P}$.

H est appelé projeté orthogonal de A sur $\mathcal{P}$.

On appelle $\vec{n}$ le vecteur de coordonnées $\begin{pmatrix} a \\ b \\ c \end{pmatrix}$.

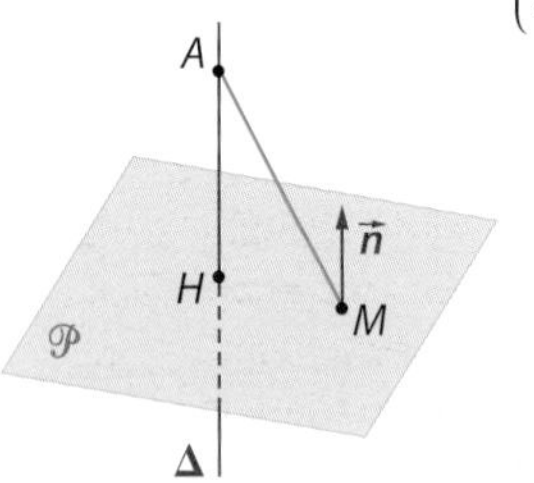

1 Justifier que :

$$\left| \vec{n} \cdot \overrightarrow{AH} \right| = AH\sqrt{a^2 + b^2 + c^2}.$$

2 Démontrer que $\vec{n} \cdot \overrightarrow{AH} = -ax_0 - by_0 - cz_0 - d$.

3 En déduire que la distance du point A au plan $\mathcal{P}$ est :

$$AH = \frac{\left| ax_0 + by_0 + cz_0 + d \right|}{\sqrt{a^2 + b^2 + c^2}}.$$

4 Application

Déterminer la distance du point $A(-4;6;-1)$ au plan $\mathcal{P}$ d'équation $x - 2y + 2z = 0$.

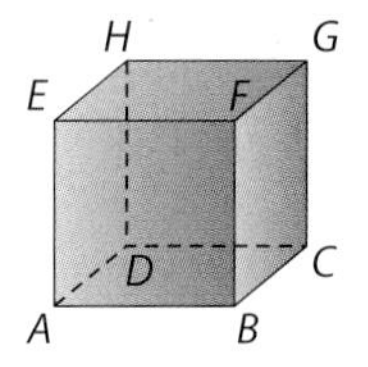

87 Dans tout l'exercice, l'espace est rapporté au repère orthonormé $(D\,;\overrightarrow{DA}\,;\overrightarrow{DC}\,;\overrightarrow{DH})$. On note K le point défini par $\overrightarrow{KD}+2\overrightarrow{KF}=\vec{0}$.

Partie A

1 Montrer que K a pour coordonnées $\left(\frac{2}{3}\,;\frac{2}{3}\,;\frac{2}{3}\right)$.

2 Montrer que les droites (EK) et (DF) sont orthogonales.

3 Calculer la distance EK.

Partie B

Soit M un point du segment $[HG]$.
On note $m = HM$ (m est donc un réel de $[0\,;1]$).

1 Montrer que, pour tout réel m appartenant à l'intervalle $[0\,;1]$, le volume du tétraèdre $EMFD$, en unités de volume, est égal à $\frac{1}{6}$.

2 Montrer qu'une équation cartésienne du plan (MFD) est $(-1+m)x+y-mz=0$.

3 On note d_m la distance du point E au plan (MFD).

a. Montrer que, pour tout réel m appartenant à $[0\,;1]$, $d_m = \dfrac{1}{\sqrt{2m^2-2m+2}}$.

Coup de pouce On pourra utiliser la formule de la distance d'un point à un plan établie à l'exercice **86**.

b. Déterminer la position de M sur le segment $[HG]$ pour laquelle la distance d_m est maximale.

c. En déduire que lorsque la distance d_m est maximale, le point K est le projeté orthogonal de E sur le plan (MFD).

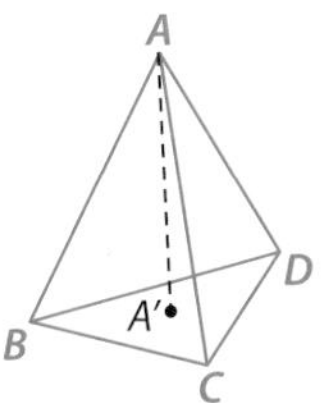

88 **Partie 1** Dans cette partie, $ABCD$ est un tétraèdre régulier, c'est-à-dire un solide dont les quatre faces sont des triangles équilatéraux. A' est le centre de gravité du triangle BCD.
Dans un tétraèdre, le segment joignant un sommet au centre de gravité de la face opposée est appelé médiane. Ainsi, le segment $[AA']$ est une médiane du tétraèdre $ABCD$.

1 On souhaite démontrer la propriété suivante (P1) : Dans un tétraèdre régulier, chaque médiane est orthogonale à la face opposée.

a. Montrer que $\overrightarrow{AA'}\cdot\overrightarrow{BD}=0$ et que $\overrightarrow{AA'}\cdot\overrightarrow{BC}=0$.

b. En déduire que la médiane (AA') est orthogonale à la face BCD.

c. Conclure.

2 G est le point qui vérifie $\overrightarrow{GA}+\overrightarrow{GB}+\overrightarrow{GC}+\overrightarrow{GD}=\vec{0}$.
On souhaite démontrer la propriété suivante (P2) : Les médianes d'un tétraèdre régulier concourent en G.
Démontrer que G appartient à la droite (AA') en utilisant le repère $(A, \overrightarrow{AB}, \overrightarrow{AC}, \overrightarrow{AD})$, puis conclure.

Partie 2

On munit l'espace d'un repère orthonormé $(O, \vec{i}, \vec{j}, \vec{k})$.
On considère les points $P(1\,;2\,;3)$, $Q(4\,;2\,;-1)$ et $R(-2\,;3\,;0)$.

1 Montrer que le tétraèdre $OPQR$ n'est pas régulier.

2 Calculer les coordonnées de P' centre de gravité du triangle OQR.

3 Vérifier qu'une équation cartésienne du plan (OQR) est $3x+2y+16z=0$.

4 La propriété (P1) de la partie 1 est-elle vraie pour un tétraèdre quelconque ?

89 Tour de contrôle

On se propose d'étudier une modélisation d'une tour de contrôle de trafic aérien, chargée de surveiller deux routes aériennes représentées par deux droites de l'espace.
L'espace est rapporté à un repère orthonormé $(O, \vec{i}, \vec{j}, \vec{k})$ d'unité 1 km. Le plan $(O, \vec{i}, \vec{j})$ représente le sol. Les deux routes aériennes à contrôler sont représentées par deux droites (D_1) et (D_2) dont on connaît les représentations paramétriques :

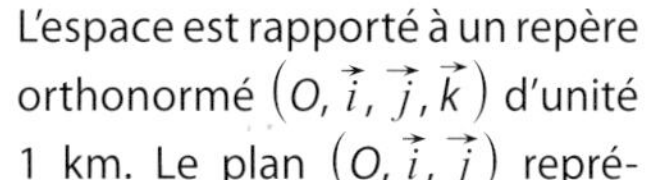

$$(D_1) : \begin{cases} x = 3+a \\ y = 9+3a,\ a\in\mathbb{R} \\ z = 2 \end{cases} \text{ et } (D_2) : \begin{cases} x = 0{,}5+2b \\ y = 4+b \\ z = 4-b \end{cases},\ b\in\mathbb{R}.$$

1 **a.** Déterminer un vecteur directeur $\vec{u_1}$ de (D_1), puis un vecteur directeur $\vec{u_2}$ de (D_2).

b. Prouver que les droites (D_1) et (D_2) ne sont pas coplanaires.

2 On veut installer au sommet S de la tour de contrôle, S de coordonnées $(3\,;4\,;0{,}1)$, un appareil de surveillance qui émet un rayon représenté par une droite notée (R).
Soit (P_1) le plan contenant S et (D_1) et (P_2) celui contenant S et (D_2).

a. Montrer que (D_2) est sécante à (P_1).

b. Montrer que (D_1) est sécante à (P_2).

c. Un technicien affirme qu'il est possible de choisir la direction de (R) pour que cette droite coupe chacune des droites (D_1) et (D_2). Cette affirmation est-elle vraie ? Justifier.

Problèmes

90 Les droites Δ et Δ' ont pour représentation paramétrique :

$$\begin{cases} x = 2 - 3t \\ y = 1 + t \quad , t \in \mathbb{R} \\ z = -3 + 2t \end{cases} \text{ et } \begin{cases} x = 2 + 2t' \\ y = 2t' \quad , t' \in \mathbb{R}. \\ z = -5 - t' \end{cases}$$

Montrer qu'il existe un plan $\mathcal{P}$ et un seul contenant Δ et Δ' et en déterminer une équation cartésienne.

91 Point équidistant de deux droites

On considère un triangle ABC et (Bt) la bissectrice intérieure de l'angle $\widehat{CBA}$. Soit $\mathcal{P}$ le plan perpendiculaire au plan (ABC) et contenant (Bt).

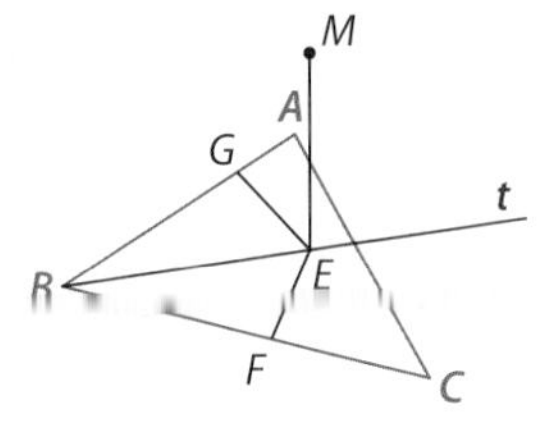

1 Soit M un point de $\mathcal{P}$ et E la projection orthogonale de M sur (Bt). Le point E se projette orthogonalement en F sur (BC), et en G sur (BA).

a. Calculer le produit scalaire $\overrightarrow{MF} \cdot \overrightarrow{BF}$.

b. Démontrer que M est équidistant des droites (BA) et (BC).

2 Déterminer l'ensemble des points de l'espace qui sont équidistants des droites (BA) et (BC).

92 Tétraèdre régulier

Soit $ABCD$ un tétraèdre régulier d'arête 2.

A', B', C' et D' sont les centres de gravité respectifs des triangles BCD, CDA, DAB et ABC ; I et J les milieux respectifs de $[AB]$ et $[CD]$ et G le milieu de $[IJ]$.

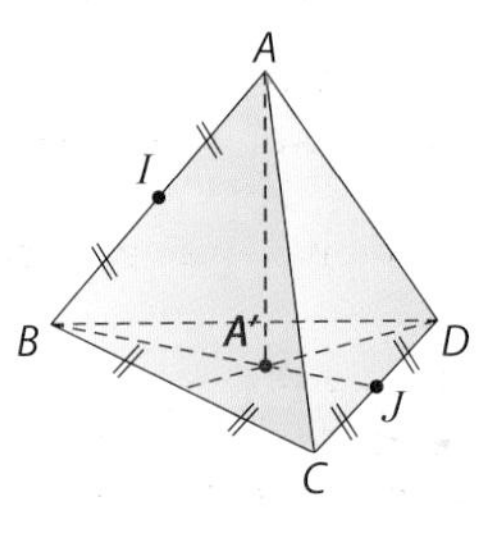

1 Déterminer le plan médiateur du segment $[CD]$. En déduire que les droites (AB) et (CD) sont orthogonales.

2 Montrer que les arêtes opposées d'un tétraèdre régulier sont orthogonales.

3 **a.** Calculer les produits scalaires $\overrightarrow{AB} \cdot \overrightarrow{IJ}$ et $\overrightarrow{CD} \cdot \overrightarrow{IJ}$. En déduire que la droite (IJ) est perpendiculaire à la fois aux droites (AB) et (CD).

b. Calculer la distance IJ. (*Utiliser le triangle ABJ.*)

4 **a.** Calculer les produits scalaires $\overrightarrow{AA'} \cdot \overrightarrow{CD}$ et $\overrightarrow{AA'} \cdot \overrightarrow{BD}$. En déduire que la droite (AA') est perpendiculaire au plan (BCD).

b. Calculer AA', puis le volume du tétraèdre $ABCD$.

5 **a.** Montrer que le point G est équidistant des points A, B, C et D. Calculer le rayon et le volume de la sphère circonscrite au tétraèdre $ABCD$.

Pour info Le méthane, de formule atomique CH_4, a une molécule dont la représentation est donnée ci-contre. Les quatre atomes d'hydrogène sont sur les sommets d'un tétraèdre régulier. L'atome de carbone est situé au centre de la sphère circonscrite.

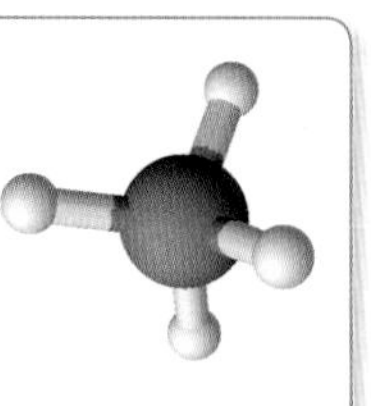

93 Tétraèdre orthocentrique

Rappel Un tétraèdre est orthocentrique si ses quatre hauteurs sont concourantes.

Dans l'espace muni d'un repère orthonormé $(O, \vec{i}, \vec{j}, \vec{k})$ on donne les points :

$$A(3\,;2\,;-1),\ B(-6\,;1\,;1),$$
$$C(4\,;-3\,;3) \text{ et } D(-1\,;-5\,;-1).$$

1 **a.** Vérifier qu'une équation cartésienne du plan (BCD) est : $-2x - 3y + 4z - 13 = 0$.

b. Déterminer les coordonnées du point H, projeté orthogonal du point A sur le plan (BCD).

c. Calculer le produit scalaire $\overrightarrow{BH} \cdot \overrightarrow{CD}$.

d. Le tétraèdre $ABCD$ est-il orthocentrique ?

2 On considère les points $I(1\,;0\,;0)$, $J(0\,;1\,;0)$ et $K(0\,;0\,;1)$.
Le tétraèdre $OIJK$ est-il orthocentrique ?

94 Dans l'espace muni du repère orthonormé $(O, \vec{i}, \vec{j}, \vec{k})$, on considère les points :

$$A(0\,;6\,;0),\quad B(0\,;0\,;8) \quad \text{et} \quad C(4\,;0\,;8).$$

1 **a.** Réaliser la figure comportant les points définis dans l'exercice (unité graphique : 1 cm).

b. Démontrer que :
- les droites (BC) et (BA) sont orthogonales ;
- les droites (CO) et (OA) sont orthogonales ;
- la droite (BC) est orthogonale au plan (OAB).

c. Déterminer le volume, en cm^3, du tétraèdre $OABC$.

d. Démontrer que les quatre points O, A, B, C se trouvent sur une sphère dont on déterminera le centre et le rayon.

2 À tout réel k de l'intervalle ouvert $]0\,;8[$, est associé le point $M(0\,;0\,;k)$.
Le plan (π) qui contient M et est orthogonal à la droite (OB) rencontre les droites (OC), (AC), (AB) respectivement en N, P, Q.

a. Déterminer la nature du quadrilatère $(MNPQ)$.

b. La droite (PM) est-elle orthogonale à la droite (OB) ? Pour quelle valeur de k, la droite (MP) est-elle orthogonale à la droite (AC) ?

c. Déterminer MP^2 en fonction de k. Pour quelle valeur de k, la distance PM est-elle minimale ?

95 Dans l'espace muni du repère orthonormé $(O, \vec{i}, \vec{j}, \vec{k})$, on considère les points :

$A(2;0;0)$, $B(-1, \sqrt{3}, 0)$ et $C(-1, -\sqrt{3}, 0)$.

1 Placer sur une figure les points A, B et C dans le plan $(O, \vec{i}, \vec{j})$.

2 Montrer que le triangle ABC est équilatéral et que O est son centre.

3 **a.** Déterminer l'ensemble des points M de l'espace équidistants des points A et B.
b. Déterminer l'ensemble des points N de l'espace équidistants des points B et C.
c. En déduire que l'ensemble des points P de l'espace équidistants des points A, B et C est l'axe $(O, \vec{k})$.

4 Montrer qu'il existe un unique point D dont la troisième coordonnée est positive tel que le tétraèdre $ABCD$ soit régulier, et calculer ses coordonnées.

5 Soit M un point quelconque du segment $[CD]$. On pose $\overrightarrow{CM} = \lambda \overrightarrow{CD}$ avec $\lambda \in [0, 1]$.

a. Montrer que :

$$\cos \widehat{AMB} = \frac{2\lambda^2 - 2\lambda + 1}{2(\lambda^2 - \lambda + 1)}.$$

On définit la fonction f de $\mathbb{R}$ dans $\mathbb{R}$ par la relation :

$$f(\lambda) = \frac{2\lambda^2 - 2\lambda + 1}{2(\lambda^2 - \lambda + 1)} = 1 - \frac{1}{2(\lambda^2 - \lambda + 1)}.$$

b. Étudier les variations de la fonction f.
c. En déduire la position de M pour laquelle l'angle $\widehat{AMB}$ est maximum.
d. Quelle est la valeur de ce maximum ?

96 Orthogonalité de deux droites

On considère un cube $ABCDEFGH$ de coté 1, avec E au-dessus de A. Soient :

- I et J les milieux des arêtes $[GH]$ et $[BF]$;
- les points d'intersection : P des droites (EG) et (FI), et Q des droites (FC) et (GJ).

On veut prouver de différentes manières que la droite (PQ) est orthogonale aux droites (EG) et (FC).

1 Montrer que P et Q sont les centres de gravité des triangles FGH et FBG.

2 Coordonnées
Introduire un repère orthonormé adapté au problème, puis calculer les coordonnées des vecteurs $\overrightarrow{EG}$, $\overrightarrow{FC}$, $\overrightarrow{PQ}$.
Calculer $\overrightarrow{PQ} \cdot \overrightarrow{EG}$ et $\overrightarrow{PQ} \cdot \overrightarrow{FC}$. Conclure.

3 Produit scalaire
Montrer que $3\overrightarrow{PQ} = \overrightarrow{GB} + \overrightarrow{GF} - \overrightarrow{GE}$.
En déduire $\overrightarrow{PQ} \cdot \overrightarrow{EG} = 0 = \overrightarrow{PQ} \cdot \overrightarrow{FC}$.
Conclure.

97 ALGO Nature de deux vecteurs

On considère deux vecteurs $\vec{u}\begin{pmatrix} x \\ y \\ z \end{pmatrix}$ et $\vec{v}\begin{pmatrix} x' \\ y' \\ z' \end{pmatrix}$ dans un repère orthonormé $(O, \vec{i}, \vec{j}, \vec{k})$.

1 Lire et comprendre ce que doit faire l'algorithme ci-dessous, puis le compléter à dessein.

ALGO

```
Variables : x, y, z, x', y', z' : réels ;
Début :
    Entrer (x, y, z, x', y', z') ;
    Si xy'z' = x'yz' = x'y'z Alors
    Afficher ...
    Sinon
        Si xx' + yy' + zz' = 0 Alors
        Afficher ...
        Sinon
        ...
        FinSi
    FinSi
Fin
```

2 L'appliquer aux vecteurs : $\overrightarrow{u_1}\begin{pmatrix} 3 \\ -1 \\ -1 \end{pmatrix}$ et $\overrightarrow{v_1}\begin{pmatrix} 2 \\ 4 \\ 2 \end{pmatrix}$;

$\overrightarrow{u_2}\begin{pmatrix} 6 \\ -3 \\ 3 \end{pmatrix}$ et $\overrightarrow{v_2}\begin{pmatrix} 4 \\ -2 \\ 2 \end{pmatrix}$; $\overrightarrow{u_3}\begin{pmatrix} -1 \\ 2 \\ 3 \end{pmatrix}$ et $\overrightarrow{v_3}\begin{pmatrix} 2 \\ -5 \\ 1 \end{pmatrix}$.

3 Écrire un algorithme permettant de déterminer deux vecteurs directeurs d'un plan orthogonal à une droite Δ dont on connaît un vecteur directeur $\vec{u}\begin{pmatrix} x \\ y \\ z \end{pmatrix}$.

98 Aire d'un rectangle

Dans l'espace rapporté à un repère orthonormé $(O, \vec{i}, \vec{j}, \vec{k})$, on considère les points $A(0;6;0)$, $B(0;0;8)$, $C(10;0;8)$. M est un point appartenant au segment $[OB]$. Le plan π passant par M et orthogonal à la droite (OB) coupe la droite (AC) en P.

Partie expérimentale

1 **En utilisant un logiciel de géométrie dynamique**, construire une figure traduisant l'énoncé.

2 On note respectivement N et Q les points d'intersection du plan π avec les droites (OC) et (AB) et l'on admet que le quadrilatère $MNPQ$ est un rectangle. En déplaçant le point M, émettre une conjecture quant à la position de ce point rendant maximale l'aire du rectangle.

Partie démonstration

On note $z = OM$.

3 Exprimer en fonction de z les longueurs MN et MQ.

4 Démontrer la conjecture émise en **2**.

Problèmes

99 Arc de cercle ou pas ?

Dans l'espace rapporté à un repère orthonormé d'origine O, on construit le tétraèdre $OABC$ avec :
$A(2\,;0\,;0)$, $B(0\,;2\,;0)$ et $C(0\,;0\,;2)$.
Ce tétraèdre est dit « trirectangle » car trois de ses faces sont des triangles rectangles.
Pour tout point M du segment $[AB]$, on construit le projeté orthogonal H du point O sur la droite (MC).

1 Proposer, à l'aide d'un logiciel de géométrie dynamique, une figure traduisant la situation et construire le lieu des points H lorsque le point M décrit le segment $[AB]$.
Quel semble être le lieu du point H ?

2 Conjecturer les positions du point M sur le segment $[AB]$ pour lesquelles la longueur CH semble maximale, puis minimale.

3 On se propose de démontrer les conjectures émises.
a. Démontrer la double égalité :

$$\overrightarrow{CM}\cdot\overrightarrow{CO}=\overrightarrow{CH}\cdot\overrightarrow{CM}=CO^2.$$

b. Valider ou invalider alors les conjectures faites à la question **2**. Calculer les extremums de CH.
c. Le lieu de H est-il un arc de cercle ?

100

Dans l'espace rapporté à un repère orthonormé $(O,\vec{i},\vec{j},\vec{k})$, on considère les points $A(1;2;2)$, $B(3;2;1)$ et $C(1;3;3)$.

1 **a.** Montrer que les points A, B et C déterminent un plan.
b. Déterminer trois réels a, b, c tels que : $\vec{n}\begin{pmatrix}a\\b\\c\end{pmatrix}$ et $\overrightarrow{AB}\cdot\vec{n}=0$ et $\overrightarrow{AC}\cdot\vec{n}=0$.
En déduire une équation du plan (ABC).

2 On considère les plans $\mathcal{P}_1$ et $\mathcal{P}_2$ d'équations respectives :

$$x-2y+2z-1=0 \quad\text{et}\quad x-3y+2z+2=0.$$

a. Montrer que les plans $\mathcal{P}_1$ et $\mathcal{P}_2$ sont sécants.
On notera $\mathcal{D}$ leur droite d'intersection.
b. Montrer que le point C appartient à la droite $\mathcal{D}$.
c. Démontrer que le vecteur $\vec{u}(2\,;0\,;-1)$ est un vecteur directeur de la droite $\mathcal{D}$.
d. En déduire une représentation paramétrique de la droite $\mathcal{D}$.

3 Pour déterminer la distance du point A à la droite Δ de représentation paramétrique :

$$\begin{cases}x=3+k\\y=2+k\quad(k\in\mathbb{R}),\\z=3+k\end{cases}$$

On considère le point M de paramètre k sur la droite Δ.
a. Déterminer la valeur de k pour que les vecteurs $\overrightarrow{AM}$ et $\vec{v}(1;1;1)$ soient orthogonaux.
b. En déduire la distance du point A à la droite Δ.

101

Caractériser, à l'aide d'un système d'inéquation, l'intérieur d'un cube de centre O et d'arête 4, dont les faces sont parallèles aux plans de coordonnées.

102

Quel est l'ensemble des points $M(x\,;y\,;z)$ de l'espace tels que : $|x|+|y|+|z|\leqslant 2$?

103

La pyramide $OABCS$ est à base carrée avec $A(3\,;0\,;0)$ et pour sommet $S(0\,;0\,;3)$.

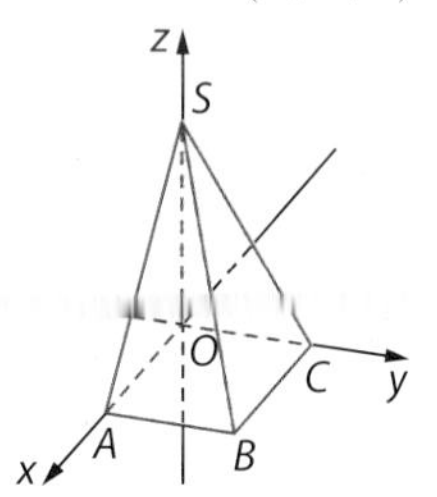

Caractériser par un système d'inéquation l'intérieur de la pyramide $OABCS$.

104

Représenter l'ensemble des points de l'espace dont les coordonnées vérifient le système :

$$\begin{cases}0\leqslant x\leqslant 4\\0\leqslant y\leqslant 4\\0\leqslant z\leqslant 4\\x+y+z-8\leqslant 0\end{cases}$$

105

1 Soit (P) le plan d'équation cartésienne :

$$2x+3y+6z-6=0.$$

On a représenté ci-dessous ses traces sur les plans de coordonnées. Déterminer les coordonnées des points A, B et C.

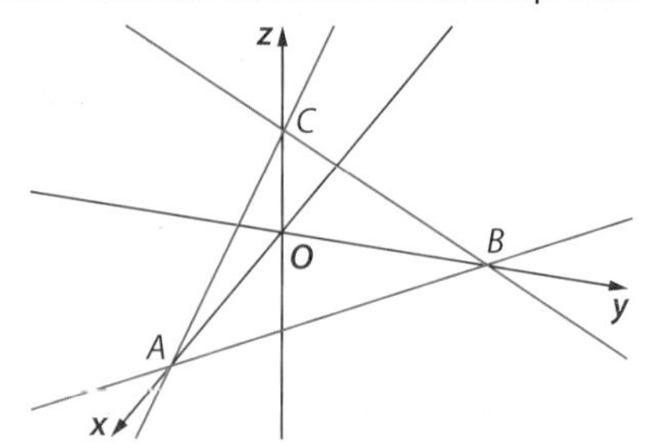

2 On considère le plan (Q) d'équation cartésienne :

$$2x-3y-6z+6=0.$$

Construire les traces de ce plan sur les plans de coordonnées.

3 Quel est l'ensemble des points $M(x\,;y\,;z)$ de l'espace tels que :

$$\begin{cases}2x+3y+6z-6\leqslant 0\\2x-3y-6z+6\geqslant 0\ ?\\y\geqslant 0\end{cases}$$

106 On considère un cube $ABCDEFGH$ d'arête 100 et le repère orthonormé $\left(D, \vec{i}, \vec{j}, \vec{k}\right)$ tel que

$$\overrightarrow{DA} = 100\vec{i}, \quad \overrightarrow{DC} = 100\vec{j} \quad \text{et} \quad \overrightarrow{DH} = 100\vec{k}.$$

1 a. Démontrer que le vecteur $\overrightarrow{AG}$ est un vecteur normal au plan (EDB).
En déduire une équation cartésienne du plan (EDB).
b. Identifier les plans d'équations respectives :

$$x + y - z = 0 \quad \text{et} \quad x - y + z = 0.$$

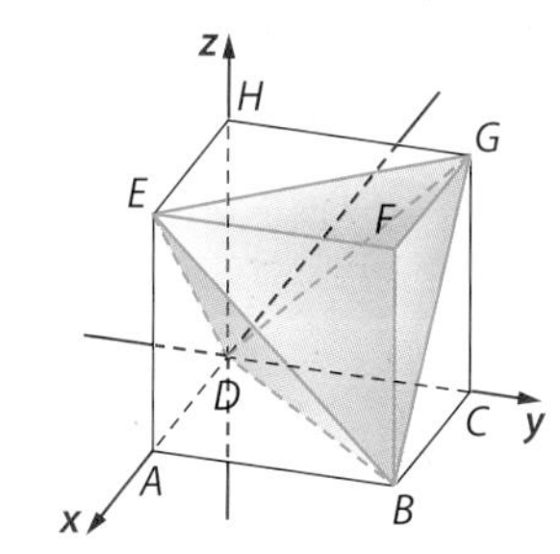

On appelle S le solide à six faces dessiné ci-dessus et de sommets D, E, F, G et B.

2 a. Vérifier que si le point M de coordonnées $(x\,;y\,;z)$ appartient au solide S alors on a : $-x+y+z>0$.
b. Compléter le système d'inéquations $(\mathscr{E})$ pour qu'il caractérise les points M de coordonnées $(x\,;y\,;z)$ du solide S.

$$(\mathscr{E})\begin{cases} -x+y+z>0 \\ \dots \\ \dots \\ 0<x<100 \end{cases}$$

4 Calculer le volume du solide S en raisonnant par différences.

5 On tire, au hasard, trois nombres x, y, z, entre 0 et 100.
a. Vérifier que si les nombres x, y, z sont les longueurs des côtés d'un triangle, alors ils vérifient le système $(\mathscr{E})$ et réciproquement.
b. En déduire la probabilité que ces trois nombres puissent mesurer les côtés d'un triangle (on pensera à utiliser une loi continue sur $[10\,;10^6]$)

107 On se donne un point A de l'espace, et deux vecteurs non nuls $\vec{u_1}$ et $\vec{u_2}$. Δ_1 est la droite passant par le point A et de vecteur directeur $\vec{u_1}$.
Par tout point M de l'espace on trace la droite Δ_2 de vecteur directeur $\vec{u_2}$.

Partie A

Montrer que l'ensemble des points M tels que les droites Δ_1 et Δ_2 soient sécantes est le plan $\mathscr{P}$ passant par le point A et dirigé par les vecteurs $\vec{u_1}$ et $\vec{u_2}$.

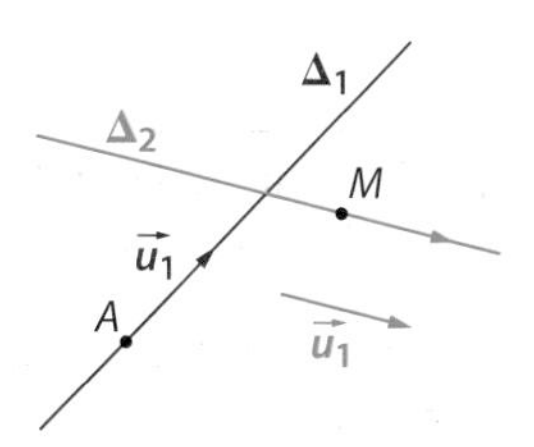

Partie B – Application dans un repère orthonormé

Dans un repère orthonormé de l'espace, on considère le point $A(1\,;-2\,;2)$ et les vecteurs $\vec{u_1}\begin{pmatrix}1\\3\\-2\end{pmatrix}$ et $\vec{u_2}\begin{pmatrix}-1\\2\\-3\end{pmatrix}$.

M est le point de coordonnées $(a\,;b\,;c)$.

1 Écrire des représentations paramétriques des droites Δ_1 et Δ_2.

2 On a effectué la recherche suivante à l'aide du logiciel *Xcas* :

1	resoudre([1+t=a-u,-2+3t=b+2u,2-2t=c-3u],[a,b,c,t,u])
	$\left[a, b, a-b-1, \frac{2 \cdot a+b}{5}, \frac{3 \cdot a-b-5}{5}\right]$

En utilisant le résultat obtenu :
a. Donner une condition nécessaire et suffisante sur les réels a, b et c pour que le point M appartienne au plan $\mathscr{P}$.
b. En déduire une équation cartésienne de $\mathscr{P}$ et un vecteur $\vec{n}$ normal au plan $\mathscr{P}$. Vérifier que $\vec{n}$ est orthogonal aux vecteurs $\vec{u_1}$ et $\vec{u_2}$.

Prendre des initiatives

108 Équation de plan

L'espace est rapporté au repère orthonormé $\left(O, \vec{i}, \vec{j}, \vec{k}\right)$.
On considère trois réels non nuls a, b, c et les points $A(a\,;0\,;0)$, $B(0\,;b;0)$ et $C(0\,;0\,;c)$.
Démontrer que le plan (ABC) a pour équation :

$$\frac{x}{a} + \frac{y}{b} + \frac{z}{c} = 1.$$

109 On considère deux cercles non coplanaires qui se coupent en deux points. Montrer qu'ils sont situés sur une même sphère.

110 Des aires au carré

Soient a, b, c des réels strictement positifs.
Dans l'espace rapporté à un repère orthonormé d'origine O, on considère les points $A(a\,;0\,;0)$, $B(0\,;b\,;0)$ et $C(0\,;0\,;c)$.

1 Calculer la distance du point C à la droite (AB).

2 Montrer la relation :
$\text{Aire}(ABC)^2 = \text{Aire}(OAB)^2 + \text{Aire}(OBC)^2 + \text{Aire}(OCA)^2$.

Pistes pour l'accompagnement personnalisé

Revoir les outils de base

111 Dans le plan, calcul d'angles et de longueurs

ABC est un triangle tel que :

$$AB = 8, \quad BC = 7 \quad \text{et} \quad AC = 5.$$

Le point I désigne le milieu du segment $[AB]$.

a. Démontrer que l'angle $\widehat{CAB}$ mesure 60°.

b. Calculer CI.

Conseil Utiliser le théorème d'Al Kashi et celui de la médiane : $CA^2 + CB^2 = 2CI^2 + 2IA^2$.

112 Dans le plan, avec des coordonnées Vrai ou faux ?

Dans le repère orthonormé $(O, \vec{i}, \vec{j})$ on considère les points $A(0\,;2)$ et $B(3\,;0)$.

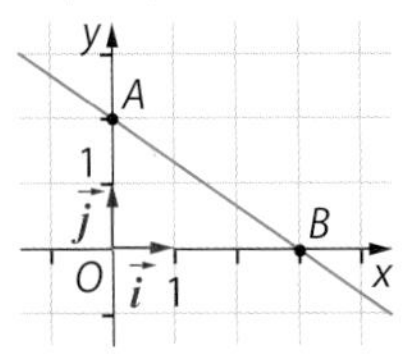

Préciser si les affirmations suivantes sont vraies ou fausses.

a. $\vec{n}(2\,;3)$ est un vecteur normal à la droite (AB).

b. Une équation de la droite (AB) est :

$$\frac{x}{3} + \frac{y}{2} - 1 = 0.$$

c. Le point $H\left(\frac{12}{13}\,;\frac{18}{13}\right)$ est le projeté orthogonal de O sur (AB).

Conseil Vérifier si le point H appartient à la droite (AB) et calculer $\overrightarrow{OH} \cdot \overrightarrow{AB}$.

113 Droites de l'espace

QCM La droite d a pour représentation paramétrique :

$$\begin{cases} x = 2 - t \\ y = 1 + 2t \\ z = -1 + 3t \end{cases}, t \in \mathbb{R}.$$

a. Le vecteur $\vec{u}(2\,;1\,;-1)$ est un vecteur directeur de d.

b. $A(0\,;5\,;5) \in d$.

c. d est l'ensemble des points M de l'espace tels que :

$\overrightarrow{BM} = m(-\vec{i} + 2\vec{j} + 3\vec{k})$ avec $m \in \mathbb{R}$ et $B(2\,;1\,;-1)$.

d. La droite d est parallèle à la droite (CD) avec $C(-1\,;6\,;20)$ et $D(4\,;-4\,;5)$.

e. La droite passant par le point $E(6\,;8\,;7)$, dirigée par le vecteur $\vec{i} + \vec{j} - \vec{k}$ et la droite d sont coplanaires.

Conseil Revoir avec attention le chapitre 8 et en particulier les équations paramétriques de droites.

Les savoir-faire du chapitre

Calculer des produits scalaires dans l'espace

114 Un calcul d'angle

$ABCDEFGH$ est un cube tel que $AB = a$.

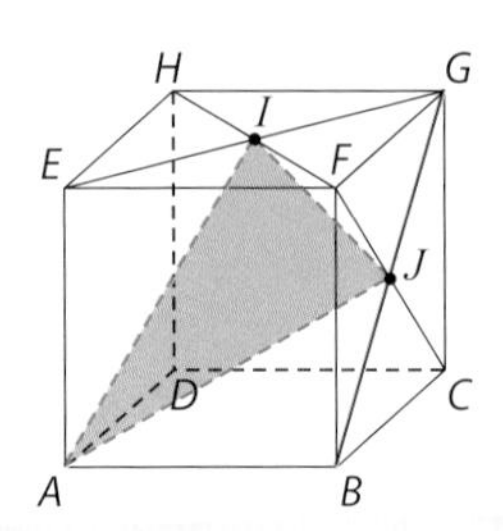

1 Calculer AI, AJ et IJ.

2 En calculant de deux façons différentes le produit scalaire $\overrightarrow{AI} \cdot \overrightarrow{AJ}$ en déduire $\widehat{IAJ}$ à 0,1° près.

Méthode
Penser que le triangle AHJ est isocèle (le prouver) et (IJ) est « une droite des milieux ».

Propriétés du produit scalaire

115

Dans le repère orthonormé $(O, \vec{i}, \vec{j}, \vec{k})$ de l'espace, on considère les points :

$$A(1\,;1\,;0), \quad B(1\,;2\,;1) \quad \text{et} \quad C(3\,;-1\,;2).$$

1 Démontrer que le triangle ABC est rectangle.

2 Calculer une valeur approchée à 0,1° près de la mesure de l'angle géométrique $\widehat{AOC}$.

Méthode
Utiliser l'expression du produit scalaire avec les coordonnées des vecteurs dans le repère orthonormé.

116 Calculs

On considère les vecteurs $\vec{u}$ et $\vec{v}$ de l'espace tels que :

$$\vec{u} \cdot \vec{v} = -\frac{1}{2}, \quad \|\vec{u}\| = 2 \quad \text{et} \quad \|\vec{v}\| = 4.$$

a. Calculer $\vec{u} \cdot (3\vec{u} + \vec{v})$.

b. Calculer $\|\vec{u} + \vec{v}\|$.

Méthode
Utiliser $\|\vec{u} + \vec{v}\|^2 = (\vec{u} + \vec{v})^2$.

117 Antiprisme

Le solide ci-après est un antiprisme dont les bases carrées sont parallèles et telles que les diagonales de l'un sont parallèles aux côtés de l'autre. Ses faces latérales sont des triangles équilatéraux.

1 Calculer les produits scalaires $\overrightarrow{AC} \cdot \overrightarrow{BD}$ et $\overrightarrow{AC} \cdot \overrightarrow{BI}$.
En déduire que le plan (BDI) est perpendiculaire au plan (ABC).

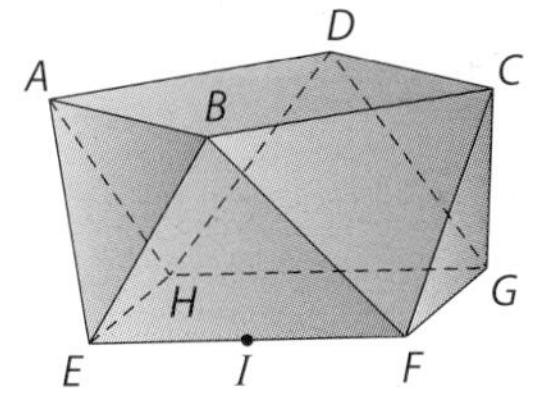

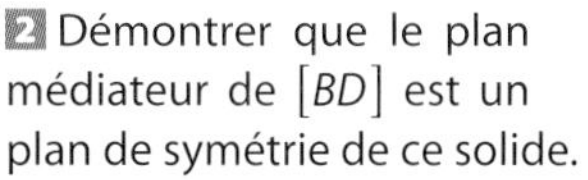

2 Démontrer que le plan médiateur de $[BD]$ est un plan de symétrie de ce solide.

Orthogonalité dans l'espace

118 Vrai ou faux ?

On considère le plan $\mathcal{P}$ d'équation cartésienne : $2x + 3y - 6z + 1 = 0$. Préciser si les affirmations suivantes sont vraies ou fausses.

1 Le point $A(1\,;-1\,;0)$ est un point de $\mathcal{P}$.

2 $\vec{n}(3\,;-6\,;1)$ est un vecteur normal à $\mathcal{P}$.

3 $\vec{u_1}(-3\,;2\,;0)$ et $\vec{u_2}(3\,;0\,;1)$ sont deux vecteurs qui dirigent le plan $\mathcal{P}$.

4 La droite passant par $B(1\,;1\,;1)$ et qui a pour vecteur directeur $9\vec{i} - 4\vec{j} + \vec{k}$ est incluse dans le plan $\mathcal{P}$.

5 La droite passant par $A(2\,;-2\,;0)$ et de vecteur directeur $\vec{u}(5\,;-3\,;-1)$ est parallèle au plan d'équation $x + y + z + 1 = 0$.

119 Plans et droites dans un cube

On considère un cube $ABCDEFGH$ où E est situé au-dessus de A, d'arête de longueur 1.
L'espace est rapporté au repère orthonormé $(A, \overrightarrow{AB}, \overrightarrow{AD}, \overrightarrow{AE})$.

1 Démontrer que le vecteur $\vec{n}(1\,;0\,;1)$ est un vecteur normal au plan (BCE).

2 Déterminer une équation du plan (BCE).

3 On note Δ la droite perpendiculaire en E au plan (BCE).
Déterminer une représentation paramétrique de Δ.

4 Démontrer que la droite Δ est sécante au plan (ABC) en un point R symétrique de B par rapport à A.

120 Calculs variés

Dans le repère orthonormé $(O, \vec{i}, \vec{j}, \vec{k})$ de l'espace, on considère les points $A(1\,;0\,;0)$, $B(0\,;2\,;0)$ et $C(0\,;0\,;3)$.

1 Calculer les produits scalaires $\overrightarrow{AB} \cdot \overrightarrow{AC}$, $\overrightarrow{BA} \cdot \overrightarrow{BC}$ et $\overrightarrow{CA} \cdot \overrightarrow{CB}$.

2 En déduire une valeur approchée à 0,1 degré près des angles $\widehat{BAC}$, $\widehat{CBA}$ et $\widehat{ACB}$.

3 Déterminer un vecteur $\vec{n}$ orthogonal au plan (ABC).

4 Établir une équation du plan (ABC).

En lien avec les sciences

121 La molécule de méthane

La molécule de méthane, CH_4, a la forme d'un tétraèdre régulier dont l'atome de carbone occupe le centre G, et les atomes d'hydrogène les sommets A, B, C et D.

1 Le point G est défini par la relation vectorielle :

$$\overrightarrow{GA} + \overrightarrow{GB} + \overrightarrow{GC} + \overrightarrow{GD} = \vec{0}.$$

Démontrer que le point G est équidistant des sommets A, B, C et D.

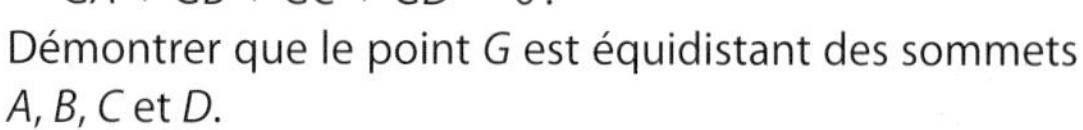

Pour info On pourra utiliser un repère orthonormé de centre O.

2 Déterminer à 0,1 degré près l'angle $\widehat{AGB}$.

3 Sachant que la distance entre un atome d'hydrogène et l'atome de carbone est $1{,}09 \times 10^{-10}$ m calculer la distance entre deux atomes d'hydrogène.

Vers le Supérieur

122 ALGO Produit vectoriel de deux vecteurs

L'espace est rapporté au repère orthonormé $(O, \vec{i}, \vec{j}, \vec{k})$.

On considère deux vecteurs $\vec{u}\begin{pmatrix} a \\ b \\ c \end{pmatrix}$ et $\vec{u'}\begin{pmatrix} a' \\ b' \\ c' \end{pmatrix}$.

1 Montrer que le vecteur $\vec{n}\begin{pmatrix} bc' - b'c \\ ca' - c'a \\ ab' - a'b \end{pmatrix}$ est orthogonal aux vecteurs $\vec{u}$ et $\vec{u'}$.

Le vecteur $\vec{n}$ est appelé **produit vectoriel des vecteurs $\vec{u}$ et $\vec{u'}$**, et noté $\vec{u} \wedge \vec{u'}$.

2 Calculer $\vec{u} \wedge \vec{u}$.
A-t-on : $\vec{u} \wedge \vec{u'} = \vec{u'} \wedge \vec{u}$?

3 Écrire un programme de calcul permettant d'obtenir les coordonnées du produit vectoriel de deux vecteurs à partir des coordonnées de ces deux vecteurs et le programmer sur la calculatrice.

4 **Application**
Déterminer une équation cartésienne du plan passant par O et dirigé par le couple de vecteurs $\vec{u}\begin{pmatrix} 1 \\ 2 \\ 4 \end{pmatrix}$ et $\vec{u'}\begin{pmatrix} 1 \\ 3 \\ 9 \end{pmatrix}$.

Pistes pour l'accompagnement personnalisé

123 Sphère circonscrite à un tétraèdre

Dans le repère orthonormé $(O, \vec{i}, \vec{j}, \vec{k})$ de l'espace, on considère les points :
$A(0\,;4\,;-1)$, $B(-2\,;4\,;-5)$, $C(1;1;-5)$ et $D(1;0\,;-4)$.

1 Déterminer une équation des plans médiateurs P_1, P_2 et P_3 des segments $[AB]$, $[BC]$ et $[CD]$.

2 On suppose que les trois plans P_1, P_2 et P_3 ont un point commun Ω.

a. Donner une propriété vérifiée par le point Ω relativement aux points A, B, C et D.

b. En déduire que Ω est aussi un point des plans médiateurs des segments $[BD]$, $[AD]$ et $[CA]$.

3 **a.** Interpréter le résultat obtenu pour la résolution du système obtenu par le logiciel Xcas.

```
resoudre([x+2z+7=0,x-y+3=0,-y+z+5=0],[x,y,z])
                [-1  2  -3 ]
```

b. Faire les calculs permettant de prouver l'existence du point Ω et retrouver ses coordonnées.

4 Déterminer une équation de la sphère circonscrite au tétraèdre $ABCD$.

124

Dans le repère orthonormé $(O, \vec{i}, \vec{j}, \vec{k})$ de l'espace, on considère les points :
$A(5\,;0\,;-1)$, $B(1;4\,;-1)$, $C(1;0\,;3)$ et $D(5\,;4\,;3)$
Adapter la méthode de l'exercice précédent pour déterminer le centre de la sphère circonscrite au tétraèdre $ABCD$.

125 Vrai ou faux (Concours ESIEE)

Dans l'espace on considère deux droites Δ et Δ' non coplanaires. Soient M et N deux points distincts de Δ. On a :

a. Il existe un unique point M' de Δ' tel que la droite (MM') soit perpendiculaire à Δ'.

b. Il existe une unique droite passant par N et parallèle à Δ'.

c. Il existe deux points M' et N' de Δ' tels que $MNN'M'$ soit un rectangle.

d. Il existe deux points distincts P' et Q' de Δ' tels que $\overrightarrow{MN}$ et $\overrightarrow{P'Q'}$ soient colinéaires.

e. Il existe un unique point R' de Δ' tel que pour tout point S' de Δ', $\overrightarrow{MR'} \cdot \overrightarrow{R'S'} = 0$.

126 Sphère tangente à un plan

L'espace est rapporté au repère orthonormé $(O, \vec{i}, \vec{j}, \vec{k})$.
Soit (P) le plan d'équation $2x - 2y + z - 24 = 0$.
Déterminer une équation de la sphère de rayon 6 tangente en $C(10\,;1;6)$ au plan (P).

127 Intersection de trois plans

On considère le système $(S)\begin{cases} x + y = -1 \\ 2x + 4y + 2z = 0 \\ 4x + 4y + z + 3 = 0 \end{cases}$.

1 En interprétant le système formé par les deux premières équations comme l'intersection de deux plans (P_1) et (P_2), montrer que ses solutions sont représentées par une droite d passant par $A(1;-2\,;0)$ et de vecteur directeur $\vec{u}(-2\,;2\,;1)$.

2 Démontrer que la droite d et le plan (Q) d'équation $4x + 4y + z + 3 = 0$ sont sécants.

3 En déduire que le système (S) a une solution unique que l'on déterminera.

4 En utilisant des interprétations géométriques comme ci dessus, démontrer que le système :
$\begin{cases} x + 3y + 2z = -5 \\ y + z = -3 \\ 2x + 3y + z = 1 \end{cases}$ n'admet pas de solution.

5 Compléter le système avec une troisième équation de plan, distinct des deux autres, de telle sorte qu'il admette une infinité de solutions dont les coordonnées sont celles des points d'une droite :

$$\begin{cases} x + 3y + 2z = -5 \\ y + z = -3 \\ \ldots = \ldots \end{cases}.$$

128 Inégalité de Cauchy-Schwarz

On considère deux vecteurs $\vec{u}$ et $\vec{v}$ quelconques.
On pose pour tout réel t, $P(t) = \| \vec{u} + t\vec{v} \|^2$.

1 Développer et écrire $P(t)$ sous la forme d'un polynôme du second degré.

2 Démontrer que pour tous les vecteurs $\vec{u}$ et $\vec{v}$ on a :

$$| \vec{u} \cdot \vec{v} | \leqslant \| \vec{u} \| \times \| \vec{v} \|.$$

Dans quel cas a-t-on l'égalité ?

Remarque Pour l'espace « géométrique » classique, cette inégalité est simple à prouver avec l'expression du produit scalaire à l'aide du cosinus. L'intérêt de cette démonstration tient au fait qu'elle reste valable dans de nombreux « espaces » que l'on étudie dans le Supérieur.

Augustin Louis Cauchy (1789-1857), mathématicien français.

Karl Hermann Amandus Schwarz (1843-1921), mathématicien allemand.

Pistes pour l'accompagnement personnalisé

129 Perpendiculaire commune à deux droites

On considère la droite $\mathcal{D}$ passant par le point $A(1\,;-2\,;0)$ et dirigée par le vecteur $\vec{u}=\vec{i}+\vec{j}-\vec{k}$, et la droite $\mathcal{D}'$ de représentation paramétrique :

$$\begin{cases} x=-3s \\ y=2+s \quad , s\in\mathbb{R}. \\ z=4+7s \end{cases}$$

On cherche à caractériser la perpendiculaire commune Δ aux deux droites $\mathcal{D}$ et $\mathcal{D}'$.

1 Justifier que le vecteur $\vec{n}\begin{pmatrix}-2\\1\\-1\end{pmatrix}$ est orthogonal à $\vec{u}$ et à un vecteur directeur $\vec{u'}$ de la droite $\mathcal{D}'$.

2 Déterminer une équation cartésienne du plan $\mathcal{P}$ de repère $(A, \vec{u}, \vec{n})$.

Conseil

- Déterminer un vecteur $\vec{w}\begin{pmatrix}a\\b\\c\end{pmatrix}$ orthogonal aux vecteurs $\vec{u}$ et $\vec{n}$ en résolvant un système.
- Ou utiliser une représentation paramétrique du plan $\mathcal{P}$, puis éliminer les paramètres entre les trois équations obtenues avec chaque coordonnée.

3 Déterminer les coordonnées du point K, intersection du plan $\mathcal{P}$ et de la droite $\mathcal{D}'$.
Comparer le résultat avec celui trouvé ci-dessous par le logiciel *Xcas*.

```
resoudre([y+z+2=0,x=-3s,y=2+s,z=4+7s],[x,y,z,s])
[3  1  -3  -1 ]
```

4 **a.** Justifier que la droite passant par K et dirigée par le vecteur $\vec{n}$ est perpendiculaire à $\mathcal{D}$ et $\mathcal{D}'$.
b. Conclure.

130 Distance entre deux plans parallèles

On considère les plans (P) et (Q) d'équations respectives $z=x+2y+1$ et $3x+6y-3z-4=0$.

1 Démontrer que les plans (P) et (Q) sont parallèles.

2 Déterminer la distance entre ces deux plans.

3 De façon générale, si on considère les deux plans d'équations respectives :

$$ax+by+z+d_1 \quad \text{et} \quad ax+by+cz+d_2=0,$$

montrer que la distance entre ces deux plans est :

$$D=\frac{|d_1-d_2|}{\sqrt{a^2+b^2+c^2}}.$$

131 Hyperboloïde de révolution

C'est une surface S de l'espace d'équation :

$$\frac{x^2}{a^2}+\frac{y^2}{a^2}-\frac{z^2}{c^2}=1,$$

où a et c sont deux réels non nuls.

Pour info Les rainures moulées à la surface de ce château d'eau témoignent de l'existence de droites sur l'hyperboloïde.

1 Déterminer l'intersection de S avec les plans d'équations $z=k$ $(k\in\mathbb{R})$.

2 Déterminer l'intersection de S avec le plan d'équation $y=a$?

3 L'hyperboloïde S contient-il des droites dans d'autres plans que les plans d'équation $y=a$ ou $y=-a$?

132 Plans bissecteurs

On considère les plans sécants (P_1) et (P_2) d'équations respectives :

$$x+2y-2z=0 \quad \text{et} \quad 3x+4z-2=0$$

1 Justifier que la distance d'un point M de coordonnées $(x\,;y\,;z)$ à (P_1) est :

Aide Voir l'exercice **86**.

$$d_1=\frac{|x+2y-2z|}{3}.$$

Exprimer de même la distance de M au plan (P_2).

2 Démontrer que M est équidistant des plans (P_1) et (P_2) si, et seulement si :

$$25(x+2y-2z)^2=9(3x+4z-2)^2.$$

3 **a.** En déduire que l'ensemble des points M équidistants des plans (P_1) et (P_2) est la réunion de deux plans perpendiculaires (Q_1) et (Q_2) dont on déterminera des équations cartésiennes.
b. Justifier que la droite Δ commune aux plans (P_1) et (P_2) est aussi commune aux plans (Q_1) et (Q_2).

4 Soient $\vec{n_1}$, $\vec{n_2}$, $\vec{v_1}$ et $\vec{v_2}$ des vecteurs normaux respectivement aux plans (P_1), (P_2), (Q_1) et (Q_2).
a. Démontrer en calculant des produits scalaires que :

$$(\vec{n_1},\vec{v_1})=(\vec{v_1},\vec{n_2})\ (\pi).$$

b. Que peut-on dire de $(\vec{n_1},\vec{v_2})$ et $(\vec{v_2},\vec{n_2})$?
c. Faire une figure dans un plan orthogonal à la droite Δ. Quel résultat trouve-t-on ainsi ?

Probabilités

Partir d'un bon pied

Voir corrigés en fin de manuel

A Analyser des données numériques

On a interrogé à la sortie des urnes 1 000 électeurs, 500 hommes et 500 femmes, dont le vote pouvait se porter sur deux candidats, A ou B. Le tableau ci-contre décrit les résultats obtenus :

	Vote A	Vote B	Vote blanc ou nul	Total
Hommes	220	195	85	500
Femmes	180	235	85	500
Total	400	430	170	1000

1 Décrire par une phrase les populations d'électeurs correspondant aux proportions suivantes :

a. $\frac{235}{430}$; **b.** $\frac{235}{500}$; **c.** $\frac{235}{1000}$.

2 Répondre par vrai ou par faux à chacune des affirmations suivantes, concernant les 1 000 électeurs interrogés :

a. 39 % des hommes ont voté pour B. **b.** 36 % des électeurs de A sont des femmes.

c. 17 % des votes blancs ou nuls émanent des hommes.

B Identifier une loi de probabilité

On considère l'univers : $\Omega = \{x_1, x_2, x_3, x_4\}$.

Préciser dans chacun des cas suivants si le tableau proposé définit une loi de probabilité sur Ω :

a.

x_1	x_2	x_3	x_4
0,3	0,5	0,1	0,05

b.

x_1	x_2	x_3	x_4
$\frac{1}{3}$	$\frac{1}{6}$	$\frac{1}{3}$	$\frac{1}{6}$

c.

x_1	x_2	x_3	x_4
0,25	0,25	0,25	0,25

C Calculer des probabilités

Un dé à six faces a été truqué de sorte que les probabilités d'apparition de chaque face soient données par la loi de probabilité ci-contre. On lance une fois ce dé.

Face	1	2	3	4	5	6
Probabilité	0,1	0,2	0,05	0,2	0,25	0,2

a. Calculer la probabilité de l'événement A : « le résultat obtenu est pair ».

b. Calculer la probabilité de l'événement B : « le résultat obtenu est un nombre premier ».

c. Caractériser par une phrase l'événement « A ou B », noté aussi $A \cup B$, et calculer sa probabilité.

d. Caractériser par une phrase l'événement « A et B », noté aussi $A \cap B$, et calculer sa probabilité.

D Modéliser des expériences répétées indépendantes

Vrai ou faux ? On a placé dans une urne 10 jetons indiscernables au toucher : 7 rouges et 3 verts. On tire au hasard un jeton de l'urne, on note sa couleur, puis on le remet dans l'urne pour procéder à un second tirage dans les mêmes conditions.

On appelle X la variable aléatoire égale au nombre de jetons rouges tirés lors de l'expérience.

Répondre par vrai ou par faux aux affirmations suivantes :

1 $p(X = 0) = 0,6$. **2** $p(X = 1) = 0,21$. **3** $p(X = 2) = 0,49$. **4** $E(X) = 1,4$.

5 Si Y désigne la variable aléatoire égale à $3X$, alors $E(Y) = 4,2$.

conditionnelles

10

Des maths partout !

De très nombreux domaines actuels du développement des sciences et techniques utilisent la notion de probabilité conditionnelle.
Par exemple, en téléphonie mobile, on applique des algorithmes pour corriger d'éventuelles erreurs de transmission du signal original. Ces algorithmes sont basés sur des calculs de probabilités conditionnelles.

Au fil du temps

La « médaille Fields » est une distinction attribuée tous les quatre ans à un ou plusieurs (au plus quatre) mathématiciens de moins de 40 ans par l'Union Mathématique Internationale.
Créée en 1936, elle a été attribuée régulièrement depuis 1950. En 2006, un spécialiste des probabilités a été distingué pour la première fois, en la personne de Wendelin Werner, mathématicien français.

Wendelin Werner, né en 1968, lauréat de la médaille Fields en 2006.

Découvrir

Les activités 1 , 2 et 3 sont indépendantes et utilisent les données suivantes.

Données

Le nombre d'élèves inscrits au lycée Jérémie De La Rue en classe de Seconde, Première et Terminale, le 5 janvier 2011, est donné dans le tableau ci-dessous.

	Seconde	Première	Terminale
Filles	67	38	53
Garçons	46	44	37

On choisit un élève au hasard. L'univers Ω associé à cette expérience est l'ensemble des 285 élèves du lycée.

On considère les évènements suivants :

- S : « l'élève choisi est en Seconde » ;
- P : « l'élève choisi est en Première » ;
- T : « l'élève choisi est en Terminale ».
- F : « l'élève choisi est une fille » ;
- G : « l'élève choisi est un garçon » ;

Activité 1 Vers les probabilités conditionnelles

1 Donner la probabilité des événements S, P, T, F et G définis ci-dessus.

2 **a.** On choisit au hasard un garçon de ce lycée. Quelle est la probabilité que ce soit un élève de Terminale ?

Vocabulaire

La probabilité que l'élève choisi, **parmi tous les garçons du lycée**, soit un élève de Terminale est la probabilité de choisir un élève de Terminale, sachant qu'il s'agit d'un garçon.

Elle est appellée la **probabilité conditionnelle de l'événement T sachant que l'événement G est réalisé**. Elle se note $p_G(T)$ et se lit « probabilité de T sachant G ».

b. Sur quelle partie du tableau des données travaille-t-on lorsqu'on sait que G est réalisé ?

Calculer ainsi $p_G(S)$ et $p_G(P)$.

c. Calculer $p(T \cap G)$.

d. Exprimer $p_G(T)$ en fonction de $p(G)$ et $p(T \cap G)$.

3 **a.** Que représente la probabilité conditionnelle $p_S(F)$?

b. Calculer ce nombre.

c. Observe-t-on le même type de résultat que pour la question **2** **d.** ?

Pour info

Une probabilité conditionnelle est une nouvelle probabilité obtenue grâce à un supplément d'information (par exemple « G est réalisé »).

Au jeu, le tricheur cherche souvent à calculer des probabilités conditionnelles…

Activité 2 Partitions d'un ensemble

Pour info

Former une partition d'un ensemble E, c'est choisir des sous-ensembles **non vides** de E, **deux à deux disjoints**, et dont **la réunion est E**.

1 À partir des données du tableau ci-dessus, préciser deux partitions possibles de l'univers Ω.

2 On considère un événement A d'un univers E.

On suppose que la probabilité de A est différente de 0 et de 1.

Montrer que A et $\overline{A}$ forment une partition de E.

Rappel

$\overline{A}$ désigne l'événement contraire de A.

Activité 3 Calculer une probabilité à partir d'une partition et d'un arbre pondéré

1 À partir du tableau des effectifs du lycée Jérémie De La Rue, page 328, on peut construire l'arbre pondéré ci-contre.

a. Le nombre $\frac{67}{113}$ est appelé « probabilité de l'événement F sachant que S est réalisé ».

À quel type de tirage au sort correspond-il parmi les élèves du lycée ?

b. Exprimer en termes de probabilités les nombres $\frac{113}{285}$, $\frac{67}{113}$ et le produit $\frac{113}{285} \times \frac{67}{113}$.

c. Déterminer les nombres α, β, a et b.

d. Calculer $\frac{113}{285} \times \frac{67}{113} + \alpha\beta + ab$. Que représente ce nombre ?

2 En s'inspirant de la question **1**, utiliser l'arbre ci-dessous pour retrouver la valeur de $p(\mathrm{T})$.

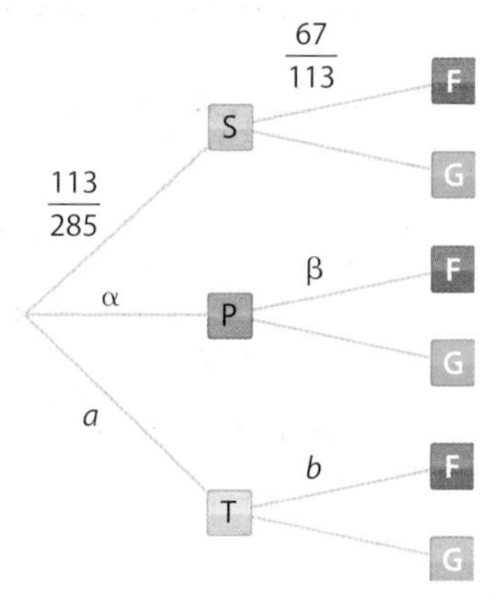

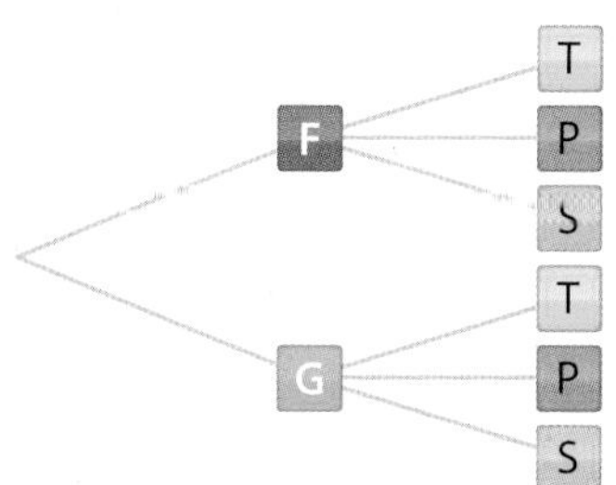

Activité 4 Indépendance de deux événements

Deux restaurateurs étudient le comportement de leurs 80 derniers clients à propos de la consommation de dessert et de café.

Dans le groupe des 80 derniers clients du **restaurateur A**, 55 ont pris un café, et 35 un dessert.

Dans le groupe des 80 derniers clients du **restaurateur B**, 50 ont pris un café, et 32 un dessert.

Dans chacun des deux groupes, 20 clients ont pris à la fois dessert et café.

1 Reproduire et compléter les schémas ci-dessous.

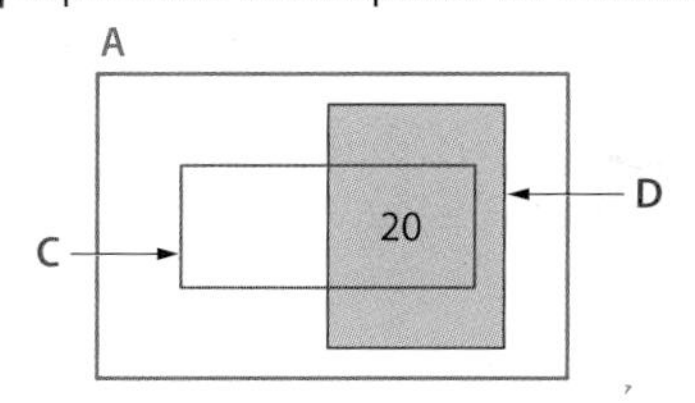

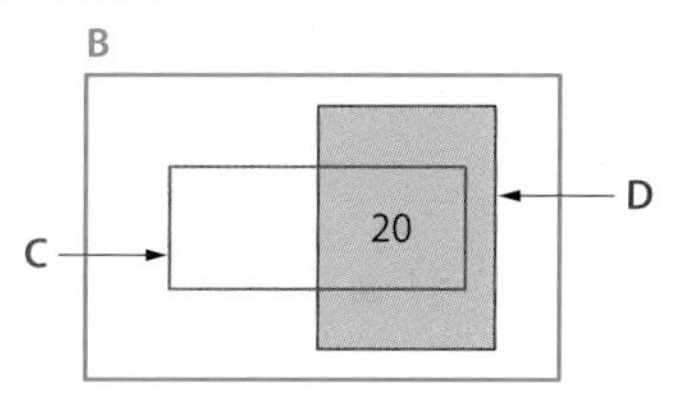

2 a. On tire au sort, au hasard, la facture d'un client parmi les 80 derniers clients du **restaurateur A**. Calculer la probabilité $p(\mathrm{D})$ que ce client ait pris un dessert.

b. On tire au sort un client parmi les clients de A qui ont pris un café. Calculer la probabilité que cette personne ait pris un dessert ; cette probabilité est appelée *probabilité de l'événement D sachant que C est réalisé*.

c. Comparer les résultats des questions **a.** et **b.** ; interpréter.

3 Reprendre les questions du **2** en remplaçant les clients du **restaurateur A** par ceux du **restaurateur B**.

Pour info

Pour les clients du restaurateur B, on dit que les événements D et C sont indépendants.
En effet, la probabilité de tirer au sort un client ayant pris un dessert est la même dans l'ensemble des 80 clients, ou dans celui des seuls clients ayant pris un café.

1 Probabilités conditionnelles

a Définition et propriétés

Définition Soit p une probabilité sur un univers Ω et A un événement tel que $p(\mathrm{A}) \neq 0$. Pour tout événement B, on appelle **probabilité de B sachant A** le réel :

$$\boldsymbol{p_{\mathrm{A}}(\mathrm{B}) = \frac{p(\mathrm{A} \cap \mathrm{B})}{p(\mathrm{A})}}.$$

Vocabulaire
On dit aussi « **probabilité de B sachant que A est réalisé** ».

Exemples
On lance un dé équilibré à six faces numérotées de 1 à 6.
- Si A est l'événement « **le résultat est pair** », on a :
$p_{\mathrm{A}}(\{\text{[illegible]}\}) = \dfrac{1/6}{1/2} = \dfrac{1}{3}$
et $P_{\mathrm{A}}(\{5\}) = 0$.
- Si B désigne l'événement « **le résultat est un multiple de 3** », on a :
$\mathrm{B} = \{3\,;6\}$
et $p_{\mathrm{A}}(\mathrm{B}) = \dfrac{p(\{6\})}{p(\mathrm{A})} = \dfrac{1}{3}$.

Théorème L'application qui à tout événement B associe le réel $p_{\mathrm{A}}(\mathrm{B})$ définit une probabilité sur Ω, appelée **probabilité conditionnelle sachant A**.

DÉMONSTRATION

p_{A} associe à tout événement un réel positif, et on a $p_{\mathrm{A}}(\varnothing) = 0$.
De plus, si $\{x\}$ est un événement élémentaire dans Ω, par définition de p_{A}, on a : si $x \notin \mathrm{A}$, alors $p_{\mathrm{A}}(\{x\}) = 0$. Ainsi :

$$\sum_{x \in \Omega} p_{\mathrm{A}}(\{x\}) = \sum_{x \in \mathrm{A}} p_{\mathrm{A}}(\{x\})$$

$$\sum_{x \in \Omega} p_{\mathrm{A}}(\{x\}) = \sum_{x \in \mathrm{A}} \frac{p(\{x\})}{p(\mathrm{A})} = \frac{1}{p(\mathrm{A})} \sum_{x \in \mathrm{A}} p(\{x\}) = \frac{1}{p(\mathrm{A})} p(\mathrm{A}) = 1.$$

On peut donc conclure que p_{A} est une probabilité sur Ω.

Propriétés Si A est un événement de probabilité non nulle et B un événement quelconque dans l'univers Ω, on a :

❶ $\boldsymbol{p(\mathrm{A} \cap \mathrm{B}) = p(\mathrm{A}) \times p_{\mathrm{A}}(\mathrm{B})}$; ❷ $\boldsymbol{p_{\mathrm{A}}(\mathrm{A}) = 1}$;
❸ **si A et B sont incompatibles,** $\boldsymbol{p_{\mathrm{A}}(\mathrm{B}) = 0}$; ❹ $\boldsymbol{p_{\mathrm{A}}(\overline{\mathrm{B}}) = 1 - p_{\mathrm{A}}(\mathrm{B})}$.

Les démonstrations sont immédiates à partir de la définition de p_{A}.

Remarque
Propriétés ❷ et ❸
Si l'on sait que A est réalisé, alors A est devenu certain, et B impossible s'il est incompatible avec A !

b Probabilités conditionnelles et arbre pondéré

Pour modéliser une situation de probabilités conditionnelles, on utilise souvent un « arbre pondéré », dans lequel s'applique le principe multiplicatif qui illustre l'égalité $p(A \cap B) = p(A) \times p_{\mathrm{A}}(B)$.

Modélisation d'une situation à l'aide d'un arbre pondéré :

Un jeu électronique propose des parties de deux niveaux. Au lancement d'une partie, l'appareil choisit lui-même :

– le « **niveau 1** » **(événement N_1)**, avec une probabilité de $\dfrac{2}{3}$;

– le « **niveau 2** » **(événement N_2)**, avec une probabilité de $\dfrac{1}{3}$.

La probabilité qu'un joueur gagne une partie sachant qu'elle est de niveau 1 est de $\dfrac{3}{4}$, sachant qu'elle est de niveau 2 est de $\dfrac{2}{5}$.

G est l'événement « le joueur gagne la partie », $\overline{\mathrm{G}}$ l'événement contraire.

On peut modéliser une telle situation à l'aide de l'arbre pondéré ci-contre.

Dans cet arbre, on lit par exemple :

$p(\mathrm{G} \cap \mathrm{N}_1) = \boldsymbol{p(\mathrm{N}_1)} \times \boldsymbol{p_{\mathrm{N}_1}(\mathrm{G})} = \dfrac{2}{3} \times \dfrac{3}{4} = \dfrac{1}{2}$.

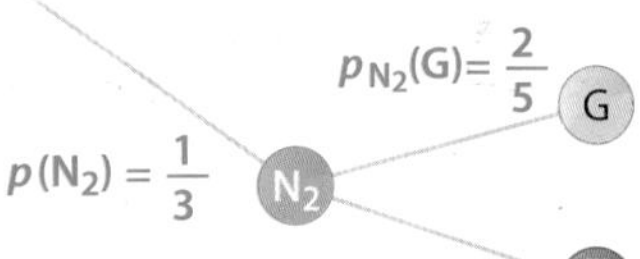
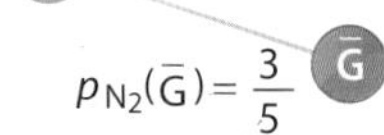

Reconnaître des probabilités conditionnelles, construire et exploiter un arbre pondéré

Exercice corrigé

Énoncé Dans une fête foraine, un stand d'attractions propose le jeu suivant :

- Le joueur actionne tout d'abord une roue circulaire, partagée en trois secteurs de couleurs différentes. On admet que la probabilité que la roue s'arrête sur un secteur est proportionnelle au périmètre de ce secteur.
- Le joueur tire ensuite un jeton dans une urne dont la couleur correspond à celle obtenue en actionnant la roue.

– Dans l'urne verte, un jeton sur trois est gagnant et permet de gagner une « barbe à papa ».
– Dans l'urne jaune, un jeton sur cinq est gagnant et permet de remporter un coffret de jeux de société.
– Dans l'urne **rouge**, un jeton sur dix est gagnant et permet de remporter un lecteur MP3.

Un joueur commence une partie. On appelle V (respectivement J, R) l'événement « le joueur tire un jeton dans l'urne verte (respectivement jaune, rouge) » , et B (respectivement C, M) l'événement « le joueur gagne une barbe à papa (respectivement un coffret de jeux, un lecteur MP3) ». Enfin, P désigne l'événement « le joueur est perdant ».

1 Traduire toutes les hypothèses de l'énoncé par des probabilités concernant les événements définis ci-dessus.

2 Construire un arbre pondéré décrivant la situation. Calculer la probabilité de chacun des événements B, C et M.

Solution

1 On utilise la proportionnalité entre probabilités et périmètres des secteurs de la roue : $p(V) = \frac{\pi}{2\pi} = \frac{1}{2}$; $p(J) = \frac{\frac{3\pi}{4}}{2\pi} = \frac{3}{8}$; $p(R) = \frac{\frac{\pi}{4}}{2\pi} = \frac{1}{8}$.

D'après l'énoncé, « dans l'urne verte, un jeton sur trois est gagnant » : cette hypothèse donne la probabilité conditionnelle d'extraire un jeton gagnant de l'urne **sachant que le tirage se fait dans l'urne verte**. Dans ce cas, le lot gagné est une barbe à papa, donc on a : $p_V(B) = \frac{1}{3}$.

De la même façon, on a : $p_J(C) = \frac{1}{5}$ et $p_R(M) = \frac{1}{10}$. **1**

2 Voir l'arbre ci-contre. **2**

L'événement B ne peut être réalisé que lorsqu'on tire un jeton dans l'urne verte.

D'où : $p(B) = p(B \cap V) = \frac{1}{3} \times \frac{1}{2} = \frac{1}{6}$.

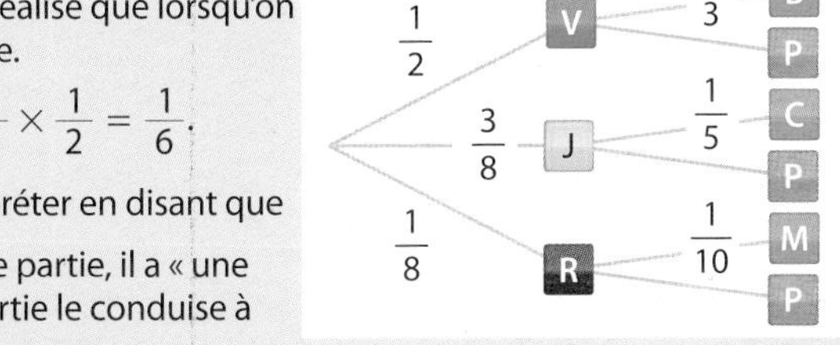

Cette valeur $\frac{1}{6}$ peut s'interpréter en disant que lorsqu'un joueur entame une partie, il a « une chance sur six » que cette partie le conduise à gagner une barbe à papa.

On a de même $p(C) = p(C \cap J) = \frac{1}{5} \times \frac{3}{8} = \frac{3}{40}$ et $p(M) = p(M \cap R) = \frac{1}{10} \times \frac{1}{8} = \frac{1}{80}$.

Bon à savoir

1 On reconnaît une probabilité conditionnelle dans un énoncé lorsque sa valeur est donnée alors qu'on sait qu'un événement est réalisé. Ici, la probabilité $\frac{1}{3}$ correspond à un tirage gagnant **dans l'urne verte** : on sait que l'événement V est réalisé.

2 Dans un arbre pondéré, les « branches » issues d'un même événement représentent les probabilités conditionnelles sachant que cet événement est réalisé. Par exemple, $\frac{1}{3} = p_V(B)$.

Exercice d'application

1 M. Cruciverbis achète un hebdomadaire chaque semaine, et il essaie systématiquement de résoudre la grille de mots croisés proposée. Deux fois sur trois, il achète l'hebdomadaire A, et une fois sur trois l'hebdomadaire B. Trois fois sur quatre, il parvient à achever la grille proposée dans l'hebdomadaire A. Il résout entièrement celle de l'hebdomadaire B, plus difficile, une fois sur deux seulement.

1 Choisir des notations et construire un arbre pondéré décrivant la situation.

2 M. Cruciverbis entre chez le libraire pour acheter son hebdomadaire. Quelle est la probabilité qu'il en ressorte avec l'hebdomadaire B et qu'il sache résoudre entièrement la grille de mots croisés qui y est proposée ?

Voir exercices 12 à 30

2 Formule des probabilités totales

Dans un univers Ω, on appelle **système complet d'événements** un ensemble d'événements de probabilités non nulles, deux à deux disjoints, dont la réunion est égale à Ω.

Un système complet d'événements d'est **une partition de Ω** (voir l'activité 2, page 328).

Remarque

Un système complet d'événements correspond à un « pavage » en géométrie. Les différentes parties d'un pavage d'une figure $\mathcal{F}$ ne se recoupent pas et leur réunion donne la figure toute entière (c'est l'image du puzzle).

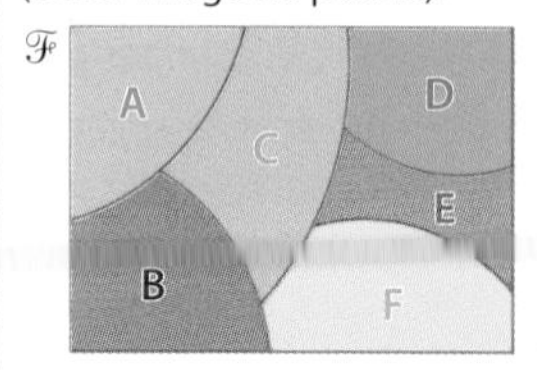

Théorème Soit $A_1, A_2, \ldots, A_n$ un système complet d'événements de l'univers Ω et B un événement quelconque dans Ω. On a :

$$\boldsymbol{p(B) = p(A_1) \times p_{A_1}(B) + p(A_2) \times p_{A_2}(B) + \ldots + p(A_n) \times p_{A_n}(B)}.$$

DÉMONSTRATION

B est la réunion des événements $B \cap A_1$, $B \cap A_2$, …, $B \cap A_n$, qui sont deux à deux disjoints. Ainsi :
$p(B) = p(B \cap A_1) + p(B \cap A_2) + \ldots + p(B \cap A_n)$.
Or, pour tout $i \in \{1 ; 2 ; \ldots ; n\}$, $p(B \cap A_i) = p(A_i) \times p_{A_i}(B)$.
D'où : $p(B) = p(A_1) \times p_{A_1}(B) + p(A_2) \times p_{A_2}(B) + \ldots + p(A_n) \times p_{A_n}(B)$.

3 Indépendance de deux événements

Définition Soit p une probabilité sur un univers Ω.

On dit que **les événements A et B sont indépendants** si :

$$\boldsymbol{p(A \cap B) = p(A) \times p(B)}.$$

Exemple

Pour le lancer d'un dé équilibré à six faces, les événements A « le résultat est pair » et B « le résultat est 2 » ne sont pas indépendants.
En effet, $p(A \cap B) = \frac{1}{6}$,
et $p(A) \times p(B) = \frac{1}{2} \times \frac{1}{6}$.
On trouve $p(A) \times p(B) \neq \frac{1}{6}$.
Si C est l'événement « le résultat est supérieur ou égal à 5 », alors les événements A et C sont indépendants.

Propriété Si $p(A) \neq 0$, on a :

A et B indépendants si, et seulement si, $\boldsymbol{p_A(B) = p(B)}$

ou également si $p(B) \neq 0$: $p_B(A) = p(A)$.

DÉMONSTRATION

On suppose $p(A) \neq 0$. On a alors $p(A \cap B) = p(A) \times p_A(B)$.
Ainsi, A et B sont indépendants si, et seulement si :

$$p(A) \times p_A(B) = p(A) \times p(B)$$

c'est-à-dire $p_A(B) = p(B)$, en simplifiant par $p(A) \neq 0$.

Théorème Si A et B sont indépendants, alors A et $\bar{B}$ sont indépendants.

DÉMONSTRATION démo BAC

L'événement A est la réunion des deux événements incompatibles $\mathbf{A \cap B}$ et $A \cap \bar{B}$, donc : $p(A) = p(A \cap B) + p(A \cap \bar{B})$.
On en déduit : $p(A \cap \bar{B}) = p(A) - p(A \cap B)$.
A et B étant indépendants, on a : $p(A \cap B) = p(A) \times p(B)$;
d'où : $p(A \cap \bar{B}) = p(A) - p(A) \times p(B)$
$p(A \cap \bar{B}) = p(A) \times (1 - p(B))$
$p(A \cap \bar{B}) = p(A) \times p(\bar{B})$.
Ainsi par définition A et $\bar{B}$ sont indépendants.

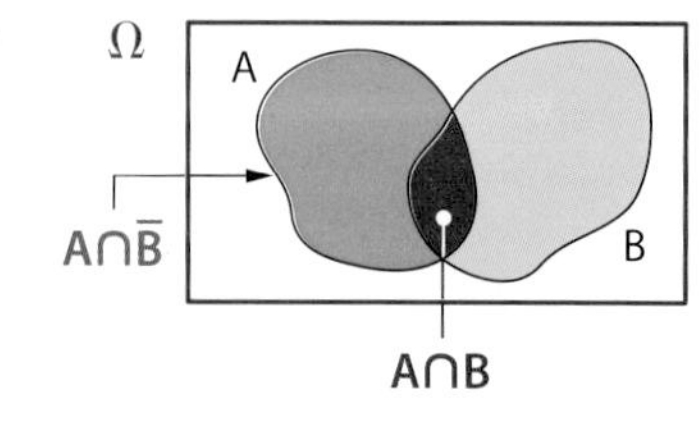

Utiliser la formule des probabilités totales

Exercice corrigé

Énoncé Afin d'équiper les élèves des groupes scolaires de la commune, une municipalité achète auprès d'un grossiste des stylos-billes de trois marques différentes, A, B et C.

- 40 % des stylos commandés sont de marque A, la moins chère ; parmi ces stylos, 15 % sont défectueux.
- 35 % des stylos commandés sont de marque B, et 10 % de ces stylos sont défectueux.
- 25 % des stylos commandés sont de marque C, et 5 % de ces stylos sont défectueux.

On choisit au hasard un stylo dans le stock de la municipalité.

1 Construire un arbre pondéré décrivant la situation étudiée.

2 Déterminer la probabilité que le stylo choisi soit défectueux.

3 Le stylo choisi est en bon état de fonctionnement. Quelle est la probabilité, au centième près, qu'il soit de marque C ?

Solution

1 On adopte les notations suivantes pour les événements :
A (respectivement B, C) : « le stylo choisi est de marque A (respectivement B, C) » ;
D : « le stylo choisi est défectueux ».
On obtient l'arbre pondéré ci-contre **1▸**.

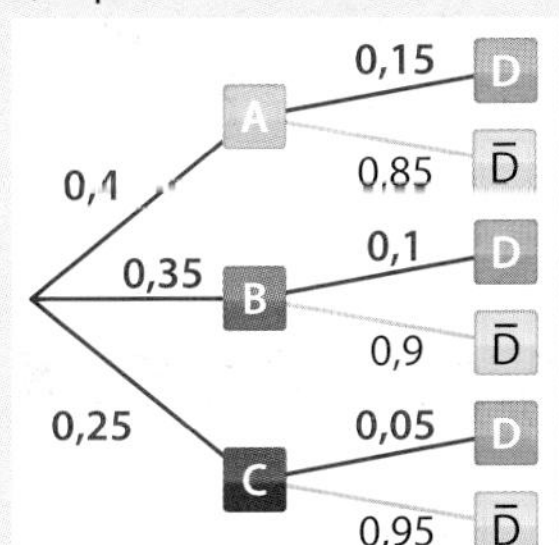

2 Les événements A, B et C forment un système complet d'événements. En effet :
– ils sont de probabilités non nulles ;
– ils sont incompatibles (ou disjoints) deux à deux : le stylo choisi ne peut pas être de deux marques différents ;
– leur réunion recouvre tous les cas possibles : le stylo choisi est nécessairement de l'une des trois marques A, B ou C (puisque par hypothèse, 100 % des stylos proviennent de l'une de ces marques)
On peut donc appliquer la formule des probabilités totales pour calculer la probabilité $p(\mathrm{D})$; on a **2▸** :

$$\boldsymbol{p(\mathrm{D}) = p(\mathrm{A}) \times p_{\mathrm{A}}(\mathrm{D}) + p(\mathrm{B}) \times p_{\mathrm{B}}(\mathrm{D}) + p(\mathrm{C}) \times p_{\mathrm{C}}(\mathrm{D})}.$$

On obtient donc : $p(\mathrm{D}) = 0{,}15 \times 0{,}4 + 0{,}1 \times 0{,}35 + 0{,}05 \times 0{,}25 = 0{,}1075$.

3 On cherche ici à calculer la probabilité $p_{\overline{\mathrm{D}}}(\mathrm{C})$.
On applique la définition d'une probabilité conditionnelle :

$$p_{\overline{\mathrm{D}}}(\mathrm{C}) = \frac{p\left(\overline{\mathrm{D}} \cap \mathrm{C}\right)}{p\left(\overline{\mathrm{D}}\right)}.$$

Le calcul de $p\left(\overline{\mathrm{D}} \cap \mathrm{C}\right)$ s'obtient en appliquant le principe multiplicatif dans la branche « la plus basse » de l'arbre pondéré construit à la question **1** : $p\left(\overline{\mathrm{D}} \cap \mathrm{C}\right) = p(\mathrm{C}) \times p_{\mathrm{C}}\left(\overline{\mathrm{D}}\right) = 0{,}95 \times 0{,}25$.

Ainsi, on obtient : $p\left(\overline{\mathrm{D}} \cap \mathrm{C}\right) = 0{,}2375$ et $p_{\overline{\mathrm{D}}}(\mathrm{C}) = \dfrac{0{,}2375}{1 - 0{,}1075}$, soit 0,27 au centième près.

Bon à savoir

1▸ On construit un arbre pondéré dont les branches de premier niveau aboutissent aux événements A, B et C. En effet, l'énoncé donne les probabilités de ces événements, puis ensuite les probabilités conditionnelles sachant que l'un de ces événements est réalisé.

2▸ La formule des probabilités totales ne peut être appliquée qu'en présence d'un système complet d'événements, ce qu'il faut donc d'abord vérifier.

Exercice d'application

2 Un jardinier dispose de bulbes de deux sortes : les bulbes « à fleur rouge » et les bulbes « à fleur jaune ».
Pour composer des massifs, le jardinier constitue des lots comportant 40 % de bulbes « à fleur rouge » et 60 % de bulbes « à fleur jaune ».
Une fois planté, un bulbe « à fleur rouge » donne effectivement une fleur dans 70 % des cas, et dans 80 % des cas pour un bulbe « à fleur jaune » (dans les autres cas, le bulbe ne fleurit pas).
On choisit au hasard un bulbe dans un lot composé par le jardinier. Quelle est la probabilité que ce bulbe donne une fleur ?

Voir exercices 31 à 42

Mener une recherche et rédiger

3 BAC Étude d'une épidémie

Pour étudier une population dans laquelle se propage une maladie contagieuse, les autorités sanitaires disposent des données suivantes :

- un quart de la population est vacciné contre la maladie ;
- 92 % des individus vaccinés ne sont pas malades ;
- 10 % des individus dans l'ensemble de la population sont malades.

À l'aide de ces données, les autorités sanitaires souhaitent connaître la probabilité, pour un individu tiré au hasard parmi la population non vaccinée, d'être malade.
Calculer cette probabilité, et commenter.

Mener une recherche étape par étape

❶ Lire l'énoncé et fixer des notations

La lecture de l'énoncé conduit **à définir des événements** en lien avec l'expérience aléatoire décrite. Ces événements permettront de traduire mathématiquement les données de l'énoncé et aussi de formaliser la question posée.

a. Définir et nommer simplement les événements qui paraissent utiles pour traduire les données.

b. Traduire en terme de probabilités les données de l'énoncé.

Conseil Il faut bien repérer les ensembles de référence : « sur la population **totale** » diffère de « sur la population **vaccinée** » qui sous-entend une probabilité conditionnelle.

c. Exprimer la question posée au moyen des événements définis au **a.** En déduire les informations ou les quantités qu'il faudrait connaître.

❷ Modéliser la situation

Ici on crée et on décrit une partition de l'univers.
On doit organiser les données pour trouver les quantités que l'on ne connaît pas.
On peut songer à :

- faire un arbre (modélisation **A**) :

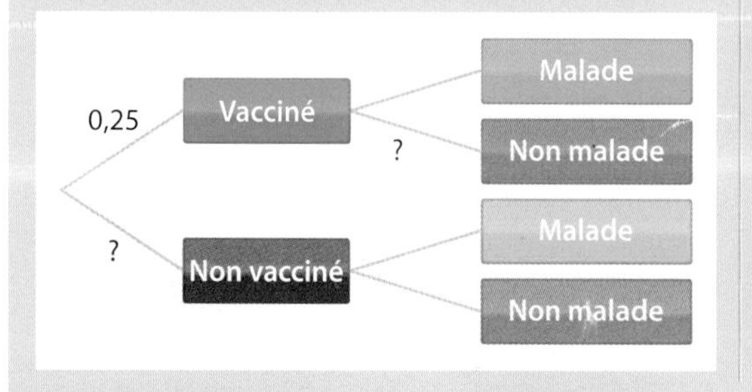

- remplir un tableau décrivant un échantillon représentatif de 100 personnes de cette population (modélisation **B**) :

	Vacciné	Non vacciné	Total
Malade			…
Non malade	?		
Total	25	?	100

a. Suivant la représentation choisie placer les informations obtenues à l'étape ❶ et celles qui en découlent immédiatement.

b. Dans le tableau ci-dessus, l'information « 10 % de la population est malade » trouve aisément sa place.
Comment intervient cette information dans la représentation de l'arbre ci-dessus ?
Que permet-elle de calculer ?

c. Déterminer les probabilités encore inconnues des intersections d'événements.
On montrera que la probabilité de l'événement « l'individu choisi n'est pas vacciné et tombe malade » est 0,08.

❸ Rédiger une solution

On aura expliqué que l'on cherche, $p_{\overline{V}}(M)$, probabilité que « l'individu choisi soit malade sachant qu'il n'est pas vacciné ».
Exprimer $p_{\overline{V}}(M)$ en fonction de $p(\overline{V} \cap M)$, puis conclure.

Conseil Le compte rendu de recherche doit contenir les éléments définis à l'étape ❶, la modélisation **A** ou **B** choisie à l'étape ❷ avec les calculs qui lui sont attachés, la conclusion trouvée à l'étape ❸.

4  Étude de l'évolution d'une population

Un mensuel de la presse écrite souhaite étudier son public de lecteurs. Une enquête dans la population des personnes intéressées par ce mensuel a permis d'établir que :

- 10 % des personnes qui n'ont pas acheté un numéro de ce mensuel achètent le suivant ;
- 20 % des personnes qui ont acheté un numéro n'achètent pas le suivant.

On choisit une personne au hasard dans la population étudiée. On note A_n l'événement « la personne choisie a acheté le numéro du n-ième mois suivant janvier 2013 » et p_n la probabilité de l'événement A_n (p_0 est donc la probabilité qu'elle choisisse la revue en janvier 2013).

1 Traduire les données 10 % et 20 % par des probabilités concernant les événements A_n, A_{n+1} et leurs événements contraires $\overline{A_n}$ et $\overline{A_{n+1}}$.

2 Recopier et pondérer l'arbre ci-dessous.

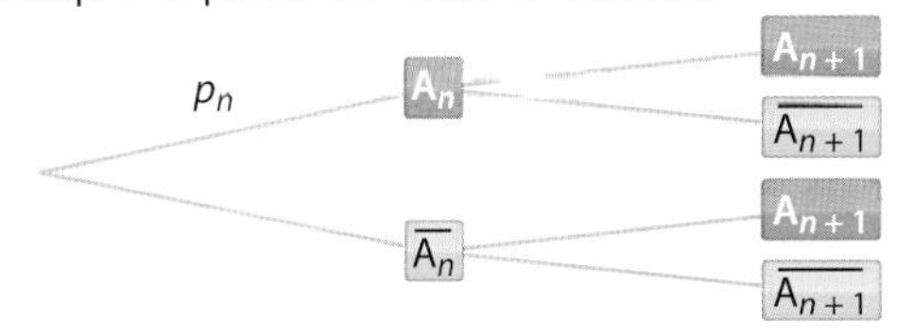

3 On désire étudier **à l'aide d'un tableur** l'évolution à long terme de la probabilité d'être acheteur de la revue pour un individu la population étudiée. On établit la feuille de calculs ci-contre.

A	B
n	pn
0	0,5
1	=0,7*B2+0,1
2	0,415
3	0,3905

a. Justifier, à l'aide de la question **2**, la formule utilisée dans la cellule B3.

b. Reproduire cette feuille de calculs et comparer les probabilités de choisir un acheteur en janvier 2015 en prenant successivement $p_0 = 0{,}5$, $p_0 = 0$, $p_0 = 1$ et $p_0 = 0{,}8$.

c. Quelle conjecture peut-on formuler ?

4 **Démonstration**

a. Montrer que la suite (u_n) définie par $u_n = p_n - \frac{1}{3}$ est une suite géométrique.
(On rappelle que $p_{n+1} = 0{,}7p_n + 0{,}1$.)

b. En déduire que, pour tout entier naturel n :

$$p_n = \left(p_0 - \frac{1}{3}\right) \times 0{,}7^n + \frac{1}{3}.$$

c. Conclure.

5    Étude d'une marche aléatoire

Un tapis de jeu est constitué de neuf cases juxtaposées. Un pion est placé sur la case centrale, il se déplace sur le tapis grâce au lancer d'une pièce : pour PILE, le pion se déplace d'une case vers la droite, pour FACE, d'une case vers la gauche. On appelle p la probabilité d'obtenir PILE avec la pièce.

L'expérience aléatoire consiste à effectuer quatre déplacements successifs du jeton, et on s'intéresse à l'événement C : « le pion est revenu sur la case centrale ».

L'algorithme reproduit ci-contre permet de simuler l'expérience.

On décompose pas à pas le fonctionnement de l'algorithme. Compléter les cases vides du tableau ci-dessous, pour les valeurs suivantes de p : **a.** $p = 0{,}4$. **b.** $p = 0{,}5$.

S	i	j	Nombre au hasard obtenu dans l'algorithme (à 0,01 près)	X
0	1	/	/	0
0	1	1	0,21	
			0,32	
			0,54	
			0,42	

2 **a.** Compléter l'algorithme pour qu'il affiche en sortie la fréquence de l'événement C sur N simulations de l'expérience.

b. Le mettre en œuvre sur la calculatrice ou sur un tableur et déterminer les fréquences obtenues pour 500, puis 1 000 simulations, en donnant à p les valeurs suivantes : 0,1 ; 0,5 ; 0,75 .

3 Grâce au « codage d'un trajet » suggéré par l'algorithme et en utilisant un schéma de Bernoulli, calculer en fonction de p la probabilité de l'événement C, puis comparer avec les résultats obtenus au **1 b.**

ALGO

```
Début
    Entrer(«le nombre de simulations», N)
    Entrer(«la probabilité», p)
S = 0
Pour i allant de 1 à N Faire
    X = 0
    Pour j allant de 1 à 4 Faire
        Si nombre au hasard(0,1) < p
        Alors X = X + 1
        Sinon X = X − 1
        FinSi
    FinPour
    Si X = 0 Alors S = S + 1...
```

6 BAC Construire et utiliser un arbre pour calculer des probabilités

Énoncé On dispose de deux dés cubiques bien équilibrés : le dé *A* possède une face verte, deux faces noires et trois faces rouges, et le dé *B* possède quatre faces vertes et deux faces noires.

Un jeu se déroule de la manière suivante : on lance le dé *B*.

- Si la face obtenue est verte, on lance à nouveau le dé *B* et on note la couleur de la face obtenue ;
- Si la face obtenue est noire, on lance le dé A et on note la couleur de la face obtenue.

1 Quelle est la probabilité d'obtenir une face verte au deuxième lancer sachant que l'on a obtenu une face verte au premier lancer ?

2 Montrer que la probabilité d'obtenir deux faces vertes est égale à $\frac{4}{9}$.

3 Quelle est la probabilité d'obtenir une face verte au deuxième lancer ?

Solution

1 Lorsqu'on a obtenu une face verte au premier lancer, on lance le dé *B* qui possède quatre faces vertes.

Donc sachant qu'on a obtenu une face verte au premier lancer, la probabilité d'obtenir une face verte au deuxième lancer est $\frac{4}{6} = \mathbf{\frac{2}{3}}$.

2 Pour $i \in \{1;2\}$, N_i est l'événement « obtenir une face noire au i-ème lancer » et V_i « obtenir une face verte au i-ème lancer ».

On note R l'événement « obtenir une face rouge au 2e lancer ».

On a d'après **1** : $p_{V_1}(V_2) = \frac{2}{3}$;

de plus : $p(V_1) = \frac{2}{3}$.

D'où : $p(V_1 \cap V_2) = \frac{2}{3} \times \frac{2}{3} = \frac{4}{9}$.

3 En utilisant les chemins rouges sur l'arbre, on a :

$$\boldsymbol{p}(\mathbf{V_2}) = \frac{4}{6} \times \frac{4}{6} + \frac{2}{6} \times \frac{1}{6} = \mathbf{\frac{1}{2}}.$$

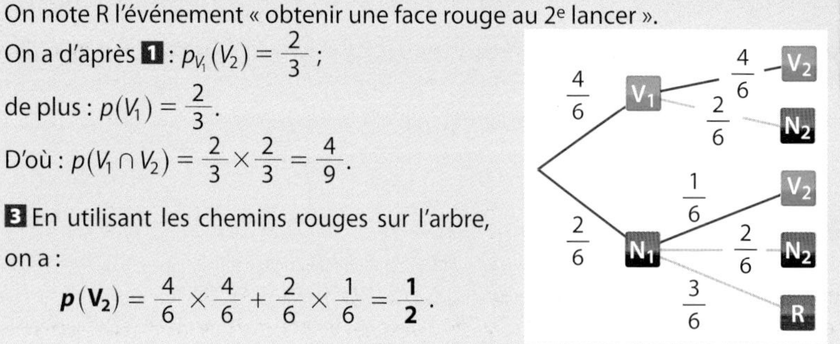

Stratégies

1 On examine l'expérience dans le cas où l'événement « la face verte est obtenue au premier tour » est réalisé.

2 $p(V_1 \cap V_2) = p(V_1) \times p_{V_1}(V_2)$.

3 On construit un arbre pondéré traduisant la situation.
On utilise la formule des probabilités totales en lisant les probabilités sur l'arbre.

7 BAC Utiliser l'indépendance de deux événements

Énoncé

Partie I – Question de cours

Soient A et B deux événements indépendants.

Démontrer que les événements A et $\overline{B}$ sont indépendants, puis que les événements $\overline{A}$ et $\overline{B}$ sont indépendants.

Partie II – Application

Chaque matin de classe, Stéphane peut être victime de deux événements indépendants :

- *R* : « il n'entend pas son réveil sonner » ;
- *S* : « son scooter, mal entretenu, tombe en panne ».

Il a observé que chaque jour de classe, la probabilité de *R* est égale à 0,1 et que celle de *S* est égale à 0,05 . Lorsqu'au moins l'un des deux événements se produit, Stéphane est en retard au lycée ; sinon, il est à l'heure.

1 Calculer la probabilité qu'un jour de classe donné, Stéphane entende son réveil sonner et que son scooter tombe en panne.

2 Calculer la probabilité que Stéphane soit à l'heure au lycée un jour de classe donné.

3 Au cours d'une semaine, Stéphane se rend cinq fois en classe.

On admet que le fait qu'il entende son réveil sonner un jour de classe donné n'influe pas sur le fait qu'il l'entende ou non les jours suivants.

Quelle est la probabilité que Stéphane entende le réveil au moins quatre fois au cours d'une semaine ? Arrondir le résultat à la quatrième décimale.

Solution

Partie I : Si A et B sont indépendants, alors A et $\bar{B}$ le sont aussi (voir **Démo BAC**, page 8). En appliquant de nouveau ce même théorème aux événements A et $\bar{B}$, on obtient : **A et $\bar{B}$ sont indépendants, donc $\bar{A}$ et $\bar{B}$ sont indépendants.**

Partie II :

1 Il faut calculer $p(\bar{R} \cap S)$. Les événements R et S étant indépendants, les événements $\bar{R}$ et S sont indépendants.
Donc $p(\bar{R} \cap S) = p(\bar{R}) \times p(S) = 0{,}9 \times 0{,}05 = \mathbf{0{,}045}$.

La probabilité que Stéphane entende son réveil et que son scooter tombe en panne est **0,045**.

2 Il faut calculer $p(\bar{R} \cap \bar{S})$. Les événements $\bar{R}$ et $\bar{S}$ sont indépendants.

Donc $p(\bar{R} \cap \bar{S}) = p(\bar{R}) \times p(\bar{S})$, avec $p(\bar{S}) = 1 - p(S) = 0{,}95$.

Donc $\boldsymbol{p}(\bar{\mathbf{R}} \cap \bar{\mathbf{S}}) = 0{,}9 \times 0{,}95 = \mathbf{0{,}855}$.

La probabilité que Stéphane soit à l'heure un jour donné est **0,855**.

3 L'expérience consiste à répéter de façon indépendante cinq fois la même expérience de Bernoulli, pour laquelle la probabilité de succès, c'est-à-dire que Stéphane entende le réveil, est $p(\bar{R}) = 0{,}9$.

En notant X la variable aléatoire comptant le nombre de jours où Stéphane entend son réveil, X suit la loi binomiale $\mathcal{B}(5\,;0{,}9)$.

$$\boldsymbol{p(X \geqslant 4)} = p(X=4) + p(X=5) = \binom{5}{4} \times 0{,}9^4 \times 0{,}1 + \binom{5}{5} \times 0{,}9^5 = 5 \times 0{,}9^4 \times 0{,}1 + 1 \times 0{,}9^5 \approx \mathbf{0{,}9185}.$$

Donc la probabilité que Stéphane entende au moins quatre fois le réveil au cours d'une semaine est environ **0,9185**.

Stratégies

Partie II :

1 Comme R et S sont indépendants, on peut utiliser le résultat de la partie I.

2 On peut utiliser le résultat de la partie I.

3 On reconnaît un schéma de Bernoulli.

On a vu en 1re S que si une variable aléatoire X suit la loi binomiale de paramètres n et p, alors :

$$p(X = k) = \binom{n}{k} p^k (1-p)^{n-k}$$

pour tout entier k de 0 à n.

8 Utiliser une loi binomiale Rappels de 1re S

Énoncé **1** Déterminer le plus petit entier n tel que la probabilité d'obtenir au moins une fois la face n° 1 sur n lancers successifs et indépendants d'un *dé tétraédrique* bien équilibré, soit supérieure à 0,999.

2 Même question pour rendre la probabilité d'obtenir au moins deux fois la face n° 1, supérieure à 0,999.

Solution

1 On sait que la variable aléatoire X qui compte le nombre de face n° 1 suit une loi binomiale de paramètres n et 0,25.

De plus $p(X \geqslant 1) = 1 - p(X = 0) = 1 - 0{,}75^n$, et on doit donc résoudre :

$1 - 0{,}75^n \geqslant 0{,}999 \Leftrightarrow 0{,}001 \geqslant 0{,}75^n \Leftrightarrow \ln 0{,}001 \geqslant n \ln 0{,}75$

$\Leftrightarrow \dfrac{\ln 0{,}001}{\ln 0{,}75} \leqslant n \Leftrightarrow n \geqslant \mathbf{25}$.

Le plus petit entier cherché est **25**.

2 On a $p(X \geqslant 2) = 1 - p(X=0) - p(X=1)$

$p(X \geqslant 2) = 1 - 0{,}75^n - n \times 0{,}25 \times 0{,}75^{n-1}$

$p(X \geqslant 2) = 1 - 0{,}75^n\left(1 + \dfrac{n}{3}\right)$.

TI

Le problème équivaut donc à : $0{,}001 \geqslant 0{,}75^n\left(1 + \dfrac{n}{3}\right)$.

L'étude de la représentation graphique de la fonction $x \longmapsto 0{,}75^x\left(1 + \dfrac{x}{3}\right)$ et la calculatrice permettent de conjecturer, puis de vérifier que le plus petit entier cherché est : $\boldsymbol{n = 33}$.

Stratégies

1 Les mots « lancers successifs et indépendants » indiquent un schéma de Bernoulli : on introduit donc la variable aléatoire comptant le nombre de « succès ».
L'événement contraire de « obtenir au moins un succès » est « obtenir n échecs » dont la probabilité s'exprime aisément en fonction de n.
Attention : $\ln 0{,}75 < 0$.

2 On utilise à nouveau l'événement contraire et la loi binomiale.

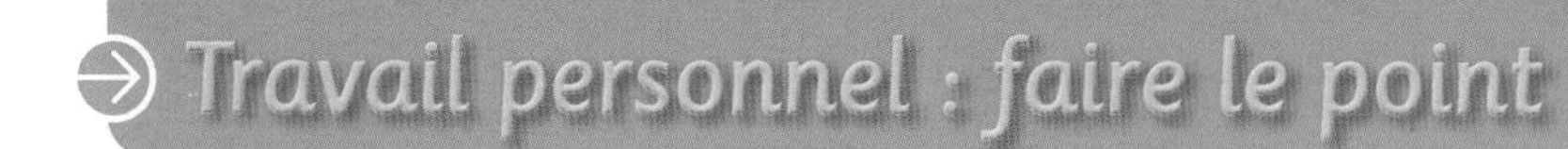

Savoir…	Comment faire ?
Calculer une probabilité conditionnelle.	On utilise la définition : $$p_{\mathbf{A}}(\mathbf{B}) = \frac{p(\mathbf{A} \cap \mathbf{B})}{p(\mathbf{A})}, \quad \text{avec } p(\mathrm{A}) \neq 0.$$
Reconnaître une hypothèse de probabilité conditionnelle.	On examine si la probabilité donnée est celle d'un événement B sous la contrainte que l'événement A soit réalisé. Dans $p_{\mathrm{A}}(\mathrm{B})$, les événements A et B ne jouent pas le même rôle : on sait que A est réalisé. Au contraire, dans $p(\mathrm{A} \cap \mathrm{B})$, A et B ont des rôles symétriques. **Exemple :** On tire au sort un élève dans un lycée. – Dans la phrase « La probabilité que ce soit **une fille de terminale S** vaut $\frac{1}{16}$ » $\frac{1}{16}$ ne correspond pas à une probabilité conditionnelle. – Dans la phrase « **Parmi les élèves de Terminale S**, la probabilité que ce soit une fille est $\frac{5}{11}$ » ; $\frac{5}{11}$ correspond à une probabilité conditionnelle : on sait que l'événement « être élève en Terminale S » est réalisé.
Utiliser la formule des probabilités totales.	▸ Il faut reconnaître un système complet d'événements. ▸ On exploite les hypothèses en utilisant, par exemple, un arbre pondéré. **Exemple :** A_1, A_2, A_3 est un système complet d'événements. On veut calculer $p(\mathrm{B})$: $p(A_1)$ → A_1 : $p_{A_1}(\mathrm{B})$ → B ; $p_{A_1}(\overline{\mathrm{B}})$ → $\overline{\mathrm{B}}$ $p(A_2)$ → A_2 : $p_{A_2}(\mathrm{B})$ → B ; $p_{A_2}(\overline{\mathrm{B}})$ → $\overline{\mathrm{B}}$ $p(A_3)$ → A_3 : $p_{A_3}(\mathrm{B})$ → B ; $p_{A_3}(\overline{\mathrm{B}})$ → $\overline{\mathrm{B}}$ On a alors : $$p(\mathbf{B}) = p(\mathbf{A_1}) \times p_{\mathbf{A_1}}(\mathbf{B}) + p(\mathbf{A_2}) \times p_{\mathbf{A_2}}(\mathbf{B}) + p(\mathbf{A_3}) \times p_{\mathbf{A_3}}(\mathbf{B}).$$
Étudier l'indépendance de deux événements.	On compare : $p(\mathbf{A} \cap \mathbf{B})$ **et** $p(\mathbf{A}) \times p(\mathbf{B})$ ou $p_{\mathbf{A}}(\mathbf{B})$ **et** $p(\mathbf{B})$ ou $p_{\mathbf{B}}(\mathbf{A})$ **et** $p(\mathbf{A})$.
Rappels de 1re S **Calculer des probabilités dans le cadre d'expériences répétées indépendantes.** **Loi binomiale.**	▸ On utilise le principe multiplicatif pour les probabilités, après s'être bien assuré de l'indépendance des expériences aléatoires répétées. ▸ Dans le cas de la répétition, de façons indépendantes, d'une même expérience à deux issues (« succès » et « échec »), on utilise une loi binomiale de paramètres n (nombre de répétitions de l'expérience) et p (probabilité du succès pour une expérience), $\mathcal{B}(n\,;p)$. Si S est la variable aléatoire dénombrant le nombre de succès obtenus parmi les n épreuves, on a, pour tout entier k de $\{0\,;1\,;\ldots;n\}$: $$p(S = k) = \binom{n}{k} \times p^k \times (1-p)^{n-k}.$$

Travail personnel : faire le point

QCM

Voir corrigés en fin de manuel

9 Une expérience aléatoire est modélisée par l'arbre de probabilités ci-contre.
On donne :

$$p(A) = \frac{1}{3}, \quad p_A(B) = \frac{2}{5} \quad \text{et} \quad p(\bar{A} \cap B) = \frac{1}{2}.$$

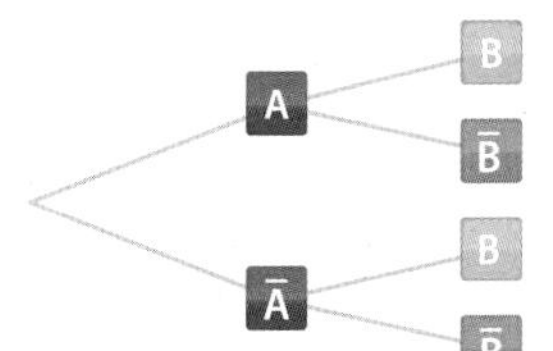

Dans chacun des cas suivants, indiquer **la (ou les)** bonne(s) réponse(s).

1 $p(A \cap B) =$	**a.** $\frac{2}{5}$	**b.** $\frac{2}{15}$	**c.** $1 - P(\bar{A} \cap B)$
2 $p_A(\bar{B}) =$	**a.** $1 - p_A(B)$	**b.** $\frac{3}{5}$	**c.** $p(\bar{B} \cap A)$
3 $p_{\bar{A}}(B)$	**a.** $1 - p_A(B)$	**b.** $1 - p_A(\bar{B})$	**c.** $\frac{3}{4}$
4 $p(\bar{A} \cap \bar{B}) =$	**a.** $\frac{1}{6}$	**b.** $1 - p(A \cap B)$	**c.** $p(\bar{B}) \times p_{\bar{B}}(\bar{A})$

10 On reprend l'expérience aléatoire du paragraphe précédent et l'arbre de probabilités qui la modélise.
Dans chacun des cas suivants, indiquer **la (ou les)** bonne(s) réponse(s).

1 $p(B) =$	**a.** $p_A(B) + p_{\bar{A}}(B)$	**b.** $\frac{19}{30}$	**c.** $p(B \cap A) + p(B \cap \bar{A})$
2 $p(A \cup B) =$	**a.** $\frac{5}{6}$	**b.** $\frac{29}{30}$	**c.** $\frac{19}{90}$
3 $p_B(A) =$	**a.** $p_A(B)$	**b.** $\frac{4}{19}$	**c.** $\frac{p(A \cap B)}{p(B)}$
4 $p_{\bar{B}}(\bar{A}) =$	**a.** $1 - p_{\bar{B}}(A)$	**b.** $1 - p_B(A)$	**c.** $\frac{5}{11}$

Vrai ou faux ?

Voir corrigés en fin de manuel

11 Pour chacune des affirmations, répondre par vrai ou faux.

Situation 1 :
Les entiers de 1 à 100 sont inscrits sur cent cartons.
On prélève au hasard un carton et on note l'entier inscrit.
On appelle A l'événement « l'entier est pair » et B l'événement « l'entier est un multiple de 5 ».

1 Les événements A et B sont indépendants.

2 Les événements A et B sont incompatibles

Situation 2 :
Les entiers de 1 à 101 sont inscrits sur cent-un cartons.
On prélève au hasard un carton et on note l'entier inscrit.
On appelle C l'événement « l'entier est pair » et D l'événement « l'entier est un multiple de 5 ».

1 Les événements C et D sont indépendants

2 Les événements C et D sont incompatibles.

Exercices d'application

➜ Les exercices portant un numéro jaune sont corrigés à la fin du manuel.

1 Probabilités conditionnelles

12 **Vrai ou faux ?** Préciser si les affirmations suivantes sont vraies ou fausses. Justifier la réponse.

1 On peut définir la probabilité conditionnelle sachant A pour tout événement A.

2 On peut définir la probabilité conditionnelle sachant A pour tout événement A distinct de l'univers Ω.

3 On peut définir la probabilité conditionnelle sachant A pour tout événement A de probabilité non nulle.

13 **Vrai ou faux ?** Préciser si les affirmations suivantes sont vraies ou fausses. Justifier la réponse.

1 Quel que soit l'événement A, on a $p_A(A) = 1$.

2 Si $p(A) = 0{,}5$ et $p(A \cap B) = 0{,}2$, alors $p_A(B) = 0{,}4$.

3 Si $p(B) = 0{,}5$ et $p_B(A) = 0{,}4$, alors $p(A \cap B) = 0{,}2$.

4 Si $p(A) \neq 0$ alors, pour tout événement B, on a :

$$p_A(A \cup B) = 1.$$

5 Si A et B sont incompatibles, alors $p_A(B) = 0$.

14 **QCM**

L'univers Ω est formé de 60 résultats possibles. On a schématisé ci-dessous la répartition des résultats possibles au sein de chacun des trois événements X, Y, Z.

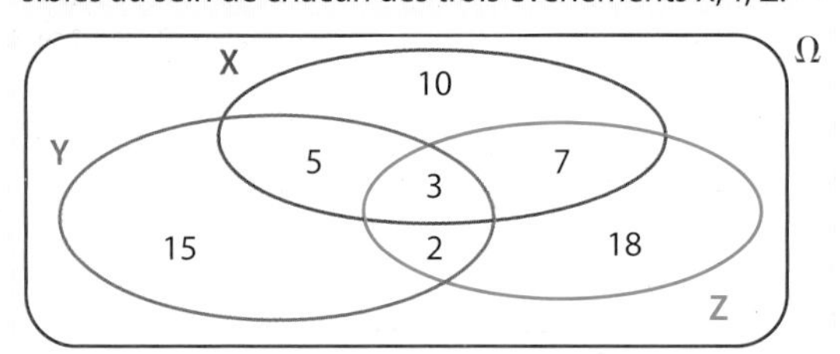

Pour chaque question, déterminer **la (ou les)** proposition(s) exacte(s) (toujours au moins une l'est).

1 **a.** $p(X) = \frac{10}{25}$. **b.** $p(X) = \frac{25}{60}$. **c.** $p(Y) = \frac{25}{60}$.

2 **a.** $p(X \cap Y) = \frac{3}{8}$. **b.** $p(X \cap Y) = \frac{10}{37}$.

c. $p(X \cap Y) = \frac{8}{60}$.

3 **a.** $p(Y \cup Z) = \frac{5}{6}$. **b.** $p(\overline{Z}) = \frac{1}{2}$.

c. $p(Y \cap \overline{Z}) = \frac{1}{3}$.

4 **a.** $p_Y(X) = \frac{8}{25}$. **b.** $p_Z(Y) = \frac{12}{30}$.

c. $p_{\overline{X}}(Y) = \frac{17}{35}$.

15 Parmi les phrases suivantes, repérer celles qui définissent une probabilité conditionnelle :

1 65 % des individus de cette population sont bilingues.

2 Parmi les anglicistes de cette population, 30% sont trilingues.

3 40 % de cette population parle anglais et espagnol.

4 Cette population est composée d'individus de neuf nationalités différentes.

5 60 % des européens de cette population sont bilingues.

16 On considère une loterie, dont certains tickets sont gagnants. Dans cette loterie, il y a des tickets rouges, et d'autres tickets. On tire au hasard un ticket de loterie, on appelle R l'événement « le ticket tiré est rouge » et G l'événement « le ticket tiré est gagnant ».

Traduire en termes de probabilités les phrases suivantes :

a. « Le quart des tickets rouges sont gagnants. »

b. « Le tiers des tickets gagnants sont rouges. »

c. « Un ticket sur cinq est rouge et gagnant. »

d. « Un ticket perdant sur cinq est rouge. »

17 A et B sont deux événements tels que $p(A) \neq 0$ et $p(B) \neq 0$. On suppose que $p_A(B) = p_B(A)$.

Que peut-on en déduire pour les événements A et B ?

18 **a.** Soit $p_A(B) = 0{,}6$ et $p(A \cap B) = 0{,}3$.

Calculer $p(A)$.

b. Soit $p(B) = 0{,}7$ et $p_B(A) = 0{,}2$.

Calculer $p(A \cap B)$.

19 Soit $p(A) = 0{,}3$, $p(B) = 0{,}7$ et $p(A \cup B) = 0{,}8$.

Calculer $p(A \cap B)$, puis $p_B(A)$ et $p_A(B)$.

20 Calculer les probabilités des événements A et B connaissant les trois égalités :

$p(B) = 2p(A)$, $p(A \cup B) = 0{,}5$ et $p_A(B) = 0{,}5$.

21 Soit $p_A(B) = 0{,}5$, $p_B(A) = 0{,}3$

et $p(B) = p(A) + 0{,}3$.

Calculer les probabilités des événements A, B et $A \cap B$.

22 Dans une grande ville, un quart des habitants ont une carte d'abonnement aux transports en commun. Parmi ces abonnés, 40 % sont des utilisateurs réguliers de l'autobus ; les autres utilisent plutôt le métro ou le tramway.

On interroge au hasard un habitant de la ville. Quelle est la probabilité qu'il soit abonné aux transports en commun et utilisateur régulier de l'autobus ?

23 **1** On procède à deux lancers successifs d'une pièce bien équilibrée.
Quelle est la probabilité d'obtenir :

a. deux fois pile ?

b. une fois pile et une fois face ?

c. deux fois face ?

2 Calculer les probabilités des trois événements ci-dessus, sachant que le premier lancer a donné pile.

24 On lance deux dés cubiques bien équilibrés dont les faces sont numérotées de 1 à 6 ; l'un est rouge et l'autre bleu. Quelle est la probabilité d'apparition d'une somme des faces obtenues impaire sachant que le dé bleu affiche 2 ?

25 Dans un grand jeu de hasard (de type « loterie nationale »), on sait que, pour un tirage donné :

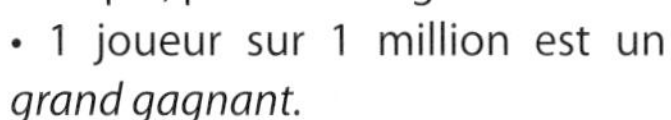

- 1 joueur sur 1 million est un *grand gagnant*.
- Parmi les *grands gagnants*, 1 sur 20 est un joueur occasionnel.

Déterminer la probabilité pour un joueur d'être un *grand gagnant* et un joueur occasionnel.

26 ALGO BAC

L'instruction nbaleatoire(1,n) permet d'obtenir un nombre entier entre 1 et *n*, les résultats étant équiprobables.
On donne l'algorithme suivant :

ALGO
```
a := nbaleatoire(1,2) ;
b :=nbaleatoire(1,6) ;
Si a=1 Alors Faire
        Si b<5 Alors Afficher ( « gagné »)
        Sinon Afficher (« perdu »)
        Finsi.
Sinon Faire
        Si b=1 Alors Afficher (« gagné »)
        Sinon Afficher (« perdu »)
        Finsi.
Finsi
```

1 Décrire un jeu qui fasse intervenir une pièce et un dé à 6 faces, et qui corresponde à l'algorithme décrit ci-dessus.

2 En utilisant un arbre pondéré, déterminer la probabilité de gagner à ce jeu.

Voir les **Outils pour l'algorithmique**.

27 Une urne contient cinq boules indiscernables au toucher : trois bleues et deux rouges.
On tire au hasard, successivement et sans remise, deux boules de l'urne.
Calculer les probabilités que :

a. la seconde boule tirée soit bleue sachant que la première est rouge ;

b. la seconde boule tirée soit rouge sachant que la première est bleue ;

c. la première boule tirée soit bleue sachant que la seconde est rouge ;

d. la première boule tirée soit bleue sachant que les deux boules tirées sont de même couleur.

28 Marius est un joueur de pétanque averti. Lorsqu'il « tire » sur une boule pour la chasser du jeu, il la touche six fois sur dix lors du premier essai. S'il a échoué à son premier essai, il recommence et réussit le second tir huit fois sur dix.
Quelle est la probabilité que Marius essuie un double échec ?

29 Une épidémie de grippe touche le quart d'une population.
Le tiers de cette population est vacciné contre la grippe, et on estime qu'un malade grippé sur 10 est vacciné (les vaccins n'étant jamais efficaces à 100 %).
Marion affirme : « En étant vacciné, le risque d'être grippé est inférieur à $\frac{1}{10}$. » Est-ce exact ?

30 Dans un restaurant, on a constaté que :

- 80 % des clients prennent un café ;
- 40 % des clients prennent un dessert, dont les $\frac{3}{4}$ prennent aussi un café.

1 On choisit un client du restaurant au hasard.

a. Quelle est la probabilité qu'il prenne un dessert et un café ?

b. Quelle est la probabilité qu'il ne prenne ni dessert ni café ?

2 On choisit un client qui a pris un café. Quelle est la probabilité qu'il n'ait pas pris de dessert ?

3 Sachant qu'un client n'a pas pris de café, quelle est la probabilité qu'il n'ait pas pris de dessert ?

Note
Dans cet exercice, on est amené à bien distinguer entre « probabilité de A et B » et « probabilité de A sachant B ».

2 Probabilités totales

31 Vrai ou faux ?

Préciser si les affirmations suivantes sont vraies ou fausses. Justifier la réponse.

Ω désigne l'univers associé à une expérience aléatoire.

1 Ω et $\varnothing$ forment un système complet d'événements.

2 Si $p(A) = 0$, alors l'événement A ne peut pas appartenir à un système complet d'événements de Ω.

3 Si A est un événement tel que :

$$p(A) \neq 0 \quad \text{et} \quad p(A) \neq 1,$$

alors A et $\bar{A}$ forment un système complet d'événements.

4 Si A, B et C forment un système complet d'événements de Ω, alors :

$p(A) \times p(B) \times p(C) \neq 0$ et $p(A) + p(B) + p(C) = 1$.

32 QCM

Parmi les réponses proposées, déterminer celles qui sont exactes (au moins une par affirmation).

1 On donne deux événements A et B tels que :

$$p(A \cap \bar{B}) = 0{,}3 \quad \text{et} \quad p(A \cap B) = 0{,}25.$$

Alors :

a. $p(A) = 0{,}05$. **b.** $p(A) = 0{,}55$. **c.** $p(B) \geqslant 0{,}25$.

2 B et C forment un système complet d'événements et on a :

$$p(B) = 0{,}4 \ ; \quad p_B(A) = 0{,}75 \quad \text{et} \quad p_C(A) = \frac{2}{3}.$$

a. $p(C) = 0{,}6$. **b.** $p(A) = 0{,}3$. **c.** $p(A) = 0{,}7$.

d. On ne peut pas calculer $p(A)$.

33

Dans la population d'une ville, on a relevé que, au cours des six derniers mois :

- 25 % des individus ne sont pas allés au cinéma ;
- 50 % d'individus sont allés une fois au cinéma, et 70 % d'entre eux ont vu un film français ;
- 25 % d'individus sont allés deux fois ou plus au cinéma, et 80 % d'entre eux ont vu un film français.

On interroge au hasard un individu dans la ville en question : quelle est la probabilité qu'il ait vu un film français au cours des six derniers mois ?

34

Sacha se rend à pied le matin au lycée un jour sur cinq. S'il est allé au lycée à pied le matin, il rentre chez lui à pied le soir avec une probabilité de $\frac{1}{4}$.

Si au contraire, il n'est pas allé au lycée à pied le matin, il rentre à pied le soir avec une probabilité de $\frac{1}{3}$.

Pierre part, un soir à l'heure du retour du lycée, à la rencontre de Sacha sur son itinéraire de retour à pied. Quelle est la probabilité qu'il le rencontre ?

35

Le tableau suivant donne la répartition des 1 250 élèves d'un lycée selon leur classe et leur participation à l'atelier d'arts plastiques proposé dans l'établissement.

	Seconde	Première	Terminale
participent à l'atelier	70	28	24
ne participent pas	430	322	376

1 On choisit un élève de Seconde au hasard.

Quelle est la probabilité pour qu'il suive l'atelier d'arts plastiques ?

2 On choisit un élève du lycée au hasard.

a. Construire un arbre pondéré schématisant la situation.

b. Quelle est la probabilité que ce soit un élève de Seconde participant à l'atelier d'arts plastiques ?

c. Quelle est la probabilité que cet élève suive l'atelier d'arts plastiques ?

d. Sachant que l'élève désigné suit l'atelier, quelle est la probabilité qu'il soit en classe de Première ?

36

Dans un lot de pièces, on sait que 5 % sont défectueuses. La procédure de contrôle des pièces en sortie de fabrication n'est pas parfaite :

- 4 % des pièces saines sont rejetées ;
- 2 % des pièces défectueuses sont acceptées.

On choisit au hasard une pièce en sortie de fabrication.

Quelle est la probabilité que :

a. la pièce soit rejetée ;

b. la pièce soit saine et acceptée ;

c. il y ait une erreur de contrôle ;

d. la pièce soit saine sachant qu'elle est refusée ;

e. la pièce soit défectueuse sachant qu'elle est acceptée.

37 Deux urnes contiennent des boules bleues et rouges.
- L'urne U_1 contient quatre boules bleues et une rouge.
- L'urne U_2 contient deux boules bleues et trois rouges.

On procède au choix au hasard d'une urne parmi U_1 et U_2, puis on tire une boule au hasard dans l'urne choisie.

a. Déterminer la probabilité de tirer une boule rouge sachant que l'urne U_1 a été choisie, puis la probabilité de tirer une boule rouge sachant que U_2 a été choisie.

b. Représenter l'expérience aléatoire décrite à l'aide d'un arbre pondéré.

c. Calculer la probabilité de tirer une boule rouge.

38 Dans un grand restaurant, on a constaté que 15 % des clients mangent « à la carte » et 85 % choisissent un menu. Parmi les clients choisissant la formule « à la carte », 30 % prennent un dessert, contre 45 % des clients choisissant un menu.

1 On interroge au hasard un client de ce grand restaurant.

a. Quelle est la probabilité que ce soit un client ayant mangé à la carte et pris un dessert ?

b. Quelle est la probabilité que ce soit un client ayant pris un dessert ?

2 On interroge au hasard un client qui a pris un dessert. Quelle est la probabilité qu'il ait choisit la formule « à la carte » ?

39 Dans une station service, il y a trois pompes A, B et C qui délivrent chacune du gazole et du sans-plomb.

Une enquête statistique sur la clientèle a permis d'établir que sur 1 000 clients, 400 vont se servir à la pompe A, 350 se servent à la pompe B et les autres à la pompe C.
- Lorsqu'un client est à la pompe A, la probabilité qu'il prenne du gazole est 0,7.
- Lorsqu'un client est à la pompe B, la probabilité qu'il prenne du gazole est 0,4.
- Lorsqu'un client est à la pompe C, la probabilité qu'il prenne du gazole est 0,5.

On admet que si le client ne prend pas du gazole, alors il prend du sans-plomb.

On définit les événements suivants :
- A : « le client se sert à la pompe A » ;
- B : « le client se sert à la pompe B » ;
- C : « le client se sert à la pompe C ».

On note G l'événement « le client prend du gazole ».

1 Traduire les données de l'énoncé par un arbre de probabilités ; indiquer les différentes probabilités sur les branches de cet arbre.

2 Un client se présente à la station. Montrer que la probabilité qu'il prenne du gazole est égale à 0,545.

3 Un client a pris du gazole. Calculer la probabilité qu'il se soit présenté à la pompe A.

4 Dix clients se présentent à la station, on suppose que leurs choix sont indépendants. Calculer la probabilité qu'ils soient aussi nombreux à prendre du gazole que du sans-plomb.

40 Denis le jardinier entretient le jardin de René.

Denis : « deux fois sur trois, si j'arrose le matin, il pleut le soir !»

René : « oui, mais quand vous n'arrosez pas le matin, c'est-à-dire trois jours sur quatre, il ne pleut pas le soir quatre fois sur cinq ! »

Arnaud arrive un soir à l'improviste dans le jardin de René. Quelle est la probabilité qu'il pleuve ?

41 À un carrefour doté d'un feu tricolore, on a remarqué que :
- 2 % des véhicules s'arrêtent au feu vert ;
- 65 % des véhicules s'arrêtent au feu orange (comme le code de la route le demande) ;
- 97 % des véhicules s'arrêtent au feu rouge.

On décide d'observer le comportement d'un véhicule se présentant au carrefour. On admet que l'état du feu, à l'arrivée du véhicule, est aléatoire, et que la probabilité que le feu soit vert est de 0,6, celle qu'il soit orange de 0,1 et celle qu'il soit rouge de 0,3.

a. Quelle est la probabilité que le véhicule observé s'arrête ?

b. Le véhicule est passé. Quelle est la probabilité qu'il l'ait fait au feu rouge ?

42 Trois urnes A, B et C contiennent des boules indiscernables au toucher, dont certaines sont bleues.

En procédant à un tirage au hasard d'une boule dans A, la probabilité de tirer une boule bleue est de 0,2 ; elle est de 0,5 dans B et de 0,3 dans C.

On tire une boule au hasard dans A ; si elle est bleue, on tire dans B une nouvelle boule, sinon on tire dans C une nouvelle boule.

Calculer la probabilité de l'événement : « la deuxième boule tirée est bleue ».

Exercices d'application

3 Indépendances de deux événements

43 Vrai ou faux ?

Préciser si les affirmations suivantes sont vraies ou fausses. Justifier la réponse.

1 Si A et B sont indépendants, alors :
$$p(A \cup B) = p(A) + p(B).$$

2 Si les événements A et B sont indépendants, alors :
$$p(A) \neq p(B).$$

3 Si $p(A) = 0{,}7$, $p(B) = 0{,}2$, $p(A \cap B) = 0{,}14$, alors les événements A et B sont indépendants.

44 **a.** Parmi les phrases suivantes, lesquelles sont compatibles avec l'hypothèse « les événements A et B sont indépendants » ?

1 A et B ne se réalisent jamais en même temps.
2 La réalisation de A n'influence pas celle de B.
3 Si A est réalisé, alors B est pas réalisé.
4 $A \cap B = \varnothing$.
5 A et $\overline{B}$ sont indépendants.

b. Choisir une expérience aléatoire tirée « de la vie courante », et définir deux événements qui pourraient être indépendants dans ce contexte.

45 On tire au sort un individu dans une population test, formée à 60 % de personnes portant des lunettes de vue, et à 40 % de personnes n'en portant pas. On sait de plus que 30 % des individus de cette population test sont diplômés de l'enseignement supérieur.
Déterminer une condition pour que les événements « l'individu choisi porte des lunettes » et « l'individu choisi est diplômé du supérieur » soient indépendants.

46 Soient deux événements A et B tels que :
$$p(A) = 0{,}4 \quad \text{et} \quad p(B) = 0{,}3.$$
a. Calculer $p(A \cap B)$ et $p(A \cup B)$ sachant que A et B sont indépendants.
b. Calculer $p(A \cap B)$ et $p(A \cup B)$ sachant que A et B sont incompatibles.

47 Soient deux événements A et B vérifiant :
$$p(A) = 0{,}4\,; \quad p(B) = 0{,}3\,; \quad p(A \cup B) = 0{,}58.$$
A et B sont-ils indépendants ?

48 A et B sont deux événements indépendants tels que :
$$p(A) = 0{,}5\,; \quad p(A \cup B) = 0{,}75.$$
Calculer $p(B)$.

49 Soient A et B deux événements tels que :
$$p(A) = 0{,}8\,; \quad p(B) = 0{,}3\,; \quad p(A \cup B) = 0{,}86.$$
a. Calculer $p_B(A)$.
b. A et B sont-ils indépendants ?

50 Si deux événements sont incompatibles, peuvent-ils être indépendants ?

51 On lance successivement deux fois un dé cubique équilibré dont les faces sont numérotées de 1 à 6.

Étudier l'indépendance des événements suivants :
a. A : « 5 sort en premier » et B : « 5 sort en second » ;
b. C : « 5 sort en premier » et D : « 5 sort deux fois » ;
c. E : « 1 sort en premier » et F : « 6 sort une fois ».
d. Trouver deux événements G et H distincts des précédents et indépendants.

52 Dans une urne sont placés 100 jetons rouges, dont 50 portent le numéro 0 et 50 portent le numéro 1. On ajoute dans cette urne 30 jetons verts numérotés 0. Combien de jetons verts numérotés 1 faut-il rajouter dans l'urne pour que les événements A « le jeton est rouge » et B « le jeton est numéroté 0 » soient indépendants lors d'un tirage au hasard d'un jeton de cette urne ?

53 On lance simultanément deux dés équilibrés, un rouge et un vert, dont les faces sont numérotées de 1 à 6.
On considère les événements suivants :
- R : « le numéro sorti sur le dé rouge est pair » ;
- V : « le numéro sorti sur le dé vert est pair » ;
- S : « la somme des numéros sortis est paire ».

1 Démontrer que S et V sont indépendants.
2 Les événements S et R sont-ils indépendants ?
3 Les événements S et $V \cap R$ sont-ils indépendants ?

54 On considère deux événements A et B indépendants. Dans le tableau suivant, on lit, par exemple :
$$p(A \cap \overline{B}) = n.$$

	A	$\overline{A}$
B	m	p
$\overline{\mathbf{B}}$	n	q

Démontrer que $mq = np$.
On démontrera l'indépendance de $\overline{A}$ et B, puis on admettra celle de A et $\overline{B}$, $\overline{A}$ et $\overline{B}$.

55 BAC ROC

Soit p une probabilité sur un univers Ω. On rappelle que deux événements A et B sont dits indépendants lorsque : $p(A \cap B) = p(A) \times p(B)$.

1 On considère deux événements A et B de Ω.

a. Justifier l'égalité : $p(A) = p(A \cap B) + p(A \cap \bar{B})$.

b. En déduire que, **si A et B sont indépendants** :

$$p(A \cap \bar{B}) = p(A) \times p(\bar{B}).$$

c. Que peut-on en conclure concernant les événements A et $\bar{B}$?

2 En utilisant deux fois le théorème du cours démontré dans la question **1**, montrer que si deux événements A et B sont indépendants, alors leurs événements contraires $\bar{A}$ et $\bar{B}$ sont également indépendants.

3 Application

Montrer que si les événements A et B sont indépendants alors : $p(A \cap B) \times p(\bar{A} \cap \bar{B}) = p(A \cap \bar{B}) \times p(\bar{A} \cap B)$.

4 Expériences répétées indépendantes – Loi binomiale

Voir le cours de Première S sur la loi binomiale ou les rappels à la page 338.

56 **Vrai ou faux ?**

Préciser si les affirmations suivantes sont vraies ou fausses. Justifier la réponse.

1 Si on procède à dix lancers indépendants d'une pièce équilibrée, la probabilité d'obtenir dix fois pile est inférieure à 10^{-3}.

2 Si on procède à cinq lancers successifs indépendants d'un dé cubique équilibré, la probabilité d'obtenir des résultats tous pairs est de $\frac{1}{2}$.

3 À un jeu, on gagne avec une probabilité de $\frac{1}{5}$ et on perd avec une probabilité de $\frac{4}{5}$.

En jouant cinq parties successives et indépendantes, la probabilité de gagner une fois au moins est égale à 1.

4 Dans une urne on dispose des boules dont 40 % sont blanches, et on effectue trois tirages successifs et indépendants dans cette urne.

La probabilité de tirer trois boules blanches est égale à 0,064.

57 On interroge au hasard quatre électeurs d'un scrutin, pour lequel on sait que 5 % des bulletins ont été « blancs ou nuls ». On suppose que le comportement face au vote des quatre électeurs interrogés sont indépendants les uns des autres.

1 **a.** Calculer la probabilité qu'aucun des quatre électeurs n'ait voté « blanc ou nul » au scrutin.

b. En déduire la probabilité qu'au moins un des quatre électeurs ait voté « blanc ou nul ».

2 Déterminer la probabilité qu'exactement trois électeurs sur les quatre aient voté « blanc ou nul » à ce scrutin.

58 On place dans une urne trois boules indiscernables au toucher : deux bleues et une rouge.

On tire alors au hasard, successivement et avec remise, trois boules de l'urne.

R désigne la variable aléatoire égale au nombre de boules rouges tirées.

1 Procéder, **sur calculatrice ou tableur**, à une simulation de taille 50 de cette expérience. Déterminer la distribution des fréquences correspondante pour la variable aléatoire R.

2 Déterminer la loi de probabilité de la variable aléatoire R et calculer son espérance.

Voir les fiches **Calculatrices**.

59 Sur son trajet, M. Dubois rencontre six feux tricolores non coordonnés.

À son arrivée devant un feu, la probabilité que M. Dubois soit contraint de s'arrêter est de $\frac{1}{3}$, et la probabilité qu'il puisse passer sans s'arrêter est de $\frac{2}{3}$.

On suppose que l'état des différents feux est indépendant de celui des autres.

1 Calculer la probabilité, qu'un jour donné, M. Dubois effectue son trajet sans aucun arrêt aux feux.

2 Quelle est la probabilité que M. Dubois s'arrête au moins une fois à un feu au cours du trajet ?

3 Déterminer la probabilité que M. Dubois s'arrête deux fois exactement aux feux au cours du trajet.

4 On appelle S l'événement : « Monsieur Dubois rencontre les six feux au rouge ». Caractériser par une phrase l'événement contraire $\bar{S}$ de S, et calculer sa probabilité.

60 Une agence de voyage propose « un pass » qui permet de visiter six lieux incontournables de New York, dont la Statue de la Liberté

et le Guggenheim qui est un musée d'art moderne. Un touriste achète ce « pass » et décide de visiter les six lieux dans un ordre aléatoire. Il écrit sur des cartons les noms des lieux et prélève au hasard les six cartons sans remise.

1 Quelle est la probabilité que sa première visite soit la Statue de la Liberté ?

2 Calculer la probabilité que ses visites commencent par la Statue de la Liberté et se terminent par le Guggenheim.

3 Dix touristes se présentent à l'agence, achètent le même « pass » et décident d'utiliser la même méthode pour établir l'ordre de leurs visites. On s'intéresse à la variable aléatoire X égale au nombre de touristes dont le circuit des visites commence par la Statue de la Liberté et se termine par le Guggenheim.

a. Montrer que X suit une loi binomiale dont on précisera les paramètres.

b. Calculer la probabilité qu'au moins un touriste sur les dix commence ses visites par la Statue de la Liberté et termine par le Guggenheim.

61 Une entreprise fabrique une grande quantité de stylos destinés à être livrés dans des grandes surfaces. On prélève au hasard un stylo dans une importante livraison et on appelle E l'événement « le stylo a un défaut de fabrication ». On suppose que $p(\mathrm{E}) = 0{,}014$.

On prélève au hasard vingt stylos dans la livraison. Le nombre important de stylos permet d'assimiler ce prélèvement à un tirage avec remise de vingt stylos.

On appelle X la variable aléatoire égale au nombre de stylos ayant un défaut de fabrication dans un prélèvement de vingt stylos.

1 Justifier que la variable aléatoire X suit une loi binomiale. Préciser les paramètres de cette loi.

2 Le directeur de l'entreprise prétend que dans un tel prélèvement, il y a environ trois chances sur quatre qu'aucun stylo n'ait un défaut. A-t-il raison ? Justifier par un calcul.

3 Ces stylos sont rangés, par vingt, dans des boîtes et livrées dans un supermarché dans des cartons de 50 boîtes. Le gérant du supermarché, qui reçoit les cartons, affirme qu'il y a aussi environ trois chances sur quatre qu'aucun stylo n'ait un défaut dans un carton de 50 boîtes. A-t-il raison ? Justifier par un calcul.

62 On lance un dé à six faces parfaitement équilibré n fois de suite (où n est un entier supérieur ou égal à 1) et on s'intéresse à l'événement « obtenir exactement une fois 6 ».

1 Calculer la probabilité de cet événement pour les valeurs suivantes de n : 1 ; 2 ; 3 ; 4 ; 5 ; 6.
Vérifier avec les valeurs données par le tableur :

	A	B
1	NB Lancers	Une fois 6
2	1	0,166666667
3	2	0,277777778
4	3	0,347222222
5	4	0,385802469
6	5	0,401877572
7	6	0,401877572

2 Démontrer que pour 5 ou 6 lancers, la probabilité de cet événement est la même.

3 Exprimer en fonction de n la probabilité de l'événement « on obtient exactement une fois 6 ».

4 Conjecturer à l'aide d'un tableur les valeurs de n pour les quelles la probabilité de l'événement « obtenir exactement une fois 6 » est inférieure à 0,1.

63 Une urne contient 10 boules blanches et n boules rouges, n étant un entier naturel supérieur ou égal à 2. On fait tirer à un joueur des boules de l'urne. À chaque tirage, toutes les boules ont la même probabilité d'être tirées. Pour chaque boule blanche tirée, il gagne 2 euros et pour chaque boule rouge tirée, il perd 3 euros.
On désigne par X la variable aléatoire correspondant au gain algébrique obtenu par le joueur.
Les deux questions de l'exercice sont indépendantes.

1 Le joueur tire deux fois successivement et sans remise une boule de l'urne.

a. Démontrer que : $P(X = -1) = \dfrac{20n}{(n+10)(n+9)}$.

b. Calculer, en fonction de n la probabilité correspondant aux deux autres valeurs prises par la variable X.

c. Vérifier que l'espérance mathématique de la variable aléatoire X vaut :

$$E(X) = \frac{-6n^2 - 14n + 360}{(n+10)(n+9)}.$$

d. Déterminer les valeurs de n pour lesquelles l'espérance mathématique est strictement positive.

2 Le joueur tire 20 fois successivement et avec remise une boule de l'urne. Les tirages sont indépendants. Déterminer la valeur minimale de l'entier n afin que la probabilité d'obtenir au moins une boule rouge au cours de ces 20 tirages soit strictement supérieure à 0,999.

Exercices guidés

64 QCM

Pour chacune des questions suivantes, **une et une seule** des quatre propositions est exacte. La déterminer.

1 Une urne comporte cinq boules noires et trois boules rouges indiscernables au toucher. On extrait successivement et sans remise deux boules dans l'urne.

La probabilité d'obtenir deux boules rouges est :

a. $\frac{2}{3}$. **b.** $\frac{3}{32}$. **c.** $\frac{3}{28}$. **d.** $\frac{37}{56}$.

2 Au cours d'une épidémie de grippe, on vaccine le tiers d'une population.

Parmi les grippés, un sur dix est vacciné.

La probabilité qu'une personne choisie au hasard dans la population soit grippée est 0,25.

La probabilité pour un individu vacciné de cette population de contracter la grippe est égale à :

a. $\frac{11}{20}$. **b.** $\frac{3}{40}$. **c.** $\frac{1}{12}$. **d.** $\frac{1}{10}$.

Pistes de résolution

1 On construit ci-dessous un arbre schématisant les deux tirages :

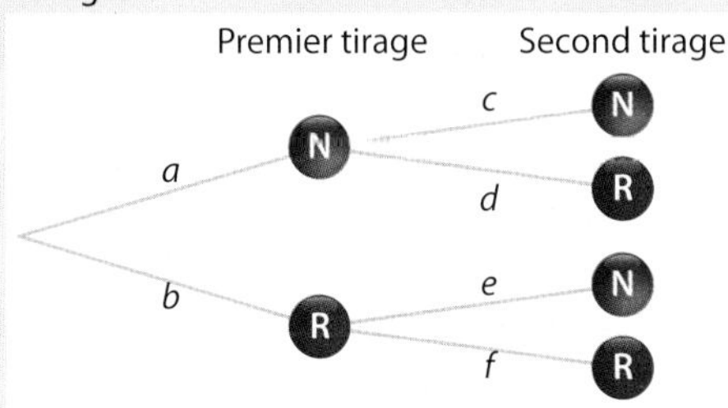

Il faut pondérer cet arbre en plaçant sur chaque branche les valeurs des probabilités correspondantes ($a, b, c, \ldots, f$).

Attention, au second tirage, il reste 7 boules seulement dans l'urne, et le nombre de boules de chaque couleur dépend du résultat du premier tirage.

La réponse à la question posée est obtenue en calculant le produit bf ? Comment le justifie-t-on, à partir de l'arbre pondéré ?

2 En notant V l'événement « la personne est vaccinée » et G l'événement « la personne est grippée », on demande la valeur de la probabilité conditionnelle $P_V(G)$. En effet, on s'intéresse à la probabilité pour un individu d'être grippé ***sachant qu'il est vacciné***.

Traduction des hypothèses

Directement à partir de l'énoncé, on peut préciser plusieurs probabilités :

$p(V) = \ldots$; $p(G) = \ldots$

« Parmi les grippés, un sur dix est vacciné » donne une probabilité conditionnelle : $\frac{1}{10} = \ldots$

Exploitation des hypothèses

En utilisant la définition d'une probabilité conditionnelle, et deux des trois hypothèses ci-dessus, on peut calculer $p(V \cap G)$.

Enfin, à l'aide des valeurs de $p(V \cap G)$ et de $p(V)$, on détermine la quantité $p_V(G)$ recherchée, en utilisant la définition d'une probabilité conditionnelle.

65 Calculer des probabilités

D'après TL Antilles-Guyane, juin 2010.

Une urne A contient 100 boules indiscernables au toucher : 90 rouges et 10 noires. Une urne B contient également 100 boules indiscernables au toucher : 30 rouges et 70 noires. On lance un dé cubique équilibré dont les faces sont numérotées de 1 à 6. Si le numéro obtenu est 1, on tire une boule dans l'urne A ; sinon, on tire une boule dans l'urne B. On note A l'événement « tirer une boule dans l'urne A », B l'événement « tirer une boule dans l'urne B », R l'événement « tirer une boule rouge » et N l'événement « tirer une boule noire ».

1 Construire un arbre illustrant la situation.

2 Décrire par une phrase l'événement $A \cap R$ et calculer sa probabilité.

3 Montrer que $p(R) = 0{,}40$.

4 a. Sachant que la boule obtenue est rouge, calculer la probabilité qu'elle provienne de l'urne A.

b. Les événements A et R sont-ils indépendants ?

Question ouverte

5 ***Dans cette question, toute trace de recherche, même incomplète, ou d'initiative même non fructueuse, sera prise en compte dans l'évaluation.***

On désire maintenant modifier la composition de l'urne B pour que, lorsqu'on réalise l'expérience décrite ci-dessus, on ait autant de chances d'obtenir une boule rouge qu'une boule noire.

Proposer une composition de l'urne B qui convient. Expliquer la démarche de recherche.

Pistes de résolution

1 L'arbre construit doit décrire la succession des deux épreuves : le lancer de dé, puis le tirage dans l'urne, l'urne dans laquelle la boule est tirée dépendant du résultat du lancer de dé.
Il faut préciser les valeurs des réels *a, b, c, d, e, et f* grâce aux hypothèses sur le dé (*a et b*) et sur la composition des urnes (*c, d, e, f*).

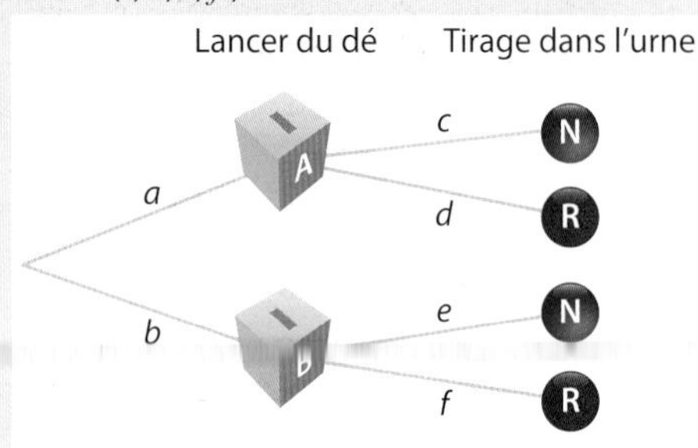

2 La probabilité de l'événement A ∩ R s'obtient dans l'arbre à partir du produit *ad*.
Attention à ne pas confondre la probabilité de A ∩ R avec la valeur *d*, qui est la probabilité conditionnelle de R sachant A.

3 On utilise la formule des probabilités totales à partir du système complet formé des deux événements A et B.

4 **a.** On demande ici la calcul de $p_R(A)$, c'est-à-dire de $\frac{p(A \cap R)}{p(R)}$. Il suffit donc d'utiliser les résultats des questions **2** et **3** pour conclure.

b. Les événements A et R seraient indépendants si la probabilité $p_R(A)$ était égale à celle de $p(A)$, c'est-à-dire à $\frac{1}{6}$, ce qui n'est pas la cas.

5 Dans cette question, on cherche à modifier la composition de l'urne B de sorte que l'on obtienne $p(R) = 0{,}5$. En utilisant les notations de l'arbre pondéré de la question **1** ci-dessus, on a :

$p(R) = ad + bf = \frac{9}{60} + \frac{5}{6}f.$

En effet, la composition de l'urne A est inchangée, celle de l'urne B est inconnue. On doit donc résoudre l'équation : $\frac{9}{60} + \frac{5}{6}f = 0{,}5.$

La valeur obtenue pour *f* donne une « proportion » de boules rouges dans l'urne B.

66 ALGO Utiliser et expliquer les résultats d'une simulation

D'après Bac ES, Nouvelle Calédonie, novembre 2009.

Par suite d'une forte augmentation du prix des carburants de 2010 à 2011, certains salariés d'une grande entreprise changent de mode de déplacement pour se rendre sur leur lieu de travail. En 2010, 60 % des salariés utilisaient leur voiture personnelle. En 2011, 30 % des salariés utilisant leur voiture en 2010 ne l'utilisent plus et 5 % des personnes ne l'utilisant pas en 2010 l'utilisent en 2011. On suppose que cette évolution se poursuit d'une année à l'autre à partir de 2011.

On choisit au hasard un salarié de l'entreprise.

Pour tout entier *n*, on note A_n l'événement « la personne choisie utilise sa voiture personnelle au cours de l'année $(2010 + n)$ » et $p_n = (A_n)$. Ainsi $p_0 = 0{,}6$.

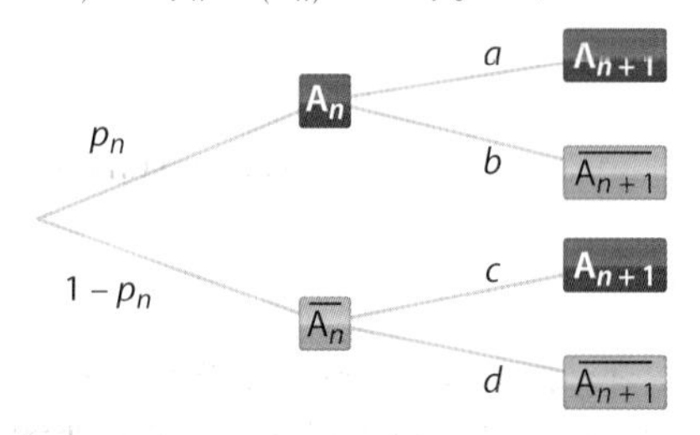

1 **a.** En utilisant un arbre, calculer la probabilité p_1 qu'un salarié de cette entreprise utilise sa voiture en 2011.

b. Recopier et compléter l'arbre donné ci-contre puis exprimer p_{n+1} en fonction de p_n.

2 **a.** On souhaite, pour un entier naturel *n* donné, simuler l'expérience et afficher si la personne choisie utilise ou non sa voiture personnelle l'année 2010 + *n*. On propose pour cela l'algorithme ci-dessous, dans lequel Alea() renvoie un réel aléatoire de [0 ; 1].

Compléter les pointillés de l'algorithme de façon à résoudre le problème.

ALGO
```
Variables : n, i : entiers ;
état : chaîne de caractères ;
Début
  Entrer(n) ;
    Si Alea() < 0,6 Alors état ← « véhicule personnel » ;
    Sinon état ← « non » ;
    FinSi ;
      Pour i allant de 1 à n faire
        Si état = « véhicule personnel » Alors
        Si Alea() < ... Alors état ← « non » ; FinSi ;
        Sinon Si Alea() < ... Alors état ← « véhicule
        personnel » ; FinSi ;
        FinSi ;
      FinPour ;
  Afficher(état) ;
Fin.
```

Voir les **Outils pour l'algorithmique**.

b. On a programmé l'algorithme complété de la question **2 a.** et on a procédé à plusieurs simulations pour l'année 2110 (pour $n = 100$).

Nombre *N* de simulations effectuées	100	1 000	5 000	10 000	50 000
Nombre de fois où la personne utilise son véhicule personnel en 2110 sur les *N* simulations	16	151	740	1465	7092

Que peut-on conjecturer sur le comportement à l'infini de la suite p_n ? Interpréter concrètement le résultat.

3 a. Montrer par récurrence que pour tout entier n :

$$p_n = \frac{1}{7} + \frac{16}{35} \times 0{,}65^n.$$

b. Déterminer la limite de la suite (p_n).

4 En supposant que cette évolution se poursuit, est-il possible d'envisager qu'à terme aucun des salariés de cette entreprise n'utilise sa voiture personnelle pour aller au travail ? Justifier la réponse.

Pistes de résolution

1 a. On construit l'arbre pondéré suivant, que l'on peut compléter à l'aide des données fournies dans l'énoncé : les valeurs de a et c sont en effet données en hypothèse.

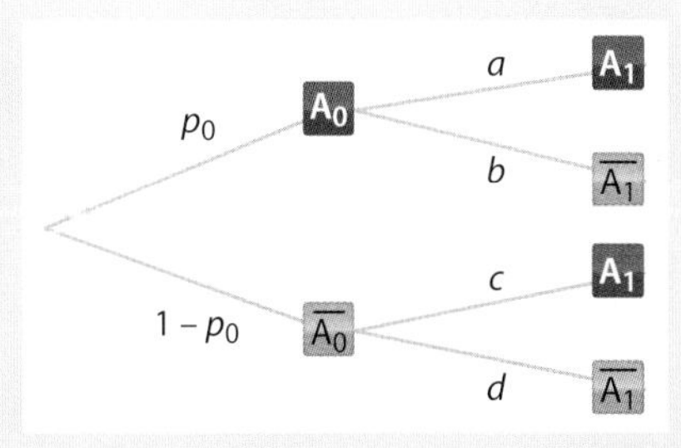

On utilise ensuite la formule des probabilités totales pour calculer $p(A_1)$, à l'aide du système complet d'événements A_0, $\overline{A_0}$.

b. Cette question généralise la précédente.
On obtient :

$$p_{n+1} = 0{,}7p_n + 0{,}05(1 - p_n).$$

2 a. Étudier en détail le « fonctionnement » de l'algorithme proposé afin de le compléter convenablement.

b. Observer les valeurs successives des quotients $\frac{16}{100}$, $\frac{151}{1000}$, ...

3 a. On vérifie que la propriété est vraie pour p_0.
On formule l'hypothèse de récurrence au rang $n \geqslant 0$, et on démontre qu'alors la propriété est vraie au rang $(n + 1)$ en utilisant le résultat de la question **1 b.**

b. La suite $(0{,}65)^n$ est géométrique, de limite 0 quand $n \to +\infty$.

4 Pour envisager cette possibilité, il faudrait que p_n puisse être rendu voisin de 0, alors qu'on a toujours $p_n \geqslant \frac{1}{7}$.

Exercices d'entraînement

67 **QCM** Chacune des six questions suivantes comporte trois réponses, **une seule** est exacte.
Un lecteur d'une bibliothèque est passionné de romans policiers et de biographies. Cette bibliothèque lui propose 150 romans policiers et 50 biographies. 40 % des écrivains de romans policiers sont français et 70 % des écrivains de biographies sont français. Le lecteur choisit un livre au hasard parmi les 200 ouvrages.

1 La probabilité que le lecteur choisisse un roman policier est : **a.** 0,4. **b.** 0,75. **c.** $\frac{1}{150}$.

2 Le lecteur ayant choisi un roman policier, la probabilité que l'auteur soit français est :
a. 0,3. **b.** 0,8. **c.** 0,4.

3 La probabilité que le lecteur choisisse un roman policier français est :
a. 1,15. **b.** 0,4. **c.** 0,3.

4 La probabilité que le lecteur choisisse un livre d'un écrivain français est :
a. 0,9. **b.** 0,7. **c.** 0,475.

5 La probabilité que le lecteur ait choisi un roman policier sachant que l'écrivain est français est :
a. $\frac{4}{150}$. **b.** $\frac{12}{19}$. **c.** 0,3.

6 Le lecteur est venu vingt fois à la bibliothèque, la probabilité qu'il ait choisi au moins un roman policier est :
a. $1 - (0{,}25)^{20}$. **b.** $20 \times 0{,}75$. **c.** $0{,}75 \times (0{,}25)^{20}$.

68 Trois dés cubiques équilibrés sont placés dans une urne. Deux de ces dés sont normaux : leurs faces sont numérotées de 1 à 6.

Le troisième est spécial : trois de ses faces sont numérotées 6, les trois autres sont numérotées 1.

On tire de l'urne, simultanément et au hasard, deux dés parmi les trois et on les lance.

On note A l'événement « les deux dés tirés sont normaux ».

On note B l'événement « les deux faces supérieures sont numérotées 6 ».

1 **a.** Définir l'événement contraire de A, qu'on notera $\overline{A}$.

b. Calculer les probabilités de A et de $\overline{A}$.

2 **a.** Calculer $p_A(B)$, probabilité de B sachant que A est réalisé, puis $p(B \cap A)$.

b. Calculer $p(B)$.

3 Calculer $p_B(A)$, probabilité de A sachant que B est réalisé.

69 Un même individu peut être atteint de surdité unilatérale (portant sur une seule oreille) ou bilatérale (portant sur les deux oreilles).

On admet que, dans une population donnée, les deux événements :

– D : « être atteint de surdité à l'oreille droite »,

– G : « être atteint de surdité à l'oreille gauche »,

sont indépendants et tous deux de probabilité 0,05, ce que l'on note $p(D) = p(G) = 0,05$.

On considère les événements suivants :

– B : « être atteint de surdité bilatérale » ;

– U : « être atteint de surdité unilatérale » ;

– S : « être atteint de surdité (sur une oreille au moins) ».

(On donnera les valeurs numériques des probabilités sous forme décimale approchée à 10^{-4} près.)

1 Exprimer les événements B et S à l'aide de G et de D, puis calculer les probabilités $p(B)$ de B et $p(S)$ de S.

En déduire la probabilité $p(U)$ de U.

2 Sachant qu'un sujet pris au hasard dans la population considérée est atteint de surdité, quelle est la probabilité :

a. pour qu'il soit atteint de surdité à droite ?

b. pour qu'il soit atteint de surdité bilatérale ?

Calculer $p_S(D)$ et $p_S(G)$.

3 On considère un échantillon de dix personnes prises au hasard dans la population, qui est suffisamment grande pour que les choix puissent être assimilés à des choix successifs indépendants.

a. Calculer la probabilité pour qu'il n'y ait aucun sujet atteint de surdité dans l'échantillon.

b. Quelle est la probabilité pour qu'au moins un sujet soit atteint de surdité dans l'échantillon ?

70 On effectue un sondage dans une région concernant le projet d'installation de lignes très hautes tensions (THT).

Ce projet permettra de relier cette région à la nouvelle unité de production pour l'alimentation en électricité.

On obtient les résultats suivants :

– 65 % des personnes interrogées sont contre l'installation de ces lignes ;

– parmi les personnes qui sont contre cette installation, 70 % sont des écologistes ;

– parmi les personnes favorables à l'installation des lignes THT, 20 % sont des écologistes.

On note C l'événement « la personne interrogée est contre la construction », et $\overline{C}$ l'événement contraire.

On note E l'événement « la personne interrogée est écologiste ».

On note F l'événement « la personne interrogée est contre l'installation des lignes THT et n'est pas écologiste ».

1 **a.** Déterminer les probabilités $p(C)$, $p_C(E)$, $p_{\overline{C}}(E)$.

b. Construire un arbre pondéré décrivant la situation étudiée. Placer sur chaque branche de cet arbre la probabilité correspondante.

2 **a.** Calculer la probabilité qu'une personne interrogée soit contre le projet et soit écologiste.

b. Calculer la probabilité pour qu'une personne interrogée soit pour cette construction et soit écologiste.

c. En déduire la probabilité qu'une personne interrogée soit écologiste.

3 **a.** Montrer que la probabilité de F est égale à 0,195.

b. On choisit au hasard cinq personnes parmi celles qui ont été interrogées lors du sondage.

Quelle est la probabilité qu'il y en ait au moins une qui soit contre l'installation des lignes THT et ne soit pas écologiste ?

Coup de pouce On suppose que les choix des cinq personnes sont indépendants les uns des autres.

71 Après fabrication, les appareils sortant d'une usine peuvent être dans trois situations :
- en bon état de marche ;
- défectueux et réparables ;
- défectueux et irréparables.

Une étude statistique a permis d'établir que, si l'on tire au hasard un appareil en sortie de chaîne de fabrication, il est :
- en bon état de marche avec une probabilité de 0,8 ;
- défectueux et réparable avec une probabilité de 0,15 ;
- défectueux et irréparable avec une probabilité de 0,05.

Les appareils sont livrés aux détaillants par lots de trois appareils, choisis au hasard en sortie de chaîne.
On admet que l'état de chaque appareil du lot est indépendant de l'état des autres.

1 Calculer la probabilité que les trois appareils d'un lot soient :
a. en bon état de marche ;
b. défectueux et irréparables.

2 B désigne la variable aléatoire donnant le nombre d'appareils du lot en bon état de marche.
Déterminer la loi de probabilité de B et calculer son espérance.

72 Probabilités et suites

1 Soit la suite (u_n) définie par $u_1 = \frac{1}{2}$ et par la relation de récurrence :

$$u_{n+1} = \frac{1}{6}u_n + \frac{1}{3}.$$

a. Soit la suite (v_n) définie pour $n \geqslant 1$ par $v_n = u_n - \frac{2}{5}$; montrer que (v_n) est une suite géométrique dont on précisera la raison.
b. En déduire l'expression de v_n en fonction de n, puis celle de u_n.

2 On considère deux dés, notés A et B. Le dé A comporte trois faces rouges et trois faces blanches. Le dé B comporte quatre faces rouges et deux faces blanches.
On choisit un dé au hasard et on le lance : si on obtient rouge, on garde le même dé, si on obtient blanc, on change de dé. Puis on relance le dé et ainsi de suite.
On désigne par :
- A_n l'événement « on utilise le dé A au n-ième lancer » ;
- $\overline{A_n}$ l'événement contraire de A_n ;
- R_n l'événement « on obtient rouge au n-ième lancer » ;
- $\overline{R_n}$ l'événement contraire de R_n ;
- a_n et r_n les probabilités respectives de A_n et R_n.

a. Déterminer a_1.
b. Déterminer r_1. Pour cela, on pourra s'aider d'un arbre.
c. En remarquant que, pour tout $n \geqslant 1$,

$$R_n = (R_n \cap A_n) \cup (R_n \cap \overline{A_n}),$$

montrer que : $$r_n = -\frac{1}{6}a_n + \frac{2}{3}.$$

d. Montrer que, pour tout $n \geqslant 1$:

$$A_{n+1} = (A_n \cap R_n) \cup (\overline{A_n} \cap \overline{R_n}).$$

e. En déduire que pour tout $n \geqslant 1$:

$$a_{n+1} = \frac{1}{6}a_n + \frac{1}{3},$$

puis déterminer l'expression de a_n en fonction de n.
f. En déduire l'expression de r_n en fonction de n, puis la limite de r_m quand n tend vers $+\infty$.

73 60 Un joueur dispose d'une urne contenant trois boules rouges, quatre boules blanches et n boules vertes. Les boules sont indiscernables au toucher.

1 Le joueur tire au hasard une boule de l'urne.
Calculer la probabilité de chacun des événements suivants :
- R : « la boule tirée est rouge » ;
- B : « la boule tirée est blanche » ;
- V : « la boule tirée est verte ».

2 Le joueur décide de jouer une partie ; celle-ci se déroule de la manière décrite ci-dessous.
Le joueur tire une boule de l'urne :
- si elle est rouge, il gagne 16 € ;
- si elle est blanche, il perd 12 € ;
- si elle est verte, il remet la boule dans l'urne, puis tire à nouveau une boule de l'urne :
- si cette boule est rouge, il gagne 8 € ;
- si cette boule est blanche, il perd 2 € ;
- si cette boule est verte, il ne perd ni ne gagne rien.

Les tirages sont équiprobables et deux tirages successifs sont supposés indépendants.
Au début de la partie, le joueur possède 12 €.
Soit X la variable aléatoire qui prend pour valeur la somme que le joueur possède à l'issue de la partie (un ou deux tirages selon le cas).
a. Déterminer les valeurs prises par X.
b. Déterminer la loi de probabilité de X.
c. Montrer que l'espérance mathématique de X est :

$$E(X) = \frac{16n}{(n+7)^2} + 12.$$

3 On considère la fonction f définie sur l'intervalle $[0 ; 10]$ par :

$$f(x) = \frac{x}{(x+7)^2}.$$

Étudier les variations de la fonction f.

4 En déduire la valeur de n pour laquelle l'espérance mathématique de X est maximale. Calculer cette valeur maximale.

Problèmes

74 Soient A et B deux événements de probabilité non nulle.

1 Démontrer la relation :

$$p_B(A) = \frac{p(A) - p(\bar{B}) \times p_{\bar{B}}(A)}{p(B)}.$$

2 Une population peut être atteinte par deux maladies A et B. Une étude statistique a révélé que :
– la probabilité pour une personne d'être atteinte par la maladie A est de 0,2, celle d'être atteinte par B est de 0,3 ;
– la probabilité pour une personne, n'étant pas atteinte par B de l'être par A est de 0,1.

a. Calculer la probabilité pour une personne atteinte par B de l'être aussi par A.

b. Les maladies A et B frappent elles indépendamment les individus de cette population ?

75 Une brigade de gendarmerie procède à un alcootest. Pendant l'opération, un nombre n de personnes seront contrôlées et X désigne la variable aléatoire égale au nombre de conducteurs en infraction parmi les n contrôlés.

Une étude statistique a permis d'établir que la probabilité pour qu'un automobiliste arrêté au hasard soit en infraction au regard du taux d'alcoolémie est de 0,03. On admet enfin que les différents contrôles se font au hasard et indépendamment les uns des autres.

1 Calculer la probabilité de l'événement « aucun des contrôles effectués ne constate d'infraction ».

2 Quelle est la probabilité que le contrôle amène à verbaliser au moins un conducteur en infraction ?
Déterminer les valeurs de n pour lesquelles cette probabilité est au moins égale à 0,9.

76 On a truqué un dé de sorte que les probabilités d'apparition de chaque face lors d'un lancer soient données par le tableau suivant :

Numéro	1	2	3	4	5	6
Probabilité	0,4	0,15	0,15	0,05	x	y

1 Déterminer x et y sachant que l'apparition du 5 est quatre fois plus probable que celle du 6.

2 Calculer la probabilité d'apparition d'un numéro impair.

3 Calculer la probabilité d'apparition du 1 sachant que le numéro sorti est impair.

4 On considère les trois événements suivants :
– A : « le résultat est pair » ;
– B : « le résultat est un multiple de 3 » ;
– C : « le résultat est inférieur ou égal à 3 ».

a. A et B sont-ils indépendants ?

b. A et C sont-ils indépendants ?

77 La « Romaine des jeux » propose aux romains, pour les distraire entre deux jeux du cirque, un jeu de type « loto », dans lequel on propose trois types de billets :

– les billets « méga magot » avec lesquels on peut gagner une somme de 100 000 sesterces avec une probabilité de $\frac{1}{10\,000}$;

– les billets « maxi magot », avec lesquels on peut gagner une somme de 10 000 sesterces avec une probabilité de $\frac{1}{1000}$;

– les billets « magot », avec lesquels on peut gagner une somme de 1 000 sesterces avec une probabilité de $\frac{1}{100}$.

1 Calculer, pour chaque type de billet, l'espérance de gain d'un joueur. Commenter en comparant les trois jeux.

2 L'esclave Ben Hur se procure un billet qu'il chaparde au hasard dans une pile, espérant s'acheter un nouveau char pour sa prochaine prestation au Colysée.
Calculer la probabilité qu'il ait chapardé un billet gagnant, et calculer son espérance de gain.

78 ALGO Un casino décide de créer un nouveau jeu de hasard : il faut lancer un dé jusqu'à ce qu'on obtienne un 6. La mise de départ est de 30 euros. Si le 6 sort tout de suite, le joueur gagne 10 euros, s'il sort au bout de deux coups, il gagne le double, 20 euros, et ainsi de suite. On décide de créer un algorithme permettant de modéliser cette situation (voir ci-dessous.)

L'instruction nbaleatoire(1, n) permet d'obtenir un nombre entier entre 1 et n, les résultats étant équiprobables.

ALGO
```
G :=… ; b := 0
TantQue b ≠ 6 Faire
b := nbaleatoire(1, 6) ;
G :=… ;
FinTantQue.
Afficher G.
```

1 Sachant que G doit représenter le gain algébrique du joueur, compléter lalgorithme.

2 Le casino voudrait savoir si le jeu est bien défavorable au joueur. Modifier l'algorithme pour concevoir une simulation qui permette de conjecturer une réponse.

3 Programmer l'algorithme et effectuer la simulation. Que peut-on apparemment en conclure ?

79 Deux grossistes proposent des bulbes de tulipe.

Le premier produit des bulbes à fleur rouge dont 90 % donnent une fleur.
Le second produit des bulbes à fleurs jaunes dont 80 % donnent une fleur.
Une bulbe donne au plus une fleur.
Un horticulteur achète 70 % de ses bulbes au premier grossiste et le reste au second.

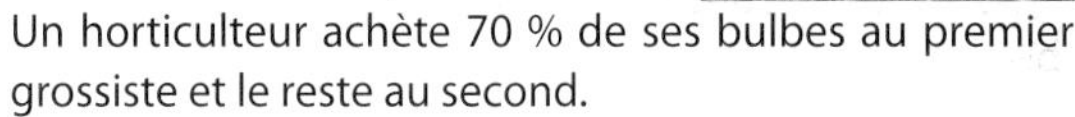

Il plante un bulbe tiré au hasard dans son stock.
Quelle est la probabilité que ce bulbe fleurisse ?

80 Formules de Bayes

1 A et B sont deux événements de probabilité non nulle. Démontrer la relation suivante, appelée « formule de Bayes » :

$$p_B(A) = \frac{p_A(B) \times p(A)}{p_A(B) \times p(A) + p_{\bar{A}}(B) \times p(\bar{A})}.$$

2 Application
On dispose de 100 dés cubiques, dont 25 exactement sont truqués. Un dé truqué amène le 6 avec une probabilité de 0,5. On choisit au hasard un dé dans le lot de 100, on le lance, et le 6 apparaît.
Quelle est la probabilité que le dé choisi soit truqué ?

81 Points dans la cible...

Le plan est muni d'un repère orthonormé (O, I, J). On considère les courbes représentatives des fonctions f et g définies sur l'intervalle $[0\,;6]$ par :

$$f(x) = \frac{1}{6}x^2 \quad \text{et} \quad g(x) = \sqrt{6x}.$$

La partie du plan comprise entre les deux courbes est une cible (zone cible sur le dessin ci-dessous).

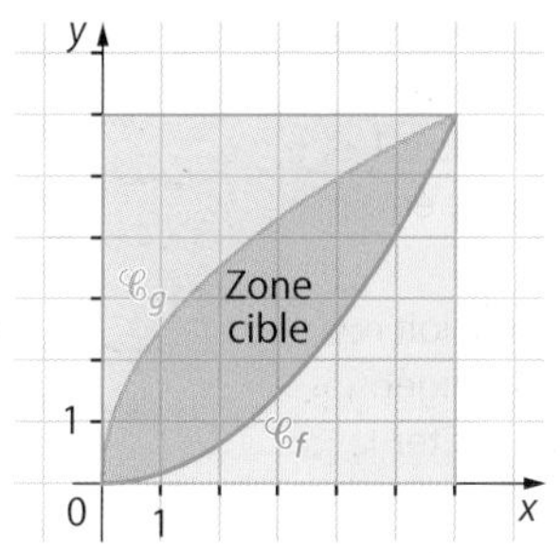

Une expérience aléatoire consiste à lancer un dé parfaitement équilibré deux fois de suite pour obtenir les coordonnées d'un point du plan. Le premier chiffre sorti est l'abscisse du point, le second chiffre sorti est l'ordonnée de ce point.

Par exemple, si les chiffres sortis avec le dé sont, dans l'ordre 2 et 5, on obtient le point de coordonnées (2 ; 5). On indique par OUI ou NON si le point est placé dans la zone cible (on considérera que les bords font partie de la zone).

1 À l'aide du tableur, construire une feuille de calcul qui simule 500 points obtenus et qui indique par OUI ou NON si le point est dans la zone cible.
Faire afficher les fréquences de OUI et NON.

```
=SI(ET(A2*A2/6<=B2;B2<=RACINE(6*A2));"OUI";"NON")
```

	A	B	C	D	E	F	G
1	dé n°1	dé n°2	Test cible				
2	6	6	OUI				
3	6	1	NON		Fréquence OUI	0,304	
4	6	4	NON		Fréquence NON	0,696	
5	1	1	OUI				
6	2	4	NON				
7	2	4	NON				
8	2	3	OUI				
9	5	1	NON				

2 Conjecturer une valeur approchée de la probabilité que le point obtenu soit placé dans la ZONE CIBLE. On pourra faire plusieurs simulations en utilisant la touche F9.

3 À l'aide de la représentation graphique ci-dessus, trouver la valeur exacte de la probabilité de l'événement « le point est dans la zone cible ».

4 On réalise dix fois de suite l'expérience qui consiste à lancer le dé deux fois pour obtenir un point du plan.
a. Calculer la probabilité qu'aucun point obtenu ne soit dans la zone cible.
b. Calculer la probabilité qu'au moins un point soit dans la zone cible.
c. Calculer la probabilité que la moitié des points soient dans la zone cible.

82 On lance deux fois consécutivement un dé cubique équilibré.

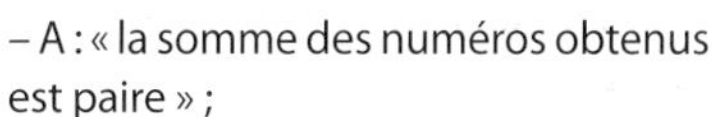

On considère les événements :
– A : « la somme des numéros obtenus est paire » ;
– B : « le premier numéro obtenu est 6 » ;
– C : « le numéro obtenu au premier lancer est strictement supérieur à celui obtenu au second lancer ».

1 Calculer les probabilités conditionnelles :
a. $p_A(B)$; **b.** $p_B(C)$; **c.** $p_A(C)$.

2 Les événements A et B sont-ils indépendants ?

3 Les événements A et C sont-ils indépendants ?

4 Les événements B et C sont-ils indépendants ?

Problèmes

Maths et médecine

83 Les tests de dépistage

Un test a été mis au point pour le dépistage d'une maladie. Le laboratoire fabricant le test fournit les caractéristiques suivantes :

– la probabilité qu'un individu atteint par la maladie présente un test positif est 0,99 ;

– la probabilité qu'un individu non atteint par la maladie présente un test négatif est également de 0,99.

On s'intéresse à une population « cible » dans laquelle on procède à un test de dépistage systématique.

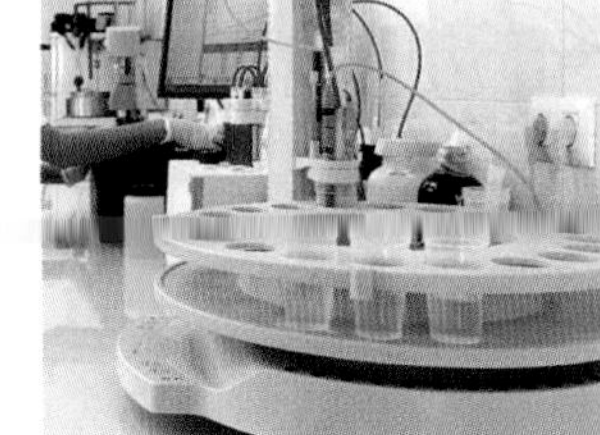

Un individu est choisi au hasard dans la population cible.

M désigne l'événement « l'individu choisi est malade » et T désigne l'événement « le test de l'individu choisi est positif ».

On pose $p(\mathrm{M}) = p$.

1 Interpréter les quantités 0,99, données en hypothèses, en termes de probabilités conditionnelles.

2 **a.** En utilisant un arbre pondéré, déterminer l'expression $f(p)$ de la probabilité conditionnelle $p_{\mathrm{T}}(\mathrm{M})$ en fonction de p.

b. Étudier les variations sur l'intervalle $[0\,;1]$ de la fonction $p \longmapsto f(p)$.

c. Déterminer les images par f des réels :
0,001 ; 0,01 ; 0,1 ; 0,3 ; 0,5 ; 0,8.

3 La population cible choisie est constituée d'individus présentant des symptômes évocateurs de la maladie. On a, dans cette population, $p = 0{,}7$.
Calculer $p_{\mathrm{T}}(\mathrm{M})$ et $p_{\mathrm{T}}(\overline{\mathrm{M}})$.
Commenter ces résultats.

4 On s'intéresse à présent à une population cible dans laquelle la maladie étudiée est « rare » ; on a ici $p = 0{,}005$.

a. Calculer la probabilité, pour un individu dont le test est positif, d'être malade.

b. Calculer la probabilité, pour un individu dont le test est positif, de ne pas être atteint par la maladie.

c. Commenter les résultats obtenus.

Conseils **1** Un même test de dépistage donne lieu à des interprétations différentes selon la population à laquelle il est appliqué.
2 b. Pour visualiser la situation, on peut tracer la courbe de f avec la calculatrice !

84

Trois urnes A, B et C contiennent des boules indiscernables au toucher. Si on tire au hasard une boule dans l'une de ces urnes, la probabilité qu'elle soit noire est de 0,2 dans A, de 0,5 dans B et 0,3 dans C. On tire une boule de A. Si elle est noire, on tire une seconde boule dans B, sinon, la seconde boule est tirée dans C.
Calculer la probabilité de l'événement « on tire deux boules noires ».

85

À l'aide d'une pièce équilibrée, on déplace un jeton d'un point à un autre du quadrillage ci-contre de la façon suivante :

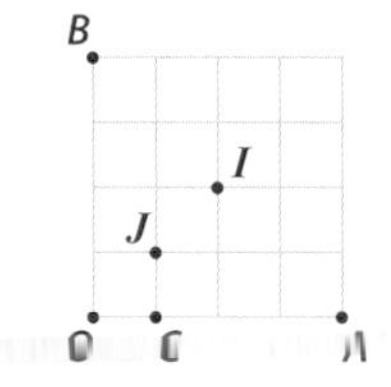

– la position initiale est en O ;

– si pile sort, on déplace le jeton d'une case vers la droite ;

– si face sort, on déplace le jeton d'une case vers le haut.

On procède selon cette règle à quatre déplacements successifs du jeton.

1 Déterminer le nombre de trajets possibles.

2 Quelle est la probabilité pour que le jeton arrive en A ? en B ? en I ?

3 Calculer la probabilité pour que le jeton arrive en I sachant qu'il est passé par J.

4 Calculer la probabilité, pour un jeton arrivé en I, qu'il soit passé par C.

86 Probabilités et suites

Marion débute un jeu dans lequel elle a autant de chances de gagner que de perdre la première partie.
On admet que, lorsqu'elle gagne une partie, la probabilité qu'elle gagne la suivante est de 0,6, alors que, si elle perd une partie, la probabilité qu'elle perde la suivante est de 0,7.
Pour n entier naturel non nul, on note :

– l'événement G_n : « Marion gagne la n-ième partie » ;

– l'événement P_n : « Marion perd la n-ième partie ».

1 Préciser les valeurs des probabilités de G_1 et de P_1.

2 Calculer la probabilité de G_2 et en déduire celle de P_2.
Pour tout entier naturel n non nul, on pose :

$$x_n = p(G_n) \quad \text{et} \quad y_n = p(P_n).$$

3 Démontrer que, pour tout entier naturel n non nul, on a : $x_{n+1} = 0{,}6x_n + 0{,}3y_n$ et $y_{n+1} = 0{,}4x_n + 0{,}7y_n$.

4 Pour tout entier naturel n non nul, on pose :

$$v_n = x_n + y_n \quad \text{et} \quad w_n = 4x_n - 3y_n.$$

a. Démontrer que la suite (v_n) est constante.

b. Démontrer que la suite (w_n) est géométrique et exprimer w_n en fonction de n.

c. Déterminer, pour tout n entier naturel non nul, l'expression de x_n en fonction de n.
Étudier la convergence de la suite (x_n).

Maths et physique

87 Déplacement d'une particule

Une particule se déplace aléatoirement entre deux positions A ou B. On note A_n l'événement « la particule est en A à l'instant n », B_n l'événement : « la particule est en B à l'instant n », et on pose :

$$\alpha_n = p(A_n) \quad \text{et} \quad \beta_n = p(B_n).$$

On sait que :

– à l'instant 0, la particule est en A ;

– la probabilité pour que la particule ne change pas de position entre les instants n et $n + 1$ est constante.

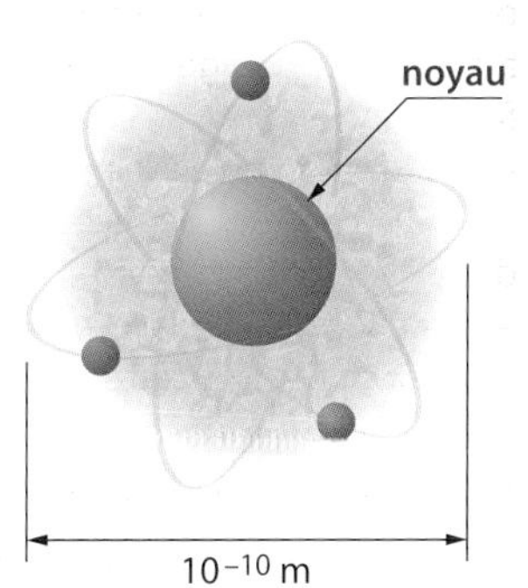

1 Déterminer α_0 et $\alpha_n + \beta_n$, pour tout entier naturel n.

2 Pourquoi le réel $p_{A_n}(A_{n+1})$ peut-il être noté θ indépendamment de n ?

Justifier que, pour tout entier naturel n, on a alors $p_{B_n}(B_{n+1}) = \theta$.

3 **a.** Calculer, en fonction de θ et β_n, la probabilité de l'événement $B_n \cap A_{n+1}$.

b. Démontrer que, pour tout entier naturel n, on a :

$$\alpha_{n+1} = (2\theta - 1)\alpha_n + 1 - \theta.$$

c. En déduire, par récurrence, que pour tout entier naturel n :

$$\alpha_n = \frac{(2\theta - 1)^n + 1}{2}.$$

Déterminer la limite de la suite (α_n) et interpréter le résultat obtenu.

Pour info

Un atome est constitué d'un noyau, chargé positivement, entouré d'un ou plusieurs électrons, chargés négativement. Entre le noyau et les électrons, il y a le vide.

Le modèle actuel est le modèle mathématique présenté par Erwin Schrödinger en 1926, qui fait intervenir la physique quantique. Les électrons n'ont pas d'orbite définie mais une « probabilité de présence » autour du noyau au sein d'un « nuage électronique ».

Erwin Schrödinger (1887-1961), physicien autrichien.

88

Deux joueurs A et B conviennent du jeu suivant, qui se présente comme une succession de « parties ».

Au départ, A et B misent chacun 1 € et lancent chacun une pièce parfaitement équilibrée (c'est-à-dire amenant avec une égale probabilité soit pile, soit face) :

– si A amène pile et B face, le jeu s'arrête, A gagne et récupère la mise des deux joueurs ;

– si B amène pile et A face, le jeu s'arrête, B gagne et récupère les mises ;

– dans les autres cas, la partie est nulle, les joueurs récupèrent leur mise et engagent une nouvelle partie en doublant la mise.

Et ainsi de suite, jusqu'à ce qu'il y ait un gagnant ou que la vingtième partie s'achève sur un nul (auquel cas les joueurs récupèrent leurs mises respectives).

Pour tout entier n de 1 à 20, on considère :

– l'événement A_n :

« le jeu se termine à la n-ième partie par le gain de A » ;

– l'événement B_n :

« le jeu se termine à la n-ième partie par le gain de B » ;

– l'événement N_n :

« la n-ième partie est une partie nulle ».

On pose :

$$x_n = p(A_n), \quad y_n = p(B_n) \quad \text{et} \quad z_n = p(N_n).$$

Partie A

1 Calculer x_1, y_1 et z_1.

2 Montrer que, pour tout entier n de 1 à 19, on a :

a. $x_{n+1} = \frac{1}{4} z_n$; **b.** $y_{n+1} = \frac{1}{4} z_n$;

c. $z_{n+1} = \frac{1}{2} z_n$.

3 En déduire que, pour n entier de 1 à 20, on a :

a. $x_n = \left(\frac{1}{2}\right)^{n+1}$; **b.** $y_n = \left(\frac{1}{2}\right)^{n+1}$;

c. $z_n = \left(\frac{1}{2}\right)^n$.

Partie B

On considère la variable aléatoire X : « le nombre d'euros mis en jeu lors de la partie qui conclut le jeu », c'est-à-dire récupérés par le gagnant ou partagés entre les deux joueurs, dans le cas où le jeu s'achève sur un nul.

Si le jeu s'achève à la k-ième partie, on a ainsi : $X = 2^k$.

1 Donner l'expression numérique de la plus grande valeur que peut prendre X.

2 Calculer $p(X = 2^{20})$.

3 Pour k entier de 1 à 19, exprimer l'événement « $X = 2^k$ » à l'aide des événements A_k et B_k. En déduire $p(X = 2^k)$.

4 Calculer l'espérance mathématique de X.

89 On considère trois urnes U_1, U_2 et U_3 :

– l'urne U_1 contient deux boules noires et trois rouges ;
– l'urne U_2 contient une boule noire et quatre rouges ;
– l'urne U_3 contient trois boules noires et quatre rouges.

Une expérience consiste à tirer au hasard une boule de U_1 et une boule de U_2, à les mettre dans U_3, puis à tirer au hasard une boule de U_3.

Pour i prenant les valeurs 1, 2 et 3, on désigne par N_i (respectivement R_i) l'événement « on tire une boule noire de l'urne U_i » (respectivement « on tire une boule rouge de l'urne U_i »).

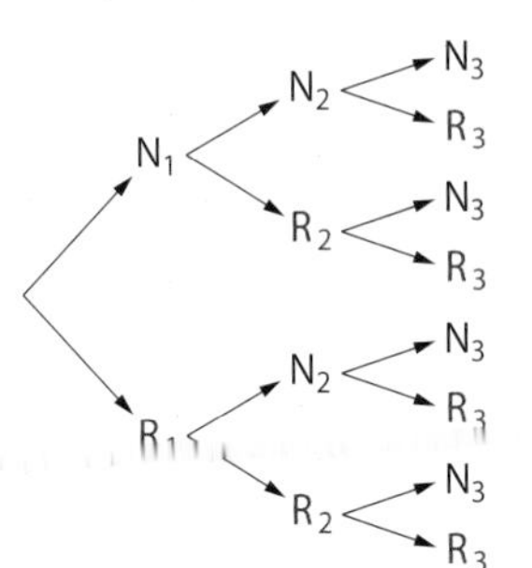

1 Reproduire et compléter l'arbre des probabilités ci-contre :

2 **a.** Calculer la probabilité des événements :

$$N_1 \cap N_2 \cap N_3 \quad \text{et} \quad N_1 \cap N_2 \cap N_3.$$

b. En déduire la probabilité de l'événement $N_1 \cap N_3$.
c. Calculer de façon analogue la probabilité de l'événement $R_1 \cap N_3$.

3 Déduire de la question précédente la probabilité de l'événement N_3.

4 Les événements N_1 et N_3 sont-ils indépendants ?

5 Sachant que la boule tirée dans U_3 est noire, quelle est la probabilité que la boule tirée de U_1 soit rouge ?

Maths et biologie

90 Application du calcul des probabilités à la génétique

Partie A

Soit α un nombre réel non nul différent de 1.
On considère les suites (a_n) et (b_n) définies par :

$$\begin{cases} a_0 = 0 \quad \text{et} \quad b_0 = 1 \\ \text{et, pour tout entier naturel } n : \\ a_{n+1} = a_n + \dfrac{1-\alpha}{2} b_n \quad \text{et} \quad b_{n+1} = \alpha b_n \end{cases}$$

1 Exprimer b_n en fonction de n et de α pour tout entier naturel n.

2 En déduire la valeur de $a_{n+1} - a_n$ et montrer que $a_n = \dfrac{1}{2}(1 - \alpha^n)$ pour tout entier naturel n.

Partie B Étant donné un gène possédant un couple d'allèles A et a, on dit qu'une plante est homozygote lorsqu'elle contient les deux mêmes allèles sur une paire de chromosomes homologues : elle est alors de génotype AA ou aa. Une plante est hétérozygote lorsqu'elle est de génotype Aa.

Certaines plantes, par exemple le Lupin, se reproduisent par autogamie (ou autofécondation) : tout se passe pour la descendance comme si on fécondait deux plantes de même génotype, chaque chromosome d'une paire étant sélectionné au hasard.

1 Calculer les probabilités pour qu'une plante de génotype AA, Aa, ou aa donne par autogamie une plante de génotype AA, Aa ou aa. On présentera les résultats sous forme de tableau.

Génotype du descendant \ Génotype de la plante initiale	AA	Aa	aa
AA			
Aa			
aa			

Ainsi, à l'intersection de la colonne Aa et de la ligne aa on fera figurer la probabilité pour qu'une plante de génotype Aa donne par autogamie une plante de génotype aa.

2 Partant d'une plante hétérozygote (génération 0), on constitue par autogamie des générations successives. On note les événements :

– AA_n : « la plante de la n-ième génération est de génotype AA » ;
– Aa_n : « la plante de la n-ième génération est de génotype Aa » ;
– aa_n : « la plante de la n-ième génération est de génotype aa ».

On appelle :

– x_n la probabilité de AA_n et y_n la probabilité de Aa_n ;
– z_n la probabilité de aa_n ;

en particulier $x_0 = 0$, $y_0 = 1$ et $z_0 = 0$.

a. Calculer x_1, y_1 et z_1.
b. Expliciter les probabilités conditionnelles :

u_{n+1} de AA_{n+1} sachant AA_n ;
v_{n+1} de AA_{n+1} sachant Aa_n ;
w_{n+1} de Aa_{n+1} sachant Aa_n.

Utiliser ces probabilités conditionnelles pour montrer que, pour tout entier naturel n :

$$x_{n+1} = x_n + \frac{1}{4} y_n \quad \text{et} \quad y_{n+1} = \frac{1}{2} y_n.$$

c. Utiliser les résultats de la partie **A** pour donner les valeurs de x_n, de y_n puis de z_n en fonction de n.
d. On garde les hypothèses et notations de la question **2**. Calculer la probabilité p_n pour qu'une plante de la n-ième génération ne soit pas homozygote.
À partir de quelle génération (caractérisée par son numéro d'ordre n) a-t-on $p_n \leqslant 0{,}01$?

   Diffusion d'une information

On reprend la situation de l'exercice précédent et on pose, pour n entier naturel, $u_n = P(S_n)$.

1 Combien vaut u_1 ?

2 a. À l'aide d'un arbre pondéré, montrer que :

$$u_{n+1} = 0{,}8u_n + 0{,}1.$$

b. À l'aide d'une calculatrice, calculer u_{10} à 0,01 près. Que peut-on penser de la qualité de la transmission de l'information s'il y a dix étapes.

3 On voudrait savoir quelle valeur donner à la probabilité p de transmission correcte de l'information pour que l'on ait $u_{10} > 0{,}99$.

a. Montrer que l'on a :

$$u_{n+1} = (2p - 1)u_n + 1 - p.$$

On a préparé une feuille de calcul pour déterminer les premières valeurs de la suite u.

	A	B	C	D
1	n	un		p
2	1	0,9		0,9
3	2	0,82		
4	3	0,756		
5	4	0,7048		
6	5	0,66384		
7	6	0,631072		
8	7	0,6048576		
9	8	0,58388608		
10	9	0,567108864		
11	10	0,553687091		

b. Quelle formule a été entrée en B2 ?

c. Quelle formule a été entrée en B3, puis recopiée jusqu'en B11 ?

d. En modifiant la valeur de p, déterminer la plus petite valeur qui permette d'aboutir à $u_{10} > 0{,}99$. (On donnera un encadrement d'amplitude 0,001.)

92 D'un naturel confiant, vous décidez d'acheter des objets d'art dans une brocante que vous venez de découvrir. Mais 80 % des marchands installés là sont indélicats… et chez un marchand indélicat, une fois sur deux, la marchandise achetée est sans valeur, alors que cela se produit seulement une fois sur dix chez un marchand sérieux.

Après avoir acheté un objet à votre goût, vous consultez un ami connaisseur qui vous apprend que, par chance, vous avez acquis un objet de qualité.
Quelle est la probabilité que vous ayez acheté cet objet chez un marchant sérieux ?

Prendre des initiatives

93 Le paradoxe des trois coffrets

Trois coffrets sont d'apparence identique. Chacun a deux tiroirs, et chaque tiroir renferme une médaille. Le premier coffre contient deux médailles en or, le second deux médailles en argent, et le troisième une médaille en or et une en argent.
On choisit un coffret. Quelle est la probabilité que ses tiroirs contiennent une médaille d'or et une d'argent ?
Première solution : Trois choix de coffrets sont possibles et équiprobables, et un seul répond à la condition demandée ; la réponse est donc $\frac{1}{3}$.
Deuxième solution : On choisit un coffret, on ouvre un de ses tiroirs et on observe la médaille qu'il contient. Quelle que soit cette médaille, deux cas seulement sont possibles : le tiroir encore fermé contient une médaille identique ou différente. Sur ces deux cas, un seul est favorable, celui où la médaille est différente. La probabilité recherchée est donc $\frac{1}{2}$.
Déterminer celle des deux solutions qui répond au problème, et expliquer en quoi la seconde n'y répond pas.

Le « paradoxe des trois coffres » a été publié par le mathématicien français **Joseph Bertrand**, célèbre pour un autre « paradoxe » relatif aux probabilités : à la question « Quelle est la probabilité, en choisissant au hasard une corde d'un cercle, que sa longueur soit supérieure à celle du côté d'un triangle équilatéral inscrit dans ce cercle ? », Joseph Bertrand apporte trois réponses différentes $\left(\frac{1}{2}, \frac{1}{3}, \frac{1}{4}\right)$, toutes trois parfaitement exactes, mais appuyées sur des méthodes différentes de choix d'une corde au hasard.

Joseph Bertrand (1822-1900).

94 Lorsqu'il sort de chez lui, chaque matin, Sherlock prend sa loupe, ou pas. S'il est préoccupé par son enquête en cours, il prend toujours sa loupe. S'il n'est pas particulièrement préoccupé, il prend sa loupe deux fois sur cinq.
Sherlock est un enquêteur acharné: il est préoccupé par l'enquête en cours un matin sur trois.
Sur dix matins choisis au hasard et indépendamment, combien de fois Sherlock prend-il en moyenne sa loupe en sortant de chez lui ?

Problèmes

    La première à six

Ève et Sarah se retrouvent en finale d'un tournoi d'échec. La gagnante est la première à atteindre n victoires, n étant un nombre entier. (On considère qu'il n'y a pas de parties nulles.)

On estime qu'Eve est un peu plus forte que Sarah, et qu'à chaque partie, elle l'emporte avec une probabilité de 0,6.

Marie Sebag, née en 1986, joueuse d'échecs française, grand maître international.

On suppose que les résultats des parties sont indépendantes et on voudrait une estimation de la probabilité de victoire d'Ève.

1 Cas $n = 2$.

À l'aide d'un arbre, déterminer la probabilité de Victoire d'Ève.

2 Cas $n = 10$.

Pour modéliser le jeu, on décide de créer un algorithme, dont voici un extrait.

ALGO

```
E := 0 ; S := 0 ;
TantQue E < 10 et S < 10 Faire
  a = Nombrealeatoire(0,1) ;
    Si a < 0,51 Alors E := ...
    Sinon ... ;
    FinSi ;
FinTantQue ;
Si ... Alors Afficher ( « Eve a gagné ») ;
Sinon Afficher (« Sarah a gagné ») ;
Finsi ;
```

Voir les **Outils pour l'algorithmique**.

a. Compléter l'algorithme.

b. Modifier l'algorithme pour qu'il répète 1 000 fois la simulation et détermine la proportion de victoires pour Ève.

c. Programmer l'algorithme, le faire fonctionner et commenter le résultat obtenu.

Voir les **Outils pour la programmation**.

96 ALGO Transmission d'une information

Un chercheur vient d'obtenir enfin le résultat qu'il attendait : la lotion P permet la repousse des cheveux. Il décide d'en faire part discrètement à son supérieur, qui lui-même en fait part discrètement à son contact au siège central, ainsi de suite jusqu'au PDG de l'entreprise.

On suppose qu'à chaque étape, celui à qui on transmet l'information la comprend correctement avec une probabilité de 0,9, et comprend le contraire avec une probabilité de 0,1.

On appelle, pour un entier naturel n non nul, S_n l'événement « l'information comprise à l'étape n est : *la lotion P permet la repousse des cheveux* » et E_n l'événement : « l'information comprise à l'étape n est : *la lotion P ne permet pas la repousse des cheveux*. »

On a donc $p(S_1) = 0{,}9$ et $p(E_1) = 0{,}1$.

1 On décide de réaliser un programme qui permette de simuler la diffusion de l'information.

```
Prog   Edit   Ajouter   |7        nxt | OK (F9) |        Sa
diffusion() :={

saisir(" donner la valeur de n ",n) ;
si (alea(0,1)<0.9) alors D:=1 sinon D:=0;
fsi
pour j de 1 jusque n-1 faire
si (alea(0,1)>0.9) alors
si D==0 alors D:=1 sinon D:=0;
fsi
fsi
fpour
si D==1 alors
return("L'information a été finalement correctement transmise");
sinon return("L'information n'a pas été correctement transmise");
fsi
} :;
```

Voir les **Outils pour l'algorithmique**.

a. Quel rôle joue la variable D ? Comment permet-elle de simuler la transmission ou non de l'information ?

b. Réaliser ce programme et le tester 50 fois avec $n = 10$. Que remarque-t-on ?

Voir les **Outils pour la programmation**.

2 Modifier le programme pour qu'il permette d'effectuer 10 000 simulations avec $n = 10$ et calculer la fréquence avec laquelle l'information est correctement transmise.

Quelle conclusion peut-on en tirer ?

Pistes pour l'accompagnement personnalisé

Revoir les outils de base

97 Raisonner avec un arbre pondéré

On considère une urne composée de quatre boules rouges et six boules vertes.
On tire successivement et avec remise trois boules et on note leurs couleurs.

1 Réaliser un arbre pondéré qui modélise l'expérience.

2 Quelle est la probabilité des événements suivants :
a. « obtenir deux boules rouges, puis une verte » ?
b. « obtenir trois boules rouges » ?

98 Raisonner avec un tableau à double entrée

En 2008, on a effectué une enquête sur les pratiques culturelles des Français. Voici les résultats de la partie de l'enquête portant sur les instruments pratiqués par les Français :

	Piano	Guitare	Autre	Total
Femmes	92	173	88	
Hommes	104	69	101	
Total				

On choisit une personne au hasard parmi l'échantillon étudié.

1 Quelle est la probabilité que ce soit un homme ?

2 Quelle est la probabilité que ce soit une personne faisant de la guitare ?

3 Si c'est une femme, quelle est la probabilité qu'elle fasse du piano ?

Les savoir-faire du chapitre

99 Construire un arbre pondéré

Dans chacune des situations suivantes, construire un arbre pondéré.

1 On estime qu'une maladie touche 0,1 % d'une population et on dispose d'un test de dépistage. Parmi les personnes malades, 98 % réagissent positivement au test, ainsi que 1 % des personnes qui ne sont pas malades.

2 On lance un dé équilibré à six faces. Si on obtient un 6, on tire au hasard une boule dans une urne contenant six boules rouges et quatre boules noires.
Sinon, on tire une boule dans une urne contenant quatre boules rouges et six boules noires.

100 Exploiter la lecture d'un arbre pondéré

Trois producteurs de pomme proposent des fruits qui doivent correspondre à un calibre précis.
On prélève une pomme au hasard et on considère les événements suivants :
P : « le fruit vient du premier producteur » ;

D : « le fruit vient du deuxième producteur » ;
T : « le fruit vient du troisième producteur ».
C : « la pomme est bien calibrée. »
H : « la pomme est hors calibre. »
On donne l'arbre pondéré suivant :

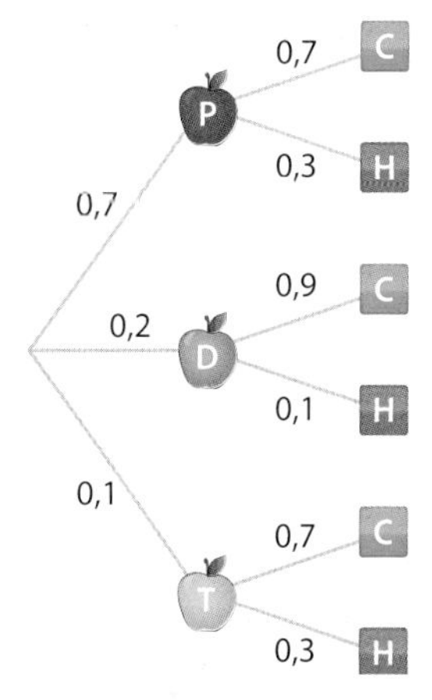

1 Déterminer $p_T(C)$; $p(D)$; $p_D(\overline{C})$.

2 **a.** Calculer la probabilité que le fruit soit hors calibre et provienne du troisième producteur (événement T).
b. Calculer la probabilité que le fruit soit hors calibre.

3 On trouve une pomme hors calibre.
Quelle est la probabilité qu'elle provienne du deuxième producteur ?

101 Indépendance de deux événements

Un luminaire comporte trois ampoules, rouge, et jaune.
À chaque minute, ces lampes s'allument de manière indépendante pendant une minute avec des probabilités respectives de 0,3, 0,2 et 0,8.

1 Quelle est la probabilité que les trois lampes soient allumées en même temps ?

2 Quelle est la probabilité que la lampe rouge ou la verte soient allumées ?

3 Quelle est la probabilité que la lampe rouge reste allumée pendant une heure ?

Pistes pour l'accompagnement personnalisé

Approfondissement

102 Probabilité et médecine

En médecine, la prévalence d'une maladie désigne la proportion de personnes atteintes dans une population donnée.
On donne, pour la population française :
– prévalence de l'asthme : 0,0098 ;
– prévalence des infections pulmonaires (IP) : 0,10 ;
– fréquence des IP chez les asthmatiques : 0,3 ;

1 Quelle est la probabilité d'être asthmatique ou atteint d'infection pulmonaire ?

2 Un malade présente une infection pulmonaire. Quelle est la probabilité qu'il soit asthmatique ?

103 Efficacité d'une méthode de recrutement

Un Directeur des Ressources Humaines (DRH) souhaite recruter de nouveaux collaborateurs pour son entreprise.
Il a présélectionné des candidats à l'aide de leurs CV et d'entretiens, mais ces méthodes ne lui permettent pas de détecter correctement les compétences requises. Il décide alors de leur faire passer un test de graphologie, pensant que les résultats l'aideront dans son choix.
On suppose que les candidats possédant les compétences recherchées représentent une proportion p des candidats présélectionnés. On suppose aussi que le résultat du test graphologique donne des indications sur le candidat : le type de candidat recherché réussit le test dans 60 % des cas en moyenne, alors que les autres ne le réussissent que dans 50 % des cas.
On choisit un candidat au hasard.

1 Calculer, en fonction de p, la probabilité que le DRH ne prenne pas la bonne décision concernant ce candidat.

2 Calculer, en fonction de p, la probabilité que le candidat considéré réussisse le test.

3 On note $f(p)$ la probabilité qu'un candidat ayant réussi le test possède réellement les compétences recherchées. Montrer que $f(p) = \dfrac{0{,}6p}{0{,}5p + 0{,}1}$.

4 Étudier le sens de variation de la fonction f, puis construire son tableau de variations.
Résoudre $f(p) \geqslant 0{,}9$ et interpréter le résultat. Que peut-on conseiller au DRH ?

104 La loi de Hardy-Weinberg

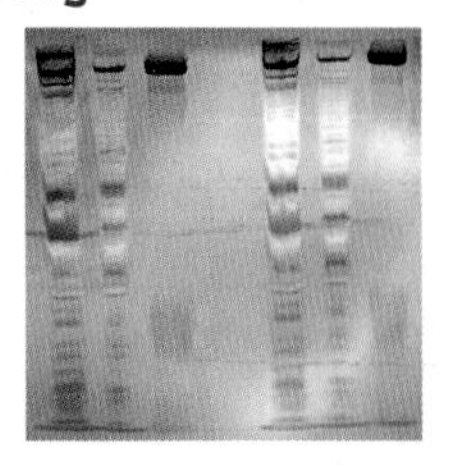

Dans les cas simples, un gène peut prendre deux formes (ou « allèles ») **A** ou a. Un individu peut alors avoir l'un des trois génotypes **AA**, **A**a ou aa.
On considère une population (appelée la génération 0) dans laquelle un individu choisi au hasard présente le génotype **AA** avec la probabilité r_0, le génotype **A**a avec la probabilité s_0 et le génotype aa avec la probabilité t_0.

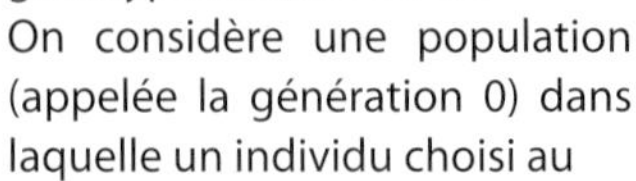

Un enfant hérite d'un gène de chacun de ses parents, chaque choix de gène se faisant au hasard.
De plus, on admet que les appariements sont aléatoires, c'est-à-dire que les couples de parents se forment au hasard en regard des génotypes étudiés.
Pour tout entier naturel n, on appelle r_n, s_n et t_n les probabilités pour un individu de la n-ième génération de présenter le génotype **AA**, **A**a ou aa respectivement.
On s'intéresse à la façon dont évoluent ces probabilités au fil des générations.

1 Calcul de r_1

a. On suppose ici que le père présente le génotype **AA**. Compléter l'arbre pondéré suivant, et en déduire la probabilité pour un individu de génération 1 d'être de génotype **AA** sachant que son père est de génotype **AA**.

père	mère	enfant
	AA	AA
AA	Aa	AA
		Aa
	aa	Aa

b. On suppose maintenant que le père est de génotype **A**a. À l'aide d'un arbre pondéré du même type que ci-dessus, calculer la probabilité pour un individu de génération 1 d'être de génotype **AA**, sachant que son père est de génotype **A**a.

c. Sachant que son père est de génotype aa, quelle est la probabilité qu'un individu soit de génotype **AA** ?

d. Déterminer r_1 en fonction de r_0 et s_0.

2 En utilisant la symétrie des hypothèses en **A** et a, déterminer t_1 en fonction de r_0 et s_0 à l'aide du résultat précédent.
En déduire s_1 en fonction de r_0 et s_0.

3 En notant $d = r_0 - t_0$, exprimer, en fonction de d, les nombres r_1, s_1 et t_1.

4 Déterminer, en fonction de d, les nombres r_1, s_1 et t_1. Que peut-on dire des suites (r_n), (s_n) et (t_n) ?

Aide **4** On pourra remarquer que $r_1 - t_1 = d$.

Vers le Supérieur

105 Médecine (PCEM 1)

QCM Plusieurs réponses peuvent être justes ; l'objectif est de tester les « réflexes » en probabilité.
Voici quelques questions posées au *concours de PCEM1* de la faculté de Nancy.

1 On a un dé standard à 6 faces non pipé. Quelle est la probabilité d'obtenir un 5 ou un 6 lors du jet du dé ?

a. $\frac{1}{6}$. **b.** $\frac{2}{3}$.

c. $\frac{1}{3}$. **d.** $\frac{1}{3} - \frac{1}{36}$.

e. les éléments disponibles ne permettent pas de répondre.

2 La probabilité de faire un infarctus, si on fume, est de 30 %. Quelle est la probabilité d'être fumeur et de faire un infarctus ?

a. $\frac{5}{1000}$. **b.** $\frac{5}{1000} \times \frac{30}{100} = 0{,}0015$.

c. $\frac{3}{100}$. **d.** 0,1667.

e. on ne peut pas calculer cette probabilité avec les éléments disponibles.

3 Un questionnaire comporte 30 QCM indépendants avec cinq propositions mutuellement exclusives et dont **une seule** est la bonne réponse.

a. La probabilité pour un étudiant répondant au hasard à un QCM donné d'avoir la bonne réponse est de 50 %.

b. La probabilité pour un étudiant répondant au hasard à un QCM donné d'avoir la bonne réponse est de 20 %.

c. Si on attribue 1 pour une réponse juste et 0 pour les réponses fausses, les étudiants qui répondent au hasard auront en moyenne une note de 6/30.

d. La loi de probabilité que suit la note d'un étudiant qui répond au hasard est une loi binomiale de paramètres $n = 30$ et $p = 0{,}2$.

4 La probabilité d'avoir un garçon est de 50 %. Le sexe étant indépendant à chaque naissance, caractériser les affirmations suivantes par Vrai ou Faux.

a. Madame X a déjà eu trois garçons, elle est enceinte pour la quatrième fois, la probabilité pour que ce soit un garçon est de 6,25 %.

b. Madame X a déjà eu trois garçons, elle est enceinte pour la quatrième fois, si c'est un garçon, elle fera partie des 6,25 % de femmes ayant eu quatre enfants qui ont eu quatre enfants de sexe masculin.

c. Madame X a déjà eu trois garçons, elle est enceinte pour la quatrième fois, si c'est un garçon, elle fera partie des 6,25 % de femmes ayant eu quatre enfants qui ont eu quatre enfants de même sexe.

d. Madame X a déjà eu trois garçons, elle est enceinte pour la quatrième fois, la probabilité pour que ce soit une fille est de 50 %.

e. Dans ces conditions de survenue d'un garçon, on observe en moyenne 2,5 garçons chez les femmes ayant eu cinq enfants.

106 BTS Agencement d'architecture (extrait)

Une entreprise effectue des travaux d'isolation chez des particuliers. Elle souhaite évaluer son potentiel d'activité dans une ville. Pour cela, elle demande à 100 personnes choisies au hasard de faire le test suivant :

Une pièce, préalablement portée à une température convenue, est laissée toute une nuit sans chauffage. Le matin, on relève sa température.

L'entreprise obtient comme résultats, arrondis au degré le plus proche :

Température (°C)	13	14	15	16	17	18	19	20
Effectif	1	4	12	21	25	22	10	5

On distingue alors trois catégories de maisons, selon la température T relevée le matin :
- Si $18 \leqslant T$, l'isolation est satisfaisante (catégorie 1).
- Si $15 < T < 18$, des économies d'énergie pourraient être réalisées, mais elles ne compenseraient pas les coûts des travaux (catégorie 2).
- Si $T < 15$, les propriétaires ont tout intérêt à faire rénover l'isolation de leur maison (catégorie 3).

1 Sans justification, calculer la moyenne de la série statistique. Calculer ensuite une valeur arrondie de l'écart type de la série statistique à 0,1 près.

2 On admet désormais que la probabilité qu'une maison soit dans la catégorie 3 est de 0,1.
L'entreprise s'intéresse principalement aux maisons de la catégorie 3.
Chaque jour, des études thermiques sont menées dans 30 maisons choisies au hasard. La taille de la ville permettra de considérer les études comme étant indépendantes.
On définit une variable aléatoire Y qui, à un jour donné, associe le nombre de maisons de catégorie 3.

a. Quelle loi de probabilité la variable aléatoire Y suit-elle ? Justifier votre réponse, en précisant les paramètres de cette loi.

b. Calculer la probabilité qu'au plus deux études menées dans une journée diagnostiquent une maison de catégorie 3. Donner une valeur arrondie à 0,01 près.

c. Calculer l'espérance de la variable aléatoire Y. Que représente ce nombre ?

Lois de probabilité

Partir d'un bon pied

Voir corrigés en fin de manuel

A Revoir la loi binomiale

QCM X est une variable aléatoire réelle qui suit la loi binomiale de paramètres $n = 20$ et $p = 0{,}4$.
Pour chacune des affirmations suivantes, préciser **la seule** réponse correcte.

1 $P(X = 0) =$	**a.** 0,6	**b.** $0{,}6^{20}$	**c.** $1 - 0{,}4^{20}$
2 $E(X) =$	**a.** 8	**b.** 10	**c.** 0,02
3 $V(X)$	**a.** $\sqrt{8}$	**b.** $20 \times 0{,}4 \times (1 - 0{,}4)$	**c.** $20 \times 0{,}4^{10} \times (1 - 0{,}4)^{10}$
4 Si $Y = X - 8$, alors $E(Y) =$	**a.** 8	**b.** 0	**c.** 4
5 Si $Z = \dfrac{Y}{\sqrt{V(X)}}$, alors $V(Y) =$	**a.** 1	**b.** 2	**c.** 4

B Calcul d'intégrale et aire

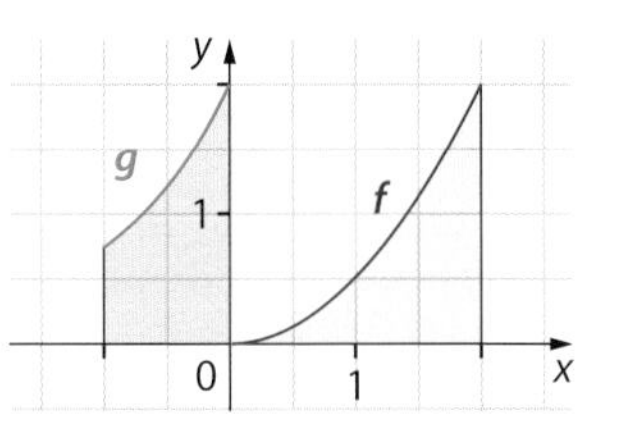

On a représenté ci-contre deux fonctions f et g et deux domaines colorés. Lequel paraît avoir l'aire la plus grande ?

On donne les expressions de f et g : $f(x) = \dfrac{x^2}{2}$ et $g(x) = 2e^x$.

Quelle est la plus grande des deux aires ?

C Probabilité et aires de rectangles

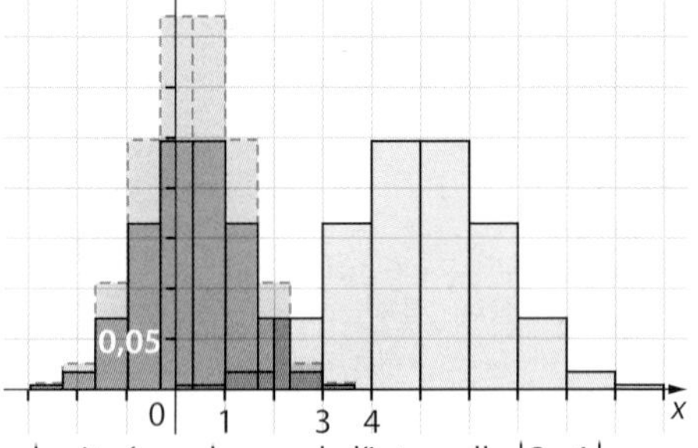

Une variable aléatoire X suit une loi binomiale de paramètres $n = 9$ et $p = 0{,}5$.

On définit la fonction f sur $\mathbb{R}$ par $f(x) = \dfrac{x - 4{,}5}{1{,}5}$

et la variable aléatoire $Y = f(X) = \dfrac{X - 4{,}5}{1{,}5}$.

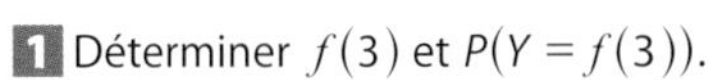

1 Déterminer $f(3)$ et $P(Y = f(3))$.

2 On a représenté la loi de X par un diagramme $\mathcal{D}$, en bleu, formé de rectangles de base $[k\,;k+1]$ et de hauteur $P(X = k)$ pour k allant de 0 à 9. Puis on a transformé chaque rectangle au moyen de f : le rectangle situé au-dessus de l'intervalle $[3\,;4]$ est transformé en un rectangle situé au-dessus de l'intervalle $[f(3)\,;f(4)]$ et de même hauteur $P(X = 3) \approx 0{,}16$.

a. Quelle est l'aire du diagramme bleu $\mathcal{D}$? et celle du diagramme transformé $\mathcal{D}'$?

b. Par quel coefficient l'aire de $\mathcal{D}$ a-t-elle été divisée ? $\mathcal{D}'$ représente-t-il correctement la loi de Y ?

3 Quelle hauteur doit avoir chaque rectangle situé au-dessus de l'intervalle $[f(k)\,;f(k+1)]$ pour que l'aire totale de la partie en rose clair soit égale à 1 ?

4 Proposer une formule générale pour les hauteurs des rectangles lorsqu'on transforme un diagramme, au moyen d'une fonction : $x \longmapsto \dfrac{x - m}{s}$ afin de retrouver une aire identique.

continues

CHAPITRE

11

Au fil du temps

Les probabilités continues apparaissent au même moment que les probabilités modernes, autour de mathématiciens comme Abraham De Moivre (1667-1754). Mais c'est Karl Friedrich Gauss (1777-1855) qui donne son nom à la courbe liée à la loi normale et qui la relie en particulier au problème des observations astronomiques.

Les lois continues se sont multipliées depuis (loi exponentielle, loi de Weibull, loi de Pareto), ouvrant un champ immense d'applications et de recherches…

K.F. Gauss sur un billet de 10 marks de 1981, accompagné d'une courbe « en cloche »…

Des maths partout !

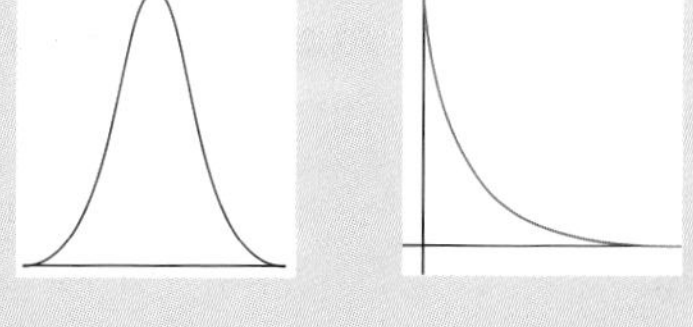

Parmi les deux courbes, ci-contre, laquelle peut permettre l'étude de :

- la répartition des individus suivant leur « quotient intellectuel » ?
- la répartition des feuilles d'un arbre en fonction de leurs diamètres ?
- la durée de vie d'un circuit imprimé ?

Ce chapitre est consacré aux probabilités « continues » qui permettent de modéliser des phénomènes extrêmement différents à l'aide d'un petit nombre de lois mathématiques.

Découvrir

Activité 1 Choisir un nombre dans [0 ; 1]

Cible ❶

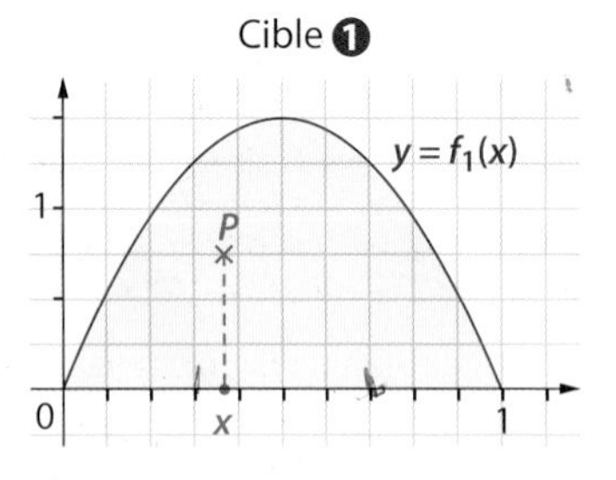

Un jeu consiste à lancer une fléchette sur des cibles dont la forme est donnée dans chaque cas par le domaine de plan coloré, situé au-dessus du segment représentant l'intervalle $[0\,;1]$, et dont l'aire totale est égale à 1 unité d'aire.
On suppose que la fléchette atteint toujours sa cible, et on appelle x l'abscisse du point d'impact P.
Pour un intervalle J inclus dans $[0\,;1]$, on étudie ci-dessous la probabilité de l'événement $\{x \in J\}$ pour chaque cible.

1 Le lanceur gagne lorsque x appartient à l'intervalle $[0\,;0{,}2]$.

a. Avec quelle cible le lanceur a-t-il apparemment le plus de chance de gagner ?

b. Par lecture graphique, conjecturer la valeur exacte de la probabilité p_2 de gagner avec la cible ❷.

c. Proposer un principe de calcul pour les probabilités p_1 et p_3 de gagner avec les cibles ❶ et ❸.

Cible ❷

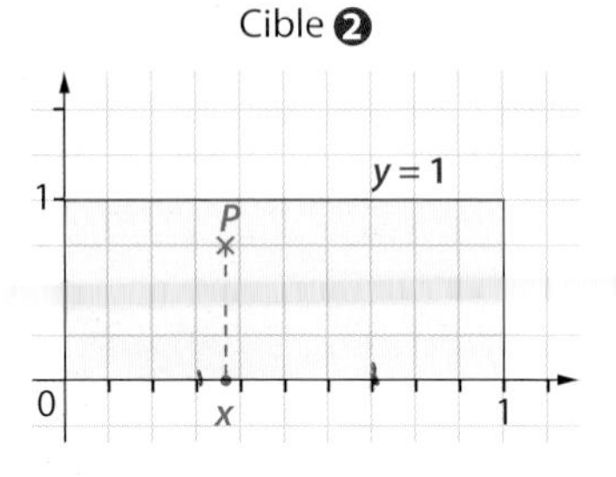

2 Le bord supérieur du domaine est, pour chaque cible, la courbe d'une fonction

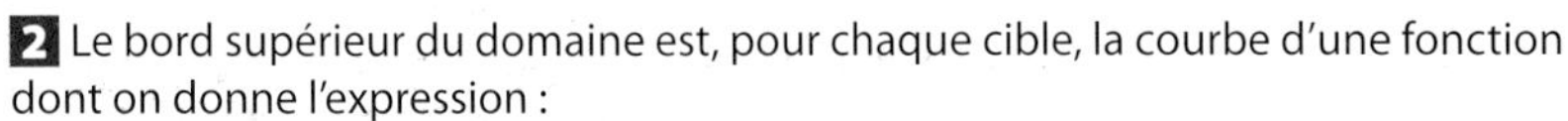

dont on donne l'expression :

$$f_1 : x \longmapsto 6x(1-x)\,; \quad f_2 : x \longmapsto 1 \quad \text{et} \quad f_3 : x \longmapsto \frac{3}{2}(x-1)^2 + \frac{1}{2}.$$

a. Conjecturer pour quelle cible l'événement $\{0{,}3 \leqslant x \leqslant 0{,}7\}$ est le plus probable.

b. En utilisant le calcul intégral, déterminer pour chaque cible la probabilité de l'événement $\{0{,}3 \leqslant x \leqslant 0{,}7\}$ et retrouver la conjecture faite au **2 a.**

Cible ❸

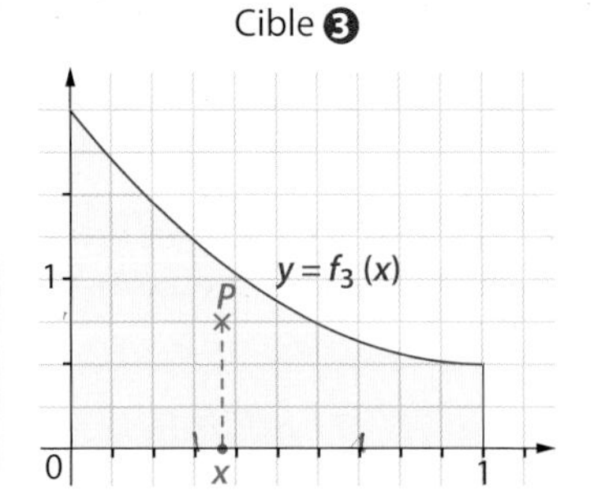

Pour info Chaque cible permet de modéliser le choix d'un réel x de l'intervalle $[0\,;1]$ en définissant la probabilité des événements $\{x \in J\}$, pour tout intervalle J inclus dans $[0\,;1]$. La fonction dont la courbe est le bord supérieur de la cible est appelée **densité de la loi de probabilité** ainsi définie sur $[0\,;1]$. On voit dans cette activité que la probabilité d'un même intervalle J varie selon la densité considérée.

Activité 2 La loi de durée de vie d'un atome radioactif

Des études statistiques sur un grand nombre d'atomes d'un élément radioactif ont permis d'établir la formule suivante : $N(t) = N_0 e^{-2t}$, où t désigne le temps exprimé dans une unité adaptée, N_0 le nombre initial d'atomes radioactifs et $N(t)$ le nombre d'atomes (encore) radioactifs à l'instant t.

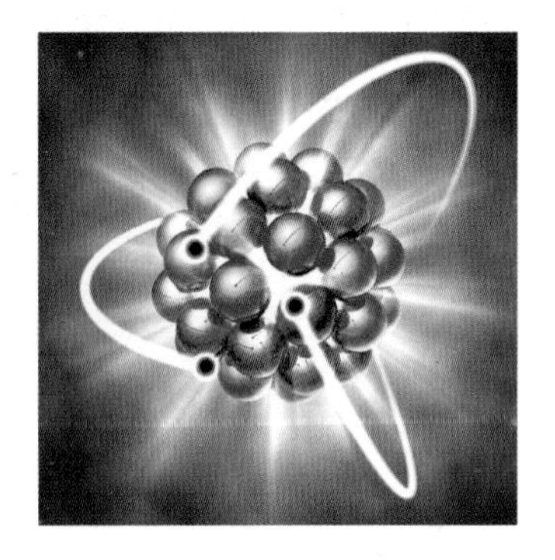

1 Soit t un réel positif fixé. On fait l'hypothèse que chacun des N_0 atomes radioactifs « du départ », se comporte indépendamment des autres, et a la probabilité $p(t)$ (identique à celle des autres) d'être encore radioactif à l'instant t.

a. En utilisant la loi binomiale, déterminer le nombre moyen d'atomes encore radioactifs à l'instant t.

b. En déduire que pour tout $t \in [0\,;+\infty[$, $p(t) = e^{-2t}$.

c. Quelle est la probabilité qu'un atome radioactif se désintègre avant l'instant t ?

2 On fait l'hypothèse que pour tout $t \in [0\,;+\infty[$, $P(X \leqslant t) = \int_0^t f(u)\,du$, où f est une fonction continue.

a. En calculant la dérivée par rapport à t de chacune des deux expressions égales à $P(X \leqslant t)$, établir que pour tout $t \in [0\,;+\infty[$, $f(t) = 2e^{-2t}$.

b. Calculer la probabilité que la durée de vie soit inférieure à 1.
En déduire $P(X > 1)$, aussi noté $P(X \in]1\,;+\infty[)$.

Commentaire
Si X désigne la durée de vie d'un atome radioactif, on vient d'établir que :
pour tout $t \geqslant 0$,
$P(X \leqslant t) = 1 - e^{-2t}$.

Activité 3 Une approche du théorème de Moivre-Laplace

Une variable aléatoire X suit une loi binomiale de paramètres n et p.

On considère f la fonction définie sur $\mathbb{R}$ par $f(x) = \dfrac{x - np}{\sqrt{np(1-p)}}$ et on définit la variable aléatoire $Y = f(X)$.

1 Établir une feuille de calcul comme ci-dessous en indiquant en colonne A les valeurs prises par X, en colonne B celles de $P(X = k)$, en colonne C les valeurs prises par Y, enfin en colonne D, la hauteur du rectangle ayant pour aire $P(Y = f(k))$ et pour largeur $f(k+1) - f(k)$.

D2 fx =B2*RACINE(F$2*G$2*(1-G$2))

A	B	C	D	E	F	G
k	P(X=k)	f(k)	hauteur du rectangle		n	p
0	1,27E-20	-8,660	4,391E-20		50	0,6
1	9,51E-19	-8,372	3,293E-18			

2 Représenter les colonnes C et D par un nuage de points. Faire varier p. La forme du nuage de points varie-t-elle beaucoup ?

3 Ajouter au tableau une colonne donnant les images de k par la fonction $g : x \longmapsto \dfrac{e^{-\frac{x^2}{2}}}{\sqrt{2\pi}}$ et compléter le nuage de points à partir de cette nouvelle colonne. Commenter.

4 **a.** Rappeler l'espérance et la variance de X.
b. Quelles sont alors l'espérance et la variance de Y ?

À noter

Cette activité permet d'introduire le théorème de « Moivre-Laplace », selon lequel une suite (X_n) de variables aléatoires suivant une loi binomiale $\mathcal{B}(n ; p)$ « converge » (dans un certain sens) vers une variable aléatoire suivant une loi normale centrée réduite. On peut illustrer ce phénomène mécaniquement à l'aide d'une « planche de Galton ». (voir l'activité « algorithmique », page 550).

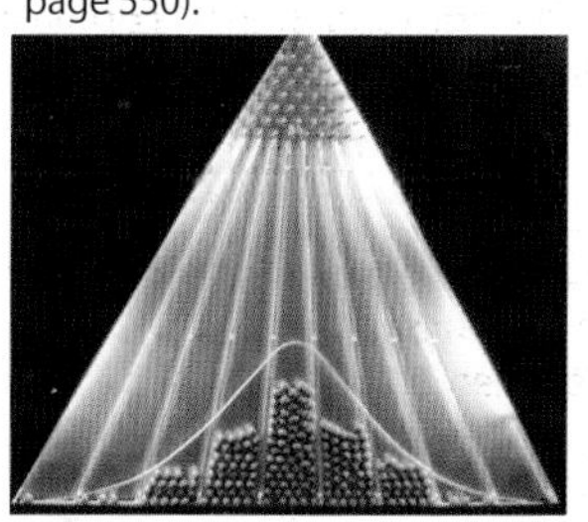

Activité 4 Une aire mystérieuse

1 **À l'aide du logiciel Geogebra**, créer un curseur a, variant de 0 à 100.

Voir la fiche **Geogebra**.

2 Créer la fonction $f(x) = e^{-\frac{x^2}{2}}$.

3 **a.** Définir l'aire b du domaine compris entre la courbe de f, l'axe des abscisses et les droites $x = -a$ et $x = a$ (entrer en zone de saisie Intégrale (f, 0, – a, a)).

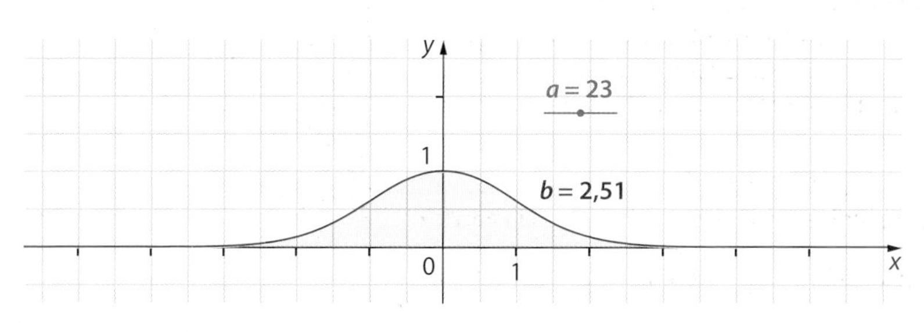

b. Que peut-on dire de cette aire lorsqu'a devient grand ? Quelle limite peut-on conjecturer pour $\int_{-a}^{a} e^{-\frac{x^2}{2}}\,dx$ lorsque a tend vers $+\infty$?

c. Exprimer cette limite en fonction d'une constante bien connue. Élever au carré…

Remarque

Dans cette activité, on met en évidence une surface non bornée, limitée par l'axe des abscisses et la courbe de f, dont l'aire est finie.

1 Loi à densité sur un intervalle borné

EXEMPLE D'INTRODUCTION

Un entrepôt accueille tous les matins des camions de livraison sur un créneau de deux heures d'ouverture, de 7 h 30 à 9 h 30. On s'intéresse à l'heure d'arrivée d'un camion qui se présente tous les matins à l'entrepôt aux heures d'ouverture. On admet que la probabilité que ce camion arrive dans un intervalle de temps donné $[t_1 ; t_2]$ est égale à l'aire du domaine compris entre l'axe des abscisses, **les deux segments tracés ci-contre**, et les droites d'équations $x = t_1$ et $x = t_2$ parallèles à l'axe des ordonnées.

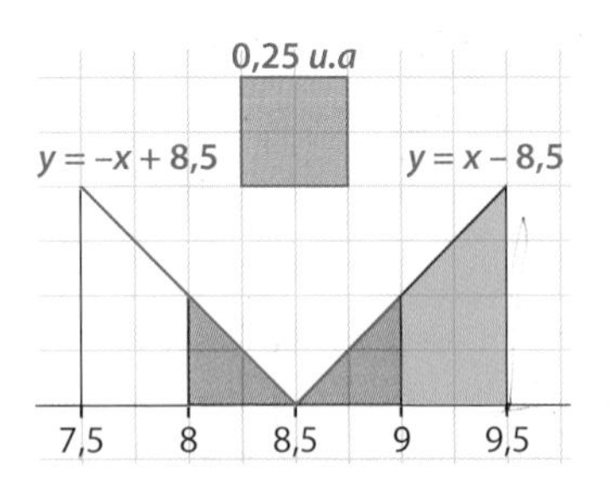

Ainsi, la probabilité d'arrivée du camion entre 8 h 00 et 9 h 00 est égale à l'aire colorée en rouge : $P([\mathbf{8} ; \mathbf{9}]) = 0{,}25$,

celle qu'il arrive entre 9 h et 9 h 30 est :

$$P([\mathbf{9} ; \mathbf{9{,}5}]) = \int_9^{9{,}5} (x - 8{,}5)\mathrm{d}x = 0{,}375.$$

Enfin, on vérifie (et c'est indispensable) que :

$$P([7{,}5 ; 9{,}5]) = \int_{7{,}5}^{9{,}5} |x - 8{,}5|\mathrm{d}x = 1.$$

VOCABULAIRE

La fonction $x \longmapsto |x - 8{,}5|$ est la **densité** permettant de définir la loi de probabilité, sur $[7{,}5 ; 9{,}5]$, de l'heure d'arrivée à l'entrepôt.

Remarque Les valeurs plus ou moins grandes prises par la fonction sur les différents intervalles donnent plus ou moins « de poids » à la probabilité de cet intervalle : d'où le nom de « **densité** » donné à la fonction.

Définitions Soit $\mathrm{I} = [a ; b]$ un intervalle borné de $\mathbb{R}$, avec $a < b$, et f une fonction positive sur I, telle que $\int_a^b f(t)\mathrm{d}t = 1$. On définit une loi de probabilité sur l'intervalle I, modélisant le choix d'un réel x dans I, en posant pour tout intervalle J, d'extrémités c et d, avec $a \leqslant c \leqslant d \leqslant b$:

$$\boldsymbol{P(\{x \in \mathrm{J}\}) = \int_c^d f(t)\mathrm{d}t}.$$

On dit que f est la **densité de cette loi de probabilité** sur I.

Remarques

- On note plus simplement : $P(\{x \in \mathrm{J}\}) = P(\mathrm{J})$.
- Pour tout réel c de I, $P(\{c\}) = \int_c^c f(t)\mathrm{d}t = 0$; la probabilité que le nombre choisi soit c exactement est nulle.

2 Loi uniforme sur $[a ; b]$ (où $a < b$)

Définition **La loi uniforme sur l'intervalle** $[\boldsymbol{a} ; \boldsymbol{b}]$, avec $a < b$, est la loi de probabilité de densité constante définie sur $[a ; b]$ par la fonction

$$f : \boldsymbol{t} \longmapsto \frac{\mathbf{1}}{\boldsymbol{b - a}}.$$

Propriétés

❶ Dans la loi uniforme sur $[a ; b]$:

– la probabilité $P(\mathrm{J})$ d'un intervalle J inclus dans $[a ; b]$ est proportionnelle à la longueur de J.

– si $\overline{\mathrm{J}}$ désigne le complémentaire de J dans $[a ; b]$, alors :

$$\boldsymbol{P(\overline{\mathrm{J}}) = 1 - P(\mathrm{J})}.$$

– si $a \leqslant c \leqslant d \leqslant b$, alors : $\boldsymbol{P([c ; d]) = \frac{d - c}{b - a}}$.

❷ L'**espérance** de la loi uniforme sur $[a ; b]$ est :

$$\boldsymbol{E = \int_a^b t \times \frac{1}{b - a}\mathrm{d}t = \frac{a + b}{2}}.$$

Exemple

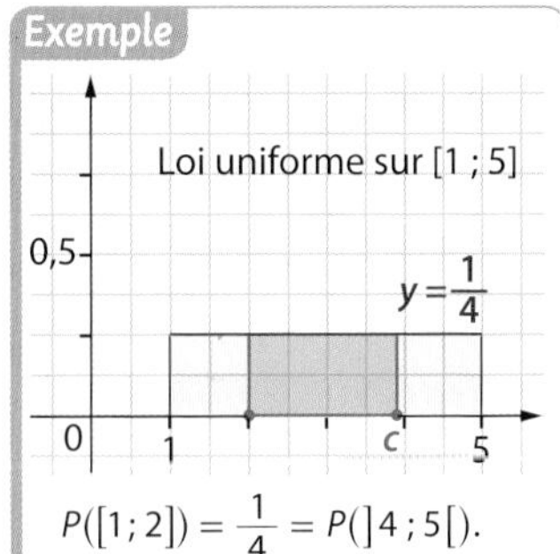

$P([1 ; 2]) = \frac{1}{4} = P(]4 ; 5[)$.

Si $c \in [2 ; 5]$,

$P([2 ; c]) = \frac{c - 2}{4}$.

➲ Voir la **démonstration** à l'exercice 43, page 383.

Calculer une probabilité définie par une densité

Exercice corrigé

Énoncé On considère la fonction f définie sur $[0;2]$ par :

$f(t) = kt^3$ avec $k > 0$.

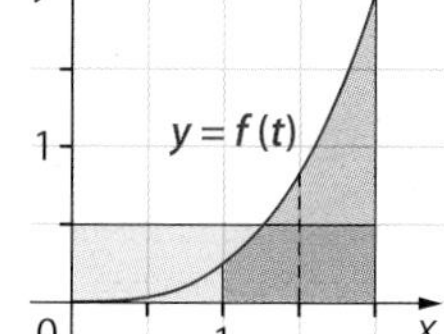

1 Déterminer le réel k pour que f soit une densité de loi de probabilité sur l'intervalle $[0;2]$.

2 On considère une variable aléatoire X suivant la loi de probabilité définie par la densité f.

a. Calculer $P(1 \leqslant X \leqslant 2)$.

b. Déterminer le réel a de $[0;2]$ tel que : $P(0 \leqslant X \leqslant a) = P(1 \leqslant X \leqslant 2)$.

3 Une variable aléatoire Y suit la loi uniforme sur l'intervalle $[0;2]$.

a. Indiquer la densité définissant cette loi uniforme.

b. Pour tout $x_0 > 1{,}5$, comparer $P(1{,}5 \leqslant X \leqslant x_0)$ et $P(1{,}5 \leqslant Y \leqslant x_0)$.

Solution

1 f est positive et continue comme fonction polynôme sur $[0;2]$.
Il faut et il suffit donc que $\int_0^2 kt^3\,dt = 1$ pour que f soit une densité sur $[0;2]$ 1▸.

Or, $\int_0^2 kt^3\,dt = 1 \Leftrightarrow k\int_0^2 t^3\,dt = 1 \Leftrightarrow k\left[\frac{1}{4}t^4\right]_0^2 = 1 \Leftrightarrow 4k = 1$.

Il faut et il suffit que $k = \frac{1}{4}$ pour que f soit une densité sur $[0;2]$.

2 a. $[1;2] \subset [0;2]$, donc $P(1 \leqslant X \leqslant 2) = \int_1^2 \frac{1}{4}t^3\,dt = \frac{1}{16}(16-1) = \frac{15}{16}$, 2▸.

b. On doit résoudre l'équation : $\int_0^a \frac{1}{4}t^3\,dt = \frac{15}{16} \Leftrightarrow \frac{1}{16}a^4 = \frac{15}{16}$ ou encore $a^4 = 15$ et $a > 0$; d'où $a = \sqrt{\sqrt{15}}$. On peut remarquer que $a \simeq 1{,}97$ (à 10^{-2} près).
Ainsi, l'intervalle $[0;a]$ est de même probabilité que $[1;2]$, bien que quasi deux fois plus grand : c'est dû au fait que la densité f est fortement croissante sur $[1{,}5;2]$.

3 a. La densité définissant une loi uniforme sur $[0;2]$ est la fonction constante égale à $\frac{1}{2}$ sur $[0;2]$ 3▸.

b. Visuellement, le résultat est clair d'après la courbe en comparant des aires. 4▸
Pour le calcul : $P(1{,}5 \leqslant X \leqslant x_0) = \int_{1,5}^{x_0} f(t)\,dt$.

Or pour tout $t > 1{,}5$, on a : $f(t) > \frac{1}{4} \times \left(\frac{3}{2}\right)^3 = \frac{27}{32} > \frac{1}{2}$;

d'où : $\int_{1,5}^{x_0} f(t)\,dt \geqslant \int_{1,5}^{x_0} \frac{1}{2}\,dt$. Ainsi : $P(1{,}5 \leqslant X \leqslant x_0) \geqslant P(1{,}5 \leqslant Y \leqslant x_0)$.

Bon à savoir

1▸ Pour s'assurer que f est une densité sur I, on vérifie les deux conditions suivantes :
- f est positive sur I ;
- l'intégrale de f sur I est égale à 1 ; l'examen de ce dernier point conduit ici à trouver la valeur du réel k qui rend l'intégrale égale à 1.

2▸ Pour une probabilité définie par la densité f, on a pour $[c;d] \subset \mathrm{I}$:
$P(c \leqslant X \leqslant d) = \int_c^d f(t)\,dt$.
$P(1 \leqslant X \leqslant 2)$ est l'aire colorée en rouge sur le schéma ci-dessus.

3▸ La densité définissant une loi uniforme est égale à **l'inverse de la longueur de l'intervalle** : l'aire du rectangle bleu est ainsi égale à 1.

4▸ L'aire « bleue » entre 1,5 et x_0 est inférieure à la « rouge » entre ces mêmes valeurs.

Exercices d'application

1 Dans chacun des cas suivants dire si la fonction f est une densité pour une loi de probabilité sur I :

a. $f : x \longmapsto 2 - x$, $\mathrm{I} = [0;3]$; **b.** $f : t \longmapsto 3t^2$, $\mathrm{I} = [0;1]$;

c. $f : t \longmapsto \frac{1}{3}$, $\mathrm{I} = [2;4]$; **d.** $f : x \longmapsto \frac{2}{x^2}$, $\mathrm{I} = [1;2]$.

2 Déterminer le réel k pour que la fonction f soit une densité pour une loi de probabilité sur I, puis calculer $P([2;3])$.

a. $f : x \longmapsto k$, $\mathrm{I} = [1;9]$; **b.** $f : t \longmapsto kt^2$, $\mathrm{I} = [0;3]$;

c. $f : t \longmapsto kt$, $\mathrm{I} = [2;4]$; **d.** $f : x \longmapsto \frac{k}{x}$, $\mathrm{I} = [1;e^2]$.

3 On considère la loi uniforme sur l'intervalle $[1;5]$.

a. Calculer $P([1{,}2;2{,}4])$ et $P([3;4{,}4])$.

b. Justifier, au moyen d'un calcul d'aire, que si deux intervalles inclus dans $[1;5]$ ont même longueur, alors ils ont même probabilité.

c. Calculer l'espérance de cette loi.

4 On considère une variable aléatoire X suivant la loi uniforme sur $[0;1]$. Déterminer le(s) réel(s) t tel que les événements $(X \in [0{,}4;0{,}9])$ et $(X \in [0{,}3;t])$ soient indépendants.

Voir exercices 28 à 42

3 La loi exponentielle

Définition Soit λ un réel strictement positif.
La loi exponentielle de paramètre λ est la loi de probabilité sur $[0\,;+\infty[$ définie par la fonction densité : $t \longmapsto \lambda e^{-\lambda t}$.

Conséquences Si T est une variable aléatoire suivant la loi exponentielle de paramètre λ :

- Pour tout intervalle J d'extrémités c et d, avec $0 \leqslant c \leqslant d$:
$$P(T \in \mathrm{J}) = \int_c^d \lambda e^{-\lambda t}\,dt.$$
- Pour tout réel $a \geqslant 0$, $P(T \leqslant a) = P(T < a) = 1 - e^{-\lambda a}$.
- Pour tout réel $a \geqslant 0$, $P(T \geqslant a) = P(T > a) = 1 - P(T \leqslant a) = e^{-\lambda a}$.

Les lois exponentielles modélisent des phénomènes dont la durée de vie n'est pas affectée par l'âge, comme par exemple celle d'un atome radioactif.

EXEMPLE

Soit T une variable aléatoire suivant la loi exponentielle de paramètre 2 :
$P(1 \leqslant T \leqslant 2) = \int_1^2 2e^{-2t}dt = [-e^{-2t}]_1^2 = -e^{-4} + e^{-2} = \dfrac{e^2-1}{e^4} \approx 0{,}117$;
$P(T > 1) = 1 - \int_0^1 2e^{-2t}dt = 1 - (-e^{-2}+1) = e^{-2} \approx 0{,}135$.

Propriété 1 Soit T une variable aléatoire suivant la loi exponentielle de paramètre λ ($\lambda > 0$).
Pour tous réels positifs t et h, $P_{(T \geqslant t)}(T \geqslant t+h) = P(T \geqslant h)$.

DÉMONSTRATION

Pour tous réels positifs t et h : $P(T \geqslant t) = e^{-\lambda t}$ et $P(T \geqslant t+h) = e^{-\lambda(t+h)}$,
$$P_{(T \geqslant t)}(T \geqslant t+h) = \frac{P[(T \geqslant t)\cap(T \geqslant t+h)]}{P(T \geqslant t)} = \frac{P(T \geqslant T+h)}{P(T \geqslant t)}$$
$$= \frac{e^{-\lambda(t+h)}}{e^{-\lambda t}} = e^{-\lambda h} = P(T \geqslant h).$$

Définition et propriété 2

- On définit l'**espérance** E de la loi exponentielle par :
$$E = \lim_{a \to +\infty} \int_0^a t \times \lambda e^{-\lambda t}\,dt.$$
- L'espérance d'une variable aléatoire suivant une loi exponentielle de paramètre λ vaut $\dfrac{1}{\lambda}$.

PISTES DE DÉMONSTRATION

- On cherchera une primitive de $f_\lambda : t \longmapsto t \times \lambda e^{-\lambda t}$ sur $[0\,;+\infty[$ sous la forme d'une fonction $F_\lambda : t \longmapsto (mt+n)e^{-\lambda t}$.
En identifiant F'_λ à f_λ, on obtient : $m = -1$ et $n = -\dfrac{1}{\lambda}$.
- Pour tout réel $a \geqslant 0$:
$\int_0^a t \times \lambda e^{-\lambda t}dt = F_\lambda(a) - F_\lambda(0)$. En utilisant l'expression de F_λ, puis par passage à la limite avec des résultats de croissance comparée, on obtient : $\lim_{a \to +\infty} \int_0^a t \times \lambda e^{-\lambda t}dt = \dfrac{1}{\lambda}$.

Remarques

- On a : $\lim_{a \to +\infty} \int_0^a \lambda e^{-\lambda t}dt = 1$.
- La probabilité de l'intervalle $[c\,;d]$ s'interprète comme l'aire comprise entre la courbe représentant la densité, l'axe des abscisses et les droites d'équation $x = c$ et $x = d$.

Voir la **démonstration** des conséquences à l'exercice 104, page 399.

Remarque

Cette propriété s'appelle « durée de vie **sans vieillissement** », car elle montre que la durée de vie T sur un laps de temps h, ne dépend pas de l'âge t à partir duquel on considère cet événement.

Remarque

L'espérance $\dfrac{1}{\lambda}$ est appelée la « durée moyenne de vie » de la variable aléatoire considérée.

Utiliser la loi exponentielle

Exercice corrigé

Énoncé La durée de vie, exprimée en heures, d'une ampoule électrique d'un certain modèle, est une variable aléatoire qui suit une loi exponentielle de paramètre λ, où λ est un réel strictement positif.

1 Sachant que $P(X \leqslant 1000) = 0{,}229$, déterminer la valeur exacte de λ, puis en donner une valeur approchée à 10^{-5} près.

2 **a.** Sachant que l'événement $(X > 1000)$ est réalisé, déterminer la probabilité de l'événement $(X > 2\,500)$.

b. Démontrer que, pour tous réels $t \geqslant 0$ et $h \geqslant 0$: $P_{X>t}(X \leqslant t+h) = P(X \leqslant h)$.

c. Sachant qu'une ampoule a fonctionné plus de 3 000 heures, quelle est la probabilité qu'elle tombe en panne avant 4 000 heures ?

3 Déterminer la durée moyenne de vie d'une ampoule électrique (on arrondira à l'heure près).

Solution

1 Comme on a $P(X \leqslant 1000) = 1 - e^{-\lambda \times 1000}$, on a $1 - e^{-1000\lambda} = 0{,}229$ **1**.

D'où : $0{,}771 = e^{-1000\lambda}$ et enfin $\lambda = \dfrac{\ln 0{,}771}{-1000}$. On obtient $\lambda \approx 0{,}000\,26$. **2**

2 **a.** En remarquant que $2\,500 = 1000 + 1\,500$; on peut écrire :

$$P_{X>1000}(X > 2\,500) = P_{X>1000}(X > 1000 + 1500) = P(X > 1500),$$

puisque X suit une loi ayant la propriété de durée de vie sans vieillissement **3**.

On obtient donc : $P_{X>1000}(X > 2\,500) = e^{-1500\lambda} \approx 0{,}677$ **4**.

b. On sait que pour tous réels $t \geqslant 0$ et $h \geqslant 0$:

$$P_{X>t}(X \leqslant t+h) = 1 - P_{X>t}(X > t+h) = 1 - P(X > h) \text{ } \mathbf{3}.$$

Or, $1 - P(X > h) = P(X \leqslant h)$ **5**, d'où le résultat.

c. On cherche à calculer $P_{X>3\,000}(X \leqslant 4\,000)$. D'après la loi de durée de vie sans vieillissement, on a :

$$P_{X>3\,000}(X \leqslant 3\,000 + 1000) = P(X < 1000).$$

Ainsi, $P_{X>3\,000}(X \leqslant 4\,000) = P(X < 1000) = 0{,}229$.

3 La durée de vie moyenne d'une ampoule est égale à l'espérance de X, c'est-à-dire $\dfrac{1}{\lambda}$.

Comme $\dfrac{1}{\lambda} \approx \dfrac{1}{0{,}000\,26} \approx 3\,846$, la durée moyenne de vie d'une telle ampoule électrique est de 3 846 heures.

Bon à savoir

1 La relation $P(X \leqslant a) = 1 - e^{-\lambda a}$ permet d'écrire une équation vérifiée par λ.

2 L'emploi de la fonction ln permet ensuite d'isoler λ.

3 C'est l'application directe de la propriété 1 (loi de durée de vie sans vieillissement) avec $T = X$ et pour **a.** $t = 1000$ et $h = 1500$, pour **b.**, le cas général.

4 Pour calculer $P(X > 1500)$, on utilise la formule $P(X > a) = e^{-\lambda a}$.

5 $(X > h)$ et $(X \leqslant h)$ sont deux événements contraires, comme $(X \leqslant t+h)$ et $(X > t+h)$.

Exercices d'application

5 La variable aléatoire X suit une loi exponentielle de paramètre λ. Dans chacun des cas ci-dessous, calculer $P(X \leqslant 0{,}5)$ et $P(X > 10)$. Quelle remarque peut-on formuler ?

a. $\lambda = 2$. **b.** $\lambda = \dfrac{1}{2}$. **c.** $\lambda = 0{,}1$.

6 **1** Déterminer la valeur du paramètre λ de la densité $f : t \longmapsto \lambda e^{-\lambda t}$ sachant que la loi de probabilité définie par f vérifie : $P([0\,;3]) = \dfrac{e-1}{e}$.

2 En déduire la valeur de $P\left(\left[\dfrac{9}{2}\,;+\infty\right[\right)$.

7 On considère une variable aléatoire Y suivant une loi exponentielle de paramètre 3.

a. Représenter la fonction densité définissant cette loi.

b. Déterminer le réel τ tel que : $P(0 \leqslant Y \leqslant \tau) = P(Y \geqslant \tau)$. Comment s'appelle le réel τ dans le cas où Y est la durée de vie d'un atome radioactif ?

8 Une variable aléatoire X suit une loi exponentielle de paramètre 2. Déterminer le réel t dans chacun des cas suivants :

a. $P(X > t) = 0{,}75$; **b.** $P(X < t) = 0{,}5$;

c. $P_{(X \geqslant t)}(X \geqslant 2t) = 0{,}05$.

9 Quelle est la probabilité pour qu'un appareil dont la durée de vie suit une loi exponentielle dure plus longtemps que son espérance de vie ?

Voir exercices 44 à 52

4 Loi normale centrée réduite

a Théorème de Moivre-Laplace

Soit X_n une variable aléatoire qui suit une loi binomiale $\mathcal{B}(n\,;p)$. Si on fixe la valeur de p et que l'on fait augmenter n, l'histogramme représentant les valeurs prises par X_n semble se rapprocher d'une « courbe en cloche » (tracé vert ci-contre). Si p varie, la « courbe en cloche » change de caractéristiques (hauteur, étalement).

En revanche, si on considère la variable aléatoire $Z_n = \dfrac{X_n - np}{\sqrt{np(1-p)}}$, on s'aperçoit que, quelle que soit la valeur de p choisie, la « courbe en cloche » associée à Z_n semble toujours la même (hauteur, étalement, symétrie par rapport à l'axe des ordonnées) (tracé orange ci-contre).

Ce phénomène illustre une propriété de probabilité : le théorème de Moivre-Laplace.

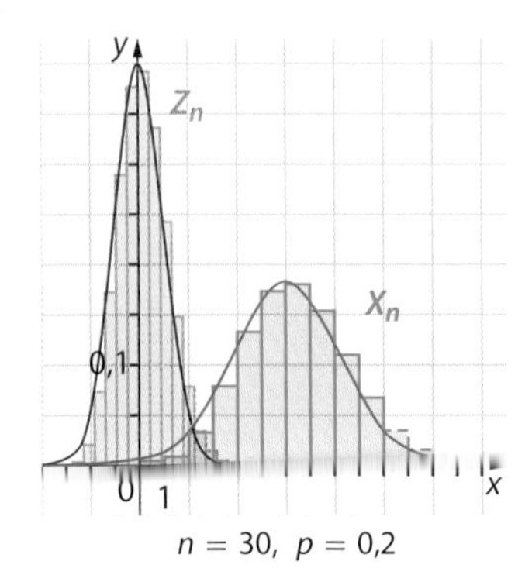

$n = 30,\ p = 0{,}2$

Théorème de Moivre-Laplace Soit X_n une variable aléatoire qui suit la loi binomiale $\mathcal{B}(n\,;p)$. On pose $\boldsymbol{Z_n = \dfrac{X_n - np}{\sqrt{np(1-p)}}}$. Pour tous réels a et b, avec $a < b$, on a : $\displaystyle \boldsymbol{\lim_{n\to+\infty} P(Z_n \in [a,b]) = \int_a^b \frac{1}{\sqrt{2\pi}} e^{-\frac{t^2}{2}} dt}$.

Voir le TP 15, page 374.

b La loi $\mathcal{N}(0\,;1)$

Propriété (admise) et définition

- Si $f(t) = \dfrac{1}{\sqrt{2\pi}} e^{-\frac{t^2}{2}}$, alors :

$$\lim_{x\to-\infty} \int_x^0 f(t)\,dt = \frac{1}{2} \quad \text{et} \quad \lim_{y\to+\infty} \int_0^y f(t)\,dt = \frac{1}{2}.$$

La fonction f permet de définir une **densité de probabilité sur $\mathbb{R}$**.

- **La loi normale centrée réduite $\mathcal{N}(0\,;1)$** est la loi de probabilité **ayant pour densité la fonction** f définie sur $\mathbb{R}$ par :

$$\boldsymbol{f(t) = \frac{1}{\sqrt{2\pi}} e^{-\frac{t^2}{2}}}.$$

Propriété 1 Soit X une variable aléatoire suivant la loi normale centrée réduite $\mathcal{N}(0\,;1)$. On définit alors **l'espérance de X** par :

$$E(X) = \lim_{x\to-\infty} \int_x^0 t\,f(t)\,dt + \lim_{y\to+\infty} \int_0^y t\,f(t)\,dt,$$

ainsi que **la variance** par : $\boldsymbol{V(X) = E(X - E(X))^2}$.

On a alors : $\boldsymbol{E(X) = 0}$ et on admet que $\boldsymbol{V(X) = 1}$.

Commentaire

La fonction f est paire. Sa courbe est donc symétrique par rapport à $(y'Oy)$.

De plus, on ne connaît pas de primitive « explicite » de la fonction f. La plupart des calculs liés à la loi normale seront donc des estimations.

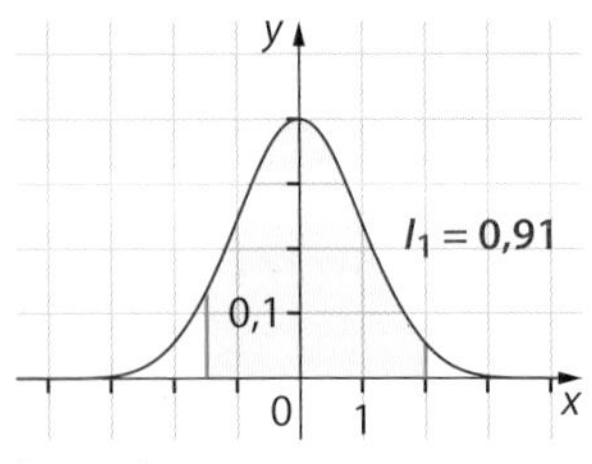

Exemple : $P(-1{,}5 \leqslant X \leqslant 2) \approx 0{,}91$.

DÉMONSTRATION

$$\int_x^0 t\,f(t)\,dt = \frac{1}{\sqrt{2\pi}} \int_x^0 t e^{-\frac{t^2}{2}} dt = \frac{1}{\sqrt{2\pi}} \left[-e^{-\frac{t^2}{2}}\right]_x^0$$

$$= \frac{1}{\sqrt{2\pi}}\left(-1 + e^{-\frac{x^2}{2}}\right).$$

Et, de manière analogue : $\displaystyle \int_0^y f(t)\,dt = \frac{1}{\sqrt{2\pi}}\left(-e^{-\frac{y^2}{2}} + 1\right)$.

D'où : $\displaystyle \lim_{x\to-\infty} \int_x^0 t\,f(t)\,dt = \frac{-1}{\sqrt{2\pi}}$ et $\displaystyle \lim_{y\to+\infty} \int_0^y f(t)\,dt = \frac{1}{\sqrt{2\pi}}$.

Ainsi $E(X) = 0$.

Calculer des probabilités à l'aide de la « courbe en cloche »

Exercice corrigé

Énoncé On considère une variable aléatoire X suivant la loi normale centrée réduite $\mathcal{N}(0\,;1)$. Dans cet exercice, on donnera pour les probabilités demandées des valeurs approchées à 10^{-4} près.

1 a. À l'aide d'une calculatrice ou d'un logiciel adapté, déterminer la probabilité $P(X < 0{,}73)$.

b. À partir de la valeur calculée à la question **a.**, et sans recourir aux outils de calculs, déterminer les probabilités :

$P(X > 0{,}73)$; $P(X \leqslant -0{,}73)$; $P(X \geqslant -0{,}73)$.

2 a. Déterminer, à l'aide d'un outil de calcul, les probabilités $P(X \leqslant -0{,}55)$ et $P(X \leqslant 0{,}77)$.

b. À partir des résultats de la question **2 a.**, calculer la probabilité de l'événement $P(-0{,}55 \leqslant X \leqslant 0{,}77)$.

3 Soit t un réel strictement positif.

Exprimer $P(X > -t)$, puis $P(X \leqslant -t)$ en fonction de $\Pi(t) = P(X \leqslant t)$.

Solution

1 a. On peut utiliser la calculatrice. On peut aussi utiliser le logiciel *Geogebra 4*, et on obtient : $P(X \leqslant 0{,}73) = 0{,}7673$.

b. ▸ L'événement $(X > 0{,}73)$ est l'événement contraire de $(X \leqslant 0{,}73)$, on a donc :

$$P(X > 0{,}73) = 1 - 0{,}7673 = 0{,}2327.$$

L'aire correspondant à la probabilité de l'événement $(X \leqslant 0{,}73)$ est en bleu sur la *figure 1*, celle correspondant à la probabilité de $(X > 0{,}73)$ est en blanc.

▸ Par symétrie de la courbe par rapport à l'axe des ordonnées, on a : $P(X \leqslant -0{,}73) = P(X \geqslant 0{,}73)$. Sur la *figure 2*, l'aire de la surface colorée en vert est connue, elle correspond à $P(X \geqslant 0{,}73) = 0{,}2327$. La surface colorée en orange est d'aire identique par symétrie, et correspond à $P(X \leqslant -0{,}73)$; d'où : $P(X \leqslant -0{,}73) = 0{,}2327$.

▸ Enfin, on a : $P(X > -0{,}73) = 1 - P(X \leqslant -0{,}73) = 0{,}7673$.

2 a. À l'aide d'un outil de calcul adapté, on trouve :

$$P(X \leqslant -0{,}55) = 0{,}2912 \quad \text{et} \quad P(X \leqslant 0{,}77) = 0{,}7794.$$

b. L'événement $(X \leqslant -0{,}55)$, dont la probabilité correspond à la surface hachurée sur la *figure 3*, est inclus dans l'événement $(X \leqslant 0{,}77)$, dont la probabilité correspond à la surface colorée en orange de cette même figure.

On a donc : $P(-0{,}55 \leqslant X \leqslant 0{,}77) = P(X \leqslant 0{,}77) - P(X \leqslant -0{,}55) = 0{,}7794 - 0{,}2912 = 0{,}4882$.

Cette probabilité correspond à l'aire de la surface orange non hachurée sur la figure.

3 Construire une courbe en cloche, placer t et $-t$ sur l'axe des abscisses.

On a : $P(X > -t) = 1 - P(X < -t) = 1 - P(X > t) = P(X \leqslant t)$.

Ainsi : $P(X > -t) = \Pi(t)$.

De plus, par passage aux événements contraires :

$P(X \leqslant -t) = 1 - P(X \leqslant t) = 1 - \Pi(t)$.

Figure 1

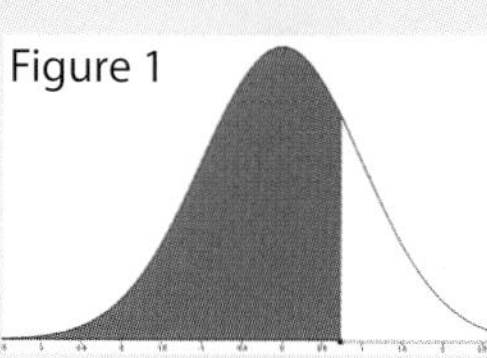

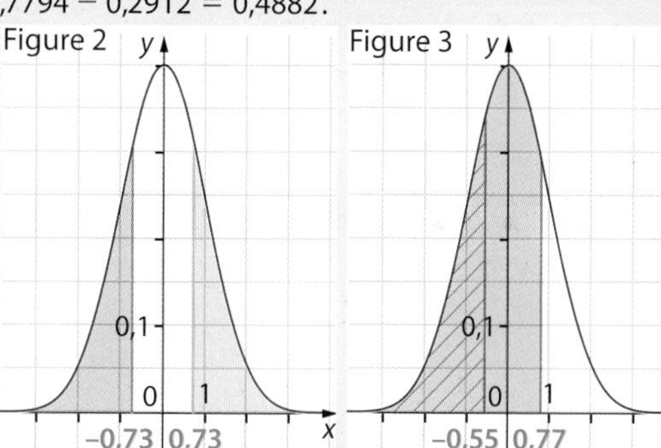

Bon à savoir

Pour calculer des probabilités dans le cadre d'une loi normale centrée réduite, il est très efficace, et vivement conseillé, de s'appuyer sur un graphique pour raisonner, afin de visualiser en termes d'aires les calculs que l'on doit mener. Ces calculs sont alors facilités par la connaissance de quelques propriétés fondamentales de la « courbe en cloche » correspondant à la loi $\mathcal{N}(0\,;1)$.

Exercices d'application

10 X suit une loi binomiale $\mathcal{B}(50\,;0{,}6)$.

On pose $Y = \dfrac{X - 30}{\sqrt{50 \times 0{,}6 \times 0{,}4}}$. On assimile Y à une variable aléatoire suivant une loi $\mathcal{N}(0\,;1)$.

a. Quel théorème permet de justifier l'approximation ?

b. En déduire une valeur approchée de $P(48 \leqslant X \leqslant 55)$.

11 X suit une loi normale $\mathcal{N}(0\,;1)$.

a. Déterminer une valeur approchée de $P(X \leqslant 0{,}59)$.

b. Déterminer une valeur approchée de $P(0{,}1 \leqslant X \leqslant 0{,}2)$.

c. Déterminer une valeur approchée de $P(X > 0{,}4)$.

Voir exercices 53 à 60

Théorème 1 Soit X une variable aléatoire suivant la loi normale centrée réduite $\mathcal{N}(0\,;1)$. Pour tout réel $\alpha \in]0,1[$, il existe un unique réel positif u_α tel que $\boldsymbol{P(-u_\alpha \leqslant X \leqslant u_\alpha) = 1 - \alpha}$.

Remarque En pratique, pour déterminer u_α, on utilise une calculatrice ou un logiciel adapté (voir l'exercice 58, page 385).

DÉMONSTRATION démo BAC

On considère la fonction g définie sur $[0\,;+\infty[$ par :

$$g(t) = P(-t \leqslant X \leqslant t) = \int_{-t}^{t} f(x)\mathrm{d}x, \quad \text{où} \quad f(x) = \frac{1}{\sqrt{2\pi}}\mathrm{e}^{-\frac{x^2}{2}}.$$

Comme f est paire, on a, pour tout réel t positif : $g(t) = 2\int_0^t f(x)\mathrm{d}x$.

Comme f est continue et positive, on en déduit que g est dérivable, et que sa dérivée $2f$ est strictement positive, donc que g est strictement croissante sur $[0\,;+\infty[$.

On a de plus : $g(0) = 0$ et $\lim\limits_{t \to +\infty} g(t) = \lim\limits_{t \to +\infty} 2\int_0^t f(x)\mathrm{d}x = 2 \times \frac{1}{2} = 1$.

Soit $\alpha \in]0\,;1[$. On a : $0 < 1 - \alpha < 1$ et grâce au théorème des valeurs intermédiaires, on en déduit qu'il existe au moins un réel u_α de $[0\,;+\infty[$ tel que : $g(u_\alpha) = 1 - \alpha$. Comme de plus g est strictement croissante, on en déduit que u_α est unique. D'où le résultat recherché.

C Deux valeurs à connaître

Avec les notations du théorème 1, on a : $\boldsymbol{u_{0,05} \approx 1{,}96}$;
et aussi : $\boldsymbol{u_{0,01} \approx 2{,}58}$.

Sur le graphique ci-contre représentant la courbe en cloche associée à la loi normale centrée réduite, l'aire de la surface colorée en rouge est sensiblement égale à 0,95.

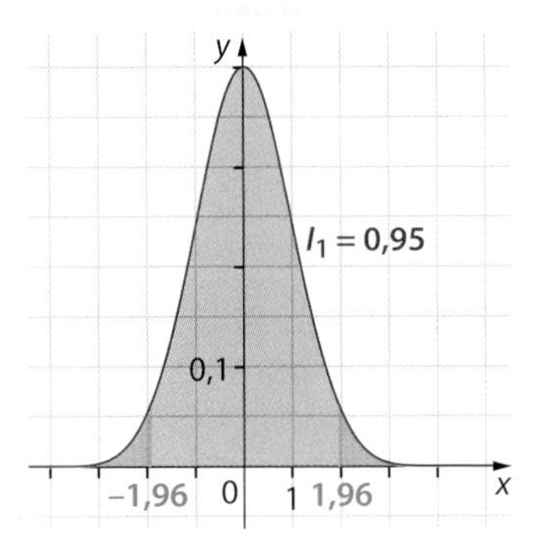

5 Loi normale $\mathcal{N}(\mu\,;\sigma^2)$

Définition Soient un réel μ et un réel strictement positif σ.

On dit qu'**une variable aléatoire X suit la loi normale $\mathcal{N}(\mu\,;\sigma^2)$, si $\frac{X-\mu}{\sigma}$ suit la loi normale centrée réduite $\mathcal{N}(0\,;1)$.**

Propriétés Soit une variable aléatoire X suivant la loi normale $\mathcal{N}(\mu\,;\sigma^2)$:

❶ L'espérance de X est égale à $\boldsymbol{E(X) = \mu}$ et sa variance à $\boldsymbol{V(X) = \sigma^2}$.

❷ $P(X \in [\mu - \sigma, \mu + \sigma]) \approx 0{,}683$;

❸ $P(X \in [\mu - 2\sigma, \mu + 2\sigma]) \approx 0{,}954$;

❹ $P(X \in [\mu - 3\sigma, \mu + 3\sigma]) \approx 0{,}997$.

Représentation graphique

$\mathcal{N}(\mu\,;\sigma^2)$ **avec $\mu = 1$ et $\sigma = 2$**

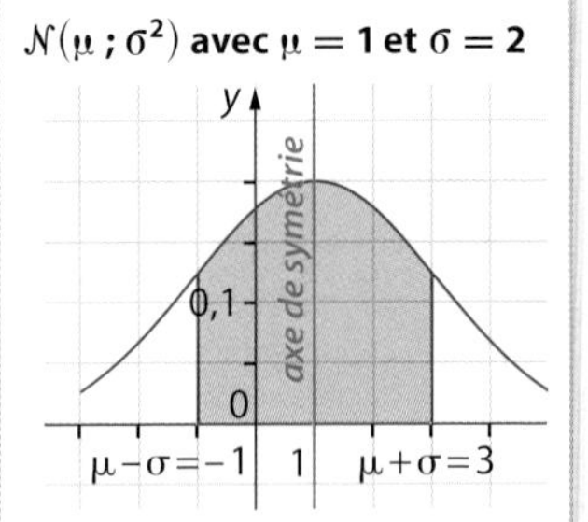

La courbe ci-dessus représente la loi normale $\mathcal{N}(1\,;4)$; elle admet la droite d'équation $x = 1$ pour axe de symétrie. D'après la propriété ci-contre, la probabilité de l'intervalle $[-1\,;3]$, c'est-à-dire l'aire colorée sur le graphique, est environ égale à 0,683.

REMARQUES

- **μ est la « moyenne » et σ « l'écart type » de X ; μ est un paramètre de position pour X, et σ un paramètre de dispersion.**
- La densité de la loi normale $\mathcal{N}(\mu\,;\sigma^2)$ est représentée par une « courbe en cloche » dont **l'axe de symétrie vertical a pour équation $x = \mu$**. La valeur de σ est reliée à l'étalement de la courbe : plus σ est petit, plus la cloche est « resserrée autour de son axe de symétrie », et moins la dispersion est grande.

Calculer des probabilités dans le cadre d'une loi $\mathcal{N}(\mu\,;\sigma^2)$

Exercice corrigé

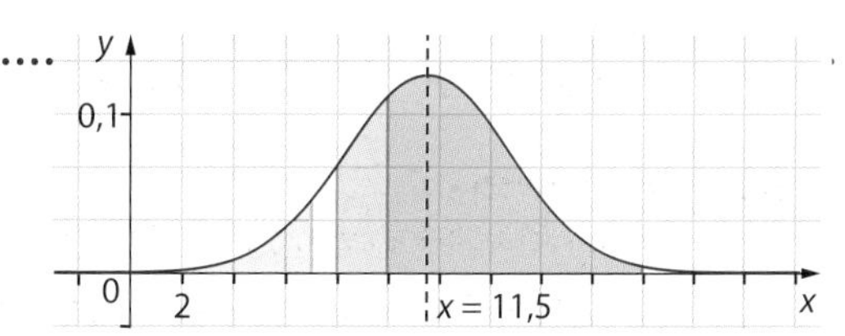

Énoncé Un chercheur a étudié l'âge moyen auquel les premiers mots du vocabulaire apparaissent chez les jeunes enfants. L'étude montre que l'âge X d'apparition (en mois) des premiers mots suit une loi normale de moyenne 11,5 et d'écart-type 3,2.
On a tracé ci-contre la courbe représentant la densité de la loi $\mathcal{N}(11{,}5\,;3{,}2^2)$. Pour chacune des questions du **1**, on décrira le calcul demandé, avant de le réaliser, à l'aide d'une aire sous la courbe adéquate.

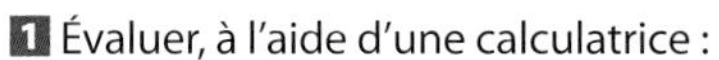

1 Évaluer, à l'aide d'une calculatrice :
a. la probabilité qu'un enfant ait prononcé ses premiers mots entre 8 et 10 mois ;
b. la probabilité qu'un enfant ait prononcé ses premiers mots avant 7 mois ;
c. la probabilité qu'un enfant ait prononcé ses premiers mots après 10 mois.

2 Déterminer un intervalle I centré autour de la moyenne qui permette d'affirmer : « la probabilité que l'âge d'apparition des premiers mots appartient à I est 95 %. »

Solution

1 a. On cherche la probabilité de l'événement $X \in [8\,;10]$, également noté : $(8 \leqslant X \leqslant 10)$. Cette probabilité correspond sur le graphique à l'aire de la surface colorée en bleu. Pour calculer cette probabilité, on utilise la calculatrice, et son menu « loi normale » 1▸. Voir les fiches **Calculatrices**.
On obtient : $P(8 \leqslant X \leqslant 10) \approx 0{,}18$ à 0,01 près.

b. On cherche ici la probabilité de l'événement $(X \leqslant 7)$. Elle est représentée sur le graphique par l'aire de la surface colorée en jaune.
En utilisant la calculatrice, on obtient : $P(X \leqslant 7) \approx 0{,}08$ à 0,01 près 2▸.

c. L'événement étudié est ici : $(X \geqslant 10)$. Sa probabilité correspond à l'aire de la surface sur le graphique, colorée en vert.
En utilisant la calculatrice, on obtient : $P(X \geqslant 10) \approx 0{,}68$ à 0,01 près 2▸.

2 D'après le cours, on connaît les intervalles centrés en μ (ici 11,5), qui correspondent à des probabilités 0,683, 0,954 et 0,997 3▸.
On nous demande ici un intervalle centré autour de la moyenne correspondant à une probabilité de 95 %. On peut donc donner sans plus de calculs une réponse à la question posée, à savoir l'intervalle :

$$[\mu - 2\sigma\,;\mu + 2\sigma] = [11{,}5 - 2 \times 3{,}2\,;11{,}5 + 2 \times 3{,}2] = [5{,}1\,;17{,}9].$$

En conclusion, la probabilité que les premiers mots d'un enfant apparaissent entre 5,1 mois et 17,9 mois est (environ) égale à 95 % 4▸.

Bon à savoir

1▸ La plupart des calculatrices réclament comme argument de la loi normale σ et non pas la variance σ^2.

2▸ La calculatrice ne permet de calculer que $P(X \in [a, b])$. Pour les probabilités du type $P(X > a)$ ou $P(X < a)$, on peut utiliser les spécificités du problème (ici l'âge est positif), ou fixer la deuxième borne à une valeur très grande.

3▸ Les trois résultats donnés dans le cours permettent de définir des intervalles utiles sans utiliser d'outils de calcul.

4▸ **Mise en garde :** On ne connaît pas de primitive des fonctions densité pour les lois normales. Ainsi, les calculs que l'on effectue à leur propos sont toujours, par nature, des **calculs approchés**. On donne ici une réponse à partir d'une valeur approchée d'une probabilité à 0,004 près ; dans ce contexte, on fait une approximation raisonnable.

Exercices d'application

12 X suit une loi normale $\mathcal{N}(15\,;2)$.
a. Déterminer une valeur approchée de $P(X \leqslant 0{,}59)$ et de $P(0{,}1 \leqslant X \leqslant 0{,}2)$.
b. Trouver un intervalle centré en 15 tel que $P(X \in \mathrm{I}) \approx 0{,}68$.

13 Une machine doit produire des pièces dont le diamètre D en dixièmes de millimètres suit une loi $\mathcal{N}(155\,;\sigma^2)$. Une pièce est acceptée si $D \in [152, 158]$.
Quelle est la probabilité qu'une pièce soit acceptée si :
a. $\sigma^2 = 4$; **b.** $\sigma^2 = 9$; **c.** $\sigma^2 = 1$.

Voir exercices 61 à 76

Mener une recherche et rédiger

14 Réglage d'une machine

On usine des axes sur un tour automatique. Pour que ces axes soient utilisables, leur diamètre doit être compris entre 3,55 et 3,65 cm.
Les diamètres, en centièmes de centimètres, des axes usinés sur la machine sont distribués suivant une loi normale d'écart-type 2 ; la moyenne de cette loi normale est fixée par le réglage de la machine.

On souhaite déterminer le réglage permettant d'avoir le moins possible de pièces inutilisables.

Usinage de pièces dans l'aéronautique.

Mener une recherche étape par étape

On appelle D la variable aléatoire qui représente le diamètre d'un axe.

1 Se faire une idée du résultat

1 On suppose qu'on règle la machine sur un diamètre de 360 centièmes.

a. Quelle est alors la loi suivie par la variable D usinée, en centièmes de centimètres ?

b. À l'aide de la calculatrice, déterminer la probabilité qu'une pièce usinée soit rejetée.

2 Effectuer la même étude qu'au **1** pour différents réglages. Quelle conjecture peut-on faire sur le meilleur réglage possible ?

2 Valider la conjecture formulée

On appelle μ la valeur choisie pour le réglage.

1 Quelle est la loi suivie par la variable $X = \dfrac{D - \mu}{2}$?

2 On pose $F(t) = \int_0^t f(x)\,dx$, où f est la fonction de densité de la loi normale centrée réduite. On appelle $g(\mu)$ la probabilité qu'une pièce soit rejetée.

a. Exprimer $1 - g(\mu)$ à l'aide d'une intégrale.

b. En utilisant la relation de Chasles, exprimer $g(\mu)$ à l'aide de la fonction F.

c. Montrer que la fonction g est minimale pour une valeur de μ à déterminer.

3 On se ramène à étudier une fonction de la variable μ. On justifiera que cette fonction est dérivable et on utilisera pour calculer sa dérivée les fonctions du type $\mu \mapsto g(a\mu + b)$.

3 Rédiger une solution

À l'aide des deux parties précédentes, rédiger une solution du problème étudié.

15 ALGO Théorème de Moivre-Laplace et approximation

Rappel

Le théorème de Moivre-Laplace exprime que, si une variable suit la loi binomiale $\mathcal{B}(n\,;p)$, et si $Z_n = \dfrac{X_n - np}{\sqrt{np(1-p)}}$, alors la loi de probabilité de Z_n, lorsque n devient plus grand, « tend vers » la loi normale centrée réduite, au sens précisé page 370.
Les deux graphiques ci-dessous illustrent cette propriété.

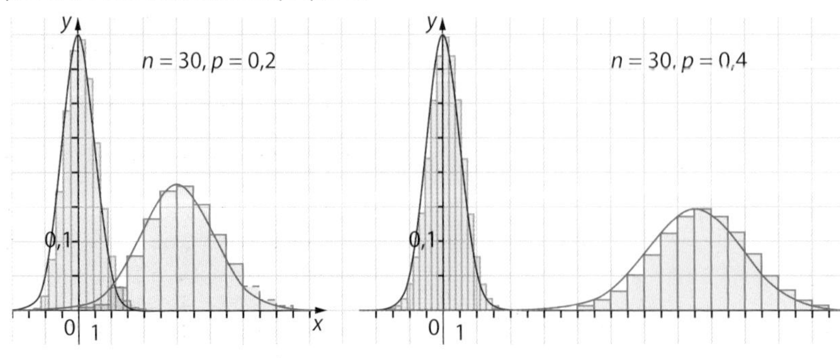

L'histogramme vert est associé à X_n, l'histogramme orange à Z_n.

On désire observer la convergence affirmée par le théorème de Moivre-Laplace grâce à un algorithme et en tirer quelques règles pratiques. On considère l'algorithme ci-dessous :

ALGO

```
Entrer deux nombres a et b, a < b
Entrer un nombre entier naturel n
Entrer un réel p compris entre 0 et 1.
P := 0 ;
    Pour k de 0 à n Faire
    Z := (k−n*p)/racine(n*p*(1−p))
        Si Z > a et Z ... Faire P := P + binom(n, p, k)
        Sinon Faire ...
        FinSi
    FinPour
Afficher P
```

Voir les **Outils pour l'algorithmique**.

1 Soit Z_n une variable aléatoire suivant une loi $\mathcal{B}(n\,;p)$. Compléter l'algorithme ci-dessus pour qu'il puisse, en reprenant les notations du cours, déterminer $P(Z_n \in [a, b])$.

2 Implémenter l'algorithme **sur une calculatrice ou un ordinateur**.

3 **a.** Compléter le tableau suivant, X étant une variable qui suit la loi normale $\mathcal{N}(0\,;1)$:

n	15	50	50	50	50	50
p	0,4	0,4	0,02	0,98	0,6	0,8
$P(Z_n \in [3, 12])$						
$P(X \in [3, 12])$						

b. Dans la pratique, on remplace Z_n par X dès que $n \geqslant 30$, $np \geqslant 5$ et $n(1-p) \geqslant 5$.
Les calculs précédents semblent-ils confirmer la pertinence de ces règles ?

16 Durée de vie sans vieillissement

On a vu que lorsqu'une variable aléatoire suit une loi exponentielle, elle possède la propriété de durée de vie sans vieillissement. On veut ici examiner la réciproque.
À partir de données statistiques, on suppose que la durée de vie d'un composant électronique (ou d'un atome radioactif) a les propriétés suivantes :

- la durée de vie du composant peut être modélisée par une loi de probabilité P à densité continue f sur $[0\,;+\infty[$;
- la probabilité conditionnelle pour un composant en état de marche à l'instant t d'être encore en état de marche à l'instant $t+h$ **ne dépend pas de « son âge t »,** mais seulement de la durée h ;
- Si X désigne la durée de vie du composant, on a pour tout $t \in [0\,;+\infty[: P(X \leqslant t) = \int_0^t f(u)\mathrm{d}u$.

On définit aussi la fonction de fiabilité R sur $[0\,;+\infty[$ par :

$$R(t) = P(X > t) = 1 - \int_0^t f(u)\mathrm{d}u.$$

1 **a.** Justifier, à partir des hypothèses faites, que $P_{(X \geqslant t)}(X \geqslant t+h) = R(h)$ pour tous réels t et h positifs.
b. Exprimer autrement $P_{(X \geqslant t)}(X \geqslant t+h)$.
En déduire que l'on a pour tous réels t et h positifs :

$$R(t+h) = R(t) \times R(h).$$

Rappel Les fonctions g, dérivables sur $\mathbb{R}$, vérifiant pour tout réel x et y : $g(x+y) = g(x) \times g(y)$
et telles que $g(0) \neq 0$ sont les fonctions $g : x \longmapsto \mathrm{e}^{\alpha x}$, où α est un réel.

2 Calculer $R(0)$ et démontrer que la fonction R est dérivable sur $[0\,;+\infty[$.
Préciser sa fonction dérivée.

3 **a.** Déduire des questions précédentes l'existence d'un réel α tel que :

$$\text{pour tout réel } t \geqslant 0,\quad R(t) = \mathrm{e}^{\alpha t}.$$

b. Déterminer $\lim\limits_{t \to +\infty} R(t)$.
En déduire le signe du réel α.

4 On pose $\lambda = -\alpha$.
Établir que pour tout réel $t \geqslant 0$, $f(t) = \lambda \mathrm{e}^{-\lambda t}$.
Conclure.

Pour info
La constante λ est caractéristique du composant électronique, ou, dans le cas de la radioactivité, de l'atome radioactif.
Étant liée à la durée moyenne de vie $\left(\frac{1}{\lambda}\right)$, elle est très variable suivant le composant et s'exprime dans une unité inverse d'un temps.

- Pour l'uranium 238, $\lambda = 1{,}54 \times 10^{-10}$ année^{-1}, soit une durée moyenne de vie de $6{,}5 \times 10^9$ ans.
- Pour l'iode 131, $\lambda = 8{,}7 \times 10^{-2}$ jour^{-1}, soit une durée moyenne de vie de 11,5 jours.
- Pour une ampoule LED, $\lambda = 10^{-5}$ heure^{-1}, soit une durée moyenne de vie de 100 000 heures.

Travail personnel : exercices résolus

17 Calculer des probabilités définies par une loi à densité

Énoncé On considère un réel $a > 1$ et la fonction f définie sur l'intervalle $[1 ; +\infty[$ par $f(t) = \frac{3}{2t^2}$.

1 a. Visualiser sur la calculatrice la courbe de la fonction f sur l'intervalle $[1 ; 5]$.

b. Déterminer le réel a pour que f soit une densité pour une loi de probabilité sur l'intervalle $[1 ; a]$.

2 Le choix d'un nombre x au hasard dans l'intervalle $[1 ; 3]$ suit la loi de probabilité de densité f sur $[1 ; 3]$.

Calculer $P(x \geqslant 2)$, puis $P_{(x \geqslant 1,5)}(x \geqslant 2)$. Les événements $(x \geqslant 2)$ et $(x \geqslant 1,5)$ sont-ils indépendants ?

3 On veut définir une loi de probabilité sur l'intervalle $[1 ; +\infty[$ par une fonction $g : t \longmapsto \frac{k}{t^2}$, où $k \in]0 ; +\infty[$.

a. Démontrer que g est une densité pour une loi de probabilité sur $[1 ; +\infty[$ si, et seulement si, $k = 1$.

b. On suppose que $k = 1$.

Calculer $P([1 ; 4])$; en déduire $P([4 ; +\infty[)$.

Solution

1 a.

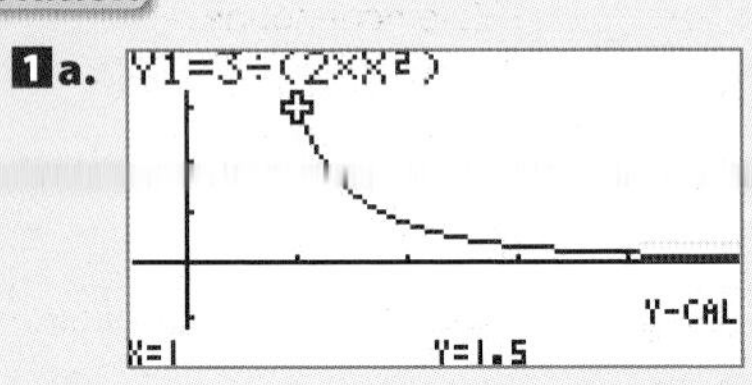

b. f est continue et positive sur $[1 ; a]$. C'est une densité si, et seulement si, $\int_1^a \frac{3}{2t^2}\,dt = 1$ ce qui équivaut à :

$$\left[-\frac{3}{2t}\right]_1^a = 1 \Leftrightarrow -\frac{3}{2a} + \frac{3}{2} = 1$$

$$\Leftrightarrow -\frac{3}{2a} = -\frac{1}{2} \Leftrightarrow a = 3.$$

2 $P(x \geqslant 2) = \int_2^3 \frac{3}{2t^2}\,dt = \left[-\frac{3}{2t}\right]_2^3 = -\frac{1}{2} + \frac{3}{4} = \frac{1}{4}$.

$P_{(x \geqslant 1,5)}(x \geqslant 2) = \frac{P(x \geqslant 2)}{P(x \geqslant 1,5)}$, or $P(x \geqslant 1,5) = \int_{1,5}^3 \frac{3}{2t^2}\,dt = \left[-\frac{3}{2}\right]_{1,5}^3 = \frac{1}{2}$.

D'où : $P_{(x \geqslant 1,5)}(x \geqslant 2) = \frac{1/4}{1/2} = \frac{1}{2}$. On en déduit que les deux événements ne sont pas indépendants.

3 a. g, étant déjà continue et positive, est une densité sur $[1 ; +\infty[$ si, et seulement si, $\lim\limits_{a \to +\infty} P(x \leqslant a) = 1$, c'est-à-dire $\lim\limits_{a \to +\infty} \int_1^a \frac{k}{t^2}\,dt = 1$.

Or, $\int_1^a \frac{k}{t^2}\,dt = -\frac{k}{a} + k$ donc $\lim\limits_{a \to +\infty} \int_1^a \frac{k}{t^2}\,dt = k$, car $\lim\limits_{a \to +\infty} \frac{k}{a} = 0$. Ainsi g est une densité si, et seulement si, $k = 1$.

b. $P([1 ; 4]) = \int_1^4 \frac{1}{t^2}\,dt = \left[-\frac{1}{t}\right]_1^4 = -\frac{1}{4} + 1 = \frac{3}{4}$, par suite : $P([4 ; +\infty[) = 1 - P([1 ; 4]) = \frac{1}{4}$.

Stratégies

2 On utilise la définition de la probabilité conditionnelle :

$$P_J(K) = \frac{P(K \cap J)}{P(J)}.$$

L'intersection $(x \geqslant 2) \cap (x \geqslant 1,5)$ est égale à $(x \geqslant 2)$!

3 « g est une densité sur $[1 ; +\infty[$ » revient à dire que l'aire du domaine situé entre la courbe et l'axe des abscisses sur $[1 ; +\infty[$ est égale à 1.

18 BAC Demi-vie, durée moyenne pour une loi de durée de vie sans vieillissement

Énoncé **Partie A – ROC**

On donne la définition suivante :

si une variable aléatoire X suit une loi exponentielle de paramètre λ, on appelle demi-vie de X le réel τ tel que :

$$P(0 \leqslant X \leqslant \tau) = P(X \geqslant \tau).$$

1 Démontrer que $\tau = \frac{\ln 2}{\lambda}$.

Quelle notion statistique peut-on rapprocher de la définition de τ ?

2 Comparer la demi-vie avec l'espérance de la variable aléatoire X.

Partie B – Application

Un fabricant a commercialisé un lot très important d'oscilloscopes identiques, dont la durée de vie en années est une variable aléatoire X suivant une loi exponentielle de paramètre λ avec $\lambda > 0$. On sait que le seuil de 50 % d'oscilloscopes encore en fonctionnement a été atteint après 5 années et demie d'utilisation.

1 Déterminer une valeur approchée, à 10^{-3} près, du paramètre λ après avoir interprété ce résultat. En déduire la durée de vie moyenne d'un oscilloscope au mois près.

2 Sachant qu'un oscilloscope a fonctionné 8 années, quelle est la probabilité que sa durée de vie dépasse 10 ans ?

Solution

Partie A – **1** Pour tout réel $t \geqslant 0$, $P(0 \leqslant X \leqslant \tau) = P(X \geqslant \tau)$ équivaut à :

$$1 - e^{-\lambda\tau} = e^{-\lambda\tau} \Leftrightarrow 1 = 2e^{-\lambda\tau} \Leftrightarrow -\lambda\tau = \ln\frac{1}{2} = -\ln 2.$$

D'où τ vérifie : $\tau = \dfrac{\ln 2}{\lambda}$; il est tel que $P(X \leqslant \tau) = P(X \geqslant \tau) = \dfrac{1}{2}$.
On peut donc rapprocher cette définition de la notion statistique de médiane d'une série statistique : τ partage les valeurs prises par X en deux parties de probabilité $\dfrac{1}{2}$.

2 On sait que l'espérance de X est le réel $E = \dfrac{1}{\lambda}$.
Par suite, comme $0 < \ln 2 < 1$, on a $\tau < E$.

Partie B – **1** Le résultat donné dans l'énoncé montre que l'on peut poser $\tau = 5{,}5$ et par suite $\lambda = \dfrac{\ln 2}{\tau} = \dfrac{\ln 2}{5{,}5} \approx 0{,}126$. La durée moyenne de vie d'un oscilloscope de ce lot est l'espérance de X, donc $\dfrac{1}{\lambda} \approx 7{,}936$, soit environ 7 ans et 11 mois.

2 En appliquant la propriété de durée de vie sans vieillissement, on obtient que la probabilité conditionnelle p cherchée est égale à $P(X \geqslant 2)$ puisque $10 = 8 + 2$. On a donc $p = e^{-2\lambda} \approx 0{,}777$.

Stratégies

Partie A **1** On résout l'équation d'inconnue τ, en remarquant que $P(X \leqslant \tau) = 1 - P(X \geqslant \tau)$ et $P(X \geqslant \tau) = e^{-\lambda\tau}$,
ou aussi que $P(X \geqslant \tau) = 0{,}5$.

Partie B **1** Le résultat, donnant 50 % d'oscilloscopes hors d'usage et 50 % en état de marche après 5,5 années, fait apparaître cette durée comme la médiane des valeurs de X, donc la demi-vie.

2 La propriété de durée de vie sans vieillissement donne :
$P_{(X \geqslant 8)}(X \geqslant 8 + 2) = P(X \geqslant 2)$.

19 Déterminer les paramètres d'une loi normale

Énoncé Sur une ligne de train, une enquête a permis de révéler que le retard (algébrique) du train, en minutes, peut-être modélisé par une variable aléatoire X qui suit une loi normale $\mathcal{N}(\mu\,;\sigma^2)$.
Des observations ont permis d'établir que $P(X < 7) \approx 0{,}8413$ et que $E(X) \approx 5$.

1 Quelle est la probabilité que ce train arrive avec moins de 3 minutes de retard ?

2 Déterminer les paramètres de la loi suivie par X.

3 Quelle est la probabilité que le retard soit supérieur à 8 minutes ?

4 Sachant que le retard est supérieur à 3 minutes, quelle est la probabilité qu'il soit supérieur à 5 minutes ?

Solution

1 En utilisant un schéma représentant $\mathcal{N}(5\,;\sigma)$, par symétrie, on écrit :

$$P(X \leqslant 3) = P(X \geqslant 7) = 1 - P(X < 7) \simeq 0{,}1587.$$

2 On sait que la variable $Y = \dfrac{X - \mu}{\sigma}$ suit une loi $\mathcal{N}(0\,;1)$.

On a, par hypothèse, $\mu = E(X) = 5$ et $P(X < 7) \approx 0{,}8413$.

Mais $P(X < 7) = P\left(\dfrac{X - \mu}{\sigma} < \dfrac{7 - \mu}{\sigma}\right) = P\left(Y < \dfrac{2}{\sigma}\right)$. On cherche t tel que $P(Y < t) = 0{,}8413$; on obtient avec la calculatrice ou un logiciel adapté : $t = 1{,}00$. D'où $\dfrac{2}{\sigma} \approx 1$, donc $\sigma \approx 2$. Ainsi, X suit la loi normale $\mathcal{N}(5\,;4)$.

3 On a $P(X > 8) \approx P(Y > 1{,}5) \approx 0{,}066\,8$.

4 **a.** Il s'agit d'une probabilité conditionnelle :

$$P_{(X>3)}(X > 5) = \frac{P((X>3) \cap (X>5))}{P(X>3)} = \frac{P(X>5)}{P(X>3)}\text{ ; or, } P(X>5) = 0{,}5$$

et $P(X > 3) = P(Y > -1) = P(Y < 1) \approx 0{,}8413$. D'où $P_{(X>3)}(X > 5) \approx 0{,}594$.

Stratégies

1

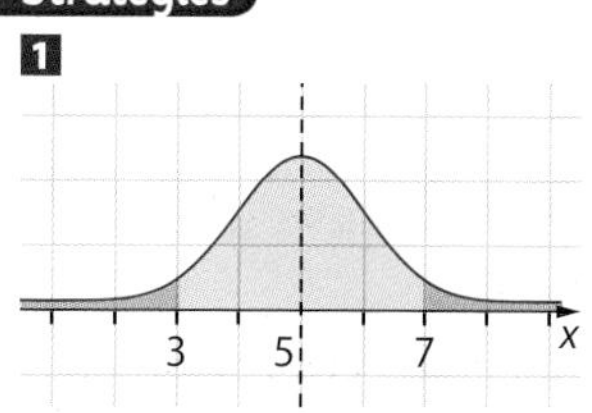

Les nombres 3 et 7 étant symétriques par rapport à la moyenne 5, les aires colorées sont égales.

4 On a utilisé :
$P(X > 5) = P(Y > 0) = 0{,}5$.

Travail personnel : faire le point

Savoir...	Comment faire ?
Déterminer si une fonction f définie sur un intervalle I est une densité de probabilité.	On vérifie que les conditions suivantes sont réalisées : ▸ f est positive sur I ; ▸ l'intégrale de f sur I existe et est égale à 1. Dans le cas où $I = [a\,;+\infty[$, on doit s'assurer que : $\lim\limits_{x \to +\infty} \int_a^x f(t)\,\mathrm{d}t = 1$.
Calculer la probabilité d'un événement dans le cas d'une loi de probabilité à densité f sur I.	Si la loi de probabilité de la variable aléatoire X admet f pour densité sur I : ▸ Pour tous réels c et d de I, $P(c \leqslant X \leqslant d) = \int_c^d f(t)\,\mathrm{d}t$. ▸ Dans le cas où $I = [a\,;+\infty[$ et $b > a$, $P(X > b) = 1 - \int_a^b f(t)\,\mathrm{d}t$.
▸ Déterminer la densité d'une loi uniforme sur un intervalle $[a\,,b]$.	▸ La densité définissant la loi uniforme sur l'intervalle $[a\,;b]$ est la fonction **constante** sur $[a\,;b]$ **égale à** $\boldsymbol{\frac{1}{b-a}}$. 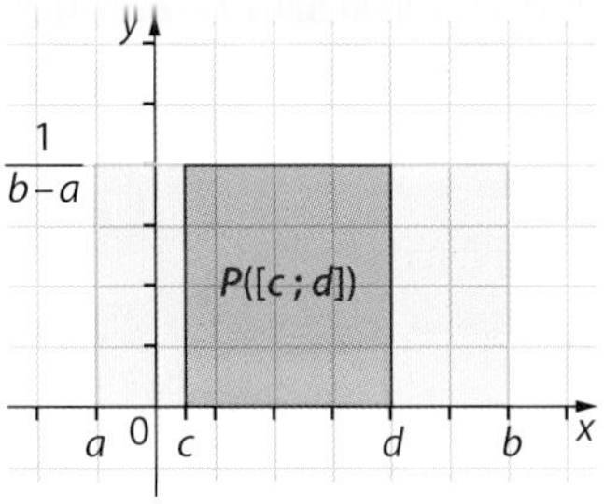
▸ Calculer l'espérance de cette loi.	▸ Son espérance est le nombre réel $\int_a^b \frac{t}{b-a}\,\mathrm{d}t$, qui vaut $\frac{a+b}{2}$.
Définir la densité associée à une loi exponentielle.	Pour une loi exponentielle, la densité est une fonction définie sur $[0\,;+\infty[$ par : $f(t) = \lambda \mathrm{e}^{-\lambda t}$ où λ est un réel strictement positif.
▸ Calculer la probabilité d'un événement dans le cas d'une loi exponentielle de paramètre λ.	▸ Pour tous réels c et d de $[0\,;+\infty[$: $P(c \leqslant X \leqslant d) = \int_c^d \lambda \mathrm{e}^{-\lambda t}\,\mathrm{d}t = \mathrm{e}^{-c\lambda} - \mathrm{e}^{-d\lambda}$. Pour tout réel $a > 0$, $P(X \geqslant a) = \mathrm{e}^{-a\lambda}$.
▸ Connaître l'espérance de cette loi.	▸ L'espérance de la loi exponentielle de paramètre λ est le nombre réel $E = \frac{1}{\lambda}$.
Formuler la propriété de durée de vie sans vieillissement.	Pour tous réels positifs t et h, $P_{(T \geqslant t)}(T \geqslant t+h) = P(T \geqslant h)$. On peut traduire cette propriété par : « l'âge n'affecte pas la probabilité de durée de vie ».

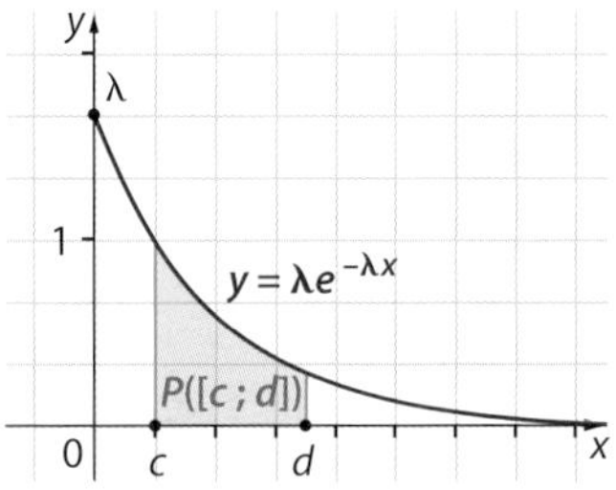

Travail personnel : faire le point

Savoir...	Comment faire ?
Connaître la densité de la loi normale $\mathcal{N}(0\,;1)$, sa représentation graphique, et quelques valeurs particulières.	▸ La densité de la loi normale « centrée réduite » $\mathcal{N}(0\,;1)$ est la fonction f définie sur $\mathbb{R}$ par : $$f(t)=\frac{1}{\sqrt{2\pi}}\mathrm{e}^{\frac{-t^2}{2}}.$$ ▸ La représentation graphique de f est **une « courbe en cloche »**, symétrique par rapport à l'axe des ordonnées, délimitant une aire au dessus de l'axe des abscisses égale à 1. 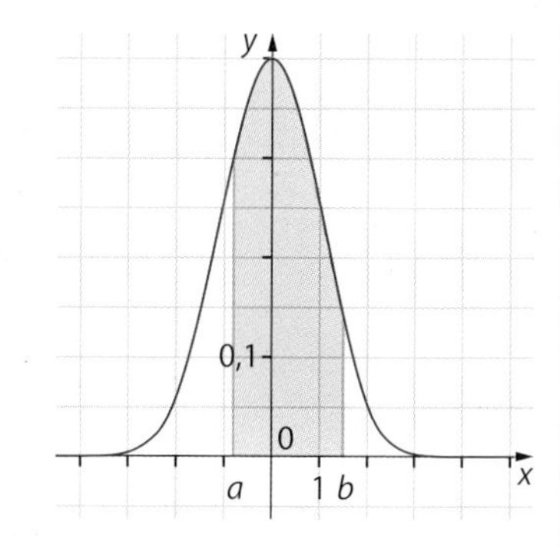 ▸ On a : $\boldsymbol{P([a\,;b])=\int_a^b f(t)\mathrm{d}t}$ **(aire colorée)** ▸ La nature symétrique de la courbe induit des éléments de symétrie dans le calcul de certaines probabilités. ▸ On a : $\boldsymbol{P([-1{,}96\,;1{,}96])\approx 0{,}95}$ et $\boldsymbol{P([-2{,}38\,;2{,}38])\approx 0{,}99}$.
Manipuler une loi normale $\mathcal{N}(\mu\,;\sigma^2)$.	▸ Dire que la variable aléatoire X suit une loi normale $\mathcal{N}(\mu\,;\sigma^2)$, c'est dire que la variable $\frac{X-\mu}{\sigma}$ suit une loi normale centrée réduite $\mathcal{N}(0\,;1)$. ▸ La densité de la loi $\mathcal{N}(\mu\,;\sigma^2)$ est une « courbe en cloche », admettant un axe de symétrie vertical d'équation $x=\mu$. **La valeur de σ induit « l'étalement » de la courbe en cloche.** 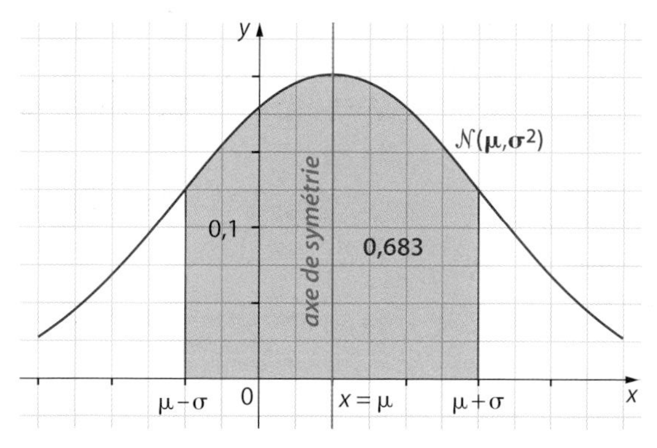 ▸ La nature symétrique de la courbe induit des éléments de symétrie dans le calcul de certaines probabilités. ▸ $P(a\leqslant X\leqslant b)=P\left(\frac{a-\mu}{\sigma}\leqslant\frac{X-\mu}{\sigma}\leqslant\frac{b-\mu}{\sigma}\right)$, et $\frac{X-\mu}{\sigma}$ suit la loi $\mathcal{N}(0\,;1)$. ▸ $P([\mu-\sigma,\mu+\sigma])\approx$ **0,683** (Voir le graphique ci-dessus) ; $P([\mu-2\sigma\,;\mu+2\sigma])\approx 0{,}954$; $P([\mu-3\sigma\,;\mu+3\sigma])\approx 0{,}997$.

Travail personnel : faire le point

QCM

Voir corrigés en fin de manuel

Dans chacun des cas suivants, indiquer **la (ou les)** bonne(s) réponse(s).

20

1 La fonction définie sur $[0\,;1]$ par $f(t) = kt^2$ est une densité sur $[0\,;1]$ lorsque :	**a.** $k = 1$	**b.** $k = \frac{1}{2}$	**c.** $k = 3$
2 La densité définissant une loi uniforme sur l'intervalle $[-2\,;3]$ est la fonction f :	**a.** $t \mapsto \frac{1}{5}t$	**b.** $t \mapsto 1$	**c.** $t \mapsto 0{,}2$
3 L'espérance de la loi uniforme sur l'intervalle $[-2\,;3]$ est :	**a.** $\frac{1}{5}$	**b.** 5	**c.** $\frac{1}{2}$
4 La fonction $f : t \mapsto \frac{2}{t^3}$ est une densité sur l'intervalle I si :	**a.** $\mathrm{I} = [1\,;10]$	**b.** $\mathrm{I} = \left[\frac{1}{2}\,;\frac{\sqrt{3}}{3}\right]$	**c.** $\mathrm{I} = [1\,;+\infty[$

21 La variable aléatoire X suit une loi exponentielle de paramètre λ et modélise la durée de fonctionnement, exprimée en heures, d'un appareil ménager avant sa première panne.

1 Pour tout réel $t \geqslant 0$, la valeur exacte de $P(X \geqslant t)$ est :	**a.** $1 - \mathrm{e}^{-\lambda t}$	**b.** $\mathrm{e}^{-\lambda t} - 1$	**c.** $\mathrm{e}^{-\lambda t}$
2 La valeur du réel τ tel que $P(X \leqslant \tau) = P(X \geqslant \tau)$ est :	**a.** $\frac{1}{\lambda}$	**b.** $\frac{\ln 2}{\lambda}$	**c.** $\frac{\lambda}{\ln 2}$
3 Si l'on sait que la probabilité qu'un appareil tombe en panne avant la première année est 0,18, alors :	**a.** $\lambda = \ln\frac{50}{41}$	**b.** $\lambda = \ln\frac{41}{50}$	**c.** $\lambda = \frac{\ln 82}{\ln 100}$
4 $P_{(X \geqslant 2)}(X \geqslant 3)$	**a.** $1 - P(2 < X < 3)$	**b.** $P(X \geqslant 1)$	**c.** $P(X \geqslant 3)$

22 On a représenté ci-dessous la fonction de densité d'une loi exponentielle de paramètre λ définie sur $[0\,;+\infty[$. Répondre aux questions en utilisant seulement le graphique.

1 Le paramètre λ est égal à :	**a.** 2	**b.** 0,5	**c.** 4
2 La probabilité $P([1\,;3])$:	**a.** est égale à $\frac{2}{5}$	**b.** correspond à l'aire colorée en rouge	**c.** est environ égale à 0,4
3 La probabilité $P([5\,;+\infty[)$:	**a.** correspond à l'aire colorée en bleu	**b.** est inférieure à 0,1	**c.** est égale à $1 - P([0\,;5])$

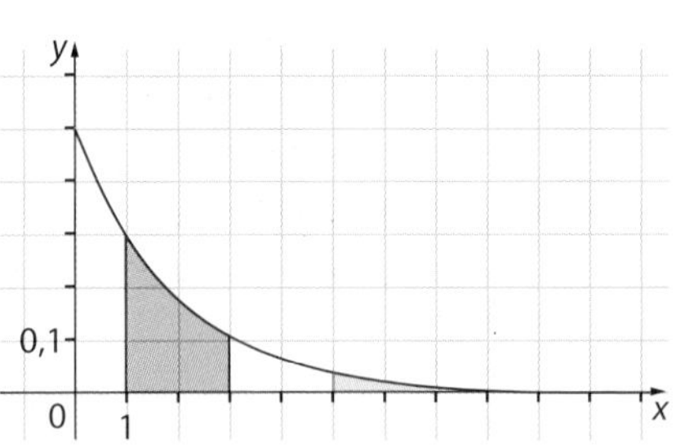

Vrai ou faux ?

Voir corrigés en fin de manuel

23 Pour chacune des affirmations, répondre par vrai ou faux.

1 La variable aléatoire X suit une loi uniforme sur $[-1\,;5]$. On a : $P(0 \leqslant X \leqslant 2) = \frac{1}{3}$.

2 Si une variable aléatoire X suit une loi exponentielle de paramètre λ, la probabilité que X soit supérieure à son espérance ne dépasse pas $\frac{1}{3}$.

3 La variable aléatoire T suit une loi exponentielle sur $[0\,;+\infty[$. Alors : $P(1 \leqslant T \leqslant 4) = P(5 \leqslant T \leqslant 8)$.

QCM

Voir corrigés en fin de manuel

24 On a représenté ci-dessous la courbe de la densité de loi normale $\mathcal{N}(0\,;1)$ sur $\mathbb{R}$.
Répondre aux questions à l'aide du graphique seulement.

1 L'aire comprise entre la courbe et l'axe des abscisses :	**a.** correspond à une surface illimitée	**b.** est infinie	**c.** est égale à 1
2 La probabilité $P([0\,;1])$:	**a.** est égale à la probabilité $P([-1\,;0])$	**b.** est comprise entre 0,3 et 0,4	**c.** est supérieure à la probabilité $P([1\,;+\infty[)$
3 L'aire colorée en bleu :	**a.** correspond à un intervalle de probabilité 0,95 environ	**b.** est environ celle de l'intervalle $[-1{,}96\,;1{,}96]$	**c.** est inférieure à celle de l'intervalle $[-1\,;1]$

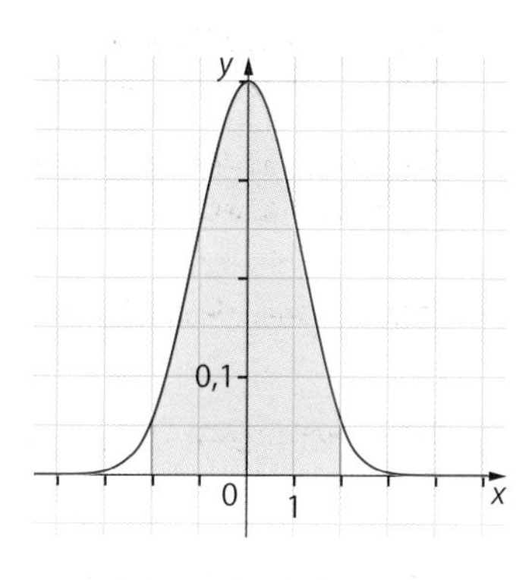

25 T, X et Y sont des variables aléatoires.

1 T suit la loi $\mathcal{N}(0\,;1)$. $P(T>0)=$	**a.** 0,5	**b.** plus de 0,5	**c.** moins de 0,5
2 X suit la loi $\mathcal{N}(2\,;4)$. $V(X)=$	**a.** 4	**b.** 2	**c.** 16
3 X suit la loi $\mathcal{N}(2\,;4)$. $P(0<X<4)=$	**a.** $P\left(T\in\left[-\frac{1}{2}\,;\frac{1}{2}\right]\right)$	**b.** $\approx 0{,}683$	**c.** $\frac{1}{\sqrt{2\pi}}\int_{-1}^{1}e^{-t^2/2}\,dt$
4 Y suit la loi $\mathcal{N}(4\,;2)$. $P(Y>4)=$	**a.** on ne peut pas savoir	**b.** 0,5	**c.** 0,25

Vrai ou faux ?

Voir corrigés en fin de manuel

26 On a tracé ci-contre la courbe associée à une loi normale $\mathcal{N}(\mu\,;9)$, c'est-à-dire qu'on a : $\sigma=3$.

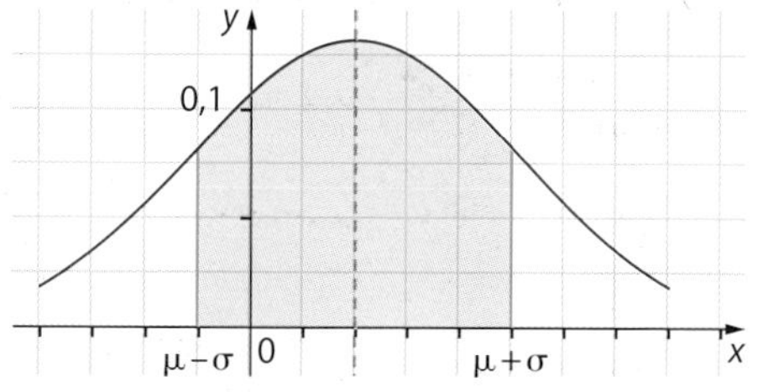

1 La moyenne μ est égale à 3.

2 L'aire délimitée en bleu est environ égale à 0,683.

3 La probabilité de l'intervalle $[-2\,;1]$ est égale à celle de l'intervalle $[3\,;6]$.

4 La courbe en cloche associée à la loi normale $\mathcal{N}(\mu\,;4)$ admet le même axe de symétrie, et est plus « resserrée » autour de cet axe.

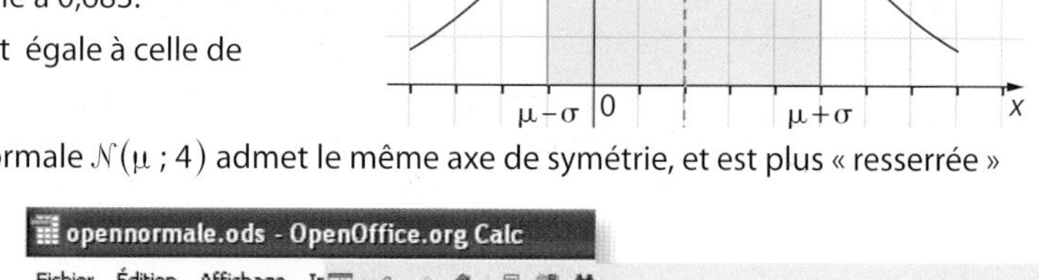

27 ▶ La variable aléatoire X suit une loi normale $\mathcal{N}(2\,;9)$.

1 La probabilité $P(X<1)$ est égale à la probabilité $P\left(Y<-\frac{1}{3}\right)$, où Y suit une loi $\mathcal{N}(0\,;1)$.

▶ On donne l'extrait de l'aide du tableur « OpenOffice », et une copie d'écran de ce tableur.

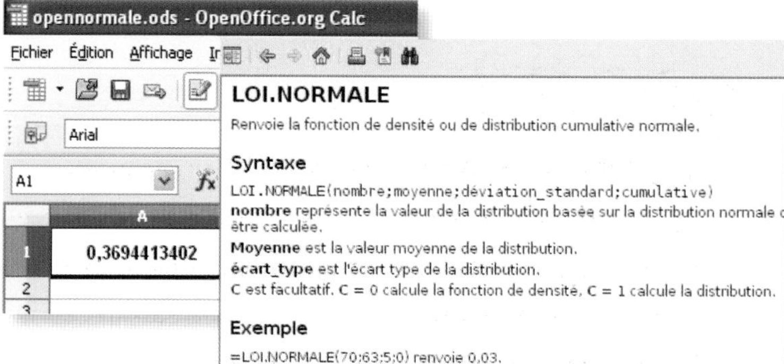

opennormale.ods - OpenOffice.org Calc
Fichier Édition Affichage
Arial
A1
A
1 0,3694413402
2
LOI.NORMALE
Renvoie la fonction de densité ou de distribution cumulative normale.
Syntaxe
LOI.NORMALE(nombre;moyenne;déviation_standard;cumulative)
nombre représente la valeur de la distribution basée sur la distribution normale à être calculée.
Moyenne est la valeur moyenne de la distribution.
écart_type est l'écart type de la distribution.
C est facultatif. C = 0 calcule la fonction de densité, C = 1 calcule la distribution.
Exemple
=LOI.NORMALE(70;63;5;0) renvoie 0,03.
=LOI.NORMALE(70;63;5;1) renvoie 0,92.

2 Cet extrait donne le résultat : $P(X<1)\approx 0{,}369$.

→ Les exercices portant un numéro jaune sont corrigés à la fin du manuel.

1 Loi à densité sur un intervalle

28 Vrai ou faux ?

La fonction f proposée définit une densité de probabilité sur l'intervalle I :

1. $I = [0;1]$, $f : t \mapsto t^2$.
2. $I = [0;1]$, $f : t \mapsto 4t^3$.
3. $I = [-1;0]$, $f : t \mapsto 4t^3$.
4. $I = [-1;1]$, $f : t \mapsto \frac{3}{2}t^2$.

29 Vrai ou faux ?

La fonction f proposée définit une densité de probabilité sur l'intervalle I :

1. $I = [1;3]$, $f : t \mapsto \frac{3}{2} - \frac{3}{2}t$.
2. $I = [1;2]$, $f : t \mapsto \frac{2}{3}t$.
3. $I = [1;e]$, $f : t \mapsto \frac{1}{t}$.
4. $I = [2;+\infty[$, $f : t \mapsto \frac{2}{t^2}$.

30 QCM

Parmi les fonctions représentées graphiquement ci-dessous, déterminer celles qui définissent une densité de probabilité sur l'intervalle $[0;2]$.

a.

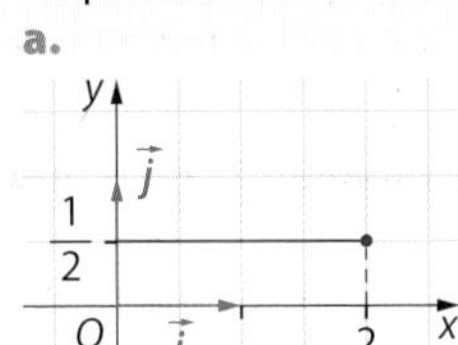

b.

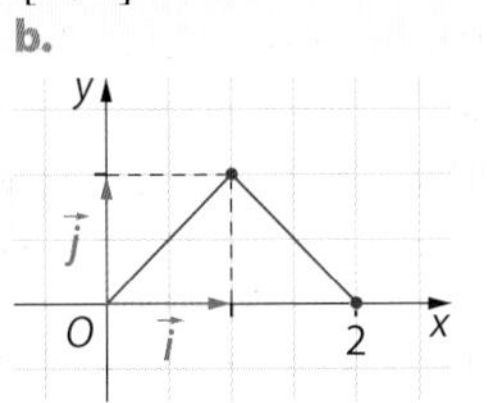

c.

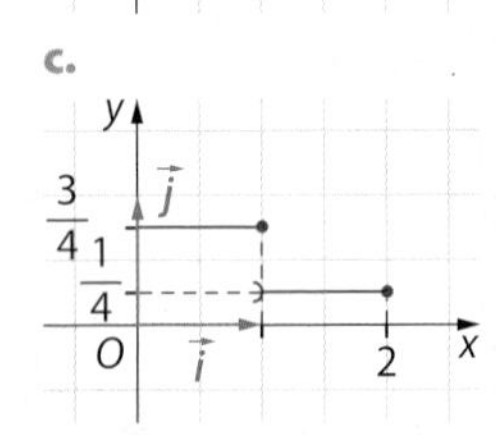

d.

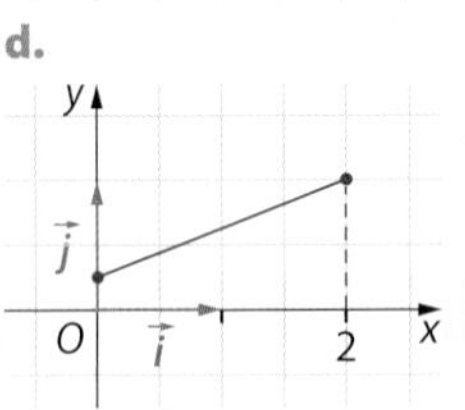

31 Vrai ou faux ?

Une variable aléatoire X suit une loi de probabilité définie par une densité f sur l'intervalle $[-2;2]$:

1. $P(X = -2) = P(X = 1)$.
2. $P(X \leqslant 0) = P(X \geqslant 0)$.
3. f ne s'annule pas sur $[-2;2]$.
4. si $P(X < 1) = 0{,}6$ alors $P(X \geqslant 1{,}5) < 0{,}4$.

32

On considère l'intervalle $I = [1;5]$ et la fonction f définie sur I par : $f(t) = kt^{-2}$.

a. Déterminer la valeur du réel k pour que f soit une densité pour une loi de probabilité sur I.

b. Calculer $P([1;2])$, $P_{[2;5]}([3;5])$.

33

Reprendre l'exercice **32** avec $I = [1;+\infty[$.

34

La fonction f représentée ci-après est définie sur l'intervalle $[0;4]$. Justifier que f est une densité de probabilité sur $[0;4]$. Calculer $P([1;3])$ et $P_{[illegible]}([2;3])$.

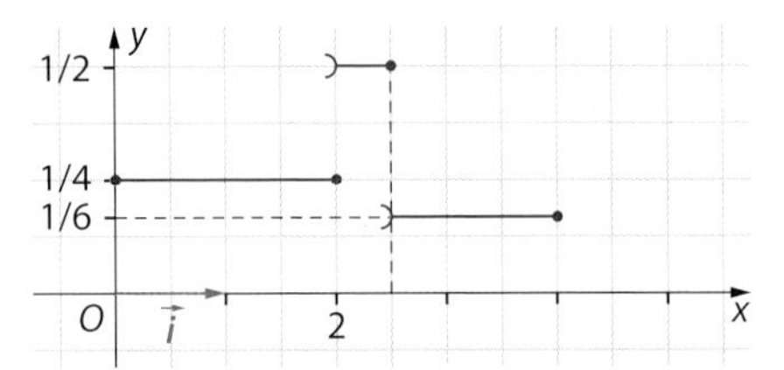

35

On considère la fonction f définie sur $[-1;1]$ par :

$$f : t \mapsto \frac{3}{4}(1 - t^2).$$

a. Vérifier que f est une densité pour une loi de probabilité sur $[-1;1]$ et la représenter graphiquement.

b. Une variable aléatoire X suit une loi de probabilité de densité f. Calculer :

$$P(X < 0)\,;\; P(-0{,}5 < X \leqslant 0{,}5)\,;\; P(X \geqslant 0{,}5).$$

36

On considère l'intervalle $I = [1;9]$ et la fonction f définie sur I par :

$$f : t \mapsto \frac{9}{8}t^{-2}.$$

a. Vérifier que f est une densité pour une loi de probabilité sur $[1;9]$ et représenter la fonction f graphiquement **sur la calculatrice**.

Voir les fiches **Calculatrices**.

b. Une variable aléatoire X suit une loi de probabilité de densité f. Calculer $P(X < 2)$.

c. Déterminer le réel a tel que $P(X \leqslant a) = P(X \geqslant a)$.

d. On rappelle que l'espérance de X est donnée par la formule : $E(X) = \int_1^9 t\,f(t)\,\mathrm{d}t$.

Déterminer l'espérance de la variable X.

37

Reprendre l'exercice **36** avec :

$$I = [0;3] \quad \text{et} \quad f : t \mapsto \frac{1}{3}(t-2)^2.$$

2 Loi uniforme sur $[a ; b]$

38 Vrai ou faux ?

1 On ne peut pas définir une loi uniforme sur l'intervalle $[-3 ; 0]$.

2 Avec une loi uniforme sur un intervalle I, si deux intervalles de I ont la même probabilité, alors ils sont égaux.

3 Avec une loi uniforme, la probabilité d'un intervalle est proportionnelle à sa longueur.

4 La densité d'une loi uniforme sur l'intervalle $[-1; 4]$ est la fonction constante égale à 1/3.

5 On ne peut pas définir une loi uniforme sur l'intervalle $[0 ; +\infty[$.

39 QCM

Une ou plusieurs réponses sont correctes. On considère la variable X qui modélise le choix d'un réel au hasard dans l'intervalle $[0 ; 10[$
On désigne par *Ent* la fonction partie entière.

1 $P(X = 5)$ est égal à :

a. $\frac{1}{10}$. **b.** 0. **c.** $P(X < 1)$.

2 $P(Ent(X) = 5)$ est égal à :

a. $\frac{1}{10}$. **b.** 0. **c.** $P(X < 1)$.

3 $P(X > 7)$ est égal à :

a. $P(X \geqslant 7{,}1)$. **b.** $P(X \geqslant 7)$. **c.** $P(X \leqslant 3)$.

4 L'espérance de X est :

a. $\frac{1}{10}$. **b.** 1. **c.** 5.

5 $P(X^2 > 9)$ est égal à :

a. $\frac{1}{10}$. **b.** $P_{(X>5)}(X \geqslant 6{,}5)$. **c.** 0,7.

40 QCM

Une seule réponse est correcte. On considère la variable X qui modélise le choix d'un réel au hasard dans l'intervalle $[-4 ; 4]$.
On désigne par *Ent* la fonction partie entière et par S l'ensemble des solutions de l'équation $x^2 + x - 2 = 0$.

1 $P(X^2 > 4)$ est égal à :

a. 0. **b.** $\frac{1}{2}$. **c.** $\frac{1}{4}$.

2 $P(Ent(X) \in S)$ est égal à :

a. 0. **b.** $\frac{1}{2}$. **c.** $\frac{1}{4}$.

3 L'espérance de X est :

a. 0. **b.** $\frac{1}{8}$. **c.** $-\frac{1}{4}$.

4 $P(|X - 1| \leqslant 0{,}5)$ est égal à :

a. 0. **b.** $\frac{1}{8}$. **c.** $\frac{1}{4}$.

41

Une variable aléatoire X suit une loi uniforme sur un intervalle $[a ; b]$.

1 Déterminer le réel m tel que $P(X \leqslant m) = P(X \geqslant m)$.

2 Comparer m avec l'espérance de X.

42

M. Lettré achète son journal de l'après-midi du lundi au vendredi entre 16 h et 16 h 30 au kiosque devant son domicile.
L'heure d'achat du journal suit une loi uniforme sur l'intervalle $[16 ; 16{,}5]$.

1 Quelle est la densité définissant la loi de probabilité pour l'heure d'achat du journal ?

2 a. Lundi midi : quelle est la probabilité que M. Lettré achète son journal entre 16 h 20 et 16 h 30 ?

b. Vendredi, 16 h 15 : le gérant du kiosque n'a pas encore vu M. Lettré. Quelle est la probabilité que celui-ci achète son journal entre 16 h 20 et 16 h 30 ?

c. Mercredi, 15 h : à quelle heure le gérant peut-il « espérer » voir M. Lettré ?

43 Espérance d'une loi : lien discret-continu

1 Soit Z une variable aléatoire discrète prenant les 10 valeurs $z_i = \frac{i}{10}$, pour $0 \leqslant i \leqslant 9$ avec la même probabilité $p_i = P(Z = z_i) = 0{,}1$.

a. Rappeler la formule donnant l'espérance de Z, notée $E(Z)$ et calculer cette espérance.

b. Justifier que cette espérance est égale à la somme des aires des rectangles colorés.

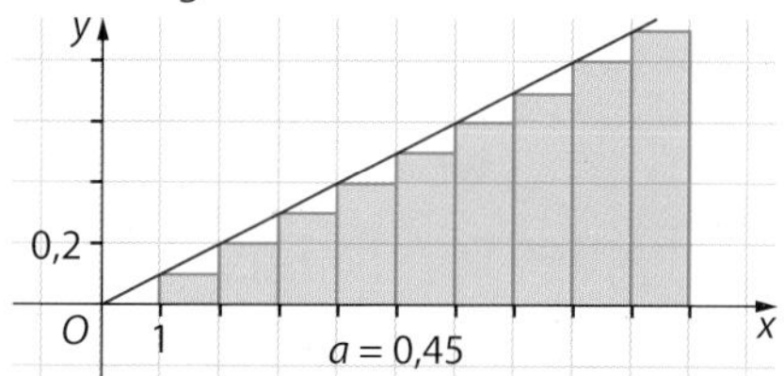

1 Soit X une variable aléatoire suivant la loi uniforme sur $[a ; b]$ et x un réel de $[a ; b]$.

a. Justifier que $P(x \leqslant X \leqslant x + \mathrm{d}x) = \frac{1}{b-a}\mathrm{d}x$ si $\mathrm{d}x$ est une quantité infinitésimale.

b. Préciser les dimensions d'un rectangle dont l'aire infinitésimale est égale à $x \times P(x \leqslant X \leqslant x + dx)$.

c. Quel outil mathématique permet de faire la somme de toutes ces aires lorsque x parcourt $[a ; b]$?
Conclure en retrouvant la formule de l'espérance de X donnée dans le cours (voir page 366).

3 La loi exponentielle

44 Vrai ou faux ?

P est la probabilité définie par une loi exponentielle de paramètre λ :

1 $P([0\,;2]) = 2P([0\,;1])$.

2 $P_{[0\,;1]}([1;2]) = P([0\,;1])$.

3 si $P([3\,;+\infty[) = \frac{1}{e}$, alors $\lambda = \frac{1}{3}$.

4 si $P([0\,;\ln 4]) = 0{,}5$ alors $\lambda = 2$.

45 QCM

Une seule réponse est correcte. La variable aléatoire X suit une loi exponentielle de paramètre $\lambda > 0$.

1 Si $P(X > 2) = 0{,}5$, alors :

a. $\lambda = \frac{1}{2}$. **b.** $\lambda = \ln 2$. **c.** $\lambda = \frac{1}{2}\ln 2$.

2 Si l'espérance de X vaut 3, alors :

a. $\lambda = \frac{1}{3}$. **b.** $\lambda = \ln 3$. **c.** $\lambda = \frac{1}{3}\ln 3$.

3 La probabilité de l'événement $1 \leqslant X \leqslant 3$ est :

a. $e^{-\lambda} - e^{-3\lambda}$. **b.** $e^{-3\lambda} - e^{-\lambda}$. **c.** $\frac{e^{-\lambda}}{e^{-3\lambda}}$.

4 L'espérance de X est égale à :

a. $\frac{\lambda}{2}$. **b.** $\frac{\ln 2}{\lambda}$. **c.** $\frac{1}{\lambda}$.

46 Vrai ou faux ?

La durée d'attente, en secondes, à la caisse d'un supermarché est une variable aléatoire Y qui suit une loi exponentielle de paramètre 0,01.

1 La densité de probabilité définissant la loi de Y est la fonction f définie sur $[0\,;+\infty[$ par :

$$f(t) = e^{-0{,}01t}.$$

2 Pour tout réel t positif, $P(Y \leqslant t) = 1 - e^{-0{,}01t}$.

3 La probabilité d'attendre moins de 3 minutes à cette caisse est, à 10^{-2} près égale à 0,16.

4 Il y a plus d'une chance sur deux que l'attente soit supérieure à 1 minute.

47

1 Déterminer la valeur du paramètre λ de la densité $f : t \longmapsto \lambda e^{-\lambda t}$ sachant que la loi de probabilité définie par f sur $[0\,;+\infty[$ vérifie $P([0\,;4]) = \frac{e^2 - 1}{e^2}$.

2 En déduire la valeur de $P([1;+\infty[)$.

48

On considère une variable aléatoire T suivant une loi exponentielle de paramètre $\frac{3}{2}$.

a. Représenter la fonction densité f définissant cette loi dans un repère orthogonal $(O, \vec{i}, \vec{j})$.

b. Déterminer le réel τ tel que :

$$P(0 \leqslant T \leqslant \tau) = P(T \geqslant \tau).$$

c. Calculer l'espérance de T, notée μ.

d. Sur le graphique, placer les points :

$$A\left(0\,;\frac{3}{2}\right),\quad B(\tau\,;0),\quad C(\mu\,;0)\quad \text{et}\quad B'(\tau, f(\tau)),$$

puis colorer le triangle AOC et le domaine $\mathcal{D}$ formé des points $M(x\,;y)$ tels que :

$$\begin{cases} \tau \leqslant x \\ 0 \leqslant y \leqslant f(x) \end{cases}.$$

Comparer l'aire de ces deux surfaces.

49

Quelle est la probabilité qu'un appareil dont la durée de vie suit une loi exponentielle, ait une durée de vie supérieure ou égale au double de son espérance ?

50 Temps d'attente à un standard

En appelant un service de dépannage, on entend le message suivant : « votre temps d'attente est estimé à 3 minutes ».
Sachant que le temps d'attente, en minutes, est une variable aléatoire T qui suit une loi exponentielle et que l'estimation annoncée correspond à l'espérance de T, déterminer la probabilité des événements suivants :

a. $P(T = 3)$; **b.** $P(T \leqslant 2)$; **c.** $P_{(T \geqslant 2)}(T > 3)$.

51

On suppose que la durée, en minutes, pour le traitement du dossier d'un usager au guichet d'une administration suit une loi exponentielle de paramètre 0,1.
On choisit au hasard un usager.

1 Quelle est la probabilité qu'il occupe le guichet plus de 15 minutes ?

2 Quelle est la probabilité que son passage au guichet dure entre 5 et 25 minutes ?

3 Sachant qu'un usager est au guichet depuis 15 minutes, quelle est la probabilité que son passage dure plus d'une demi-heure ?

52

Une variable aléatoire X suit une loi exponentielle de paramètre $\lambda > 0$.

1 Déterminer λ sachant que : $P(1 \leqslant X \leqslant 2) = \frac{1}{4}$.

Indication
On pourra poser $e^{-\lambda} = x$.

2 En déduire la valeur de $P(X > 1)$.

4 Théorème de Moivre-Laplace, loi normale centrée réduite $\mathcal{N}(0\,;1)$

Certains exercices peuvent suggérer, pour calculer des probabilités dans le cadre de la loi normale $\mathcal{N}(0\,;1)$, d'utiliser une « table ».
On trouve page 399 une telle table, et des exercices permettant de comprendre comment on la manipule.
La calculatrice n'est pas autorisée pour les exercices 53 à 55.

53 Vrai ou faux ?

La variable aléatoire X_n suit une loi binomiale $\mathcal{B}(n\,;p)$, X suit une loi normale $\mathcal{N}(0\,;1)$.

1 $\lim\limits_{n \to +\infty} P(X_n \in [0\,;4]) = \int_0^4 \frac{1}{\sqrt{2\pi}} e^{-\frac{t^2}{2}} dt$.

2 $P(X \in [1\,;4]) = P(X \in [-4\,;-1])$.

3 $P(X \in [2\,;6]) = P(X \in [0\,;4])$.

4 $\frac{X_n - np}{\sqrt{np(1-p)}}$ suit la même loi que X.

54 QCM

Déterminer **la (ou les)** réponse(s) juste(s).
La variable aléatoire X suit une loi normale $\mathcal{N}(0\,;1)$.

1 $P(X > 2)$ est égal à :
a. $P(X < 2)$; **b.** $P(X > -2)$; **c.** $P(X < -2)$.

2 On pose $P(-2 < X < 2) = p$
a. $p > 0{,}95$; **b.** $p < 0{,}99$; **c.** $p > 0{,}99$.

3 On pose $P(X < 2) = q$
a. $q = \frac{1}{2} + \frac{1}{2}P(-2 < X < 2)$;
b. $q < 0{,}95$; **c.** $q = 2P(0 \leqslant X < 2)$.

55 Vrai ou faux ?

On a représenté la fonction de densité de la loi normale. Préciser si les affirmations suivantes sont vraies ou fausses.

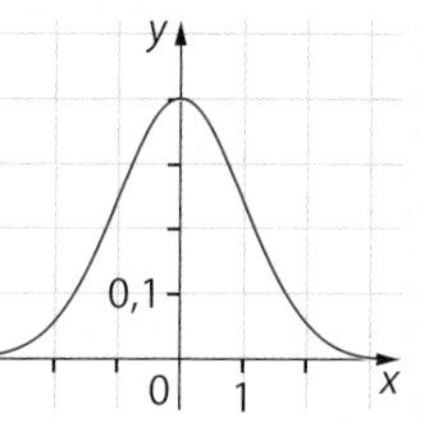

1 $f(x) = e^{-\frac{x^2}{2}}$ pour tout réel x.

2 $P(1 < X < 2) = P(0 < X < 1)$.

3 $P(X < 1) > 0{,}75$.

4 $P(-1 < X < 1) = 2P(X < 1) - 1$.

56

Une variable aléatoire X suit une loi normale $\mathcal{N}(0\,;1)$. Calculer, à l'aide d'une calculatrice.

a. $P(1 < X < 2)$; **b.** $P(X \geqslant 2)$;
c. $P(X < -1)$; **d.** $P_{(X>1)}(X < 2)$.

57

Une variable aléatoire X suit une loi normale $\mathcal{N}(0\,;1)$. Calculer, à l'aide de la table de la loi normale donnée en annexe :

a. $P(X \leqslant 1{,}5)$; **b.** $P(X \geqslant -1)$;
c. $P(X > 0{,}53)$; **d.** $P(X \leqslant -1{,}09)$;
e. $P(0{,}53 \leqslant X \leqslant 1{,}53)$.

Détermination du seuil u_α

58 À l'aide d'une calculatrice ou d'une table

Une variable aléatoire X suit une loi normale $\mathcal{N}(0\,;1)$. Pour tout réel $t > 0$, on pose $R(t) = P(X < t)$.

1 Montrer que $P(-t \leqslant X \leqslant t) = 2R(t) - 1$.

2 En déduire que, pour tout réel $\alpha \in]0\,;1[$:

$$P(-u_\alpha \leqslant X \leqslant u_\alpha) = 1 - \alpha \Leftrightarrow R(u_\alpha) = 1 - \frac{\alpha}{2}.$$

3 Avec une calculatrice

a. Pour $\alpha = 0{,}05$, quelle doit être la valeur de $R(u_\alpha)$? Utiliser la fonction InvNorm ou InvNormCD pour déterminer la valeur de u_α correspondante.

TI

Casio

b. Déterminer ainsi $u_{0{,}02}$ et $u_{0{,}001}$.

4 Avec une table

Reprendre le **3 a.** et **b.** en repérant la valeur de $R(u_\alpha)$ sur la table.

59 À l'aide de la calculatrice

1 Entrer la fonction $Y_1(x) = Norm(-x, x)$, où Norm(a, b) est l'instruction de la calculatrice permettant d'obtenir $P(X \in [a, b])$, lorsque X est une variable aléatoire qui suit une loi normale.

2 Utiliser la table des valeurs pour obtenir des valeurs approchées à 0,01 près de $u_{0{,}02}$ et $u_{0{,}001}$.

Exercices d'application

60 À l'aide d'un algorithme

On veut construire une algorithme permettant de déterminer le seuil u_α à 0,01 près.
On suppose que l'on dispose d'une instruction du type Norm(a, b), qui renvoie $P(X \in [a, b])$, lorsque X est une variable aléatoire qui suit une loi normale.

1 Compléter l'algorithme suivant pour qu'il permette d'obtenir, α étant donné par l'utilisateur, une valeur approchée de u_α à 0,01 près.

ALGO

```
Entrer la valeur de α.
u :=0 ; p :=0 ;
TantQue p < 1 − α Faire :
    p := Norm(−u,u) ;
    u := u + ...
FinTantQue
Afficher ...
```

2 Modifier l'algorithme pour qu'il demande à l'utilisateur la précision souhaitée.

5 Loi Normale $\mathcal{N}(\mu ; \sigma^2)$

61 Vrai ou faux ?

1 Si X suit une loi $\mathcal{N}(\mu ; \sigma^2)$, l'espérance de X est : $E(X) = \mu$.

2 Si X suit une loi $\mathcal{N}(\mu ; \sigma^2)$, la variance de X est : $V(X) = \sigma$.

3 Si X suit une loi $\mathcal{N}(\mu ; \sigma^2)$, $\dfrac{X-\mu}{\sigma^2}$ suit une loi normale $\mathcal{N}(0 ; 1)$.

62 QCM

Une **seule** réponse est correcte.

1 Si X suit une loi $\mathcal{N}(8 ; 4)$, alors $P(X \in [4 ; 12]) \approx$

a. 0,683 ; **b.** 0,954 ; **c.** 0,997.

2 X suit une loi $\mathcal{N}(\mu ; \sigma^2)$ et Y suit une loi $\mathcal{N}'(\mu ; \sigma'^2)$, avec $\sigma' > \sigma$. Soit $\alpha > 0$, on pose :
$P(X \in [\mu - \alpha ; \mu + \alpha]) = p$:

a. $p = P(Y \in [\mu - \alpha, \mu + \alpha])$;
b. $p < P(Y \in [\mu - \alpha ; \mu + \alpha])$;
c. $p > P(Y \in [\mu - \alpha ; \mu + \alpha])$.

63 **À l'aide de la calculatrice**, déterminer les probabilités suivantes :

a. $P(0 \leqslant X \leqslant 2)$, où X suit une loi $\mathcal{N}(1 ; 0,5)$;
b. $P(0 \leqslant X)$, où X suit une loi $\mathcal{N}(1 ; 0,5)$;
c. $P(X \leqslant 2)$, où X suit une loi $\mathcal{N}(1 ; 0,5)$.

Pour les exercices suivants on pourra s'aider de la table fournie à la page 399.

64

Une variable aléatoire X suit une loi $\mathcal{N}(18 ; 9)$.
On lui associe la loi $Y = \dfrac{X - 18}{3}$.

1 Quelle est la loi suivie par Y ?

2 En déduire grâce à la table les probabilités suivantes :
a. $P(X \leqslant 21)$; **b.** $P(X \geqslant 24)$;
c. $P(21 \leqslant X \leqslant 24)$; **d.** $P(X \geqslant 15)$;
e. $P(15 \leqslant X \leqslant 21)$.

65 Durée de vie d'une ampoule

La durée de vie d'une ampoule, mesurée en heures, est une variable aléatoire qui suit une loi normale $\mathcal{N}(\mu ; \sigma^2)$.
On a pu déterminer expérimentalement les probabilités :

$$P(D > 2\,000) = 0,925\,1$$
$$\text{et } P(D > 3\,000) = 0,857\,7.$$

1 Quelle loi suit la variable aléatoire $\dfrac{D-\mu}{\sigma}$?

2 Déterminer un système vérifié par μ et σ.

3 En déduire μ et σ.

4 Déterminer $P(D < 1000)$ et $P(D > 5\,000)$.

Indication
On pourra consulter l'exercice résolu **19**, page 377.

66 Fluorescence de la chlorophylle

La valeur Z de la fluorescence de la chlorophylle α en milieu océanique, exprimée en millivolt, suit une loi normale $\mathcal{N}(\mu ; \sigma^2)$.
On a pu expérimentalement vérifier que :

$$P(Z < 39) = 0,935\,7 \quad \text{et} \quad P(Z < 25,5) = 0,226\,6.$$

1 Quelle loi suit la variable $\dfrac{Z-\mu}{\sigma}$?

2 Déterminer un système vérifié par μ et σ.

3 En déduire μ et σ.

67 On a représenté la fonction f, densité de la loi normale centrée réduite.

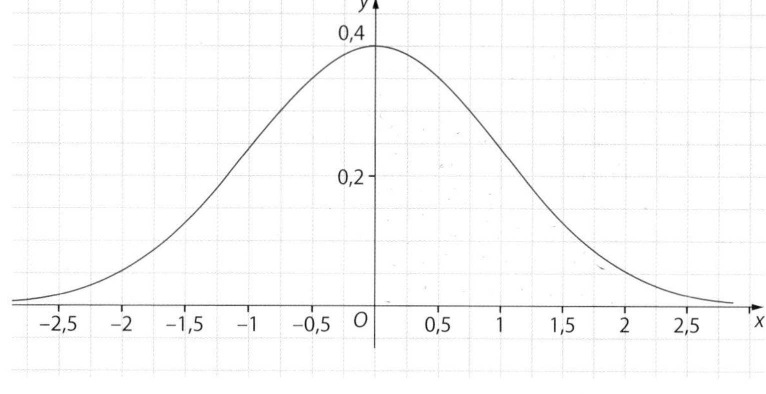

1 **a.** Rappeler l'expression de f.
b. Reproduire la figure avec soin.

2 Soit X une variable aléatoire suivant une loi normale centrée réduite.
a. À l'aide du graphique, faire apparaitre le domaine ayant pour aire $P(0{,}5 < X < 1)$.
b. Donner un encadrement de cette aire en utilisant le quadrillage.
c. Donner de la même façon un encadrement de $P(0 < X < 2)$, puis de $P(X < 2)$.

68 Étalonnage

Une variable aléatoire X suit une loi centrée réduite. On veut effectuer un étalonnage, c'est-à-dire déterminer 4 nombres réels $a < b < c < d$ tels que :

$$P(X < a) = P(a < X < b) = P(b < X < c) = P(c < X < d) = P(X > d) = p.$$

1 Quelle sera alors la valeur de p ?

2 Expliquer pourquoi aucune des deux propositions suivantes ne peut être correcte :

❶

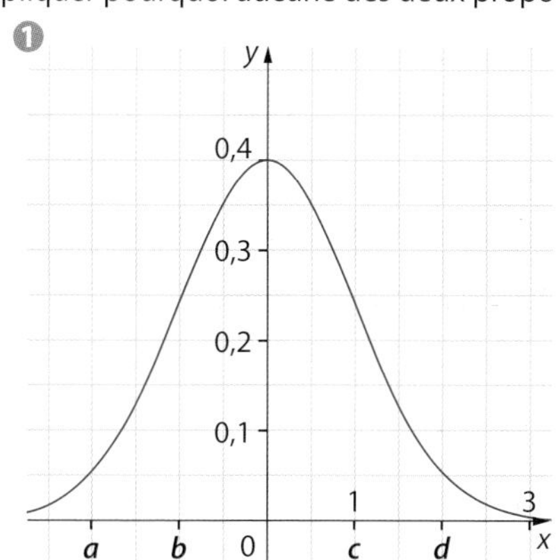

❷

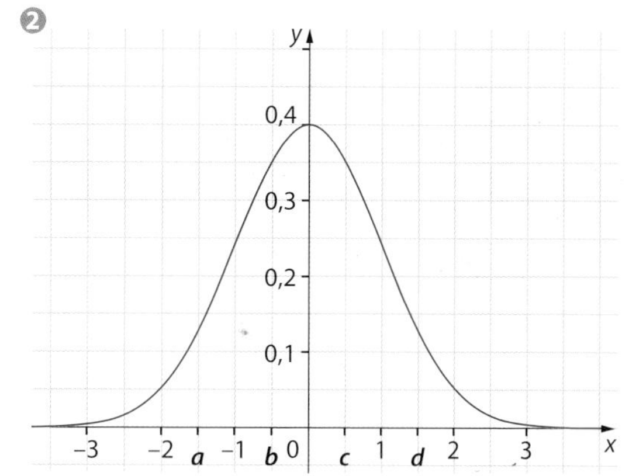

69 On admet qu'une variable aléatoire qui suit la loi normale $\mathcal{N}(\mu\,;\sigma^2)$ a une fonction de densité définie sur $\mathbb{R}$ par :

$$f(t) = \frac{1}{\sigma\sqrt{2\pi}}\mathrm{e}^{-\frac{(t-\mu)^2}{2\sigma^2}}.$$

On a représenté ci-contre trois telles fonctions de densité. Déterminer pour chacune la valeur de μ et σ, sachant que l'une des trois correspond à $\mu = 0$ et $\sigma = 1$.

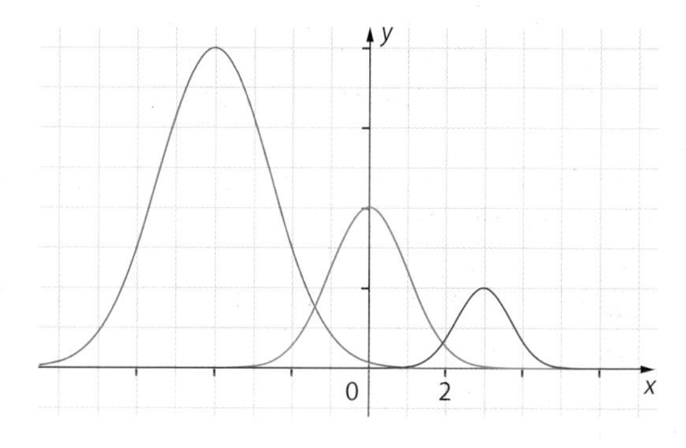

Exercices d'application

70 Détermination d'un seuil

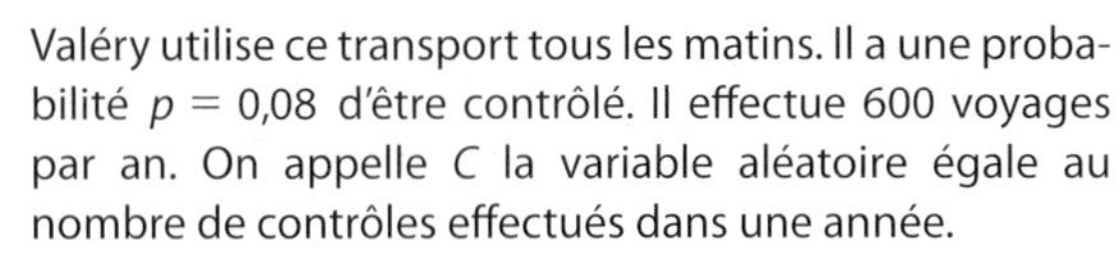

On a observé que la taille T des basketteurs, en cm, suivait approximativement une loi normale $(195\,;6)$.

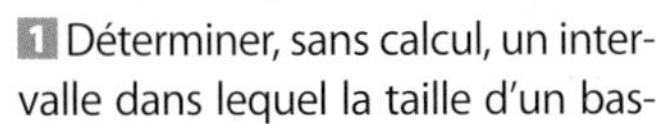

1 Déterminer, sans calcul, un intervalle dans lequel la taille d'un basketteur pris au hasard a deux chances sur trois de se trouver.

2 Un recruteur décide de restreindre sa recherche aux basketteurs qui se situent dans le plus petit intervalle I centré en 195 tel que $P(T \in \mathrm{I}) \approx 0{,}8$.

a. Déterminer cet intervalle, sachant que $u_{0,2} \approx 1{,}28$.

b. Sachant que le meilleur basketteur français, Tony Parker, mesure 1,86 m, que peut-on penser du choix du recruteur ?

Maths et biologie

71 Glycémie

La glycémie a été étudiée dans une population donnée. Les résultats obtenus sont les suivants :

- 20 % des glycémies sont inférieures à $0{,}82\ \mathrm{g \cdot L^{-1}}$;
- 30 % des glycémies sont inférieures à $0{,}98\ \mathrm{g \cdot L^{-1}}$.

On choisit un individu au hasard et on appelle G la variable aléatoire égale à la valeur de sa glycémie.

On suppose que G suit une loi normale $\mathcal{N}(\mu\,;\sigma^2)$.

1 Déterminer μ et σ.

2 Quelle est la glycémie moyenne dans cette population ?

3 Déterminer un intervalle de normalité qui contienne 95 % des individus.

4 Quelle est la probabilité que la glycémie soit inférieure à $0{,}70\ \mathrm{g \cdot L^{-1}}$?

72

L'intendance du Palais décide d'installer une guérite à l'entrée pour protéger la sentinelle des intempéries. Pour ne pas gâcher l'harmonie architecturale, la guérite ne doit pas être trop haute. Aussi, la règle suivante est établie : construire la guérite la moins haute possible telle qu'au moins 95 % des sentinelles puissent se tenir debout.

On considérera que la taille des sentinelles est une variable aléatoire qui suit une loi normale $\mathcal{N}(176\,;9)$.

Déterminer la hauteur de la guérite.

Les exercices 73 à 75 se basent sur l'approximation d'une loi binomiale par une loi normale.

73

Une compagnie de transport souhaite lutter contre la fraude et effectue pour cela des contrôles de tickets de transport.

Valéry utilise ce transport tous les matins. Il a une probabilité $p = 0{,}08$ d'être contrôlé. Il effectue 600 voyages par an. On appelle C la variable aléatoire égale au nombre de contrôles effectués dans une année.

1 Quel est la loi suivie par C ?

2 **a.** En utilisant le théorème de Moivre-Laplace, justifier que l'on peut approximer la loi de C par une loi normale $\mathcal{N}(48\,;3{,}532\,8)$.

b. En déduire la probabilité que Valéry soit contrôlé entre 40 et 50 fois dans l'année.

3 Sachant que le prix du ticket est de 1,20 € et que le prix de l'amende est de 20 €, quelle est la probabilité que Valéry soit « perdant » en n'achetant jamais de ticket ?

74 Gestion des stocks

Un fabricant souhaite lancer une nouvelle console de jeu pour Noël. Les études marketing montrent que parmi les 2 000 joueurs de la région, 40 % ont déclaré avoir l'intention d'acheter la console de jeu.

On appelle X la variable aléatoire égale au nombre de joueurs qui vont effectivement acheter le jeu.

1 Quelle est la loi suivie par X ?

2 En approximant la loi de la variable X par une loi normale dont on précisera les caractéristiques, déterminer le stock que doit avoir un magasin pour que la probabilité de rupture de stock soit inférieure à 0,1.

75

Dans une usine, des poudriers sont remplis d'une poudre cosmétique. On considère que la masse de la poudre suit une loi normale $\mathcal{N}(\mu\,;1{,}21)$. La valeur de μ dépend du réglage de la machine. Les flacons sont étiquetés comme contenant 100 mg de produit.

1 La machine est réglée sur $\mu = 100$ mg. Quelle est la probabilité pour que la masse de la poudre soit inférieure à 100 mg ?

2 Sur quelle valeur de μ faut-il régler la machine pour qu'au moins 96 % des flacons aient une masse supérieure ou égale à 100 mg ?

3 Même question si on souhaite obtenir 99 % des flacons.

76

On admet que la longueur du pied d'un homme adulte, en cm, suit une loi normale $\mathcal{N}(26\,;9)$.

Un fabricant de chaussettes haut de gamme décide de se lancer sur le marché en proposant trois tailles.

1 Déterminer un intervalle centré en 26, qui concentre au moins 95 % des tailles.

2 Diviser cet intervalle en trois intervalles égaux, qui détermineront les trois tailles.

3 Calculer quelle part de la production on doit réserver à chacune des trois tailles.

Exercices guidés

77 **Partie A – ROC**

Soit X une variable aléatoire continue qui suit une loi exponentielle de paramètre λ.
On rappelle que pour tout réel $a \geqslant 0$:

$$P(X \leqslant a) = \int_0^a \lambda e^{-\lambda t} dt.$$

La courbe donnée ci-dessous et que l'on reproduira, représente la fonction densité associée.

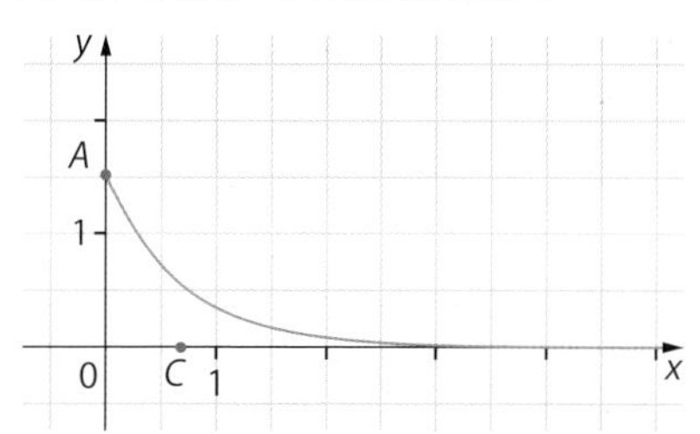

1 Interpréter sur le graphique la probabilité $P(X \leqslant 1)$.

2 Indiquer sur le graphique où se lit directement le paramètre λ.

3 Calcul de l'espérance

a. Montrer que $t \longmapsto \left(-t - \frac{1}{\lambda}\right)e^{-\lambda t}$ est une primitive de $t \longmapsto \lambda t e^{-\lambda t}$.

b. En déduire l'espérance de X.

4 a. On a placé sur la figure les points $C\left(\frac{1}{\lambda} ; 0\right)$ et A d'abscisse 0 sur la courbe de la fonction densité.
Déterminer l'aire du triangle AOC.

b. Indiquer si la phrase suivante est vraie ou fausse, en justifiant rapidement votre choix :

$$P\left(X \leqslant \frac{1}{\lambda}\right) = 0{,}5.$$

Partie B

On pose $\lambda = 1{,}5$.

1 a. Calculer $P(X \leqslant 1)$. En donner une valeur exacte, puis une valeur approchée à 10^{-3} près par excès.

b. Calculer $P(X \geqslant 2)$.

2 Déduire des calculs précédents l'égalité suivante : $P(1 \leqslant X \leqslant 2) = 0{,}173$ à 10^{-3} près.

3 Est-il vrai que $P_{(X \geqslant 1)}(1 \leqslant X \leqslant 2) = P(X \leqslant 1)$?

Pistes de résolution

A. ROC **1** L'intégrale d'une fonction positive f sur $[a ; b]$ s'interprète comme l'aire du domaine compris entre la courbe représentant f et les droites d'équation $x = a$, $x = b$ et $y = 0$. On pourra hachurer ou colorer le domaine concerné.

2 On pourra calculer la valeur de la densité en 0, puis l'indiquer sur le graphique.

3 b. Le but de la question est de **démontrer le résultat** et non pas seulement de donner la valeur de l'espérance qui est un résultat connu $\frac{1}{\lambda}$. Il convient donc de rappeler la **définition** de l'espérance de X, comme la limite en $+\infty$ d'une intégrale (voir le cours, p. 392), puis d'utiliser la connaissance d'une primitive de la fonction $t \longmapsto \lambda t e^{-\lambda t}$, donnée au **a.** pour calculer cette intégrale, enfin de passer à la limite.

4 Il s'agit de comparer deux aires. L'interprétation graphique de $P\left(X \leqslant \frac{1}{\lambda}\right)$ confrontée au calcul de l'aire du triangle AOC, permet de juger rapidement de la véracité de la proposition.

B. **1** Il s'agit de calculs élémentaires : on peut appliquer les formules du cours ou revenir au calcul d'intégrales.

2 On utilisera l'interprétation graphique pour faire le lien entre les deux probabilités calculées précédemment et $P(1 \leqslant X \leqslant 2)$.

3 On fera le lien entre cette égalité qui fait intervenir une probabilité conditionnelle et la propriété de durée de vie sans vieillissement vérifiée par la loi exponentielle.

78 **QCM Une ou plusieurs** réponses sont possibles. Les déterminer dans chaque cas.

A. X est une variable aléatoire qui prend des valeurs positives. On suppose que :

$$P(1 \leqslant X \leqslant 3) = \frac{3}{8}.$$

1 Si X suit une loi uniforme sur $[0 ; N]$, alors N est égal à :

a. 8 ; **b.** $\frac{16}{3}$; **c.** 5,3.

2 Si X suit une loi exponentielle de paramètre $\lambda > 0$, alors :

a. $\lambda = \ln 2$;

b. λ prend deux valeurs dont la valeur $\ln 2$;

c. il n'existe pas de tel λ.

B. X est une variable aléatoire qui suit une loi définie par la densité $f : t \longmapsto kt^n$ sur $[1 ; 10]$, alors on peut avoir :

a. $n = 0$ et $k = \frac{1}{10}$; **b.** $n = 1$ et $k = \frac{2}{99}$;

c. $n = -2$ et $k = \frac{10}{9}$.

C. X est une variable aléatoire d'espérance 10 et de variance 8.

1 Si X suit une loi binomiale de paramètre n et p, alors :
a. $n = 20$ et $p = 0{,}5$; **b.** $n = 25$ et $p = 0{,}4$; **c.** $n = 50$ et $p = 0{,}2$.

2 Si X suit une loi normale et si Y est la variable aléatoire définie par $Y = \dfrac{X - 10}{2\sqrt{2}}$, alors :
a. $P(X \geqslant 10) = 0{,}8$; **b.** $P(-1 \leqslant Y \leqslant 1) \approx 0{,}683$;
c. $P(X \leqslant 10 + 2\sqrt{2}) \approx 0{,}683$.

Pistes de résolution

Comme plusieurs réponses sont possibles, il convient d'étudier la véracité de chacune d'elles.

A. **1** La densité définissant la loi uniforme sur $[0\,;N]$ est la fonction constante égale à $\dfrac{1}{N}$. La connaissance de $P(1 \leqslant X \leqslant 3)$ permet d'écrire une équation faisant intervenir N. La valeur trouvée permettra d'exclure les réponses non correctes.

2 La valeur ln 2, proposée par la réponse **a.** peut être testée… un résultat positif permettra d'exclure la réponse **c.**, mais pas la réponse **b.** En exprimant $P(1 \leqslant X \leqslant 3)$ en fonction de λ, puis en utilisant l'hypothèse, on trouve l'équation $x^3 - x + \dfrac{3}{8} = 0$, en ayant posé $e^{-\lambda} = x$.

La calculatrice permet de visualiser rapidement les solutions de cette équation dans l'intervalle $[0\,;1]$ et de conclure.

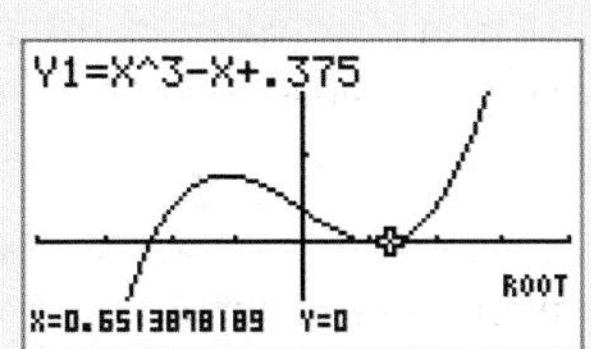

B. f est une densité puisqu'elle est positive et ici continue avec une intégrale égale à 1 sur $[1\,;10]$.

C. **1** On sait que l'espérance de X est np, mais cela n'est pas discriminant pour les réponses. La valeur de la variance $np(1-p)$ permettra de faire le choix correct. Il s'agit ici d'une méthode par essais sur les réponses. On peut aussi aller directement à la réponse en résolvant le système :

$$\begin{cases} np = 10 \\ np(1-p) = 8 \end{cases}.$$

2 On déduit de l'énoncé que X suit la loi normale $N(10\,;8)$, et par suite Y suit une loi particulière que l'on précisera. On peut alors ramener chaque événement concernant X à un événement concernant Y, et les résultats élémentaires du cours, ou à défaut la calculatrice, permettront de statuer sur la véracité de chaque réponse.

79 Une même situation, plusieurs lois

Lors d'une épidémie chez des bovins, si la maladie est diagnostiquée suffisamment tôt sur un animal, il est possible de le guérir ; sinon, la maladie est mortelle.
Un test est mis au point et expérimenté sur un échantillon d'animaux dont 1 % est porteur de la maladie. Les résultats obtenus sont les suivants :

- si un animal est porteur de la maladie, le test est positif dans 85 % des cas ;
- si un animal est sain, le test est négatif dans 95 % des cas.

On choisit de prendre ces fréquences observées comme probabilités pour la population entière et d'utiliser ce test pour un dépistage préventif de la maladie.
On note :

- M, l'événement « l'animal est porteur de la maladie » ;
- T, l'événement « le test est positif ».

1 Construire un arbre pondéré modélisant la situation proposée.

2 Un animal est choisi au hasard.
a. Quelle est la probabilité qu'il soit porteur de la maladie et que son test soit positif ?
b. Montrer que la probabilité pour que son test soit positif est $p = 0{,}058$.

3 Un animal est choisi au hasard parmi ceux dont le test est positif. Quelle est la probabilité pour qu'il soit porteur de la maladie ?

4 On choisit cinq animaux au hasard. La taille de ce troupeau permet de considérer ces cinq choix comme indépendants et d'assimiler les choix à des tirages avec remise. On note X la variable aléatoire qui, aux cinq animaux choisis, associe le nombre d'animaux ayant un test positif.
a. Quelle est la loi de probabilité suivie par X ?
b. Quelle est la probabilité pour qu'au moins un des cinq animaux ait un test positif ?

5 On teste 1 200 vaches sur le cheptel d'un département. On admet que l'on peut considérer ces 1 200 tests comme indépendants et les assimiler à des tirages avec remise.
On note Y la variable aléatoire égale au nombre d'animaux ayant un test positif.
a. Justifier que la loi de Y peut être approximée par une loi normale dont on précisera les paramètres.
b. En déduire une approximation de $P(50 < Y < 70)$.

Pistes de résolution

2 Penser à la formule des probabilités totales.

3 Utiliser la formule de définition d'une probabilité conditionnelle.

4 Les tirages sont indépendants avec remise : on doit penser à un type d'épreuves étudiées en Première.

5 **a.** Considérer la variable $Z = \dfrac{Y - 1200p}{\sqrt{1200p(1-p)}}$ et utiliser le théorème de Moivre-Laplace.

b. Utiliser la calculatrice ou une table.

Exercices d'entraînement

80 Loi uniforme sur $[a\,;b]$ ROC

La loi uniforme sur un intervalle $[a\,;b]$, où a et b sont deux réels tels que $a < 0$, modélise le tirage au hasard d'un réel dans l'intervalle $[a\,;b]$.

Elle est caractérisée par la propriété suivante : «la probabilité de tout intervalle est proportionnelle à son amplitude ».

On admet que la loi uniforme sur $[a\,;b]$ est une loi à densité continue, c'est-à-dire qu'il existe une fonction continue f définie sur $[a\,;b]$ et telle que, pour tout $c \leqslant d$ dans $[a\,;b]$:

$$P([c\,;d]) = \int_c^d f(t)\,\mathrm{d}t.$$

On se propose ici de déterminer la fonction f.

1 Soit F une primitive de f.

a. Démontrer qu'il existe un réel k tel que, pour tous réels c et d de $[a\,;b]$ tels que $c \leqslant d$, on ait :

$$F(d) - F(c) = k \times (d - c).$$

b. Soit $x_0 \in [a\,;b]$; justifier la dérivabilité de F en x_0 et préciser la valeur de $F'(x_0)$. En déduire que f est constante sur $[a\,;b]$.

2 **a.** À l'aide de l'égalité $P([a\,;b]) = 1$, préciser l'expression de $f(t)$ pour tout t de $[a\,;b]$.

b. Tracer la représentation graphique de f sur $[a\,;b]$ et interpréter graphiquement les résultats obtenus ci-dessus (on prendra $a = -1$ et $b = 4$).

3 Application

On choisit au hasard un nombre dans l'intervalle $[-1\,;4]$.

a. Quelle est la probabilité qu'il appartienne à $[0\,;1]$?

b. Quelle est la probabilité qu'il soit inférieur à $-0{,}39$ sachant qu'il est négatif ?

81 Calcul de variance pour la loi uniforme

Partie A – Un exemple sur $[0\,;1]$

1 Rappeler la formule de calcul et la valeur μ de l'espérance d'une variable aléatoire X suivant la loi uniforme sur $[0\,;1]$.

2 **a.** Lorsque X prend la valeur t dans $[0\,;1]$, quelle valeur prend la variable aléatoire $Y = (X - \mu)^2$?

b. Par quelle aire est représentée la probabilité de l'événement $P(t \leqslant X \leqslant t + \mathrm{d}t)$ si $\mathrm{d}t$ est une valeur infinitésimale ? (Voir l'exercice 43)

En déduire que :

$$E(Y) = \int_0^1 \left(t - \frac{1}{2}\right)^2 \mathrm{d}t.$$

3 Calculer la valeur de l'intégrale précédente et en déduire la variance de X.

Partie B – Cas général

On considère une variable aléatoire X suivant une loi uniforme sur un intervalle $[a\,;b]$ de $\mathbb{R}$.

1 Donner l'expression de la densité définissant la loi uniforme sur $[a\,;b]$ et rappeler la valeur μ de l'espérance de X.

2 On admet que la variance de X est donnée par la formule intégrale :

$$V(X) = \int_a^b (t - \mu)^2 \times \frac{1}{b-a}\,\mathrm{d}t.$$

a. Calculer cette intégrale en fonction de a, b et μ, sans remplacer μ par la valeur donnée au **1**.

Conseil On pourra utiliser la factorisation :
$u^3 - v^3 = (u - v)(u^2 + uv + v^2)$.

b. En remplaçant μ par sa valeur en fonction de a et b, établir que :

$$V(X) = \frac{(b-a)^2}{12}.$$

3 On pose $\sigma = \sqrt{V(X)}$.

a. Déterminer la probabilité de l'événement :

$$(\mu - \sigma \leqslant X \leqslant \mu + \sigma).$$

b. Cette valeur dépend-t-elle de l'intervalle $[a\,;b]$ choisi ?

c. Comparer avec le résultat dans le cas d'une loi normale $\mathcal{N}(\mu\,;\sigma^2)$.

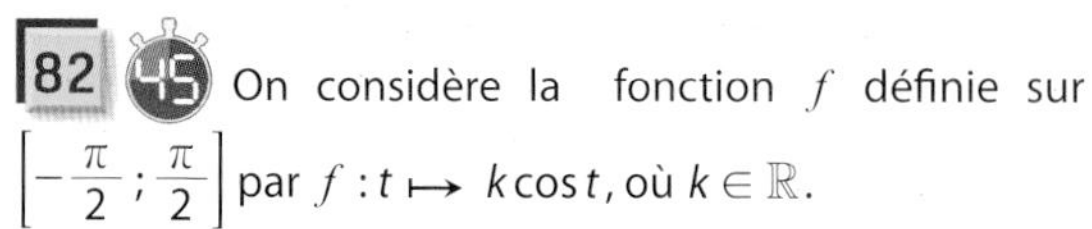

82 On considère la fonction f définie sur $\left[-\frac{\pi}{2}\,;\frac{\pi}{2}\right]$ par $f : t \longmapsto k\cos t$, où $k \in \mathbb{R}$.

a. Déterminer le réel k pour que f soit la densité d'une loi de probabilité sur $\left[-\frac{\pi}{2}\,;\frac{\pi}{2}\right]$ et la représenter graphiquement.

b. Soit X une variable aléatoire suivant la loi de probabilité définie par f, calculer :

$$P\left(X > -\frac{\pi}{6}\right) \quad \text{et} \quad P\left(-\frac{\pi}{4} < X < \frac{\pi}{4}\right).$$

c. Déterminer le réel a tel que : $P(-a < X < a) = \frac{1}{2}$.

d. Déterminer l'espérance de X, définie par :

$$E(X) = \int_{-\frac{\pi}{2}}^{\frac{\pi}{2}} t\,f(t)\mathrm{d}t.$$

Indication

On pourra chercher une primitive de la fonction $t \longmapsto t\,f(t)$ sous la forme :
$t \longmapsto F(t) = at\sin t + b\cos t$, où a et b sont des réels que l'on déterminera.

83 On considère la fonction f définie sur $[0\,;+\infty[$ par : $f(t) = te^{-t^2/2}$.

1 Démontrer que f est une densité sur $[0\,;+\infty[$ et la représenter graphiquement.

2 Soit X une variable aléatoire de densité f, exprimer pour tout réel $x \geqslant 0$ la probabilité $P(X \leqslant x)$. En déduire une valeur approchée de $P([0\,;1])$ à 10^{-2} près.

3 Déterminer le réel a tel que $P([0\,;a]) = P(]a\,;+\infty[)$. Positionner le réel a sur le graphique réalisé au **1**.

84 Correction de continuité

On considère une variable aléatoire suivant une loi binomiale de paramètres $n = 40$, $p = 0{,}4$.

1 Calculer $P(X = 16)$ et $P(13 \leqslant X \leqslant 15)$.

2 On approche X par une variable Y de loi normale $\mathcal{N}(16\,;9{,}6)$.

a. Justifier l'approximation réalisée.

b. Calculer $P(Y = 16)$ et $P(13 \leqslant Y \leqslant 15)$.

Que remarque-t-on ? Comment expliquer ce phénomène ?

3 On effectue alors une « correction de continuité », en calculant $P(15{,}5 \leqslant Y \leqslant 16{,}5)$ et $P(12{,}5 \leqslant Y \leqslant 15{,}5)$. Effectuer les calculs et comparer avec les résultats du **1**.

85 **D'après BTS.**

Dans une compagnie d'assurance, on a pu constater que sur 1 200 assurés, 60 avaient envoyé au moins une déclaration de sinistre dans l'année. On dira, pour tout l'exercice, que ces 60 dossiers sont de « *type DS* ».

On prélève au hasard et avec remise n dossiers parmi les 1 200 dossiers des assurés. X est la variable aléatoire donnant, parmi les n dossiers prélevés, le nombre de dossiers de « *type DS* ».

Les probabilités demandées seront données sous forme décimale, arrondies à 10^{-2}.

1 Quelle est la loi suivie par X ? Donner les paramètres de cette loi.

2 Dans cette question, on prend $n = 10$.

Calculer les probabilités :

a. pour qu'un seul dossier soit de « *type DS* » ;

b. pour qu'il y ait, parmi ces 10 dossiers, au moins un dossier de « *type DS* ».

3 Dans cette question, on prend $n = 200$.

On admet que la loi de probabilité de X peut être approchée par une loi normale. Soit Z une variable aléatoire suivant cette loi normale.

a. Déterminer les paramètres de la loi normale suivie par Z.

b. Calculer les probabilités suivantes :

$$P(Z \leqslant 9) \quad \text{et} \quad P(Z \geqslant 15).$$

c. Calculer une valeur approchée de $P(X = k)$ revient à calculer $P(k - 0{,}5 \leqslant Z \leqslant k + 0{,}5)$: c'est ce que l'on appelle la correction de continuité. (Voir l'exercice **84**)

À l'aide de ce renseignement, calculer une valeur approchée de la probabilité $P(X = m)$, où m est l'espérance mathématique de la variable X.

86 Une entreprise d'autocars dessert une région montagneuse. En chemin, les véhicules peuvent être bloqués par des incidents extérieurs comme des chutes de pierres, la présence de troupeaux sur la route, etc. Un autocar part de son entrepôt. On note D la variable aléatoire qui mesure la distance, en kilomètres, que l'autocar va parcourir jusqu'à ce qu'il survienne un incident. On admet que D suit une loi exponentielle de paramètre $\lambda = \frac{1}{82}$.

On rappelle que la loi de probabilité est alors définie par :

$$p(D \leqslant A) = \int_0^A \frac{1}{82}e^{-\frac{t}{82}}\mathrm{d}t.$$

Dans tout l'exercice, les résultats numériques seront arrondis au millième.

1 Calculer la probabilité que la distance parcourue sans incident soit :

a. comprise entre 50 et 100 km ;

b. supérieure à 300 km.

2 Sachant que l'autocar a déjà parcouru 350 kilomètres sans incident, quelle est la probabilité qu'il n'en subisse pas non plus au cours des 25 prochains kilomètres ?

3 Calculer l'espérance de la variable aléatoire D et donner une interprétation de ce résultat.

4 L'entreprise possède N_0 autocars. Les distances parcourues par chacun des autocars entre l'entrepôt et le lieu où survient un incident sont des variables aléatoires deux à deux indépendantes et de même loi exponentielle de paramètre $\lambda = \frac{1}{82}$.

d tant un réel positif, on note X_d la variable aléatoire égale au nombre d'autocars n'ayant subi aucun incident après avoir parcouru d kilomètres.

a. Montrer que X_d suit une loi binomiale de paramètres N_0 et $e^{-\lambda d}$.

b. Donner le nombre moyen d'autocars n'ayant subi aucun incident après avoir parcouru d kilomètres.

5 La desserte de villages par un circuit de 76 km est effectuée pendant 210 jours dans l'année par des autocars de cette entreprise de telle sorte les dessertes journalières sont indépendantes et la survenue d'un incident a chaque jour une probabilité $q = 1 - e^{-\frac{76}{82}}$.
On appelle Y la variable aléatoire qui compte le nombre d'incidents dans l'année pour ce circuit.
a. Déterminer $\mu = E(Y)$ et $\sigma^2 = V(Y)$.
b. Les conditions d'approximation de loi binomiale par la loi normale $\mathcal{N}(\mu\,;\sigma^2)$ sont-elles remplies ?
c. Déterminer la probabilité d'avoir moins de 120 incidents dans l'année pour la desserte de ces villages.

87 La fonction ALEA

On veut tester le caractère aléatoire des nombres choisis par l'ordinateur lorsque l'on utilise la fonction ALEA d'un tableur.

Rappel ALEA() envoie un nombre choisi au hasard dans l'intervalle $[0\,;1[$.

C3 | f_x =NB.SI(A$1:A$5000;B3)

A	B	C	D
8	0	499	10%
7	1	474	9%
3	2	481	10%
4	3	492	10%
2	4	499	10%
1	5	523	10%
2	6	493	10%
3	7	521	10%
7	8	530	11%
2	9	488	10%
9			
0			
7		5000	

1 a. On appelle x le nombre choisi. Quelle doit être la loi de probabilité suivie par x ?
b. Quelles sont les probabilités dans ce modèle des événements $x \in [0{,}1\,;0{,}2[$; $x \in [0{,}56\,;0{,}57[$?

2 **Sur un tableur**, procéder au tirage de 5 000 nombres aléatoires et déterminer les fréquences de répartition de ces nombres dans les 10 intervalles $[0\,;0{,}1[$, $[0{,}1\,;0{,}2[$, $[0{,}2\,;0{,}3[$, ..., $[0{,}9\,;1[$.
On pourra utiliser la formule ENT(10*ALEA()).
Quelle remarque peut-on faire ?

3 Recommencer en étudiant la répartition de ces nombres dans les 100 intervalles $\left[\frac{k}{100}\,;\frac{k+1}{100}\right[$ pour k allant de 0 à 99. Conclure.

88

Un skieur doit traverser un glacier en suivant une piste de longueur 1 km. La probabilité qu'il rencontre une crevasse sur son trajet est p.

Si cette crevasse existe, sa répartition sur le chemin suit une loi uniforme sur $[0\,;1]$.
À la distance d du point de départ $(0 < d < 1)$ se trouve un refuge, où le skieur peut se reposer un instant.
On note C, l'événement : « la crevasse existe effectivement sur le chemin parcouru par le skieur » ;
A : « il existe une crevasse entre le départ et le refuge » ;
B : « il existe une crevasse entre le refuge et l'arrivée ».
a. Interpréter les probabilités : $P_C(A)$ et $P_C(B)$ puis exprimer ces probabilités en fonction de d.
b. Construire un arbre des possibilités faisant intervenir C, $\overline{C}$, A et B. Calculer $P(A)$ et $P(B)$ en fonction de p et d.
c. Sachant que le skieur est parvenu sans encombre au refuge, quelle est la probabilité qu'il rencontre la crevasse sur la suite du parcours ? Combien vaut cette probabilité si $p = 1$? Interpréter le résultat.

89

On considère la fonction f définie sur $[0\,;8]$ par :

$$f : x \longmapsto k|x-4|, \text{ où } k \in \mathbb{R}.$$

1 Déterminer le réel k pour que f soit la densité d'une loi de probabilité sur $[0\,;8]$, puis la représenter graphiquement.

2 Soit T une variable aléatoire suivant la loi de probabilité définie par f calculer : $P(|T-4| \leqslant 2)$.
Est-il vrai que : $P_{(|T-4|>2)}(T > 6) = P_{(|T-4|>2)}(T < 2)$?

3 Soit Y une variable aléatoire suivant la loi uniforme sur $[0\,;8]$. Existe-t-il un réel $a \in]0\,;4[$ tel que :

$$P(4 - a < T < 4 + a) = P(4 - a < Y < 4 + a) \text{ ?}$$

Problèmes

90 ALGO Rendez-vous...

Alice et le Chapelier se sont donné rendez-vous chez le Lapin pour prendre un thé entre 17 h et 18 h.

Chacun d'eux a promis d'attendre l'autre un quart d'heure, pas plus, et en aucun cas après 18 h.
On suppose que les heures d'arrivée d'Alice et du Chapelier suivent des lois uniformes sur l'intervalle $[17\,;18]$.
On veut trouver d'abord une estimation de la probabilité qu'Alice et le Chapelier se retrouvent, puis sa valeur exacte.

1 **a.** Vérifier que l'algorithme suivant permet de simuler un rendez-vous (en abrégé : RDV) :

```
ALGO
Variables :
    A, C, D : réels ;
Début
    A ← RéelAléaEntre(0 ; 1) ;
    C ← RéelAléaEntre(0 ; 1) ;
    D ← A − C ;
    Si −1/4 ⩽ D ⩽ 1/4
        Alors Afficher(« le RDV a lieu ») ;
        Sinon Afficher(« le RDV n'a pas lieu ») ;
    FinSi.
Fin.
```

Voir les **Outils pour l'algorithmique**.

b. Modifier l'algorithme en introduisant une boucle pour effectuer d'un seul coup un nombre N de simulations et calculer la fréquence des RDV réussis, puis le programmer.

Voir les **Outils pour la programmation**.

c. Déterminer la fréquence des RDV réussis, pour $N = 500$, puis $N = 1000$, puis $N = 5\,000$.
Estimer alors la probabilité pour qu'Alice et le Chapelier se rencontrent effectivement.

2 À l'issue de l'algorithme, on a fait représenter les RDV réussis par un point rouge de coordonnées $(x\,;y)$, où x est l'heure d'arrivée d'Alice, y celle du Chapelier.

Les résultats obtenus sont donnés ci-dessous.

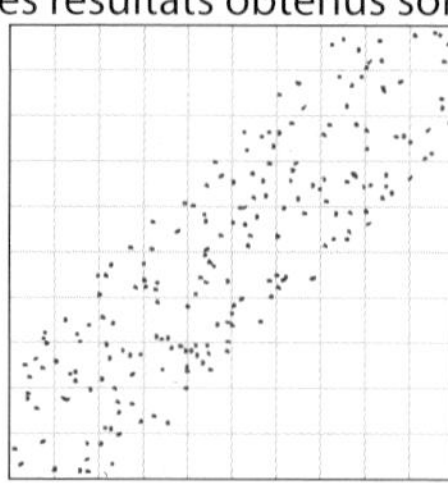

$N = 500$

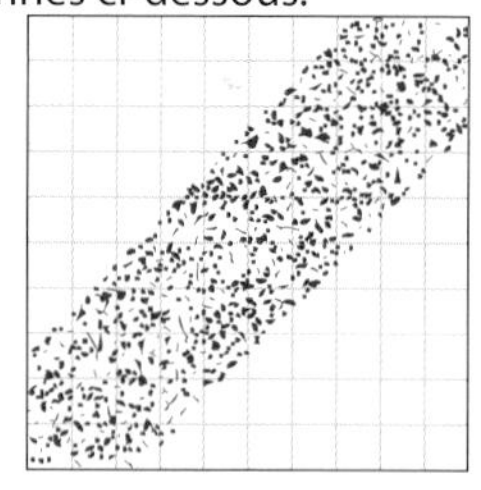

$N = 5\,000$

a. Justifier qu'un RDV réussi correspond à un point dont les coordonnées $(x\,;y)$ vérifient :

$$(S)\ \begin{cases} 17 \leqslant x \leqslant 18 \text{ et } 17 \leqslant y \leqslant 18 \\ x - 0{,}25 \leqslant y \leqslant x + 0{,}25 \end{cases}$$

b. Représenter l'ensemble de points du plan dont les coordonnées sont solution de (S). (On pourra ramener $[17\,;18]$ à $[0\,;1]$.)

c. Déterminer son aire et en déduire la valeur exacte de la probabilité que le RDV soit réussi.

91 Cordes aléatoires

On considère le cercle de centre O de rayon 1, et un de ses diamètres $[AB]$. On définit une variable aléatoire égale à la longueur d'une corde de ce cercle perpendiculaire à la droite (AB).

A. Première méthode

On considère que la corde aléatoire est déterminée par le choix de son milieu H qui appartient au diamètre $[AB]$. On appelle X l'abscisse de ce milieu et on fait l'hypothèse que **X suit une loi uniforme sur $[-1\,;1]$**.

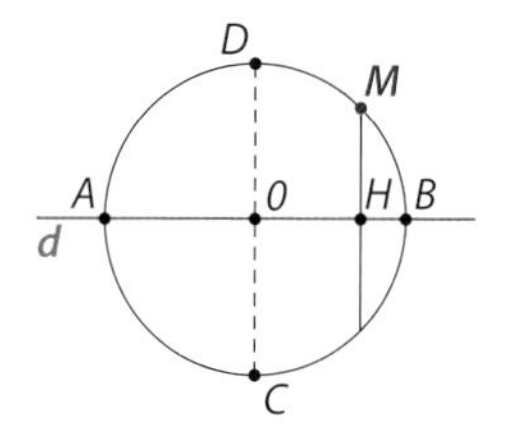

1 Justifier que la longueur de la corde est $L = 2\sqrt{1 - X^2}$.

2 **Au moyen du tableur**, réaliser 1 000 tirages de cordes et faire représenter le graphique des 1 000 points $(x_i\,;L_i)$. Calculer la moyenne des L_i.

3 Par des considérations d'aire et sans chercher à trouver une primitive, démontrer que $\int_{-1}^{1} \sqrt{1 - x^2}\,dx = \frac{\pi}{2}$.

En déduire la valeur moyenne de la fonction $x \longmapsto 2\sqrt{1 - x^2}$ sur l'intervalle $[-1\,;1]$, puis l'espérance de L. Comparer avec le résultat de la moyenne donnée par le tableur.

B. Deuxième méthode

On considère que la corde aléatoire est déterminée par le choix d'une de ses extrémités M sur le demi-cercle $\overset{\frown}{AB}$. On appelle T le réel repérant cette extrémité, et on fait l'hypothèse que **T suit une loi uniforme sur $[0\,;\pi]$**.

1 Justifier que la longueur de la corde est $L' = 2\sin T$.

2 **Au moyen du tableur**, réaliser 1 000 tirages de cordes et faire représenter le graphique des 1 000 points $(t_i\,;L'_i)$. Calculer la moyenne des L'_i.

Voir la fiche **Tableur**.

3 Calculer l'intégrale $\int_0^{\pi} 2\sin t dt$ et en déduire la valeur moyenne de la fonction $t \longmapsto 2\sin t$ sur $[0\,;\pi]$.

En déduire l'espérance de L'.

Conclusion

À la lumière de ces deux méthodes, quel commentaire peut-on faire concernant l'espérance de la longueur d'une corde aléatoire ?

Épilogue : une troisième méthode

On considère que le choix d'une corde dans le demi-cercle $\overset{\frown}{DAC}$ est déterminé par le choix de sa longueur entre 0 et 2. En déduire la valeur moyenne de la longueur Λ d'une corde si on fait l'hypothèse que $\boldsymbol{\Lambda}$ **suit une loi uniforme sur** $[\mathbf{0}\,;\mathbf{2}]$.

Pour info

Ces paradoxes ont été soulevés en 1888 par le mathématicien Joseph Bertrand qui mettait en évidence le manque de précision dans l'expression « choix d'une corde au hasard », et montrait la dépendance du résultat par rapport à la méthode de sélection d'une corde au hasard.

Joseph Bertrand (1822-1900).

92 D'après BTS.

Une entreprise fabrique et commercialise des composants électroniques assemblés dans deux ateliers numérotés 1 et 2. L'atelier 1 fournit 80 % de la production et l'atelier 2 fournit les 20 % restants.

On a remarqué que 1,5 % des composants issus de l'atelier 1 et 4 % des composants issus de l'atelier 2 sont défectueux.

Partie A On prend au hasard un composant dans la production d'une journée et on considère les événements suivants :

- événement A : « le composant provient de l'atelier 1 » ;
- événement B : « le composant provient de l'atelier 2 » ;
- événement D : « le composant est défectueux ».

1 Traduire l'énoncé à l'aide d'un arbre pondéré ou d'un tableau à double entrée.

2 Calculer la probabilité de l'événement D.

3 On constate qu'un composant est défectueux. Quelle est la probabilité pour qu'il provienne de l'atelier 1 ?

Dans la suite, on supposera que 2 % des composants produits par l'entreprise sont défectueux.

Partie B *Dans cette partie, sauf indication contraire, les résultats seront arrondis au millième.*

Un client commande un lot de 150 composants.

On assimile le choix des 150 composants à des tirages successifs avec remise. On note X la variable aléatoire qui représente le nombre de composants défectueux que contient ce lot.

1 Justifier le fait que la variable aléatoire X suit une loi binomiale, et donner les paramètres de cette loi.

2 Donner l'espérance et l'écart-type de la variable aléatoire X.

3 Calculer la probabilité d'avoir exactement 4 composants défectueux dans le lot.

Partie C Une société d'import-export commande un lot de 1 500 composants. On assimile le choix des 1 500 composants à des tirages successifs avec remise.

La variable aléatoire qui comptabilise le nombre de composants défectueux dans ce lot, suit une loi binomiale. On admet que la loi de cette variable aléatoire peut être approchée par la loi d'une variable aléatoire Z qui suit la loi normale de moyenne 30 et d'écart-type 5,42.

1 Justifier le choix des paramètres de la loi normale.

2 Donner une approximation de la probabilité d'avoir au plus 20 composants défectueux dans un lot, en calculant $P(Z \leqslant 20{,}5)$.

3 Calculer $P(24{,}5 \leqslant Z \leqslant 35{,}5)$ avec la précision permise par les tables. En tenant compte de la correction de continuité, donner une interprétation du résultat en termes de composants défectueux.

93 Usinage d'un lingot

Au sortir du laminoir, un lingot est découpé en billettes de 6 mètres de longueur. On sait que la tête du lingot présente un défaut sur une certaine longueur X, où X est une variable aléatoire qui suit une loi normale $\mathcal{N}(8\,;4)$.

Pour tenter d'éliminer la longueur défectueuse, on détruit systématiquement les deux billettes de tête.

1 Quel est le risque pour que la troisième billette présente encore un défaut ?

2 Calculer le nombre de billettes à détruire pour que la première billette retenue soit sans défaut avec une probabilité de 99 %.

Problèmes

94 Loi de Pareto

Soit x_{min} un réel strictement positif et k un entier naturel non nul. On définit la fonction f sur $[x_{min}\,;+\infty[$ par :

$$f(x)=\frac{a}{x^{k+1}}.$$

1 **a.** Calculer pour $y>x_{min}$: $\displaystyle\int_{x_{min}}^{y} f(x)\mathrm{d}x$.

b. En déduire la valeur de a pour que f soit une fonction de densité sur $[x_{min}\,;+\infty[$.

Dans la suite de l'exercice, on donnera à a la valeur ainsi trouvée.

2 Dans cette question, on suppose que $k=2$, $x_{min}=10$.

a. Déterminer $P(X\leqslant 60)$.

b. Déterminer l'espérance de X.

3 **Médiane**

a. Déterminer $P(X \geqslant x)$ pour $x \geqslant x_{min}$.

b. Déterminer la médiane de X, c'est-à-dire la valeur m pour laquelle $P(X>m)=0{,}5$.

4 **a.** Déterminer la valeur x_0 pour laquelle :

$$P(X>x_0)=0{,}2.$$

b. Calculer la limite en $+\infty$ de $y\longmapsto \displaystyle\int_{x_0}^{y} t\,f(t)dt$.

c. Si X désigne la richesse possédée par un individu, on dit que la loi de Pareto traduit le fait que 20 % des individus possèdent 80 % des richesses. Comment peut-on retrouver ce résultat à partir des calculs effectués ?

95 Tests de QI

Les tests de QI sont étalonnés, c'est-à-dire que l'on décide *a priori* que la répartition des QI suit une loi normale $\mathcal{N}(\mu\,;\sigma^2)$, où μ et σ sont fixés à l'avance.

Voici quelques valeurs :

	Test de Wechsler	Test de Stanford-Binet	Test de Catell
μ	100	100	100
σ	15	16	24

1 Déterminer, pour chaque test, un intervalle centré autour de la moyenne qui contient à peu près 68 % des individus.

2 On considère parfois qu'un individu est surdoué s'il fait partie des 5 % de la population ayant le QI le plus élevé. Déterminer à quelle valeur de QI il correspond pour chacun des tests proposés.

96

Le grand mathématicien Henri Poincaré (1854-1912) avait l'habitude d'acheter tous les jours un pain de 1 kg chez son boulanger. Il s'était aperçu que sur une période de 6 mois, tous les pains achetés pesaient moins de 900 g. Après s'être plaint au boulanger, il avait constaté que durant les six mois suivants, tous les pains pesaient plus de 1 kg. Il était finalement revenu voir le boulanger pour lui dire qu'il était décidément un incorrigible tricheur.

On suppose que le poids réglementaire du pain, en kg, suit une distribution normale de loi $\mathcal{N}(1\,;\sigma^2)$.

1 Le boulanger assure que 95 % de ses pains pèsent entre 0,9 kg et 1,1 kg.

a. En déduire une valeur approchée de σ.

b. En déduire la probabilité qu'un pain pèse moins de 0,9 kg, puis la probabilité que pendant six mois, tous les pains pèsent moins de 0,9 kg.

2 Avec les mêmes hypothèses, déterminer la probabilité pour qu'un pain pèse plus de 1 kg, puis la probabilité que tous les pains pendant six mois pèsent plus de 1 kg.

3 Refaire les calculs précédents en supposant que simplement 68 % des pains pèsent entre 0,9 kg et 1 kg.

97 BAC

Alain fabrique en amateur, des appareils électroniques. Il achète pour cela, dans un magasin, des composants en apparence tous identiques mais dont certains présentent un défaut. On estime que la probabilité qu'un composant vendu dans le magasin soit défectueux est égale à 0,02.

Partie A On admet que le nombre de composants présentés dans le magasin est suffisamment important pour que l'achat de 50 composants soit assimilé à 50 tirages indépendants avec remise, et on appelle X le nombre de composants défectueux achetés. Alain achète 50 composants.

1 Quelle est la probabilité qu'exactement deux des composants achetés soient défectueux ? Donner une valeur approchée de cette probabilité à 10^{-1} près.

2 Quelle est la probabilité qu'au moins un des composants achetés soit défectueux ? Donner une valeur approchée de cette probabilité à 10^{-2} près.

3 Quel est par lot de 50 composants achetés, le nombre moyen de composants défectueux ?

Partie B On suppose que la durée de vie T_1 (en heures) de chaque composant défectueux suit une loi exponentielle de paramètre $\lambda_1=5\times 10^{-4}$ et que la durée de vie T_2 (en heures) de chaque composant non défectueux suit une loi exponentielle de paramètre $\lambda_2=10^{-4}$.

1 Calculer la probabilité que la durée de vie d'un composant soit supérieure à 1 000 heures :

a. si ce composant est défectueux ;

b. si ce composant n'est pas défectueux. Donner une valeur approchée de ces probabilités à 10^{-2} près.

2 Soit T la durée de vie (en heures) d'un composant acheté au hasard.

Démontrer que la probabilité que ce composant soit encore en état de marche après t heures de fonctionnement est :

$$P(T \geqslant t) = 0{,}02e^{-5\times10^{-4}t} + 0{,}98e^{-10^{-4}t}$$

(on rappelle que la probabilité qu'un composant vendu dans le magasin soit défectueux est égale à 0,02).

3 Sachant que le composant acheté est encore en état de fonctionnement 1 000 heures après son installation, quelle est la probabilité que ce composant soit défectueux ? Donner une valeur approchée de cette probabilité à 10^{-2} près.

98 BAC Une urne contient 10 boules blanches et 990 boules rouges. Un joueur a le droit, moyennant une mise de 10 €, de tirer jusqu'à 25 boules : s'il obtient une boule blanche, il gagne 30 €, sinon, il perd sa mise.

Partie A – Une approximation

Dans cette partie, on admet que la probabilité de tirer une boule blanche étant faible, on peut modéliser le nombre de tirages nécessaires pour obtenir une boule blanche par une variable aléatoire X vérifiant pour tout entier $k \leqslant 100$: $P(X \leqslant k) = \int_0^k 0{,}01e^{-0{,}01t}\,dt$.

1 Déterminer la probabilité que le joueur gagne 30 € à sa première partie.

2 Le joueur effectue trois parties (c'est-à-dire tire chaque fois au maximum 25 boules pour obtenir la première boule blanche). Déterminer la probabilité qu'il gagne au moins une fois. Déterminer son espérance de gain, en €, sur les trois parties.

3 À la fin de la première partie, le joueur n'a pas gagné. « Beau joueur », son adversaire lui permet de tirer les 25 boules suivantes sans remettre les 25 premières boules tirées. Quelle est la probabilité pour le joueur de gagner la deuxième partie ?
On pourra envisager deux types de calcul et comparer les résultats.

Partie B – Justification de l'approximation

Soit p la probabilité d'obtenir une boule blanche lors d'un tirage. On fait l'hypothèse que p ne varie quasiment pas sur les 25 premiers tirages, car le nombre de boules rouges est très grand devant celui des blanches.
On appelle A_n l'événement : « à l'issue du n-ième tirage, le joueur obtient sa première boule blanche ».

1 Montrer que, pour tout entier n tel que $1 \leqslant n \leqslant 25$:

$$P(A_n) = p(1-p)^{n-1}.$$

2 Démontrer que la probabilité de gagner une partie pour le joueur est : $1-(1-p)^{25}$.

3 Rappeler la valeur de $\lim\limits_{h\to 0}\dfrac{e^h-1}{h}$.

En déduire que si p est petit, $e^{-p} \approx 1-p$.

4 Comparer **avec la calculatrice** lorsque $p = 0{,}01$, les nombres e^{-25p} et $(1-p)^{25}$. En déduire la valeur de l'erreur d'approximation faite dans la partie **A**.

5 Reprendre le calcul de la probabilité de gagner une partie **sur un tableur**, en tenant compte, pour calculer $P(A_n)$ de la légère modification à chaque étape de la probabilité de tirer soit une boule blanche, soit une rouge.

B4 =B3*E3/C4

	A	B	C	D	E
	n	P(An)	boules restantes		rouges restantes
	1	0,01	1000	1000	990
	2	0,00990991	999	10	989
	3	0,00982054	998		988
	4	0,00973189	997		987
	5	0,00964395	996		986

On montrera que l'erreur est de l'ordre de 34×10^{-4}.

99 Pour tout réel $\lambda > 0$, on considère la fonction F_λ définie sur $\mathbb{R}$ par : $F_\lambda(x) = \int_0^x e^{-\lambda t^2}\,dt$.

1 Soit λ un réel strictement positif fixé.
Justifier la dérivabilité de la fonction F_λ et déterminer sa dérivée.
En déduire que, pour tout réel x, on a :

$$F'_\lambda(x) = F'_1(\sqrt{\lambda}\,x).$$

2 Justifier que la fonction F_λ est impaire.

3 Étudier les variations de la fonction F_λ.

4 **a.** Montrer que, pour tout réel $t \geqslant \dfrac{1}{\lambda}$, $e^{-\lambda t^2} \leqslant e^{-t}$.

b. Montrer que, pour tout réel $x \geqslant \dfrac{1}{\lambda}$:

$$F_\lambda(x) - F_\lambda\left(\frac{1}{\lambda}\right) \leqslant \int_{\frac{1}{\lambda}}^x e^{-t}\,dt.$$

c. En déduire que, pour tout réel $x \geqslant \dfrac{1}{\lambda}$,

$$F_\lambda(x) \leqslant F_\lambda\left(\frac{1}{\lambda}\right) + e^{-\frac{1}{\lambda}}.$$

5 Pour tout entier naturel strictement positif, on note $u_n = F_\lambda(n)$.

a. Montrer que la suite $(u_n)_{n>0}$ est croissante et majorée.

b. En déduire que la suite $(u_n)_{n>0}$ admet une limite finie en $+\infty$, que l'on note L_λ.
On admet que la fonction F_λ admet également pour limite L_λ lorsque x tend vers $+\infty$.
De même, on peut prouver que F_1 admet une limite finie en $+\infty$ notée L_1.

6 **a.** Quelle est la valeur de $L_{\frac{1}{2}}$?

b. En déduire une expression de L_λ.

Problèmes

100 Surbooking

Une compagnie aérienne utilise un avion pouvant transporter 400 passagers. Pour un vol donné, la probabilité pour qu'un passager ne se présente pas à l'embarquement est de 0,08.

1 La compagnie accepte 410 réservations. On note X la variable aléatoire correspondant au nombre de passagers se présentant effectivement.

a. Quelle est la loi de X, si on suppose que les comportements des passagers sont indépendants ?

b. Justifier que l'on peut approximer la loi de X par une loi normale dont on indiquera les paramètres.

c. En déduire une approximation de $P(X > 400)$. Comment interpréter ce résultat ?

2 La compagnie décide d'optimiser le surbooking de la façon suivante : elle vend le plus grand nombre n de places possibles tel que le nombre de passagers se présentant à l'embarquement vérifie :

$$P(X_n > 400) \leqslant 0{,}025.$$

a. En approximant la loi de X_n par une loi normale et en utilisant les seuils établis dans le cours, déterminer une équation vérifiée par n.

b. Déterminer n.

101  Partie A

On considère la fonction φ définie sur $\mathbb{R}$ par : $\varphi(x) = e^{-\frac{x^2}{2}}$.

1 Justifier que la fonction φ est deux fois dérivable et montrer que : pour tout réel x, $\varphi''(x) = (x^2 - 1)\varphi(x)$.

2 En déduire que la fonction φ' admet deux extremum sur $\mathbb{R}$ et préciser pour quelles valeurs de la variable.

3 **a.** Écrire l'équation de la tangente T_1 à la courbe Γ représentative de φ au point d'abscisse 1 dans un repère orthonormé (O, I, J).

b. Déterminer la position de la courbe Γ par rapport à sa tangente T_1.

c. Donner un argument rapide permettant de situer la courbe Γ par rapport à sa tangente au point d'abscisse -1.

> **Coup de pouce**
> On pourra étudier le signe de la différence :
> $$d(x) = \varphi(x) - [\varphi'(1)(x-1) + \varphi(1)],$$
> en remarquant que $d'(x) = \varphi'(x) - \varphi'(1)$.

> **Pour info**
> Lorsque qu'une courbe traverse sa tangente en un point A, on dit que le point A est un point d'inflexion de la courbe.

Partie B

On considère la fonction densité f définie sur $\mathbb{R}$ par :

$$f(x) = \frac{1}{\sigma\sqrt{2\pi}} e^{-\frac{(x-\mu)^2}{2\sigma^2}} = \frac{1}{\sigma\sqrt{2\pi}} e^{-\frac{1}{2}\left(\frac{x-\mu}{\sigma}\right)^2}, \text{ où } \mu \text{ et } \sigma \text{ sont deux réels positifs}$$

1 Déterminer la dérivée seconde, f'' de f.

2 Démontrer que la courbe représentant f dans le repère (O, I, J) admet deux points d'inflexion d'abscisses respectives σ et $-\sigma$.

3 On donne ci-contre la courbe représentative d'une telle fonction densité f, en ayant placé les points d'inflexion K et L.

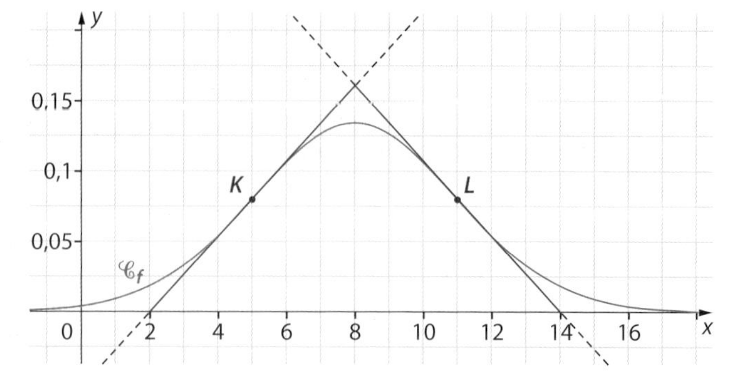

a. Identifier les valeurs μ et σ, puis **en utilisant la calculatrice** déterminer une valeur approchée de $\int_{\mu-\sigma}^{\mu+\sigma} f(x)\mathrm{d}x$.

b. Comparer avec la valeur donnée dans le cours.

Voir les fiches **Calculatrices.**

À l'aide d'une table

Extraits de la table de la fonction intégrale de la loi normale centrée, réduite $\mathcal{N}(0\,;1)$

$\Pi(t) = P(T \leqslant t) = \int_{-\infty}^{t} f(x)\mathrm{d}x$

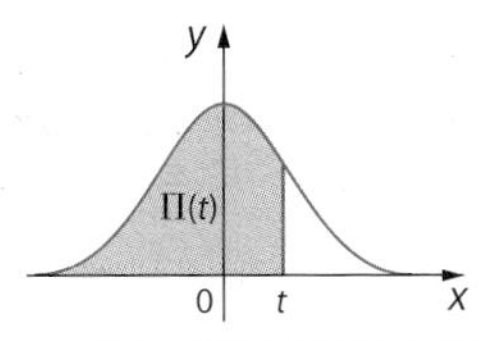

t	0,00	0,01	0,02	0,03	0,04	0,05	0,06	0,07	0,08	0,09
0,0	0,500 0	0,504 0	0,508 0	0,512 0	0,516 0	0,519 0	0,523 9	0,527 9	0,531 9	0,535 9
0,1	0,539 8	0,543 8	0,547 8	0,551 7	0,555 7	0,559 6	0,563 6	0,567 5	0,571 4	0,575 3
0,2	0,579 3	0,583 2	0,587 1	0,591 0	0,594 8	0,598 7	0,602 6	0,606 4	0,610 3	0,614 1
0,3	0,617 9	0,621 7	0,625 5	0,629 3	0,633 1	0,636 8	0,640 6	0,644 3	0,648 0	0,651 7
0,4	0,655 4	0,659 1	0,662 8	0,666 4	0,670 0	0,673 6	0,677 2	0,680 8	0,684 4	0,687 9
0,5	0,691 5	0,695 0	0,698 5	0,701 9	0,705 4	0,708 8	0,712 3	0,715 7	0,719 0	0,722 4
0,6	0,725 7	0,729 0	0,732 4	0,735 7	0,738 9	0,742 2	0,745 4	0,748 6	0,751 7	0,754 9
0,7	0,758 0	0,761 1	0,764 2	0,767 3	0,770 4	0,773 4	0,776 4	0,779 4	0,782 3	0,785 2

102 Calculs de probabilité

On considère une variable aléatoire T qui suit une loi normale $\mathcal{N}(0\,;1)$. La table ci-dessous permet d'obtenir des valeurs approchées de $P(T \leqslant t)$, avec $t \geqslant 0$. Si on veut obtenir, par exemple $P(T \leqslant 0{,}13)$, on lit la valeur située à l'intersection de la deuxième ligne $(0{,}1)$ et de la quatrième colonne $(0{,}03)$: $P(T \leqslant 0{,}13) \approx 0{,}5517$.

La loi normale centrée réduite est caractérisée par la densité de probabilité :

$$f(x) = \frac{1}{\sqrt{2\pi}} \mathrm{e}^{-\frac{x^2}{2}}.$$

1 Déterminer à l'aide de la table une valeur approchée de $P(T \leqslant 0{,}55)$.

2 Déterminer une valeur approchée de $P(T > 0{,}42)$.

3 Déterminer une valeur approchée de :
$$P(0{,}15 \leqslant T \leqslant 0{,}68).$$

4 **a.** Si $t > 0$, exprimer $P(T \geqslant -t)$, puis $P(T \leqslant -t)$ en fonction de $\Pi(t) = P(T \leqslant t)$.

b. En déduire une valeur approchée de $P(T \leqslant -0{,}25)$.

Coup de pouce

2 On utilise le fait que $(T > 0{,}42)$ est l'événement contraire de $(T \leqslant 0{,}42)$.

3 ▸ On peut, par exemple, visualiser l'aire correspondant au calcul demandé.

▸ Pour des probabilités définies par des lois à densité, on a : $P(T < t) = P(T \leqslant t)$.

4 **a.** On utilise le fait que la courbe est symétrique par rapport à l'axe des ordonnées.

103 QCM Indiquer **la** bonne réponse.

1 La probabilité $P(X \leqslant 0{,}43)$ est égale à :

a. 0,633 07. **b.** 0,666 40.

c. $1 - P(X < -0{,}43)$.

2 Le nombre 0,715 66 correspond à :

a. $P(X < 0{,}57)$. **b.** $P(X < -0{,}57)$.

c. $P(X > -0{,}57)$.

3 Le nombre 0,294 60 :

a. n'est pas dans la table.

b. correspond à $P(X > -0{,}57)$.

c. correspond à $P(X < -0{,}57)$.

104 QCM

Une ou plusieurs réponses sont correctes. Leur justification permet de prouver les propriétés du paragraphe 2, page 366, et les conséquences du paragraphe 3, page 368.

Soient a, b, c et d quatre réels tels que $a \leqslant c < d \leqslant b$.

1 $\displaystyle\int_c^d \frac{1}{b-a}\mathrm{d}t$ est égal à :

a. $\displaystyle\frac{1}{b-a}\int_c^d \mathrm{d}t$. **b.** $\displaystyle\frac{d-c}{b-a}$.

c. $\displaystyle 1 - \int_a^c \frac{\mathrm{d}t}{b-a} - \int_d^b \frac{\mathrm{d}t}{b-a}$.

2 $\displaystyle\int_a^b t \times \frac{\mathrm{d}t}{b-a}$ est égal à :

a. 1. **b.** $\displaystyle\frac{1}{b-a} \times \frac{b^2-a^2}{2}$. **c.** $b^2 - a^2$. **d.** $\displaystyle\frac{a+b}{2}$.

Soit λ un réel strictement positif, a, c et d trois réels positifs.

3 $\displaystyle\lim_{a \to +\infty} \int_0^a \lambda \mathrm{e}^{-\lambda t}\mathrm{d}t$ est égal à :

a. 1. **b.** $+\infty$. **c.** $\displaystyle\frac{1}{\lambda}$. **d.** $\displaystyle\lim_{a \to +\infty} \left[-\mathrm{e}^{-\lambda t}\right]_0^a$.

4 $\displaystyle\int_c^d \lambda \mathrm{e}^{-\lambda t}\mathrm{d}t$ est égal à :

a. $\mathrm{e}^{-\lambda(d-c)}$. **b.** $\mathrm{e}^{-\lambda c} - \mathrm{e}^{-\lambda d}$. **c.** $\mathrm{e}^{-\lambda d} - \mathrm{e}^{-\lambda c}$.

Pistes pour l'accompagnement personnalisé

Revoir les outils de base

105  Une loi « incontournable » !

Un jeu-promotionnel est constitué d'un questionnaire de 16 propositions pour lesquelles on doit cocher l'une des deux cases vrai ou faux. Xavier décide de jouer en choisissant au hasard, pour chaque question, l'une des deux cases. On appelle X le nombre de réponses correctes de Xavier.

1 Quelle loi suit la variable aléatoire X ?

2 Calculer $P(X \geqslant 1)$ et $P(X = 8)$.

3 Déterminer, **au moyen de la calculatrice**, $P(4 \leqslant X \leqslant 12)$.

4 Donner l'espérance de X et sa variance.

106 Intégrales et primitives

QCM Donner **la** bonne réponse.

1 Si f est constante sur $[a\,;b]$, $\int_a^b f(t)\mathrm{d}t$ est égal à :

a. $b - a$. **b.** $f(b) - f(a)$.
c. $(b-a)f(a)$.

2 Une primitive de la fonction $x \longmapsto 5\mathrm{e}^{-5x}$ sur $[0\,;+\infty[$ est :

a. $x \longmapsto \mathrm{e}^{-5x}$. **b.** $x \longmapsto 5\mathrm{e}^{-\frac{1}{5}x}$.
c. $x \longmapsto -\mathrm{e}^{-5x}$.

3 La fonction F est définie sur $[0\,;4]$ par :

$$x \longmapsto \int_0^x f(t)\mathrm{d}t,$$

où f est représentée ci-contre.

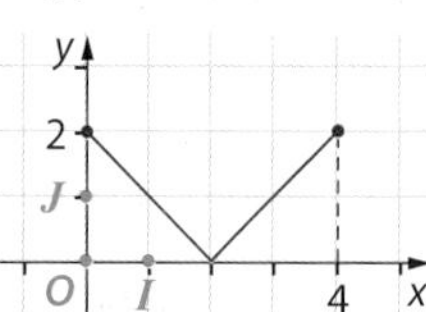

a. F est croissante sur $[0\,;4]$.
b. $F(2) = 0$.
c. si $x > 3$, alors $2{,}5 < F(x) \leqslant 4$.

Les savoir-faire du chapitre

107

On considère l'intervalle $\mathrm{I} = [5\,;10]$ et la fonction f définie sur I par $f : t \longmapsto kt^{-2}$.

a. Déterminer la valeur de k pour que f soit la densité pour une loi de probabilité sur $[5\,;10]$ et représenter graphiquement f **sur la calculatrice**.

b. La variable aléatoire X suit une loi de probabilité sur $[5\,;10]$ de densité $f : t \longmapsto 10t^{-2}$.
Calculer $P(X < 6)$.

c. Déterminer le réel a tel que $P(X \leqslant a) = P(X \geqslant a)$.

d. On rappelle que l'espérance de X est donnée par la formule :

$$E(X) = 10\int_5^{10} t\,f(t)\mathrm{d}t.$$

Déterminer l'espérance de la variable X.

Méthode

Lorsque X est une variable aléatoire suivant une loi définie par une densité f sur $[c\,;d]$, pour tout réel $x \in [c\,;d]$, on a par définition :

$$P(X \leqslant x) = \int_c^x f(t)\mathrm{d}t.$$

108

On considère la fonction f définie sur $\mathbb{R}$ par :

$$f(x) = x\mathrm{e}^{-x} \text{ si } x > 0, \text{ et } f(x) = 0 \text{ si } x \leqslant 0.$$

1 Démontrer que f est une densité sur $\mathbb{R}$ et la représenter graphiquement.

Aide $\lim\limits_{a \to +\infty} \int_0^a t \cdot \lambda\mathrm{e}^{-\lambda t}\mathrm{d}t$ a été vue en cours, page 368.

2 Soit X une variable aléatoire de densité f, exprimer pour tout réel x la probabilité $P(X \leqslant x)$. On examinera les cas $x \leqslant 0$ puis $x \geqslant 0$. En déduire une valeur approchée à 10^{-2} près de $P(X \leqslant 1)$ puis de $P_{(X>1)}(X \geqslant 2)$.

3 Déterminer le réel a tel que :

$$P(]-\infty\,;a]) = P(]a\,;+\infty[).$$

Positionner le réel a sur le graphique réalisé au **1**.

109 QCM

Une ou plusieurs réponses sont correctes.

La variable aléatoire X suit une loi exponentielle de paramètre $\lambda > 0$.

1 Si $P(X < 1) = 0{,}5$, alors :

a. $\lambda = \frac{1}{2}$. **b.** $\lambda = \ln 2$. **c.** $\lambda = \ln\frac{1}{2}$.

2 Si l'espérance de X vaut 0,5, alors :

a. $\lambda = \frac{1}{2}$. **b.** $\lambda = 2$. **c.** $\lambda = \ln 2$.

3 La probabilité de l'événement $2 \leqslant X \leqslant 3$ est :

a. $\mathrm{e}^{-3\lambda} - \mathrm{e}^{-2\lambda}$. **b.** $\mathrm{e}^{-2\lambda}(1 - \mathrm{e}^{-\lambda})$. **c.** $\mathrm{e}^{-\lambda}$.

4 $P_{(X \geqslant 1)}(X \geqslant 3)$ est égal à :

a. $P(X \geqslant 2)$. **b.** $P_{(X \geqslant 9)}(X \geqslant 11)$. **c.** $\mathrm{e}^{-2\lambda}$.

Aide Apprendre les formules du cours, page 368.

110 QCM

Déterminer, **sans calculatrice, la (ou les)** réponses justes :

X suit une loi normale $\mathcal{N}(0\,;1)$.

1 $P(X > 3)$ est égal à :

a. $P(X < 3)$; **b.** $P(X > -3)$; **c.** $P(X < -3)$.

2 On pose $p = P(-3 < X < 3)$

a. $p > 0{,}99$; **b.** $p < 0{,}997$; **c.** $p > 0{,}997$.

3 On pose $q = P(X < 3)$

a. $q = \frac{1}{2} + \frac{1}{2}P(-3 < X < 3)$; **b.** $q > 0{,}997$;
c. $q = 2P(0 \leqslant X < 3)$.

Pistes pour l'accompagnement personnalisé

111  Une variable aléatoire X suit une loi binomiale $\mathcal{B}\left(72 ; \frac{1}{3}\right)$.

1 Par quelle loi peut-on approcher X ?

2 On considère une variable aléatoire X' suivant une loi $\mathcal{N}(24 ; 16)$. On lui associe la loi $Y = \dfrac{X' - 24}{4}$.

a. Quelle est la loi suivie par Y ?

b. En déduire, **au moyen de la calculatrice**, des valeurs approchées des probabilités suivantes :
$P(X \leqslant 28)$; $P(X \geqslant 36)$; $P(24 \leqslant X \leqslant 32)$.

> **Conseil** On pourra utiliser la correction de continuité pour calculer $P(24 \leqslant X \leqslant 32)$. (Voir l'exercice **84**.)

112 **Comparaison loi uniforme-loi normale**

1 X suit une loi uniforme sur $[-4 ; 4]$. Déterminer le plus petit réel a tel que $P(-a \leqslant X \leqslant a) \geqslant 0{,}99$.

2 Z est une variable aléatoire qui suit la loi normale $\mathcal{N}(0 ; 1)$.

a. Dans quel intervalle Z prend-t-elle ses valeurs ?

b. Déterminer une valeur approchée à 10^{-3} près du plus petit réel positif u tel que $P(-u \leqslant Z \leqslant u) \geqslant 0{,}99$.

Approfondissement

113 ALGO **Une méthode Monte-Carlo**

On considère le disque de centre O, de rayon 1, et le carré $ABCD$ circonscrit à ce disque.

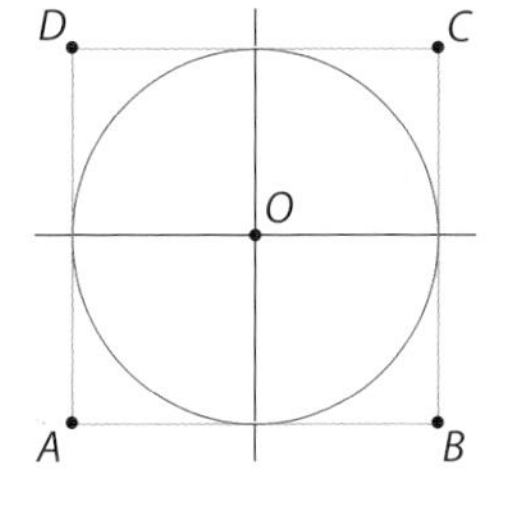

1 a. On choisit au hasard un point dans le carré : quelle est la probabilité qu'il appartienne au disque ?

b. On choisit un couple $(x ; y)$ de nombres réels.
Que peut-on affirmer si $x^2 + y^2 \leqslant 1$?

2 Le résultat du **1 a.** permet d'envisager la recherche d'une valeur approchée de π par une méthode statistique.
On réalise un grand nombre de fois l'expérience suivante :
- choix d'un réel x au hasard dans $[-1 ; 1]$;
- choix d'un réel y au hasard dans $[-1 ; 1]$.

Le couple $(x ; y)$ représente alors un point du carré $ABCD$:
- on teste si ce point appartient au disque ;
- dans l'affirmative, on le comptabilise ;
- dans la négative, on n'en tient pas compte.

Au bout d'un grand nombre d'expériences effectuées, on peut calculer la fréquence d'appartenance des points au disque et en déduire une valeur approchée de π.

a. Rédiger un algorithme permettant d'effectuer un grand nombre d'expériences et d'obtenir la fréquence cherchée.

b. Le programmer avec un logiciel ou sur tableur et indiquer les valeurs obtenues pour π.

3 Un encadrement sûr à 95 %

Soit X la variable aléatoire comptant le nombre de points dans le disque sur n expériences. On pose :

$$p = \frac{\pi}{4}, \sigma^2 = np(1-p) \quad \text{et} \quad Y = \frac{X - np}{\sigma}.$$

a. Justifier que Y peut être approximée par une loi normale $\mathcal{N}(0 ; 1)$.

b. Indiquer un réel u tel que : $P(-u \leqslant Y \leqslant u) \approx 0{,}95$.

c. On admet que $p(1-p) \leqslant \frac{1}{2}$.

En déduire que $P\left(-\dfrac{0{,}98}{\sqrt{n}} \leqslant \dfrac{X}{n} - p \leqslant \dfrac{0{,}98}{\sqrt{n}}\right) \geqslant 0{,}95$.

d. Le tableau ci-dessous résume un essai sur 40 000 expériences :

n	Points dans le disque	Fréquence	Valeur approchée de π
40 000	31 391	0,784 775	3,139 1

En utilisant le résultat du **c.** peut-on être sûr à 95 % de la première décimale de π ?
Permet-il d'envisager une valeur unique pour la deuxième décimale de π ?

> **Info** La méthode présentée dans cet exercice, qui consiste à estimer un résultat (ici une aire) en s'appuyant sur une méthode probabiliste fait partie de la famille des « Méthodes de Monte Carlo », qui interviennent aussi bien en finance qu'en physique des particules.

114 On considère la fonction φ définie sur $\mathbb{R}$ par :

$$\varphi(x) = e^{-\frac{x^2}{2}}.$$

1 Justifier que la fonction φ est dérivable et calculer sa dérivée.
En déduire que la fonction φ est une solution de l'équation différentielle (E) : $y' + xy = 0$.

2 a. Soit f une fonction dérivable sur $\mathbb{R}$. Justifier que la relation $f = \varphi \times g$ définit une fonction g dérivable sur $\mathbb{R}$.

b. Démontrer les équivalences suivantes :
f est solution de (E) $\Leftrightarrow \varphi \times g' = 0 \Leftrightarrow g' = 0$.

c. Résoudre l'équation différentielle (E).

3 Déduire des questions précédentes l'existence et l'unicité de la solution de l'équation (E) prenant la valeur $\dfrac{1}{\sqrt{2\pi}}$ en 0.

Échantillonnage

Partir d'un bon pied

Voir corrigés en fin de manuel

A Revoir la loi normale

QCM X est une variable aléatoire réelle qui suit une loi normale $\mathcal{N}(\mu ; \sigma^2)$.
Pour chacune des affirmations suivantes, préciser **la seule réponse correcte**.

1 $E(X) =$	**a.** 1	**b.** 0	**c.** μ
2 $V(X) =$	**a.** σ^2	**b.** σ	**c.** 1
3 $\mu = 0, \sigma = 1, P(X \geqslant 0) =$	**a.** 0,5	**b.** 0,25	**c.** 1
4 $\mu = 0, \sigma = 1, P(-u \leqslant X \leqslant u) = 0{,}95$.	**a.** $u \approx 0{,}8$	**b.** $u \approx 0{,}95$	**c.** $u \approx 1{,}96$

B Utiliser une calculatrice avec une loi normale

1 X est une variable aléatoire réelle qui suit une loi normale $\mathcal{N}(1 ; 4)$.
À l'aide de la calculatrice, calculer les probabilités suivantes : **a.** $P(0{,}5 < X < 1{,}5)$; **b.** $P(X > 1)$.

2 Le nombre de points obtenus à un test d'entrée dans une université américaine peut être représenté par une variable aléatoire réelle X qui suit une loi normale $\mathcal{N}(\mu ; \sigma^2)$, avec $\mu = 505$ et $\sigma = 101$. Quel nombre minimal de points doit obtenir un candidat pour qu'on puisse supposer qu'il fait partie des 10 % de candidats les mieux notés ?

C Calculer avec une loi binomiale

X est une variable aléatoire qui suit une loi binomiale de paramètres $n = 20$ et $p = 0{,}4$.

1 Déterminer l'espérance et la variance de X.

2 Calculer **à l'aide de la calculatrice** les probabilités suivantes : **a.** $P(X = 20)$; **b.** $P(X \leqslant 3)$.

3 Déterminer la valeur de $P(X \geqslant 1)$.

D Prise de décision à l'aide de la loi binomiale

On lance 100 fois une pièce de monnaie, et on observe le résultat Pile 37 fois.

Doit-on accepter l'hypothèse selon laquelle cette pièce est équilibrée ?

Pour cela, déterminer l'intervalle de fluctuation au seuil 95 % construit pour une loi binomiale de paramètres $n = 100$ et $p = 0{,}5$.

Le logiciel *Geogebra 4*, donne l'histogramme de la loi binomiale $\mathcal{B}(100 ; 0{,}5)$ et les probabilités :

$P(X \leqslant 60) = 0{,}982\,4$, $P(X \leqslant 59) = 0{,}9716$,

$P(X \leqslant 39) = 0{,}017\,6$ et $P(X \leqslant 40) = 0{,}028\,4$.

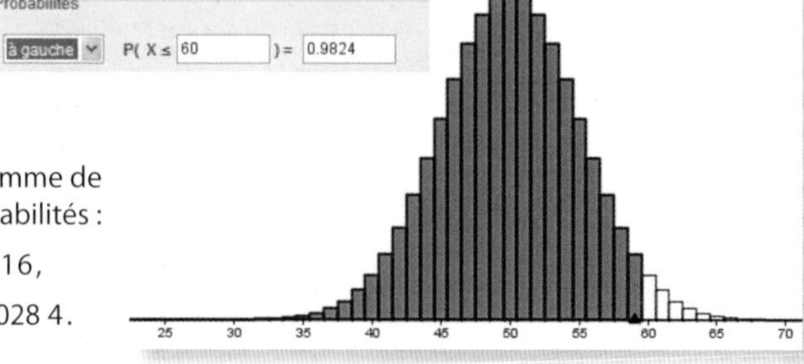

et estimation

CHAPITRE 12

Des maths partout !

À l'issue d'un processus de fabrication, comment savoir si les pièces produites sont en état de marche ? Comment connaître la proportion de pièces défectueuses dans la production ? Souvent, il est difficile, voire impossible, de tester toutes les unités produites : on ne peut pas mettre à feu toutes les fusées avant le feu d'artifice pour tester leur bon fonctionnement, ni casser toutes les pièces en sortie de chaîne de fabrication pour vérifier leur résistance… Dans ce contexte, on pratique l'estimation, c'est-à-dire qu'on essaie de tirer des conclusions concernant la population étudiée à partir de calculs sur des échantillons.

Au fil du temps

En 1936, le statisticien américain **George Galup** (1901-1984) entre dans l'Histoire en proposant un sondage qui prédit la victoire du démocrate Franklin Roosevelt, montrant ainsi qu'un échantillon de taille modeste permet d'obtenir des résultats fiables, à condition de procéder scientifiquement. C'est le triomphe de la théorie des sondages, la partie la plus connue et aussi la plus controversée de la prévision statistique.

Cette partie des mathématiques naît en même temps que les probabilités. On peut retenir les apports décisifs des mathématiciens français comme **Pierre Simon de Laplace** (1749-1827) et russe comme **Andreï Nikolaïevitch Kolmogorov** (1903-1987).

Andreï Kolmogorov.

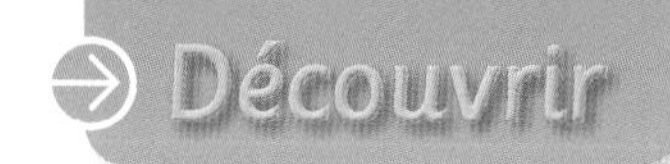

Les activités 1 et 2 sont à effectuer par groupe de deux élèves.

Activité 1 Échantillonnage, décision et estimation

1 On dispose d'une urne, dont on sait qu'elle contient uniquement des boules rouges et des boules noires. On sait par ailleurs que la proportion de boules rouges ne peut prendre que deux valeurs : 0,4 ou 0,6.
L'élève A choisit secrètement une de ces deux valeurs. L'élève B doit la deviner. Pour cela, il peut demander à l'élève A d'effectuer un nombre fixé à l'avance de tirages avec remise en indiquant à chaque fois la couleur obtenue.

Simuler le jeu avec 10 tirages, puis avec 50 tirages.
Commenter les résultats obtenus.

2 Cette fois, l'élève A choisit une proportion strictement comprise entre 0,2 et 0,8. L'élève B doit proposer un intervalle qui contienne cette proportion. Là encore, le nombre de tirages est fixé à l'avance.

L'objectif pour l'élève B est double : proposer un intervalle qui contienne la proportion choisie par A et essayer de proposer le plus petit intervalle possible.

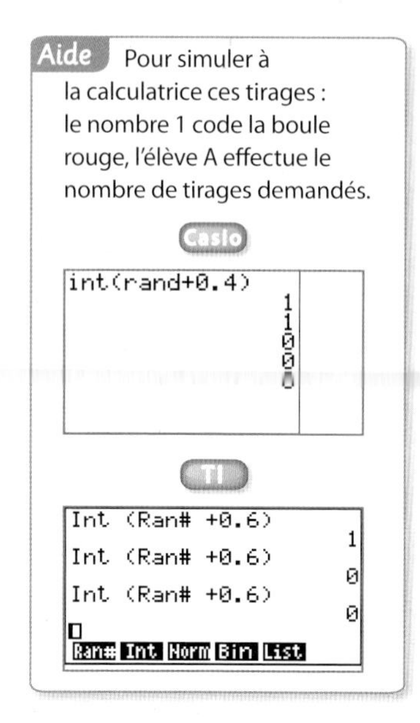
Aide Pour simuler à la calculatrice ces tirages : le nombre 1 code la boule rouge, l'élève A effectue le nombre de tirages demandés.

Activité 2 Loi binomiale et intervalle de fluctuation

On dispose d'une urne contenant uniquement des boules rouges et noires.
La proportion de boules rouges est notée p.
Une partie consiste à effectuer 50 tirages avec remise, et à déterminer la fréquence d'apparition des boules rouges.
On décide de simuler 100 parties, en codant le rouge par 1 et le noir par 0.

fx =ENT(ALEA()+$A$6)

	A	B	C	D	E	F	G
1		**Numéro de la partie**	**1**	**2**	**3**	**4**	**5**
2		**Fréquence**	0,4	0,32	0,38	0,36	0,34
3		**b**	0,5358	0,5358	0,5358	0,5358	0,5358
4		**a**	0,2642	0,2642	0,2642	0,2642	0,2642
5	**p**						
6	**0,4**		1	1	0	1	1
7			1	0	1	0	1
8			0	1	0	0	0

Voir la fiche **Tableur**.

1 Préparer et compléter le tableau pour simuler les 100 parties de 50 tirages.

2 Compléter la cellule C2 pour obtenir la fréquence de boules rouges pour la partie 1. (On pourra utiliser la fonction SOMME ou la fonction NB.SI.) Recopier la formule pour obtenir les fréquences pour les 100 parties.

3 Entrer en C3 la formule : =$A$6+1,96*(RACINE($A$6*(1-$A$6)))/(RACINE(50))
et en C4 la formule : =$A$6-1,96*(RACINE($A$6*(1-$A$6)))/(RACINE(50))

4 a. Sélectionner les quatre premières lignes pour obtenir un graphique (courbe de points non reliés) de l'échantillonnage de 100 parties.
b. Faire varier la valeur de p. Compter à chaque fois le nombre de points situés en dehors de la zone délimitée par les deux lignes. Commenter.
c. Exprimer a et b en fonction de p.

Activité 3 Sondages et fourchettes

Dans le cas d'un sondage, il s'agit d'estimer une proportion inconnue à l'aide d'une fréquence observée dans un échantillon donné. L'intervalle de confiance alors obtenu est aussi appelé une **fourchette**.

On s'intéresse à la question suivante : « Comptez-vous voter *oui* ou *non* au prochain référendum ? ». On appelle p la proportion d'individus dans la population qui répondraient *oui* à la question posée.

On effectue un sondage dans un échantillon de 50 personnes.

f_x =ENT(ALEA()+$A$6)

	A	B	C	D	E	F	G	H
1		**Numéro du sondage**	**1**	**2**	**3**	**4**	**5**	**6**
2		**Fourchette basse**						
3		**Fourchette haute**						
4		**Fréquence de oui**						
5	p							
6	0,4		1	0	0	1	0	0
7			1	1	0	1	0	1
8			1	0	0	1	0	0

1 Préparer le tableau suivant (le 1 code la réponse *oui*) en complétant 50 sondages de 50 personnes.

Voir la fiche **Tableur**.

2 Compléter la cellule C4 pour obtenir la fréquence de *oui* parmi les 50 personnes interrogées.

3 On voit dans ce chapitre que, la fréquence f observée étant donnée, l'intervalle de confiance au niveau de confiance 0,95 pour la proportion p, est donné par $\ell = \left[f - \frac{1}{\sqrt{n}} ; f + \frac{1}{\sqrt{n}}\right]$.

- Compléter alors les cellules C2 et C3 pour obtenir les bornes de l'intervalle de confiance. Recopier les résultats obtenus.
- Créer un graphique représentant les lignes 2, 3 et 4. Pour cela, choisir graphique boursier/stock min-max-cloture. Commenter les résultats obtenus. Que peut-on penser de la fiabilité d'un tel sondage pour déterminer si une majorité d'électeurs compte voter *oui* ?

4 **a.** Modifier la feuille de tableur pour qu'elle affiche la simulation de 50 sondages de 1 000 personnes.
b. Observer le nouveau graphique obtenu.
c. Si $f = 0{,}52$, un tel sondage sur 1 000 personnes permet-il de conclure valablement à la question : « La majorité des électeurs comptent-ils voter *oui* » ?

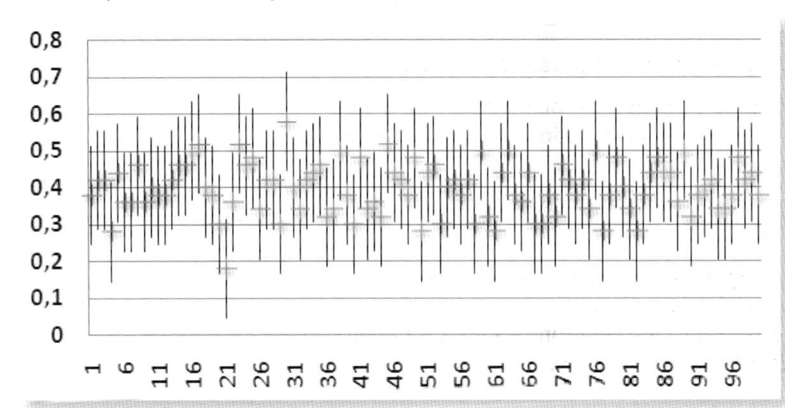

Cours

1 Échantillonnage et estimation : introduction

On se situe ici dans deux domaines des statistiques, qui sont ceux de « l'échantillonnage » et de « l'estimation ». Ces deux domaines ont des contextes d'application différents, qu'il faut savoir reconnaître.

Remarque Ces domaines appartiennent au champ des statistiques « inférentielles ».

a Identification de la situation

On considère deux urnes U_1 et U_2 contenant chacune un très grand nombre de boules, rouges ou bleues.

Dans l'urne U_1, **on connaît la proportion *p* de boules rouges.** 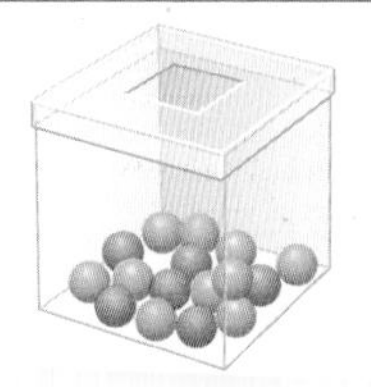	Dans l'urne U_2, **on ignore la proportion de boules rouges.** 
On procède à des tirages avec remise de *n* boules, et on observe la fréquence d'apparition d'une boule rouge. Cette fréquence observée appartient « en général » à un « intervalle de fluctuation » de centre *p*, dont la longueur diminue avec *n*. Cet intervalle est un « intervalle de fluctuation ». On est ici dans le domaine de l'**échantillonnage**, et de l'**intervalle de fluctuation**.	En procédant à des tirages avec remise de *n* boules, on va essayer d'estimer la proportion *p* de boules rouges dans l'urne, proportion dont on n'a aucune idée *a priori*. Cette estimation se fait au moyen d'un « intervalle de confiance ». Cet intervalle dépend d'un coefficient, le « niveau de confiance », que l'on attribue à l'estimation. On est ici dans le domaine de l'**estimation**, et de l'**intervalle de confiance**.

b Intervalle de fluctuation ou intervalle de confiance : lequel utiliser ?

On s'intéresse à une population, dont on étudie un caractère particulier.

ÉCHANTILLONNAGE	ESTIMATION
On utilise un **intervalle de fluctuation** quand : ▸ on **connaît la proportion** *p* de présence du caractère dans la population OU ▸ on **fait une hypothèse sur la valeur de cette proportion** (on est alors dans le cas de la « prise de décision »)	On utilise un **intervalle de confiance** quand : on **ignore la valeur de la proportion *p*** de présence du caractère dans la population, et on ne formule pas d'hypothèse sur cette valeur.

EXEMPLES

❶ On dispose d'une pièce de monnaie. Comment décider qu'elle est « équilibrée » ou pas ? On va ici faire l'hypothèse que la fréquence d'apparition de « Pile », par exemple, est égale à 0,5, et on va tester cette hypothèse. On est dans une **situation d'échantillonnage**.

❷ Une usine fabrique des fusées de feux d'artifice. Sur 100 fusées choisies au hasard à l'issue du processus de fabrication et mises à feu, on trouve 12 fusées qui ne fonctionnent pas. Comment se faire une idée de la proportion des fusées défectueuses dans la production ? On est dans une **situation d'estimation** : on n'a, au départ, aucune idée de la valeur de la proportion étudiée dans la production.

Remarque
Quand l'estimation est obligatoire...
Dans l'exemple ci-contre concernant les fusées de feu d'artifice, on comprend bien l'impossibilité de faire une étude exhaustive sur la population : on ne peut pas allumer toutes les fusées en sortie de production pour vérifier leur bon fonctionnement...

Mobiliser les acquis antérieurs sur l'échantillonnage

Exercice corrigé

Énoncé **D'après la revue « Repères » IREM, n° 85, octobre 2011.**

Dans la partie « Essai d'arithmétique morale » de son ouvrage *Histoire naturelle*, Georges de Buffon relate l'expérience suivante : un enfant a réalisé 4 040 lancers d'une pièce de monnaie, et il a obtenu 2 048 fois le résultat « Pile ».

Peut-on considérer que la pièce utilisée est équilibrée ?

1 Prendre une décision en utilisant l'intervalle de fluctuation au seuil 95 % sous la forme étudiée en classe de Seconde.

2 Reprendre le même travail, en utilisant un intervalle de fluctuation au seuil 95 % obtenu à partir de la loi binomiale vue en classe de Première.

Georges de Buffon (1707-1788) naturaliste et peintre français.

Solution

1 En classe de Seconde, on a vu que pour $n > 25$ et $0{,}2 < p < 0{,}8$, l'intervalle $\left[p - \frac{1}{\sqrt{n}}\,;\,p + \frac{1}{\sqrt{n}}\right]$ constitue un intervalle de fluctuation au seuil 95 %.

Ici, si on appelle p la « proportion théorique » de résultats « Pile » obtenus sur un très grand nombre de lancers, on veut tester l'hypothèse selon laquelle la pièce est équilibrée, c'est-à-dire qu'on fait l'hypothèse $p = 0{,}5$.

Pour l'échantillon considéré, on a $n = 4\,040$, les conditions d'application sont donc réalisées, et on obtient l'intervalle $\left[0{,}5 - \frac{1}{\sqrt{4\,040}}\,;\,0{,}5 + \frac{1}{\sqrt{4\,040}}\right]$. En arrondissant à 10^{-4} près, on obtient l'intervalle de fluctuation : $I_1 = [0{,}484\,3\,;\,0{,}515\,7]$.

La fréquence observée dans l'échantillon est donnée par :

$$f = \frac{2\,048}{4\,040} \approx 0{,}506\,9 \text{ à } 10^{-4} \text{ près.}$$

Ainsi, on a : $f \in I_1$, donc on accepte l'hypothèse de pièce équilibrée.

2 En supposant que la pièce est équilibrée, la variable aléatoire X qui dénombre les résultats « Pile » obtenus parmi les 4 040 lancers réalisés suit une loi binomiale de paramètres $n = 4\,040$ et $p = 0{,}5$.

On a vu en classe de Première que l'intervalle de fluctuation à 95 % associé à la variable aléatoire X est l'intervalle $I_2 = \left[\frac{k_1}{n}\,;\,\frac{k_2}{n}\right]$, où k_1 est le plus petit des entiers k vérifiant $P(X \leqslant k) > 0{,}025$ et k_2 le plus petit des entiers k vérifiant $P(X \leqslant k) \geqslant 0{,}975$. On détermine les entiers k_1 et k_2 à l'aide d'un tableur.

On obtient $k_1 = 1958$ et $k_2 = 2\,082$, qui donnent un intervalle de fluctuation : $I_2 = \left[\frac{1958}{4\,040}\,;\,\frac{2\,082}{4\,040}\right]$; soit en arrondissant à 10^{-4} près : $I_2 = [0{,}484\,7\,;\,0{,}515\,3]$. La fréquence observée $f \approx 0{,}506\,9$, vérifie donc : $f \in I_2$.

On est ici aussi conduit à accepter l'hypothèse de pièce équilibrée.

Bon à savoir

L'intervalle de fluctuation étudié ici est appelé « bilatéral ». En effet, on est conduit à rejeter l'hypothèse de pièce équilibrée dans deux situations symétriques : celle où l'on aurait observé « trop peu » de résultats « Pile », comme celle où on en aurait observé « trop ». Dans le premier cas, la fréquence observée est du côté des réels inférieurs à ceux de l'intervalle de fluctuation, dans l'autre cas du côté des réels supérieurs à ceux de l'intervalle de fluctuation, d'où l'expression « bilatérale ».

Exercice d'application

1 Lors d'une étude menée sur la population des poissons d'un lac, supposée très nombreuse, la proportion de salmonidés (famille des saumons, truites,...) a été évaluée à 45 %. Dix ans plus tard, les scientifiques effectuent une nouvelle étude ; 500 poissons sont prélevés au hasard, et 255 sont des salmonidés.

Peut-on affirmer qu'après 10 ans, la proportion de salmonidés est restée inchangée ?

On déterminera deux intervalles de fluctuation au seuil de 95 %, comme dans l'exercice ci-dessus.

2 Échantillonnage

a Intervalle de fluctuation asymptotique

On dispose d'une urne contenant un très grand nombre de boules rouges et bleues. On sait que la proportion de boules rouges dans l'urne est égale à $p = 0,4$. Si on tire, successivement avec remise, n boules dans l'urne (n entier naturel non nul), et si on appelle X_n la variable aléatoire dénombrant les boules rouges tirées, alors X_n suit une loi binomiale $\mathscr{B}(n\,;p)$.

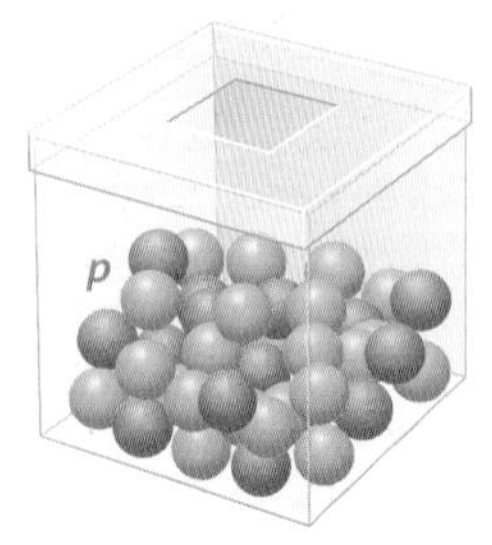

Proportion p connue de boules rouges.

Théorèmes et définition Soit X_n une variable aléatoire suivant une loi binomiale $\mathscr{B}(n\,;p)$, et α un réel tel que $0 < \alpha < 1$.

Si X est une variable aléatoire suivant la loi normale centrée réduite $\mathcal{N}(0\,;1)$, on appelle u_α l'unique réel tel que :

$$P(-u_\alpha \leqslant X \leqslant u_\alpha) = 1 - \alpha.$$

- On appelle I_n l'intervalle :

$$\mathrm{I}_n = \left[p - u_\alpha \frac{\sqrt{p(1-p)}}{\sqrt{n}}\,;p + u_\alpha \frac{\sqrt{p(1-p)}}{\sqrt{n}}\right].$$

Alors : $$\lim_{n \to +\infty} \boldsymbol{P\left(\frac{X_n}{n} \in \mathrm{I}_n\right) = 1 - \alpha}.$$

- L'intervalle I_n contient la fréquence $F_n = \frac{X_n}{n}$ avec une probabilité qui se rapproche de $1 - \alpha$ lorsque n augmente : on dit que c'est un **intervalle de fluctuation asymptotique de F_n au seuil $1 - \alpha$.**

Voir la **démonstration** à l'exercice résolu 9, page 415. 

EXEMPLE :

On tire 50 boules de l'urne décrite ci-dessus, et on souhaite déterminer un intervalle de fluctuation au seuil 0,9 (c'est-à-dire avec $\alpha = 0,1$). À l'aide de la calculatrice, on trouve 1,645 pour valeur approchée à 10^{-3} près de $u_{0,1}$.

On obtient pour intervalle de fluctuation :

$$\mathrm{I}_{50} = \left[0,4 - u_{0,1} \frac{\sqrt{0,4 \times 0,6}}{\sqrt{50}}\,;0,4 + u_{0,1} \frac{\sqrt{0,4 \times 0,6}}{\sqrt{50}}\right],$$

soit $\mathrm{I}_{50} = [0,286\,;0,514]$.

Ainsi, en effectuant 50 tirages dans cette urne, la fréquence d'apparition d'une boule rouge est comprise entre 0,286 et 0,514 avec une probabilité d'environ 0,9.

Pour 500 tirages, au même seuil 0,9, on obtient $\mathrm{I}_{500} = [0,364\,;0,436]$: la longueur de l'intervalle a, pour un même seuil, été divisée par plus de 3 en passant de 50 à 500 tirages…

Remarque Un intervalle de fluctuation asymptotique au seuil $1 - \alpha$ correspond à une **approximation** : on ne connaît pas les termes de la suite (p_n), où $p_n = P\left(\frac{X_n}{n} \in \mathrm{I}_n\right)$.

On sait toutefois que (p_n) converge vers $1 - \alpha$, et on considère que la limite $1 - \alpha$ est une valeur approchée de p_n, **sous certaines conditions**, qui sont : $n \geqslant 30$, $np \geqslant 5$, $n(1-p) \geqslant 5$.

Propriété **L'intervalle de fluctuation asymptotique au seuil de 95 %** pour une variable aléatoire X_n suivant une loi binomiale $\mathscr{B}(n\,;p)$ est l'intervalle :

$$\boldsymbol{\mathrm{I}_n = \left[p - 1,96\frac{\sqrt{p(1-p)}}{\sqrt{n}}\,;p + 1,96\frac{\sqrt{p(1-p)}}{\sqrt{n}}\right]}.$$

Cette propriété découle de celle vue au chapitre 11 concernant la loi normale ; on a vu en effet que $u_{0,05} \approx 1,96$.

Utiliser un intervalle de fluctuation asymptotique pour une prise de décision

Exercice corrigé

Énoncé Dans un casino, il a été décidé que les « machines à sous » doivent être réglées sur une fréquence de gain du joueur de $g = 0{,}06$. Une fréquence inférieure est supposée faire « fuir le client », et une fréquence supérieure est susceptible de ruiner le casino.
Trois contrôleurs différents vérifient une même machine.
Le premier a joué 50 fois et gagné 2 fois, le second a joué 120 fois et gagné 14 fois, le troisième a joué 400 fois et gagné 30 fois.
En utilisant des intervalles de fluctuation asymptotiques au seuil 95 %, examiner dans chaque cas la décision à prendre par le contrôleur, à savoir accepter ou rejeter l'hypothèse $g = 0{,}06$.

Solution

Premier contrôleur :

1▸ Le contrôle a porté sur 50 parties, donc $n = 50$; on a bien $n \geqslant 30$; mais $np = 50 \times 0{,}06 = 3$. Ainsi, on a : $np < 5$ et on n'est pas dans les conditions d'application d'un intervalle de fluctuation asymptotique. Ce contrôle ne peut rien donner de probant en termes de prise de décision.

Deuxième contrôleur :

Le contrôle a porté sur 120 parties, donc $n = 120$, $np = 7{,}2$ et $n(1-p) = 112{,}8$. 1▸
Les conditions d'utilisation d'un intervalle de fluctuation asymptotique sont donc réunies. L'intervalle de fluctuation asymptotique au seuil 0,95 pour un échantillon de taille $n = 120$ est égal à :

$$\mathrm{I}_{120} = \left[0{,}06 - 1{,}96 \times \frac{\sqrt{0{,}06 \times 0{,}94}}{\sqrt{120}} ; 0{,}06 + 1{,}96 \times \frac{\sqrt{0{,}06 \times 0{,}94}}{\sqrt{120}}\right],$$

soit en arrondissant les bornes à 10^{-4} près : $\mathrm{I}_{120} = [0{,}017\,5 ; 0{,}102\,5]$.

La fréquence observée par le deuxième contrôleur est : $f_2 = \dfrac{14}{120} \approx 0{,}116\,7$.

Cette fréquence est à l'extérieur de l'intervalle de fluctuation I_{120}, et le second contrôleur est donc conduit à rejeter l'hypothèse $g = 0{,}06$: il a « trop souvent » gagné ! 2▸

Troisième contrôleur :

Le contrôle a porté sur 400 parties, donc $n = 400$, $np = 24$ et $n(1-p) = 376$. 1▸
Les conditions d'utilisation d'un intervalle de fluctuation asymptotique sont donc réunies. L'intervalle de fluctuation asymptotique au seuil 0,95 pour un échantillon de taille $n = 400$ est égal à :

$$\mathrm{I}_{400} = \left[0{,}06 - 1{,}96 \times \frac{\sqrt{0{,}06 \times 0{,}94}}{\sqrt{400}} ; 0{,}06 + 1{,}96 \times \frac{\sqrt{0{,}06 \times 0{,}94}}{\sqrt{400}}\right],$$

soit en arrondissant les bornes à 10^{-4} près : $\mathrm{I} = [0{,}036\,7 ; 0{,}083\,3]$.

La fréquence observée par le troisième contrôleur est $f_3 = \dfrac{30}{400} = 0{,}075$. Ce dernier est donc amené à accepter l'hypothèse $g = 0{,}06$.

Bon à savoir

1▸ Pour tester une hypothèse à l'aide d'un intervalle de fluctuation asymptotique, on doit vérifier ses conditions d'utilisation : $n \geqslant 30$, $np \geqslant 5$, $n(1-p) \geqslant 5$.
Ces conditions vérifiées, on détermine l'intervalle de fluctuation I_n au seuil 95 %.
Si la fréquence observée f n'appartient pas à I_n, on rejette l'hypothèse.

2▸ L'intervalle de fluctuation étudié ici est « bilatéral » : on est conduit à rejeter l'hypothèse dans le cas où la fréquence observée est « trop grande », ou « trop petite ».

Exercice d'application

2 Le responsable d'une grande zone commerciale affirme : « 70 % de notre clientèle réside dans le département ». Il souhaite toutefois vérifier son propos en menant une enquête en utilisant la méthode par intervalle de fluctuation asymptotique.
Quel effectif minimal de clients tirés au sort doit-il interroger ?
On interroge au hasard n clients ; la fréquence observée de clients résidant dans le département est de 0,6. Par la méthode des intervalles de fluctuation asymptotique au seuil 95 %, l'hypothèse de 70 % n'a pas été rejetée.
Quelle information peut-on en tirer sur n ?

Voir exercices 13 à 24

3 Estimation

a Notion d'intervalle de confiance

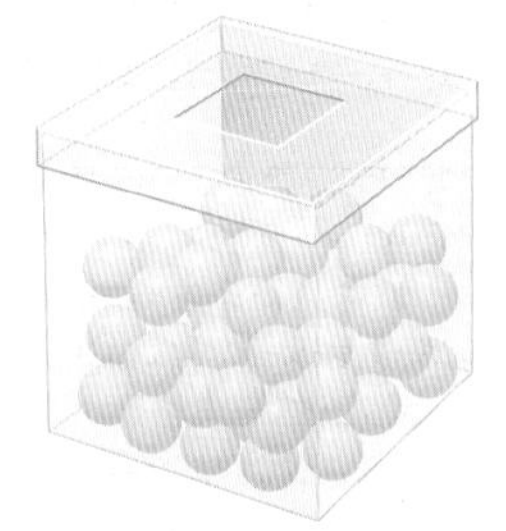

Proportion inconnue
de boules rouges dans l'urne.

On dispose d'une urne contenant un très grand nombre de boules rouges et bleues. On ignore quelle est la proportion p de boules rouges dans l'urne, et rien ne permet de faire une hypothèse sur la valeur de p.

L'« estimation » consiste à chercher, à « deviner, estimer », avec un certain niveau de confiance, quelle valeur peut prendre p, en s'appuyant sur les informations recueillies en procédant à des tirages au sort aléatoires.

Théorème Soit X_n une variable aléatoire suivant une loi binomiale $\mathcal{B}(n\,;p)$ où p est la proportion inconnue d'apparition d'un caractère, et $F_n = \dfrac{X_n}{n}$ la fréquence associée à X_n. Alors, pour n suffisamment grand, p appartient à l'intervalle $\left[F_n - \dfrac{1}{\sqrt{n}}\,;F_n + \dfrac{1}{\sqrt{n}}\right]$ **avec une probabilité supérieure ou égale à 0,95.**

Voir la démonstration à l'exercice résolu 10, page 415.
démo BAC

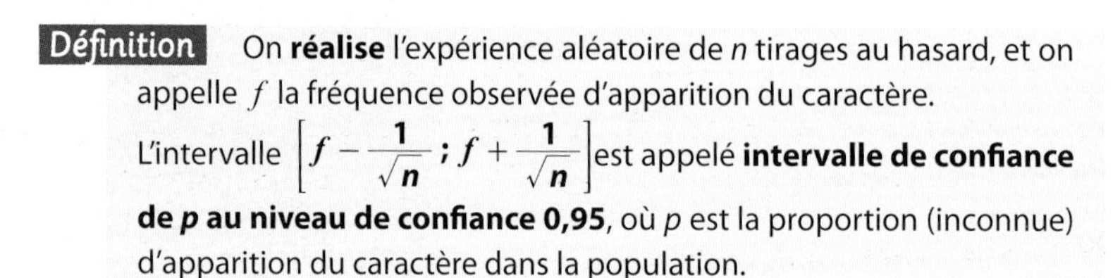

Définition On **réalise** l'expérience aléatoire de n tirages au hasard, et on appelle f la fréquence observée d'apparition du caractère.
L'intervalle $\left[f - \dfrac{1}{\sqrt{n}}\,;f + \dfrac{1}{\sqrt{n}}\right]$ est appelé **intervalle de confiance de p au niveau de confiance 0,95**, où p est la proportion (inconnue) d'apparition du caractère dans la population.

Remarque
Le « niveau de confiance 95 % » signifie que si l'on effectuait un très grand nombre de tirages de 100 boules, on **devrait obtenir moins de 5 % d'intervalles de confiance ne contenant pas la proportion p de boules rouges**.

EXEMPLE

Dans l'urne ci-dessus, on réalise un tirage de 100 boules ; on obtient 59 rouges et 41 bleues : la fréquence observée de sortie du rouge est donc 0,59. L'intervalle $\left[0{,}59 - \dfrac{1}{\sqrt{100}}\,;0{,}59 + \dfrac{1}{\sqrt{100}}\right] = [0{,}49\,;0{,}69]$ est un intervalle de confiance de la proportion de boules rouges dans l'urne au niveau de confiance 95 %.

b Précision d'une estimation et taille de l'échantillon

On a vu ci-dessus qu'en tirant 100 boules de l'urne, l'intervalle de confiance obtenu est de longueur 0,2 ; on peut trouver cet intervalle trop grand.
En procédant à un tirage de 400 boules, si f est la fréquence observée de sortie du rouge, on obtient un intervalle de confiance au niveau 95 % égal à :

$$\left[f - \frac{1}{\sqrt{400}}\,;f + \frac{1}{\sqrt{400}}\right] = [f - 0{,}05\,;f + 0{,}05].$$

Son amplitude, deux fois moindre que la précédente, est de 0,1.
Plus généralement, on retiendra :

Un intervalle de confiance au niveau 95 % est d'amplitude $\dfrac{2}{\sqrt{n}}$.
Plus la taille de l'échantillon est grande, plus les intervalles de confiance obtenus sont précis.

Exemple
Pour obtenir un intervalle de confiance d'amplitude inférieure à 0,01 de la proportion de boules rouges dans l'urne, il faut procéder à des tirages de n boules, avec $\dfrac{2}{\sqrt{n}} \leqslant 0{,}01$, soit $\dfrac{4}{n} \leqslant 10^{-4}$, ou encore $n \geqslant 4 \times 10^4$. Pour obtenir des intervalles de confiance au niveau 0,95 d'amplitude inférieure à 0,01, il faut procéder à au moins 40 000 tirages…

Savoir faire

Utiliser un intervalle de confiance

Exercice corrigé

Énoncé Une usine fabrique des pièces métalliques, qui sont censées résister à certaines contraintes mécaniques. Le responsable de fabrication souhaite estimer le taux de pièces défectueuses concernant la résistance mécanique dans la production.
Pour cela, il utilise la méthode par intervalle de confiance au niveau 95 %, en extrayant au hasard *n* pièces en fin de production, qui sont soumises à contrainte mécanique jusqu'à la rupture. En fonction du niveau de contrainte à la rupture, on décide de la nature défectueuse ou pas de la pièce.

1 Chaque pièce testée étant détruite, le responsable souhaite minorer la taille de l'échantillon testé, tout en ayant un intervalle de confiance de longueur inférieure à 0,1. Quelle taille d'échantillon peut-on lui conseiller ?

2 Il est finalement décidé de mener l'étude sur 500 pièces ; on en trouve 40 défectueuses. Quel intervalle de confiance, au niveau de confiance 95 %, obtient-on ?

3 L'année précédente, à l'issue d'un problème grave de rupture d'une pièce, une large étude avait débouché sur 130 pièces défectueuses dans un échantillon de 1 000. Peut-on supposer que la mise en place de nouvelles procédures de fabrication a vraiment diminué la proportion de pièces défectueuses ?

Solution

1 La longueur d'un intervalle de confiance à 95 % est égale à $\frac{2}{\sqrt{n}}$. ▶1

On doit donc résoudre l'inéquation : $\frac{2}{\sqrt{n}} \leqslant 0{,}1$, soit $\frac{4}{n} \leqslant 10^{-2}$, ou encore $n \geqslant 400$.
Pour obtenir un intervalle de confiance de longueur inférieure ou égale à 0,1, il faut prendre *n* au moins égal à 400. On peut donc conseiller, pour minorer les coûts de l'étude, de procéder à un tirage de 400 pièces.

2 La fréquence observée est : $f = \frac{40}{500} = 0{,}08$. L'intervalle de confiance au niveau 95 % obtenu ici est $\left[0{,}08 - \frac{1}{\sqrt{500}} ; 0{,}08 + \frac{1}{\sqrt{500}}\right]$. ▶1

En arrondissant les bornes à 10^{-4} près, on obtient $I_1 = [0{,}035\,3 ; 0{,}124\,7]$.

3 Si on détermine l'intervalle de confiance à 95 % correspondant à l'échantillon décrit, on obtient une fréquence observée de $f' = \frac{130}{1000} = 0{,}13$, d'où un intervalle de confiance à 95 % égal à : $\left[0{,}13 - \frac{1}{\sqrt{1000}} ; 0{,}13 + \frac{1}{\sqrt{1000}}\right]$ ▶1, soit en arrondissant les bornes à 10^{-4} : $I_2 = [0{,}098\,4 ; 0{,}1616]$.
Les deux intervalles de confiance obtenus, I_1 et I_2, ne sont pas disjoints ; par exemple, une proportion de 10 % de pièces défectueuses dans la production est compatible avec les deux intervalles de confiance obtenus. Malgré les résultats assez différents donnés par les deux études (fréquences observées de 8 % et 13 % pour les pièces défectueuses), il est possible que la proportion de pièces défectueuses dans la production n'ait pas changé. ▶2

Bon à savoir

▶1 Il faut mémoriser l'intervalle de confiance au niveau 95 %, $\left[f - \frac{1}{\sqrt{n}} ; f + \frac{1}{\sqrt{n}}\right]$.
On retrouve ainsi aisément son centre (la fréquence observée f) et sa longueur, égale à $\frac{2}{\sqrt{n}}$.

▶2 On est ici dans le domaine de l'estimation : quelle que soit la méthode utilisée, les conclusions que l'on tire sont faites avec un certain risque d'erreur, dont le niveau de confiance donne une indication.

Exercice d'application

3 Pierre, Paul, Jacques font partie des candidats à une élection à scrutin majoritaire à deux tours : les deux premiers du premier tour restent seuls sélectionnés pour le second. Un sondage portant sur 1 000 électeurs a donné les résultats suivants : intentions de votes pour Pierre :170, pour Paul : 145, pour Jacques : 195.
Les intentions de vote pour tous les autres candidats sont très sensiblement plus faibles.
Quels sont les concurrents prévisibles au second tour ?
Finalement, le scrutin a donné à l'issue du premier tour : Pierre : 16,2 % ; Paul : 16,9 % ; Jacques : 19,9 %. Ces résultats sont-ils compatibles avec les résultats du sondage, en procédant par estimations par intervalles de confiance au niveau 95 % ?

Voir exercices 25 à 30

Mener une recherche et rédiger

4 Surréservation

Une compagnie aérienne dispose d'un appareil airbus A330-200, aménagé en une seule classe et ainsi doté d'une capacité maximale de 380 personnes. Chaque personne ayant acheté un billet a une probabilité $p = 0{,}94$ de se présenter effectivement à l'embarquement. Les comportements des acheteurs sont indépendants les uns des autres.

La compagnie décide d'effectuer des surréservations, c'est-à-dire de vendre plus de billets que de places, mais elle veut éviter que le nombre de passagers qui ne peuvent pas embarquer soit trop grand.

On étudie ici le nombre de billets que la compagnie doit mettre en vente, pour maximiser son profit et minorer le nombre de passagers surnuméraires.

Mener une recherche étape par étape

Se faire une idée du résultat

On décide de réaliser plusieurs simulations en faisant varier le nombre n de billets vendus. Préparer la feuille de tableur ci-dessous. Voir la fiche **Tableur**.

On commence par $n = 380$. Effectuer 100 simulations et visualiser le résultat. Sachant que la compagnie perd de l'argent lorsque le nombre de passagers est inférieur à 375, que peut-on dire de ce choix ?

Recommencer avec différentes valeurs de n.

Déterminer la plus grande valeur de n qui permette d'avoir moins de 5 % de cas dans lesquels il y a surnombre de passagers à l'embarquement.

Valider la conjecture formulée

On appelle X_n le nombre de passagers s'étant effectivement présentés à l'embarquement lorsqu'on a vendu n billets.

1 Quelle est la loi suivie par X_n ?

2 Quel est l'intervalle de fluctuation associé au seuil de 0,95 % ?

3 a. Justifier qu'il n'y a pas surréservation si, et seulement si, $X_n \leqslant 380$.

b. On décide d'adopter la règle suivante : on choisit la plus grande valeur de n telle que la borne supérieure de l'intervalle de fluctuation asymptotique au seuil 95 % soit inférieure ou égale à $\dfrac{380}{n}$.

On doit résoudre une équation du second degré en n. Il faut ensuite comparer le résultat avec l'étude expérimentale.

Rédiger une solution

À l'aide des questions précédentes, rédiger une solution du problème étudié.

`=SI($A5<($B$5+1);ENT(ALEA()+0,94);0)`

	A	B	C	D	E	F	G	H	I	J	K
1			Passagers embarqués	356	360	358	358	355	359	361	359
2			Capacité max	380	380	380	380	380	380	380	380
3											
4	passager	n		Simulation 1	Simulation 2	Simulation 3	Simulation 4	Simulation 5	Simulation 6	Simulation 7	Simulation 8
5	1	380		1	0	1	1	1	1	1	1
6	2			1	0	1	1	1	1	1	1
7	3			1							
8	4			1							
9	5			1							
10	6			1							
11	7			1							
12	8			1							
13	9			1							
14	10			1							
15	11			1							
16	12			1							
17	13			1							
18	14			1							
19	15			1							
20	16			1							
21	17			1							
22	18			1							
23	19			1	1	1	1	1	1	1	1

385
380
375
370
365
360
355
350
345
340
0 20 40 60 80 100 120
Capacité max
Passagers embarqués

5 Influence de p sur la longueur de l'intervalle de fluctuation

La variable aléatoire X_n suit une loi binomiale $\mathcal{B}(n\,;p)$.

1 a. Rappeler l'expression de l'intervalle de fluctuation asymptotique au seuil de 0,95.
b. On fixe $n = 1000$. Exprimer l'amplitude $A(p)$ de l'intervalle de fluctuation asymptotique au seuil 95 % en fonction de p.

2 a. Tracer la courbe représentative de la fonction $p \longmapsto A(p)$ sur l'intervalle $[0{,}1\,;0{,}9]$.
b. Commenter la courbe obtenue : quelle conséquence peut-on en tirer en termes de précision de l'intervalle de fluctuation asymptotique au seuil 95 % ?

3 On suppose cette fois p fixé. Déterminer la valeur de n nécessaire pour obtenir une amplitude d'intervalle de fluctuation asymptotique au seuil 95 % de 0,01. Comparer cette valeur pour $p = 0{,}1$; $p = 0{,}4$; $p = 0{,}9$.
Commenter ces résultats.

6 ALGO Taille de l'échantillon et intervalle de fluctuation

X_n suit une loi binomiale $\mathcal{B}(n\,;p)$. Soit $F_n = \frac{X_n}{n}$. D'après le cours, l'intervalle $\left[F_n - \frac{1}{\sqrt{n}}\,;F_n + \frac{1}{\sqrt{n}}\right]$ contient, pour n assez grand, la proportion p avec une probabilité au moins égale à 0,95.
On se restreint à des valeurs de p comprises entre 0,34 et 0,43. On admet que pour toutes ces valeurs, la proportion p se trouve dans l'intervalle considéré avec une probabilité d'au moins 0,95 dès que $n \geqslant 150$.

On se propose de concevoir un algorithme qui détermine, p étant donné, une valeur de n_0 inférieure à 150 à partir de laquelle la propriété est vraie.

ALGO
```
Entrer un réel p compris entre 0,34 et 0,43 ;
n := 150 ; a := 0 ; b := 1 ;
TantQue b − a >= 0,95 Faire
    b := binom_cdf(n, p, np + racine(n)) ;
    a := ... ;
    n := ... ;
FinTantQue ;
N_0 := n + 2 ;
Afficher N_0 ;
Fin
```

Voir les **Outils pour l'algorithmique**.

1 a. Montrer que : $p \in \left[F_n - \frac{1}{\sqrt{n}}\,;F_n + \frac{1}{\sqrt{n}}\right] \Leftrightarrow X_n \in [np - \sqrt{n}\,;np + \sqrt{n}]$.

b. Justifier que : $P(X_n \in [np - \sqrt{n}\,;np + \sqrt{n}]) \geqslant P(X_n \in\,]np - \sqrt{n}\,;np + \sqrt{n}])$.

2 On dispose d'une instruction binomial_cdf(n,p,x) qui renvoie la valeur de $P(X \leqslant x)$, où x est un nombre réel et d'une instruction racine(n).

a. Montrer que : $P(X_n \in\,]np - \sqrt{n}\,;np + \sqrt{n}]) = P(X_n \leqslant np + \sqrt{n}) - P(X_n \leqslant np - \sqrt{n})$.

b. Compléter l'algorithme proposé pour qu'il fournisse une valeur de n_0 pour laquelle on a :
si $n \geqslant n_0$, alors $P(X_n \in [np - \sqrt{n}\,;np + \sqrt{n}]) \geqslant 0{,}95$.

3 On a testé cet algorithme avec le logiciel *Xcas*. Commenter les résultats obtenus :

p	0,34	0,35	0,36	0,37	0,38	0,39	0,40	0,41	0,42	0,43
n_0	16	31	30	36	64	56	81	90	120	143

Travail personnel : exercices résolus

7 Prendre une décision à l'aide d'un intervalle de fluctuation

Des statistiques, réalisées sur un temps suffisamment long, amènent à penser qu'en période de compétition, la probabilité pour qu'un athlète pris au hasard soit déclaré positif au contrôle antidopage est $p_0 = 0{,}02$. Lors d'une compétition, 400 sportifs sont contrôlés. On appelle X la variable aléatoire égale au nombre de sportifs déclarés positifs.

1 Par hypothèse, quelle est la loi de X ?

2 a. Déterminer un intervalle de fluctuation asymptotique au seuil de 95 % pour la fréquence des sportifs déclarés positifs.

b. Justifier que les conditions sont réunies pour utiliser l'intervalle précédent.

3 Le comité organisateur de la compétition décide que les résultats des épreuves seront annulés si, lors du contrôle antidopage, la fréquence des résultats positifs dépasse la borne supérieure de l'intervalle de fluctuation.

À partir de combien de résultats positifs au contrôle antidopage la compétition sera-t-elle annulée ?

Solution

1 X suit une loi binomiale de paramètres $n = 400$ et $p = p_0 = 0{,}02$.

2 a. L'intervalle de fluctuation asymptotique au seuil de 95 % est donné par :

$$\mathrm{I}_n = \left[p - 1{,}96\frac{\sqrt{p(1-p)}}{\sqrt{n}} \,;\, p + 1{,}96\frac{\sqrt{p(1-p)}}{\sqrt{n}}\right].$$

Soit : $\mathrm{I}_n = [0{,}006\,28 \,;\, 0{,}033\,72]$.

b. On a $n = 100$, $np = 8$, $n(1-p) = 392$: les conditions de l'approximation sont bien réunies.

3 Soit k le nombre de résultats positifs au contrôle antidopage, parmi les 400 sportifs contrôlés ; on résout : $\frac{k}{400} \geqslant 0{,}033\,72$, soit $k \geqslant 13{,}488$.

À partir de 14 contrôles positifs, les résultats de la compétition seront annulés.

Stratégies

2 b. On vérifie que : $n \geqslant 30$, $np \geqslant 5$, $n(1-p) \geqslant 5$.

8 Estimer une proportion inconnue

On effectue un sondage auprès des 15-24 ans pour connaitre leur préférence en matière de lecture. La question est formulée de la façon suivante : « Préférez-vous les romans ou les témoignages vécus ? »

1 On interroge un premier échantillon de 100 personnes. 48 préfèrent les romans et 52 les témoignages vécus.

a. Déterminer un intervalle de confiance au niveau 95 % pour la fréquence des amateurs de romans dans la population des 15-24 ans.

b. Cet intervalle permet-il de savoir lequel des deux types d'ouvrages a la préférence des jeunes ?

2 En gardant la même fréquence observée qu'au **1 a.**, quelle taille d'échantillon aurait été nécessaire pour pouvoir conclure ?

Solution

1 a. On détermine la fréquence observée correspondant aux personnes qui préfèrent les romans : $f = \frac{48}{100} = 0{,}48$.

Si on suppose que p et f sont de même ordre de grandeur, on a bien $n \geqslant 30$, $np \geqslant 5$, $n(1-p) \geqslant 5$.

Un intervalle de confiance au niveau 95 % est donc donné par :

$$\mathrm{I} = [0{,}48 - 0{,}1 ; 0{,}48 + 0{,}1] = [0{,}38 \,;\, 058].$$

b. L'intervalle de confiance obtenu pour la proportion des 15-24 ans préférant les romans est $[0{,}38 \,;\, 0{,}58]$: il contient des valeurs inférieures à 0,5 et d'autres supérieures à 0,5. On ne peut donc pas savoir quelle est la préférence majoritaire.

2 On veut que l'intervalle de confiance ne contienne pas 0,50, donc que :

$$f + \frac{1}{\sqrt{n}} < 0{,}5 \Leftrightarrow \frac{1}{\sqrt{n}} < 0{,}02 \Leftrightarrow \sqrt{n} > 50 \Leftrightarrow 2\,500.$$

Il faudrait donc interroger au moins 2 500 personnes pour pouvoir affirmer avec un niveau de confiance de 95 % que ce sont les témoignages vécus qui ont plus de succès que les romans.

Stratégies

1 a. Vérifier que les conditions de validité de l'approximation sont vérifiées.

b. Examiner si la fréquence observée se situe dans l'intervalle de confiance, et conclure.

2 On ne s'intéresse pas ici à l'inégalité $0{,}5 < f - \frac{1}{\sqrt{n}}$. En effet, avec $f = 0{,}48$, elle est impossible.

Travail personnel : exercices résolus

9 démo BAC Démonstration du cours

Soit X_n une variable aléatoire suivant une loi binomiale $\mathcal{B}(n\,;p)$ où $p \in]0\,;1[$, et α un réel tel que $0 < \alpha < 1$.
Si X est une variable aléatoire suivant la loi normale centrée réduite $\mathcal{N}(0\,;1)$, on appelle u_α l'unique réel tel que :

$$P(-u_\alpha \leqslant X \leqslant u_\alpha) = 1 - \alpha.$$

On appelle I_n l'intervalle :

$$\mathrm{I}_n = \left[p - u_\alpha\frac{\sqrt{p(1-p)}}{\sqrt{n}}\,;p + u_\alpha\frac{\sqrt{p(1-p)}}{\sqrt{n}}\right].$$

Alors : $\displaystyle\lim_{n\to+\infty} \boldsymbol{P\left(\frac{X_n}{n} \in \mathrm{I}_n\right) = 1 - \alpha}.$

Solution

On pose $Z_n = \dfrac{X_n - np}{\sqrt{np(1-p)}}$ et on applique le théorème de Moivre-Laplace.

Si X suit la loi normale $\mathcal{N}(0\,;1)$: $\displaystyle\lim_{n\to+\infty} P(Z_n \in [-u_\alpha\,;u_\alpha]) = P(X \in [-u_\alpha\,;u_\alpha]) = 1 - a.$

Or $Z_n \in [-u_\alpha\,;u_\alpha] \Leftrightarrow -u_\alpha \leqslant \dfrac{X_n - np}{\sqrt{np(1-p)}} \leqslant u_\alpha.$

Donc : $Z_n \in [-u_\alpha\,;u_\alpha] \Leftrightarrow np - u_\alpha\sqrt{np(1-p)} \leqslant X_n \leqslant np + u_\alpha\sqrt{np(1-p)}$

$Z_n \in [-u_\alpha\,;u_\alpha] \Leftrightarrow p - u_\alpha\dfrac{\sqrt{p(1-p)}}{\sqrt{n}} \leqslant \dfrac{X_n}{n} \leqslant p + u_\alpha\dfrac{\sqrt{p(1-p)}}{\sqrt{n}}$. Donc $Z_n \in [-u_\alpha\,;u_\alpha] \Leftrightarrow \dfrac{X_n}{n} \in \mathrm{I}_n$.

10 démo BAC Intervalle de fluctuation simplifié et intervalle de confiance

Soit X_n une variable aléatoire suivant une loi binomiale $\mathcal{B}(n\,;p)$, où $p \in]0\,;1[$.

1 Démontrer que l'intervalle simplifié :

$$\left[p - \frac{1}{\sqrt{n}}\,;p + \frac{1}{\sqrt{n}}\right]$$

étudié en Seconde est, pour n assez grand, un intervalle de fluctuation au seuil 95 % pour $F_n = \dfrac{X_n}{n}$.

2 Démontrer le théorème : Pour n suffisamment grand, p appartient à l'intervalle $\left[\boldsymbol{F_n - \frac{1}{\sqrt{n}}\,;F_n + \frac{1}{\sqrt{n}}}\right]$ **avec une probabilité supérieure ou égale à 0,95**.

Solution

1 Soit la variable aléatoire $Z_n = \dfrac{X_n - np}{\sqrt{np(1-p)}}$, et la suite a définie pour tout entier $n \geqslant 1$, par $a_n = P(-2 \leqslant Z_n \leqslant 2)$.

D'après le théorème de Moivre-Laplace, la suite a converge vers ℓ avec :

$\ell = P(-2 \leqslant Z \leqslant 2)$ où Z suit la loi normale $\mathcal{N}(0\,;1)$. Or on a : $\ell \geqslant 0{,}9544$ (avec la calculatrice : $\ell \approx 0{,}9545$).

Soit un réel ε tel que : $0 < \varepsilon < 0{,}004$ (ainsi : $\ell - \varepsilon \geqslant 0{,}95$). Par définition de la convergence vers ℓ, il existe un entier naturel n_0 tel que : si n entier et $n \geqslant n_0$, alors $a_n \in]\ell - \varepsilon\,;\ell + \varepsilon[$.

Ainsi, pour $n \geqslant n_0$: $a_n \geqslant 0{,}95$. Comme dans la démonstration ci-dessus, on a :

$$P(-2 \leqslant Z_n \leqslant 2) \geqslant 0{,}95 \Leftrightarrow P\left(p - 2\frac{\sqrt{p(1-p)}}{\sqrt{n}} \leqslant F_n \leqslant p + 2\frac{\sqrt{p(1-p)}}{\sqrt{n}}\right) \geqslant 0{,}95.$$

L'étude de la fonction $p \longmapsto p(1-p)$ sur l'intervalle $]0\,;1[$ permet de majorer $p(1-p)$ par son maximum $\dfrac{1}{4}$ sur $]0\,;1[$, donc $\sqrt{p(1-p)}$ par $\dfrac{1}{2}$, et $2\dfrac{\sqrt{p(1-p)}}{\sqrt{n}}$ par $\dfrac{1}{\sqrt{n}}$; cette majoration a pour effet « d'agrandir » l'intervalle, donc d'augmenter sa probabilité. On obtient finalement :

$$\text{pour } n \geqslant n_0,\ P\left(p - \frac{1}{\sqrt{n}} \leqslant F_n \leqslant p + \frac{1}{\sqrt{n}}\right) \geqslant P\left(p - 2\frac{\sqrt{p(1-p)}}{\sqrt{n}} \leqslant F_n \leqslant p + 2\frac{\sqrt{p(1-p)}}{\sqrt{n}}\right) \geqslant 0{,}95.$$

2 On a : $\left(p - \dfrac{1}{\sqrt{n}} \leqslant F_n \leqslant p + \dfrac{1}{\sqrt{n}}\right) \Leftrightarrow \left(F_n - \dfrac{1}{\sqrt{n}} \leqslant p \leqslant F_n + \dfrac{1}{\sqrt{n}}\right).$

Avec les notations de la question **1**, on a : pour $n \geqslant n_0$, $P\left(p - \dfrac{1}{\sqrt{n}} \leqslant F_n \leqslant p + \dfrac{1}{\sqrt{n}}\right) \geqslant 0{,}95$;

on en déduit donc : pour n entier, $n \geqslant n_0$, $P\left(F_n - \dfrac{1}{\sqrt{n}} \leqslant p \leqslant F_n + \dfrac{1}{\sqrt{n}}\right) \geqslant 0{,}95.$

Travail personnel : faire le point

<table>
<tr><th>Savoir...</th><th>Comment faire ?</th></tr>
<tr><td>Différencier les contextes d'application de l'échantillonnage et de l'estimation.</td><td>On considère une population, et on s'intéresse à un caractère particulier au sein de cette population. Deux cas se présentent :
<table>
<tr><td>On connaît la proportion d'apparition du caractère dans la population.
OU
On pense connaître, on souhaite tester, une valeur possible de la proportion d'apparition du caractère dans la population.
On est ici dans le cadre de l'échantillonnage ; dans le second cas, on est dans le contexte du test d'hypothèse.</td><td>On ignore tout de la valeur de la proportion d'apparition du caractère dans la population générale. On va alors, à partir de l'observation de la fréquence d'apparition du caractère dans des échantillons, chercher à « estimer » la valeur de la proportion dans la population tout entière, à l'aide d'un intervalle de confiance.
On est ici dans le cadre de l'estimation.</td></tr>
</table></td></tr>
<tr><td>Connaître, interpréter un intervalle de fluctuation asymptotique au seuil $1-\alpha$ (où $\alpha \in]0;1[$).</td><td>Soit X_n une suite de variables aléatoires suivant une loi binomiale $\mathscr{B}(n;p)$, (où $n \geqslant 1$ et $p \in]0;1[$). On appelle $F_n = \frac{X_n}{n}$ la fréquence associée à X_n.
Si la variable aléatoire X suit la loi normale centrée réduite, on appelle u_α le réel défini par : $P(-u_\alpha \leqslant X \leqslant u_\alpha) = 1-\alpha$.
▸ L'intervalle de fluctuation asymptotique au seuil $1-\alpha$ pour la fréquence F_n est l'intervalle : $\mathbf{I}_n = \left[p - u_\alpha \frac{\sqrt{p(1-p)}}{\sqrt{n}} ; p + u_\alpha \frac{\sqrt{p(1-p)}}{\sqrt{n}}\right]$.
▸ On a : $\lim\limits_{n \to +\infty} P(F_n \in \mathbf{I}_n) = 1-\alpha$.</td></tr>
<tr><td>Utiliser un intervalle de fluctuation asymptotique au seuil 95 %.</td><td>On applique les résultats ci-dessus au cas $\alpha = 0{,}05$.
L'intervalle de fluctuation asymptotique au seuil 0,95 est donnée par :
$$\mathbf{I}_n = \left[p - 1{,}96\frac{\sqrt{p(1-p)}}{\sqrt{n}} ; p + 1{,}96\frac{\sqrt{p(1-p)}}{\sqrt{n}}\right].$$
Pour $n \geqslant 30$, $np \geqslant 5$, $n(1-p) \geqslant 5$, la fréquence observée du caractère dans l'échantillon de taille n appartient à l'intervalle I_n avec une probabilité d'environ 0,95.</td></tr>
<tr><td>Tester une hypothèse.</td><td>On fait l'hypothèse que la proportion d'apparition du caractère étudié dans la population est égale à p_0. On construit l'intervalle de fluctuation au seuil $1-\alpha$ à partir de p_0. On prélève un échantillon au hasard de taille n, de sorte que les conditions d'application soient vérifiées. Si la fréquence observée f_{obs} n'appartient pas à l'intervalle de fluctuation, on rejette l'hypothèse $p = p_0$, on l'accepte sinon.</td></tr>
<tr><td>Estimer une proportion inconnue dans une population.</td><td>On procède à un tirage d'échantillon, on appelle f la fréquence observée pour l'apparition du caractère étudié dans l'échantillon.
L'intervalle $\left[f - \frac{1}{\sqrt{n}} ; f + \frac{1}{\sqrt{n}}\right]$ constitue un intervalle de confiance au niveau de confiance 0,95 pour la proportion d'apparition du caractère dans la population. En procédant à un grand nombre de tirages d'échantillons, environ 95 % des intervalles de confiance ainsi construits contiennent la proportion (inconnue) d'apparition du caractère dans la population.
On n'applique pas cette méthode si l'on craint que les conditions $n \geqslant 30$, $np \geqslant 5$, $n(1-p) \geqslant 5$ ne soient pas toutes respectées.</td></tr>
</table>

Travail personnel : faire le point

Vrai ou faux ?

Voir corrigés en fin de manuel

11 Vrai ou faux ?

Répondre par vrai ou par faux à chacune des affirmations proposées.

Un sondeur s'apprête à conduire un sondage auprès d'un échantillon d'électeurs, pour évaluer la proportion d'électeurs qui souhaitent voter *oui* à une consultation locale de type référendum. Dans la région concernée, la population est composée à 53 % de femmes, et à 76 % « d'urbains », habitant des villes ou leur proximité directe. Le sondeur souhaite que son échantillon d'étude soit « représentatif » selon ces deux caractères, c'est-à-dire qu'il va vérifier que la fréquence observée pour ces caractères dans l'échantillon est raisonnablement proche des proportions correspondantes dans la population. Par ailleurs, on ne dispose d'aucune information sur les intentions de vote de la population au référendum.

> **Note**
> Un référendum est une procédure proposant à l'ensemble des citoyens d'un territoire de se prononcer sur une question précise qui leur est posée.
> Reconnu en France depuis 1958 (Ve République) il peut être national ou local à l'initiative d'une communauté de territoire.

1 Pour vérifier la représentativité de l'échantillon sur les caractères de sexe et « d'urbanité », le sondeur va procéder à un travail d'échantillonnage.

2 Pour procéder à l'évaluation de la proportion d'électeurs souhaitant voter *oui*, le sondeur va procéder à un travail d'estimation.

3 Le sondeur a réalisé l'enquête sur un échantillon d'effectif $n = 100$.
a. Une fréquence de femmes dans cet échantillon de 0,61 doit le conduire à rejeter l'hypothèse de représentativité de l'échantillon au seuil 95 %.
b. Une fréquence d'urbains de 0,81 dans son échantillon doit le conduire à rejeter l'hypothèse de représentativité de l'échantillon au seuil 95 %.
c. Une fréquence observée de votants pour *oui* égale à 0,57 le conduit à produire une estimation au niveau de confiance 95 % à l'aide de l'intervalle de confiance $[0{,}47\,;0{,}67]$.

4 La fréquence de votants pour *oui* dans l'échantillon est de 0,55, et le sondeur peut valablement estimer que le *oui* sera majoritaire. On peut en déduire que l'échantillon interrogé est d'effectif au moins égal à 400.

12 Oui ou non

On dispose d'une urne contenant des boules rouges et bleues.
On suppose que la proportion de boules rouges est égale à p.
On a effectué n tirages indépendants avec remise, et noté la fréquence f de boules rouges.

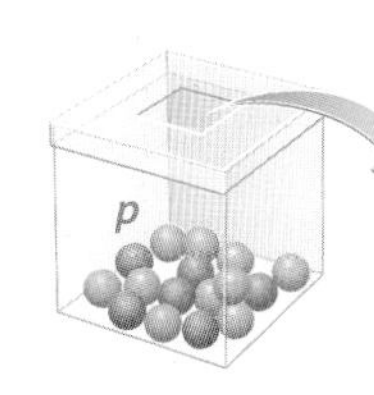

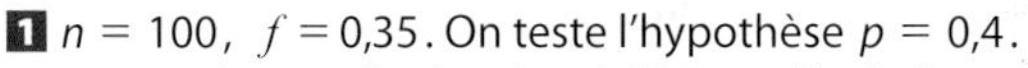

1 $n = 100$, $f = 0{,}35$. On teste l'hypothèse $p = 0{,}4$.
a. Les conditions d'utilisation de l'intervalle de fluctuation asymptotique sont-elles réunies ?
b. Si oui, accepte-on l'hypothèse ?

2 $n = 100$, $f = 0{,}035$. On teste l'hypothèse $p = 0{,}04$.
a. Les conditions d'utilisation de l'intervalle de fluctuation asymptotique sont-elles réunies ?
b. Si oui, accepte-on l'hypothèse ?

3 $n = 1000$, $f = 0{,}035$. On teste l'hypothèse $p = 0{,}04$.
a. Les conditions d'utilisation de l'intervalle de fluctuation asymptotique sont-elles réunies ?
b. Si oui, accepte-on l'hypothèse ?

4 $n = 100\,000$, $f = 0{,}035$. On teste l'hypothèse $p = 0{,}04$.
a. Les conditions d'utilisation de l'intervalle de fluctuation asymptotique sont-elles réunies ?
b. Si oui, accepte-on l'hypothèse ?

Exercices d'application

→ Les exercices portant un numéro jaune sont corrigés à la fin du manuel.

1 Décider à l'aide d'un intervalle de fluctuation asymptotique

13 QCM

On suppose qu'à la naissance il y a autant de chances d'avoir un garçon qu'une fille.
Dans une ville, on recense le nombre de filles nées sur un échantillon de 300 bébés nés dans l'année.

1 L'intervalle de fluctuation au seuil de 95 % de la proportion de filles nées dans ce département est :

a. $\left[0,5 - 1,96 \times \frac{0,5}{300} ; 0,5 + 1,96 \times \frac{0,5}{300}\right]$.

b. $\left[0,5 - 1,96 \times \frac{0,5}{\sqrt{300}} ; 0,5 + 1,96 \times \frac{0,5}{\sqrt{300}}\right]$.

c. $\left[0,5 - 1,96 \times \sqrt{\frac{0,5}{300}} ; 0,5 + 1,96 \times \sqrt{\frac{0,5}{300}}\right]$.

2 Sur les 300 bébés, 126 sont des filles. Si on appelle n la taille de l'échantillon et p la probabilité de naissance d'une fille, on a :

a. $n \geqslant 30$; $np \leqslant 5$; $n(1-p) \geqslant 5$.
b. $n \geqslant 30$; $np \leqslant 5$; $n(1-p) \leqslant 5$.
c. $n \geqslant 30$; $np \geqslant 5$; $n(1-p) \geqslant 5$.

3 **a.** La proportion observée sur l'échantillon appartient à l'intervalle de fluctuation.
b. La proportion observée sur l'échantillon n'appartient pas à l'intervalle de fluctuation.
c. On ne peut pas dire si la proportion observée sur l'échantillon appartient ou non à l'intervalle de fluctuation, il faut une autre donnée.

14 QCM

1 Une variable aléatoire X suit la loi binomiale $\mathscr{B}(40 ; p)$. On veut utiliser l'intervalle de fluctuation asymptotique au seuil de 95 % pour une prise de décision. Alors on doit avoir :

a. $p \in [0 ; 0,125]$.
b. $p \in [0,125 ; 0,875]$.
c. $p \in [0,875 ; 1]$.

2 Une variable aléatoire X_n suit la loi binomiale $\mathscr{B}(n ; 0,04)$. On veut utiliser l'intervalle de fluctuation asymptotique au seuil de 95 % pour une prise de décision. Alors il suffit d'avoir :

a. $n \geqslant 30$. **b.** $n \geqslant 125$. **c.** $n \geqslant 0$.

3 Une variable aléatoire X suit la loi binomiale $\mathscr{B}(100 ; 0,1)$. Alors l'intervalle de fluctuation asymptotique au seuil de 95 % est :

a. $[0,0412 ; 0,158\,8]$.
b. $[0,094\,12 ; 0,105\,88]$.
c. $[0,075 ; 0,125]$.

15 QCM

1 Une variable aléatoire X suit la loi binomiale $\mathscr{B}(100 ; p)$. Alors l'intervalle de fluctuation asymptotique au seuil de 95 % a une longueur égale à :

a. $3,92\sqrt{p(1-p)}$. **b.** $0,392\sqrt{p(1-p)}$.
c. $1,96\sqrt{p(1-p)}$.

2 Une variable aléatoire X suit la loi binomiale $\mathscr{B}(100 ; p)$. Alors la longueur de l'intervalle de fluctuation asymptotique au seuil de 95 % :

a. est maximale pour $p = 0,5$.
b. est minimale pour $p = 0,5$.
c. est inchangée.

3 Une variable aléatoire X_n suit la loi binomiale $\mathscr{B}(n ; 0,2)$. Alors, quand n augmente, la valeur maximale de l'intervalle de fluctuation asymptotique au seuil de 95 % :

a. augmente. **b.** diminue.
c. ne dépend pas de n.

16 Appliquer une formule

Soit X une variable aléatoire qui suit la loi $\mathscr{B}(200 ; 0,4)$.

1 **a.** Déterminer l'intervalle de fluctuation asymptotique au seuil de 95 %.
b. Déterminer l'intervalle de fluctuation asymptotique au seuil de 99 %.

2 On effectue 200 tirages avec remise dans une urne contenant des boules rouges et noires.
On obtient exactement 74 boules rouges.
a. Peut-on accepter l'hypothèse $p = 0,4$ pour la proportion de boules rouges au seuil de 95 % ?
b. Peut-on accepter l'hypothèse $p = 0,4$ pour la proportion de boules rouges au seuil de 99 % ?

17 Un QCM de concours

Un concours organise une épreuve de QCM de trois cent questions, où on donne le choix à chaque fois entre deux réponses, dont une seule est juste.
Le service des concours désire savoir à partir de combien de réponses justes on pourra considérer qu'un candidat n'a pas répondu totalement au hasard.

1 On appelle p la probabilité qu'un candidat répondant au hasard à une question ait trouvé la bonne réponse.
a. Que vaut p ?
b. On appelle X le nombre de bonnes réponses obtenues par un candidat ayant répondu au hasard à toutes les questions.

Déterminer un intervalle de fluctuation asymptotique de X au seuil de 0,95.

c. On décide de prendre comme valeur minimale de réponses justes, pour attribuer une note non nulle à la copie, le plus petit entier n_0 qui dépasse la borne supérieure de l'intervalle de fluctuation. Déterminer n_0.

2 Reprendre l'étude du **1** avec des questions comportant chacune quatre réponses.

Pour info Le concours de première année de médecine est basé de manière très forte sur des QCM.

18 Intervalle de fluctuation : de la Seconde à la Terminale

Soit X_n une variable aléatoire qui suit la loi $\mathcal{B}(n\,;p)$.
On rappelle qu'on a défini en Seconde un intervalle de fluctuation par :

$$\mathrm{I}_n = \left[p - \frac{1}{\sqrt{n}}\,;p + \frac{1}{\sqrt{n}}\right].$$

1 Rappeler la définition de l'intervalle de fluctuation asymptotique au seuil de 0,95.

2 On pose, pour $p \in [0\,;1]$:

$$f(p) = p(1-p).$$

a. Quel est le maximum de cette fonction du second degré sur $[0\,;1]$?

b. En déduire que pour $p \in [0\,;1]$:

$$1{,}96\sqrt{p(1-p)} \leqslant 1.$$

c. Quel rapport existe-t-il entre l'intervalle de fluctuation vu en Seconde et celui vu en Terminale ?

19

En France, 3 % des personnes ont un groupe sanguin AB. Dans le village X, 10 personnes sur 200 sont de groupe AB.
Peut-on dire, au risque de 95 %, que la population du village X présente une anomalie ?

20 Brigade des jeux

Une machine de casino est réglée sur une fréquence de succès de 0,06.
Le technicien chargé de la maintenance opère régulièrement des simulations pour vérifier que la machine fonctionne bien.

1 Lors d'un premier contrôle de la machine, le technicien constate qu'elle a fourni 8 succès sur 65 jeux.

a. Déterminer la fréquence de succès observée par le technicien.

b. Déterminer l'intervalle de fluctuation asymptotique au seuil de 95 %.

c. Que conclut le technicien ?

2 Le directeur de l'établissement réclame un deuxième contrôle. La fréquence observée est la même, mais on a effectué cette fois 200 simulations. La conclusion du technicien sera-t-elle la même ?

21

On estime que parmi les enfants de 3 à 6 ans souffrant d'allergie alimentaire, 23 % sont allergiques à l'arachide.

Une association de parents alerte les autorités de la ville X devant le nombre important d'enfants manifestant une intolérance à l'arachide. Les autorités décident d'entreprendre une étude et d'évaluer la proportion d'enfants de 3 à 6 ans allergiques à l'arachide. Ils sélectionnent de manière aléatoire 100 enfants de 3 à 6 ans de la ville qui souffrent d'allergie alimentaire.

La règle de décision prise est la suivante : si la proportion observée est en dehors de l'intervalle de fluctuation asymptotique au seuil de 95 %, alors une investigation plus complète sera mise en place afin de rechercher les facteurs de risque locaux pouvant expliquer cette proportion anormalement élevée.

1 Mener les calculs, sachant que sur les 100 jeunes observés, 29 sont allergiques à l'arachide. Conclure.

2 L'association de parents n'est pas convaincue, car elle estime que l'échantillon choisi était trop faible pour conclure.
Combien faudrait-il prendre de sujets pour qu'une proportion observée de 29 % soit en dehors de l'intervalle de fluctuation asymptotique ?

22 Détecter les fausses pièces

Un groupe de passionnés de pierres précieuses revient d'un congrès, où chacun a reçu un sac contenant 60 % de pierres rouges et 40 % de pierres vertes.

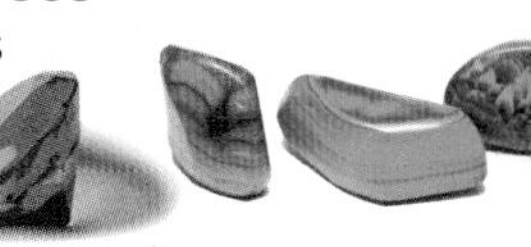

Les douanes apprennent qu'un trafiquant de pierres précieuses s'est glissé dans le groupe, avec un sac contenant autant de rubis que d'émeraudes. Les douaniers décident de prélever 100 pierres précieuses par sac.

1 Déterminer des intervalles de fluctuation asymptotiques au seuil 95 % associés à $p = 0{,}6$ et à $p = 0{,}5$.

2 **a.** Si les douaniers ont prélevé 40 pierres rouges dans un sac, peut-on proposer une conclusion ?

b. Et s'ils en ont prélevé 55 ?

3 Quel nombre minimal de pierres faudrait-il prélever pour que les deux intervalles soient disjoints ?

Exercices d'application

23 Excès de vitesse sur l'autoroute

Les services de la sécurité routière étudient les excès de vitesse dans un virage dangereux limité à 50 km/h situé sur une autoroute et envisagent, en cas de recrudescence des excès de vitesse, d'annoncer ce virage avec un panneau clignotant supplémentaire.
Des études statistiques sur une longue période ont permis d'évaluer à 0,03 la proportion d'automobilistes en excès de vitesse à l'approche de ce virage.

1 Déterminer l'intervalle de fluctuation asymptotique au seuil de 95 % de la proportion de véhicules en excès de vitesse sur un échantillon de 200 véhicules.

2 Vérifier que les conditions sont réunies pour utiliser cet intervalle en vue d'une prise de décision.

3 Les services de la sécurité routière ont contrôlé 200 véhicules de manière aléatoire et ont relevé 14 excès de vitesse. Vont-ils décider d'installer le panneau supplémentaire ? Expliquer.

4 Les personnes ayant fait les mesures décident d'effectuer le contrôle sur un échantillon de 500 véhicules.
a. Déterminer le nouvel intervalle de fluctuation asymptotique au seuil de 95 %.
b. Dans quel intervalle doit se trouver le nombre de véhicules contrôlés en excès de vitesse sur cet échantillon, pour que l'installation du panneau supplémentaire ne soit pas décidée ?

24 Contrôle de fabrication

Une entreprise spécialisée dans la fabrication de plateaux pour des tables utilise une machine qui débite des planches de 2 m de longueur. Une étude statistique sur un très grand nombre de plateaux usinés montre que la probabilité que le plateau comporte un défaut, et donc qu'il ne soit pas utilisé pour la fabrication d'une table, est égale à 0,012.
Des contrôles « qualité » sont effectués sur des échantillons de 500 plateaux et un réglage de la machine pourra être prévu si les défauts observés sont trop nombreux.

1 Déterminer l'intervalle de fluctuation asymptotique au seuil de 95 % de la proportion de plateaux présentant un défaut.

2 Vérifier que les conditions sont réunies pour utiliser cet intervalle en vue d'une prise de décision.

3 Sur un échantillon de 500 plateaux pris au hasard, on a relevé 10 plateaux présentant un défaut. Doit-on prévoir un réglage de la machine ? Expliquer.

4 Le technicien chargé de l'entretien de la machine prétend que celle-ci est déréglée et propose d'effectuer le contrôle sur un échantillon plus important.
a. Construire une feuille de tableur qui permet de déterminer l'intervalle de fluctuation au seuil de 95 % pour différentes valeurs de la taille n de l'échantillon prélevé. (On fera varier n de 10 en 10.)

fx =SI(ET(B51<=0,02;0,02<=C51);"NON réglage";"Réglage")

	A	B	C	D
1	n	inf intervalle	sup intervalle	décision
47	460	0,002049469	0,021950531	NON réglage
48	470	0,002155895	0,021844105	NON réglage
49	480	0,002258977	0,021741023	NON réglage
50	490	0,002358888	0,021641112	NON réglage
51	500	0,002455786	0,021544214	NON réglage
52	510	0,00254982	0,02145018	NON réglage
53	520	0,002641128	0,021358872	NON réglage

Voir la fiche **Tableur**.

b. Combien de plateaux faudrait-il contrôler pour que la proportion observée de 2 % de plateaux défectueux soit en dehors de l'intervalle de fluctuation ?
On donnera un encadrement de n par lecture du tableur, puis une valeur de n arrondie à l'unité, obtenue par le calcul.

2 Estimer à l'aide d'un intervalle de confiance

25 Vrai ou faux ?

Préciser si les affirmations suivantes sont vraies ou fausses.
On décide de réaliser une série de n tirages avec remise dans une urne contenant des boules bleues et rouges, la proportion de boules rouges étant notée p.

1 La probabilité de tirer une boule rouge lors d'un tirage est égale à p.

2 Le nombre total de boules rouges tirées sur les tirages suit une loi normale.

3 L'intervalle de confiance au niveau de confiance 0,95 défini dans le cours est d'autant plus précis que le nombre de boules dans l'urne est grand.

4 Si on multiplie le nombre n par 4, l'amplitude de l'intervalle de confiance est divisée par 2.

5 L'intervalle de confiance permet d'estimer p.

26 Sondage sortie des urnes

Dans un pays, le deuxième tour de l'élection présidentielle oppose Monsieur Victorien à Madame Lombard.

On a effectué un sondage « sortie des urnes » auprès de 500 électeurs choisis de manière aléatoire. 49 % ont voté pour Louis Victorien, 51 % pour Elsa Lombard.

1 a. Procéder à une estimation de la proportion d'habitants ayant voté pour Louis Victorien, à l'aide d'un intervalle de confiance au niveau 95 %.

b. Peut-on garantir la défaite de Louis Victorien ?

2 À fréquence observées constantes, combien d'électeurs aurait-il fallu interroger pour prévoir valablement la défaite de Louis Victorien ?

27 Réussite au baccalauréat

Le taux de réussite au baccalauréat en 2011 était en France de 85,6 %, toutes filières confondues.

Deux villes voisines, A et B, obtiennent des taux de réussite respectifs de 80 % et 90 %.

1 Sachant que la ville A compte 5 000 candidats, alors que la ville B en compte 2 000, déterminer pour chacune si les taux de réussite constatés sont compatibles avec l'hypothèse : les candidats ont une probabilité de 0,856 d'obtenir leur baccalauréat.

2 Les taux de réussite et les effectifs étant assez stables d'une année sur l'autre, l'hypothèse est faite que dans chaque ville le nombre d'étudiants réussissant l'examen une année donnée est une variable aléatoire X qui suit une loi binomiale de paramètre p.

En estimant pour chacune des villes le paramètre à l'aide d'un intervalle de confiance au niveau 0,95, indiquer s'il est possible que ce paramètre soit le même pour A et B.

28 Tests en double aveugle

On expérimente un médicament permettant de faire baisser la tension artérielle, et on décide de réaliser un test « en double aveugle » sur deux groupes de 100 patients hyper-tendus.

Le groupe B reçoit le médicament, et le groupe A un placebo, c'est-à-dire un comprimé ne contenant aucun principe actif. Ni le personnel qui administre le traitement, ni les patients ne savent quel groupe reçoit le médicament.

Dans le groupe A, 56 personnes ont vu leur tension baisser, et dans le groupe B, 65 personnes ont vu leur tension baisser.

1 a. Procéder à une estimation de la proportion de personnes dont la tension baisse après avoir pris le médicament, à l'aide d'un intervalle de confiance au niveau 0,95.

b. Procéder à une estimation de la proportion de personnes dont la tension baisse après avoir pris un placebo, à l'aide d'un intervalle de confiance au niveau 0,95.

c. Peut-on écarter à ce stade l'hypothèse que les deux proportions sont en fait égales, c'est-à-dire que le médicament n'a pas d'effet propre ?

2 Quelle taille aurait dû avoir chacun des deux groupes pour pouvoir conclure à l'efficacité du médicament, avec des fréquences observées identiques aux précédentes dans chaque échantillon ?

29 Deux hypothèses

Un maraicher produit des tomates bio. Il a gardé des semences des deux années précédentes, 2010 et 2011 et il voudrait utiliser ces semences pour les planter en 2012.

Pour ce faire, il doit d'abord contrôler que les taux de germination des semences de 2011 et 2012 sont très proches.

Il décide alors de réserver deux parcelles distinctes pour tester dans l'une 200 graines de 2010, et dans l'autre 400 graines de 2011.

Dans la première parcelle, 180 graines germent, et dans la deuxième, 280.

On appelle p_0 le taux de germination des semences de 2010 et p_1 celui des semences 2011.

1 a. Déterminer un intervalle de confiance au seuil de 95 % pour p_0.

b. Même question pour p_1.

2 On décide de la règle suivante : si les intervalles de confiance sont disjoints, on considère que les taux de germination sont différents. Sinon, on peut considérer qu'ils sont égaux. Dans quel cas est-on ?

30 Deux hypothèses (2)

On a fait pousser 20 plants de courgettes avec nitrate et 20 sans nitrate. Au bout de 4 jours, le pourcentage de germination est de 45 % avec nitrate et de 31 % sans nitrate. Les courgettes germent-elles significativement mieux en présence de nitrate ?

Indication On utilisera la même méthode que pour l'exercice précédent.

Exercices guidés

31 Une entreprise fait fabriquer des paires de chaussettes auprès de trois fournisseurs F_1, F_2, F_3. Dans l'entreprise, toutes ces paires de chaussettes sont regroupées dans un stock unique.
La moitié des paires de chaussettes est fabriquée par le fournisseur F_1, le tiers par le fournisseur F_2 et le reste par le fournisseur F_3. Une étude statistique a montré que :
- 5 % des paires de chaussettes fabriquées par le fournisseur F_1 ont un défaut ;
- 1,5 % des paires de chaussettes fabriquées par le fournisseur F_2 ont un défaut ;
- sur l'ensemble du stock, 3,5 % des paires de chaussettes ont un défaut.

1 On prélève au hasard une paire de chaussette dans le stock de l'entreprise.
On considère les événements F_1, F_2, F_3 et D suivants :
- F_1 : « La paire de chaussettes prélevée est fabriquée par le fournisseur F_1 » ;
- F_2 : « La paire de chaussettes prélevée est fabriquée par le fournisseur F_2 » ;
- F_3 : « La paire de chaussettes prélevée est fabriquée par le fournisseur F_3 » ;
- D : « La paire de chaussettes prélevée présente un défaut ».

a. Traduire les données de l'énoncé à l'aide d'un arbre pondéré.
b. Calculer la probabilité que la paire de chaussettes prélevée soit fabriquée par le fournisseur F_1 et présente un défaut.
c. Calculer la probabilité de l'événement $F_2 \cap D$, puis de $F_3 \cap D$.
d. Sachant que la paire de chaussette prélevée est fabriquée par le fournisseur F_3, quelle est la probabilité qu'elle présente un défaut ?

2 L'entreprise conditionne les paires de chaussettes par lots de six paires.
On considère que le stock est suffisamment grand pour assimiler le choix des six paires de chaussettes à des tirages indépendants, successifs avec remise.
a. Démontrer que la probabilité, arrondie au millième, qu'au plus une paire de chaussettes d'un lot présente un défaut est égale à 0,983.
b. Sur une livraison de 400 paires de chaussettes, un détaillant a trouvé que 20 paires sont défectueuses.
Ce résultat est-il compatible avec la proportion de 3,5 % de défauts affichée par l'entreprise, ou le détaillant peut-il se considérer « mal loti » ?

Pistes de résolution

1 Utiliser le fonctionnement multiplicatif de l'arbre pondéré, et la formule des probabilités totales.
2 Repérer une loi binomiale.
3 Déterminer un intervalle de fluctuation asymptotique.

32 **D'après Concours ENS Cachan, Droit-économie-gestion.**
On dispose d'un dé cubique dont les faces sont numérotées de 1 à 6. On désigne par p_k la probabilité d'obtenir, lors d'un lancer, la face numérotée k (k est un entier et $1 \leqslant k \leqslant 6$).
Ce dé a été pipé de telle sorte que : $p_k = \dfrac{3+k}{39}$ pour tout entier k tel que $1 \leqslant k \leqslant 6$.

1 Vérifier que $p_1, p_2, p_3, p_4, p_5, p_6$ sont bien des probabilités élémentaires.

2 On lance ce dé une fois et on considère les événements suivants :
A : « le nombre obtenu est pair » ;
B : « le nombre obtenu est supérieur ou égal à 3 » ;
C : « le nombre obtenu est 3 ou 4 ».
a. Calculer la probabilité de chacun de ces événements.
b. Calculer la probabilité que le nombre obtenu soit supérieur ou égal à 3, sachant qu'il est pair.
c. Les événements A et B sont-ils indépendants ? Les événements A et C sont-ils indépendants ?

3 On va lancer 60 fois ce dé, et l'on vous propose de parier : le gain est d'un euro si le tirage est pair, et nul sinon.
Calculer l'espérance de gain.

4 On lance donc le dé 60 fois, et pour chaque valeur possible, $i = 1, \ldots, 6$, on note le nombre de fois n_i que cette valeur i a été obtenue.
On obtient les résultats suivants :

i	1	2	3	4	5	6
n_i	6	6	9	11	12	16

a. Quel est le gain obtenu ?
b. Déterminer la fréquence observée de l'événement A.
Ce résultat est-il compatible avec les résultats du **2** ?
c. Proposer une nouvelle estimation de la probabilité de A à l'aide d'un intervalle de confiance au niveau de confiance 0,95.

Pistes de résolution

1 Il faut vérifier que la somme des probabilités élémentaires est égale à 1.

2 **a.** Utiliser la somme des probabilités élémentaires.
b. Utiliser la formule de définition des probabilités conditionnelles.
c. Deux événements A et B sont indépendants si $P(A \cap B) = P(A) \times P(B)$.

3 Le nombre X_n de parties gagnées suit une loi binomiale. Le gain est égal à $X_n - (60 - X_n)$. On utilise ensuite l'espérance d'une loi binomiale.

Exercices d'entraînement

33 **D'après BTS.**
La probabilité qu'un ruban adhésif jaunisse le papier est de 0,008. Un client achète 5 000 rubans adhésifs. On assimilera le choix de ces 5 000 rubans à un tirage aléatoire avec remise.
On s'intéresse à la variable aléatoire X qui compte, dans ce lot de 5 000 rubans adhésifs, le nombre de ceux qui jaunissent le papier.

1 Justifier que X suit une loi binomiale dont on précisera les paramètres.

2 Quelle est la probabilité qu'au moins un de ces 5 000 rubans adhésifs jaunisse le papier ?

3 Après leur utilisation, le client s'aperçoit que 60 rubans adhésifs sur les 5 000 jaunissent le papier. Il décide donc de demander au grossiste de vérifier si le lot est compatible avec son affirmation d'avoir dans son stock 0,8 % des rubans jaunissant le papier.
a. Déterminer un intervalle de fluctuation au seuil de 95 % correspondant à la situation étudiée.
b. Conclure.

34 **D'après BTS.**
Dans la production d'une entreprise on prélève 100 rouleaux de papier de tapisserie dont on mesure les longueurs.
On note X la variable aléatoire qui, à un rouleau pris au hasard, associe sa longueur exprimée en mètres. On admet que X suit une loi normale de moyenne $m = 10$ et d'écart-type $\sigma = 0{,}03$.

1 Considérant que les rouleaux trop longs peuvent être recoupés, on décide qu'un rouleau est accepté si sa longueur est supérieure ou égale à 9,95 m.
Calculer la probabilité, à 10^{-2} près, qu'un rouleau pris au hasard dans la production :
a. soit accepté ;
b. soit refusé.

2 Dans un autre atelier, sur 20 000 rouleaux, on en refuse 125. Proposer une estimation de la probabilité qu'un rouleau pris au hasard soit refusé, à l'aide d'un intervalle de confiance au niveau 0,95.

35 30 Deux urnes sont notées U_1 et U_2. Chacune contient cinq boules.
Dans l'urne U_1, il y a deux boules blanches et trois boules noires.
Dans l'urne U_2, il y a une boule blanche et quatre boules noires.
Un jeu consiste à lancer un dé à 6 faces.
- Si le résultat est 6, le joueur tire une boule dans U_1.
- Sinon, il tire une boule dans U_2.

Le joueur gagne lorsqu'il tire une boule blanche.

On note les évènements suivant :
S : « le joueur obtient 6 », $\overline{S}$ est son évènement contraire.
G : « le joueur gagne » et $\overline{G}$: « le joueur perd ».

1 Regrouper les données de l'énoncé sous forme d'un arbre de probabilité.

2 Montrer que la probabilité que le joueur gagne est $P(G) = \frac{7}{30}$.

3 Un joueur a gagné. Quelle est la probabilité que la boule provienne de l'urne U_1 ?

4 Un casino propose ce jeu à ses clients. Le contrôle de la brigade des jeux établit que sur 1 500 parties, on a compté 330 gagnants.
a. Est-ce compatible avec la probabilité théorique ?
b. Combien aurait-il fallu de parties pour qu'avec la même fréquence observée de gagnants, on puisse considérer que la machine n'était pas réglée conformément à la probabilité théorique de gain égale à $\frac{7}{30}$?

36 35 Thomas joue souvent sur son ordinateur à un jeu de cartes de type « Solitaire ».
Il existe trois niveaux à ce jeu : la moitié des parties sont de niveau *Débutant*, un tiers des parties sont de niveau *Intermédiaire*, le reste des parties étant de niveau *Expert*.
L'ordinateur garde en mémoire les parties jouées. Thomas peut ainsi lire les statistiques suivantes : il a gagné 90 % de ses parties de niveau *Débutant* et 60 % de ses parties de niveau *Intermédiaire*.
Il demande à l'ordinateur de lui remontrer au hasard une de ses parties. Toutes les parties ont la même probabilité d'être choisies.
On note :
- D l'évènement « La partie est de niveau *Débutant* » ;
- I l'évènement « La partie est de niveau *Intermédiaire* » ;
- E l'évènement « La partie est de niveau *Expert* » ;
- G l'évènement « La partie est gagnée » ;

1 Traduire les données de l'énoncé sur un arbre de probabilité que l'on complètera au fur et à mesure de l'exercice.

2 Traduire par une phrase l'évènement $D \cap G$. Calculer la probabilité de cet évènement.

3 L'ordinateur indique que sur 400 parties jouées Thomas en a gagné 288.
a. Proposer une estimation de la probabilité que Thomas gagne une partie à l'aide d'un intervalle de confiance au niveau 95 %.
b. On suppose à présent que $P(G) = 0{,}72$.
En déduire la probabilité $P(E \cap G)$.
c. Calculer la probabilité que Thomas ait gagné la partie montrée au hasard par l'ordinateur, sachant qu'elle est de niveau *Expert*.
c. Compléter l'arbre construit à la question **1**.
La partie montrée au hasard par l'ordinateur a été perdue. Quelle est la probabilité que cette partie soit de niveau *Débutant* ? Donner le résultat sous forme décimale, arrondi au millième près.

37 30 Une chorale lycéenne regroupe deux types d'élèves : des élèves qui jouent d'un instrument de musique et des élèves qui ne jouent d'aucun instrument de musique.
Les élèves qui jouent d'un instrument de musique représentent 25 % de l'effectif total de la chorale.
Parmi les élèves qui jouent d'un instrument de musique, 80 % connaissent l'air de l'*Hymne à la joie*.
Parmi les élèves qui ne jouent d'aucun instrument de musique, 10 % connaissent l'air de l'*Hymne à la joie*.
On choisit au hasard un élève de la chorale. Chaque élève a la même probabilité d'être choisi.
On considère les évènements suivants :
M : « l'élève choisi joue d'un instrument de musique » ;
H : « l'élève choisi connaît l'air de l'*Hymne à la joie* ».
On rappelle que l'évènement contraire d'un évènement A est noté $\overline{A}$.
Les probabilités seront données sous forme décimale.

1 Donner les valeurs de la probabilité $p(M)$ de l'évènement M et de la probabilité de l'évènement H sachant que l'évènement M est réalisé.

2 Construire un arbre pondéré traduisant la situation.

3 Calculer la probabilité que l'élève choisi joue d'un instrument de musique et connaisse l'air de l'*Hymne à la joie*.

4 Démontrer que la probabilité que l'élève choisi connaisse l'air de l'*Hymne à la joie* est égale à 0,275.

5 Les évènements M et H sont-ils indépendants ? Justifier la réponse.

Pour info
L'Hymne à la joie figure dans la Neuvième Symphonie de Ludwig van Beethoven. Le compositeur allemand s'est inspiré du poème l'*Ode à la joie* de Frederich von Schiller, poète et dramaturge allemand (1759-1805).
C'est en 1985 que cette composition devient l'hymne officiel de l'Europe.

Ludwig van Beethoven (1770-1827).

6 On a effectué un sondage parmi un grand nombre de choristes de la région, et sur 1 200 choristes interrogés, seuls 200 connaissaient l'hymne à la joie. Peut-on considérer que la chorale du lycée est représentative des chorales de la région ?

38 **D'après BTS.**
On lance un dé non truqué, la partie est gagnée si on obtient un 5 ou un 6. On joue 50 parties de suite.
On considère la variable aléatoire X qui dénombre les parties gagnées au cours d'une suite de 50 parties.

1 Justifier que la variable aléatoire X suit une loi binomiale dont on déterminera les paramètres.

2 On décide d'approcher la loi de la variable aléatoire X par la loi normale de moyenne $m = \frac{50}{3}$ et d'écart-type $\sigma = \frac{10}{3}$
On note Y une variable aléatoire suivant cette loi normale.
a. Justifier le choix des valeurs de m et de σ.
b. Justifier que $P(Y > 17{,}5)$ est une approximation de la probabilité de l'évènement : « le nombre de parties gagnées est au moins égal à 18 ».
c. Donner une valeur numérique de $P(Y > 17{,}5)$ arrondie à 10^{-2}.
d. En déduire une valeur approchée de la probabilité de l'évènement : « le nombre de parties gagnées est compris entre 15 et 17 ».

39 Agence de voyages

Une agence de voyages propose des circuits à ses clients avec la visite d'un lieu pittoresque en option. Une étude statistique sur une longue période montre qu'un client sur cinq choisit cette option.

En prélevant au hasard des fiches de clients, le directeur de l'agence émet l'hypothèse que cette option intéresse davantage les clients.

On appelle n le nombre de fiches de clients prélevées, (c'est la taille de l'échantillon) et on note $[p_i\,;\,p_s]$ l'intervalle de fluctuation asymptotique au seuil de 95 % de la proportion de clients sur l'échantillon ayant choisi l'option « lieu pittoresque ».

1 Vérifier que la condition $n \geqslant 30$ est suffisante pour utiliser l'intervalle précédent.

2 Exprimer p_i et p_s en fonction de n.

3 Montrer que $n = \left(\dfrac{0{,}784}{p_s - 0{,}2}\right)^2$.

4 Étude de la taille de l'échantillon en fonction de la valeur de p_s

a. On considère la fonction f définie sur l'intervalle $]0{,}2\,;1]$ par $f(x) = \left(\dfrac{0{,}784}{x - 0{,}2}\right)^2$ et sa courbe représentative obtenue à l'aide de la calculatrice. En ordonnées, l'unité choisie est égale à 10.

Vérifier par le calcul le sens de variations de la fonction f sur son intervalle de définition.

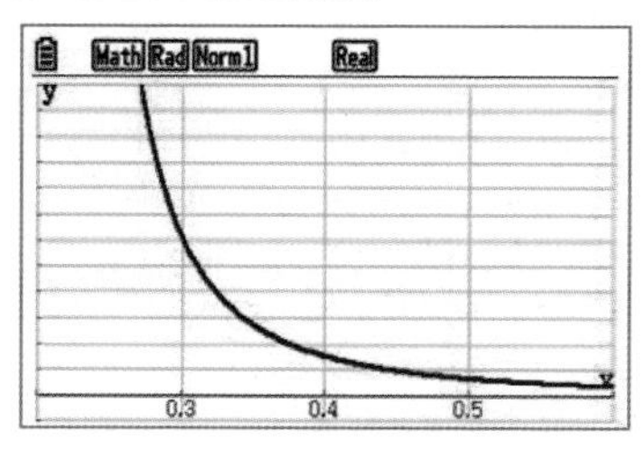

b. Par lecture graphique, déterminer la valeur de n lorsque $p_s = 0{,}3$.

5 Sur un échantillon de 60 fiches de clients prélevées au hasard, le directeur comptabilise les clients ayant choisi l'option « lieu pittoresque ».

a. Déterminer l'intervalle de fluctuation asymptotique au seuil de 95 % de la proportion de clients ayant choisi cette option.

b. Sur cet échantillon, le directeur comptabilise 21 clients ayant choisi l'option. Peut-il être tenté de supprimer cette option ?

40 Contrôle de qualité

D'après BTS. Une entreprise produit en grande série des plaques métalliques rectangulaires pour l'industrie automobile.

Partie A – Loi binomiale

On note E l'évènement : « une plaque prélevée au hasard dans la production d'une journée est défectueuse ».

On suppose que $P(\mathrm{E}) = 0{,}02$.

On prélève au hasard 50 plaques dans la production de la journée pour vérification.

La production est assez importante pour que l'on puisse assimiler ce prélèvement à un tirage avec remise de 50 plaques.

On considère la variable aléatoire X qui, à tout prélèvement ainsi défini, associe le nombre de plaques de ce prélèvement qui sont défectueuses.

1 Justifier que la variable aléatoire X suit une loi binomiale dont on déterminera les paramètres.

2 Calculer les probabilités $P(X = 0)$ et $P(X = 1)$.

3 Calculer la probabilité que, dans un tel prélèvement, au plus deux plaques soient défectueuses.

Partie B – Loi normale

Une plaque de ce type est conforme pour la longueur lorsque sa longueur L, exprimée en millimètres, appartient à l'intervalle $[548\,;552]$. Une plaque de ce type est conforme pour la largeur lorsque sa largeur ℓ, exprimée en millimètres, appartient à l'intervalle $[108\,;112]$.

1 On note L_1 la variable aléatoire qui, à chaque plaque de ce type prélevée au hasard dans un stock important, associe sa longueur L. On suppose que la variable aléatoire L_1 suit la loi normale de moyenne 550 et d'écart type 1. Calculer $P(548 < L_1 < 552)$.

2 On note L_2 la variable aléatoire qui, à chaque plaque de ce type prélevée au hasard dans le stock, associe sa largeur ℓ. On admet que : $P(108 < L_2 < 112) = 0{,}95$.

On suppose que les variables aléatoires L_1 et L_2 sont indépendantes.

On prélève une plaque au hasard dans le stock. Déterminer la probabilité qu'elle soit conforme pour la longueur et conforme pour la largeur.

Partie C – Intervalle de confiance

Dans cette partie on considère une grande quantité de plaques devant être livrées à une chaîne de montage de véhicules électriques. On considère un échantillon de 100 plaques prélevées au hasard dans cette livraison. La livraison est assez importante pour que l'on puisse assimiler ce tirage à un tirage avec remise.

On constate que 94 plaques sont sans défaut.

Donner une estimation de la fréquence inconnue p des plaques de cette livraison qui sont sans défaut à l'aide d'un intervalle de confiance au niveau 0,95.

Problèmes

41 Enquête et surpoids

Selon une enquête de l'Institut National de la santé et de la recherche médicale, en collaboration avec la SOFRES, près de 40 % des français seraient concernés par un problème de surpoids.

1 Déterminer l'intervalle de fluctuation asymptotique au seuil de 95 % de la proportion de personnes ayant un problème de poids sur un échantillon de 100 personnes.

2 Les conditions sont-elles réunies pour utiliser cet intervalle en vue d'une prise de décision ? Expliquer.

3 Le maire d'une ville, avec l'aide des médecins veut lancer une campagne de sensibilisation sur ce problème.
Un test est réalisé sur un échantillon de 100 personnes, et il s'avère que 45 personnes présentent un problème de surpoids. Le maire doit-il penser que sa ville présente un problème spécifique à propos du surpoids ?

4 Considérant que l'échantillon n'est pas suffisamment grand, le maire décide de réaliser le test sur 2 000 personnes et le pourcentage de personnes présentant un problème de surpoids est inchangé (45 %).

a. Déterminer le nouvel intervalle de fluctuation asymptotique au seuil de 95 % de la proportion de personnes ayant un problème de poids sur un échantillon de 2 000 personnes.

b. Un problème propre à la ville se pose-t-il à propos du surpoids ?

42 ALGO D'après Edhec 2011.

On désigne par n un entier naturel supérieur ou égal à 2.
On dispose de n urnes, numérotées de 1 à n, contenant chacune n boules.
On répète n épreuves, chacune consistant à choisir une urne au hasard et à en extraire une boule au hasard.
On suppose que les choix des urnes sont indépendants les uns des autres.
Pour tout i de $\{1, 2, \dots, n\}$, on note X_i la variable aléatoire prenant la valeur 1 si l'urne numérotée i contient toujours n boules au bout de ces n épreuves, et qui prend la valeur 0 sinon.

Partie A – Algorithme

Compléter l'algorithme suivant pour qu'il simule l'expérience décrite au début de cet exercice et affiche les valeurs prises par X_1 et N_1 pour une valeur de n entrée par l'utilisateur.

ALGO

```
Écrire (donner un entier naturel n supérieur ou égal à 2) ;
    Lire(n) ;
    n1 : = 0 ; x1 : = 1 ;
    Pour k : = 1 to n Faire
    hasard : = aleaentrebornes(1, n) + 1 ;
    Si hasard = 1 Alors
    x1 : = ... ; n1 : = ... ;
    FinSi ;
    FinPour ;
    Afficher(x1, n1) ;
Fin.
```

Voir les **Outils pour l'algorithmique**.

Partie B – Probabilités, échantillonnage

1 Montrer que pour tout i :

$$P(X_i = 1) = \left(1 - \frac{1}{n}\right)^n.$$

2 On effectue 100 fois l'expérience et on s'intéresse à la fréquence de réalisation de l'événement $(X_1 = 1)$.

a. Déterminer un intervalle de fluctuation de F au seuil de 95 %.

b. Si $n = 100$ et que le nombre de réalisations de $(X_1 = 1)$ est de 20, est-ce compatible avec l'hypothèse de probabilité ?

43 Échantillon représentatif

Un grand groupe de presse désire lancer un journal destiné aux moins de 40 ans. Le service marketing subdivise la cible visée en quatre tranches :
- les pré-ados : moins de 15 ans ;
- les adolescents : 15-19 ans ;
- les 20-24 ans ;
- les jeunes adultes : 25-39 ans.

Le sondage est effectué sur un échantillon de 935 personnes, répartis de la façon ci-dessous (Tableau 1).
On souhaite savoir si cet échantillon est représentatif de la population française.
On dispose de la répartition de la population française au 1er janvier 2012 (Tableau 2).

1 Compléter à l'aide de ces données le tableau suivant, correspondant à la population française.

Moins de 15 ans	
15-19 ans	
20-24 ans	
25-39 ans	
Total	100

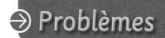

2 Pour chacune des tranches d'âge considérée, déterminer grâce un intervalle de fluctuation asymptotique si les données de l'échantillon sont compatibles avec un tirage aléatoire à l'intérieur de la population française âgée de moins de 40 ans.
On dira alors que le sondage s'appuie sur un échantillon représentatif de la population française, au regard des critères retenus.

Tableau 1

Répartition dans l'échantillon

Moins de 15 ans	358
15-19 ans	115
20-24 ans	120
25-39 ans	342
Total	935

Tableau 2

Tranche d'âge dans la population générale

	%
Moins de 15 ans	18,5
15-19 ans	6,0
20-24 ans	6,3
25-29 ans	6,1
30-34 ans	6,2
35-39 ans	6,5
40-44 ans	6,9
45-49 ans	7,0
50-54 ans	6,6
55-59 ans	6,4
60-64 ans	6,3
65-69 ans	4,5
70-74 ans	3,6
75 ans ou plus	9,0
Ensemble	100,0

44 Échantillonnage et estimation

On souhaite estimer la prévalence du surpoids dans une ville, c'est-à-dire la proportion de personnes ayant une masse trop importante par rapport à leur taille. Pour cela 460 personnes ont été sélectionnées de manière aléatoire à partir de la liste des logements connue par la municipalité, c'est-à-dire que le fait d'avoir été sélectionné pour participer à l'étude est uniquement dû au hasard. On admet que cette procédure permet d'assimiler la sélection des personnes interrogées à un schéma de Bernoulli. Un enquêteur s'est déplacé au sein de chaque logement après avoir convenu d'un rendez-vous afin de recueillir les informations nécessaires à l'enquête.

1 Dans un premier temps, l'enquêteur va s'assurer que l'échantillon est représentatif de la population qu'on étudie sur des informations qu'on peut vérifier et qui sont en lien avec le critère étudié. Dans le cas présent on peut connaître par exemple la proportion d'hommes et de femmes dans la population de la ville, ainsi que la répartition selon l'âge en demandant à la municipalité qui se référera aux informations du recensement. Parallèlement on peut comptabiliser le nombre d'hommes et de femmes dans l'échantillon ainsi que la répartition selon l'âge.

Répartition dans l'échantillon

	Homme	Femme	Total
Échantillon	200	260	460

	Moins de 60 ans	Plus de 60 ans	Total
Échantillon	352	108	460

On sait que, dans la population, il y a 46 % d'hommes et 20 % de personnes de plus de 60 ans.

a. Déterminer l'intervalle de fluctuation asymptotique au seuil 0,95 de la variable aléatoire « proportion de femmes » dans un échantillon aléatoire de taille 460 sélectionné au sein de la population de cette ville.

b. Calculer la proportion de femmes dans l'échantillon et examiner si cette valeur appartient à l'intervalle de fluctuation.

c. Déterminer l'intervalle de fluctuation asymptotique au seuil 0,95 de la variable aléatoire « proportion de personnes âgées de plus de 60 ans » dans un échantillon aléatoire de taille 460 sélectionné au sein de la population de cette ville.

d. Calculer la proportion de personnes de plus de 60 ans dans l'échantillon et examiner si cette valeur appartient à l'intervalle de fluctuation.

e. Si pour chacune des variables, genre et âge, l'intervalle de fluctuation asymptotique au seuil de 95 % contient la valeur de l'échantillon on considère que l'échantillon est représentatif de la population pour ce critère.
Quelle est donc la conclusion pour le cas étudié ici ?

2 La première étape de ce travail a donc été de sélectionner un échantillon qui soit accepté comme « représentatif » de la population selon deux critères particuliers. Ainsi les informations qui seront obtenues à partir de cet échantillon seront supposées généralisables, avec un certain nombre de précautions, à l'ensemble de la population dont il est extrait.
Dans le cas de l'étude présentée ici, on souhaite estimer la proportion de personnes en surpoids.
La définition du surpoids donnée par l'OMS (Organisation Mondiale de la Santé) est la suivante : une personne est considérée en surpoids si son IMC (Indice de masse corporelle) est supérieur à 25. L'IMC se calcule de la manière suivante : masse en kg/(taille en m).
La proportion de personnes en surpoids dans l'échantillon étudié est de 29,5 %.
Déterminer un intervalle de confiance au niveau de confiance de 95 %.

Pistes pour l'accompagnement personnalisé

Revoir les outils de base

45 Calculs avec la loi normale

X est une variable aléatoire qui suit une loi normale $\mathcal{N}(2\,;1)$.

1 Déterminer **à l'aide de la calculatrice** :

a. $P(1{,}5 \leqslant X \leqslant 2{,}5)$;

b. $P(X \geqslant 2{,}8)$;

c. $P(X \leqslant 1{,}8)$.

2 Déterminer **sans la calculatrice** l'espérance et l'écart-type de la loi de X.

46 Calculs avec la loi binomiale

X est une variable aléatoire qui suit une loi binormiale $\mathcal{B}(20\,;0{,}4)$.

1 Déterminer $P(X = 8)$.

2 Déterminer $P(10 \leqslant X \leqslant 15)$.

3 On a représenté grâce à un tableur les valeurs de $P(X \leqslant k)$.

k	P(X<=k)
0	0,0000
1	0,0005
2	0,0036
3	0,0160
4	0,0510
5	0,1256
6	0,2500
7	0,4159
8	0,5956
9	0,7553
10	0,8725
11	0,9435
12	0,9790
13	0,9935

a. Déterminer le plus petit k_1 tel que $P(X \leqslant k_1) > 0{,}275$.

b. Déterminer le plus petit k_2 tel que $P(X \leqslant k_2) > 0{,}925$.

c. Comment peut-on interpréter l'intervalle $[k_1, k_2]$?

47 Loi normale et u_α

X est une variable aléatoire qui suit une loi normale $\mathcal{N}(0\,;1)$.

On a défini au chapitre 11 le réel u_α comme étant l'unique réel tel que : $P(-u_\alpha \leqslant X \leqslant u_\alpha) = 1 - \alpha$.

1 On a représenté ci-dessous la fonction de densité de la loi normale. Donner une interprétation graphique de u_α.

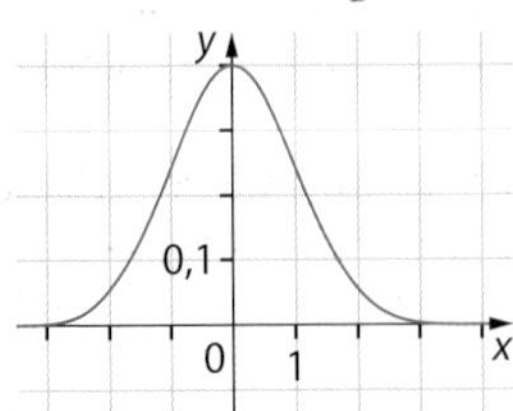

2 Donner une valeur approchée de $u_{0,05}$ et $u_{0,01}$.

Les savoir-faire du chapitre

48

X est une variable aléatoire qui suit une loi binomiale $\mathcal{B}(n\,;p)$.

1 Rappeler la définition de l'intervalle de fluctuation asymptotique au seuil $(1-\alpha)$ associé à X et rappeler son interprétation.

2 Quelles sont les conditions d'utilisation de l'intervalle de fluctuation asymptotique au seuil de 95 % ?

3 Dans chacun des cas suivants, déterminer l'intervalle de fluctuation asymptotique au seuil de 95 % et indiquer si on peut l'utiliser pour valider ou infirmer une hypothèse.

n	10	20	100	100
p	0,04	0,4	0,04	0,3

49

Une machine est conçue pour fabriquer des pièces d'un diamètre donné. Le contrat de garantie stipule que la probabilité qu'une pièce ne soit pas conforme est de $p = 0{,}002$.

On s'aperçoit au bout d'un mois, que sur 15 000 pièces usinées, 80 étaient non conformes.

1 Quelle est la fréquence d'apparition de pièces non conformes ?

2 a. Déterminer un intervalle de fluctuation associé à l'expérience au seuil de 95 %.

b. Les conditions qui permettent d'utiliser cet intervalle de fluctuation sont-elles réunies ?

c. Peut-on dire, au seuil de 95 %, affirmer que la fréquence de pièces non conforme est compatible avec l'affirmation du constructeur ?

En lien avec les sciences

50 Population de poissons

On a créé un lac artificiel dans lequel on a introduit des truites et des brochets en quantité égale.

Au bout d'un an, on souhaite savoir quelle est la proportion p de truites parmi les poissons.

On décide de pêcher des poissons en différents endroits du lac, à différents moments, en les relâchant à chaque fois après avoir noté leur espèce.

1 Quel intérêt peut avoir une telle méthodologie, sachant que l'on veut utiliser la méthode de l'intervalle de confiance ?

2 Sur 123 poissons ainsi répertoriés, on compte 59 truites.
a. À l'aide d'un intervalle de confiance, procéder à une estimation de la proportion de truites.
b. Peut-on écarter l'hypothèse qu'il y ait autant de brochets que de truites ?
c. Combien aurait-il fallu pêcher de poissons pour avoir un encadrement de p à 0,01 près ?

Vers le Supérieur

Pour info

Intervalle de confiance au niveau de confiance 95 %
Dans le supérieur, on utilise un intervalle de confiance donné par la formule :
$$I = \left[f - 1{,}96\frac{\sqrt{f(1-f)}}{\sqrt{n}} ; f + 1{,}96\frac{\sqrt{f(1-f)}}{\sqrt{n}} \right].$$

51 Référendum

Pour prévoir le résultat d'un référendum, on interrogé 400 électeurs constituant un échantillon de la population à même de prendre part au vote.
53 % des électeurs ont déclaré avoir l'intention de voter *oui*. On appelle p la proportion de la population totale qui a l'intention de voter *oui*.

1 Déterminer un intervalle de confiance de p au niveau de confiance 95 %.

2 Peut-on assurer que plus de 50 % des électeurs ont l'intention de voter *oui* ?

3 Combien aurait-il fallu interroger de personnes pour être à peu près sûr qu'au moins 50 % des électeurs ont l'intention de voter *oui*, avec un résultat de 53 % dans l'échantillon ?

52 Sondage

On a obtenu, lors d'un sondage réalisé auprès d'un échantillon de 1 000 personnes les résultats d'intentions de votes suivants :

Candidats	X	Y	Z
Intentions de votes en %	2	40	58

1 Déterminer un intervalle de confiance pour le résultat de chacun des candidats.

2 Comparer pour chaque candidat l'amplitude de l'intervalle de confiance obtenu.

3 Combien faut-il interroger de personnes pour que l'amplitude de l'intervalle du score de Z soit inférieur à 0,002 ?

53 D'après BTS

Chaque jour, une entreprise produit des condensateurs identiques en grande quantité.
Chaque condensateur fabriqué peut présenter deux défauts : l'un au niveau des armatures, appelé défaut A, et l'autre, appelé défaut B, au niveau du diélectrique.
Une étude statistique a montré que 2 % des condensateurs fabriqués présentent le défaut A et 1 % le défaut B.
La présence du défaut A sur un condensateur choisi au hasard dans la production est considérée comme un évènement aléatoire indépendant de la présence du défaut B sur le même condensateur.

1 On prélève un condensateur au hasard dans la production.

a. Calculer la probabilité que ce condensateur présente les deux défauts A et B.

b. Calculer la probabilité que ce condensateur ne présente aucun défaut.

c. Calculer la probabilité que ce condensateur présente au moins un des deux défauts.

2 On réalise des prélèvements aléatoires de 100 condensateurs dans la production.
Chacun de ces prélèvements est assimilé à un tirage avec remise.
Un condensateur est dit défectueux lorsqu'il présente au moins un des deux défauts.
On admet, pour cette question, que la probabilité qu'un condensateur prélevé au hasard soit défectueux est 0,03.
On note X la variable aléatoire représentant le nombre de condensateurs défectueux dans un lot de 100 condensateurs prélevés au hasard.

a. On admet que la variable aléatoire X suit une loi binomiale. Préciser les paramètres de cette loi.

b. Calculer la probabilité, à près, qu'il y ait dans un lot exactement 3 condensateurs défectueux.

3 La capacité nominale des condensateurs est 210 µF.
Un condensateur est déclaré « conforme » lorsque sa capacité réelle appartient à l'intervalle [189 ; 252].
On note Z la variable aléatoire qui associe à un condensateur choisi au hasard dans la production sa capacité réelle en µF.
On admet que la variable aléatoire Z suit une loi normale de moyenne 210 et d'écart type 12.
On prélève au hasard un condensateur dans la production.
Déterminer, à 10^{-3} près, la probabilité que ce condensateur soit conforme.

54 BAC Lois continues, loi binomiale, fluctuation asymptotique

Une grande entreprise dispose d'un vaste réseau informatique. On observe le temps de fonctionnement normal séparant deux pannes informatiques. Ce temps sera appelé « temps de fonctionnement ».
Soit X la variable aléatoire égale au temps de fonctionnement, exprimé en heures.
On admet que X suit une loi exponentielle de paramètre λ.
Le paramètre λ est un réel strictement positif.

On rappelle que, pour tout réel $t \geqslant 0$:

$$P(X \leqslant t) = \int_0^t \lambda e^{-\lambda x} dx.$$

1 On sait que la probabilité que le temps de fonctionnement soit inférieur à 7 heures est égale à 0,6.
Montrer qu'une valeur approchée de λ, à 10^{-3} près est 0,131.

Dans les questions suivantes, on prendra 0,131 *pour valeur approchée de* λ, *et les résultats seront donnés à* 10^{-2} *près.*

2 Montrer qu'une valeur approchée de la probabilité que le temps de fonctionnement soit supérieur à 5 heures est égale à 0,52.

3 Calculer la probabilité que le temps de fonctionnement soit supérieur à 9 heures sachant qu'il n'y a pas eu de panne au cours des quatre premières heures.

4 Calculer la probabilité que le temps de fonctionnement soit compris entre 6 et 10 heures.

5 On relève aléatoirement huit temps de fonctionnement, qu'on suppose indépendants.
Soit Y la variable aléatoire égale au nombre de relevés correspondant à des temps de fonctionnement supérieurs ou égaux à 5 heures.
a. Quelle est la loi suivie par Y ?
b. Calculer la probabilité que trois temps parmi ces huit soient supérieurs ou égaux à 5 heures.
c. Calculer l'espérance mathématique de Y (on arrondira à l'entier le plus proche).

Question ouverte

6 Au bout d'un an, on décide de vérifier si la modélisation précédente est toujours valable. On relève 120 temps de fonctionnement et on constate que dans 70 cas, le temps de fonctionnement entre deux pannes est inférieur à 5 heures. Peut-on remettre en cause la probabilité établie au **2** ?

55 Estimation, loi binomiale, loi normale

D'après BTS.

Une société s'occupe de la saisie informatique de documents. Pour chaque document, une première saisie est retournée, pour vérification, au client correspondant.
Les résultats demandés seront donnés sous forme de valeurs décimales arrondies à 10^{-3}.

Partie A

Pour chaque document, le délai de retour de la première saisie vers le client est fixé à deux semaines. On appelle p la probabilité qu'une saisie choisie au hasard soit effectivement retournée au client dans le délai fixé.
On désigne par X la variable aléatoire qui, à tout échantillon de n saisies choisies au hasard par tirage avec remise, associe le nombre de saisies pour lesquelles le délai de retour n'a pas été respecté.

1 Pour estimer p, on a effectué une étude statistique. Sur 1 250 saisies, 1 122 ont été réalisées dans le délai imparti. Proposer une estimation de p à l'aide d'un intervalle de confiance au niveau 95 %.

Dans la suite de l'exercice, on prendra $p = 0,9$.

2 **a.** Quelle est la loi suivie par la variable aléatoire X ?
b. Quel est le nombre moyen de saisies pour lesquelles le délai de retour n'est pas respecté ?
c. Pour cette question, on suppose que $n = 20$. Calculer la probabilité $P(X = 2)$.
d. Quelle doit être la valeur de n pour que la probabilité qu'au moins une saisie ait été retournée hors délai soit supérieure à 0,5 ?

Partie B

On désigne par Y la variable aléatoire qui, à chaque saisie retournée et choisie au hasard par tirage avec remise, associe le nombre d'erreurs décelées dans cette saisie par le client correspondant. On admet que Y suit une loi normale de moyenne 30 et d'écart type 8.

1 Calculer $P(Y \leqslant 35)$, $P(Y > 25)$ et $P(25 \leqslant Y \leqslant 35)$.

2 Donner une valeur approchée de $P(22 \leqslant Y \leqslant 38)$.

Question ouverte

3 L'entreprise veut signer une charte qualité qui stipule qu'elle garantit au client qu'au moins 99 % des saisies comporte moins de n fautes. Déterminer le plus petit nombre entier n qui rende l'engagement de l'entreprise conforme aux données de la partie **B**.

56 ALGO BAC Lois continues, loi binomiale

On s'intéresse à des lampes dont la durée de vie en années suit une loi exponentielle de paramètre λ. Le paramètre λ est un réel strictement positif.

On rappelle que :

pour tout réel $t \geqslant 0$,

$$P(X \leqslant t) = \int_0^t \lambda e^{-\lambda} dx.$$

Les résultats demandés seront donnés sous forme de valeurs décimales arrondies à 10^{-3}.

1 **a.** On suppose que pour toutes les lampes, $E(X) = 1{,}01$. En déduire la valeur de λ.

Dans toute la suite de l'exercice, on considèrera que $\lambda = 1$.

b. Calculer $P(X < 0{,}5)$.

c. Calculer $P(X > 2)$.

d. Soit un réel $t \geqslant 0$. Exprimer $P(X > t)$ en fonction de t.

2 On s'intéresse à une guirlande lumineuse qui comporte n ampoules, dont les durées de vie respectives $X_1, \ldots, X_n$ suivent toutes une loi exponentielle de paramètre 1. On suppose que toutes les ampoules ont des fonctionnements indépendants, c'est-à-dire que pour tout réel positif t, les événements $(X_1 \leqslant t), \ldots, (X_n \leqslant t)$ sont deux à deux indépendants.

a. Si $n = 50$, quelle est la probabilité qu'aucune des lampes ne dure plus d'un an ?

b. On revient au cas général. Déterminer, en fonction de n et t la probabilité qu'au moins une lampe dure plus de t années.

3 On se place dans la même situation qu'au **2**, et on appelle Y la variable définie par : $Y = \max(X_1, \ldots, X_n)$.

On dispose des instructions suivantes :

- ALEAEXPO(λ), qui renvoie une réalisation d'une variable aléatoire suivant une loi exponentielle de paramètre λ ;
- MAX(a,b) qui renvoie le plus grand de deux nombres a et b.

a. Compléter le programme suivant, pour qu'il simule une réalisation de la variable Y.

ALGO
```
Saisir (n)
m :=0 ; alea :=0
    Pour i =1 jusqu'à … Faire
        alea :=ALEAEXPO(…)
        m :=max (… ; …)
    FinPour
Afficher (…)
Fin
```

b. On donne $n = 5$, et les valeurs successives de $X_1, \ldots, X_n$. Compléter avec les valeurs successives de n :

i		1	2	3	4	5
X_i		0,25	1,1	0,92	1,25	0,36
m	0					

Question ouverte

4 En utilisant le résultat du **2** **b.** montrer que la variable aléatoire Y peut être associée à une densité f_n, définie sur $[0\,;+\infty[$, dont on donnera l'expression.

57 BAC Loi binomiale, tests

1 Dans un stand de tir, un tireur effectue des tirs successifs pour atteindre un ballon afin de le crever.

À chacun de ces tirs, il a la probabilité 0,2 de crever le ballon. Le tireur s'arrête quand le ballon est crevé. Les tirs successifs sont supposés indépendants.

a. Quelle est la probabilité qu'au bout de deux tirs le ballon soit intact ?

b. Quelle est la probabilité que deux tirs suffisent pour crever le ballon ?

c. Quelle est la probabilité p_n que n tirs suffisent pour crever le ballon ?

d. Pour quelles valeurs de n a-t-on $p_n > 0{,}99$?

2 Ce tireur participe au jeu suivant :

Dans un premier temps il lance un dé tétraédrique régulier dont les faces sont numérotées de 1 à 4 (la face obtenue avec un tel dé est la face cachée) ; soit k le numéro de la face obtenue. Le tireur se rend alors au stand de tir et il a droit à k tirs pour crever le ballon.

Démontrer que, si le dé est bien équilibré, la probabilité de crever le ballon est égale à 0,4 096 (on pourra utiliser un arbre pondéré).

3 Le tireur décide de tester le dé tétraédrique afin de savoir s'il est bien équilibré ou s'il est pipé. Pour cela il lance 200 fois ce dé et il obtient le tableau suivant :

Face	1	2	3	4
Nombre de sorties	58	49	52	41

À l'aide de la méthode de l'intervalle de fluctuation asymptotique, déterminer pour chaque face si les résultats obtenus sont compatibles avec l'hypothèse que le dé est équilibré.

58 BAC Suites, estimation, probabilités conditionnelles

On dispose de deux urnes, notées A et B, qui contiennent respectivement deux boules rouges et deux boules bleues.

On effectue n fois l'expérience aléatoire suivante : on tire simultanément une boule de l'urne A et une boule de l'urne B et on remet dans A la boule tirée de B, et réciproquement.
On considère les événements suivants :
X_n : l'urne A contient deux boules rouges au bout de n tirages.
Y_n : l'urne A contient une boule rouge exactement au bout de n tirages.
Z_n : l'urne A ne contient aucune boule rouge au bout de n tirages.
On appelle par ailleurs p_n, q_n, r_n les probabilités respectives des événements X_n, Y_n, Z_n.

Partie A

On supposera dans cette partie que $n = 20$. Valérie fait deux hypothèses, qu'elle aimerait tester :
- (H_1) : la probabilité que l'urne A contienne une boule rouge est de $\frac{1}{3}$;
- (H_2) : la probabilité que l'urne A contienne deux boules rouges est différente de la probabilité que l'urne A ne contienne aucune boule rouge.

On effectue 300 simulations et on obtient les résultats suivants : dans 47 cas, l'urne A contient deux boules rouges, dans 203 cas une boule rouge et dans le reste des cas, aucune boule rouge.

1 En utilisant un intervalle de fluctuation asymptotique au seuil de 95 %, indiquer si Valérie peut garder sa première hypothèse.

2 **a.** En utilisant deux intervalles de confiance au niveau 95 %, établir une estimation de p_{20} et une estimation de r_{20}.
b. Peut-on accepter l'hypothèse de Valérie ?
Combien aurait-il fallu effectuer de simulations pour qu'avec les mêmes proportions observées, l'hypothèse de Valérie puisse être validée ?

Partie B

1 Déterminer p_n, q_n, r_n pour $n = 0$, puis pour $n = 1$.

2 **a.** Montrer que pour tout entier naturel n, on a :
$$\begin{cases} p_{n+1} = 0{,}25q_n \\ q_{n+1} = p_n + 0{,}5q_n + r_n. \\ r_{n+1} = 0{,}25q \end{cases}$$

b. Que peut-on en déduire concernant les suites p et q ? Que dire de l'hypothèse de Valérie ?

3 On pose pour tout entier naturel n : $u_n = 2p_n + q_n$ et $v_n = 4p_n - q_n$.
a. Montrer que la suite u est constante.
b. Montrer que la suite v est géométrique.
c. En déduire l'expression de u_n, v_n, puis p_n, q_n, r_n en fonction de n.

4 Déterminer la limite des suites (p_n), (q_n), (r_n).

59 BAC Suites, estimation probabilités conditionnelles et arbres

Dans un zoo, l'unique activité d'une otarie est l'utilisation d'un bassin aquatique équipé d'un toboggan et d'un plongeoir.
On a observé que si l'otarie choisit le toboggan, la probabilité qu'elle le reprenne est 0,3.

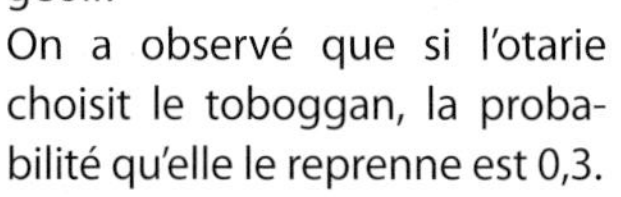

Si elle choisit le plongeoir, la probabilité qu'elle le reprenne est p. Lors du premier passage, les deux équipements ont la même probabilité d'être choisis.
Pour tout entier naturel n non nul, on considère l'évènement :
T_n : « l'otarie utilise le toboggan lors de son n-ième passage. » ;
P_n : « l'otarie utilise le plongeoir lors de son n-ième passage. ».
On considère alors la suite (u_n) définie pour tout entier naturel $n > 1$ par :
$u_n = p(T_n)$ où $p(T_n)$ est la probabilité de l'évènement T_n.

1 On a observé l'otarie pendant plusieurs mois, et on s'est aperçu que sur les 232 fois où elle avait d'abord choisi le plongeoir, elle l'avait repris 180 fois.
En déduire une estimation de p accompagnée de son intervalle de confiance au seuil de 95 %.

Dans la suite du problème, on prendra $p = 0{,}8$.

2 **a.** Donner les valeurs des probabilités $p(T_1)$, $p(P_1)$ et des probabilités conditionnelles $p_{T_1}(T_2)$, $p_{P_1}(P_2)$.
b. Montrer que $p(T_2) = \frac{1}{4}$.
c. Démontrer en utilisant un arbre de probabilités, que pour tout entier $n > 1$, $u_{n+1} = 0{,}1u_n + 0{,}2$.
e. **À l'aide de la calculatrice,** émettre une conjecture concernant la limite de la suite (u_n).

3 On considère la suite (v_n) définie pour tout entier naturel $n > 1$ par :
$$v_n = u_n - \frac{2}{9}.$$

a. Démontrer que la suite (v_n) est géométrique de raison $\frac{1}{10}$. Préciser son premier terme.
b. Exprimer v_n en fonction de n. En déduire l'expression de un en fonction de n.
c. Calculer la limite de la suite (u_n). Ce résultat permet-il de valider la conjecture émise en **1** **e.** ?

60 ALGO Estimation, loi binomiale

Dans un jeu vidéo, un vaisseau spatial apparaît à gauche de l'écran, et se déplace à chaque seconde d'une unité vers la droite, et verticalement d'une unité vers le haut ou vers le bas, avec des probabilités respectives 0,6 et 0,4. On peut représenter la situation de la façon suivante :

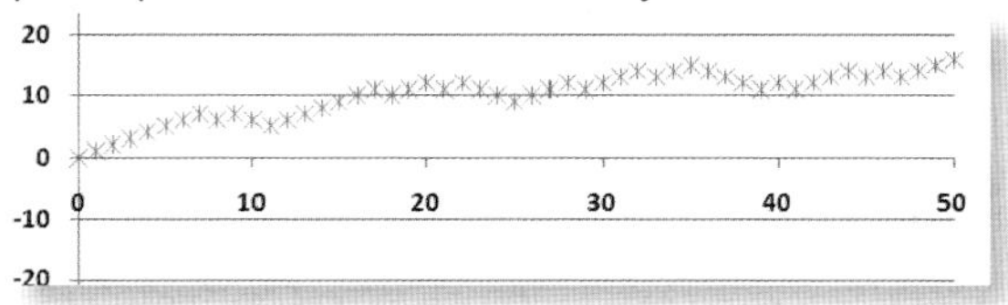

On se demande à quelle hauteur « moyenne » le vaisseau sort de l'écran.

1 On décide d'effectuer une simulation à l'aide d'un tableur :

fx =SI(ENT(ALEA()+$E$2)=1;1;-1)

	A	B	C	D	E
1		Déplacement	Hauteur		
2	0	1	0	p	0,6
3	1	1	1		
4	2	1	2		
5	3	1	3		
6	4	1	4		

a. Expliquer comment la formule entrée en B2 permet de simuler le déplacement vertical du vaisseau.
b. Quelle formule faut-il placer en C2 pour obtenir par recopie la hauteur du vaisseau sur l'écran ?

2 On décide d'utiliser un algorithme pour pouvoir effectuer 1 000 simulations.

```
ALGO
H:=0 ;
Pour j de 1 jusque 1000 Faire k := 0; h := 0 ;
    TantQue k < 50 faire
        choix:=ENT(ALEA()+0,8);
        Si choix==1 Alors h := h+1;
                    Sinon h := h-1;
        FinSi
        k := k+1;
    FinTantQue
H := H+h ;
FinPour
Hmoy:=H/1000 ;
Afficher Hmoy
```

a. Quelle partie de l'algorithme permet de simuler le déplacement vertical ?
b. Comment la hauteur moyenne sur 1 000 déplacements est-elle obtenue ?
c. Modifier le programme pour qu'il détermine le nombre de trajectoires pour lesquelles la hauteur de sortie est négative.

3 On appelle X la variable aléatoire égale au nombre de déplacements vers le haut, et H la hauteur de la particule lorsqu'elle sort de l'écran.
a. Quelle est la loi de X ?
b. Quelle est l'espérance de X ?
c. Déterminer le lien entre X et H. En déduire l'espérance de H. Interpréter.

61 Statistiques, loi normale

D'après BTS. Une entreprise fabrique en série des pièces dont le diamètre, mesuré en millimètres, définit une variable aléatoire D. On admet que cette variable aléatoire D suit la loi normale de moyenne m et d'écart type s.

1 **a.** Un échantillon de 100 pièces est prélevé au hasard dans la production. Les mesures des diamètres des pièces de cet échantillon sont regroupées dans le tableau ci-contre. En faisant l'hypothèse que, pour chaque classe, les valeurs mesurées sont égales à celle du centre de la classe, calculer **à l'aide de la calculatrice** à 10^{-2} près, la moyenne d et l'écart type s de cet échantillon.

Mesures des diamètres (en mm)	Effectif
[4,0 ; 4,2[	6
[4,2 ; 4,4[	24
[4,4 ; 4,6[	41
[4,6 ; 4,8[	25
[4,8 ; 5,0[	4

Dans la suite de cette question, on considèrera que la production suit une loi normale $\mathcal{N}(d\,;s^2)$.
b. Déterminer la probabilité qu'une pièce prise au hasard ait un diamètre compris entre 4 et 5 mm.
c. Déterminer un intervalle centré en d qui contient le diamètre d'une pièce prise au hasard avec une probabilité de 95,4 %.

2 Dans cette question, on admet que la production comporte 5 % de pièces inutilisables.
a. L'entreprise conditionne ses pièces par boîtes de 25. On tire une boîte au hasard. (On assimilera cette épreuve à un tirage successif avec remise de 25 pièces dans la production.) On désigne par K le nombre de pièces inutilisables dans cette boîte.
b. Quelle est la loi suivie par la variable aléatoire K ?
c. Calculer, à 10^{-3} près, la probabilité que cette boîte contienne exactement une pièce inutilisable.
d. Calculer, à 10^{-3} près, la probabilité que cette boîte contienne au plus une pièce inutilisable.

62 Loi normale, loi binomiale, équation avec loi normale

D'après BTS.

Une machine est chargée de conditionner des paquets de farine ; la masse M d'un paquet est une variable aléatoire qui suit une loi normale d'écart type constant, $\sigma = 30$, et dont la moyenne m peut être modifiée. Un paquet est refusé si sa masse est inférieure à 955 grammes.

On arrondira les résultats à 10^{-3}.

1 On suppose que la moyenne m est égale à 1 000.

a. Quelle est la probabilité pour qu'un paquet soit refusé ?

b. Déterminer un intervalle centré autour de m qui contienne la masse d'un paquet prélevé au hasard avec une probabilité de 0,95

2 On suppose que la probabilité pour qu'un paquet soit refusé est $p = 0{,}07$.

On dispose de 100 paquets ; soit X la variable aléatoire dénombrant le nombre de paquets à rejeter.

a. Quelle est la loi de X ?

b. Calculer $P(X = 3)$.

c. Quelle est la probabilité qu'au moins un des paquets soit refusé ?

d. Quel est le nombre moyen de paquets refusés ?

3 Afin de diminuer le nombre de paquets refusés, on décide de modifier le réglage de la machine. On cherche la valeur de m pour que la probabilité d'accepter un paquet soit égale à 0,99.

On pose $Y = \dfrac{X - m}{\sigma^2}$.

a. Quelle loi est suivie par Y ?

b. **À l'aide de la calculatrice,** déterminer une valeur t telle que $P(Y \leqslant t) = 0{,}99$.

c. En déduire la valeur de m cherchée.

63 Estimation, loi binomiale.

Une association organise des promenades en montagne. Douze guides emmènent chacun, pour la journée, un groupe de personnes dès le lever du Soleil.

L'été, il y a plus de demandes que de guides, et chaque groupe doit s'inscrire la veille de la promenade.

Mais l'expérience des dernières années prouve qu'il y a une probabilité p pour qu'un groupe inscrit ne se présente pas au départ de la promenade.

On admettra que les groupes inscrits se présentent indépendamment les uns des autres.

Les probabilités demandées seront arrondies au centième le plus proche.

1 Sur 156 groupes inscrits ces dernières années, on a observé que vingt ne s'étaient pas présentés.

Proposer une estimation de p à l'aide d'un intervalle de confiance au niveau 95 %.

Dans la suite de l'exercice, on prendra $p = \dfrac{1}{8}$.

2 Montrer que la probabilité qu'un jour donné les douze groupes inscrits soient tous présents est comprise entre 0,20 et 0,21.

3 On désigne par X la variable aléatoire égale au nombre de jours où les douze groupes inscrits se sont tous présentés au départ lors d'un mois de 30 jours.

a. Montrer que X suit une loi binomiale dont on précisera les paramètres.

b. Donner la signification des évènements $X = 30$ puis $X = 0$ et calculer la probabilité de ces évènements.

c. Préciser l'espérance mathématique $E(X)$. Quelle signification peut-on donner à ce résultat ?

4 Une somme de 1 Crédit (la monnaie locale) est demandée à chaque groupe pour la journée.

Cette somme est réglée au départ de la promenade.

Dans le cas où un groupe ne se présente pas au départ, l'association ne gagne évidemment pas le Crédit que ce groupe aurait versé pour la journée.

On nomme S la variable aléatoire égale à la somme, en Crédits, perçue par l'association un jour donné.

Calculer la probabilité de l'évènement $(S = 11)$.

Préciser l'espérance mathématique de S.

5 **a.** Agacé par le nombre de guides inemployés, le dirigeant de l'association décide de prendre chaque jour une réservation supplémentaire. Évidemment si les treize groupes inscrits se présentent, le treizième groupe sera dirigé vers une activité de substitution. Toutefois, cette activité de remplacement entraîne une dépense de 2 Crédits à l'association.

Quelle est la probabilité P_{13} qu'un jour donné il n'y ait pas de désistement, c'est-à-dire que les treize groupes inscrits la veille se présentent au départ de la promenade ?

b. Soit R la variable aléatoire égale au coût de l'activité de substitution.

Préciser la loi de la variable aléatoire R et calculer son espérance mathématique.

c. Montrer que le gain moyen obtenu pour chaque jour est :

$$\sum_{k=0}^{13} k\binom{13}{k}\left(\frac{7}{8}\right)^{k}\left(\frac{1}{8}\right)^{13-k} - 2P_{13}.$$

Calculer ce gain.

d. La décision du dirigeant est-elle rentable pour l'association ?

64 BAC Probabilités conditionnelles, loi binomiale, tests

Une urne contient des boules indiscernables au toucher.
20 % des boules portent le numéro 1 et sont rouges.
Les autres portent le numéro 2 et parmi elles, 10 % sont rouges et les autres sont vertes.

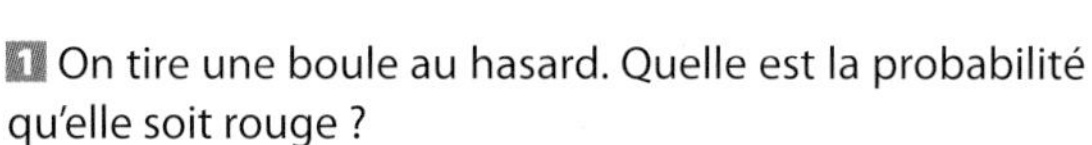

1 On tire une boule au hasard. Quelle est la probabilité qu'elle soit rouge ?

2 On a tiré une boule au hasard. Elle est rouge.
Montrer que la probabilité qu'elle porte le numéro 2 est égale à $\frac{2}{7}$.

3 Soit n un entier naturel supérieur ou égal à 2.
On effectue n tirages successifs d'une boule avec remise (après chaque tirage la boule est remise dans l'urne).
a. Exprimer en fonction de n la probabilité d'obtenir au moins une boule rouge portant le numéro 1 au cours des n tirages.
b. Déterminer l'entier n à partir duquel la probabilité d'obtenir au moins une boule rouge portant le numéro 1 au cours des n tirages est supérieure ou égale à 0,99.

4 On décide d'effectuer une série de tirages pour vérifier le pourcentage de boules portant le numéro 1. Au bout de 235 tirages, on obtient 42 boules portant le numéro 1.
a. Ces résultats sont-ils, au seuil de 95 %, conformes aux données initiales de l'énoncé ?
(On précisera bien la méthode utilisée et on vérifiera ses conditions d'utilisation.)
b. Combien aurait-il fallu faire de tirages pour remettre en cause les données de l'énoncé avec un même pourcentage de boules portant le numéro 1 ?

65 Probabilités conditionnelles, loi binomiale, tests

D'après BTS.
Les trois parties sont indépendantes.

Le but de ce problème est d'étudier les performances d'une photocopieuse qui réalise en grand nombre des copies de documents dans une entreprise.

Partie A – Étude de deux défauts

Les copies réalisées avec cette photocopieuse peuvent présenter deux types défaut :
- un défaut lié à la qualité du tambour de la photocopieuse ;
- un défaut lié à la qualité de l'encre utilisée.

On prélève une copie au hasard dans l'ensemble des copies réalisées pendant une journée donnée.
On note T l'événement « la copie présente le défaut lié à la qualité du tambour », et E l'événement « la copie présente le défaut lié à la qualité de l'encre ».
On donne $P(\mathrm{T}) = 0{,}02$; $P(\mathrm{E}) = 0{,}04$. On suppose de plus que les événements T et E sont indépendants.
Calculer la probabilité de chacun des événements suivants :
A : « la copie présente les deux défauts » ;
B : « la copie présente l'un au moins des deux défauts » ;
C : « la copie ne présente aucun défaut ».

Partie B – Étude du nombre de copies défectueuses

On admet qu'une copie prélevée au hasard dans l'ensemble des copies réalisées au cours d'une journée donnée, est défectueuse avec une probabilité de 0,06.
On appelle copie défectueuse une copie présentant au moins un des deux défauts. En appelant D l'événement « la copie est défectueuse », on a donc $P(\mathrm{D}) = 0{,}06$.
On prélève au hasard 50 copies dans l'ensemble des copies réalisées pendant une journée donnée. On suppose que le nombre très important de copies réalisées dans la journée permet d'assimiler ce prélèvement à un tirage avec remise.
On appelle X la variable aléatoire égale au nombre de copies défectueuses dans un prélèvement de 50 copies.

1 Justifier que la variable aléatoire X suit une loi binomiale, et déterminer ses paramètres.

2 Calculer la probabilité que dans un tel prélèvement, il y ait au maximum deux copies défectueuses.

Partie C – Étude d'une nouvelle photocopieuse

L'entreprise achète une nouvelle photocopieuse et décide de faire un prélèvement aléatoire de 100 copies parmi celles réalisées par cette nouvelle photocopieuse. Ce prélèvement, qui peut être assimilé à un tirage avec remise, contient 10 copies défectueuses.

1 Calculer la fréquence des copies défectueuses dans ce prélèvement.

2 Déterminer l'intervalle de fluctuation asymptotique au seuil de 95 % de la proportion de copies défectueuses avec la nouvelle photocopieuse sur un échantillon de 100 copies. (arrondir les valeurs à 10^{-3} près)

3 Le responsable du parc des photocopieuses doit-il considérer que la nouvelle photocopieuse acquise est de moins bonne qualité ?

66 BAC Probabilités conditionnelles, loi binomiale, lois normale et exponentielle

Une urne contient 10 boules blanches et n boules rouges, n étant un entier naturel supérieur ou égal à 2. On fait tirer à un joueur des boules de l'urne. À chaque tirage, toutes les boules ont la même probabilité d'être tirées. Pour chaque boule blanche tirée, il gagne 2 euros et pour chaque boule rouge tirée, il perd 3 euros.

On désigne par X la variable aléatoire correspondant au gain algébrique obtenu par le joueur.

Les quatre questions de l'exercice sont indépendantes.

1 Le joueur tire deux fois successivement et sans remise une boule de l'urne.

a. Démontrer que :

$$P(X=-1)=\frac{20n}{(n+10)(n+9)}.$$

b. Calculer, en fonction de n la probabilité correspondant aux deux autres valeurs prises par la variable X.

c. Vérifier que l'espérance mathématique de la variable aléatoire X vaut :

$$E(X)=\frac{-6n^2-14n+360}{(n+10)(n+9)}.$$

d. Déterminer les valeurs de n pour lesquelles l'espérance mathématique est strictement positive.

2 On suppose ici que $n=30$.

Le joueur tire 20 fois successivement et avec remise une boule de l'urne.

Les tirages sont indépendants. On appelle Y la variable aléatoire égale au nombre de boules rouges.

a. Quelle est la loi de Y ?

b. Déterminer la valeur minimale de l'entier n afin que la probabilité d'obtenir au moins une boule rouge au cours de ces 20 tirages soit strictement supérieure à 0,999.

3 On tire cette fois 500 fois successivement et avec remise une boule de l'urne.

a. Déterminer l'espérance et la variance de Y.

b. On considère que la variable $T=\dfrac{Y-375}{\sqrt{500\times 0,75\times 0,25}}$ suit une loi normale $\mathcal{N}(0\,;1)$.

Citer le théorème qui permet d'affirmer que T est une approximation de Y.

c. En déduire une valeur approchée de la probabilité : $P(350\leqslant Y\leqslant 375)$.

4 On suppose que $n=1000$.

L'urne contient donc 10 boules blanches et 1 000 boules rouges.

Le joueur ne sait pas que le jeu lui est complètement défavorable et décide d'effectuer plusieurs tirages sans remise jusqu'à obtenir une boule blanche.

Le nombre de boules blanches étant faible devant celui des boules rouges, on admet que l'on peut modéliser le nombre de tirages nécessaires pour obtenir une boule blanche par une variable aléatoire Z suivant la loi :

$$\text{pour tout } k\in\mathbb{N},\ p(Z\leqslant k)=\int_0^k 0,01\mathrm{e}^{-0,01x}\,\mathrm{d}x\ ;$$

On répondra donc aux questions suivantes à l'aide de ce modèle.

a. Calculer la probabilité que le joueur ait besoin de tirer au plus 50 boules pour avoir une boule blanche, soit $P(Z\leqslant 50)$.

b. Calculer la probabilité conditionnelle de l'évènement : « le joueur a tiré au maximum 60 boules pour tirer une boule blanche » sachant l'évènement « le joueur a tiré plus de 50 boules pour tirer une boule blanche ».

67 ALGO Estimation, loi géométrique tronquée

On dispose d'une pièce truquée telle que la probabilité d'obtenir Pile est égale à p et on effectue 10 tirages indépendants. On s'intéresse alors à la variable aléatoire X égale au numéro du tirage pour lequel Pile sort pour la première fois. Par convention, si pile ne sort jamais, on pose $X=0$.

1 On a effectué 354 lancers et obtenu 210 fois Pile. Proposer une estimation de p à l'aide d'un intervalle de confiance au niveau 95 %.

Dans la suite de l'exercice, on prendra $p=0,6$.

2 a. Déterminer $P(X=0)$.

b. Déterminer $P(X=1)$.

c. Déterminer $P(X=k)$ pour k entier, $1\leqslant k\leqslant 10$.

d. Calculer $E(X)$. On arrondira le résultat à 10^{-3}.

3 On souhaite proposer un algorithme simulant une expérience et fournissant en sortie la valeur de X.

a. On propose l'algorithme suivant :

ALGO
```
X:=0;
k:= 1;
    TantQue (k<=8 et X=0) Faire
        choix:=ENT(ALEA()+0,6);
        Si choix==1
        Alors X:= k;
        FinSi
        k:= k+1;
    FinTantQue
Afficher X
```

Expliquer pourquoi cet algorithme fournit bien la valeur attendue.

b. Modifier cet algorithme pour qu'il effectue 1 000 simulations et calcule la valeur moyenne de X. Quel paramètre est-on en train de simuler ?

Outils pour l'algorithmique

Instructions élémentaires

Avant d'écrire un programme, on entre dans le mode édition. Puis on donne un nom à ce programme.

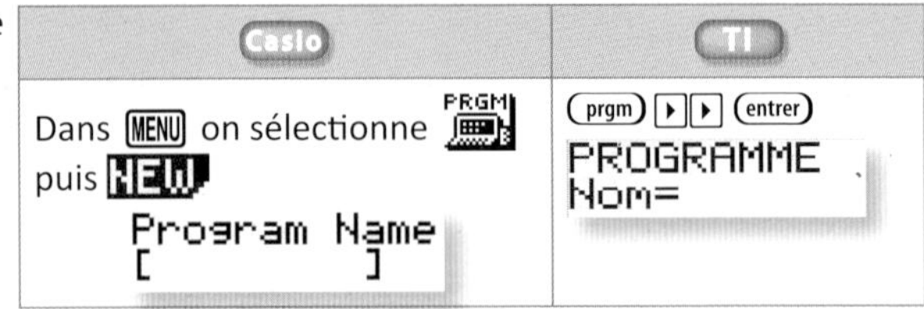

Casio	TI
Dans MENU on sélectionne PRGM puis NEW Program Name [ ]	(prgm) ▸ ▸ (entrer) PROGRAMME Nom=

Entrée/sortie

Ces instructions permettent d'entrer des données (Entrée) et de récupérer un résultat (Sortie).

Pseudo-code	Casio	TI
Entrée : « Lire » **Sortie** : « Écrire » ou « Afficher »	Dans le menu SHIFT VARS COM CTL JUMP ? ◢ ▷ **Entrée** : on sélectionne ? **Sortie** : on sélectionne ◢ A◢	Dans le menu (prgm) ▸ (E/S) **Entrée :** on sélectionne 1 ou 2 PROGRAM:ES :Input A :Prompt B **Sortie :** on sélectionne 3 :Disp A

Affectation de variables

Cette instruction permet de mémoriser des données en les « rangeant » dans une variable nommée.

Pseudo-code	Casio	TI
Affecter la valeur 2 à la variable nommée P peut s'écrire : $P = 2$; $P \leftarrow 2$; $2 \rightarrow P$	2 → ALPHA 4 ======AFFECTAT====== 2→P	2 (sto→) (alpha) 8 (entrer) 2→P

Instructions conditionnelles

Elles permettent d'agir en fonction de la nature vraie ou fausse d'une condition.

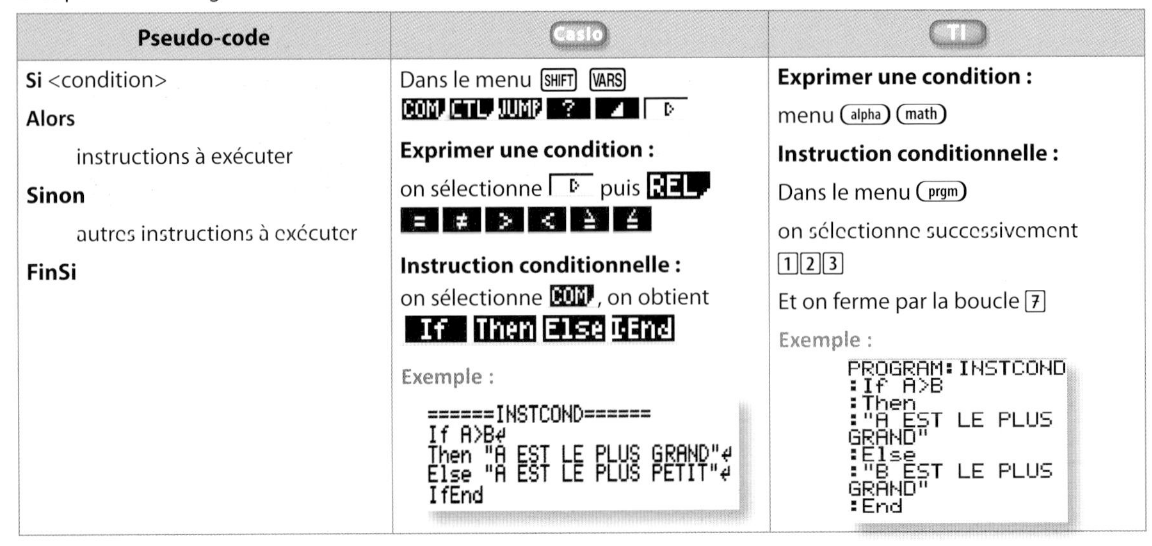

Pseudo-code	Casio	TI
Si <condition> **Alors** instructions à exécuter **Sinon** autres instructions à exécuter **FinSi**	Dans le menu SHIFT VARS COM CTL JUMP ? ◢ ▷ **Exprimer une condition :** on sélectionne ▷ puis REL = ≠ > < ≥ ≤ **Instruction conditionnelle :** on sélectionne COM, on obtient If Then Else I.End Exemple : ======INSTCOND====== If A>B↵ Then "A EST LE PLUS GRAND"↵ Else "A EST LE PLUS PETIT"↵ IfEnd	**Exprimer une condition :** menu (alpha) (math) **Instruction conditionnelle :** Dans le menu (prgm) on sélectionne successivement 1 2 3 Et on ferme par la boucle 7 Exemple : PROGRAM:INSTCOND :If A>B :Then :"A EST LE PLUS GRAND" :Else :"B EST LE PLUS GRAND" :End

Les boucles

Elles permettent de répéter des instructions. On utilise essentiellement les deux types suivants :

La boucle POUR répète les instructions un nombre prédéterminé de fois.

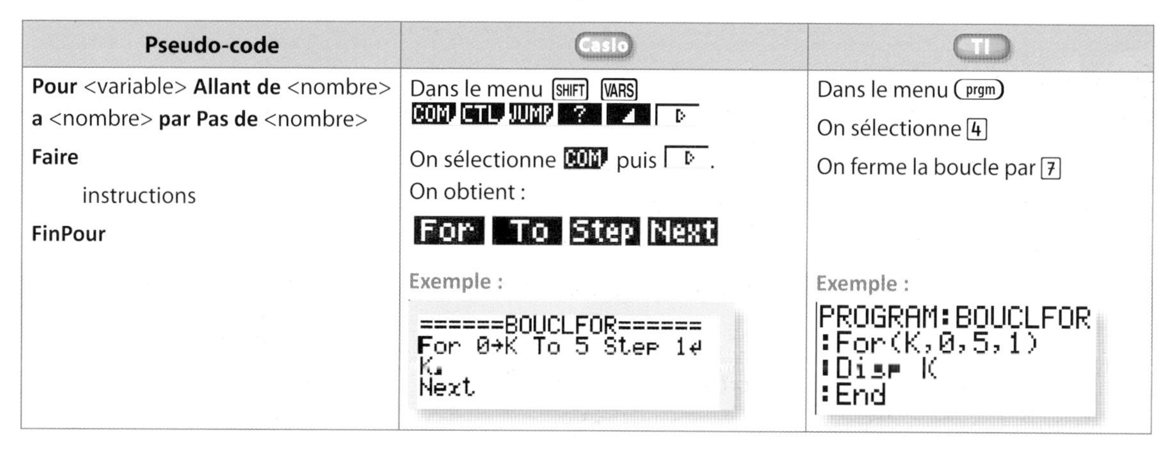

Pseudo-code	Casio	TI
Pour <variable> **Allant de** <nombre> a <nombre> **par Pas de** <nombre> **Faire** instructions **FinPour**	Dans le menu SHIFT VARS COM CTL JUMP ? ◢ ▷ On sélectionne COM puis ▷. On obtient : For To Step Next **Exemple :** ======BOUCLFOR====== For 0→K To 5 Step 1↵ K◢ Next	Dans le menu prgm On sélectionne 4 On ferme la boucle par 7 **Exemple :** PROGRAM:BOUCLFOR :For(K,0,5,1) :Disp K :End

La boucle TANT QUE répète les instructions jusqu'à ce qu'une condition ne soit plus réalisée.

Pseudo-code	Casio	TI
Tant que <condition> **Faire** instructions **FinTantQue**	Dans le menu SHIFT VARS COM CTL JUMP ? ◢ ▷ On sélectionne COM puis deux fois sur ▷. On obtient : Whle WEnd Do Lp·W **Exemple :** ======WHILE ====== 0→K↵ While K<6↵ K◢ K+1→K↵ WhileEnd	Dans le menu prgm On sélectionne 5 On ferme la boucle par 7 **Exemple :** PROGRAM:WHILE :0→K :While K<6 :Disp K :K+1→K :End

Les activités proposées dans cette partie visent à réutiliser et à élargir les acquis des classes de Seconde et de Première. Elles sont axées sur la découverte d'un nouveau type de variables (les tableaux), ainsi que sur la base de la programmation modulaire (les fonctions).
Le but de la plupart d'entre elles est d'aboutir à la mise en oeuvre d'algorithmes conséquents dans un langage de programmation (sur ordinateur ou sur calculatrice selon les cas).

1 Définition et utilisations des tableaux

On est amené à utiliser des tableaux de valeurs en statistique ou lors des études de fonctions. On connaît déjà deux types de variables : celles contenant des nombres et celles contenant des textes (des chaînes de caractères). On s'intéresse ici à un troisième type de variables : celles contenant un tableau.
Une telle variable peut donc contenir plusieurs valeurs, toutes les valeurs étant elles-mêmes contenues dans le tableau.

Remarque En général, dans un tableau, les valeurs sont de même type, car la plupart des langages de programmation refusent dans un même tableau le mélange de textes et de nombres, par exemple.

a. Exemple et définitions

- Un tableau T peut être représenté de la façon suivante :

Tableau T	7	2,3	25	1	4	2

Dans ce cas, on repère chaque réel par sa position dans le tableau, la première position étant généralement notée 0, sauf dans les calculatrices et dans le logiciel LARP. On peut donc se représenter le tableau T par :

Tableau T	7	2,3	25	1	4	2
Position (Indice)	0	1	2	3	4	5

Dans cet exemple, 25 est l'élément d'indice 2 du tableau T et il est noté T[2] ou parfois T(2).

- Le nombre total d'éléments dans un tableau est appelé « taille » du tableau. Le tableau T de l'exemple précédent est donc de taille 6.
- Dans les calculatrices, les tableaux existent et sont appelés listes.

b. Le point sur les calculatrices

On accède à l'édition des listes grâce au menu statistiques :

Les listes sont nommées List1, Liste2, List3 …

On accède à l'édition des listes grâce au menu statistiques :

(stats) [1]

Les listes sont nommées L_1, L_2, L_3 …

Casio

On aperçoit dans la première colonne la numérotation des termes des listes. Celle-ci commence à 1.

En retournant dans le menu, RUN·MAT on peut encore utiliser les valeurs contenues dans la Liste 1 :

OPTN F1 F1 1 SHIFT + 3 SHIFT − EXE

donne :

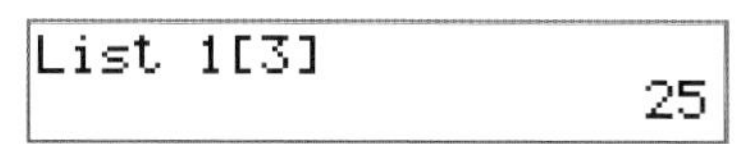

On peut également modifier les valeurs contenues dans la liste et créer une nouvelle liste :

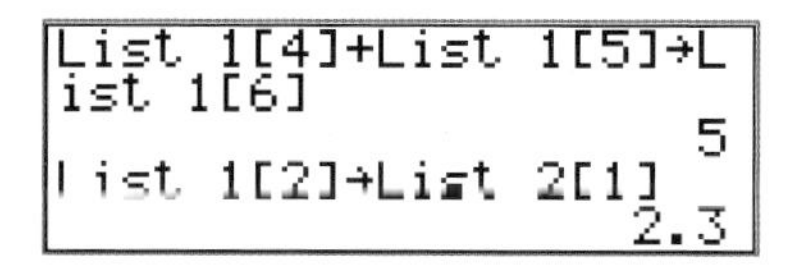

	List 1	List 2	List 3	List 4
SUB				
1	7	2.3		
2	2.3			
3	25			
4	1			

TI

On aperçoit dans la ligne du bas que le réel 25 est noté $L_1(3)$, car la numérotation commence à 1.

En quittant le mode édition des listes 2nde mode. On peut encore utiliser les valeurs contenues dans L_1 :

2nde 1 (3) entrer

donne :

```
L1(3)
                25
```

On peut également modifier les valeurs contenues dans la liste et créer une nouvelle liste :

```
L1(4)+L1(5)→L1(6
)
                 5
L1(2)→L2(1)
               2.3
```

L1	L2	L3 2
7	2.3	------
2.3		
25		
1		
4		
5		

L2(2) =

Activité 1 Application directe

1 Dans le tableau T ci-dessous, que valent T[1] et T[4].

Tableau T	7	2,3	25	1	4	2

2 Quel est l'indice de 7 dans T ?

3 Voici une partie de l'algorithme en pseudo-code.

ALGO

Pour i **allant de** 0 **jusqu'à** 4 **par pas de** 1 **Faire**
  $3+i \rightarrow$ T[i]
FinPour

a. À l'issue de l'algorithme, quelle est la taille du tableau qu'on y construit ?

b. À l'issue de l'algorithme, quelles sont les valeurs contenues dans ce tableau ?

c. Écrire un algorithme affectant autant de variables que nécessaire pour aboutir au même résultat que l'algorithme ci-dessus sans utiliser de tableau.

d. Quel est l'intérêt du tableau ?

Activité 2 La planche de Galton

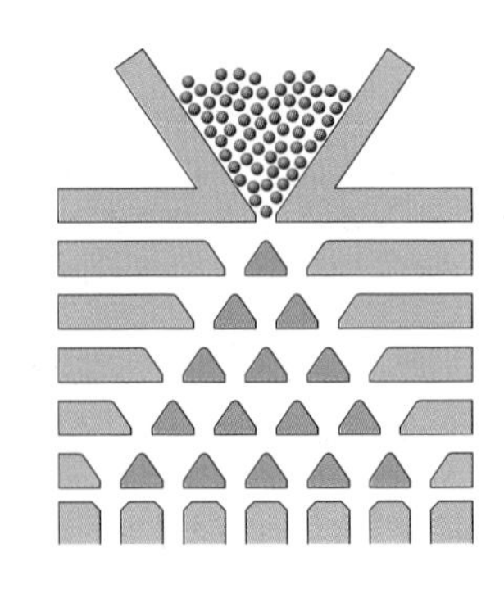

Une **planche de Galton** est un dispositif inventé par Francis Galton. Elle est constituée, dans sa partie supérieure, par plusieurs lignes d'obstacles de telle sorte qu'une bille lâchée sur la planche passe soit à droite soit à gauche d'un obstacle (de façon aléatoire et équiprobable) pour chaque rangée. (Voir le schéma ci-contre.)
Dans la partie inférieure les billes sont rassemblées en fonction du nombre de passages à gauche et de passages à droite qu'elles ont effectués. Dans l'illustration ci-contre, il y a cinq lignes d'obstacles et six positions d'arrivée possibles.
On souhaite construire un algorithme simulant la chute d'un certain nombre de billes au travers des obstacles de la planche.
On considère une variable T de type tableau, dont la taille sera celle du nombre de positions d'arrivée possibles. Chaque élément du tableau contiendra, à l'issue de l'exécution de l'algorithme, le nombre de billes tombées dans la case d'arrivée correspondante. On s'intéresse au dispositif général, constitué de N lignes d'obstacles.

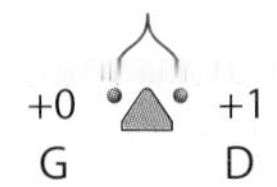

1 Quelle est alors la taille du tableau T ?

2 Au départ, les cases d'arrivées sont toutes vides. Tous les éléments du tableau T doivent donc contenir la valeur 0.
Écrire en pseudo-code l'algorithme initialisant à 0 tous les éléments du tableau T.

Vocabulaire « **incrémenter** » signifie augmenter la valeur d'une variable d'une certaine quantité. Lorsque cette quantité n'est pas précisée, elle vaut 1 par défaut.

3 On nomme X la variable qui, pour une bille donnée, contient le nombre de fois où celle-ci a « choisi » le chemin de droite durant son parcours.
a. Quelle valeur doit contenir X au départ ?
Écrire l'instruction correspondante en pseudo-code.
b. Si, lors de la rencontre avec un obstacle, le chemin droit est choisi, quelle instruction permet d'affecter à X sa nouvelle valeur ?
Même question si c'est le chemin gauche qui est choisi.
c. Pour modéliser le choix aléatoire du chemin gauche ou droit, on utilise l'instruction ALEATOIRE qui retourne un réel de $[0;1[$ au hasard. Lorsque le réel retourné est dans l'intervalle $[0;0{,}5[$, on convient que le chemin gauche a été choisi. À l'aide des questions **a.**, **b.** et **c.** précédentes, écrire en pseudo-code l'algorithme décrivant le franchissement d'un obstacle par une bille.
d. Compléter le pseudo-code précédent de façon à ce qu'il décrive le parcours complet d'une bille.

Sir Francis Galton (1822-1911), anthropologue britannique.

4 Le numéro de la position d'arrivée d'une bille est égal au nombre X de fois où le chemin droit a été choisi. À la fin du parcours de la bille, il faut donc *incrémenter* la valeur contenue dans $\mathrm{T}[X]$.
a. Écrire l'instruction correspondante.
b. En utilisant une boucle, écrire l'algorithme simulant le parcours de p billes sur la planche de Galton à N lignes.

5 Programmer l'algorithme **sur calculatrice** avec $p = 100$ et $N = 7$.
La variable X définie plus haut est une variable aléatoire suivant la loi binomiale de paramètres $\mathcal{B}\left(N, \frac{1}{2}\right)$. Si le nombre de billes est très grand, la fréquence d'arrivée des billes dans la case k se rapproche donc de $p(X = k) = \binom{N}{k} \times \frac{1}{2^N}$.
Si de plus le nombre N de lignes est très grand, la disposition des billes dans les cases peut être approximée par une courbe dite de Gauss. La loi alors suivie par X peut-être approximée par une loi normale $\mathcal{N}\left(\frac{N}{2}\,;\,\frac{N}{4}\right)$.

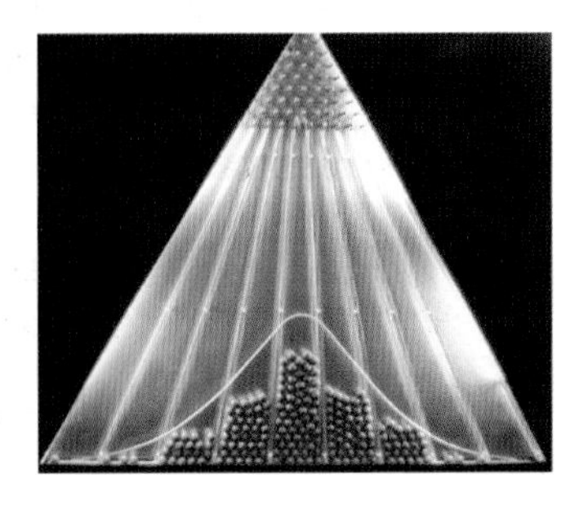

Activité 3 Ficelles et tuyaux

Une entreprise de plomberie dispose d'un très grand stock de N tuyaux tous de la même longueur L situé dans une réserve. Ses clients lui envoient des bons de commandes. Chaque bon est une liste de commandes de p(où $p < N$) bouts de tuyaux ayant des longueurs C_i(où $C_i < L$) différentes. À chaque fois que c'est nécessaire, des tuyaux neufs sont prélevés dans la réserve et amenés à l'atelier pour y être découpés.

On souhaite écrire un algorithme simulant deux méthodes de traitement des commandes.

Pour cela, on considérera :

- que le premier indice des tableaux est 0 ;
- qu'un bon de commande est un tableau C de taille p contenant la liste des tailles commandées ;
- que le stock de tuyaux neufs est initialement constitué de N tuyaux ;
- que l'atelier contenant le tuyau en cours et les chutes est un tableau A de taille p contenant la liste des tailles des tuyaux dans l'atelier.

Idée pratique

On peut simuler toute l'activité en se munissant d'une dizaine de bouts de ficelle de longueur 10 cm et en testant chacune des deux méthodes proposées avec un bon de commande du type : [5 cm , 6 cm , 2 cm , 3 cm , 8 cm , 5 cm] avant de réaliser les algorithmes.

A – Première méthode

- Tant qu'il reste des commandes à honorer.
- On amène un tuyau neuf dans l'atelier.
- Tant que le tuyaux en cours est suffisant pour la commande, on le découpe.
- Lorsqu'il n'est plus assez grand pour une commande on amène un tuyau neuf dans l'atelier.
- Lorsqu'il n'y a plus de commandes à honorer, on s'arrête.

1 Compléter l'algorithme ci-dessous de façon à ce qu'il simule cette méthode :

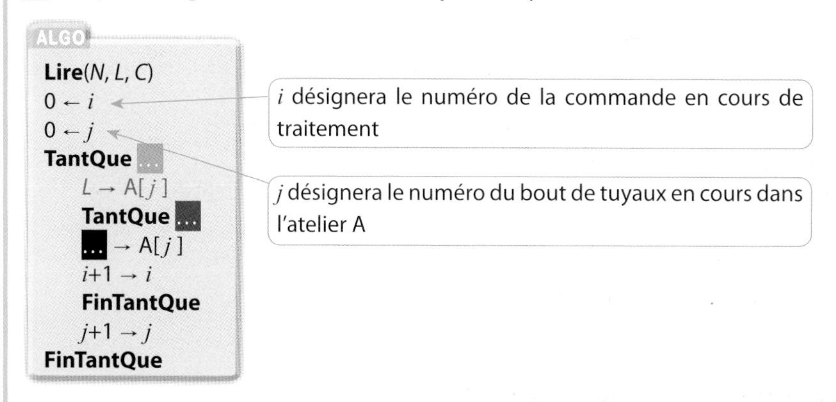

ALGO
Lire(N, L, C)
0 ← i
0 ← j
TantQue ...
L → A[j]
TantQue ...
... → A[j]
i+1 → i
FinTantQue
j+1 → j
FinTantQue
i désignera le numéro de la commande en cours de traitement
j désignera le numéro du bout de tuyaux en cours dans l'atelier A

2 Le cœur de l'algorithme étant réalisé, il faut désormais le peaufiner.

a. Initialisation du tableau A : écrire une boucle « Pour » permettant, au tout début de l'algorithme, de mettre tous les éléments du tableau A à 0

b. Rajouter les instructions permettant d'afficher, à la fin de l'algorithme, le nombre de tuyaux neufs restant.

c. Rajouter les instructions permettant d'afficher, à la fin de l'algorithme, la somme des tailles des chutes de tuyaux dans l'atelier A.

3 Il ne reste qu'à rajouter à la condition **...** l'instruction : « ET $i < p$ ». Expliquer pourquoi.

B – Deuxième méthode

◗ Tant qu'il reste des commandes à honorer

◗ prendre le premier tuyau présent dans l'atelier A suffisamment grand pour la commande

◗ S'il n'y en a pas, **on amène un tuyau neuf**

◗ Tant que le tuyaux en cours est suffisant pour la commande, on le découpe.

◗ Lorsqu'il n'est plus assez grand pour une commande, on le laisse à l'atelier A et on prend le premier tuyau présent dans l'atelier A suffisamment grand pour la commande. S'il n'y en a pas, **on amène un tuyau neuf**.

◗ Lorsqu'il n'y a plus de commande, on s'arrête.

Compléter l'algorithme ci-dessous de façon à ce qu'il simule cette méthode :

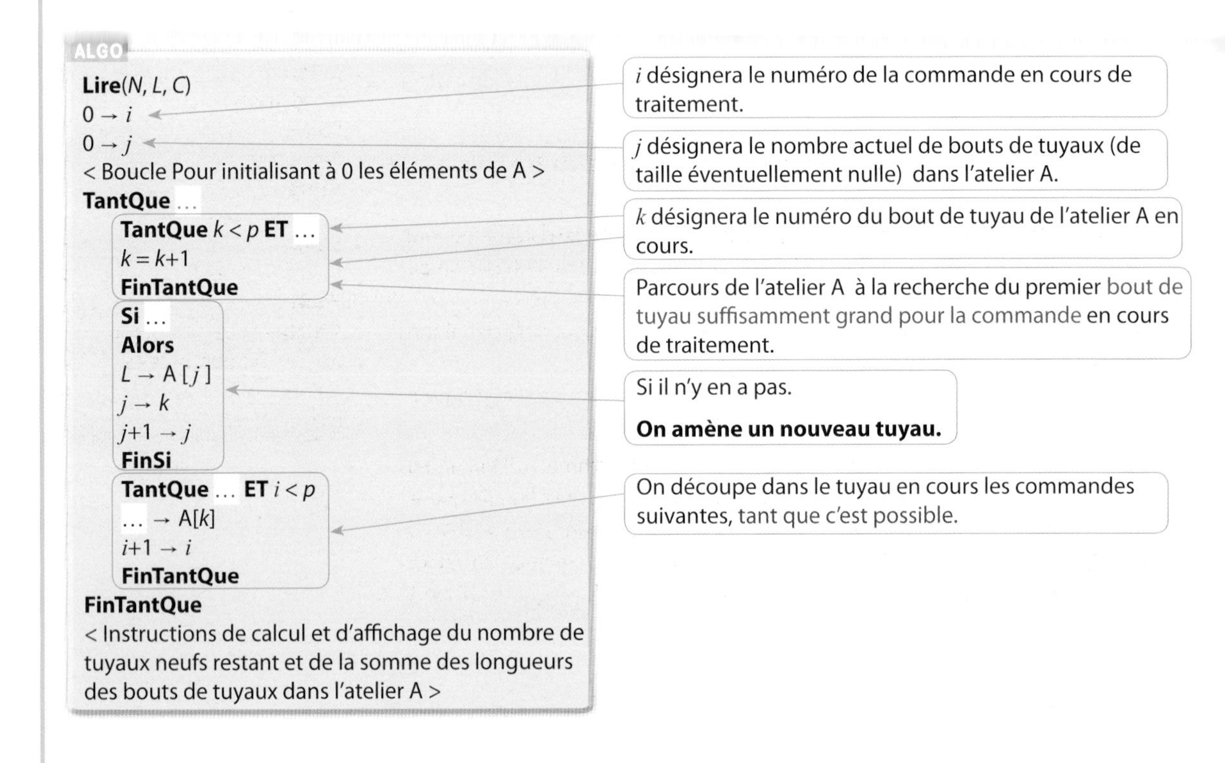

C – Comparaison

1 Programmer les deux algorithmes complets sur ordinateur (dans le langage de votre choix) ou sur calculatrice (dans ce cas, il faudra veiller à adapter les indices des tableaux, car la numérotation commence à 1).

2 Les exécuter avec les mêmes paramètres afin de comparer les résultats affichés.

3 Quelle est la méthode la plus économe en matière première pour l'entreprise ?

4 Quelle est la méthode la plus économe en temps pour l'entreprise ?

Voir les **Outils de programmation**.

2 Définition et utilisations des fonctions

a. Définition et applications immédiates

L'algorithme ci-contre permet de déterminer et d'afficher le maximum de quatre nombres réels quelconques. La méthode utilisée fait trois appels à la même suite d'instructions avec des paramètres différents.

Pour éviter cette répétition qui alourdit le travail de saisie tout en rendant l'algorithme plus difficile à lire, on utilise en programmation des fonctions.

Il s'agit d'algorithmes nommés, ayant leurs entrées propres et renvoyant en général un résultat, que l'on peut utiliser grâce à leur nom dans d'autres algorithmes.

Les entrées de ces algorithmes nommés sont appelés « **paramètres de la fonction** ». La syntaxe en pseudo-code sera la suivante :

```
DéfinirFonction nom_de_la_fonction(paramètres de la fonction) :
        <instructions>
        Retourner résultat
FinDéfinirFonction
```

ALGO 1

```
Début
Lire(a, b, c, d)
Si a > b
Alors
    a → m1
Sinon
    b → m1
FinSi
Si c > d
Alors
    c → m2
Sinon
    d → m2
FinSi
Si m1 > m2
Alors
    m1 → max
Sinon
    m2 → max
FinSi
Afficher (« Le plus grand
des quatre nombres est :
», max)
Fin
```

Pour remplacer l'algorithme 1, on pourrait écrire les deux algorithmes 2 et 3 ci-contre

Algo 2

- On définit la fonction nommée *maximum*, elle nécessite deux paramètres qui sont destinés à recevoir les valeurs fournies par l'utilisateur lors de l'utilisation de la fonction (on dira *lors de l'appel à la fonction*) .
- La variable max est dite **locale** : on ne peut l'utiliser qu'à l'intérieur de la définition de la fonction.
- L'instruction **Retourner** permet d'indiquer à la fois la fin de l'algorithme définissant la fonction et la valeur que celle-ci doit renvoyer.

Algo 3 : L'algorithme 3 ci-dessous peut se substituer à l'algorithme 1 ; il fait appel à la fonction maximum avec les paramètres a et b, entre autres. Cela signifie que le code définissant la fonction maximum va s'exécuter en attribuant aux variables u et v les valeurs contenues dans les variables a et b. À l'issue de cet appel la valeur contenue dans la variable locale max est transmise à l'algorithme qui l'attribue à la variable m_1.

ALGO 2

```
DéfinirFonction maximum(u, v) :
    Si u > v
    Alors u → max
    Sinon v → max
    FinSi
    Retourner max
FinDéfinirFonction
```

ALGO 3

```
Début
    Lire(a, b, c, d)
    maximum(a, b) → m1
    maximum(c, d) → m2
    Afficher (« Le plus grand des quatre
    nombres est : », maximum(m1, m2))
Fin
```

Conclusion

L'utilisation des fonctions permet de découper les algorithmes les plus gros en plus petites entités ayant un rôle spécifique. On évite ainsi de saisir de nombreuses fois les mêmes portions de code et on gagne en lisibilité.

Les activités suivantes utilisent les fonctions, elles ne sont pas réalisables sur la plupart des calculatrices dont le module de programmation ne permet pas d'écrire des fonctions avec paramètres.

b. Syntaxes de définition de fonction dans Scilab et Xcas

Scilab

Dans Scinote on tape la définition de la fonction et on sauvegarde le fichier avec l'extension **.sci** :

```
maximum.sci
1 function [max]=maximum(u,v)
2     if u > v then
3         max = u
4     else
5         max = v
6     end
7 endfunction
```

On remarque que *Scilab* ne nécessite pas d'instruction **Retourner** à la fin. En revanche, la variable contenant la valeur de retour doit être indiquée avant le nom de la fonction et entre crochets.

On exécute alors par un appui sur

Dans la console on peut alors utiliser la fonction :

```
-->maximum(4,7)
 ans  =

    7.

-->essai = maximum(7,4)
 essai  =

    7.
```

Xcas

On ouvre d'abord l'interface de programmation par Alt-P et on tape la définition de la fonction :

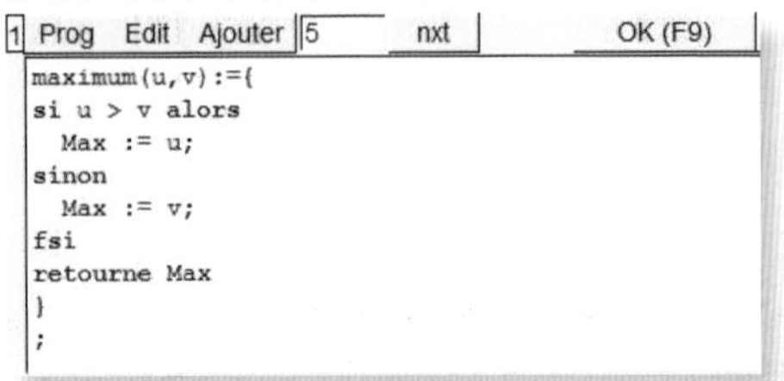

```
maximum(u,v):={
si u > v alors
  Max := u;
sinon
  Max := v;
fsi
retourne Max
}
;
```

On remarque que l'instruction permettant la définition d'une fonction est l'opérateur d'affectation : =

Il faut ensuite valider la fonction par un appui sur

Xcas valide la définition :

```
(u,v)->{
 si u>v alors Max:=u sinon Max:=v
 fsi;
 return(Max);
}
```

On peut alors l'utiliser :

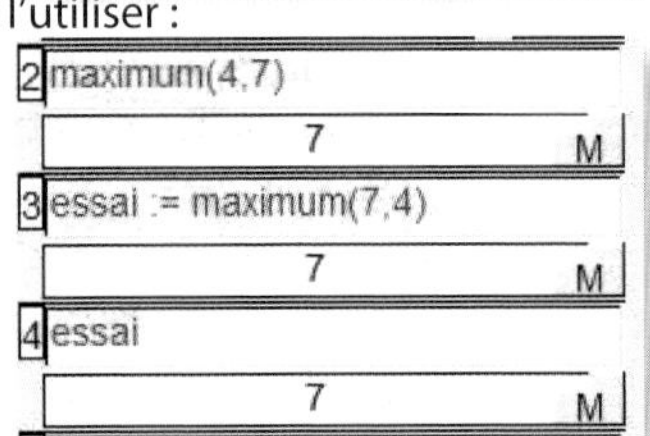

```
2 maximum(4,7)
        7
3 essai := maximum(7,4)
        7
4 essai
        7
```

Activité 4 Application directe

1 Soit f la fonction définie sur $\mathbb{R}$ par $f(x) = 2x^2 - 5$.

a. Écrire une fonction prenant en paramètre un réel x et renvoyant la valeur de l'image de x par f.

b. Écrire une fonction nommée *tablval* prenant en paramètres trois réels a, b et p et affichant le tableau des valeurs prise par $f(x)$ pour x allant de a jusqu'à b par pas de p. Cette fonction doit faire appel à la fonction précédente.

c. Programmer ces deux fonctions et les tester.

Sous *Xcas*, on obtient :

```
tablval(-0.7,1.3,0.2)
-0.7 | -4.02
-0.5 | -4.5
-0.3 | -4.82
-0.1 | -4.98
0.1  | -4.98
0.3  | -4.82
0.5  | -4.5
0.7  | -4.02
0.9  | -3.38
1.1  | -2.58
1.3  | -1.62
```

2 Écrire une fonction nommée punition prenant en paramètre une chaine de caractères nommée txt et un nombre entier k et écrivant k fois la chaine de caractères txt. **Sous Scilab**, on obtient :

```
-->punition("Je ne dois pas faire le clown en mathématique",4)

 Je ne dois pas faire le clown en mathématique

 Je ne dois pas faire le clown en mathématique

 Je ne dois pas faire le clown en mathématique

 Je ne dois pas faire le clown en mathématique
```

c. Optimisation du nombre d'opérations à effectuer

Activité 5 Algorithme d'Horner

On considère la fonction polynôme définie par : $R(x) = 3x^5 - 5x^4 + 2x^2 + 2x - 11$.

Partie A – Algorithme naïf

1 Calculer $R(4)$

2 Déterminer le nombre de multiplications et d'additions nécéssaires pour calculer l'image d'un réel x par R. On considèrera que $x^3 = x \times x \times x$ par exemple.

3 On décide de représenter un polynôme par un tableau contenant la liste de ses coefficients dans l'ordre décroissant des puissances de x. Par exemple, le polynôme R ci-dessus sera représenté par le tableau : T = [3 -5 0 2 2 -11].

a. Quel est le lien entre la taille du tableau et le degré du polynôme R ?

b. Écrire un algorithme prenant, en entrée, un tableau T représentant un polynôme P et un réel a et fournissant, en sortie, une valeur approchée de $P(a)$. *(On considèrera que les éléments du tableau sont répérés à partir de l'indice 1. Dans l'exemple ci-dessus on a $T[1] = 3$.)*

c. Dans Scilab, écrire une fonction mettant en oeuvre l'algorithme précédent.

Scilab

```
function [res]=poly(T,a)



endfunction
```

```
-->poly([3,-5,0,2,2,-11],4)
 ans  =

    1821.
```

Partie B – Algorithme d'Horner

L'idée consiste en une succession de factorisations partielles par x du polynôme étudié :

$$R(x) = (3x^4 - 5x^3 + 2x + 2)x - 1 = ((3x^2 - 5x^2 + 2)x + 2)x - 1$$
$$= \ldots = ((((3x - 5)x)x + 2)x + 2)x - 1.$$

1 Déterminer le nombre de multiplications et d'additions nécessaires pour calculer l'image d'un réel x par R avec cette dernière expression de $R(x)$.

2 On considère la fonction donnée par l'algorithme ci-contre.
Elle permet le calcul de l'image d'un réel a par une fonction polynôme S.

a. En exécutant cet algorithme « à la main », reconnaître le polynôme S.

b. Écrire le tableau nommé U représentant ce polynôme.

c. Ré-écrire l'algorithme précédent en remplaçant tous les nombres entiers par les éléments de U : $U[i]$.

ALGO

DéfinirFonction *im*(*a*) :
  3**a*-5 → *v*
  a*v+7 → *v*
  a*v+0 → *v*
  a*v+2 → *v*
  Retourner *v*
FinDéfinirFonction

3 Soit P un polynôme de degré n tel que $P(x) = c_n x^n + c_{n-1} x^{n-1} + \ldots + c_1 x + c_0$.

a. Écrire $P(x)$ à la manière d'Horner.

b. Écrire le tableau T représentant le polynôme P.

c. Soit a un réel. Dans un algorithme, que représenterait l'instruction :
$T[1] * a + T[2] \rightarrow v$?

d. Que représenterait alors la suite d'instructions :
$T[1] * a + T[2] \rightarrow v$
$v * a + T[3] \rightarrow v$.

e. Combien de telles instructions faudrait-il exécuter pour calculer $P(a)$ en utilisant la forme d'Horner ?

f. Écrire un algorithme prenant, en entrée, un tableau T représentant un polynôme P et un réel a, fournissant, en sortie, une valeur approchée de $P(a)$ et utilisant la forme d'Horner.

d. Récursivité

La récursivité en programmation consiste à définir une fonction s'appelant elle-même. Ce principe est très puissant mais également dangereux car, si l'on s'y prend mal, il est facile d'engendrer une suite infinie d'appel à la fonction. L'exemple classique de « l'élégance » de l'écriture d'une fonction utilisant la récursivité est la comparaison des deux façons ci-dessous d'écrire une fonction calculant la factorielle d'un entier positif :

Sans récursivité

```
DefinirFonction factorielle(n)
        1 → res
        Pour k allant de 2 à n Faire
            res*k → res
        FinPour
        Retourner res
FinDéfinirFonction
```

Avec récursivité

```
DéfinirFonction factorielle(n)
        Si n == 0
            Retourner 1
        Sinon
            Retourner n*factorielle(n-1)
        FinSi
FinDéfinirFonction
```

Factorielle Pour tout entier naturel n, le nombre « factorielle de u » est l'entier naturel noté $n!$ et égal à 1 pour $n = 0$, et au produit de tous les entiers naturels de 1 à n pour $n \geqslant 1$.

On reconnaît dans l'algorithme de droite la définition par récurrence de la factorielle : $\begin{cases} 0! = 1 \\ n! = n \times (n-1)! \end{cases}$.

Activité 6 Suite définie par récurrence

On appelle (F_n) la suite de Fibonacci définie par $\begin{cases} F_0 = 0 \\ F_1 = 1 \\ F_n = F_{n-1} + F_{n-2} \end{cases}$.

En s'inspirant de l'exemple précédent, écrire deux fonctions calculant le terme de rang n de la suite de Fibonacci. L'une utilisant la récursivité et l'autre s'en passant.

Activité 7 Flocon de Von Koch

On se place dans le plan complexe muni d'un repère orthonormé $(O ; \vec{u}, \vec{v})$.
On définit récursivement une suite (S_n) de constructions géométriques à partir de deux points A et B de la façon suivante :

- $S_0(A, B)$: Construire le segment $[AB]$.
- Pour tout entier $n > 0$, $S_n(A, B)$:
Construire les points C, D et E tels que :
- C et E appartiennent à $[AB]$;
- $AC = CE = EB$;
- CED est un triangle équilatéral direct.
- Puis lancer les constructions $S_{n-1}(A, C)$, $S_{n-1}(C, D)$, $S_{n-1}(D, E)$ et $S_{n-1}(E, B)$

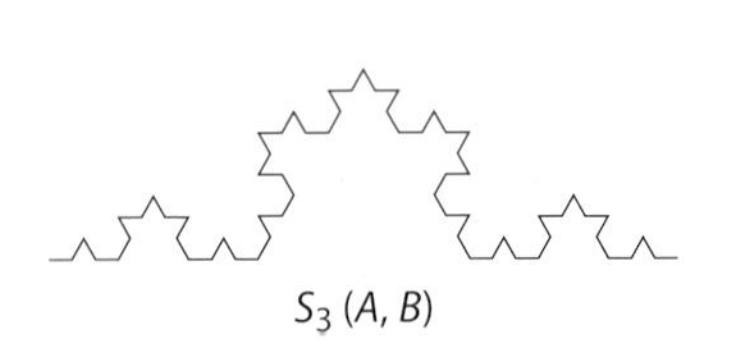
$S_3(A, B)$

Partie A - Étude d'un exemple

On considère les points $A(0)$ et $B(6)$.

1 Réaliser la figure correspondant à $S_1(A, B)$.

2 Réaliser la figure correspondant à $S_2(A, B)$.

Partie B - Cas général

On considère ici les points $A(a)$ et $B(b)$.

1 Calculs préliminaires

Donner l'expression des affixes des points C et E en fonction de a et b.

Coup de pouce

D est l'image de E dans la rotation de centre C et d'angle $\frac{\pi}{3}$.
On a alors $z_D = e^{i\frac{\pi}{3}}(z_E - z_C) + z_C$.

2 Programmation sous *Xcas*

a. À l'aide des questions précédentes, écrire une fonction récursive nommée *segvk* prenant en paramètre un entier n et les affixes a et b des points A et B et réalisant la construction $S_n(A, B)$.

(*On considèrera l'existence d'une instruction* ***segment*** *prenant en paramètre les affixes de deux points et traçant le segment les reliant.*)

b. Programmer la fonction précédente sous *Xcas*. L'instruction **segment** existant déjà dans ce langage.

c. On appelle Flocon de Von Koch d'ordre n, que l'on note K_n, la figure obtenue en effectuant les constructions : $S_n(A, B)$, $S_n(B, F)$ et $S_n(F, A)$ où F est le point tel que ABF soit un triangle équilatéral indirect.

i) Déterminer l'affixe de F en fonction de a et b.

ii) Dans *Xcas*, en vous servant de la fonction *segvk* précédemment définie, tracer K_4 à partir des points $A(0)$ et $B(6)$. (L'instruction ClrGraph() permet d'effacer la fenêtre graphique sous *Xcas*.)

Remarque

La suite de courbe $S_n(A(0), B(6))$ tend lorsque n tend vers $+\infty$ vers une courbe très particulière puisqu'elle est continue sur son ensemble de définition mais dérivable en aucun point.

Voir les **Outils pour la programmation.**

3 Étude mathématique de K_n

Dans cette partie on utilisera les points $A(0)$ et $B(1)$. De plus, on définit pour tout entier n :

P_n comme le périmètre de K_n ;
C_n comme le nombre de côté de K_n ;
ℓ_n comme la longueur d'un côté de K_n ;
A_n comme l'aire de K_n.

a. Calculer P_0, P_1, C_0, C_1, ℓ_0, ℓ_1, A_0 et A_1.

b. Exprimer C_{n+1} en fonction de C_n et en déduire l'expression de C_n en fonction de n.

c. Exprimer ℓ_{n+1} en fonction de ℓ_n et en déduire l'expression de ℓ_n en fonction de n.

d. En déduire l'expression de P_n en fonction de n.

e. Déterminer $\lim\limits_{n \to +\infty} P_n$ et en donner une interprétation.

f. Déterminer l'expression de A_{n+1} en fonction de A_n, C_n et ℓ_{n+1} puis montrer que $A_{n+1} = A_n + \frac{1}{4\sqrt{3}} \times \left(\frac{4}{9}\right)^n$.

g. En déduire que $A_n = A_0 + \frac{1}{4\sqrt{3}}\left(\left(\frac{4}{9}\right)^0 + \left(\frac{4}{9}\right)^1 + \ldots + \left(\frac{4}{9}\right)^{n-1}\right)$.

h. En remarquant que $\left(\frac{4}{9}\right)^n + \left(\frac{4}{9}\right)^1 + \ldots + \left(\frac{4}{9}\right)^{n-1}$ est la somme des n premiers termes d'une suite géométrique dont on précisera la raison et le premier terme, donner l'expression de A_n en fonction de n et en déduire $\lim\limits_{n \to +\infty} A_n$.

i. À partir des questions **e.** et **h.**, que peut-on dire de la figure K_n lorsque n tend vers $+\infty$?

Compréhension d'algorithmes

1 On considère trois réel positifs u_0, q et s avec $q \neq 1$ et l'algorithme suivant :

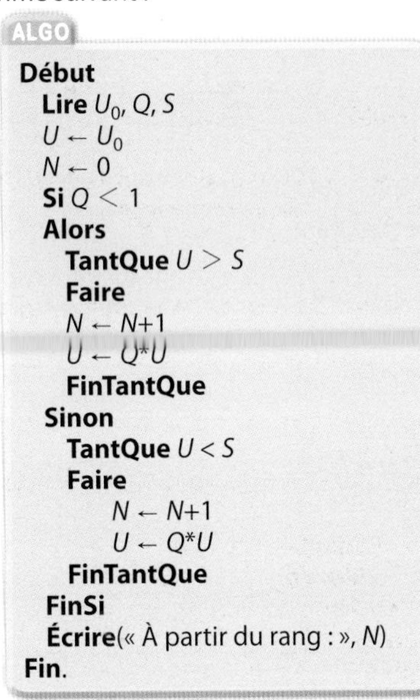

ALGO
Début
Lire U_0, Q, S
U ← U_0
N ← 0
Si Q < 1
Alors
TantQue U > S
Faire
N ← N+1
U ← Q*U
FinTantQue
Sinon
TantQue U < S
Faire
N ← N+1
U ← Q*U
FinTantQue
FinSi
Écrire(« À partir du rang : », N)
Fin.

1 **a.** Expliquer en détail le but de l'algorithme.

b. Indiquer ce que représentent les entrées de l'algorithme.

c. Préciser l'information donnée en sortie selon les cas envisagés par l'algorithme.

2 Programmer cet algorithme sur la calculatrice.

Voir les **Outils pour la programmation**.

3 Exécuter l'algorithme dans les deux cas suivants et donner une interprétation du résultat obtenu :

a. $u_0 = 7$; $q = 0{,}1$ et $s = 10^{-3}$.

b. $u_0 = 7$; $q = 2$ et $s = 10^{3}$.

2 On considère la suite u définie pour tout entier $n > 0$ par $u_n = \frac{1}{n!}$.

On rappelle que :

$n! = n \times (n-1) \times (n-2) \times \ldots \times 1$ pour tout $n > 0$.

1 Calculer la limite de u.

2 On souhaite déterminer le rang à partir duquel $u_n < 10^{-5}$ à l'aide d'un algorithme.

Indiquer, en justifiant votre choix, celui des trois algorithmes ci-après permettant de déterminer ce rang.

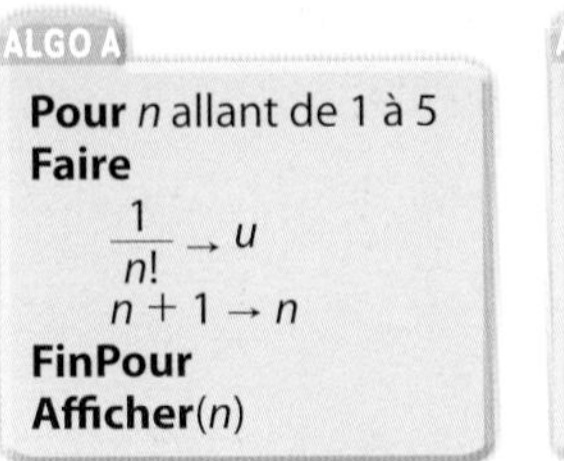

ALGO A
Pour n allant de 1 à 5
Faire
$\frac{1}{n!} \to u$
$n+1 \to n$
FinPour
Afficher(n)

ALGO B
$1 \to n$
TantQue $\frac{1}{n!} > 10^{-5}$
Faire
$n+1 \to n$
FinTantQue
Afficher(n)

ALGO C

```
1 → n
Si 1/n! < 10^-5
Alors
    Afficher(n)
Sinon
    n + 1 → n
FinSi
```

3 **Dichotomie**

On considère une fonction f strictement monotone et s'annulant dans l'intervalle $]a\,;b[$. On souhaite déterminer un encadrement de α tels que $f(\alpha) = 0$ par dichotomie. Pour cela, on a réalisé l'algorithme ci-dessous destiné à obtenir un encadrement de α d'amplitude p. Cependant, celui-ci contient une erreur. Détecter, expliquer, puis corriger l'erreur.

ALGO

```
Début
Lire(a, b, p)
    (a + b)/2 → c
TantQue b − a < p
Faire
    Si f(a)×f(b) < 0 Alors c → b Sinon c → a
    FinSi
    FinTantQue
    Afficher(« α est dans l'intervalle : ] »,a,« ; »,b,«[» )
Fin.
```

4 On considère l'algorithme ci-contre.

ALGO

```
1 → p
Pour i allant de 0 à 4 Faire
    Si f(i) == f(−i) Alors
        p*1 → p
    Sinon p*0 → p
    FinSi
FinPour
Si p == 1 Alors
    Afficher(« f est paire »)
Sinon
    Afficher(« f n'est pas paire »)
FinSi
```

1 Dans chacun des cas suivants, indiquer, puis confirmer ou infirmer le résultat affiché par l'algorithme :

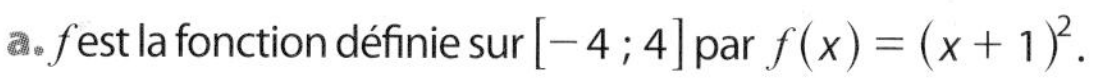

a. f est la fonction définie sur $[-4\,;4]$ par $f(x)=(x+1)^2$.

b. f est la fonction définie sur $[-4\,;4]$ par $f(x)=x^2$.

c. f est la fonction définie sur $[-4\,;4]$ dont la courbe représentative est donnée ci-après :

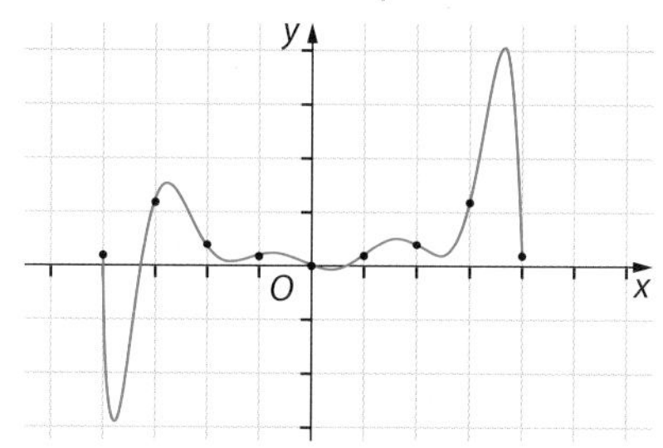

2 Expliquer la contradiction obtenue dans l'exemple **c.**.

3 Que penser de la validité de cet algorithme ?

5 Soient $\vec{u}\begin{pmatrix}a\\b\\c\end{pmatrix}$ et $\vec{v}\begin{pmatrix}x\\y\\z\end{pmatrix}$ deux vecteurs de l'espace muni d'un repère orthonormé $(O, \vec{i}, \vec{j}, \vec{k})$.

1 Démontrer l'équivalence suivante :
$\vec{u}$ et $\vec{v}$ sont colinéaires si, et seulement si $\begin{cases} xb = ay \\ xc = az \\ bz = cy \end{cases}$.

Rappel Par convention, le vecteur nul est colinéaire à tous les vecteurs de l'espace.

On pensera à étudier l'éventuelle nullité de certaines coordonnées des vecteurs $\vec{u}$ et $\vec{v}$.

2 On veut construire un algorithme permettant de déterminer l'éventuelle colinéarité des vecteurs $\vec{u}$ et $\vec{v}$ et, le cas échéant, de donner la relation vectorielle les liant. Indiquer, en justifiant votre choix, celui des quatre algorithmes ci-après correspondant.

ALGO 1

```
Lire(a, b, c, x, y, z)
Si (x*b == a*y) ET (x*c == a*z) ET (b*z == cy)
Alors
    Si x != 0 Alors a/x → L FinSi
    Si y != 0 Alors b/y → L FinSi
    Si z != 0 Alors c/z → L
    Sinon
        0 → L
    FinSi
    Afficher(« Les vecteurs sont colinéaires »)
    Afficher(« Le vecteur u est égal à », L,
    « fois le vecteur v »)
Sinon
    Afficher(« Les vecteurs ne sont pas colinéaires »)
FinSi
```

ALGO 2

```
Lire(a, b, c, x, y, z)
Si (x*b == a*y) ET (x*c == a*z) ET (b*z == cy)
Alors
    Si x != 0 Alors a/x → L
    Sinon
        Si y != 0 Alors b/y → L
        Sinon
            Si z != 0 Alors c/z → L Sinon 0 → L FinSi
        FinSi
    FinSi
    Afficher(« Les vecteurs sont colinéaires »)
    Afficher(« Le vecteur v est égal à », L,
    « fois le vecteur u »)
Sinon
    Afficher(« Les vecteurs ne sont pas colinéaires »)
FinSi
```

ALGO 3

```
Lire(a, b, c, x, y, z)
Si (x*b == a*y) ET (x*c == a*z) ET (b*z == cy)
Alors
    Si x != 0 Alors a/x → L FinSi
    Si y!= 0 Alors b/y → L FinSi
    Si z != 0 Alors c/z → L
    Sinon
        0 → L
    FinSi
    Afficher(« Les vecteurs sont colinéaires »)
    Afficher(« Le vecteur v est égal à », L,
    « fois le vecteur u »)
Sinon
    Afficher(« Les vecteurs ne sont pas colinéaires »)
FinSi
```

ALGO 4

```
Lire(a, b, c, x, y, z)
Si (x*b == a*y) ET (x*c == a*z) ET (b*z == cy)
Alors
    Si x != 0 Alors a/x → L
    Sinon
        Si y != 0 Alors b/y → L
        Sinon
            Si z != 0 Alors c/z → L
            Sinon
                0 → L
            FinSi
        FinSi
    FinSi
    Afficher(« Les vecteurs sont colinéaires »)
    Afficher(« Le vecteur u est égal à », L,
    « fois le vecteur v »)
Sinon
    Afficher(« Les vecteurs ne sont pas colinéaires »)
FinSi
```

Rappel La relation « != » signifie « est différent de ».

6 Corriger l'algorithme suivant de façon à ce qu'il affiche la valeur de l'angle non orienté entre deux vecteurs $\vec{u}\begin{pmatrix}a\\b\\c\end{pmatrix}$ et $\vec{v}\begin{pmatrix}x\\y\\z\end{pmatrix}$, connaissant leurs coordonnées dans un repère orthonormé.

ALGO

```
Lire (a) ; Lire (b) ; Lire (c) ;
Lire (x) ; Lire (y) ; Lire (z) ;
a*x + b*y + c*z → S
(a*a + b*b +c*c)*(x*x + y*y + z*z) → N
S/N → C
Afficher (Acos(C))
```

7 On considère l'algorithme ci-dessous permettant de tester si une loi discrète entrée par l'utilisateur est une loi de probabilité et, le cas échéant, d'en calculer l'espérance.

ALGO

```
−1 → n
0 → p
0 → x
0 → S
0 → E
TantQue p >= 0 Faire
    n + 1 → n
    S + p → S
    E + p*x → E
    Afficher(« Entrer la première valeur xi »)
    Lire(x)
    Afficher(« Entrer sa probabilité »)
    Lire(p)
FinTantQue
Si S!= 1
Alors
    Afficher(« Ce n'est pas une loi de probabilité »)
Sinon
    Afficher(« L'espérance est : », E/n)
FinSi
```

1 Indiquer la raison pour laquelle on est certain que la boucle TantQue sera exécutée au moins une fois.

2 Indiquer ce que doit faire l'utilisateur pour que la boucle TantQue se termine.

3 On considère la loi de probabilité discrète définie par :

x_i	−2	0	3	7
$p_i = p(X = x_i)$	0,5	0,2	0,2	0,1

a. Réaliser un tableau de suivi des variables dans le cas de l'utilisation de l'algorithme avec la loi ci-dessus.
b. Quel serait alors l'affichage final ?

8 Un sac contient dix jetons indiscernables au toucher : sept jetons blancs numérotés de 1 à 7 et trois jetons noirs numérotés de 1 à 3. On tire **simultanément** deux jetons de ce sac. On appelle A l'événement « obtenir deux jetons blancs ». L'algorithme ci-dessous simule n tirages indépendants de deux jetons dans le sac.

ALGO

```
Lire (n)
0 → S
Pour k allant de 1 jusqu'à n+1 Faire
    0 → t1
    0 → t2
    TantQue t1 == t2 Faire
    AleaIntervalle (1,10) → t1
    AleaIntervalle (1,10) → t2
    FinTantQue
    Si( (t1 <= 7) ET (t2 <= 7) )
    Alors S + 1 → S
    FinSi
FinPour
Afficher (S)
```

1 Expliquer le rôle de la boucle **TantQue** sachant que l'instruction **AleaIntervalle**(1,10) renvoie un nombre entier aléatoire de l'intervalle $[1;10]$.

2 Expliquer ce que simule la condition de l'instruction **Si**.

3 Expliquer ce que contient la variable S à la fin de l'algorithme.

4 On cherche à obtenir une valeur approchée de $p(A)$, comment utiliser l'algorithme pour en obtenir une ?

5 Programmer cet algorithme sur votre calculatrice et donner une approximation de $p(A)$ en simulant 1 000 tirages.

	Casio
Instruction AleaIntervalle()	*Nom* : RandInt#() *Chemin* : OPTN ▷ PROB RAND Int
Opérateur logique ET	*Nom* : And *Chemin* : OPTN ▷ ▷ LOGIC And
	TI
Instruction AleaIntervalle()	*Nom* : entAléa() *Chemin* : math PRB 5:entAléat(
Opérateur logique ET	*Nom* : et *Chemin* : 2nde math LOGIQUE 1:et

6 Calculer $p(A)$ et donner l'ordre de grandeur de l'erreur commise par l'approximation précédente.

9 Un jeu consiste à lancer une fléchette sur une cible de forme rectangulaire. Le lancer est considéré comme réussi lorsque la fléchette arrive dans le domaine coloré situé au-dessus du segment représentant l'intervalle $[a\,;b]$ et dont la frontière supérieure est la courbe représentant une fonction f de maximum m sur l'intervalle $[a\,;b]$.

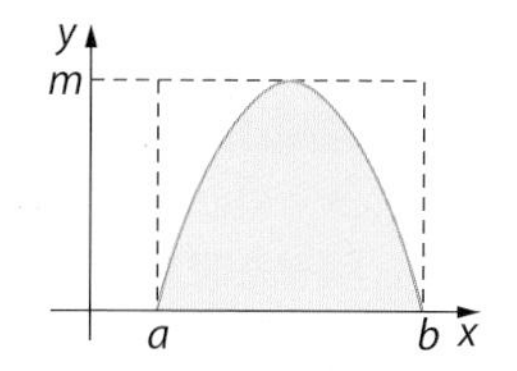

On considère que tous les joueurs sont suffisamment adroits pour ne jamais rater la cible rectangulaire.

On appelle x et y les coordonnées du point d'impact de la fléchette.

1 Rappeler la formule donnant la valeur moyenne μ de la fonction f sur l'intervalle $[a\,;b]$.

2 En considérant que tous les points de la cible rectangulaire ont la même probabilité d'être atteints, exprimer la probabilité p qu'un lancer soit réussi comme le rapport de deux aires.

3 Indiquer, en justifiant votre choix, celui des quatre algorithmes ci-dessous qui affiche, pour n grand, la meilleure valeur approchée de μ.

Remarque La fonction Aléa(a, b) renvoie un réel aléatoire de l'intervalle $[a\,;b[$.

ALGO 1

```
Lire(n)
0 → s
Pour k allant de 1 à n Faire
  Si Aléa(0,m) <= f(Aléa(a,b))
  Alors
    s + 1 → s
  FinSi
FinPour
Afficher(m*s/n)
```

ALGO 2

```
Lire(n)
0 → s
Pour k allant de 1 à n Faire
  Si Aléa(a,b) <= f(Aléa(0,m))
  Alors
    s + 1 → s
  FinSi
FinPour
Afficher(m*s/n)
```

ALGO 1

```
Lire(n)
0 → s
Pour k allant de 1 à n Faire
  Si Aléa(0,m) <= f(Aléa(a,b))
  Alors
    s + 1 → s
  FinSi
FinPour
Afficher(m*s*(b-a)/n)
```

ALGO 2

```
Lire(n)
0 → s
Pour k allant de 1 à n Faire
  Si Aléa(a,b) <= f(Aléa(0,m))
  Alors
    s + 1 → s
  FinSi
FinPour
Afficher(m*s*(b-a)/n)
```

10 Soit X une variable aléatoire suivant la loi binomiale $\mathcal{B}(n, p)$. D'après le théorème de Moivre-Laplace, celle-ci peut être approchée par une loi normale $\mathcal{N}(np, np(1-p))$ pour des valeurs de n suffisamment grandes.

1 Dans le cadre de cette approximation, rappeler une valeur approchée à 10^{-3} près de :

$$p(X \in [np - \sqrt{np(1-p)}, np + \sqrt{np(1-p)}]).$$

2 On propose l'algorithme suivant permettant d'évaluer la qualité de l'approximation d'une loi binomiale par une loi normale.

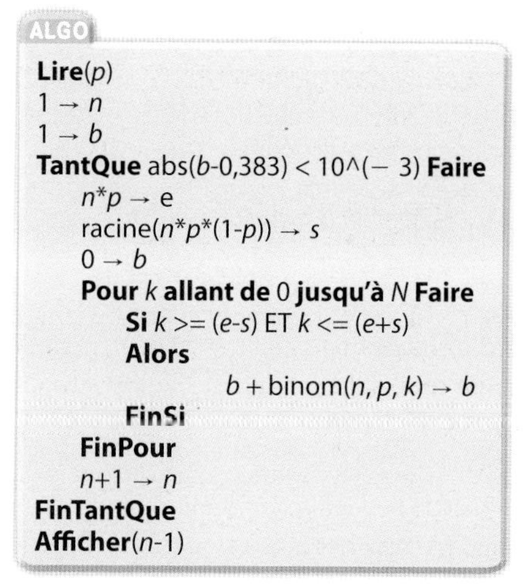

ALGO

```
Lire(p)
1 → n
1 → b
TantQue abs(b-0,383) < 10^(- 3) Faire
    n*p → e
    racine(n*p*(1-p)) → s
    0 → b
    Pour k allant de 0 jusqu'à N Faire
        Si k >= (e-s) ET k <= (e+s)
        Alors
                b + binom(n, p, k) → b
        FinSi
    FinPour
    n+1 → n
FinTantQue
Afficher(n-1)
```

a. Expliquer précisément le rôle de cet algorithme.

b. Le programmer **sur la calculatrice** et indiquer le résultat obtenu pour $p = 0{,}6$, ainsi que sa signification.

Bonus : L'algorithme proposé est très lent particulièrement du fait de la boucle **Pour**. Comment pourrait-on l'améliorer ?

	Casio
Instruction abs()	*Nom* : Abs *Chemin* : OPTN ▷ NUM Abs
Instruction binom(NP,k)	*Nom* : BinominalPD() *Utilisation* : BinominalPD(k,N,P) *Chemin* : OPTN STAT DIST BINM Bpd
	TI
Instruction abs()	*Nom* : entAléa() *Chemin* : math NUM 1 : abs(
Instruction binom(NP,k)	*Nom* : binomFdp() *Utilisation* : binomFdp(N,P,k) *Chemin* : 2nde var A : binomFdp(

Rédaction d'algorithmes

11 Soit u et v les suites définies pour tout entier naturel n par :

$$u_n = 2 \times 3^n + 4 \quad \text{et} \quad \begin{cases} v_0 = 6 \\ v_{n+1} = 3v_n - 8 \end{cases}.$$

1 Vérifier que, pour tout entier naturel n : $u_n = v_n$.

2 Écrire un algorithme permettant de calculer le terme de rang n choisi par l'utilisateur de cette suite. Pour cette question, on utilisera la définition de u.

3 Corriger l'algorithme ci-contre qui devrait permettre de calculer le terme de rang n choisi par l'utilisateur de cette suite en utilisant la définition de v.

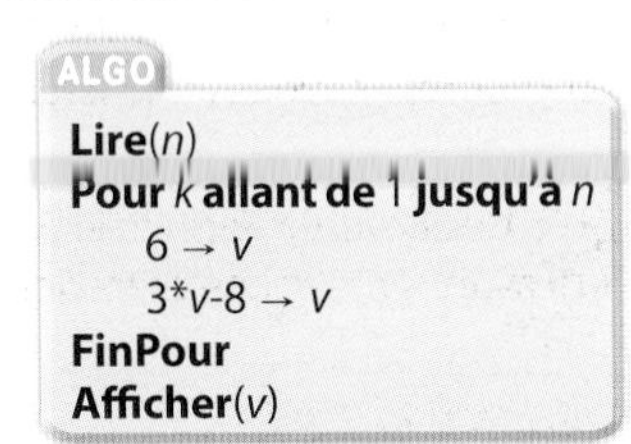

ALGO

Lire(*n*)
Pour *k* **allant de** 1 **jusqu'à** *n*
    6 → *v*
    3*v-8 → *v*
FinPour
Afficher(*v*)

4 Pour chacun des deux algorithmes, compter le nombre de multiplications nécessaires au calcul du terme de rang 5. (On considèrera que 3^n correspond à $n - 1$ multiplications.)

12 On considère les suites u et v définies pour tout entier par :

$$u_n = \frac{1}{n!} \quad \text{et} \quad v_n = \frac{1}{2^n}.$$

a. Calculer la limite de v.

b. On souhaite déterminer celle des deux suites et s'approchant le plus rapidement de sa limite. Pour cela, compléter l'algorithme ci-dessous de façon à ce qu'il indique quelle suite devient la première inférieure à 10^{-k} où k est un entier positif fourni par l'utilisateur.

ALGO

Lire (…)
1 → *n*
1 → *m*
TantQue $\frac{1}{n!} > 10^{-k}$ **Faire** *n*+1 → *n* **FinTantQue**
TantQue $\frac{1}{2^n}$ … **Faire** *m* → *m*+1 **FinTantQue**
Si …
Alors
    Afficher(« La suite *u* devient inférieure au égale à 10^(-*k*) la première »)
Sinon
    Afficher(…)
…

13 Trichotomie

On considère une fonction f strictement monotone et s'annulant dans l'intervalle $[a\,;b]$. On souhaite déterminer un encadrement de α tels que $f(\alpha) = 0$ par trichotomie. Cette méthode consiste à partager l'intervalle initial en trois intervalles de même amplitude : $[a\,;c]$, $[c\,;d]$ et $[d\,;b]$ puis à déterminer auquel des trois appartient α.

1 Compléter l'algorithme destiné à obtenir un encadrement de α d'amplitude p :

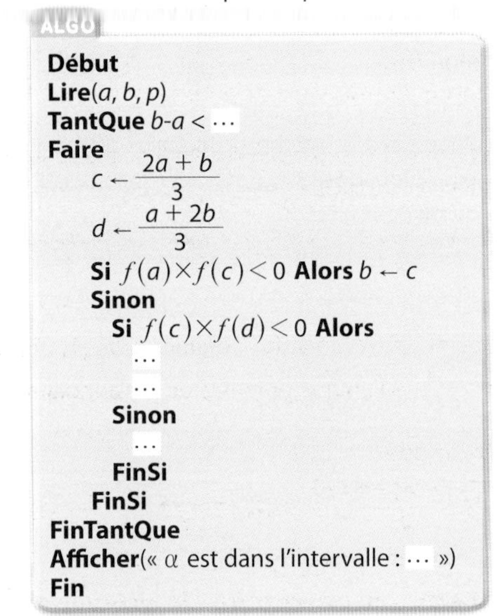

ALGO

Début
Lire(*a*, *b*, *p*)
TantQue *b*-*a* < …
Faire
    $c \leftarrow \frac{2a+b}{3}$
    $d \leftarrow \frac{a+2b}{3}$
    Si $f(a) \times f(c) < 0$ **Alors** $b \leftarrow c$
    Sinon
        Si $f(c) \times f(d) < 0$ **Alors**
            …
            …
        Sinon
            …
        FinSi
    FinSi
FinTantQue
Afficher(« α est dans l'intervalle : … »)
Fin

2 Soit la fonction f dont une partie de la représentation graphique est donnée ci-dessous.

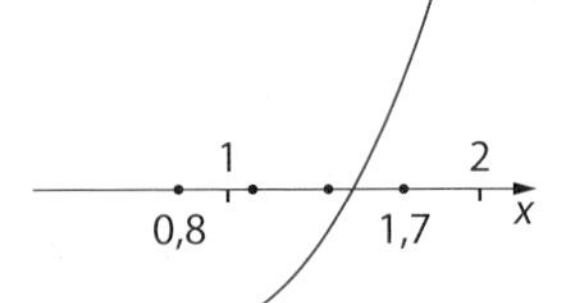

3 En constatant que f s'annule sur $[0{,}8\,;1{,}7]$ et en choisissant une précision de 0,1 dans l'algorithme précédent, indiquer les valeurs affectées aux variables a, b, c et d :

a. au début de la première boucle TantQue ;

b. au début de la seconde boucle TantQue.

14 On considère la fonction f continue et définie sur $\mathbb{R}$ par : $f(x) = x\cos(x) + \sin(x)$.

1 Visualiser, **sur une calculatrice**, la représentation graphique de f sur l'intervalle $[-25\,;25]$.

2 Compléter l'algorithme suivant qui permet de donner un encadrement d'amplitude p d'une solution de l'équation $f(x) = 0$ dans l'intervalle $[a\,;b]$ lorsque $f(a)$ et $f(b)$ sont de signes différents.

ALGO
```
Lire(a, b)
Si (a*cos(a)+sin(a))*(b*cos(b)+sin(b))···
Alors
    Afficher(« L'équation admet au moins une solution dans l'intervalle »)
    Afficher(« À quelle précision souhaitez-vous en obtenir une ? »)
    Lire(p)
    a → x
    TantQue (a*cos(a)+sin(a))*(x*cos(x)+sin(x)) ··· Faire
      x + p → x
    FinTantQue
    Afficher(« une solution à », p, « près est : », ···)
Sinon
    Afficher(« Il n'est pas certain que l'équation admette une solution dans cet intervalle »)
FinSi
```

15 Soient f la fonction définie sur $[1;11]$ par $f(x) = \dfrac{1}{x}$ et G l'unique primitive de f s'annulant en 1.

On rappelle que :

$$\frac{G(x+h)-G(x)}{h} \approx G'(x) = f(x) = \frac{1}{x} \quad (1)$$

pour suffisamment proche de 0.

L'objectif de cet exercice est de déterminer une valeur approchée de $G(11)$.

Pour cela, on découpe l'intervalle I en n intervalles d'amplitudes $h = \dfrac{11-1}{n} = \dfrac{10}{n}$ pour n un entier naturel non nul suffisamment grand.

On pose $x_0 = 1$ et $x_{k+1} = x_k + h$.

1 En utilisant (1), donner une expression approchée de $\dfrac{G(x_{k+1})-G(x_k)}{h}$ en fonction de x_k.

2 En déduire une expression approchée de $G(x_{k+1})$ en fonction de $G(x_k)$, h et x_k.

3 On pose alors (y_k) la suite des valeurs approchées de $G(x_k)$ définie par :

$$y_0 = G(x_0) = G(1) = 0\,; \quad y_{k+1} = y_k + \frac{h}{x_k}.$$

Compléter l'algorithme ci-dessous pour qu'il donne une valeur approchée de $G(11)$.

ALGO
```
Lire(n)
1 → x
0 → y
10 / n → h
Pour k allant de 1 à ··· Faire
        ··· → y
        x + h → x
FinPour
Afficher(« Une valeur approchée de G(11) est », ··· )
```

4 Rappeler l'expression de $G(x)$.

5 Programmer l'algorithme sur votre calculatrice et déterminer le plus petit entier n tel que l'erreur commise par l'approximation soit strictement inférieure à 10^{-2}.

16 Un élève de Terminale S retrouve un algorithme qu'il avait écrit l'année précédente :

ALGO
```
Lire(a, b, c)
b*b-4*a*c → D
Si D < 0
Alors
    Afficher(« Le trinôme n'admet aucune racine »)
Sinon
    Si D == 0
    Alors – b/(2*a) → x0
        Afficher (« Le trinôme admet une unique racine x0 = », x0)
    Sinon
        (– b - RACINE(D))/(2*a) → x1
        (– b + RACINE(D))/(2*a) → x1
        Afficher(« Le trinôme admet deux racines distinctes : »)
        Afficher(« x1 = »,x1)
        Afficher(« x2 = », x2)
    FinSi
FinSi
```

Modifier cet algorithme afin qu'il prenne également en compte les éventuelles racines complexes d'un trinôme du second degré $ax^2 + bx + c$ à coefficients réels.

17 **1** Compléter l'algorithme suivant de façon à ce qu'il affiche la valeur du produit scalaire de deux vecteurs $\vec{u}\begin{pmatrix}a\\b\\c\end{pmatrix}$ et $\vec{v}\begin{pmatrix}x\\y\\z\end{pmatrix}$, connaissant leurs coordonnées dans un repère orthonormé de l'espace.

ALGO
```
Lire(a) ; Lire (b) ; Lire (c) ;
Lire(x) ; Lire(y) ; Lire(z) ;
Afficher(···)
```

2 En s'inspirant de l'algorithme précédent, écrire un algorithme indiquant si deux vecteurs $\vec{u}$ et $\vec{v}$ sont orthogonaux.

18 On considère la fonction f continue et croissante sur un intervalle $[a\,;b]$. Pour tout $n \in \mathbb{N}$ on cherche à approximer $\int_a^b f(x)dx$ par une somme d'aires de trapèzes.

1 Rappeler la formule donnant l'aire d'un trapèze et l'appliquer aux cas de la figure 1.

2 À l'aide de la figure 2, donner l'expression d'une valeur approchée de l'aire sous la courbe entre a et b.

3 À l'aide de la figure 3, montrer que, dans le cas d'un découpage régulier de $[a\,;b]$ en n intervalles, la somme des aires des trapèzes est égale à :

$$S_n = \frac{b-a}{n}\sum_{k=0}^{n-1}\frac{f\left(a+k\times\frac{b-a}{n}\right)+f\left(a+(k+1)\times\frac{b-a}{n}\right)}{?}.$$

4 Compléter alors l'algorithme ci-dessous de façon à ce qu'il calcule la valeur de S_n pour n entier fourni par l'utilisateur, la fonction f étant connue.

Figure 1

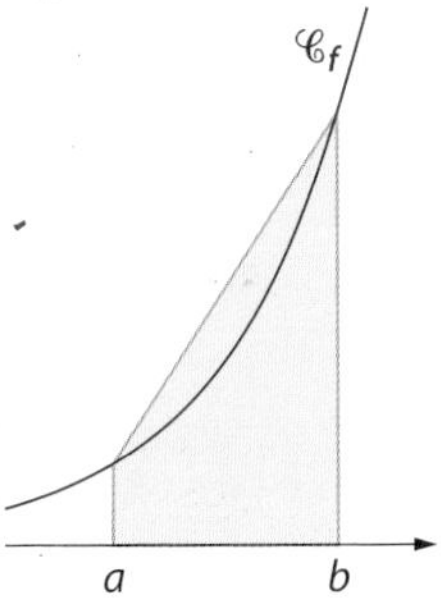

$\mathscr{C}_f$

a b

Figure 2

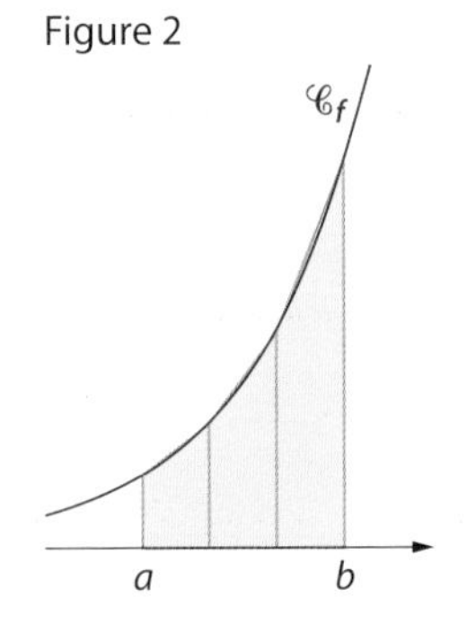

Figure 3

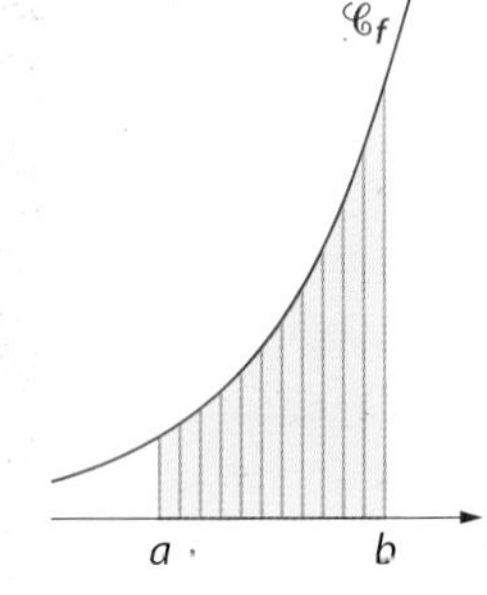

ALGO

Lire(a, b, n)
$\dots \rightarrow S$
Pour k **allant de** $\dots$ à $\dots$
Faire $S + \dots \rightarrow S$
FinPour
Afficher($\dots$)
FinSi

19 On considère une fonction f continue et croissante sur un intervalle $[a\,;b]$. Pour tout $n \in \mathbb{N}$ on pose :

$$S_n = \frac{b-a}{n}\sum_{k=0}^{n-1} f\left(a+k\times\frac{b-a}{n}\right)$$

$$\text{et } R_n = \frac{b-a}{n}\sum_{k=1}^{n} f\left(a+k\times\frac{b-a}{n}\right).$$

On rappelle alors que :

$$\text{pour tout } n \in \mathbb{N} : S_n \leqslant \int_a^b f(x)dx \leqslant R_n.$$

1 Déterminer l'amplitude de l'encadrement.

2 L'algorithme ci-dessous permet de donner les valeurs de S_n et de R_n.

Lire(a, b, n)
(b-a)/n → h
f(a) → S
f(a+h) → R
Pour k **allant de** 1 à n-1 **Faire**
    S + f(a+k*h) → S
    R + f(a+(k+1)*h) → R
FinPour
S*h → S
R*h → R
Afficher(« L'intégrale est comprise entre », S « et », R)

Modifier cet algorithme de sorte que l'amplitude finale soit celle choisie par l'utilisateur.

Coup de pouce L'algorithme doit commencer par l'instruction : **Lire**(a, b, L), où la variable L contient l'amplitude choisie par l'utilisateur.

20 Soit (E) : $z_1 + z + z_2 = z_0$ une équation d'inconnue z à coefficients complexes.
Pour chaque nombre complexe z_k on notera a_k et b_k ses parties réelle et imaginaire.

1 Compléter l'algorithme ci-contre de façon à ce que les variables Re et Im contiennent les parties réelle et imaginaire du produit $z_1 z_0$.

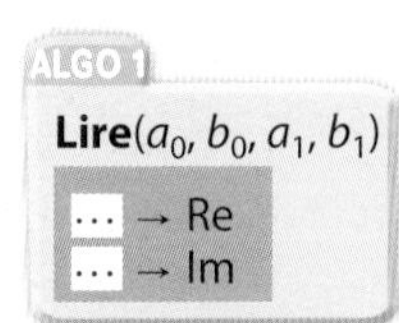
ALGO 1

Lire(a_0, b_0, a_1, b_1)
… → Re
… → Im

2 En utilisant l'algorithme 1, compléter alors l'algorithme suivant, permettant de savoir si z_0 est solution de (E).

ALGO 2

Lire(a_0, b_0, a_1, b_1, a_2, b_2)

Si (…) ET (…)
Alors
    Afficher(« z_0 est solution de (E) »)
Sinon
    Afficher(« z_0 n'est pas solution de (E) »)
FinSi

Chapitre 1

Partir d'un bon pied

A) **1** b. et c. **2** b. et c.
3 b. **4** a. et c.

B) **1** Faux. **2** Vrai.
3 Faux. **4** Vrai.

C) **1** Vrai. **2** Faux. **3** Faux.

D) a. Vrai. b. Vrai. c. Vrai.
d. Faux. e. Faux.

Savoir faire

1 Pour tout entier n non nul, on note $P(n)$ la propriété :
« $1^2 + 2^2 + 3^2 + \ldots + n^2 = \dfrac{n(n+1)(2n+1)}{6}$ ».

Initialisation :
Pour $n = 1$, on a $1^2 = 1$
et $\dfrac{1 \times (1+1) \times (2 \times 1 + 1)}{6} = 1$.
Donc $P(1)$ est vraie.

Hérédité : on suppose que pour un entier $n \geqslant 1$, $P(n)$ est vraie, c'est-à-dire que :
$1^2 + 2^2 + \ldots + n^2 = \dfrac{n(n+1)(2n+1)}{6}$.
Alors $1^2 + 2^2 + 3^2 + \ldots + (n+1)^2$
$= [1^2 + 2^2 + 3^2 + \ldots + n^2] + (n+1)^2$
$= \dfrac{n(n+1)(2n+1)}{6} + (n+1)^2$
d'après l'hypothèse de récurrence.
Donc $1^2 + 2^2 + 3^2 + \ldots + (n+1)^2$
$= (n+1) \times \left(\dfrac{n(2n+1)}{6} + (n+1)\right)$
$= (n+1) \times \dfrac{2n^2 + 7n + 6}{6}$.
Or $((n+1)+1)(2(n+1)+1)$
$= (n+2)(2n+3) = 2n^2 + 7n + 6$.
Donc :
$1^2 + 2^2 + 3^2 + \ldots + (n+1)^2$
$= \dfrac{(n+1)(n+2)(2n+3)}{6}$.
C'est-à-dire que la propriété $P(n+1)$ est vraie.

Conclusion : par récurrence, pour tout entier $n \geqslant 1$, $P(n)$ est vraie.
Donc pour tout entier $n \geqslant 1$,
$1^2 + 2^2 + 3^2 + \ldots + n^2 = \dfrac{n(n+1)(2n+1)}{6}$.

3 Pour tout entier n, on note $P(n)$ la propriété : « $u_n = (n+1)^2$ ».

Initialisation :
Pour $n = 0$, on a :
$u_0 = 1$ et $(0+1)^2 = 1$.
Donc $P(0)$ est vraie.

Hérédité : on suppose que pour **un** entier $n \geqslant 0$, $P(n)$ est vraie, c'est-à-dire que : $u_n = (n+1)^2$.
Alors $u_{n+1} = u_n + 2n + 3$
$= (n+1)^2 + 2n + 3$
d'après l'hypothèse de récurrence.
Donc :
$u_{n+1} = n^2 + 4n + 4 = (n+2)^2$.
C'est-à-dire que la propriété $P(n+1)$ est vraie.

Conclusion : par récurrence, pour tout entier $n \geqslant 0$, $P(n)$ est vraie.
Donc pour tout entier $n \geqslant 0$,
$u_n = (n+1)^2$.

12 **1** a. Pour tout entier naturel n :
$u_n - (n-6) = \dfrac{n^2 - 3n + 5}{n+3} - n + 6$
$= \dfrac{n^2 - 3n + 5 - n(n+3) + 6(n+3)}{n+3}$
$= \dfrac{23}{n+3}$.
Or $n + 3 > 0$, car n est un entier naturel.
Donc $u_n - (n-6) \geqslant 0$, c'est-à-dire que $u_n \geqslant n - 6$.
b. Comme $\lim\limits_{n \to +\infty} (n-6) = +\infty$, d'après le théorème de minoration $\lim\limits_{x \to +\infty} u_n = +\infty$.

2 Pour tout entier $n \neq 0$:
$u_n = \dfrac{n\left(n - 3 + \frac{5}{n}\right)}{n\left(1 + \frac{3}{n}\right)} = \dfrac{n - 3 + \frac{5}{n}}{1 + \frac{3}{n}}$
Or $\lim\limits_{x \to +\infty} \left(n - 3 + \dfrac{5}{n}\right) = +\infty$
et $\lim\limits_{n \to +\infty} \left(1 + \dfrac{3}{n}\right) = 1$.
Donc par quotient $\lim\limits_{n \to +\infty} u_n = +\infty$.

15 a. Comme $3 > 1$, $\lim\limits_{n \to +\infty} 3^n = +\infty$.
En multipliant par 0,1 (positif), on obtient $\lim\limits_{n \to +\infty} u_n = +\infty$.
b. Comme $|-0{,}5| < 1$,
$\lim\limits_{n \to +\infty} (-0{,}5)^n = 0$.
En multipliant par 100, on obtient $\lim\limits_{n \to +\infty} u_n = 0$.
c. Comme $\dfrac{5}{2} > 1$,
$\lim\limits_{n \to +\infty} \left(\dfrac{5}{2}\right)^n = +\infty$.
En multipliant par 2 (positifs), on obtient : $\lim\limits_{n \to +\infty} 2\left(\dfrac{5}{2}\right)^n = +\infty$.
Comme $\left|\dfrac{1}{3}\right| < 1$, $\lim\limits_{n \to +\infty} \left(\dfrac{1}{3}\right)^n = 0$.
En multipliant par 4, on obtient $\lim\limits_{n \to +\infty} \dfrac{4}{3^n} = 0$.
Donc par différence, $\lim\limits_{n \to +\infty} u_n = +\infty$.

Travail personnel : faire le point

25 **1** a. **2** c. **3** a. et c.
4 c. **5** a. et b. **6** b. et c.
7 b. **8** c.

26 **1** a. Faux. b. Vrai.
c. Faux. d. Faux.
2 Vrai. **3** Faux. **4** Vrai.

Exercices d'application

27 **1** Vrai. **2** Vrai. **3** Vrai.
4 Vrai. **5** Vrai.

28 **1** a. Vrai, car si $6^n - 1 = 5k$, alors :
$6^{n+1} - 1 = 6 \times 6^n - 1$
$= 6 \times (5k+1) - 1$
$= 5(6k+1)$.
b. Vrai.
c. Faux.

2 a. Vrai, car si $6^n + 1 = 5k$, alors :
$6^{n+1} + 1 = 6 \times 6^n + 1$
$= 6 \times (5k-1) + 1$
$= 5(6k-1)$.
b. Faux.
c. Vrai, par exemple $n = 1$.

31 Pour tout entier $n \geqslant 1$, on note $P(n)$ la propriété :

« $n! \geqslant 2^{n-1}$ »

Initialisation

Pour $n = 1$, on a $1! = 1$ et $2^{1-1} = 1$.
Donc $P(1)$ est vraie.

Hérédité : on suppose que pour **un** entier $n \geqslant 1$, $P(n)$ est vraie, c'est-à-dire que : $n! \geqslant 2^{n-1}$.
On a $(n+1)! = (n+1) \times n!$.
D'après l'hypothèse de récurrence, on a : $(n+1)! \geqslant (n+1) \times 2^{n-1}$.
Or $n \geqslant 1$. Donc $n+1 \geqslant 2$ et $(n+1) \times 2^{n-1} \geqslant 2 \times 2^{n-1}$.
On en déduit que $(n+1)! \geqslant 2^n$, c'est-à-dire que la propriété $P(n+1)$ est vraie.

Conclusion : par récurrence, pour tout entier $n \geqslant 1$, $P(n)$ est vraie.
Donc pour tout entier $n \geqslant 1$:

$$n! \geqslant 2^{n-1}.$$

36 **1** La droite $\mathscr{D}$ a pour équation $y = 0{,}5x + 1$; la droite Δ a pour équation $y = x$.
On lit $u_1 = -0{,}5$; $u_2 \approx 0{,}8$ et $u_3 \approx 1{,}4$.

2 Pour tout entier naturel n, on note $P(n)$ la propriété : « $u_n \leqslant 2$ ».

Initialisation

Pour $n = 0$, on a $u_0 = -3 \leqslant 2$.
Donc $P(0)$ est vraie.

Hérédité : on suppose que pour **un** entier $n \geqslant 0$, $P(n)$ est vraie, c'est-à-dire que : $u_n \leqslant 2$.
On en déduit que :

$$0{,}5u_n + 1 \leqslant 0{,}5 \times 2 + 1,$$

soit $0{,}5u_n + 1 \leqslant 2$.
Ainsi $u_{n+1} \leqslant 2$, c'est-à-dire que la propriété $P(n+1)$ est vraie.

Conclusion : par récurrence, pour tout entier $n \geqslant 0$, $P(n)$ est vraie.
Donc pour tout entier $n \geqslant 0$, $u_n \leqslant 2$.

3 Pour tout entier n,

$$u_{n+1} - u_n = 0{,}5u_n + 1 - u_n = 1 - 0{,}5u_n = 0{,}5(2 - u_n).$$

Comme $u_n \leqslant 2$, on a $2 - u_n \geqslant 0$.
On en déduit que pour tout entier n, $u_{n+1} - u_n \geqslant 0$.
Donc la suite u est croissante.

42 **a.** Faux. **b.** Faux. **c.** Vrai. **d.** Faux.

43 **a.** Faux. **b.** Vrai. **c.** Vrai. **d.** Faux.

44 **1** Faux. **2** Faux.

52 **1** On résout :

$u_n > 10 \Leftrightarrow \dfrac{n^2+3}{n} > 10$

$\Leftrightarrow n^2 - 10n + 3 > 0$, car $n \geqslant 1$.

On calcule $\Delta = 88$;

$x_1 = 5 - \sqrt{22} \approx 0{,}3$

et $x_2 = 5 + \sqrt{22} \approx 9{,}7$.

Comme n est entier, on a :

$$u_n > 10 \Leftrightarrow n \geqslant 10.$$

Ainsi à partir du rang $n_0 = 10$, tous les termes de la suite u appartiennent à l'intervalle $]10 ; +\infty[$.

2 On résout :

$u_n > A \Leftrightarrow \dfrac{n^2+3}{n} > A$

$\Leftrightarrow n^2 - A \times n + 3 > 0$, car $n \geqslant 1$.

On calcule $\Delta = A^2 - 12$.

Si $|A| < \sqrt{12}$, on a $\Delta < 0$, et pour tout entier n : $n^2 - A \times n + 3 > 0$. On peut choisir $n_0 = 0$.

Si $|A| = \sqrt{12}$, on a $\Delta = 0$, et pour tout entier $n \neq \dfrac{A}{2}$, $n^2 - A \times n + 3 > 0$.

On peut choisir $n_0 = 0$.

Si $|A| > \sqrt{12}$, on a $\Delta > 0$, et pour tout entier $n > \dfrac{A + \sqrt{A^2 - 12}}{2}$:

$$n^2 - A \times n + 3 > 0.$$

On peut choisir :

$$n_0 = \left(\frac{A + \sqrt{A^2 - 12}}{2}\right) + 1.$$

Ainsi à partir du rang $n_0 = 10$, tous les termes de la suite u appartiennent à l'intervalle $]A ; +\infty[$.

3 Par définition, la suite u diverge vers $+\infty$. Donc $\lim\limits_{n \to +\infty} u_n = +\infty$.

59 **a.** Pour tout entier $n \neq 0$,

$$u_n = \frac{n\left(3 - \frac{5}{n}\right)}{n\left(2 + \frac{1}{n}\right)} = \frac{3 - \frac{5}{n}}{2 + \frac{1}{n}}.$$

Or $\lim\limits_{n \to +\infty} \left(3 - \dfrac{5}{n}\right) = 3$

et $\lim\limits_{n \to +\infty} \left(2 + \dfrac{1}{n}\right) = 2$.

Donc par quotient $\lim\limits_{n \to +\infty} u_n = \dfrac{3}{2}$.

b. Pour tout entier $n \neq 0$,

$$u_n = \frac{n^2\left(1 - \frac{2}{n}\right)}{n\left(\frac{3}{n} - 1\right)} = \frac{n\left(1 - \frac{2}{n}\right)}{\frac{5}{n} - 1}.$$

Or pour tout entier $n \neq 0$,

$$u_n = \frac{n\left(3 - \frac{5}{n}\right)}{n\left(2 + \frac{1}{n}\right)} = \frac{3 - \frac{5}{n}}{2 + \frac{1}{n}}.$$

Or $\lim\limits_{n \to +\infty} n = +\infty$;

$\lim\limits_{n \to +\infty} \left(1 - \dfrac{2}{n}\right) = 1$

et $\lim\limits_{n \to +\infty} \left(2 + \dfrac{1}{n}\right) = 2$.

Donc par produit et quotient :

$$\lim_{n \to +\infty} u_n = +\infty.$$

65 **1** Il semble que la suite u converge vers 0 :

n	u(n)
29	.03226
30	.03125
31	.0303
32	.02941
33	.02857
34	.02778
35	.02703

u(n)■u(n−1)/(1+...

2 Pour tout entier n :

$$v_{n+1} = \frac{1}{u_{n+1}} + 1 = \frac{1 + u_n}{u_n} + 1 = \frac{1}{u_n} + 1 + 1 = v_n + 1.$$

Donc la suite v est arithmétique de raison 1 et de terme initial :

$$v_0 = \frac{1}{u_0} + 1 = 2 + 1 = 3.$$

3 Pour tout entier n,

$$v_n = 3 + 1 \times n = 3 + n.$$

Or $v_n = \dfrac{1}{u_n} + 1$.

Donc $u_n = \dfrac{1}{v_n - 1} = \dfrac{1}{2 + n}$.

4 Comme $\lim\limits_{n \to +\infty} \dfrac{1}{2+n} = 0$, la suite u converge vers 0.

67 **1** **a.** Vrai. **b.** Faux. **c.** Vrai. **2** Faux.

68 **1** Vrai. **2** Faux. **3** Vrai. **4** Vrai.

71 **1** La fonction $x \mapsto \dfrac{1}{\sqrt{x}}$ est strictement décroissante sur $]0\,;+\infty[$. Donc pour tout entier k tel que $1 \leqslant k \leqslant n$, $1 \geqslant \dfrac{1}{\sqrt{k}} \geqslant \dfrac{1}{\sqrt{n}}$.

2 Pour tout entier $n \geqslant 1$:
$1 \geqslant \dfrac{1}{\sqrt{n}}$; $\dfrac{1}{\sqrt{2}} \geqslant \dfrac{1}{\sqrt{n}}$;
$\dfrac{1}{\sqrt{3}} \geqslant \dfrac{1}{\sqrt{n}}$; … ; $\dfrac{1}{\sqrt{n-1}} \geqslant \dfrac{1}{\sqrt{n}}$.
En ajoutant membre à membre, on obtient : $u_n \geqslant \underbrace{\dfrac{1}{\sqrt{n}} + \ldots + \dfrac{1}{\sqrt{n}}}_{n \text{ termes}}$.

Donc $u_n \geqslant n \times \dfrac{1}{\sqrt{n}}$.

Ainsi $u_n \geqslant \sqrt{n}$.

3 Comme $\lim\limits_{n \to +\infty} \sqrt{n} = +\infty$, d'après le théorème de minoration, on a $\lim\limits_{n \to +\infty} u_n = +\infty$.

72 **1** Il semble que la suite u diverge vers $-\infty$.

2 **a.** Pour tout entier naturel n, on note $P(n)$ la propriété : « $v_n \leqslant 0$ ».

Initialisation

Pour $n = 0$, on a $v_0 = 0 \leqslant 0$.
Donc $P(0)$ est vraie.

Hérédité : on suppose que pour **un** entier $n \geqslant 0$, $P(n)$ est vraie, c'est-à-dire que : $v_n \leqslant 0$.
On en déduit que $2v_n - 3 \leqslant -3$, soit $v_{n+1} \leqslant -3$.
Ainsi $v_{n+1} \leqslant 0$, c'est-à-dire que la propriété $P(n+1)$ est vraie.

Conclusion : par récurrence, pour tout entier $n \geqslant 0$, $P(n)$ est vraie.
Donc pour tout entier $n \geqslant 0$, $v_n \leqslant 0$.
Or :
$v_{n+1} - v_n = 2v_n - 3 - v_n = v_n - 3$.
Donc $v_{n+1} - v_n \leqslant -3$.

b. Pour tout entier n,
$$v_n = (v_n - v_{n-1}) + (v_{n-1} - v_{n-2}) + \ldots + (v_1 - v_0).$$
Et comme pour tout entier k, $v_k - v_{k-1} \leqslant -3$, on a :
$$v_n \leqslant \underbrace{(-3) + (-3) + \ldots + (-3)}_{n \text{ termes}},$$
Donc $v_n \leqslant -3n$.

c. Comme $\lim\limits_{n \to +\infty} -3n = -\infty$, d'après le théorème de majoration, on a $\lim\limits_{n \to +\infty} v_n = -\infty$.
Ainsi la suite v diverge vers $-\infty$.

76 **1** Pour tout entier $n \geqslant 2$:
$$u_n - 3 = \frac{3n + (-1)^n \cos(n)}{n-1} - 3$$
$$= \frac{3n + (-1)^n \cos(n) - 3n + 3}{n-1}$$
$$= \frac{3 + (-1)^n \cos(n)}{n-1}.$$

2 Pour tout entier $n \geqslant 2$:
$-1 \leqslant (-1)^n \cos(n) \leqslant 1$,
donc $2 \leqslant 3 + (-1)\cos(n) \leqslant 4$.
Comme $n - 1 \geqslant 1$, on obtient :
$$\frac{2}{n-1} \leqslant u_n - 3 \leqslant \frac{4}{n-1}.$$
On en déduit que $|u_n - 3| \leqslant \dfrac{4}{n-1}$.
Avec $\lim\limits_{n \to +\infty} \dfrac{4}{n-1} = 0$, par le théorème des gendarmes, on obtient que $\lim\limits_{n \to +\infty} |u_n - 3| = 0$.
On en déduit que $\lim\limits_{n \to +\infty} u_n = 3$.

3 Pour que $|u_n - 3| \leqslant 0{,}01$, il **suffit** que $\dfrac{4}{n-1} \leqslant 0{,}01$, c'est-à-dire que $n \geqslant 399$.
À partir du rang $N = 399$, on est sûr que la distance entre u_n et 3 est inférieure à 0,01.

78 **1** Vrai. **2** Faux. **3** Vrai.

79 **1** Vrai. **2** Vrai. **3** Faux.

80 **1** La fonction $f : x \mapsto \sqrt{1+x}$ et la fonction $x \mapsto 1 + x$ ont même sens de variation sur l'intervalle $[-1\,;+\infty[$. Donc la fonction f est croissante sur $[-1\,;+\infty[$.

2 **Remarque :** l'équation $f(x) = x$ admet bien une unique solution, car :
$f(x) = x \Leftrightarrow \sqrt{1+x} = x$
$\Leftrightarrow 1 + x = x^2$ et $x \geqslant 0$
$\Leftrightarrow x^2 - x - 1 = 0$ et $x \geqslant 0$
$\Leftrightarrow x = \dfrac{1+\sqrt{5}}{2}$.
On sait que $a = \dfrac{1+\sqrt{5}}{2} \approx 1{,}618$.

La fonction f est croissante sur $[-1\,;+\infty[$, donc sur $[1\,;a]$.
Donc pour tout réel x de $[1\,;a]$, $f(1) \leqslant f(x) \leqslant f(a)$.
Or $f(1) = \sqrt{2}$ et $f(a) = a$.
Donc $\sqrt{2} \leqslant f(x) \leqslant a$.
On en déduit que $1 \leqslant f(x) \leqslant a$, c'est-à-dire $f(x) \in [1\,;a]$.

3 Pour tout entier naturel n, on note $P(n)$ la propriété : « $1 \leqslant u_n \leqslant a$ et $u_n \leqslant u_{n+1}$ ».

Initialisation

Pour $n = 0$, on a $u_0 = 1$. Donc $1 \leqslant u_0 \leqslant a$.
Et $u_1 = \sqrt{1+1} = \sqrt{2}$. Donc $u_0 \leqslant u_1$.
Donc $P(0)$ est vraie.

Hérédité : on suppose que pour **un** entier $n \geqslant 0$, $P(n)$ est vraie, c'est-à-dire que :
$1 \leqslant u_n \leqslant a$ et $u_n \leqslant u_{n+1}$.
D'après la question **2**, $f(u_n) \in [1\,;a]$.
Donc $1 \leqslant u_{n+1} \leqslant a$.
De plus, la fonction f est croissante sur $[1\,;a]$.
Donc $f(u_n) \leqslant f(u_{n+1})$. On en déduit $u_{n+1} \leqslant u_{n+2}$.
Ainsi la propriété $P(n+1)$ est vraie.

Conclusion : par récurrence, pour tout entier $n \geqslant 0$, $P(n)$ est vraie.
Donc pour tout entier $n \geqslant 0$, $1 \leqslant u_n \leqslant a$ et $u_n \leqslant u_{n+1}$.

4 D'après la question **3**, la suite u est croissante et majorée (par a).
Donc la suite u converge.

85 **a.** Pour tout entier n,
$$u_n = \frac{5^{n+3}}{8^n} = 5^3 \times \left(\frac{5}{8}\right)^n.$$
Or $\left|\dfrac{5}{8}\right| < 1$. Donc $\lim\limits_{n \to +\infty} \left(\dfrac{5}{8}\right)^n = 0$.
On en déduit que $\lim\limits_{n \to +\infty} u_n = 0$.

b. On factorise par les termes dominants au numérateur et au dénominateur.
Pour tout entier n :
$$v_n = \frac{4^n \times \left(\left(\frac{3}{4}\right)^n - 1\right)}{3^n \times \left(1 + \left(\frac{2}{3}\right)^n\right)}$$
$$= \left(\frac{4}{3}\right)^n \times \frac{\left(\frac{3}{4}\right)^n - 1}{1 + \left(\frac{2}{3}\right)^n}.$$

On a : $\lim_{n \to +\infty} \left(\frac{4}{3}\right)^n = +\infty$;

$\lim_{n \to +\infty} \left(\frac{3}{4}\right)^n = 0$

et $\lim_{n \to +\infty} \left(\frac{2}{3}\right)^n = 0$.

Par produit et quotient, on obtient $\lim_{n \to +\infty} v_n = -\infty$.

Prépa Bac

93 **1** Pour tout entier naturel n, $u_{n+1} - u_n = u_n{}^2$ (positif).
Donc la suite u est croissante.

2 **a.**

- Pour tout réel x, $h(x) = 2x + 1$.
D'où le tableau de variations de h sur $\mathbb{R}$:

x	$-\infty$	$-0,5$	$+\infty$
$h(x)$	$+\infty$ ↘	$-0,25$	↗ $+\infty$

- On a $h(0) = 0$ et $h(-1) = 0$.
D'après le tableau de variations de h, pour tout réel x de $]-1;0[$, on a :

$$-0,25 \leqslant h(x) < 0.$$

Alors $h(x) \in]-1;0[$.

b. Pour tout entier naturel n, on pose $P(n)$: « $-1 < u_n < 0$ ».

- **Initialisation :**
$u_0 = a$ avec $-1 < a < 0$.
Donc $P(0)$ est vraie.

- **Hérédité :** soit un entier naturel n tel que $P(n)$ est vraie.
Ainsi $-1 < u_n < 0$.
Par la question **a.**, $-1 < h(u_n) < 0$.
Donc $-1 < u_{n+1} < 0$.
Ainsi $P(n+1)$ est vraie.

- **Conclusion :** par récurrence, pour tout entier naturel n, $-1 < u_n < 0$.

3 Par les questions précédentes, la suite u est croissante et majorée par 0. Donc la suite u converge.
On note ℓ la limite de la suite u.
On a pour tout entier $n \geqslant 0$,

$$u_{n+1} = u_n{}^2 + u_n.$$

Or $\lim_{n \to +\infty} u_{n+1} = \ell$

et $\lim_{n \to +\infty} u_n{}^2 + u_n = \ell^2 + \ell$.

Par unicité de la limite, $\ell = \ell^2 + \ell$.
Donc $\ell^2 = 0$, soit $\ell = 0$.
Donc la suite u converge vers 0.

4 **a.** On obtient :

ALGO

```
Variables :
    N : entier ; a , u : réels ;
Début :
    Entrer(a) ;
    N ← 0 ; u ← a ;
    TantQue |u| ≥ 0,01 Faire
        N ← N + 1 ;
        u ← u² + u ;
    FinTantQue ;
    Afficher(N) ;
Fin.
```

b. On obtient :

ALGO

```
Variables :
    N : entier ; a , u : réels ;
Début :
    Entrer(a, e) ;
    N ← 0 ; u ← a ;
    TantQue |u| ⩾ e Faire
        N ← N + 1 ;
        u ← u² + u ;
    FinTantQue ;
    Afficher(N) ;
Fin.
```

c.

```
PROGRAM:EX093
:Prompt A,E
:0→N
:A→U
:While abs(U)≥E
:N+1→N
:U²+U→U
:End
:Disp "N",N
```

i) pour $a = -0,5$ et $e = 10^{-5}$, on obtient $N = 99\,987$.
ii) pour $a = -0,2$ et $e = 10^{-5}$, on obtient $N = 99\,985$.

Chapitre 2

Partir d'un bon pied

A **1** a., b. et c. **2** c. **3** a. et c. **4** a.

B **1** Faux. **2** Vrai. **3** Vrai. **4** Faux.

C **1** Faux. **2** Vrai. **3** Vrai. **4** Vrai.

Savoir faire

4 L'intervalle $]0,5;1,5[$ est ouvert et contient 1.
Comme $\lim_{n \to +\infty} f(x) = 1$, il existe un réel a tel que pour tout réel $x > a$, $f(x) \in]0,5;1,5[$. Donc pour tout réel $x \in]a;+\infty[$, $f(x) > 0$.

6 Pour tout réel $x \geqslant 0$,
$f(x) = x - \sqrt{x} = \sqrt{x} \times \sqrt{x} - \sqrt{x}$
$= \sqrt{x} \times (\sqrt{x} - 1)$.
Comme $\lim_{x \to +\infty} \sqrt{x} = +\infty$ et $\lim_{x \to +\infty} \sqrt{x} - 1 = +\infty$ par produit, on a : $\lim_{x \to +\infty} f(x) = +\infty$.

8
$\lim_{x \to +\infty} \frac{2}{x} = 0$ et $\lim_{X \to 0} 3\cos(X) = 3$.
Donc par composition,

$$\lim_{x \to +\infty} 3\cos\left(\frac{2}{x}\right) = 3.$$

13 **a.** Pour tout réel $x \geqslant 0$, on a :

$$|x| = x.$$

Donc $f(x) = \dfrac{3x^2 + 2x}{x}$.
Ainsi pour tout réel $x > 0$,

$$f(x) = 3x + 2.$$

Donc $\lim_{\substack{x \to 0 \\ x > 0}} f(x) = 2$.

b. Pour tout réel $x \leqslant 0$, on a :

$$|x| = -x.$$

Donc pour tout réel $x < 0$,

$$f(x) = \frac{3x^2 - 2x}{x} = 3x - 2.$$

Donc $\lim_{\substack{x \to 0 \\ x < 0}} f(x) = -2$.

c. $\lim_{\substack{x \to 0 \\ x > 0}} f(x) \neq \lim_{\substack{x \to 0 \\ x < 0}} f(x)$. Il n'est pas possible de trouver une fonction g continue telle que pour tout réel $x \neq 0$, $f(x) = g(x)$.

14 **1** $f'(x) = 6x^2 + 24x + 18$.
$\Delta = 144$; $x_1 = -3$ et $x_2 = -1$.
D'où le tableau :

x	$-\infty$		-3		-1		$+\infty$
$f'(x)$		$+$	0	$-$	0	$+$	
$f(x)$	$-\infty$	↗	9	↘	1	↗	$+\infty$

▸ Sur l'intervalle $]-\infty\,;-3]$, la fonction f est strictement croissante, continue, et d'intervalle-image $]-\infty\,;9]$ contenant 0.
On en déduit que l'équation $f(x)=0$ admet une unique solution α sur $]-\infty\,;-3]$.
▸ Sur l'intervalle $[-3\,;+\infty[$, le minimum de f est 1. Donc l'équation $f(x)=0$ n'admet pas de solution sur cet intervalle.
▸ Finalement, l'équation $f(x)=0$ admet une unique solution a sur $\mathbb{R}$.
Par la calculatrice, $a \approx -4{,}05$.

2 Le tableau de signes de $f(x)$ est sur $\mathbb{R}$:

x	$-\infty$		a		$+\infty$
$f'(x)$		$-$	0	$+$	

D'où l'inéquation $f(x)\geqslant 0$ admet pour ensemble-solution $[a\,;+\infty[$.

Travail personnel : faire le point

25 **1** **a.** **2** **c.** **3** **a.** et **c.** **4** **b.** **5** **c.** **6** **b.** **7** **c.** **8** **c.** **9** **c.** **10** **b.**

26 **1** Faux. **2** Vrai. **3** Faux. **4** Vrai. **5** Faux. **6** Vrai.

Exercices d'application

27 **1** Faux. **2** Vrai. **3** Faux. **4** Faux.

33 **1** Il semble que la limite de f en $+\infty$ est 3.

2 **a.** Pour tout réel $x>-2$,
$$f(x)-3=\frac{-2}{x+2}<0.$$
Donc $|f(x)-3|=\dfrac{2}{x+2}$.

b. Pour tout réel $\varepsilon>0$,
$$|f(x)-3|<\varepsilon \Leftrightarrow \frac{2}{x+2}<\varepsilon$$
$$\Leftrightarrow x>\frac{2}{\varepsilon}-2.$$
En posant $A=\dfrac{2}{\varepsilon}-2$, on a pour tout réel $x>A$,
$$f(x)\in\,]3-\varepsilon\,;3+\varepsilon[.$$
Donc la limite de f en $+\infty$ est 3.

42 **1** Faux. **2** Vrai. **3** Faux. **4** Faux.

43 **1** **b.** et **d.** **2** **a.** et **b.**

50 **1** Faux. **2** Faux. **3** Faux. **4** Faux.

56 **a.** f est bien définie sur $\mathbb{R}$ (pas de valeur interdite).
Pour tout réel $x\neq 0$,
$$f(x)=x^3\left(-1+\frac{2}{x}-\frac{4}{x^3}\right).$$
Comme $\lim\limits_{x\to+\infty} x^3=+\infty$
et $\lim\limits_{x\to+\infty} -1+\dfrac{2}{x}-\dfrac{4}{x^3}=-1$, par produit, on a : $\lim\limits_{x\to+\infty} f(x)=-\infty$.
De même, $\lim\limits_{x\to-\infty} f(x)=+\infty$.

b. Pour tout réel x, $2+3x^2\neq 0$. Donc g est définie sur $\mathbb{R}$.
Pour tout réel $x\neq 0$,
$$g(x)=\frac{x}{x^2\left(\dfrac{2}{x^2}+3\right)}=\frac{1}{x\left(\dfrac{2}{x^2}+3\right)}.$$
Comme $\lim\limits_{x\to+\infty} x=+\infty$
et $\lim\limits_{x\to+\infty} \dfrac{2}{x^2}+3=3$, par quotient, on a : $\lim\limits_{x\to+\infty} f(x)=0$.
De même $\lim\limits_{x\to-\infty} f(x)=0$.

c. Pour x^2-4x+5, $\Delta=-4$. Donc pour tout réel x, $x^2-4x+5\neq 0$.
Donc h est bien définie sur $\mathbb{R}$.
Pour tout réel $x\neq 0$,
$$h(x)=\frac{x^3\left(9+\dfrac{1}{x^3}\right)}{x^2\left(1-\dfrac{4}{x}+\dfrac{5}{x^2}\right)}$$
$$h(x)=\frac{x\left(9+\dfrac{1}{x^3}\right)}{1-\dfrac{4}{x}+\dfrac{5}{x^2}}.$$
Comme $\lim\limits_{x\to+\infty} x=+\infty$,
$$\lim_{x\to+\infty} 9+\frac{1}{x^3}=9$$
et $\lim\limits_{x\to+\infty} 1-\dfrac{4}{x}+\dfrac{5}{x^2}=1$, par quotient, on a : $\lim\limits_{x\to+\infty} f(x)=+\infty$.
De même $\lim\limits_{x\to-\infty} f(x)=-\infty$.

69 **1** Pour tout réel x,
$$-1\leqslant \cos(x)\leqslant 1.$$
Donc $1\geqslant -\cos(x)\geqslant -1$,
et $3\geqslant 2-\cos(x)\geqslant 1$.
Par passage à l'inverse,
$$\frac{1}{3}\leqslant\frac{1}{2-\cos(x)}\leqslant 1.$$

2 **a.** Pour tout réel $x\geqslant 0$, on a :
$$\frac{x}{3}\leqslant\frac{x}{2-\cos(x)}\leqslant x.$$
Comme $\lim\limits_{x\to+\infty}\dfrac{x}{3}=+\infty$, par le théorème de minoration, on a :
$$\lim_{x\to+\infty}\frac{x}{2-\cos(x)}=+\infty.$$

b. Pour tout réel $x<-1$,
$$x-1\leqslant x+\cos(x)\leqslant x+1<0.$$
Donc pour tout réel $x<-1$, on a :
$$x-1\leqslant\frac{x+\cos(x)}{2-\cos(x)}\leqslant\frac{x+1}{3}.$$
Comme $\lim\limits_{x\to-\infty}\dfrac{x+1}{3}=-\infty$, par le théorème de majoration, on a :
$$\lim_{x\to-\infty}\frac{x+\cos(x)}{2-\cos(x)}=-\infty.$$

74 **1** Vrai. **2** Vrai. **3** Faux. **4** Vrai. **5** Faux.

76 **1** Faux. **2** Vrai. **3** Vrai. **4** Vrai.

82 **1** Il semble que la fonction f admet -1 comme limite en 1.

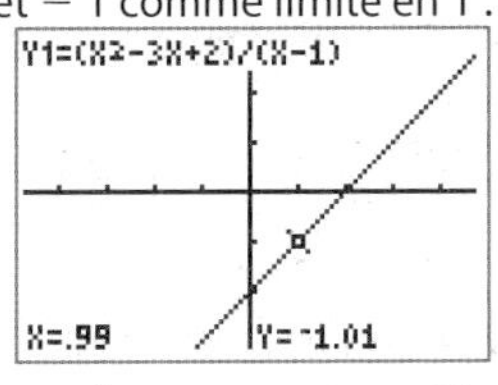

2 Pour x^2-3x+2, on a $\Delta=1$; $x_1=1$ et $x_2=2$.
Donc $x^2-3x+2=(x-1)(x-2)$.
Donc pour tout réel $x\neq 1$,
$$f(x)=x-2.$$
Donc $\lim\limits_{x\to 1} f(x)=1-2=-1$.

87 ▸ L'image de $[-2\,;1]$ par f est $[-1\,;1]$.
▸ L'image de $[-2\,;2]$ par f est $[-1\,;1]$.
▸ L'image de $[-3\,;1]$ par f est $[-1\,;2]$.

97 **1** $f'(x) = 4x^3 + 9x^2 + 2$.

2 a.
$f''(x) = 12x^2 + 18x = 6x(2x+3)$.
D'où le tableau :

x	$-\infty$		$-3/2$		0		$+\infty$
$f''(x)$		$+$	0	$-$	0	$+$	
$f'(x)$	$-\infty$	↗	$35{,}75$	↘	2	↗	$+\infty$

b. ▸ Sur l'intervalle $]-\infty\,;-3/2]$, la fonction f' est strictement croissante, continue, et d'intervalle-image $]-\infty\,;35{,}75]$ contenant 0.
On en déduit que l'équation $f'(x)=0$ admet une unique solution α sur $]-\infty\,;-3/2]$.
▸ Sur l'intervalle $[-3/2\,;+\infty[$, le minimum de f' est 2. Donc l'équation $f'(x)=0$ n'admet pas de solution sur cet intervalle.
▸ Finalement, l'équation $f'(x)=0$ admet une unique solution α sur $\mathbb{R}$.
Par la calculatrice, $\alpha \approx -2{,}3$.

c. On en déduit le tableau de signes de $f'(x)$ sur $\mathbb{R}$:

x	$-\infty$		α		$+\infty$
$f'(x)$		$-$	0	$+$	

3 D'où le tableau de variations de f sur $\mathbb{R}$:

x	$-\infty$		α		$+\infty$
$f(x)$	$+\infty$	↘	$f(\alpha)$	↗	$+\infty$

Prépa Bac

105 **A. 1**
$P'(x) = 6x^2 - 6x = 6x(x-1)$.
Comme $\lim\limits_{x\to-\infty} P(x) = -\infty$
et $\lim\limits_{x\to+\infty} P(x) = +\infty$, on a le tableau de variations suivant :

x	$-\infty$		0		1		$+\infty$
$P'(x)$		$+$	0	$-$	0	$+$	
$P(x)$	$-\infty$	↗	-1	↘	-2	↗	$+\infty$

2 ▸ Sur l'intervalle $]-\infty\,;1]$, le maximum de P est -1. Donc l'équation $P(x)=0$ n'a pas de solution sur $]-\infty\,;1]$.
▸ Sur l'intervalle $[1\,;+\infty[$, la fonction P est strictement croissante et continue, d'intervalle-image $[-2\,;+\infty[$ contenant 0. Alors l'équation $P(x)=0$ admet une unique solution sur $[1\,;+\infty[$.
▸ Conclusion : l'équation $P(x)=0$ admet une unique solution α sur $\mathbb{R}$.
Comme $P(1{,}6) = -0{,}488$ (négatif) et $P(1{,}7) = 0{,}156$ (positif), on a : $1{,}6 < \alpha < 1{,}7$.

3 D'après le tableau de variations de P, on a :

x	$-\infty$		α		$+\infty$
$P(x)$		$-$	0	$+$	

B. 1 Pour tout réel $x > 1$,
$$f'(x) = \frac{-(1+x^3)-(1-x)(3x^2)}{(1+x^3)^2}$$
$$f'(x) = \frac{P(x)}{(1+x^3)^2}.$$
Donc $f'(x)$ est du signe de $P(x)$.
D'où :

x	-1		α		$+\infty$
$f'(x)$		$-$	0	$+$	
$f(x)$		↘		↗	

2 Comme $f(x) = \dfrac{\dfrac{1}{x}-1}{\dfrac{1}{x}+x^2}$,
on a $\lim\limits_{x\to+\infty} f(x) = 0$.
Comme $\lim\limits_{\substack{x\to-1\\x>-1}} 1-x = 2$
et $\lim\limits_{\substack{x\to-1\\x>-1}} 1+x^3 = 0^+$,
$\lim\limits_{\substack{x\to-1\\x>-1}} f(x) = +\infty$.
On en déduit que $\mathscr{C}$ admet une asymptote horizontale d'équation $y=0$ en $+\infty$, et une asymptote verticale d'équation $x=-1$.

3 ▸ $\mathscr{D}_1 : y = f'(0) = (x-0)+f(0)$.
Comme $f'(0) = \dfrac{-1}{1} = -1$ et $f(0) = \dfrac{1}{1} = 1$, une équation de $\mathscr{D}_1$ est $y = -x+1$.

▸ Pour tout réel $x > -1$, on a :
$$f(x)-(-x+1) = \frac{(x-1)x^3}{x^3+1},$$
qui est négatif sur $]0\,;1[$, positif sur $]-1\,;0[$ et sur $]1\,;+\infty[$, et nul en 0 et en 1. On en déduit que $\mathscr{C}$ est en dessous de $\mathscr{D}_1$ sur $]0\,;1[$, et au-dessus de $\mathscr{D}_1$ sur $]-1\,;0[$ et sur $]1\,;+\infty[$.

4 a. $\mathscr{D}_2 : y = f'(1)(x-1)+f(1)$.
Comme $f'(1) = \dfrac{-2}{4} = -\dfrac{1}{2}$ et $f(1) = 0$, une équation de $\mathscr{D}_1$ est $y = -\dfrac{1}{2}(x-1)$.

b. Pour tout réel $x > -1$, on a :
$$f(x) - \frac{1}{2}(1-x)$$
$$= (1-x)\left(\frac{1}{1+x^3} - \frac{1}{2}\right)$$
$$= \frac{(1-x)(1-x^3)}{2(1+x^3)}.$$
Or $(1-x)(x^2+x+1) = 1-x^3$.
Donc :
$$f(x) - \frac{1}{2}(1-x)$$
$$= \frac{(1-x)^2(x^2+x+1)}{2(1+x^3)}.$$

c. Pour x^2+x+1, on a $\Delta = -3$ négatif.
Donc pour tout réel x, $x^2+x+1 > 0$.
On en déduit que pour tout réel $x > -1$,
$$f(x) - \frac{1}{2}(1-x) \geqslant 0.$$
Ainsi la courbe $\mathscr{C}$ est au-dessus de $\mathscr{D}_2$ sur $]-1\,;+\infty[$.

5
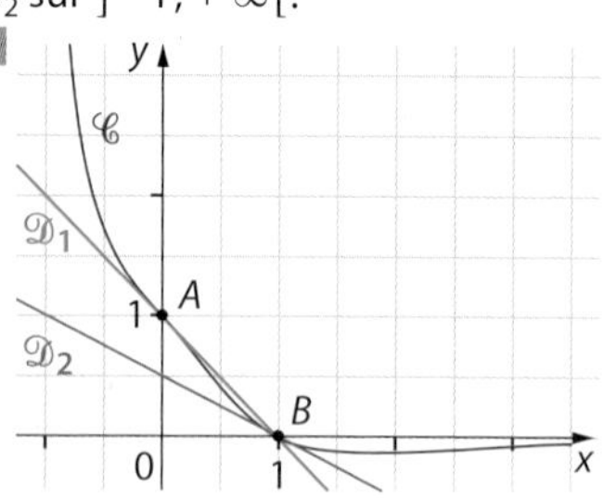

Chapitre 3

Partir d'un bon pied

A) **1** c. **2** b. **3** b. **4** a. **5** c.

B) **1** Vrai,
$g(0) = f(3\times 0-2) = f(-2)$.

2 Faux, $g(0)=f(-2)=(-2)^2=4$.
3 Vrai, voir calcul du **2**.
4 Faux,
$g(x)=(3x-2)^2=9x^2-12x+4$.
5 Vrai, voir calcul du **4**.
6 Vrai, voir calcul du **4**.
7 Faux, $g'(x)=18x-12$.
8 Faux, voir calcul du **7**.
9 Vrai, $6(3x-2)=18x-12$.

C **1** **a.** Le point A est associé aux réels $x+k\times 2\pi$ avec k entier relatif.
b. Le point B est associé au réel $-x$, C au réel $x+\pi$, D au réel $\pi-x$.
c. $\cos(-x)=\cos x$;
$\cos(\pi+x)=-\cos x$;
$\cos(\pi-x)=-\cos x$;
$\sin(-x)=-\sin x$;
$\sin(\pi+x)=-\sin x$;
$\sin(\pi-x)=\sin x$.

2 **a.** Vrai. **b.** Vrai.
c. Faux. **d.** Faux.
e. Faux. **f.** Vrai.
g. Faux. **h.** Vrai

Savoir faire

2 **1** $f(x)=\sin x$; $f'(x)=\cos x$.
Tangente en 0 : $y=x$.
2 $f(x)=x+\cos x$;
$f'(x)=1-\sin x$.
Tangente en 0 : $y=x+1$.
3 $f(x)=\sin x+\cos x$;
$f'(x)=\cos x-\sin x$.
Tangente en $\frac{\pi}{2}$: $y=-x+\frac{\pi}{2}+1$.

10 $f(x)=(x^2-x+1)^3$,
donc f est dérivable sur $\mathbb{R}$ et pour tout réel x :
$$f'(x)=3(2x-1)(x^2-x+1)^2.$$
On étudie le signe de la dérivée : $(x^2-x+1)^2$ est positif, car c'est un carré.
La dérivée est donc du signe de $(2x-1)$, c'est-à-dire négatif pour $x\leqslant 0{,}5$ et positif pour $x\geqslant 0{,}5$.
La fonction f est donc décroissante sur $]-\infty\,;0{,}5]$ et croissante sur $[0{,}5\,;+\infty[$, elle admet bien un minimum en $x=0{,}5$ qui vaut $f(0{,}5)=0{,}75^3=\left(\frac{3}{4}\right)^3=\frac{27}{64}$.

Travail personnel : faire le point

17 **1** b. **2** c. **3** a.
4 c. **5** c. **6** a.

18 **1** Vrai. **2** Faux.
3 Vrai. **4** Vrai.
5 Faux. **6** Faux.

Exercices d'application

21 **1** b. **2** c. **3** c. **4** a.

24 **1** $f'(x)=\frac{\sin x}{\cos^2 x}$.
2 $f'(x)=\frac{\cos x+x\sin x}{\cos^2 x}$.
3 $f'(x)=\frac{4\cos x}{(2+\sin x)^2}$.

26 **1** Pour tout $x>3$, on a :
$x^2-1\leqslant x^2+\cos x\leqslant x^2+1$;
donc :
$\frac{x^2-1}{x-3}\leqslant\frac{x^2+\cos x}{x-3}\leqslant\frac{x^2+1}{x-3}$,
car $x-3>0$.
2 On a :
$$\lim_{x\to+\infty}\frac{x^2-1}{x-3}=\lim_{x\to+\infty}x=+\infty.$$
Par un théorème de comparaison, on a $\lim_{x\to+\infty}\frac{x^2-\cos x}{x-3}=+\infty$.

30 **1**
$$\lim_{x\to 0}\frac{\cos x-1}{x}=\lim_{x\to 0}\frac{\cos x-\cos 0}{x}$$
$=\cos'(0)=-\sin 0=0$.
2 $\lim_{x\to\frac{\pi}{2}}\frac{\cos x}{x-\frac{\pi}{2}}$.
On pose $h=x-\frac{\pi}{2}$ et on obtient :
$$\lim_{h\to 0}\frac{\cos\left(\frac{\pi}{2}+h\right)-\cos\frac{\pi}{2}}{h}$$
$=\cos'\left(\frac{\pi}{2}\right)=-\sin\frac{\pi}{2}=-1$.

38 **1** Vrai. **2** Faux.
3 Faux. **4** Vrai.

41 **1** a. **2** a. c. **3** b.

46 **1** La fonction f est dérivable sur $\mathbb{R}\backslash\left\{\frac{3}{4}\right\}$.
$f'(x)=-3\times(-4)\times(3-4x)^{-4}$
$=\frac{12}{(3-4x)^4}$.
2 La fonction f est dérivable sur $]1\,;+\infty[$.
$f'(x)=-2\times\frac{\frac{1}{2\sqrt{x-1}}}{x-1}$
$=\frac{1}{(x-1)\sqrt{x-1}}$.
3 La fonction f est dérivable sur $\mathbb{R}$.
$f'(x)=\frac{-2\cos 2x}{(2+\sin 2x)^2}$.
4 La fonction f est dérivable sur $\mathbb{R}$.
$f'(x)=6\times\frac{4}{3}\times\left(\frac{4x+5}{3}\right)^5$
$=8\left(\frac{4x+5}{3}\right)^5$.

49 $f(0)=\sin\beta=\frac{\sqrt{2}}{2}$,
donc on a $\beta=\frac{\pi}{4}$ ou $\beta=\frac{3\pi}{4}$.
$f'(x)=\alpha\cos y$,
donc $f'(0)=\alpha\cos\beta=-1$.
Si $\beta=\frac{\pi}{2}$, alors $\cos\beta=\frac{\sqrt{2}}{2}$ et $\alpha=-\sqrt{2}$. Impossible, car $\alpha>0$.
Donc $\beta=\frac{3\pi}{4}$ et $\alpha=\sqrt{2}$.
On obtient finalement :
$$f(x)=\sin\left(\sqrt{2}x+\frac{3\pi}{4}\right).$$

56 **1** a. b. **2** a. b. c. **3** b. c.

Chapitre 4

Partir d'un bon pied

A **1** b. **2** a.
3 b. **4** a.

B **a.** $f'(x)=8x-12$.
b. $f'(x)=-4\cos\left(-4x+\frac{\pi}{3}\right)$.
c. $f'(x)=\frac{1}{2}g'\left(\frac{x}{2}-5\right)$.

C **1** a. et b. **2** a. et b.
3 a. et c.

Savoir faire

2 **a.** $e^{2x} \times e^{-2x} = e^{2x-2x} = e^0 = 1$.

b.
$e^{2x+1} \times e^{1-x} = e^{2x+1+1-x} = e^{x+2}$.

c. $\dfrac{e^{x+2}}{e^{-x+2}} = e^{(x+2)-(-x+2)}$
$= e^{x+2+x-2} = e^{2x}$.

d. $\dfrac{e^{3x}+e^x}{e^{2x}+1} = \dfrac{e^x(e^{2x}+1)}{e^{2x}+1} = e^x$.

5 $f(x) = e^x + x - 1$
donc $f'(x) = e^x + 1$.
La tangente au point d'abscisse 1 a pour équation réduite :
$y = f'(1)(x-1) + f(1)$
avec $f'(1) = e + 1$ et $f(1) = e$.
On obtient donc :
$y = (e+1)(x-1) + e$
$= (e+1)x - 1$.

9 **a.** $f'(x) = -2e^{1-2x}$.
b. $f'(x) = -xe^{-x^2}$.
c. $f'(x) = \dfrac{e^{\sqrt{x}}}{2\sqrt{x}}$.
d. $f'(x) = -\sin(x)e^{\cos(x)}$.

Travail personnel : faire le point

19 **1** b. **2** c. **3** b.

20 **1** b. **2** b. **3** b. et c. **4** b. **5** c. **6** a.

21 **1** Vrai. **2** Faux. **3** Faux. **4** Vrai. **5** Vrai.

22 **1** Faux. **2** Vrai. **3** Faux. **4** Vrai. **5** Vrai.

Exercices d'application

23 **1** Vrai. **2** Faux. **3** Vrai. **4** Vrai.

24 **1** Faux. **2** Faux. **3** Vrai. **4** Faux.

25 **1** Faux : pour $a = b = 0$, on a $e^{2a} = 1$ et $e^{2b} = 1$, on aurait donc $1 < 1$ si l'inégalité était vraie.

2 Vrai : $\sqrt{e^{2a} \times e^{2b}} = \sqrt{e^{2a}} \times \sqrt{e^{2b}}$
$= e^a \times e^b = e^{a+b}$.

3 Vrai : pour $a = b = 0$,
on a $e^{2a} + e^{2b} = 1 + 1 = 2$
et $2e^{a+b} = 2 \times 1 = 1$.

4 Vrai :
$\dfrac{1}{e^{-2a}+e^a} = \dfrac{e^{2a}}{e^{2a}(e^{-2a}+e^a)}$
$= \dfrac{e^{2a}}{1+e^a}$.

26 **1** Faux. **2** Vrai. **3** Vrai. **4** Vrai.

35 **1** Vrai. **2** Vrai. **3** Faux. **4** Faux.

36 **1** Faux. **2** Vrai. **3** Vrai. **4** Faux.

37 **1** Faux. **2** Faux. **3** Vrai.

53 **1** Faux. **2** Vrai. **3** Vrai. **4** Faux.

Prépa Bac

61 **1** **b.** $e^x - 1 = 0 \Leftrightarrow e^x = 1$
$\Leftrightarrow x = 0$.

2 **c.** $\lim\limits_{x \to +\infty} \dfrac{2e^x}{e^x - 1}$
$= \lim\limits_{x \to +\infty} \dfrac{2e^x}{e^x\left(1 - \dfrac{1}{e^x}\right)}$
$= \lim\limits_{x \to +\infty} \dfrac{2}{1 - \dfrac{1}{e^x}} = 2$.

3 **a.** $\lim\limits_{\substack{x \to 0 \\ x > 0}} (e^x - 1) = 0^+$
et $\lim\limits_{x \to 0} 2e^x = 2$;
donc $\lim\limits_{\substack{x \to 0 \\ x > 0}} \dfrac{2e^x}{e^x - 1} = +\infty$
(asymptote verticale).

4 **a.**
$g'(x) = \dfrac{2e^x(e^x-1) - 2e^x \times e^x}{(e^x-1)^2}$
$= \dfrac{-2e^x}{(e^x-1)^2}$.

63 **1** On a $\lim\limits_{\substack{x \to 0 \\ x > 0}} e^{nx} = 1$,
donc $\lim\limits_{\substack{x \to 0 \\ x > 0}} \dfrac{e^{nx}}{x} = +\infty$.

$\lim\limits_{x \to +\infty} \dfrac{e^{nx}}{x} = \lim\limits_{x \to +\infty} n \times \dfrac{e^{nx}}{nx}$.
En posant $y = nx$,
on a $\lim\limits_{x \to +\infty} nx = +\infty$,
donc $\lim\limits_{y \to +\infty} n\dfrac{e^y}{y} = +\infty$.
Conclusion : $\lim\limits_{x \to +\infty} \dfrac{e^{nx}}{x} = +\infty$.

2 $f'_n(x) = \dfrac{nxe^{nx} - e^{nx}}{x^2}$
$= \dfrac{e^{nx}(nx-1)}{x^2}$.
Comme e^{nx} et x^2 sont positifs, la dérivée est du signe de $(nx-1)$, c'est-à-dire négative pour tout $x \in \left]0 ; \dfrac{1}{n}\right]$ et positive pour tout $x \in \left[\dfrac{1}{n} ; +\infty\right[$.
La fonction f_n est donc décroissante sur $\left]0 ; \dfrac{1}{n}\right]$ et croissante sur $\left[\dfrac{1}{n} ; +\infty\right[$.

3 D'après la question **2**, la fonction f_n admet bien un minimum en $x = \dfrac{1}{n}$ qui vaut $f_n\left(\dfrac{1}{n}\right) = ne$.
On a donc $x_n = \dfrac{1}{n}$ et $y_n = ne$.

4 $\lim\limits_{n \to +\infty} x_n = 0$; $\lim\limits_{n \to +\infty} y_n = +\infty$, la suite (x_n) converge vers 0, (y_n) est divergente.

Chapitre 5

Partir d'un bon pied

A **1** c. **2** c. **3** b. **4** a.

B **1** $\lim\limits_{x \to +\infty} e^{2x} = +\infty$
car $\lim\limits_{x \to +\infty} 2x = +\infty$
donc $\lim\limits_{x \to +\infty} (e^{2x} - 4) = +\infty$;
$\lim\limits_{x \to -\infty} 2x = -\infty$ et $\lim\limits_{X \to -\infty} e^X = 0$
donc $\lim\limits_{x \to -\infty} e^{2x} = 0$
donc $\lim\limits_{x \to -\infty} f(x) = -4$.

2 $f'(x) = 2e^{2x} > 0$.

3 La fonction f est continue sur $\mathbb{R}$ et strictement croissante.
De plus $\lim\limits_{x \to -\infty} f(x) = -4$ et $\lim\limits_{x \to +\infty} e^{2x} - 4 = +\infty$, donc d'après le théorème des valeurs intermédiaires, l'équation $f(x) = 0$ admet une solution unique α.
Par balayage, on obtient :
$0{,}69 < \alpha < 0{,}70$, car $f(0{,}69) < 0$ et $f(0{,}70) > 0$.

C **1** Tracé de la courbe à main levée.

2 **a.** 2. **b.** − 1. **c.** 0 .

3 **a.** Pour tout appartenant à l'intervalle $[-5\,;4]$, on a $f(x) \in [-6\,;3]$ et comme f est strictement croissante sur $[-5\,;4]$, chaque réel de l'intervalle $[-6\,;3]$ a un unique antécédent par f.
Le domaine de définition de g est bien $[-6\,;3]$.

b.

x	− 6	− 5	− 4	− 3	− 2
$g(x)$	− 5	− 4,5	− 4	− 3	− 1
x	− 1	0	1	2	3
$g(x)$	0	0,5	1	2	4

c.

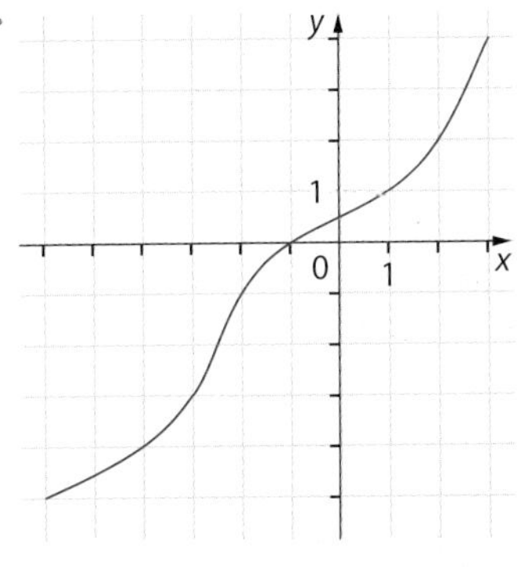

Savoir faire

4 $f(x) = \dfrac{e^x}{e^{2x}+2}$, donc :

$$f'(x) = \frac{e^x(2^{2x}+2) - e^x \times 2e^{2x}}{(e^{2x}+2)^2}$$

$$= \frac{e^{3x} + 2e^x - 2e^{3x}}{(e^{2x}+2)^2} = \frac{e^x(2-e^{2x})}{(e^{2x}+2)^2}.$$

On a $e^x > 0$ et $(e^{2x}+2)^2 > 0$, donc on étudie le signe de $2 - e^{2x}$.

$2 - e^{2x} \geqslant 0 \Leftrightarrow e^{2x} \leqslant 2 \Leftrightarrow 2x \leqslant \ln 2$

$\Leftrightarrow x \leqslant \dfrac{1}{2}\ln 2 \Leftrightarrow x \leqslant \ln\sqrt{2}$

On obtient le tableau de variations suivant :

x	$-\infty$	$\ln\sqrt{2}$	$+\infty$
$f'(x)$	+		−
$f(x)$	↗	$\dfrac{\sqrt{2}}{4}$	↘

$f(\ln\sqrt{2}) = \dfrac{e^{\ln\sqrt{2}}}{e^{2\ln\sqrt{2}}+2} = \dfrac{\sqrt{2}}{4}$.

8 **a.** $\lim\limits_{x \to 0} \ln x = -\infty$
donc $\lim\limits_{x \to 0}(x - \ln x) = +\infty$.

b. $\lim\limits_{x \to +\infty} \dfrac{\ln x}{x} = 0$
donc $\lim\limits_{x \to +\infty} x\left(1 - \dfrac{\ln x}{x}\right) = +\infty$
donc $\lim\limits_{x \to +\infty} f(x) = +\infty$.

c. $f'(x) = 1 - \dfrac{1}{x} = \dfrac{x-1}{x}$.
Le signe de la dérivée est celui de $x - 1$, car $x > 0$.
Tableau de variations de f :

x	0	1	$+\infty$
$f'(x)$	−		+
$f(x)$	↘	1	↗

Travail personnel : faire le point

16 $f(x) = \ln(1+x^2)$; réponse B ;
$f(x) = x\ln x$; réponse C ;
$f(x) = \ln(1+e^x)$; réponse B.

17 $\ln 6 - \ln 4 = \ln 1{,}5$; réponse B ;
$\ln(e^{-x}) = -x$; réponse C ;
$\ln(2+x) = 0$ a pour solution $x = -1$; réponse A ;
$e^{2+x} = 2$ a une unique solution ; réponse A.

18 **1** Faux . **2** Vrai. **3** Faux. **4** Faux.

19 **1** Faux. **2** Vrai. **3** Vrai. **4** Faux.

Exercices d'application

20 **1** Vrai. **2** Faux. **3** Faux. **4** Faux. **5** Faux.

30 **1** Faux. **2** Faux. **3** Vrai. **4** Vrai.

35 **1** **c.** **2** **a.** **3** **b.** **4** **b.**

36 **1** Faux. **2** Faux. **3** Vrai. **4** Vrai.

37 **1** Vrai. **2** Vrai. **3** Faux. **4** Vrai. **5** Faux.

38 **1** Vrai, $\ln(a \times b) = \ln a + \ln b$ pour tous réels strictement positifs a et b.
2 Faux. Cela serait équivalent à $\ln 2 + \ln x = \ln x$, ce qui voudrait dire $\ln 2 = 0$, ce qui est faux.
3 Vrai, car $\ln 2 > 0$.
4 Vrai, car :
$x \geqslant e \Leftrightarrow \ln x \geqslant \ln e \Leftrightarrow \ln x \geqslant 1$.
5 Vrai : $x = 0$.

45 **1** Vrai. **2** Vrai. **3** Faux. **4** Vrai. **5** Vrai.

46 **1** Faux. **2** Vrai. **3** Faux. **4** Faux.

47 **1** Vrai. **2** Faux. **3** Faux. **4** Faux.

48 **a.** Vrai. **b.** Faux. **3** Faux. **4** Vrai.

49 **1** **c.** **2** **b.**

68 **a.** Faux. **b.** Vrai. **c.** Vrai. **d.** Vrai.

69 **a.** Vrai. **b.** Vrai. **c.** Faux.

Prépa Bac

82 **1** Faux. Si $x \in]0\,;1]$ on a $\ln x \leqslant 0$.
2 Vrai. La tangente au point d'abscisse 1 a pour équation réduite :
$y = \ln'(1)(x-1) + \ln 1 = x - 1$.

3 Vrai. $f(x) = \ln\left(\frac{1}{x}\right) = -\ln x$.

Donc $f'(x) = -\frac{1}{x}$.

4 Faux. **5** Vrai.

$\ln(x-1) - \ln x = \ln\left(\frac{x-1}{x}\right)$.

$= \ln\left(1 - \frac{1}{x}\right)$.

6 Vrai.

$\ln(x-1) = \ln x - 1$

$\Leftrightarrow \ln\left(\frac{x-1}{x}\right) = \ln\left(\frac{1}{\mathrm{e}}\right)$

$\Leftrightarrow \frac{x-1}{x} = \frac{1}{\mathrm{e}} \Leftrightarrow \mathrm{e}(x-1) = x$

$\Leftrightarrow x(\mathrm{e}-1) = \mathrm{e} \Leftrightarrow x = \frac{\mathrm{e}}{\mathrm{e}-1}$.

7 Vrai.

8 Faux.

Chapitre 6

Partir d'un bon pied

A **1** a. et c. **2** b. et c.
3 b. et c. **4** b.

B a. Faux. b. Vrai. c. Faux.

C ▸ Aire du trapèze bleu $ABCD$:

$$\frac{5+2}{2} \times 2 = 7 \text{ cm}^2.$$

▸ Aire de l'ellipse : elle est comprise dans un rectangle d'aire $7 \times 4 = 28$ cm², et contient un rectangle d'aire $5 \times 2 = 10$ cm².

▸ Surface sous la parabole : elle est comprise dans un rectangle d'aire $3 \times 2{,}5 = 7{,}5$ cm², et contient un rectangle d'aire $1 \times 2 = 2$ cm².

▸ Aire du trapèze vert :

$$\frac{1 + \left(\frac{4}{3} + 1\right)}{2} \times 4 = \frac{20}{3} \text{ cm}^2.$$

D **1** a. et b.

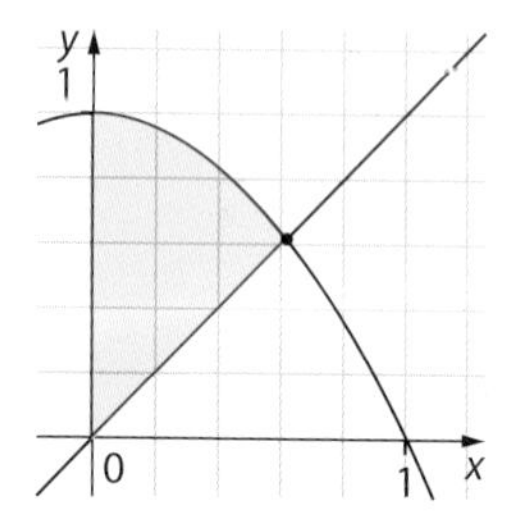

2 L'ensemble coloré est l'ensemble des points $M(x\,;y)$ vérifiant :

$$0 \leqslant x \leqslant 4 \text{ et } 0 \leqslant y \leqslant \sqrt{x}$$
$$\text{et } y \geqslant x - 2.$$

Savoir faire

3 a.

$\int_0^1 (3x^2+1)\mathrm{d}x = 3\int_0^1 x^2\mathrm{d}x + \int_0^1 1\mathrm{d}x$

$= 3 \times \frac{1}{3} + 1 \times 1 = 2$.

b. $\int_0^1 \sqrt{x}\,\mathrm{d}x = 1 - \int_0^1 x^2\mathrm{d}x = \frac{2}{3}$.

5 Les primitives de f sont les fonctions définies sur $\mathbb{R}$ par :

$$x \longmapsto \ln(1+\mathrm{e}^x) + k.$$

Comme la courbe cherchée passe par le point $A(0\,;1)$, on a :

$$\ln(1+\mathrm{e}^0) + k = 1,$$

soit $k = 1 - \ln(2)$.

La primitive cherchée est :

$$x \longmapsto \ln\left(\frac{1+\mathrm{e}^x}{2}\right) + 1.$$

9 $x \longmapsto x^2 - 1$ s'annule en 1 et en -1, et est négative sur $[-1\,;1]$.

Par la relation de Chasles :

$\int_{-2}^{2} |x^2-1|\mathrm{d}x = \int_{-2}^{-1}(x^2-1)\mathrm{d}x$

$+ \int_{-1}^{1}(1-x^2)\mathrm{d}x + \int_{1}^{2}(x^2-1)\mathrm{d}x$

$= \left[\frac{x^3}{3} - x\right]_{-2}^{-1} + \left[x - \frac{x^3}{3}\right]_{-1}^{1}$

$+ \left[\frac{x^3}{3} - x\right]_{1}^{2} = 4$.

11 ▸ Pour tout réel x,

$$\cos^2 x = \frac{1+\cos(2x)}{2}.$$

Donc $\cos^2 x - 1 = \frac{\cos(2x)-1}{2}$.

▸ $\int_0^{\frac{\pi}{4}} (\cos^2 x - 1)\mathrm{d}x$

$= \int_0^{\frac{\pi}{4}} \frac{\cos(2x)-1}{2}\mathrm{d}x$

$= \left[\frac{\sin(2x)}{4} - \frac{x}{2}\right]_0^{\frac{\pi}{4}} = \frac{1}{4} - \frac{\pi}{8}$.

Travail personnel : faire le point

21 **1** b. et c. **2** a. et b. **3** b.
4 a. et c. **5** b. **6** a.
7 c. **8** b.

22 **1** Faux. **2** Vrai. **3** Faux.
4 Faux. **5** Vrai.

Exercices d'application

23 **1** a. et c. **2** b. **3** c.

28 **1** $\int_{-2}^{2} f(x)\mathrm{d}x$

$= 4 \times 2 - \frac{\pi \times 2^2}{2} = 8 - 2\pi$

$\int_{-3}^{3} f(x)\mathrm{d}x = \int_{-3}^{-2} f(x)\mathrm{d}x$

$+ \int_{-2}^{2} f(x)\mathrm{d}x + \int_{2}^{3} f(x)\mathrm{d}x$

$\frac{5}{2} + (8 - 2\pi) + 1 = \frac{23}{2} - 2\pi$.

2 a.

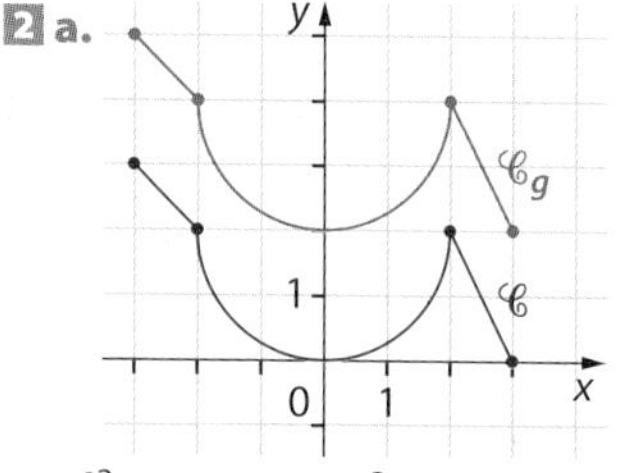

b. $\int_{-3}^{3} g(x)\mathrm{d}x = \int_{-3}^{3} f(x)\mathrm{d}x + 6 \times 2$

$= \frac{47}{2} - 2\pi$.

34 **1** Vrai. **2** Vrai.
3 Faux. **4** Vrai.

36 **1** b. **2** a. **3** b.

40 **1**

$f'(x) = 1 \times \ln(x) + x \times \frac{1}{x} - 1$

$= \ln(x)$.

2 La primitive de ln qui prend la valeur 0 en 1 est définie sur $]0\,;+\infty[$ par $F(x) = x\ln(x) - x + k$ avec $F(1) = 0$.

Donc $1\ln(1) - 1 + k = 0$, soit $k = 1$.

Donc $F(x) = x\ln(x) - x + 1$.

45 **1** $\frac{3x^2+4x-2}{x^4}$

$= \frac{3}{x^2} + \frac{4}{x^3} - \frac{2}{x^4}$.

Une primitive sur $]-\infty\,;0[$ ou sur $]0\,;+\infty[$ est définie par exemple par :

$$F(x) = -\frac{3}{x} + \frac{4}{-2x^2} - \frac{2}{-3x^3}$$
$$= -\frac{3}{x} - \frac{2}{x^2} + \frac{2}{3x^3}.$$

2 On reconnaît une forme $\frac{u'}{u^2}$, où u ne s'annule pas.
Une primitive sur $\mathbb{R}$ est définie par exemple par :

$$F(x) = \frac{-1}{x^2+2}.$$

49 **1** On reconnait une forme $u' \times e^u$.
Une primitive sur $\mathbb{R}$ est définie par exemple par :

$$F(x) = \frac{3}{2}e^{x^2}.$$

2 On reconnaît une forme $\frac{u'}{u}$.

- Sur $\left]-\frac{1}{3} ; +\infty\right[$, une primitive est définie par exemple par :

$$F(x) = \frac{7}{3}\ln(3x+1).$$

- Sur $\left]-\infty ; -\frac{1}{3}\right[$,

$$\frac{7}{3x+1} = \frac{-7}{-3x-1}.$$

Une primitive est définie par exemple par :

$$F(x) = \frac{7}{3}\ln(-3x-1).$$

56 **1** $\frac{a}{(x-1)^a} + \frac{b}{(x-1)^a}$

$$= \frac{a(x-1)-b}{(x-1)^3} = \frac{ax+(-a+b)}{(x-1)^3}.$$

Par identification des coefficients avec $f(x)$, on a : $a = 2$ et $b = 5$.

2 Une primitive de f sur $]-\infty ; 1[$ est par exemple définie par :

$$F(x) = \frac{-2}{x-1} + \frac{-5}{2(x-1)^2}.$$

67 **1** Faux. **2** Vrai. **3** Faux.

69 **a.** Vrai. **b.** Vrai. **c.** Vrai.
d. Faux, il s'agit d'un minimum local en $x = 1$.

72 **a.** $\mathrm{I} = \left[\frac{-1}{4(x-2)}\right]_{-4}^{1}$

$$= \frac{-1}{-4} - \frac{-1}{-24} = \frac{5}{24}.$$

b. $\mathrm{I} = \left[\frac{\sin(3x)}{3}\right]_0^{\pi} = 0.$

78 $-2x^3 + 6x^2 + 8x$
$= -2x(x+1)(x-4).$
La fonction f représentée par la courbe $\mathscr{C}$ est donc positive sur $]-\infty ; -1] \cup [0 ; 4]$, et négative sur $[-1 ; 0] \cup [4 ; +\infty[$.
Donc, en unité d'aire, l'aire de la surface colorée est :

$$\mathscr{A} = \int_{-2}^{-1} f(x)\mathrm{d}x - \int_{-1}^{0} f(x)\mathrm{d}x + \int_0^4 f(x)\mathrm{d}x.$$

Une primitive de f étant définie par :

$$F(x) = \frac{x^4}{2} + 2x^3 + 4x^2,$$

on obtient que :

$$\mathscr{A} = \frac{19}{2} + \frac{3}{2} + 64 = 75.$$

79 L'aire de la surface colorée, en unité d'aire, est :

$$\mathscr{A} = \int_{-1}^{2} (2-x^2) - (-x)\mathrm{d}x$$
$$= \int_{-1}^{2} -x^2 + x + 2\mathrm{d}x$$
$$= \left[-\frac{x^3}{3} + \frac{x^2}{2} + 2x\right]_{-1}^{2}$$
$$= \left(-\frac{8}{3} + \frac{4}{2} + 4\right) - \left(-\frac{-1}{3} + \frac{1}{2} - 2\right) = \frac{9}{2}.$$

Prépa Bac

104 *Pré-requis*
Par linéarité,

$$\int_a^b f(x)\mathrm{d}x - \int_a^b g(x)\mathrm{d}x = \int_a^b (f(x) - g(x))\mathrm{d}x.$$

Or pour tout réel x de $[a ; b]$,
$f(x) - g(x) \geqslant 0.$
Par positivité de l'intégrale,

$$\int_a^b (f(x) - g(x))\mathrm{d}x \geqslant 0.$$

On en déduit que :

$$\int_a^b f(x)\mathrm{d}x - \int_a^b g(x)\mathrm{d}x \geqslant 0,$$

c'est-à-dire $\int_a^b f(x)\mathrm{d}x \geqslant \int_a^b g(x)\mathrm{d}x.$

A. **1** $\int_1^x (2-t)\mathrm{d}t = \left[2t - \frac{t^2}{2}\right]_1^x$

$$= -\frac{x^2}{2} + 2x - \frac{3}{2}.$$

2 Pour tout réel $t \geqslant 1$, on a :

$$\frac{1}{t} - (2-t) = \frac{(t-1)^2}{t} \text{ (positif).}$$

Donc $\frac{1}{t} \geqslant 2 - t.$

3 Par la question **2**, pour tout réel $x \geqslant 1$:

$$\int_1^x \frac{1}{t}\mathrm{d}t \geqslant \int_1^x (2-t)\mathrm{d}t.$$

Donc $[\ln(t)]_1^x \geqslant -\frac{x^2}{2} + 2x - \frac{3}{2}.$

Ainsi pour tout réel $x \geqslant 1$,

$$\ln(x) \geqslant -\frac{x^2}{2} + 2x - \frac{3}{2}.$$

B. **1** $\int_1^4 h(x)\mathrm{d}x$

$$= \left[-\frac{x^3}{3} + x^2 - \frac{3}{2}x\right]_1^4$$
$$= \left(-\frac{4^3}{3} + 4^2 - \frac{3 \times 4}{2}\right) - \left(-\frac{1^3}{3} + 1^2 - \frac{3 \times 1}{2}\right) = 0.$$

Graphiquement, sur $[1 ; 4]$, l'aire algébrique du domaine compris entre la courbe $\mathscr{C}$ et l'axe des abscisses est nulle.

2 Soit la fonction F définie sur $]0 ; +\infty[$ par $F(x) = x\ln(x) - x$.

$$F'(x) = 1\ln(x) + x \times \frac{1}{x} - 1 = \ln(x).$$

Donc la fonction F est une primitive de la fonction ln sur $]0 ; +\infty[$.
Par la partie **A**, la courbe Γ est au-dessus de $\mathscr{C}$ sur $[1 ; 4]$.
Donc l'aire de $\mathscr{D}$, en unité d'aire, est égale à :

$$\int_1^4 \ln(x)\mathrm{d}x - \int_1^4 h(x)\mathrm{d}x$$
$$= [x\ln(x) - x]_1^4 - 0$$
$$= (4\ln(4) - 4) - (1\ln(1) - 1)$$
$$= 4\ln(4) - 3.$$

Chapitre 7

Partir d'un bon pied

A **1** b. **2** a. **3** c. **4** c.

B **1** $\overrightarrow{AB}\begin{pmatrix}-1\\-5\end{pmatrix}$.

2 $C(-2 ; 0{,}5)$.

3 $OE = \sqrt{(-4)^2 + 3^2} = \sqrt{25} = 5.$

4 $F(-3 ; 8)$.

5 $E'(4 ; -3)$.

6 $A'(1 ; -3)$.

7 $\overrightarrow{BI}\begin{pmatrix}1\\2\end{pmatrix}$ et $\overrightarrow{EJ}\begin{pmatrix}4\\-2\end{pmatrix}$ donc :

$\overrightarrow{BI} \cdot \overrightarrow{EJ} = 1 \times 4 + 2 \times (-2) = 0$;
donc (EI) et (EJ) sont perpendiculaires.

C **1** Vrai. **2** Faux. **3** Faux.
4 Vrai. **5** Faux. **6** Vrai.

Savoir faire

3 Si $z = x + \mathrm{i}y$ avec x et y réels, alors $z + \overline{z} = 2x \in \mathbb{R}$;
$z - \overline{z} = 2\mathrm{i}y \in \mathbb{R}$ et
$\overline{\overline{z}} = \overline{x - \mathrm{i}y} = x - (-\mathrm{i}y) = x + \mathrm{i}y = z$.

5 **a.** $\mathrm{Re}(5z - \mathrm{i})5x$
et $\mathrm{Im}(5z - \mathrm{i}) = 5y - 1$;
b. $\mathrm{Re}((3 - 2\mathrm{i})z) = 3x + 2y$
et $\mathrm{Im}((3 - 2\mathrm{i})z) = 3y - 2x$;
c. $\mathrm{Re}(z^2) = x^2 - y^2$
et $\mathrm{Im}(z^2) = 2xy$;
d. $\mathrm{Re}(3\overline{z} - 5z) = -2x$
et $\mathrm{Im}(3\overline{z} - 5z) = -8y$;
e.
$\mathrm{Re}((2 + \mathrm{i})(2\mathrm{i} - \overline{z})) = -2x - y - 2$
et
$\mathrm{Im}((2 + \mathrm{i})(2\mathrm{i} - \overline{z})) = -x + 2y + 4$;
f.
$\mathrm{Re}((z - 1)(\overline{z} - \mathrm{i})) = x^2 + y^2 - x + y$
et $\mathrm{Im}((z - 1)(\overline{z} - \mathrm{i})) = -x + y + 1$.

8 **a.** $z_1 = \dfrac{z^2}{z\overline{z}}$,
donc $\mathrm{Re}(z_1) = \dfrac{x^2 - y^2}{x^2 + y^2}$
et $\mathrm{Im}(z_1) = \dfrac{-2xy}{x^2 + y^2}$;
b. $z_2 = \dfrac{\mathrm{i}z^2}{z\overline{z}}$, donc $\mathrm{Re}(z_2) = \dfrac{-2xy}{x^2 + y^2}$
et $\mathrm{Im}(z_2) = \dfrac{x^2 - y^2}{x^2 + y^2}$.

9 **a.** $z^2 = -16 = (4\mathrm{i})^2$,
donc $\mathcal{S} = \{-4\mathrm{i} ; 4\mathrm{i}\}$;
b. $z^2 = 5$, donc $\mathcal{S} = \{-\sqrt{5} ; \sqrt{5}\}$;
c. $z^2 = 9$ ou $z^2 = -9 = (3\mathrm{i})^2$,
donc $\mathcal{S} = \{-3 ; 3 ; -3\mathrm{i} ; 3\mathrm{i}\}$!
d.
$z^2 + 2\mathrm{i}z - 1 = z^2 + 2\mathrm{i}z + \mathrm{i}^2 = (z + \mathrm{i})^2$
donc $\mathcal{S} = \{-\mathrm{i}\}$.

13 **a.** $\overrightarrow{OC} = \overrightarrow{AB}$,
donc $z_C = z_B - z_A = 1 - 3\mathrm{i}$.
b. $[OB]$ et $[CA]$ ont le même milieu, donc $z_B = z_A + z_C$ et on retrouve $z_C = 1 - 3\mathrm{i}$.

15 L'origine est à exclure de chaque ensemble de solutions

18 $z_1 = 2\sqrt{3}\left(-\dfrac{\sqrt{3}}{2} + \dfrac{1}{2}\mathrm{i}\right)$, donc un argument de z_1 est $\dfrac{5\pi}{6}$;
$z_2 = 2\sqrt{2}\left(-\dfrac{\sqrt{2}}{2} - \dfrac{\sqrt{2}}{2}\mathrm{i}\right)$,
donc un argument de z_2 est $-\dfrac{3\pi}{4}$;
Avec la notation exponentielle
$$z_3 = \frac{2\sqrt{3}\,\mathrm{e}^{\mathrm{i}\left(\frac{5\pi}{6}\right)}}{2\sqrt{2}\,\mathrm{e}^{\mathrm{i}\left(-\frac{3\pi}{4}\right)}} = \frac{\sqrt{3}}{\sqrt{2}}\mathrm{e}^{\mathrm{i}\left(\frac{5\pi}{6} - \frac{3\pi}{4}\right)} :$$
un argument de z_3 est :
$$\frac{5\pi}{6} - \left(-\frac{3\pi}{4}\right) = \frac{19\pi}{12} ;$$
$z_4 = 5\left(-\dfrac{\sqrt{3}}{2} - \dfrac{1}{2}\mathrm{i}\right)$,
donc un argument de z_4 est $-\dfrac{5\pi}{6}$;
$z_5 = 1 - (-1) = 2$, donc un argument de z_5 est 0.

Travail personnel : faire le point

27 **1** **b.** **2** **b.** **3** **c.**
4 **c.** **5** **a.** **6** **b.** et **c.**
7 **a.** et **c.**

28 **1** **c.** **2** **a.**, **b.** et **c.**
3 **b.** et **c.** **4** **c.**

29 **1** Vrai. **2** Vrai. **3** Vrai.
4 Faux. **5** Faux.

Exercices d'application

32 **1** Faux. **2** Vrai. **3** Faux.
4 Vrai. **5** Faux.

36 On écrit $z = x + \mathrm{i}y$ avec x et y réels, puis on identifie les parties réelles et imaginaires.

1 On obtient le système :
$$\begin{cases} 2x = x + 1 \\ 2y + 1 = -y \end{cases} ;$$
après calculs, $\mathcal{S} = \left\{1 - \dfrac{1}{3}\mathrm{i}\right\}$.

2 On obtient le système :
$$\begin{cases} x^2 - y^2 = x \\ 2xy = -y \end{cases} ;$$
la seconde équation équivaut à $y = 0$ ou $x = -\dfrac{1}{2}$. En remplaçant successivement dans la première équation, on obtient :
$$\mathcal{S} = \left\{0 ; 1 ; -\frac{1}{2} + \frac{\sqrt{3}}{2}\mathrm{i} ; -\frac{1}{2} - \frac{\sqrt{3}}{2}\mathrm{i}\right\}.$$

38 **1** **b.** et **c.** **2** **a.** et **b.**
3 **a.**, **b.** et **c.**

46 **1** Faux (si le discriminant est nul).
2 Faux (lorsque les solutions sont réelles distinctes).
3 Faux.

48 **1** Pour $z \neq -1$, l'équation est équivalente à $z^2 + z + 1 = 0$;
$\Delta = -3$ donc :
$$\mathcal{S} = \left\{-\frac{1}{2} + \frac{\sqrt{3}}{2}\mathrm{i} ; -\frac{1}{2} - \frac{\sqrt{3}}{2}\mathrm{i}\right\}.$$
2 $z^2 = 4$ ou $z^2 = -4$;
$\mathcal{S} = \{-2 ; 2 ; -2\mathrm{i} ; 2\mathrm{i}\}$.

3 Pour $z \neq -2$, on pose $Z = \dfrac{z - 3\mathrm{i}}{z + 2}$ et on résout $Z^2 + 6Z + 13 = 0$;
$\Delta = -16$, donc $Z = -3 \pm 2\mathrm{i}$.
On résout alors :
$\dfrac{z - 3\mathrm{i}}{z + 2} = -3 - 2\mathrm{i}$
et $\dfrac{z - 3\mathrm{i}}{z + 2} = -3 + 2\mathrm{i}$;
après calculs,
$\mathcal{S} = \{-1{,}3 + 0{,}4\mathrm{i} ; -1{,}9 + 0{,}8\mathrm{i}\}$.

51 **1** $P(-1 - \mathrm{i}) = 0$.
2 $(z + 1 + \mathrm{i})(z^2 + az + b)$
$= z^3 + (a + 1 + \mathrm{i})z^2 + (a + b + a\mathrm{i})z + b(1 + \mathrm{i})$,
en identifiant avec les coefficients de

$P(z)$, on obtient le système :

$$\begin{cases} a+1+\mathrm{i}=\mathrm{i} \\ a+b+a\mathrm{i}=-\mathrm{i}, \\ b(1+\mathrm{i})=1+\mathrm{i} \end{cases}$$

ce qui équivaut à : $a=-1$ et $b=1$.

3 $P(z)=0 \Leftrightarrow z=-1-\mathrm{i}$ ou $z^2-z+1=0$;

$$\mathcal{S}=\left\{-1-\mathrm{i}\,;\frac{1}{2}-\frac{\sqrt{3}}{2}\mathrm{i}\,;\frac{1}{2}+\frac{\sqrt{3}}{2}\mathrm{i}\right\}.$$

57

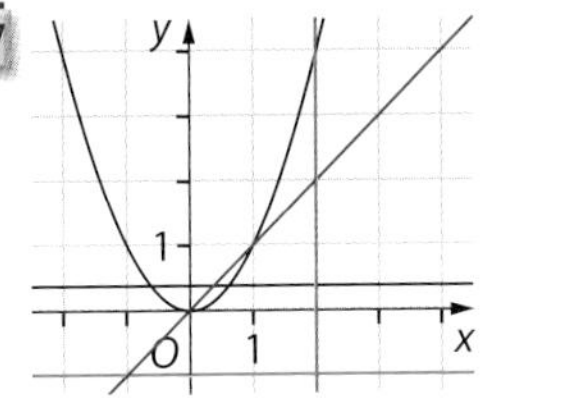

60 **1** **a.** et **c.** **2** **a.** et **b.** **3** **c.**

62 **1** Vrai. **2** Vrai.

3 Faux, car M appartient à $[OM)$ mais pas forcément à $[OM]$.

4 Vrai.

64 L'origine est à exclure de chaque ensemble de solutions.

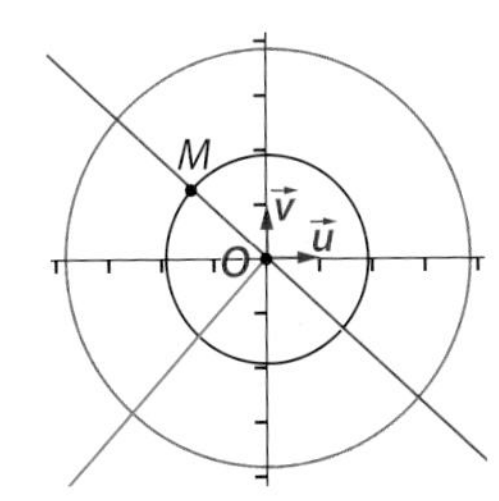

67 **1** **a.** et **c.** **2** **b.** et **c.**
3 **a.**, **b.** et **c.**

Prépa Bac

82 **1** **a.** $z_{A'}=(1-i)^2-4(1-i)$
$=1-2i-1-4+4i=-4+2i$ et
$z_{B'}=(3+i)^2-4(3+i)=-4+2i$.

b. Soient $M_1(z_1)$ et $M_2(z_2)$ deux points ayant la même image par f.

Alors :

$M'_1=M'_2 \Leftrightarrow z_1^2-4z_1=z_2^2-4z_2$
$\Leftrightarrow z_1^2-z_2^2-4(z_1-z_2)=0$
$\Leftrightarrow (z_1-z_2)(z_1+z_2)-4(z_1-z_2)=0$
$\Leftrightarrow (z_1-z_2)(z_1+z_2-4)=0$
$M'_1=M'_2 \Leftrightarrow z_1-z_2=0$
ou $z_1+z_2-4=0 \Leftrightarrow z_1-z_2=0$
ou $\frac{1}{2}(z_1+z_2)-2$
$\Leftrightarrow M_1=M_2$ le segment $[M_1M_2]$ a pour milieu le point K d'affixe 2.

Ainsi M_1 et M_2 sont :

- soit confondus,
- soit symétriques l'un de l'autre dans la symétrie de centre $K(2)$.

On peut constater que les points A et B qui ont la même image d'affixe $(-4+2i)$ sont bien symétriques par rapport à K.

2 **a.** $OMIM'$ est un parallélogramme
$\Leftrightarrow \overrightarrow{OM}=\overrightarrow{M'I} \Leftrightarrow z=-3-z^2+4z$
$\Leftrightarrow z^2-3z+3=0$.

b. L'équation $z^2-3z+3=0$ a pour discriminant $\delta=-3=(\sqrt{3}\,i)^2$, et donc deux solutions complexes conjuguées :

$$\frac{3}{2}-i\frac{\sqrt{3}}{2} \quad\text{et}\quad \frac{3}{2}+i\frac{\sqrt{3}}{2}.$$

3 **a.** $z'+4=z^2-4z+4$
$=(z-2)^2$.

b. $z'+4=(re^{\mathrm{i}\alpha})^2=r^2e^{2\mathrm{i}\alpha}$ comme r^2 est un réel positif (puisque r est réel) cette écriture est une forme exponentielle de $z'+4$ et on en déduit que : $\arg(z'+4)=2\alpha\,(2\pi)$ et $|z'+4|=r^2$.

4 **a.** Soit $E(-4+3i)$.

On a $z_E+4=3i=3e^{i\frac{\pi}{2}}$.

D'après le **b.**, E est l'image de points M d'affixe z si, et seulement si : $z-2=re^{i\alpha}$ avec $r^2=3$ et $2\alpha=\frac{\pi}{2}\,(2\pi)$.

Ce qui équivaut à : $z=2+re^{i\alpha}$ avec $r=\sqrt{3}$ (car $r>0$) et $\alpha=\frac{\pi}{4}\,(\pi)$.

On trouve ainsi les points :
$F_1\left(2+\sqrt{3}\,e^{i\frac{\pi}{4}}\right)$ et $F_2\left(2+\sqrt{3}\,e^{i\frac{5\pi}{4}}\right)$.

b. Pour obtenir la forme algébrique on passe par la forme trigonométrique :

$$z_1=2+\sqrt{3}\left[\cos\frac{\pi}{4}+i\sin\frac{\pi}{4}\right] \text{ ou}$$

$$z_2=2+\sqrt{3}\left[\cos\frac{5\pi}{4}+i\sin\frac{5\pi}{4}\right],$$

Et enfin : $z_1=2+\frac{\sqrt{6}}{2}+i\frac{\sqrt{6}}{2}$

et $z_2=2-\frac{\sqrt{6}}{2}-i\frac{\sqrt{6}}{2}$.

On obtient bien deux points F_1 et F_2 ayant pour image E, symétriques par rapport au point $K(2)$. (Voir **1** **b.**)

83 **1** Faux. Un contre-exemple avec $z=i$, on a :
$\mathrm{Im}(z^2)=\mathrm{Im}(-1)=0$
et $-(\mathrm{Im}(i))^2=-1$.

Plus généralement, en posant $z=x+iy$ avec x et y réels, on a :

$$z^2=x^2-y^2+2xyi$$

donc $\mathrm{Im}(z^2)=2xy$,
alors que $-[\mathrm{Im}(z)]^2=-y^2$.

2 Vrai. $\frac{1}{\bar{z}}=\frac{1}{z\times\bar{z}}\times z$,

donc $\overrightarrow{ON}=\frac{1}{z\times\bar{z}}\overrightarrow{OM}$;

comme $\frac{1}{z\times\bar{z}}\in\mathbb{R}$, les vecteurs $\overrightarrow{OM}$ et $\overrightarrow{ON}$ sont colinéaires, donc O, M et N sont alignés.

3 Vrai.
$|2+iz|=|2i-\bar{z}|$
$\Leftrightarrow |i(-2i+z)|=|-2i-z|$
en ayant remplacé le module de $2i\ \ \bar{z}$ par celui de son conjugué.

Comme $|i|=1$ et deux opposés ont même module,
$|2+iz|=|2i-\bar{z}|$
$\Leftrightarrow |z-2i|=|z+2i|$
$\Leftrightarrow$ le point M d'affixe z appartient à la médiatrice du segment $[AB]$ où $A(2i)$ et $B(-2i)$: or cette médiatrice est l'axe des réels.

L'affixe z est réelle, sa partie imaginaire est nulle.

Remarque : On peut aussi utiliser la forme algébrique : en posant $z=x+iy$ avec x et y réels, on a :
$|2+iz|=|2i-\bar{z}|$
$\Leftrightarrow |2-y+xi|=|-x+i(2+y)|$
$\Leftrightarrow (2-y)^2+x^2=(-x)^2+(2+y)^2$
$\Leftrightarrow 8y=0 \Leftrightarrow y=0$.

4 Faux.

Contre-exemple : avec $z=2$
on a $|1+2i|=\sqrt{5}$
et $|1-i\times\bar{2}|=|1-2i|=\sqrt{5}$:
les deux complexes ont le même module et pourtant la partie réelle de z n'est pas nulle.

Remarque : comme $\overline{1-i\bar{z}}=1+iz$ et deux conjugués ont même module, l'égalité $|1+iz|=|1-i\bar{z}|$ équivaut à $|1+iz|=|1+iz|$, ce qui est vrai pour tout z.

Corrigés

5 Faux. Le complexe z de module 1 s'écrit $e^{i\theta}$ et l'égalité sur les arguments s'écrit : $2\theta = -\theta\,(2\pi)$ soit :

$$3\theta = 0\,(2\pi) \Leftrightarrow \theta = 0\left(\frac{2\pi}{3}\right):$$

on trouve trois solutions :

$e^0 = 1$, $e^{i\left(\frac{2\pi}{3}\right)} = -\frac{1}{2} + \frac{\sqrt{3}}{2}i$,

$e^{i\left(\frac{4\pi}{3}\right)} = -\frac{1}{2} - \frac{\sqrt{3}}{2}i$.

Chapitre 8

Partir d'un bon pied

A) **1** a. et c. **2** c. **3** a. **4** c. **5** b.

B) **1** Vrai. **2** Faux. **3** Faux. **4** Vrai. **5** Faux. **6** Vrai. **7** Faux. **8** Faux. **9** Faux.

C) **1** $\overrightarrow{AB}\begin{pmatrix}2\\3\end{pmatrix}$; $\overrightarrow{DC}\begin{pmatrix}2\\3\end{pmatrix}$.

$\overrightarrow{AB} = \overrightarrow{DC}$, donc $ABCD$ est un parallélogramme.

Ou bien : le milieu du segment $[AC]$ et celui du segment $[BD]$ont mêmes coordonnées $(-1; -2)$.

2 Les vecteurs $\overrightarrow{BD}\begin{pmatrix}4\\-8\end{pmatrix}$, $\overrightarrow{EC}\begin{pmatrix}2\\-3\end{pmatrix}$ ne sont pas colinéaires, puisque :

$4\times(-3) = -12 \neq -8\times 2$;

les droites (BD) et (EC) ne sont donc pas parallèles.

3 $\overrightarrow{AF}\begin{pmatrix}-2\\1\end{pmatrix}$, $\overrightarrow{AD}\begin{pmatrix}6\\-3\end{pmatrix}$. On constate que $\overrightarrow{AD} = -3\overrightarrow{AF}$: les points A, D et F sont alignés.

4 $\overrightarrow{AE}\begin{pmatrix}6\\3\end{pmatrix}$, $\overrightarrow{FB}\begin{pmatrix}4\\2\end{pmatrix}$. On constate que $\overrightarrow{AE} = \frac{3}{2}\overrightarrow{FB}$: le quadrilatère $AEBF$ est un trapèze.

Savoir faire

2

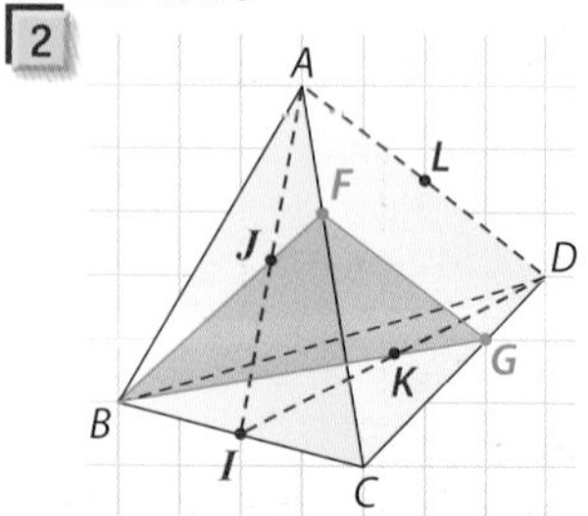

1 La droite (JK) est une droite des milieux dans le triangle AID : elle est donc parallèle à la droite (AD).

2 **a.** Le plan (JKL) contient la parallèle à la droite (JK) passant par L : c'est-à-dire la droite (AD).

Le plan (JKL) contient donc le point A, donc la droite(AJ) et le point D, donc la droite (DJ).

La trace du plan (JKL) sur le tétraèdre est donc le triangle AID.

b. On commence par chercher l'intersection des plans (JKG) et (ADC) tous deux parallèles à la droite (AD) : l'intersection est donc (théorème du toit) la parallèle à (AD) passant par G. Elle coupe le segment $[AC]$ en F. Le théorème de Thalès nous donne : $CF = \frac{2}{3}CA$, et la trace de (JKG) sur la face ADC est le segment $[GF]$.

On constate que les points B, J, F d'une part et B, K, G d'autre part sont alignés : ce que l'on montre aisément par exemple dans le repère $(B, \overrightarrow{BA}, \overrightarrow{BC})$. Le point J a pour coordonnées $\left(\frac{1}{2}\,;\frac{1}{4}\right)$ et le point $F\left(\frac{2}{3}\,;\frac{1}{3}\right)$ et par suite $\overrightarrow{BF} = \frac{4}{3}\overrightarrow{BJ}$.

De même $\overrightarrow{BG} = \frac{4}{3}\overrightarrow{BK}$.

La trace du plan (JKG) sur la face ABC est le segment $[BF]$ et sur la face BCD le segment $[BG]$. En définitive, la trace du plan (JKG) sur le tétraèdre est le triangle BGF.

4 **1** Voir la figure ci-dessous.

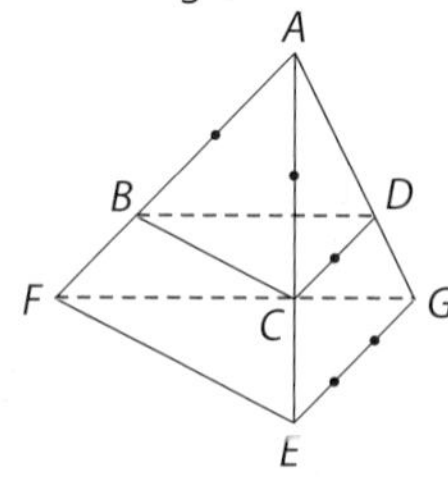

2

$$\overrightarrow{EF} = \overrightarrow{EC} + \overrightarrow{CA} + \overrightarrow{AF} = \frac{3}{2}\overrightarrow{CA} + \frac{3}{2}\overrightarrow{AB}$$
$$= \frac{3}{2}(\overrightarrow{CA} + \overrightarrow{AB}) = \frac{3}{2}\overrightarrow{CB}.$$

Les vecteurs $\overrightarrow{EF}$ et $\overrightarrow{CB}$ étant colinéaires, les droites (EF) et (CB) sont parallèles.

3 **a.** Les plans (BCD) et (EFG) sont parallèles, car deux vecteurs directeurs de (BCD), $\overrightarrow{CD}$ et $\overrightarrow{CB}$ sont colinéaires à deux vecteurs directeurs de (EFG), $\overrightarrow{EG}$ et $\overrightarrow{EF}$.

b. $\overrightarrow{AG} = \overrightarrow{AE} + \overrightarrow{EG} = \frac{3}{2}\overrightarrow{AC} + \frac{3}{2}\overrightarrow{CD}$

$= \frac{3}{2}(\overrightarrow{AC} + \overrightarrow{CD}) = \frac{3}{2}\overrightarrow{AD}$,

donc les points A, D et G sont alignés.

c. Le plan (ABD) qui est aussi le plan (AFG) coupe les deux plans parallèles (BCD) et (EFG) suivant deux droites qui sont parallèles ; or il s'agit des droites (BD) et (FG) : elles sont donc parallèles.

5 **1** $I = F$; $J = C$; $K = T$; $L = O$; $M = R$; $N = S$.

7 Voir la figure ci-dessous.

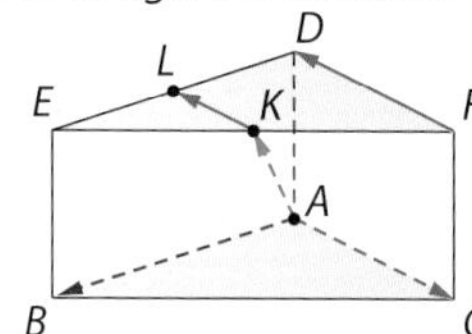

1 $\overrightarrow{AB}$, $\overrightarrow{DF}$ et $\overrightarrow{AK}$ sont non coplanaires $\Leftrightarrow \overrightarrow{AB}$, $\overrightarrow{AC}$ et $\overrightarrow{AK}$ sont non coplanaires $\Leftrightarrow K \notin (ABC)$ or cela est vrai, donc $\overrightarrow{AB}$, $\overrightarrow{DF}$ et $\overrightarrow{AK}$ sont non coplanaires.

2 $\overrightarrow{AL} - \overrightarrow{AK} = \overrightarrow{KL} = \frac{1}{2}\overrightarrow{FD} = -\frac{1}{2}\overrightarrow{AC}$, ainsi $\overrightarrow{AL} = \overrightarrow{AK} - \frac{1}{2}\overrightarrow{AC}$ et les trois vecteurs $\overrightarrow{AL}$, $\overrightarrow{AK}$ et $\overrightarrow{AC}$ sont coplanaires.

11 $\overrightarrow{EB}\begin{pmatrix}1\\0\\-1\end{pmatrix}$; $\overrightarrow{AK}\begin{pmatrix}1\\\frac{1}{2}\\0\end{pmatrix}$; $\overrightarrow{AG}\begin{pmatrix}1\\1\\1\end{pmatrix}$;

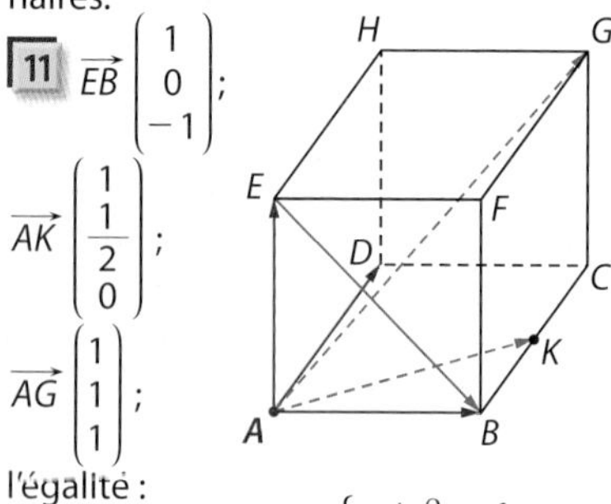

l'égalité :

$$\alpha\overrightarrow{EB} + \beta\overrightarrow{AK} = \overrightarrow{AG} \Leftrightarrow \begin{cases}\alpha + \beta = 1\\ \frac{1}{2}\beta = 1\\ -\alpha = 1\end{cases}$$

$$\Leftrightarrow \begin{cases}\alpha = -1\\ \beta = 2\end{cases}.$$

Par suite $-\overrightarrow{EB} + 2\overrightarrow{AK} = \overrightarrow{AG}$: les trois vecteurs sont coplanaires.

12 On considère le repère $(A, \overrightarrow{AB}, \overrightarrow{AC}, \overrightarrow{AD})$. Alors $I\left(\frac{1}{2}\,;0\,;0\right)$, $J\left(0\,;\frac{1}{2}\,;\frac{1}{2}\right)$ et $K\left(\frac{1}{3}\,;\frac{1}{3}\,;\frac{1}{3}\right)$.

Soit M le milieu de $[IJ]$, on a $M\left(\frac{1}{4}\,;\frac{1}{4}\,;\frac{1}{4}\right)$ et on constate que $\frac{3}{4}\overrightarrow{AK} = \overrightarrow{AM}$, ce qui prouve l'alignement des points A, M et K.

Par suite $[AK]$ et $[IJ]$ se coupent en M.

Travail personnel : faire le point

19 **A.** **1** **a.** et **c.** **2** **c.** **3** **b.** **4** **b.** **5** **c.**

6 **a.** et **c.** ($KJGH$ est un parallélogramme)

B. **1** **a.**, **b.** et **c.** **2** **a.** et **b.** **3** **b.** et **c.** **4** **b.** et **c.**

20 **1** Vrai. **2** Vrai. **3** Faux. **4** Faux.

21 **1** Faux. **2** Vrai. **3** Faux. **4** Faux. **5** Vrai.

Exercices d'application

25 **1** Dans le triangle EFG, la droite des milieux (IJ) est parallèle à la droite (EF), donc à la droite (AC).

2 Les plans (BIJ) et (ABC) sont sécants selon une droite passant par le point B, commun aux deux plans.

Les plans (EFG) et (ABC) sont parallèles, et sont coupés par le plan (BIJ) selon deux droites qui sont parallèles entre elles. Or (EFG) et (BIJ) sont sécants selon la droite (IJ).

On en déduit que les plans (ABC) et (BIJ) sont sécants selon la parallèle à (IJ) passant par le point B.

31 **a.** Les traces sur les faces $ABFE$ et $BCGF$ sont les segments $[IJ]$ et $[KJ]$. Comme les plans (ABE) et (CDH) sont parallèles, le plan (IJK) les coupe selon deux droites qui sont parallèles, donc parallèles à (IJ). On en déduit la construction du segment $[KL]$, et pour finir le segment $[IL]$.

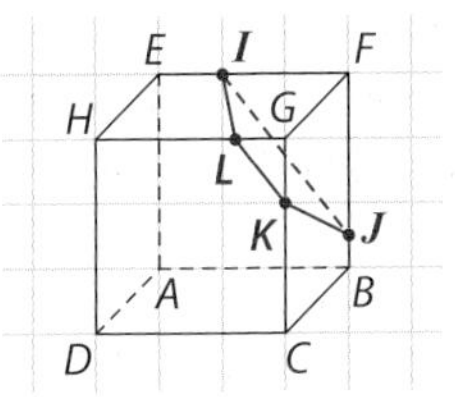

b. De la même façon, on construit les segments $[IJ]$, $[JK]$.

Puis le segment $[KL]$, parallèle à $[IJ]$.

Puis le segment $[LM]$, parallèle à $[JK]$.

Et le segment $[MI]$ pour finir.

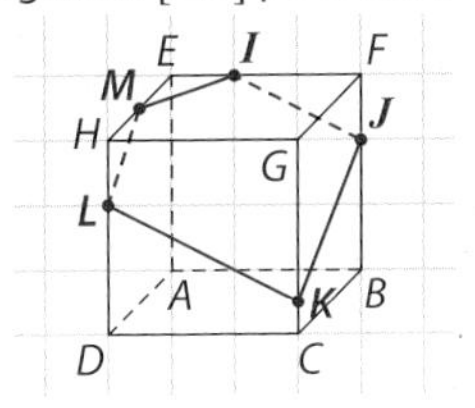

35 **1** Vrai. **2** Faux. **3** Vrai. **4** Vrai.

41 **1**

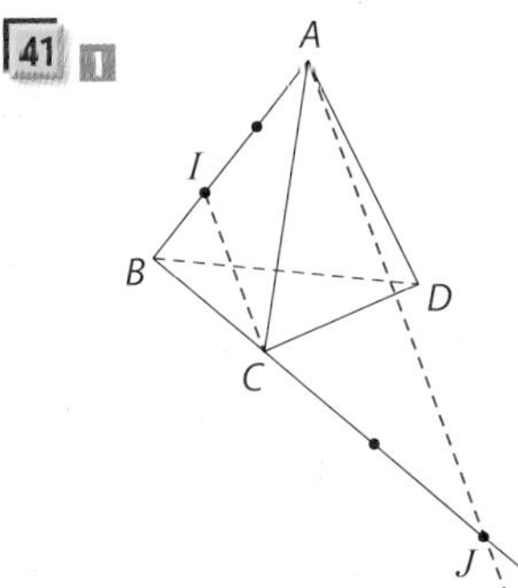

2 Par la relation de Chasles, on a :

$\overrightarrow{AJ} = \overrightarrow{AB} + \overrightarrow{BC} + \overrightarrow{CJ} = \overrightarrow{AB} + 3\overrightarrow{BC}$

et $\overrightarrow{IC} = \overrightarrow{IB} + \overrightarrow{BC} = \frac{1}{3}\overrightarrow{AB} + \overrightarrow{BC}$.

Donc $\overrightarrow{AJ} = 3\overrightarrow{IC}$. Donc les droites (IC) et (AJ) sont parallèles.

44 **1** Les points A, K et L sont alignés, donc il existe un réel k tel que $\overrightarrow{AL} = k\overrightarrow{AK}$.

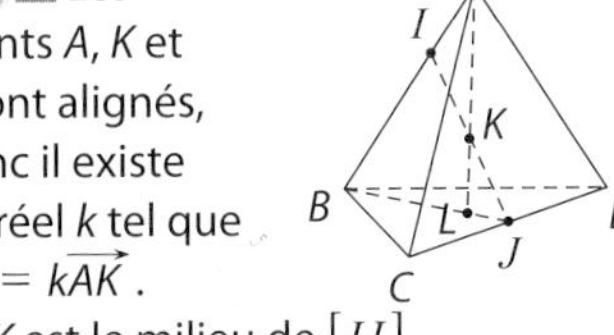

Or K est le milieu de $[IJ]$.

Donc :

$\overrightarrow{AK} = \frac{1}{2}(\overrightarrow{AI} + \overrightarrow{AJ}) = \frac{1}{6}\overrightarrow{AB} + \frac{1}{2}\overrightarrow{AJ}$.

Comme J est le milieu de $[CD]$, $\overrightarrow{AJ} = \frac{1}{2}(\overrightarrow{AC} + \overrightarrow{AD})$.

Donc $\overrightarrow{AK} = \frac{1}{6}\overrightarrow{AB} + \frac{1}{4}\overrightarrow{AC} + \frac{1}{4}\overrightarrow{AD}$.

En utilisant que $\overrightarrow{AC} = \overrightarrow{AB} + \overrightarrow{BC}$ et $\overrightarrow{AD} = \overrightarrow{AB} + \overrightarrow{BD}$, on obtient :

$$\overrightarrow{AK} = \frac{2}{3}\overrightarrow{AB} + \frac{1}{4}\overrightarrow{BC} + \frac{1}{4}\overrightarrow{BD}.$$

On en déduit que :

$$\overrightarrow{BL} = \overrightarrow{BA} + k\left(\frac{2}{3}\overrightarrow{AB} + \frac{1}{4}\overrightarrow{BC} + \frac{1}{4}\overrightarrow{BD}\right)$$

$$= \left(1 - \frac{2k}{2}\right)\overrightarrow{BA} + \frac{k}{4}\overrightarrow{BC} + \frac{k}{4}\overrightarrow{BD}.$$

Comme les vecteurs $\overrightarrow{BA}$, $\overrightarrow{BC}$ et $\overrightarrow{BD}$ sont non coplanaires et que $\overrightarrow{BL}$ est un vecteur du plan (BCD), on a : $1 - \frac{2k}{3} = 0$, c'est-à-dire $k = \frac{2}{3}$.

Alors $\overrightarrow{BL} = \frac{\frac{3}{2}}{4}\overrightarrow{BC} + \frac{\frac{3}{2}}{4}\overrightarrow{BD}$

$= \frac{3}{8}\overrightarrow{BC} + \frac{3}{8}\overrightarrow{BD}$.

Le point L a pour coordonnées $\left(\frac{3}{8}\,;\frac{3}{8}\right)$ dans le plan $(B; \overrightarrow{BC}\,; \overrightarrow{BD})$.

2 Comme J est le milieu de $[CD]$, $\overrightarrow{BJ} = \frac{1}{2}\overrightarrow{BC} + \frac{1}{2}\overrightarrow{BD}$.

Donc $\overrightarrow{BL} = \frac{3}{4}\overrightarrow{BJ}$.

Les points B, L et J sont alignés.

53 **a.** $\overrightarrow{IL} = \overrightarrow{HA} = -\overrightarrow{AD} - \overrightarrow{AE}$. Donc les vecteurs $\overrightarrow{AD}$, $\overrightarrow{AE}$ et $\overrightarrow{IL}$ sont coplanaires.

b. Les vecteurs $\overrightarrow{AB}$ et $\overrightarrow{AC}$ dirigent le plan (ABC), qui ne contient pas le vecteur $\overrightarrow{IL}$. Donc les vecteurs $\overrightarrow{AB}$, $\overrightarrow{AC}$ et $\overrightarrow{IL}$ ne sont pas coplanaires.

58 **1** Vrai. **2** Vrai. **3** Faux. **4** Faux. **5** Faux.

63 **1** $\overrightarrow{AB}\begin{pmatrix}-2\\1\\-5\end{pmatrix}$ et $\overrightarrow{CD}\begin{pmatrix}4\\-2\\10\end{pmatrix}$.

2 $\overrightarrow{CD} = -2\overrightarrow{AB}$. Donc $ABCD$ est un trapèze.

70 On a : $I(-1\,;-1\,;0)$, $G\left(-\frac{5}{3}\,;-\frac{2}{3}\,;-\frac{1}{3}\right)$ et $K(5\,;-4\,;3)$.

Donc $\overrightarrow{BG}\begin{pmatrix}-\frac{4}{3}\\\frac{2}{3}\\-\frac{2}{3}\end{pmatrix}$ et $\overrightarrow{BK}\begin{pmatrix}8\\-4\\4\end{pmatrix}$.

Ainsi $\overrightarrow{BK} = -6\overrightarrow{BG}$.

Donc les points B, G et K sont alignés.

Corrigés

85 La droite $\mathscr{D}$ est dirigée par le vecteur $\vec{u}\begin{pmatrix}2\\-1\\1\end{pmatrix}$, et la droite (AB) par $\overrightarrow{AB}\begin{pmatrix}-3\\2\\-3\end{pmatrix}$: les deux vecteurs n'étant pas colinéaires $\left(\frac{2}{-3} \neq \frac{-1}{2}\right)$, ces droites ne sont donc pas parallèles.
De plus (AB) admet comme représentation paramétrique :

$$\begin{cases} x = 2 - 3t \\ y = 2t \qquad , t \in \mathbb{R}. \\ z = 3 - 3t \end{cases}$$

On résout :

$$\begin{cases} 2 - 3t = 4 + 2u \\ 2t = 1 - u \\ 3 - 3t = -2 + u \end{cases} \Leftrightarrow \begin{cases} t = 4 \\ u = -7 \end{cases}.$$

On obtient $\begin{cases} x = 2 - 3 \times 4 = -10 \\ y = 2 \times 4 = 8 \\ z = 3 - 3 \times 4 = -9 \end{cases}$.

Les droites (AB) et $\mathscr{D}$ sont donc sécantes au point de coordonnées $(-10 ; 8 ; -9)$.

Prépa Bac

95 **1** Les trois vecteurs $\overrightarrow{AB}$, $\overrightarrow{AC}$ et $\overrightarrow{AD}$ ne sont pas coplanaires puisque par définition d'un tétraèdre, les quatre points A, B, C, D ne sont pas coplanaires : ainsi $(A, \overrightarrow{AB}, \overrightarrow{AC}, \overrightarrow{AD})$ est un repère de l'espace.

2 $A(0 ; 0 ; 0)$, $B(1 ; 0 ; 0)$, $C(0 ; 1 ; 0)$, $D(0 ; 0 ; 1)$.
La formule des milieux donne :

$$I\left(\frac{1}{2} ; \frac{1}{2} ; 0\right), \quad J\left(0 ; \frac{1}{2} ; \frac{1}{2}\right),$$

$$K\left(\frac{1}{2} ; 0 ; \frac{1}{2}\right).$$

$\overrightarrow{AD'} = 2\overrightarrow{AI}$, donc $D'(1 ; 1 ; 0)$ et de même $B'(0 ; 1 ; 1)$, $C'(1 ; 0 ; 1)$.

3 **a.** Un vecteur directeur de la droite (BB') est $\overrightarrow{BB'}\begin{pmatrix}-1\\1\\1\end{pmatrix}$ et cette droite passe par $B(1 ; 0 ; 0)$ d'où une représentation paramétrique :

$$\begin{cases} x = 1 - t \\ y = \quad t, t \in \mathbb{R}. \\ z = \quad t \end{cases}$$

b. $(CC') : \begin{cases} x = \quad u \\ y = 1 - u, u \in \mathbb{R} \\ z = \quad u \end{cases}$

et $(DD') : \begin{cases} x = \quad s \\ y = \quad s, s \in \mathbb{R}. \\ z = 1 - s \end{cases}$

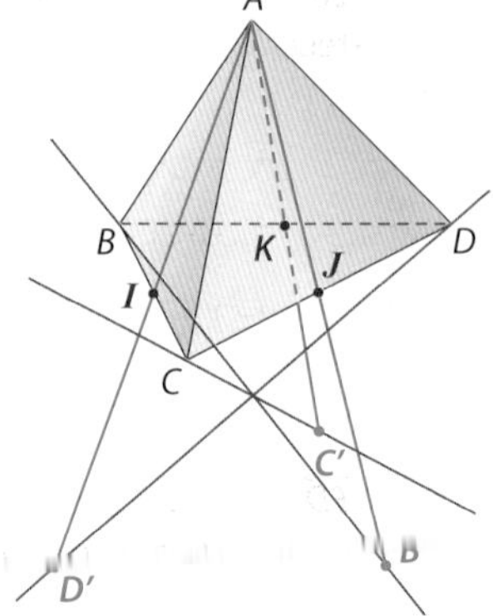

4 **a.** Le résultat présenté montre que les droites (BB') et (CC') ont en commun le point de paramètre 1/2 pour chacune des deux représentations, c'est-à-dire le point de coordonnées : $\left(\frac{1}{2} ; \frac{1}{2} ; \frac{1}{2}\right)$.

b. Appelons G le point de coordonnées $\left(\frac{1}{2} ; \frac{1}{2} ; \frac{1}{2}\right)$; on vient de voir qu'il est commun aux droites (BB') et (CC'). Or il est aussi obtenu pour la valeur du paramètre $s = \frac{1}{2}$ dans la représentation de (DD').
G est donc le point de concours des trois droites.

Chapitre 9

Partir d'un bon pied

A **1** b. **2** c.
3 b. **4** b. et c.

B ⓐ -6. ⓑ $AB^2 = 16$.
ⓒ 0. ⓓ $4 \times 2 \times \cos 60° = 4$.
ⓔ $\begin{pmatrix}-4\\-1\end{pmatrix} \cdot \begin{pmatrix}1\\-2\end{pmatrix} = -4 + 2 = -2$.
ⓕ $-\overrightarrow{AB}^2 = -9$.

C $\overrightarrow{AI} \cdot \overrightarrow{AJ} = \left(\overrightarrow{AB} + \frac{1}{2}\overrightarrow{AD}\right) \cdot \left(\frac{1}{3}\overrightarrow{AB} + \overrightarrow{AD}\right)$

$\frac{1}{3}\overrightarrow{AB}^2 + \frac{1}{2}\overrightarrow{AD}^2 = \frac{5}{6}a^2$

et $\overrightarrow{AI} \cdot \overrightarrow{AJ} = AI \times AJ \times \cos\widehat{IAJ}$.

$$\cos\widehat{IAJ} = \frac{\frac{5}{6}a^2}{\sqrt{\frac{5}{4}}a \times \sqrt{\frac{10}{9}}a} = \frac{5}{6} \times \frac{6}{5\sqrt{2}} = \frac{1}{\sqrt{2}},$$

donc $\widehat{IAJ} = \frac{\pi}{4}$ rad.

Savoir faire

3 On pose $AB = a$. Les hauteurs des triangles équilatéraux mesurent $\frac{a\sqrt{3}}{2}$.

1 **a.** $\overrightarrow{AB} \cdot \overrightarrow{AC} = \frac{1}{2}a^2$;

b. $\overrightarrow{BA} \cdot \overrightarrow{AJ} = -\frac{3}{4}a^2$;

c. $\overrightarrow{JA} \cdot \overrightarrow{JD} = \frac{1}{2}(JA^2 + JD^2 - AD^2)$
$= \frac{1}{4}a^2$;

d. $\overrightarrow{JK} \cdot \overrightarrow{AD} = 0$.

2 **a.** Dans le triangle rectangle AJK,
$JK^2 = JA^2 - KA^2$
$= \frac{3}{4}a^2 - \frac{1}{4}a^2 = \frac{1}{2}a^2$.

b. $\overrightarrow{JK} \cdot \overrightarrow{BD} = \overrightarrow{JK} \cdot 2\overrightarrow{JL} = 2\overrightarrow{JK} \cdot \overrightarrow{JL}$
$= JK^2 + JL^2 - KL^2$
$= \frac{1}{2}a^2 + \frac{1}{4}a^2 - \frac{1}{4}a^2 = \frac{1}{2}a^2$.

4 **1** $\overrightarrow{AB}\begin{pmatrix}1\\0\\-2\end{pmatrix}$; $\overrightarrow{AC}\begin{pmatrix}3\\-1\\1\end{pmatrix}$; $\overrightarrow{BC}\begin{pmatrix}2\\-1\\3\end{pmatrix}$.

$\overrightarrow{AB} \cdot \overrightarrow{AC} = 1$;
$\overrightarrow{BA} \cdot \overrightarrow{BC} = -\overrightarrow{AB} \cdot \overrightarrow{BC} = 4$;
$\overrightarrow{CA} \cdot \overrightarrow{CB} = \overrightarrow{AC} \cdot \overrightarrow{BC} = 10$.

2 $\|\overrightarrow{AB}\| = \sqrt{5}$; $\|\overrightarrow{AC}\| = \sqrt{11}$; $\|\overrightarrow{BC}\| = \sqrt{14}$.

$$\cos\widehat{BAC} = \frac{\overrightarrow{AB} \cdot \overrightarrow{AC}}{\|\overrightarrow{AB}\| \times \|\overrightarrow{AC}\|} = \frac{1}{\sqrt{55}}$$

d'où $\widehat{BAC} = 82{,}3°$;

$$\cos\widehat{CBA} = \frac{\overrightarrow{BC} \cdot \overrightarrow{BA}}{\|\overrightarrow{BC}\| \times \|\overrightarrow{BA}\|} = \frac{4}{\sqrt{70}}$$

d'où $\widehat{CBA} \approx 61{,}4°$, donc $\widehat{ACB} \approx 36{,}3°$

8 **a.** $\overrightarrow{AB}\begin{pmatrix}-4\\0\\-2\end{pmatrix}$, $\overrightarrow{AC}\begin{pmatrix}-2\\-1\\-2\end{pmatrix}$. $\overrightarrow{AB}$ et $\overrightarrow{AC}$ ne sont pas colinéaires puisque $\frac{-4}{-2} \neq \frac{0}{-1}$. Les points A, B et C n'étant pas alignés définissent un plan.
b. $\overrightarrow{AB} \cdot \vec{n} = -4+0+4=0$,
$\overrightarrow{AC} \cdot \vec{n} = -2-2+4=0$.
$\vec{n}$ est orthogonal à deux vecteurs non colinéaires du plan (ABC) : c'est donc un vecteur normal à ce plan.
Une équation de (ABC) :
$M \in (ABC) \Leftrightarrow \overrightarrow{AM} \cdot \vec{n} = 0$
$\Leftrightarrow (x-1)+2(y-1)-2(z-3)=0$
$M \in (ABC) \Leftrightarrow x+2y-2z+3=0$.

Travail personnel : faire le point

16 **1** **c.** **2** **b.** **3** **c.** **4** **a.** **5** **a.** **6** **c.**

17 **1** **b.** **2** **b.** **3** **b.** **4** **a.** et **c.** **5** **a.** et **c.**

18 **1** Faux (considérer les arêtes d'un cube passant par un même sommet).
2 Faux (ici la droite d est incluse dans $\mathcal{P}$).
3 Vrai.
4 Vrai. $\overrightarrow{CM} \cdot \overrightarrow{MB} = (\overrightarrow{CA}+\overrightarrow{AM}) \cdot \overrightarrow{MB}$
$= \overrightarrow{CA} \cdot \overrightarrow{MB} + \overrightarrow{AM} \cdot \overrightarrow{MB} = 0+0=0$.

Exercices d'application

19 **1** Vrai. **2** Vrai. **3** Vrai. **4** Faux. **5** Vrai.

20 **1** **b.** et **c.** **2** **b.** **3** **b.** et **c.**
4 **c.** ($OABC$ est un losange formé de deux triangles équilatéraux accolés.)

26 **1** **a.** $\overrightarrow{SA} \cdot \overrightarrow{SB} = \frac{1}{2}a^2$.
b.
$\overrightarrow{SA} \cdot \overrightarrow{SC} = \frac{1}{2}\left[a^2+a^2-(a\sqrt{2})^2\right]=0$.
c. $\overrightarrow{SA} \cdot \overrightarrow{AC} = -\frac{1}{2}AC^2 = -a^2$, puisque SAC est isocèle de sommet S.
d.
$\overrightarrow{SC} \cdot \overrightarrow{AB} = \overrightarrow{SC} \cdot \overrightarrow{DC} = \overrightarrow{CS} \cdot \overrightarrow{CD} = \frac{1}{2}a^2$.
2 **a.** SAC est isocèle rectangle en S.
b. S, A et C sont à égale distance des points B et D puisque la pyramide est régulière. Le plan (SAC) est donc le plan médiateur du segment $[BD]$.
c. $\overrightarrow{SC} \cdot \overrightarrow{DB} = 0$.

31 **1** **a.** Vrai. **b.** Faux.
2 **a.** Vrai. **b.** Faux.

32 **1** Faux. **2** Vrai. **3** Vrai. **4** Faux.

39
1 $\overrightarrow{EC} \cdot \overrightarrow{HG} = \overrightarrow{ED} \cdot \overrightarrow{HG} + \overrightarrow{DG} \cdot \overrightarrow{HG} + \overrightarrow{GC} \cdot \overrightarrow{HG} = ED^2 = 4$.
2 $\overrightarrow{EJ} \cdot \overrightarrow{HG} = ED^2 = 4$.
3 $\overrightarrow{EI} \cdot \overrightarrow{BH} = (\overrightarrow{EA} \cdot \overrightarrow{AI}) \cdot (\overrightarrow{BA}+\overrightarrow{AH})$
$= \overrightarrow{EA} \cdot \overrightarrow{BA} + \overrightarrow{AI} \cdot \overrightarrow{BA} + \overrightarrow{EA} \cdot \overrightarrow{AH}$
$+ \overrightarrow{AI} \cdot \overrightarrow{AH} = 0 - 2AI^2 - EA^2 + 0 = -6$.
4 $\overrightarrow{AB} \cdot \overrightarrow{IJ} = \overrightarrow{AB} \cdot \overrightarrow{IC} + \overrightarrow{AB} \cdot \overrightarrow{CJ}$
$= \overrightarrow{AB} \cdot \overrightarrow{IB} + 0 = 2$.
5 $\overrightarrow{EJ} \cdot \overrightarrow{JI} = (\overrightarrow{ED}+\overrightarrow{DG}+\overrightarrow{GJ}) \cdot (\overrightarrow{JC}+\overrightarrow{CB}+\overrightarrow{BI})$
$= \overrightarrow{ED} \cdot \overrightarrow{BI} + \overrightarrow{DG} \cdot \overrightarrow{CB} + \overrightarrow{GJ} \cdot \overrightarrow{JC}$
$= -2-4+1 = -5$.
6 $\overrightarrow{AC} \cdot \overrightarrow{IJ} = (\overrightarrow{AB}+\overrightarrow{BC}) \cdot (\overrightarrow{IC} \cdot \overrightarrow{CJ})$
$= \overrightarrow{AB} \cdot \overrightarrow{IC} + \overrightarrow{BC} \cdot \overrightarrow{IC}$
$= \overrightarrow{AB} \cdot \overrightarrow{IB} + BC^2 = 2+4=6$.

46 **1** **a.** **2** **b.** **3** **a.** et **c.**

48 **1** **b.**
2 **b.** Sécantes au point $(1\,;-1\,;0)$.
3 **b.** **4** **b.**

57 Deux vecteurs non colinéaires $\overrightarrow{AB}\begin{pmatrix}-1\\2\\2\end{pmatrix}$ et $\overrightarrow{BC}\begin{pmatrix}-1\\1\\-1\end{pmatrix}$, un vecteur normal $\vec{n}\begin{pmatrix}4\\3\\-1\end{pmatrix}$.
Une équation cartésienne :
$$4x+3y-z-2=0.$$

59 Un vecteur normal $\vec{n}\begin{pmatrix}0\\2\\1\end{pmatrix}$, une équation cartésienne :
$$2y+z+1=0.$$

69 **1** $M \in \mathcal{P} \cap \mathcal{P}'$
$\Leftrightarrow \begin{cases}2x-y+5=0\\3x+y-z=0\end{cases}$
$\Leftrightarrow \begin{cases}2x+5=y\\3x+2x+5=z\end{cases} \Leftrightarrow \begin{cases}x=t\\y=2t+5\\z=5t+5\end{cases}$:
on reconnaît la représentation paramétrique de la droite $\mathcal{D}$.
2 **Affirmation 1 :** vrai.
$\mathcal{D}$ est dirigée par le vecteur $\vec{u}\begin{pmatrix}1\\2\\5\end{pmatrix}$ et (R) a pour vecteur normal $\vec{n}\begin{pmatrix}-5\\5\\-1\end{pmatrix}$.
Comme $\vec{u} \cdot \vec{n} = 0$, $\mathcal{D}$, qui est dirigée par un vecteur du plan (R), est parallèle au plan (R).
Affirmation 2 : faux.
D'une part les deux droites ne sont pas parallèles car les vecteurs $\vec{u}\begin{pmatrix}1\\2\\5\end{pmatrix}$ et $\overrightarrow{u'}\begin{pmatrix}-3\\1\\2\end{pmatrix}$ ne sont pas colinéaires.
D'autre part le système :
$\begin{cases}t=-3m\\2t+5=1+m\\5t+5=2+2m\end{cases} \Leftrightarrow \begin{cases}t=-3m\\-7m=-4\\-17m=-3\end{cases}$
$\Leftrightarrow \frac{4}{7} = \frac{3}{17}$,
ce qui est faux : les deux droites ne sont donc pas sécantes non plus. Elles sont non coplanaires.

75 **1** Faux. Contre-exemple : dans un repère de l'espace, les plans de coordonnées (xoz) et (xoy) sont tous deux perpendiculaires au plan (yoz), et ne sont pas parallèles.
2 Faux. **3** Vrai.

76 **1** Vrai. **2** Faux. **3** Vrai. **4** Vrai.

Prépa Bac

84 **1** **c.** et **d.** **2** **a.** et **d.** **3** **c.** **4** **b.** et **c.** **5** **b.**

85 **Partie A**
1 $\overrightarrow{AB}\begin{pmatrix}3\\3\\3\end{pmatrix}$ et $\overrightarrow{AC}\begin{pmatrix}3\\0\\-3\end{pmatrix}$,

donc $\overrightarrow{AB} \cdot \overrightarrow{AC} = 0$ et ABC est rectangle en A.

2 $\mathscr{P}$ a pour vecteur normal $\vec{n}\begin{pmatrix}1\\1\\1\end{pmatrix}$ qui est colinéaire à $\overrightarrow{AB}$. (AB) est donc orthogonal au plan $\mathscr{P}$, et comme $3+(-2)+2-3=0$, A appartient à $\mathscr{P}$.

3 $M \in \mathscr{P}' \Leftrightarrow \overrightarrow{AM} \cdot \overrightarrow{AC} = 0$
$\Leftrightarrow 3(x-3)-3(z-2)=0$
$\Leftrightarrow x-z-1=0$.

4 $M \in \Delta \Leftrightarrow \begin{cases} x+y+z-3=0 \\ x-z-1=0 \end{cases}$

$\Leftrightarrow \begin{cases} x=z+1 \\ y=-x-z+3 \end{cases}$

$\Leftrightarrow \begin{cases} x=z+1 \\ y=-2z+2 \end{cases} \Leftrightarrow \begin{cases} x=t+1 \\ y=-2t+2. \\ z=t \end{cases}$

Partie B

1 $\overrightarrow{AD}\begin{pmatrix}-3\\6\\-3\end{pmatrix}$, donc :

$\overrightarrow{AD} \cdot \overrightarrow{AB} = -9+18-9=0$

et $\overrightarrow{AD} \cdot \overrightarrow{AC} = -9+9=0$.

Le vecteur $\overrightarrow{AD}$ est orthogonal à deux vecteurs non colinéaires du plan (ABC) : la droite (AD) est donc orthogonale au plan (ABC).

2 $V = \frac{1}{3}AD \times S(ABC)$ où $S(ABC)$ est l'aire du triangle ABC.

Comme ABC est rectangle en A :

$S(ABC) = \frac{1}{2}AB \times AC$

$= \frac{1}{2}\sqrt{9+9+9} \times \sqrt{9+9} = \frac{9}{2}\sqrt{6}$

et $AD = \sqrt{9+36+9} = 3\sqrt{6}$;

d'où $V = \frac{1}{3} \times 3\sqrt{6} \times \frac{9}{2} \times \sqrt{6} = 27$.

3 $\overrightarrow{DB} \cdot \overrightarrow{DC} = \begin{pmatrix}6\\-3\\6\end{pmatrix} \cdot \begin{pmatrix}6\\-6\\0\end{pmatrix}$

$= 36+18=54$; d'où :

$\cos\widehat{BDC} = \frac{54}{DB \times DC} = \frac{54}{\sqrt{81} \times \sqrt{72}}$

$= \frac{6}{6\sqrt{2}} = \frac{\sqrt{2}}{2}$ et donc $\widehat{BDC} = \frac{\pi}{4}$.

4 **a.** En appelant H le pied de la hauteur issue de C dans le triangle BDC, avec $\widehat{CDH} = \frac{\pi}{4}$, on a :

$S(BDC) = \frac{1}{2}CH \times DB$

$= \frac{1}{2}DC \times \sin\frac{\pi}{4} \times DB$

$= \frac{1}{2} \times 6\sqrt{2} \times \frac{\sqrt{2}}{2} \times 9 = 27$.

Soit K le projeté orthogonal de A sur le plan (BCD), comme on a aussi : $V = \frac{1}{3}AK \times S(BDC)$, on obtient :

$AK = \frac{3V}{27} = 3$: c'est la distance du point A au plan (BCD).

Chapitre 10

Partir d'un bon pied

A) **1** **a.** $\frac{235}{430}$ représente la proportion de femmes parmi les électeurs qui ont voté pour B.

b. $\frac{235}{500}$ représente, parmi les femmes (électrices), la proportion de celles qui ont voté pour B.

c. $\frac{235}{1000}$ représente la proportion des femmes qui ont voté pour B, parmi tous les électeurs.

2 **a.** Vrai $\left(\frac{195}{500} = 39\ \%\right)$.

b. Faux $\left(\frac{180}{400} = 45\ \%\right)$.

c. Faux $\left(\frac{85}{170} = 50\ \%\right)$.

B) **a.** Faux. **b.** Vrai. **c.** Vrai.

C) **a.** $P(A) = 0{,}6$.

b. $P(B) = (\{2\,;3\,;5\}) = 0{,}5$.

c. A ou B est l'événement : « le résultat obtenu est pair ou un nombre premier. » $P(A \cup B) = 0{,}9$.

d. A et B est l'événement : « le résultat obtenu est un nombre premier pair » ; $P(A \cap B) = P(\{2\}) = 0{,}2$.

D) **1** Faux (c'est $0{,}3^2$).

2 Faux (c'est 0,42).

3 Vrai. **4** Vrai. **5** Vrai.

Savoir faire

1 On appelle :

- A l'événement : « M. Cruciverbis achète l'hebdomadaire A » ;
- B l'événement : « M. Cruciverbis achète l'hebdomadaire B » ;
- G l'événement : « M. Cruciverbis résout entièrement la grille de mots croisés ».

1 Arbre :

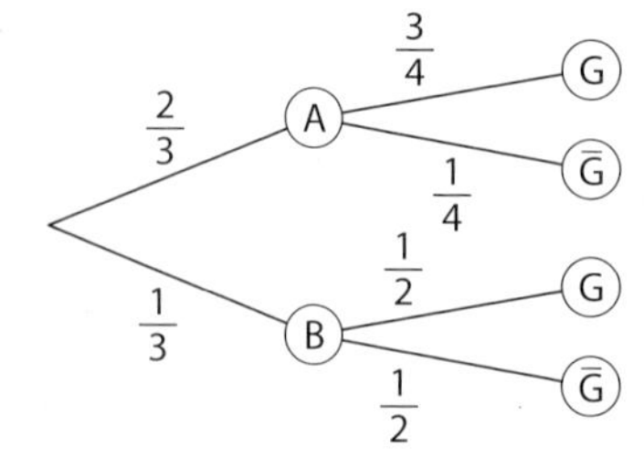

2 On demande :

$P(B \cap G) = P_B(G) \times P(B)$

$= \frac{1}{2} \times \frac{1}{3} = \frac{1}{6}$.

2 La probabilité que le bulbe donne une fleur est :

$0{,}4 \times 0{,}7 + 0{,}6 \times 0{,}8 = 0{,}76$.

Travail personnel : faire le point

9 **1** **b.** **2** **a.** et **b.**
3 **c.** **4** **a.** et **c.**

10 **1** **b.** et **c.** **2** **a.**
3 **b.** et **c.** **4** **a.** et **c.**

11 Situation 1 :

1 Vrai. $P_B(A) = \frac{10}{10} = \frac{1}{2} = P(A)$.

2 Faux.

Situation 2 : **1** Faux.

$P_B(A) = \frac{10}{20} = \frac{1}{2} \neq P(A) = \frac{50}{101}$.

2 Faux.

Exercices d'application

12 **1** Faux (il faut $p(A) \neq 0$).

2 Faux pour la même raison.

3 Vrai.

14 **1** **b.** et **c.** **2** **c.**
3 **a.**, **b.** et **c.** **4** **a.**

27 On traduit la situation par un arbre.

Notations :
R_1 : « la première boule est rouge » ;
B_1 : « la première boule est bleue » ;
R_2 : « la seconde boule est rouge » ;
B_2 : « la seconde boule est bleue » et
M : « les deux boules ont la même couleur ».

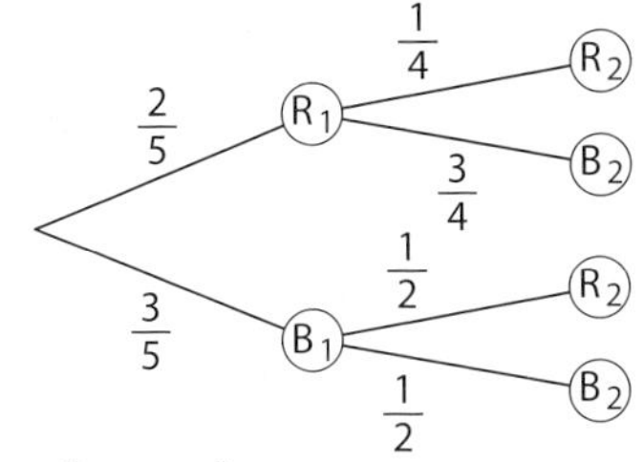

a. $\frac{3}{4}$. **b.** $\frac{1}{2}$.

c. $p_{R_2}(B_1) = \frac{p(B_1 \cap R_2)}{p(R_2)}$

$$= \frac{\frac{3}{5} \times \frac{1}{2}}{\frac{2}{5} \times \frac{1}{4} + \frac{3}{5} \times \frac{1}{2}} = \frac{\frac{3}{10}}{\frac{4}{10}} = \frac{3}{4}.$$

d. $p_M(B_1) = \frac{p(M \cap B_1)}{p(M)}$

$$= \frac{\frac{3}{5} \times \frac{1}{2}}{\frac{2}{5} \times \frac{1}{4} + \frac{3}{5} \times \frac{1}{2}} = \frac{\frac{3}{10}}{\frac{4}{10}} = \frac{3}{4}.$$

31 **1** Faux, car $p(\varnothing) = 0$.
2 Vrai.
3 Faux, car $p(A) = 0$.
4 Vrai, car $p(A) \neq 0$, $p(B) \neq 0$, $p(C) \neq 0$
et $p(A) + p(B) + p(C)$
$= p(A \cup B \cup C) = p(\Omega) = 1$.

32 **1** **b.** et **c.** **2** **a.** et **c.**

35 **1** $\frac{70}{70 + 430} = \frac{7}{50}$.

2 **a.** $\frac{70}{1250} = \frac{7}{125}$.

b. $\frac{70 + 28 + 24}{1250} = \frac{122}{1250} = \frac{61}{625}$.

c. $\frac{28}{122} = \frac{14}{61}$.

43 **1** Faux, car $p(A \cap B)$ n'est pas nul (sauf si $p(A) = 0$ ou $p(B) = 0$).
On peut aussi utiliser le contre exemple proposé en **2**.

2 Faux. Prenons un contre-exemple : on lance un dé tétraédrique équilibré, on note l'évènement « obtenir 1 ou 2 » et B l'évènement « obtenir 2 ou 3 ».
Alors $p(A) = 0{,}5$, $p(B) = 0{,}5$ et $p(A \cap B) = 0{,}25$.
Donc $p(A) = p(B)$ avec A et B indépendants $(0{,}5 \times 0{,}5 = 0{,}25)$.

3 Vrai, car :
$P(A) \times P(B) = 0{,}7 \times 0{,}2 = 0{,}14$
$= P(A \cap B)$.

56 **1** Vrai :
$\left(\frac{1}{2}\right)^{10} = \frac{1}{1024} < \frac{1}{1000}$.

2 Faux : $\left(\frac{1}{2}\right)^5 \neq \frac{1}{2}$.

3 Faux : la probabilité de gagner au moins une fois est égale à $1 - \left(\frac{4}{5}\right)^5$.

4 Vrai : $0{,}4^3 = 0{,}064$.

Prépa Bac

67 **1** **b.** **2** **c.** **3** **c.**
4 **c.** **5** **b.** **6** **a.**

Chapitre 11

Partir d'un bon pied

A **1** **b.** **2** **a.** **3** **b.** **4** **a.**

B Il est difficile de comparer les aires « à l'œil nu ».
Par le calcul, on a :
$\int_{-1}^{0} g(x)\mathrm{d}x = 2 - 2\mathrm{e}^{-1} \approx 1{,}26$
et $\int_{0}^{2} f(x)\mathrm{d}x = \frac{8}{6} \approx 1{,}33$.
L'aire verte est donc supérieure à l'aire jaune.

C **1** $f(3) = -1$
et $P(Y = f(3)) = P(X = 3)$
$= 0{,}117\,187\,5$.

2 **a.** Le diagramme bleu a une aire totale de 1 et le diagramme transformé a une aire de $\frac{2}{3}$.
b. L'aire a été divisée par 1,5. La loi n'est pas représentée car l'aire totale ne vaut pas 1.

3 La hauteur devrait être de $1{,}5 \times P(Y = f(k))$.

4 Il faut que chaque rectangle ait une hauteur de $s \times P(Y = f(k))$.

Savoir faire

3 **a.**
$P([1{,}2\,;2{,}4]) = \frac{2{,}4 - 1{,}2}{5} = 0{,}24$

et $P([3\,;4{,}4]) = \frac{4{,}4 - 3}{5} = 0{,}24$.

b. Deux intervalles de même longueur déterminent deux rectangles de même aire, puisque la hauteur est constante, d'où le résultat.

c. L'espérance est égale à $\frac{1 + 5}{2} = 3$ d'après le cours.

7 **a.** Voir le schéma ci-dessous.

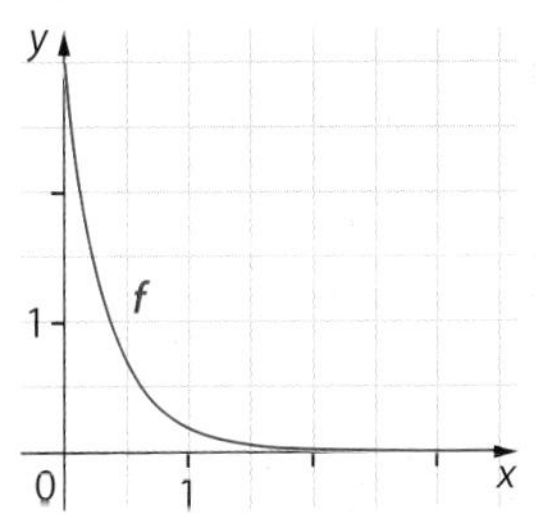

b. Le réel τ est solution de : $1 - \mathrm{e}^{-3\tau} = \mathrm{e}^{-3\tau}$.

D'où $\tau = \frac{\ln 2}{3}$. C'est la demi-vie.

8 **a.** On doit résoudre $\mathrm{e}^{-2\tau} = 0{,}75$.

D'où $t = -\frac{\ln 0{,}75}{2} \approx 0{,}14$.

b. On doit résoudre $1 - \mathrm{e}^{-2t} = 0{,}5$.

D'où $t = -\frac{\ln 0{,}5}{2} \approx 0{,}35$.

c. La loi exponentielle étant sans mémoire, on doit résoudre :
$P(X > t) = 0{,}05$, soit encore
$\mathrm{e}^{-2t} = 0{,}05$.

D'où $t = -\frac{\ln 0{,}05}{2} \approx 1{,}5$.

10 **a.** C'est le théorème de Moivre-Laplace. Il y a une erreur dans la définition de Y : il faut $X - 50$ au numérateur.

b. $P(48 \leqslant X \leqslant 55)$

$$= P\left(\frac{48 - 50}{\sqrt{50 \times 0{,}6 \times 0{,}4}} \leqslant Y \leqslant \frac{55 - 50}{\sqrt{50 \times 0{,}6 \times 0{,}4}}\right) \approx 0{,}64.$$

13 **a.** 0,87. **b.** 0,68. **c.** 0,99.

Corrigés

Travail personnel : faire le point

20 **1** c. **2** c. **3** c. **4** c.

21 **1** c. **2** b. **3** a. **4** b.

22 **1** b. **2** b. et c. **3** a. et c.

23 **1** Vrai. **2** Vrai. **3** Faux.

24 **1** c. **2** a. **3** a. et b.

25 **1** a. **2** a. **3** a. et c. **4** b.

26 **1** Faux. **2** Vrai. **3** Vrai.

27 **1** Vrai.
2 Sans doute vrai, mais on ne voit pas ce qui est entré dans la cellule.

Exercices d'application

29 **1** Faux. **2** Vrai. **3** Vrai. **4** Vrai.

30 a., b. et c.

38 **1** Faux. **2** Faux. **3** Vrai. **4** Faux. **5** Vrai.

39 **1** b. **2** a. **3** b. et c. **4** c. **5** c.

44 **1** Faux. **2** Faux. **3** Vrai.

53 **1** Faux. **2** Vrai. **3** Faux. **4** Faux.

55 **1** Faux. **2** Faux. **3** Vrai. **4** Vrai.

61 **1** Vrai. **2** Faux. **3** Faux.

Prépa Bac

82 **a.** On a $\int_{-\frac{\pi}{2}}^{\frac{\pi}{2}} k\cos t \, dt = 2k$.

Il faut donc $k = \dfrac{1}{2}$.

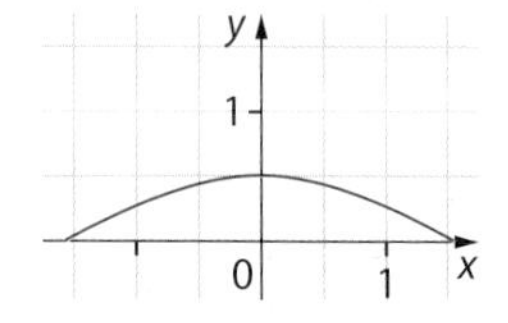

b. $P\left(X > -\dfrac{\pi}{6}\right)$
$= \dfrac{1}{2}\left(\sin\left(\dfrac{\pi}{2}\right) - \sin\left(-\dfrac{\pi}{6}\right)\right) = \dfrac{3}{4}$;

$P\left(-\dfrac{\pi}{4} < X < \dfrac{\pi}{4}\right)$
$= \dfrac{1}{2}\left(\sin\left(\dfrac{\pi}{4}\right) - \sin\left(-\dfrac{\pi}{4}\right)\right) = 2\sqrt{2}$.

c. On veut $\sin(a) - \sin(-a) = 1$.
D'où $\sin(a) = \dfrac{1}{2}$.
Donc $a = \dfrac{\pi}{3}$.

d. Une primitive de $2t$ est :
$$F(t) = 2t\sin t + 2\cos t.$$
D'où :
$E(X) = F\left(\dfrac{\pi}{2}\right) - F\left(-\dfrac{\pi}{2}\right)$
$= \pi - \pi = 0$,
ce qui est normal puisque la fonction à intégrer est impaire.

Chapitre 12

Partir d'un bon pied

A **1** c. **2** a. **3** a. **4** c.

B **1**
```
normalcdf(0.5,1.
5,1,2)
         .1974125487
normalcdf(1,ᴇ^(9
9),1,2)
         .4999999995
```

Le deuxième résultat doit être arrondi à 5, qui est la valeur exacte.

2
```
Inverse Normal
 xInv=3.28155157
```

C **1** $E(X) = 8$
et $V(X) = 20 \times 0{,}4 \times 0{,}6 = 4{,}8$.

2 **a.**
```
binompdf(20,0.4,
20)
   1.099511628ᴇ-8
```

b.
```
Binomial C.D
     p=0.01596116
```

3 $P(X \geqslant 1) = 1 - P(X = 0)$
$= 1 - 0{,}6^{20}$.

D **1** **a.** $k_1 = 5$. **b.** $k_2 = 12$.
2 On observe une fréquence de 0,21. L'intervalle de fluctuation de la loi binomiale est d'après le **1** de $\left[\dfrac{5}{20} ; \dfrac{12}{20}\right]$, soit $[0{,}25 ; 0{,}6]$.
La fréquence étant en dehors de cet intervalle, on peut penser que le dé est truqué.

Travail personnel : faire le point

11 **A.** **1** Faux. **2** Faux. **3** Faux. **4** Vrai. **5** Vrai.
B. **1** Faux. **2** Faux. **3** Vrai.

12 **1** **a.** Oui. **b.** Oui. **2** **a.** Non. **3** **a.** Oui. **b.** Oui. **4** **a.** Oui. **b.** Non

Exercices d'application

13 **1** b. **2** c. **3** a.

14 **1** b. **2** b. **3** a.

15 **1** Vrai. **2** Faux. **3** Faux. **4** Vrai. **5** Vrai, $\overline{S}$.

25 **1** b. **2** a. **3** b. et c. **4** c. **5** c.

Prépa Bac

35 **1** On a posé $T = \overline{S}$ et $P = \overline{G}$.

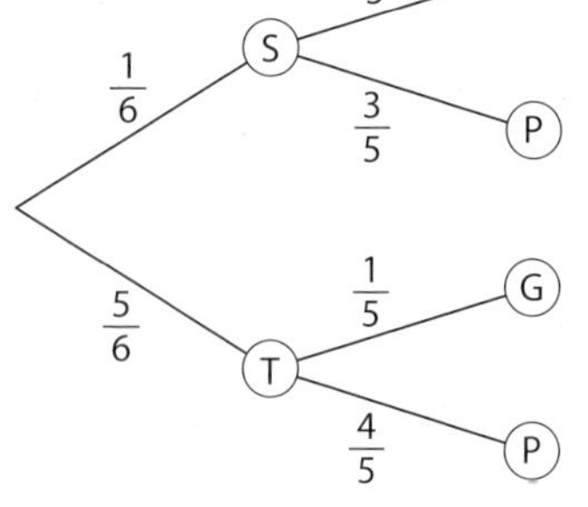

2 On applique la formule des probabilités totales :
$$P(G) = \frac{1}{6} \times \frac{2}{5} + \frac{5}{6} \times \frac{1}{5} = \frac{7}{30}.$$

3 Il s'agit d'une probabilité conditionnelle :
$$P_G(S) = \frac{P(G \cap S)}{P(G)} = \frac{2}{7}.$$

4 a. On vérifie que les conditions d'application de l'intervalle de fluctuation sont réunies, puis on détermine cet intervalle :
$I = [0{,}212 ; 0{,}255]$.
La fréquence observée étant de $f = \frac{330}{1500} = 0{,}22$, on se trouve à l'intérieur de l'intervalle de confiance.
b. Il aurait fallu que la borne inférieure dépasse 0,22, soit :

$$p - 1{,}96\frac{\sqrt{p(1-p)}}{\sqrt{n}} > 0{,}22 \Leftrightarrow \sqrt{n} > \frac{1{,}96\sqrt{p(1-p)}}{p-0{,}22}$$

$$\Leftrightarrow n > \left(\frac{1{,}96\sqrt{p(1-p)}}{p-0{,}22}\right)^2 \approx 3\,865{,}6.$$

Il faut donc au moins 3867 parties.

Outils pour l'algorithmique

Prépa Bac

18 **1** Aire du trapèze de la figure 1:

$$h \times \frac{b+B}{2} = (b-a) \times \frac{f(a)+f(b)}{2}.$$

2 L'aire sous la courbe de la figure 2 peut être approchée par la somme des aires des trois trapèzes représentés. Chacun de ces trapèzes ayant une hauteur égale à $\frac{b-a}{3}$.

L'aire recherchée vaut donc :

$$A \approx \frac{b-a}{3}\left(\frac{f(a)+f\left(a+\frac{b-a}{3}\right)}{2} + \frac{f\left(a+\frac{b-a}{3}\right)+f\left(a+2\frac{b-a}{3}\right)}{2} + \frac{f\left(a+2\frac{b-a}{3}\right)+f(b)}{2}\right).$$

3 De même pour la figure 3. Les n trapèzes ont la même hauteur qui vaut $\frac{b-a}{n}$ et les abscisses des points du découpage de l'intervalle $[a ; b]$ sont de la forme $\left(a + k\frac{b-a}{n}\right)$ avec $0 \leqslant k < n$. La somme des aires des trapèzes vaut alors :

$$S_n = \frac{b-a}{n} \times \sum_{k=0}^{n-1} \frac{f\left(a+k\times\frac{b-a}{n}\right)+f\left(a+(k+1)\times\frac{b-a}{n}\right)}{2}$$

ALGO

```
Lire(a, b, n)
0 → S
Pour k allant de 0 à n-1 Faire
    S + f(a + k*(b-a)/n) + f(a + (k + 1)*(b − a)/n) → S
FinPour
Afficher((b-a)/(2*n)*S)
FinSi
```

4 **1** L'algorithme proposé, compare les images de chaque entier de l'intervalle $[1 ; 4]$ avec celle de son opposé. Si une telle paire a des images distinctes, la variable p est mise à 0, sinon elle aura une valeur finale de 1.
a. Puisque $f(-1) = 0 \neq 4 = f(1)$, l'algorithme affichera « f n'est pas paire », ce qui est vrai.
b. L'algorithme affichera « f est paire », ce qui est vrai.
c. Les points d'abscisses entières opposées de la courbe représentant f étant symétriques par rapport à l'axe des ordonnées, l'algorithme affichera « f est paire », ce qui est faux.

2 Pour qu'une fonction soit paire il faut que pour tout réel de son ensemble de définition symétrique par rapport à 0 on ait :

$$f(x) = f(-x).$$

Or l'algorithme proposé ne teste cette propriété que sur les entiers de l'ensemble de définition.

3 L'algorithme proposé ne permet donc pas d'être certain qu'une fonction est paire. En revanche, lorsqu'il indique qu'elle ne l'est pas, c'est toujours vrai.

11 **1** Par récurrence sur n :
Initialisation : Pour $n = 0$, on a :

$$u_0 = 2\times3^0 + 4 = 2 + 6 = 6 = v_0.$$

Hérédité : Soit $k \geqslant 0$, supposons que $u_k = v_k$, alors on a :

$$\begin{aligned} v_{k+1} &= 3v_k - 8 = 3u_k - 8 \\ &= 3(2\times3^k + 4) - 8 \\ &= 2\times3^{k+1} + 12 - 8 \\ &= 2\times3^{k+1} + 4 = u_{k+1}. \end{aligned}$$

Conclusion : La propriété étant vraie au rang 0 et héréditaire, elle est vraie pour tout entier n.

2 ALGO

```
Lire(n)
2*3^n + 4 → u
  1. Afficher(u)
```

3 ALGO

```
Lire(n)
6 → v
Pour k allant de 1 jusqu'à n
        3*v − 8 → v
FinPour
Afficher(v)
```

4 Pour le premier algorithme : $2 \times 3^5 + 4$ nécessite cinq multiplications et une addition.
Pour le second algorithme : chaque boucle nécessite une multiplication et une soustraction. Il y a cinq boucles, donc un total de cinq multiplications et cinq soustractions.

14 **1**

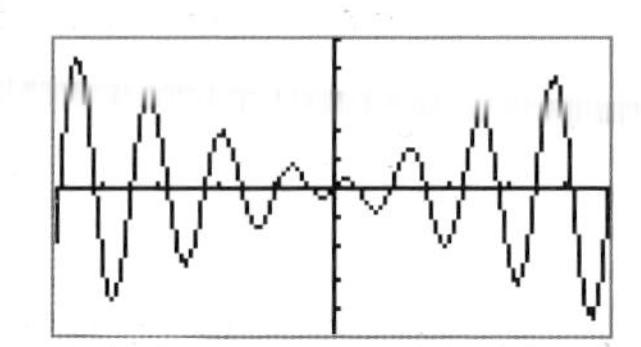

ALGO

```
Lire(a,b)
Si (a*cos(a) + sin(a))*(b*cos(b)+ sin(b)) < 0
Alors
   Afficher(« L'équation admet au moins une solution dans l'intervalle »)
   Afficher(« À quelle précision souhaitez-vous en obtenir une ? »)
   Lire(p)
   a → x
   TantQue (a*cos(a) + sin(a))*(x*cos(x) + sin(x)) >= 0
        Faire x + p → x
   FinTantQue
   Afficher(« une solution à », p, « près est : », p )
Sinon
   Afficher(« Il n'est pas certain que l'équation admette une solution dans
   cet intervalle »)
FinSi
```

22 **1** Le contenu de la variable G à la fin de la boucle **Pour** en k simule le gain ou la perte de la deuxième partie.

2 Le contenu de la variable e à la fin de la boucle **Pour** en i simule le nombre de joueurs ayant gagné leur deuxième partie.

3 Pour de grandes valeurs de J, la fréquence fournie par l'algorithme approche la probabilité pour un joueur de gagner la deuxième partie, c'est-à-dire $p_2 = p(G_2)$.

4 Il suffit de demander l'entier n à l'utilisateur et de faire aller la boucle Pour en k jusqu'à n :

ALGO

```
Lire(J, n)
0 → e
Pour i allant de 1 jusqu'à J Faire
    0,1 → p
    Pour k allant de 1 jusqu'à n
    Faire
        Si Aléa() <= p
        Alors
            0,8 → p
            1 → G
        Sinon
            0,6 → p
            0 → G
        FinSi
    FinPour
    e + G → e
FinPour
Afficher(e/J)
```

Tableur

Généralités

On zoome sur une caractéristique commune à tous les tableurs : les références relatives et absolues.
Chaque cellule d'un tableur est repérée par son adresse du type A3 (ColonneLigne).
Lorsque l'on rentre une formule dans une cellule (en commençant par le signe = dans la plupart des cas), on peut y utiliser le contenu d'autre cellules en y écrivant leur référence. Mais attention, il existe plusieurs sortes de références : les références relatives, absolues et mixtes.

La formule entrée dans la cellule d'adresse C2 désigne :

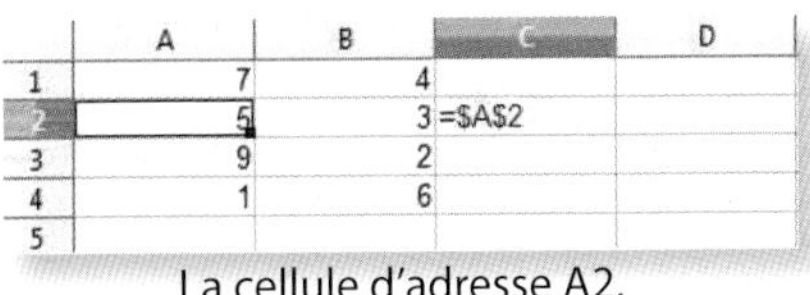

	A	B	C	D
1	7	4		
2	5	3	=$A$2	
3	9	2		
4	1	6		
5				

La cellule d'adresse A2.
Il s'agit d'une
référence absolue.

	A	B	C	D
1	7	4		
2	5	3	=$A2	
3	9	2		
4	1	6		
5				

La cellule se trouvant dans la colonne A à la même ligne que la cellule actuelle. Il s'agit d'une **référence mixte, fixant la colonne**.

	A	B	C	D
1	7	4		
2	5	3	=A$2	
3	9	2		
4	1	6		
5				

La cellule se trouvant dans la ligne 2 et deux colonnes à gauche de la cellule actuelle. Il s'agit d'une
référence mixte fixant la ligne.

	A	B	C	D
1	7	4		
2	5	3	=A2	
3	9	2		
4	1	6		
5				

La cellule se trouvant deux colonnes à gauche et dans la même ligne que la cellule actuelle.
Il s'agit d'une
référence relative.

Après un copier/coller de la formule précédente dans la cellule du dessous d'adresse C3 on obtient :

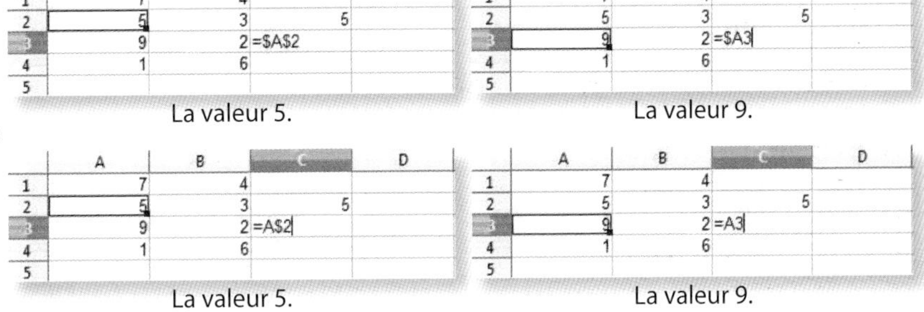

	A	B	C	D
1	7	4		
2	5	3	5	
3	9	2	=$A$2	
4	1	6		
5				

La valeur 5.

	A	B	C	D
1	7	4		
2	5	3	5	
3	9	2	=$A3	
4	1	6		
5				

La valeur 9.

	A	B	C	D
1	7	4		
2	5	3	5	
3	9	2	=A$2	
4	1	6		
5				

La valeur 5.

	A	B	C	D
1	7	4		
2	5	3	5	
3	9	2	=A3	
4	1	6		
5				

La valeur 9.

Après un copier/coller de la formule précédente dans la cellule de droite d'adresse D2 on obtient :

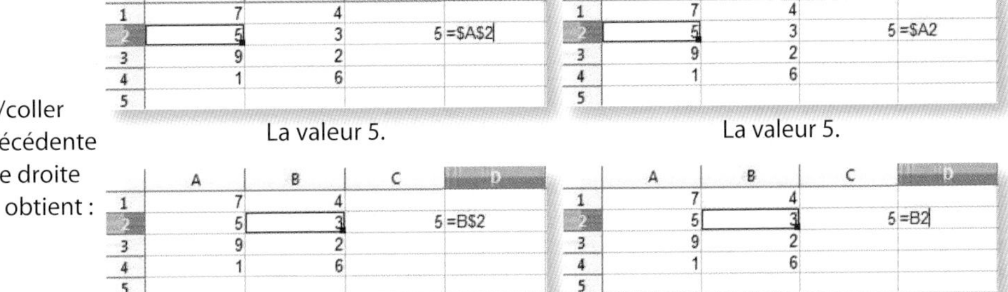

	A	B	C	D
1	7	4		
2	5	3	5	=$A$2
3	9	2		
4	1	6		
5				

La valeur 5.

	A	B	C	D
1	7	4		
2	5	3	5	=$A2
3	9	2		
4	1	6		
5				

La valeur 5.

	A	B	C	D
1	7	4		
2	5	3	5	=B$2
3	9	2		
4	1	6		
5				

La valeur 3.

	A	B	C	D
1	7	4		
2	5	3	5	=B2
3	9	2		
4	1	6		
5				

La valeur 3.

À retenir : Un « numéro» de colonne ou de ligne précédé par un $ est « fixé » lors d'une copie. On parle de référence absolue (à la ligne et/ou à la colonne « fixée »).

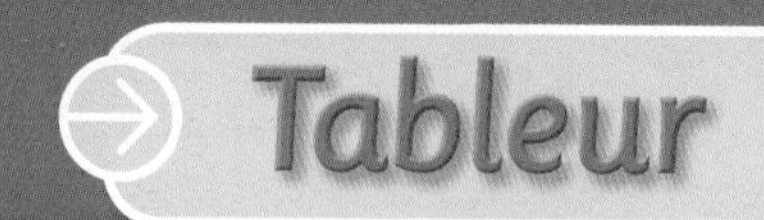

Tableur

Le tableur intégré à Geogebra

	A	B	C	D	E
1	Valeurs	5	7	9	Effectif total
2	Effectifs	3	5	10	18
3	Effectifs cumulés croissants	3	8	18	
4	Fréquence en %	=B2 / $E$2			

Le tableur de Geogebra se comporte comme tout tableur, ses cellules peuvent :
- contenir du texte ;
- contenir une formule ;
- utiliser des référence relatives et/ou absolues à d'autres cellules.

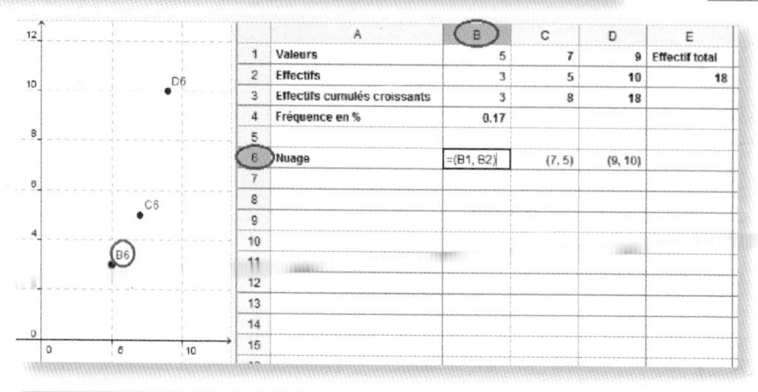

Les formules peuvent également contenir des commandes géométriques.
Les objets affichables créés à partir de ces commandes sont immédiatement visibles dans la fenêtre graphique et sont nommés par la référence de la cellule qui les a créés.

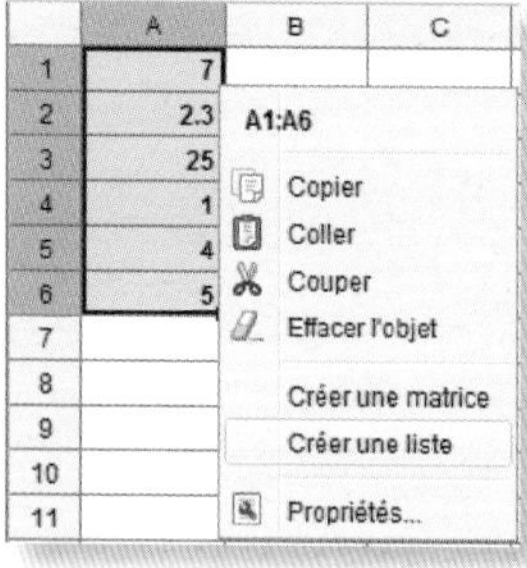

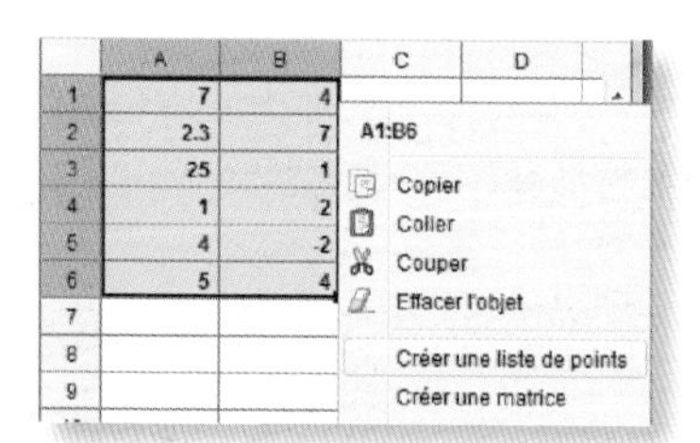

Les résultats obtenus dans les cellules du tableur peuvent être insérés dans une liste dont les éléments sont par la suite accessibles par leur indice via la zone de saisie.

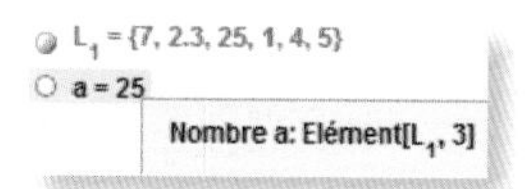

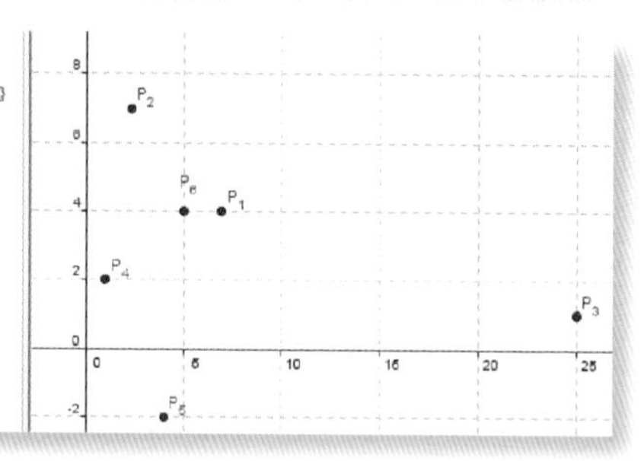

Dans le cas de couples de nombres, on peut directement créer une liste de points immédiatement affichée dans la fenêtre graphique.

Fonctions utiles	Description	Syntaxe	Exemple
SI	Instruction conditionnelle du type Si … Alors … Sinon …	= Si[condition , valeur si vrai , valeur si faux]	= Si[$A$2 < 10 , «Insuffisant » , « Satisfaisant »]
NbSi	Permet de compter le nombre de cellules ou d'éléments d'une liste dont la valeur remplit une condition.	= NbSi[x vérifie la condition condition , plage de cellules]	= NbSi[x <1500 , D2:D7]
^ (ET)	Renvoie VRAI lorsque les deux conditions fournies sont remplies	= condition1 ^ condition2	= ($A$2>=14) ^ ($A$2<16)
floor	Renvoie la partie entière d'un réel	= floor(nombre réel)	= floor(12,78)
random	Retourne un nombre réel de [0;1[au hasard (selon la loi uniforme)	= random()	= random()
AléaEntreBornes	Retourne un nombre entier au hasard entre les deux bornes fournies incluses. (Équiprobabilité)	= AléaEntreBornes[min,max]	= AléaEntreBornes[1,6]

Le tableur OpenOffice Calc

Graphiques

Pour un graphique de type $y = f(x)$

On sélectionne la série
de données à représenter :

D	E
Titre 1	Titre 2
2000	1600
1800	1600
1620	1584
1461	1554
1321	1512
1201	1461

Étapes

1. Type du diagramme
2. Plage de données
3. Séries de données
4. Éléments du diagramme

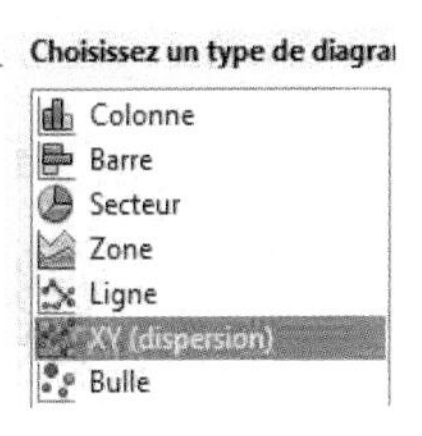

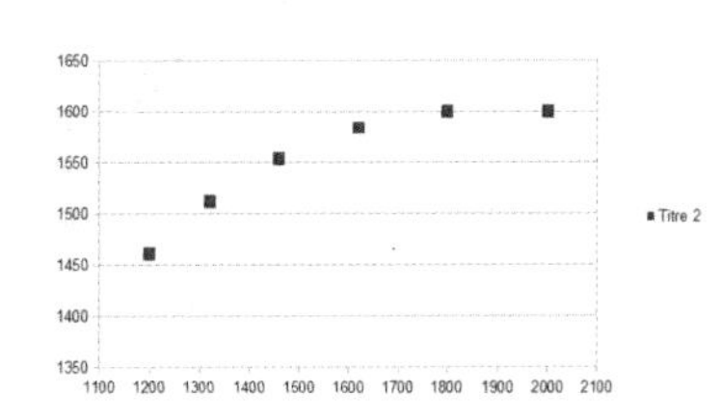

puis on clique sur

Pour un graphique par série de données :

On sélectionne la série
de données à représenter :

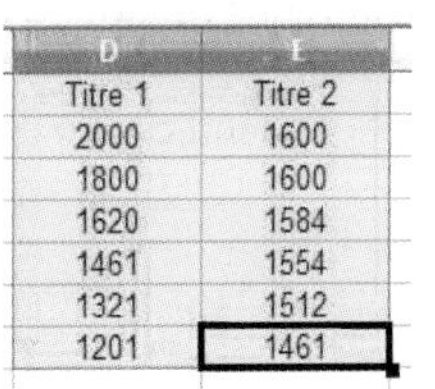

D	E
Titre 1	Titre 2
2000	1600
1800	1600
1620	1584
1461	1554
1321	1512
1201	1461

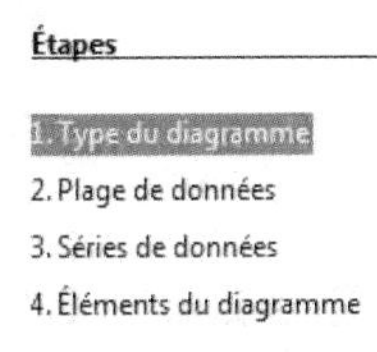

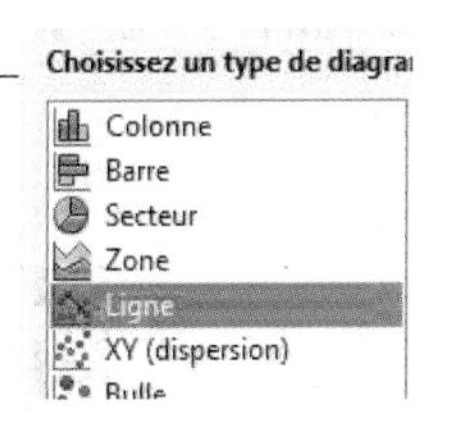

puis on clique sur

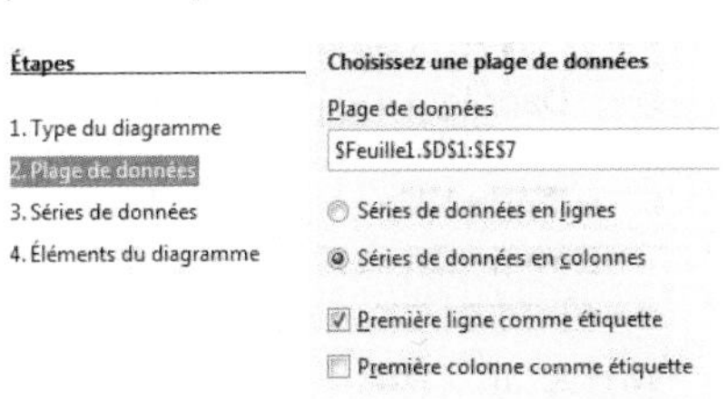

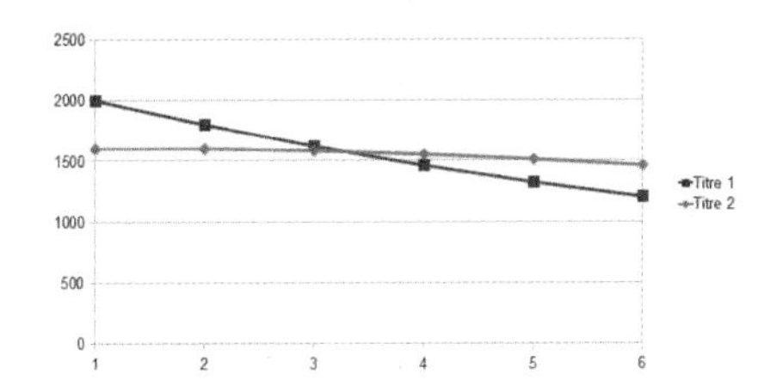

Fonctions utiles	Description	Syntaxe	Exemple
SI	Instruction conditionnelle du type Si … Alors … Sinon …	=SI(condition ; valeur si vrai ; valeur si faux)	=SI($A$2 < 10 ; « Insuffisant » ; « Satisfaisant »)
NB.SI	Permet de compter le nombre de cellules dont la valeur remplit une condition.	=NB.SI(plage de cellules ; « condition »)	=NB.SI(D2:D7 ; « <1500 »)
ET	Renvoie VRAI lorsque toutes les conditions fournies sont remplies.	=ET(condition1 ; condition2 ; …)	=ET($A$2>=14 ; $A$2<16)
ENT	Renvoie la partie entière d'un réel.	=ENT(nombre réel)	=ENT(12,78)
ALEA	Retourne un nombre réel de [0;1[au hasard (selon la loi uniforme)	=ALEA()	=ALEA()

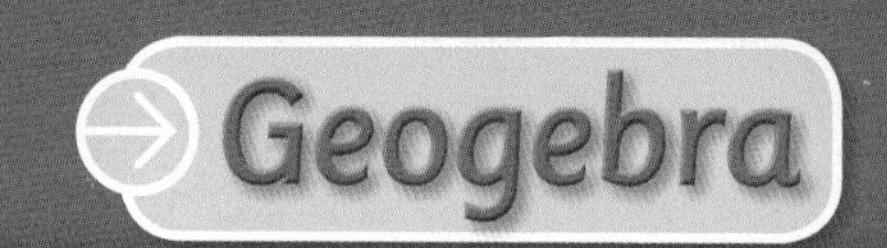

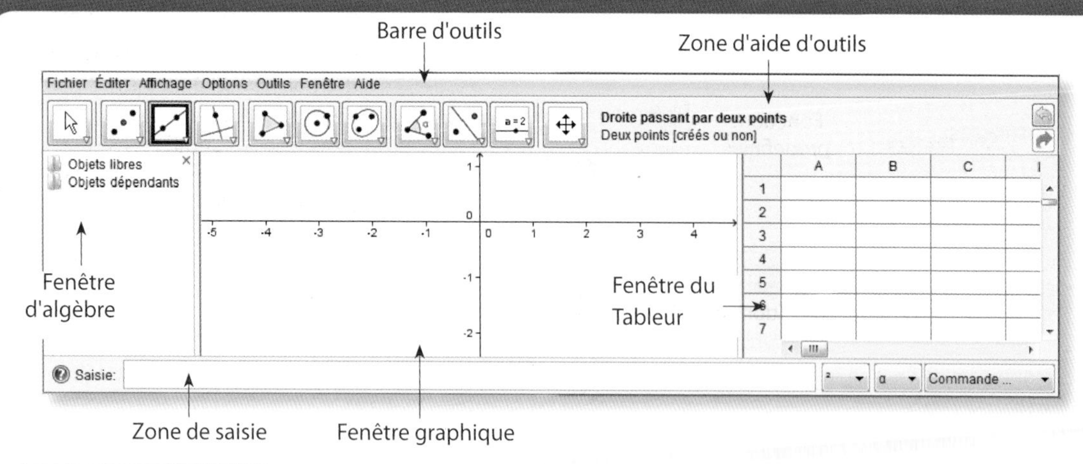

La barre d'outils

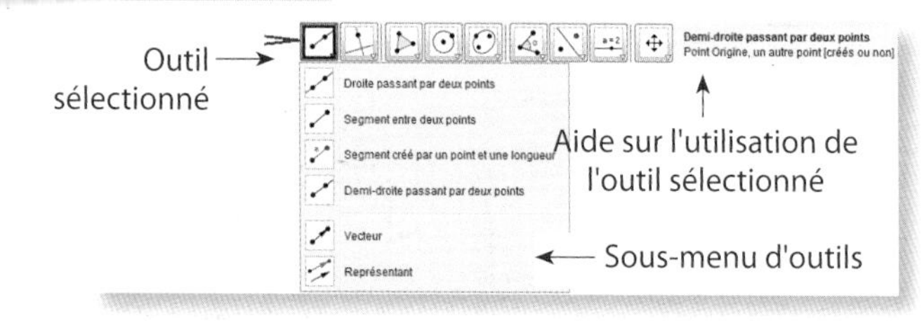

Chaque icône de la barre d'outils permet d'accéder, par l'intermédiaire du petit triangle en bas à droite, à un sous-menu contenant des outils de même type. Lorsqu'un outil est sélectionné, une aide sur son utilisation est affichée à droite de la barre d'outils.

La fenêtre algèbre

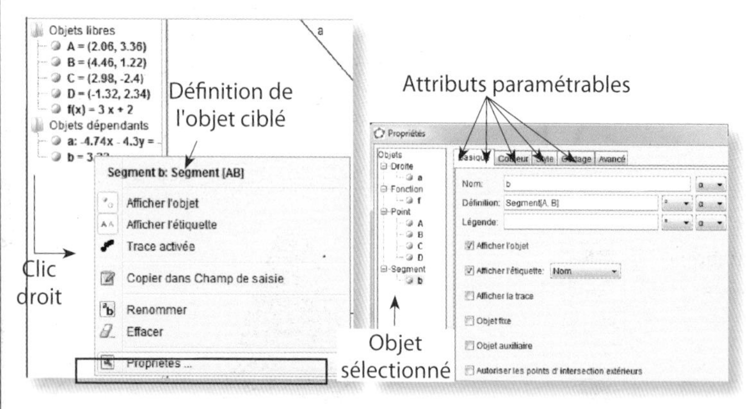

La fenêtre algèbre recense tous les objets créés.
Ils sont, par défaut, classés selon leur degré de liberté.
Elle permet d'accéder à leur définition et, par le biais de la fenêtre des propriétés, à l'ensemble de leurs attributs paramétrables.

La fenêtre graphique

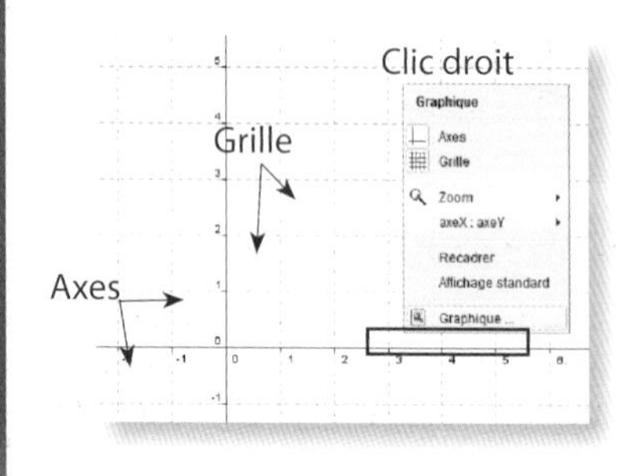

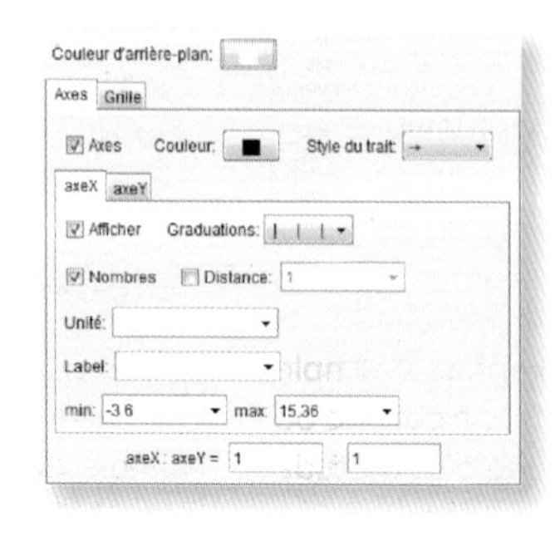

La fenêtre graphique montre les objets géométriques et mathématiques affichables. On peut y faire apparaître un repère orthogonal et une grille dont les paramètres sont accessibles via le menu graphique obtenu par clic-droit dans cette fenêtre.

La zone de saisie

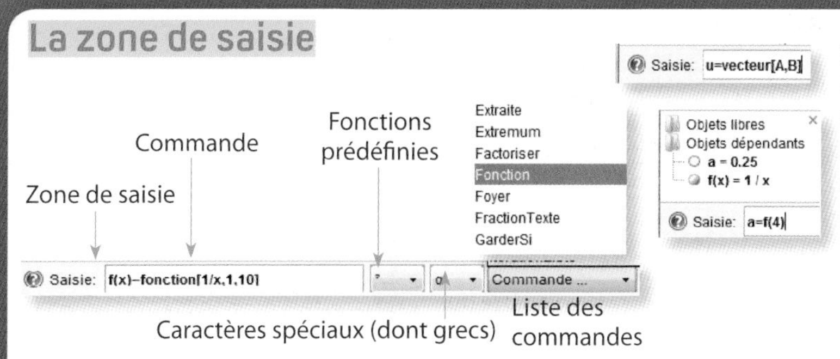

La zone de saisie permet de créer des objets mathématiques à partir de commandes.
La liste de ses dernières est accessible par le menu déroulant du même nom.

Les outils de probabilités

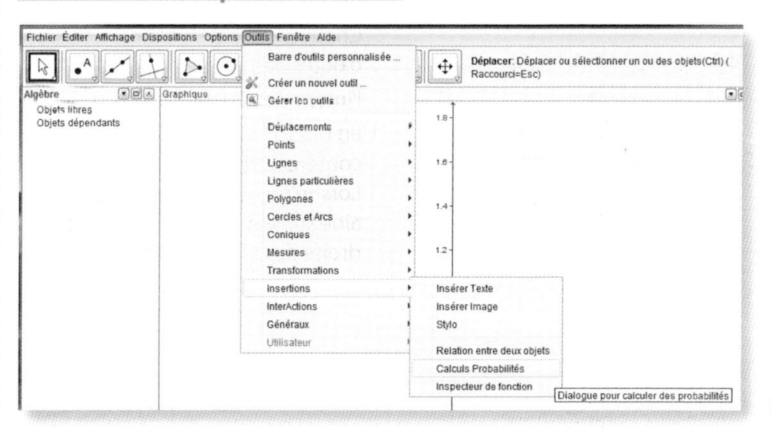

Le menu insertion propose depuis la version 4 du logiciel, un outil « Calculs de probabilités ».

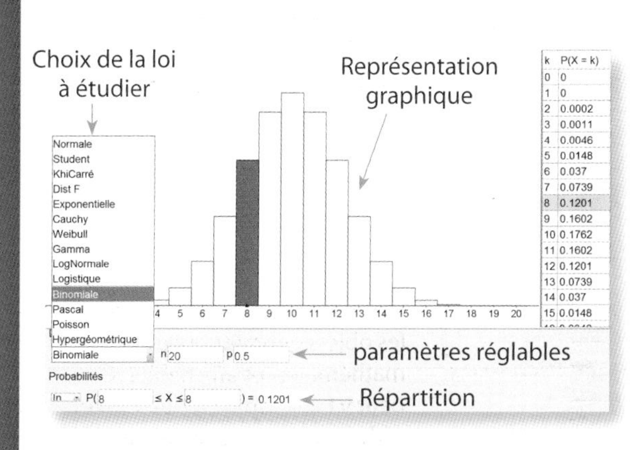

k	P(X = k)
0	0
1	0
2	0.0002
3	0.0011
4	0.0046
5	0.0148
6	0.037
7	0.0739
8	0.1201
9	0.1602
10	0.1762
11	0.1602
12	0.1201
13	0.0739
14	0.037
15	0.0148

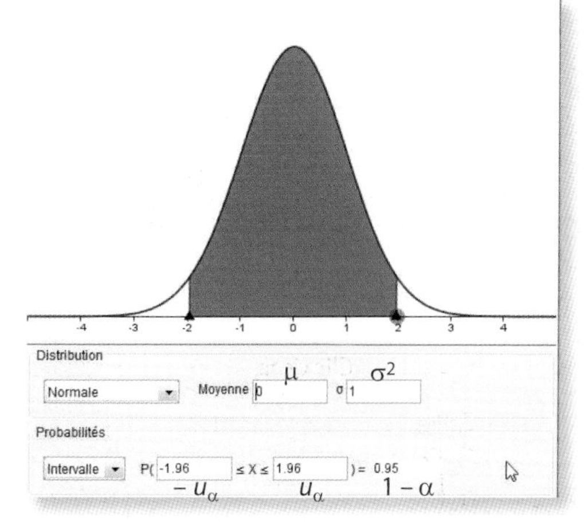

Celui-ci présente une représentation graphique simple des lois classiques qu'elles soient continues à densité ou discrètes ainsi qu'un paramétrage en vue d'une étude expérimentale de la répartition des probabilités.

Dans le cas de la loi normale centrée réduite, on peut en particulier rechercher, par tests successifs, les valeurs de u_α pour $\alpha \subset [0;1]$. (Voir le chapitre 11, page 372.)

Xcas

Calculs

Les résultats sont donnés de façon exacte (fractionnaire simplifiée).
Pour afficher une valeur approchée du résultat, utiliser l'instruction **evalf** (en indiquant si besoin le nombre de décimales souhaité).

```
1 (2+3*5)/(4*7-1)
  17/27
2 evalf(pi,20)
  3.14159265358979323846
3 1+hasard(6)
  6
```

Commandes particulières :

- Racine carrée : **sqrt(...)** ;
- Partie entière : **floor(...)** ;
- Réel aléatoire entre a et b : **rand(a,b)** ou **hasard(a,b)**
- Entier aléatoire entre 1 et N : **1+rand(N)** ou **1+hasard(N)**

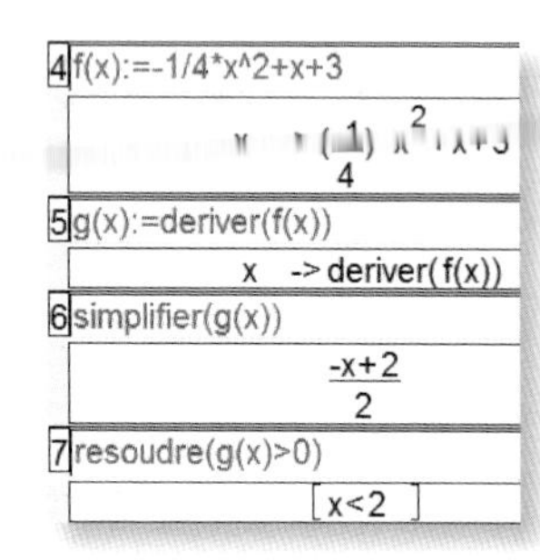

Fonctions et expressions algébriques

a. Expression et calcul formel : Soit $f(x) = -\frac{1}{4}x^2 + x + 3$.

Pour transformer les expressions algébriques, utiliser les instructions du menu *Scolaire, Seconde et Première* :

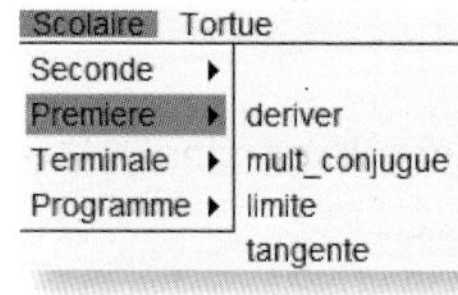

b. Courbe représentative :

- Pour effacer la fenêtre graphique : **erase**.
- Tracer la courbe avec l'instruction **plotfunc.**
- Dans la fenêtre graphique, effectuer des zooms avec **in** et **out**.

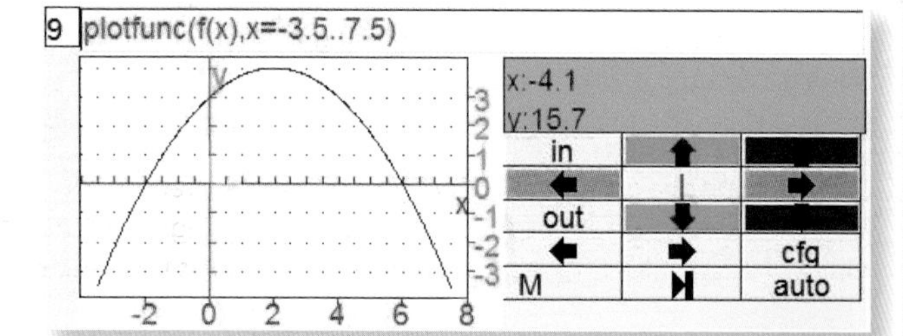

Géométrie

Ouvrir le module de géométrie (Menu *Geo*, *Nouvelle figure* ou raccourci *alt+g*).

- Créer les objets (points, droites, segments, ...) en pointant sur la figure après avoir sélectionné le bon *Mode* :

Mode
Repere
Pointeur
point
Lignes
Polygones
Cercles
Courbes
Surfaces (3d)
Intersection
Exact
Approx

- **Ou** créer les objets au clavier dans la ligne de saisie. Exemple : `1 A:=point(2,1)`

Utiliser aussi les instructions du menu *Geo* (**segment**, **hauteur**, **est_rectangle**, ...)

Plus d'informations sur le site officiel :

http://www-fourier.ujf-grenoble.fr/~parisse/giac_fr.html

Pour une utilisation en ligne du logiciel :

http://vds1100.sivit.org/giac/giac_online/demoGiacPhp.php

Fiches Logiciels

Calculs

◗ Dans la Console, après l'invite « --> », saisir le calcul ou l'instruction, puis valider avec la touche « Entrée ».
Ou : ouvrir l'Éditeur (Menu *Applications*, *Editeur*), y écrire les lignes de commande, enregistrer le fichier, puis l'exécuter dans Scilab (Menu *Exécuter*, *execute le fichier dans Scilab* ou raccourci *Ctrl+E*).
Si on ne souhaite pas afficher le résultat du calcul, mettre un point-virgule à la fin de la ligne de commande.

◗ Par défaut, les résultats sont affichés avec au plus 16 caractères.
Pour afficher par exemple 20 caractères, utiliser l'instruction **format(20)**.

```
-->(2+3*5)/(4*7-1)
 ans  =
     0.6296296296296
-->format(20)
-->%pi
 %pi  =
     3.14159265358979312
```

Particularités : dans l'Éditeur, les commandes reconnues par le logiciel et les opérations sont mises en couleur. Les retraits gauches se font de façon automatique.

Commandes particulières : Racine carrée : **sqrt(...)** ; Partie entière : **floor(...)** ;
π : **%pi**

Fonctions

```
function y=f(x)
  y=-1/4*x^2+x+3
endfunction
```

```
-->f(1)
 ans  =
     3.75
```

Expression : Soit $f(x) = \frac{-1}{4}x^2 + x + 3$. Écrire les lignes de commandes dans l'Éditeur et les exécuter dans la Console.

Calcul d'image : Écrire l'instruction dans la Console ou dans l'Editeur.

Courbe représentative :

◗ Pour effacer la fenêtre graphique : **clf**.

◗ Définir l'intervalle sur lequel on représente la fonction, avec le nombre de points calculés, puis tracer la courbe avec l'instruction **plot.**
Ainsi sur l'intervalle $[-3,5\,;7,5]$ avec 100 points calculés :

```
x=linspace(-3.5,7.5,100);
plot(x,f)
```

◗ Dans la fenêtre graphique, effectuer des zooms avec .
On peut y modifier les propriétés des axes et de la figure (Menu *Edit*).
On peut aussi utiliser dans la Console des instructions telles **quadrillage** ou **orthonorme**.

Statistiques et simulations

◗ **tirage_entier(N,a,b)** et **tirage_reel(N,a,b)** retournent un vecteur de taille *N* (entier), contenant les résultats de *N* tirages aléatoires respectivement d'entiers, de réels entre *a* et *b* inclus (où *a* et *b* sont respectivement des entiers, des réels avec $a \leqslant b$) ;

◗ **moyenne(v)**, **mediane(v)** et **quartiles(v)** retournent respectivement la moyenne, la médiane et les quartiles Q_1 et Q_3 de la liste de valeurs contenue dans le vecteur *v* ;

◗ **moyenne_ponderee(v,e)**, **mediane_ponderee(v,e)** et **quartiles_ponderes(v,e)** retournent respectivement la moyenne, la médiane et les quartiles Q_1 et Q_3 de la liste de valeurs contenue dans le vecteur *v*, associée à la liste d'effectifs contenue dans le vecteur *e*.

Plus d'informations sur le site officiel **http://www.scilab.org**

Fiches Logiciels

1 Vocabulaire et notations d'ensembles

Conventions

❶ Un ensemble E est une collection d'éléments telle que que la relation d'appartenance $x \in E$ est soit vraie soit fausse pour tout objet mathématique x bien défini.

❷ Il existe un unique ensemble vide noté $\varnothing$ ou $\{\ \}$.

❸ Il existe des ensembles infinis.

❹ Un ensemble peut être défini.
- en extension, par écriture entre accolades des tous ses éléments. *Exemple :* $E = \{0\,;1\,;2\,;3\,;4\}$.
- en compréhension, par écriture entre accolades d'une caractérisation de ses éléments. *Exemple :* $E = \{n \in \mathbb{N} \,/\, n \leqslant 4\}$.

Notations ensemblistes

Noms / Notations	Lecture / Définition	Exemple
Appartenance : $x \in E$	x appartient à E	$3 \in \mathbb{N}$
$x \notin E$	x n'appartient pas à E	$1{,}6 \notin \mathbb{N}$
Inclusion : $E \subset F$	E est inclus dans F ; tous les éléments de E sont des éléments de F	$\mathbb{N} \subset \mathbb{R}$
Intersection : $E \cap F$	E inter F ; $E \cap F$ est l'ensemble des éléments communs à E et à F	$[1;5] \cap [2;7] = [2;5]$
Réunion : $E \cup F$	E union F ; $E \cup F$ est l'ensemble des éléments appartenant à l'un au moins des ensembles E et F	$[1;5] \cup [2;7] = [1;7]$
Complémentarité : avec $F \subset E$	Complémentaire de F dans E ; $\overline{F_E}$ est l'ensemble des éléments de E qui ne sont pas éléments de F	$\overline{\mathbb{N}_Z} = \{n \in \mathbb{Z} \,/\, n < 0\}$

Les ensembles de nombres

Ensembles de nombres	Ensembles des ...
$\mathbb{N}$	Entiers naturels
$\mathbb{Z}$	Entiers relatifs
$\mathbb{Q}$	Nombres rationnels
$\mathbb{R}$	Nombres réels

Ensembles de nombres	Ensembles des ...
$\mathbb{C}$	Nombres complexes
$\mathbb{N}^* \ldots \mathbb{C}^*$	Éléments de l'ensemble privé de 0
$\mathbb{Z}_+ \ldots \mathbb{R}_+$ $\mathbb{Z}_- \ldots \mathbb{R}_-$	Éléments positifs ou nul (resp. négatifs ou nul) de l'ensemble

LOGIQUE

2 Construction de propositions

Convention Les énoncés mathématiques vrais et les énoncés mathématiques faux et uniquement ces énoncés sont appelés **propositions**. Ils seront notés par l'une des minuscules p, q, r, s, t.

EXEMPLES : Démonstration, raisonnement

❶ « *La fonction définie sur* $\mathbb{R}$ *par* $f(x) = e^x$ *est dérivable sur* $\mathbb{R}$ » est une proposition **vraie**.

❷ « *La fonction définie dans* $[0\,;+\infty[$ par $f(x) = \sqrt{x}$ *est dérivable en 0* » est une proposition **fausse**.

❸ Une équation n'est pas une proposition.

a La négation d'une proposition

EXEMPLE : p étant la proposition « la suite arithmétique de premier terme 3 et de raison -2 converge vers 0 », la négation de p qu'on note ***non*** $(\boldsymbol{p})$ ou $\neg \boldsymbol{p}$ ou $\overline{\boldsymbol{p}}$ est la proposition « la suite arithmétique de premier terme 3 et de raison -2 ne converge pas vers 0 ».

Propriétés ❶ p et *non* (p) n'ont jamais la même valeur de vérité.

❷ $non(non(p)) = p$.

b Les connecteurs et, ou

La conjonction *et*

EXEMPLE : « Le triangle ABC est rectangle et isocèle » est la conjonction des propositions p : « le triangle ABC est rectangle » avec q : « le triangle ABC est isocèle ». La conjonction de p avec q est notée ***p* et *q*** ou $\boldsymbol{p} \wedge \boldsymbol{q}$.

Propriétés p et q est vraie seulement lorsque les deux propositions p, q le sont.

La disjonction *ou*

EXEMPLE : n étant un entier naturel.
p : « n est un diviseur de 6 » ; q : « n est un diviseur 24 ».
La disjonction p ou q est vraie pour 1, 2, 3, 4, 6, 8, 12, 24. Les nombres qui divisent à la fois 6 et 24 sont dans la liste. En mathématiques, la disjonction ***p* ou *q*** qui se note aussi $\boldsymbol{p} \vee \boldsymbol{q}$ est inclusive.

Propriétés ❶ p ou q est vraie quand l'une au moins des propositions p, q est vraie.

❷ p ou q est fausse seulement quand les deux propositions p, q le sont.

c Implication et équivalence

Ce sont les outils les plus visibles de la démonstration.

EXEMPLES : ❶ p : « **si** f est dérivable en x_0 **alors** f est continue en x_0 ».

▸ La **contraposée** de cette implication p est : q : « **si** f n'est pas continue en x_0, **alors** f n'est pas dérivable en x_0 ».

▸ La **réciproque** de cette implication p est : r : « **si** f est continue en x_0, **alors** f est dérivable en x_0 ». Elle n'est pas vraie.

❷ ABC étant un triangle, « ABC est rectangle en A est équivalent à $AB^2 + AC^2 = BC^2$ » est une équivalence logique.

L'implication

Notations et vocabulaire ▸ L'implication **si *p* alors *q*** se note $\boldsymbol{p} \Rightarrow \boldsymbol{q}$.

▸ On dit que p est une **condition suffisante** pour q et que q est une **condition nécessaire** pour p.

Vocabulaire

Les théories mathématiques sont généralement construites à partir d'un groupe de propositions qui sont déclarées *Vraies* et non contradictoires. Ce sont les **axiomes** de cette théorie. La logique mathématique propose des outils pour construire de nouvelles propositions et leur attribuer une valeur de vérité.

Remarque

Dans « une porte est ouverte ou fermée » la disjonction « ou » n'est pas inclusive mais cette phrase n'est pas une proposition mathématique.

Propriétés

❶ $p \Rightarrow q$ est vraie dans les deux cas suivants :

- p est vraie et q aussi ;
- p est fausse. Ce cas est peu utilisé, mais il distingue l'implication de la conjonction.

❷ La **contraposée** de $p \Rightarrow q$ est $\boldsymbol{non(q)} \Rightarrow \boldsymbol{non(p)}$. Une implication et sa contraposée sont interchangeables. Démontrer l'une démontre l'autre.

❸ La **réciproque** de $p \Rightarrow q$ est $q \Rightarrow p$. Une implication et sa réciproque ne sont pas interchangeables.

L'équivalence logique

Notations et vocabulaire

- L'équivalence p est équivalent à q se note $p \Leftrightarrow q$.
- On dit que p est une **condition nécessaire et suffisante** pour q. On utilise également l'expression **si, et seulement si,** qui s'abrège en **ssi** voire en **sssi**.

Propriétés

❶ $p \Leftrightarrow q$ est une écriture condensée de $(p \Rightarrow q)$ et $(q \Rightarrow p)$.

❷ $p \Leftrightarrow q$ et $q \Leftrightarrow p$ sont deux propositions interchangeables.

Au fil du temps

La démonstration a sans doute été inventée par les mathématiciens grecs, Thales est souvent cité. *A priori*, une proposition est démontrée lorsqu'un cheminement validé par les lois de la logique mathématiques la rattache implacablement aux axiomes de la théorie concernée. En pratique, on saute les étapes que les lecteurs sont capables de reconstituer eux-mêmes et particulièrement les preuves des théorèmes connus. Le candidat bachelier suppose que son lecteur est un autre candidat bachelier qui connaît bien son cours et les techniques auxquelles il s'est entraîné durant les années de lycée.

d Les quantificateurs

EXEMPLES :

- $x^2 = -1$ n'est ni vrai, ni faux. Il faut des informations supplémentaires sur la variable x qui figure dans cette formule.
- Il existe au moins un nombre complexe x qui vérifie $x^2 = -1$ est une proposition vraie. Il suffit d'écrire $i^2 = -1$ pour le prouver. Une écriture formelle simplifiée de cette proposition est : $\exists\, x \in \mathbb{C},\ x^2 = -1$.
- Dans l'ensemble des nombres réels, $x^2 \neq -1$ est aussi une proposition vraie. Elle s'énonce de deux manières :

– quel que soit le réel x, $x^2 \neq -1$;
– pour tout réel x, $x^2 \neq -1$.

Une écriture formelle est $\forall\, x \in \mathbb{R},\ x^2 \neq -1$.

Le quantificateur existentiel : il existe au moins ... tel que

Notations et propriétés

Dans une proposition telle que « il existe au moins une fonction numérique f dérivable sur $\mathbb{R}$ vérifiant $f' = f$ », la locution **il existe au moins ... tel que** est appelée **quantificateur existentiel** et notée **∃...,**.

Remarque

Généralement, le domaine dans lequel on doit trouver la variable est précisé.

Le quantificateur universel : pour tout ...

Notations et propriétés

Dans une proposition telle que « pour tout entier naturel n, $1 + 2 + \ldots + n = \dfrac{n(n+1)}{2}$ », la locution « **pour tout ... ,** » est appelée **quantificateur universel** et notée **∀...,**.

Remarque

Généralement, le domaine dans lequel on doit trouver la variable est précisé.

LOGIQUE

Le quantificateur universel est très souvent implicite. Par exemple, « un triangle isocèle a deux côtés égaux » dissimule le quantificateur universel « pour tout triangle *ABC* isocèle… ».

Liens entre quantificateurs et négations

L'ordre des quantificateurs est important : « pour tout réel a, il existe un réel h tel que $|f(x+h)-f(x)|<a$ » n'est pas équivalente à « il existe un réel h tel que pour tout réel a, $|f(x+h)-f(x)|<a$ ». Dans la première le h peut dépendre de a, dans la seconde non.

3 Démonstration, raisonnement

a Démontrer une implication $p \Rightarrow q$

Par implications successives

Des étapes intermédiaires permettent d'utiliser théorèmes et propriétés souvent entrecoupés de calculs.

EXEMPLE : Pour démontrer que la fonction $f : x \mapsto \ln(x^2+1)$ est dérivable sur $\mathbb{R}$, on utilise successivement la dérivabilité sur $\mathbb{R}$ de $x \mapsto x^2+1$, la dérivabilité de ln sur les réels strictement positifs et enfin un théorème de dérivabilité des fonctions composées.

Par la contraposée

Au lieu de prouver $p \Rightarrow q$, on peut prouver la contraposée $non(q) \Rightarrow non(p)$.

EXEMPLE : Soit à démontrer dans $\mathbb{R}$ que l'implication $a \neq b \Rightarrow a^2 \neq b^2$ est fausse. Le calcul sur des égalités étant plus simple on travaille avec la contraposée qui est $a^2 = b^2 \Rightarrow a = b$ qui est clairement faux dans $\mathbb{R}$. La contraposée est fausse donc l'implication originelle l'est aussi.

Par l'absurde

Au lieu de prouver $p \Rightarrow q$, on peut prouver que la conjonction p et non (q) conduit à une contradiction.

EXEMPLE : On veut prouver l'ensemble I des nombres rationnels strictement supérieurs à 1 n' a pas de plus petit élément. On suppose l'existence d'un tel nombre rationnel qu'on nomme a. On construit alors le rationnel $b = \frac{1+a}{2}$. On a bien $b > 1$, donc $b \in I$, mais b est clairement plus petit que a, ce qui est contradictoire avec l'hypothèse « a est le plus petit élément de I ».
La preuve à produire est $I = \{x \in \mathbb{Q} \,/\, x > 1\} \Rightarrow I$ *n'a pas de plus petit élément.*
On a montré que $(I = \{x \in \mathbb{Q} \,/\, x > 1\})$ *et (I a un plus petit élément)* conduit à une contradiction.

Par disjonction des cas

L'hypothèse est décomposée en une famille de cas plus simples qui recouvrent toutes les situations possibles. On parle aussi d'analyse exhaustive.

Pour info

L'une des plus longues démonstrations réalisée sans recours aux calculs informatiques résulte de la coopération d'un centaine de mathématiciens principalement de 1950 à 1980. L'ensemble des articles remplit 15 000 pages. Le résultat est connu sous le nom de théorème énorme. Certains doutent qu'elle soit sans erreurs.

Pour info

La démonstration du théorème des quatre couleurs, qui affirme qu'il suffit de 4 couleurs pour colorier une carte de géographie, a été proposée en 1976 et comporte 1500 cas qui ont été calculés et vérifiés par ordinateur. S'il fallait la rédiger complètement, on obtiendrait plusieurs dizaines de millions de pages. Mais sa description en axiomes, règles de déduction et règles de calcul tient en quelques dizaine de pages.

EXEMPLE : Soit à démontrer que l'équation $e^{[|2x-4|+|x+5|]} = 1$ a exactement 1 solution dans $\mathbb{R}$. Après avoir ramené le problème à l'étude des solutions de $|2x-4|+|x+5| = 0$. On le sépare en trois cas permettant de se débarrasser des valeurs absolues $x \leqslant -5$ *ou* $-5 \leqslant x \leqslant 2$ *ou* $x \geqslant 2$.

Par un contre-exemple

Pour démontrer qu'une proposition, contenant le quantificateur universel de préférence, est fausse on peut se contenter d'exhiber un contre-exemple.

Exemple

Pour démontrer qu'il est faux d'affirmer que toutes les fonctions numériques continues sur $\mathbb{R}$ sont dérivables sur $\mathbb{R}$, il suffit de citer la fonction valeur absolue qui est continue et n'est pas dérivable en 0.

b Démontrer une équivalence $p \Leftrightarrow q$

Par condition nécessaire puis suffisante

C'est la méthode la plus sûre. On démontre que p est une condition nécessaire pour q, puis que c'est une condition suffisante, ce qui revient à démontrer $p \Rightarrow q$ et $q \Rightarrow p$. Toutes les idées précédentes peuvent être mobilisées alors.

Par équivalences successives

On construit un enchaînement d'équivalences. Cette stratégie économique est déconseillée, car elle dissimule de nombreuses difficultés et pièges. En particulier, les phases de calcul et de simplifications d'expressions nécessitent une très forte prudence. La démonstration (fausse) de $1 = 0$ se fait en divisant les deux membres d'une égalité par $(a - b)$ puis en remplaçant plus loin a et b par 1…

LOGIQUE

4 La démonstration par récurrence

EXEMPLE : Démontrer que pour tout $n \in \mathbb{N}^*$ la somme S_n des n premiers nombres impairs égale n^2.

Il est souvent bon d'examiner les premiers termes : $S_1 = 1$; $S_2 = 1 + 3 = 4$; $S_3 = 1 + 3 + 5 = 9$. Remarquant que le dernier terme de S_n est $2n - 1$, celui de S_{n+1} est certainement $(2n - 1) + 2 = 2n + 1$, on peut écrire que $S_{n+1} = S_n + 2n + 1$ et s'il est vrai que $S_n = n^2$, alors $S_{n+1} = n^2 + 2n + 1 = (n+1)^2$. Comme $S_1 = 1 = 1^2$, la propriété se propage à partir de $n = 1$ d'entier à entier suivant. C'est en réalité, le dernier axiome de Giuseppe Peano qui permet de conclure, mais on le cite jamais.

Pour construire une démonstration par récurrence on peut procéder en quatre étapes, la rédaction ne mettant souvent en valeur que les second et troisième points, qui constituent le cœur de la démonstration.

- **Formalisation de la propriété à démontrer :** p_n : pour tout $n \in \mathbb{N}^*$, $S_n = n^2$.
- **Initialisation :** ici le plus petit n est 1. p_1 : $S_1 = 1^2$ est vraie, car $S_1 = 1 = 1^2$.
- **Hérédité :** On démontre la proposition $n \geqslant 1$ et $p_n \Rightarrow p_{n+1}$.
La condition posée sur n est liée à l'initialisation et ne doit pas être omise.
- **Conclusion :** $\forall n \in \mathbb{N}^*$, $S_n = n^2$.

Remarque Pour démontrer que tout entier naturel possède au moins un diviseur premier, on combine un raisonnement par récurrence et un raisonnement par l'absurde. Bien qu'on trouve cette procédure dans les éléments d'Euclide, elle est souvent appelée **descente infinie de Fermat**.
On suppose qu'il existe des entiers naturels qui n'ont pas de diviseurs premiers et on s'intéresse au plus petit d'entre eux n_0 dont l'existence est assurée par la structure de $\mathbb{N}$, n_0 n'est pas nul. Cet entier n'est donc pas premier et n'a pas de diviseurs premier et il s'écrit $n_0 = kn_1$ avec $n_0 > n_1$.
n_1 n'est pas premier et n'a pas de diviseur premier, on peut donc réitérer le procédé et fabriquer une suite infinie, de premier terme n_0 strictement décroissante de nombre naturels ce qui est contradictoire avec la structure de $\mathbb{N}$, car il n'y a que n_0 entiers naturels strictement inférieurs à n_0.

Achevé d'imprimer en Italie par Grafica Veneta
Dépôt légal: 04/2012 - Collection n° 68 - Edition n° 01
13/5576/7

Index

A – B

C – D

E – F – G

I – L

M – N – O

P – Q – R

S – T

U – V

Calculatrices graphiques Casio®

En bleu les instructions à l'écran de la calculatrice ; on les sélectionne par les touches …

Suite récurente

 RECUR On traite l'exemple pour $u_{n+1} = 2u_n + 1$ avec $u_0 = 1$.

TYPE pour choisir le type de définition de la suite : prendre a_{n+1} pour une suite récurrente .

n.an. pour avoir accès à a_n et n quand on saisit l'expression de a_{n+1} en fonction de a_n et valider par EXE.

SET pour définir l'indice du terme initial et sa valeur.

TABL pour tabuler, **FORM** pour revenir à l'expression.

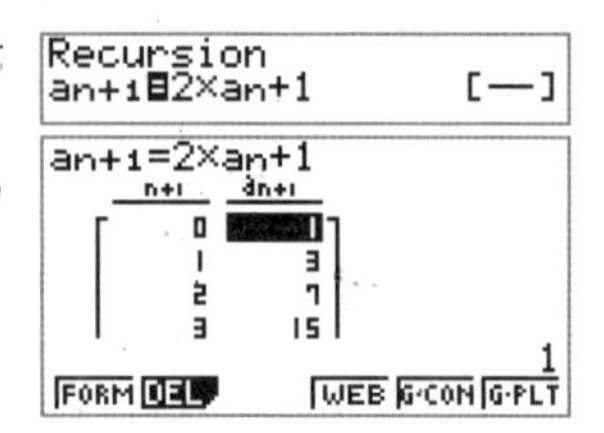

Fonction

On traite l'exemple de la fonction $f(x) = -\frac{1}{4}x^2 + x + 1$.

Entrer une expression

 ou TABLE pour saisir l'expression en **Y1**, en remplaçant x par .

Graph Func :Y=
Y1■$-\frac{1}{4}$×X²+X+1 [—]

Dresser un tableau de valeurs  TABLE

SET pour définir les paramètres de tabulation.

TABL pour tabuler.

Tracer une courbe représentative MENU 

SHIFT **V-Window** pour choisir la fenêtre.

DRAW pour visualiser la courbe représentative.

SHIFT **Trace** pour se déplacer sur la courbe.

Calculer dans la fenêtre graphique  **G-Solv**

ROOT pour déterminer les solutions de l'équation $f(x) = 0$.

MAX et **MIN** pour déterminer les extrema de la fonction.

ISCT pour repérer les points d'intersection de deux courbes.

$\int dx$ pour calculer l'intégrale de f entre deux bornes à saisir.

On lit $\int_1^4 f(x)dx = 5{,}25$:

LOWER=1 UPPER=4
∫dx=5.25

Calculer dans l'écran de calcul 

OPTN **CALC** **d/dx** pour calculer le nombre dérivé d'une fonction, de variable X,θ,T, en un nombre donné.

OPTN **CALC** $\int dx$ pour calculer l'intégrale d'une fonction, de variable X,θ,T, entre deux bornes données.

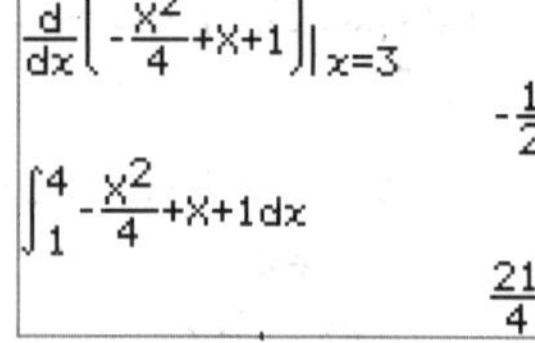

Nombres complexes

Se placer en  **Rad**.

Utiliser SHIFT 0 (i) pour obtenir le nombre i.

Calculer sur les complexes :  **CPLX**

Arg pour calculer un argument d'un complexe non nul.

Abs pour calculer le module d'un complexe.

▶ **a + bi** pour obtenir la forme algébrique du complexe précédent.

▶ **r ∠ θ** pour obtenir la forme exponentielle du complexe précédent.

$\frac{1+2i}{3-i}$ → $\frac{1}{10}+\frac{7}{10}i$

$|1+i\sqrt{3}|$ → 2

Arg $(1+i\sqrt{3})$ → $\frac{1}{3}\pi$

$(\sqrt{2}\times e^{i\pi\div4})$▸a+bi → 1+i